The University of Chicago Spanish Dictionary

Student Edition

Universidad de Chicago Diccionario Español–Inglés,
Inglés–Español

Edición Escolar

Universidad de Chicago Diccionario Español–Inglés, Inglés–Español

Edición Escolar

Compilación original de Carlos Castillo y Otto F. Bond

QUINTA EDICIÓN

David Pharies
Director

María Irene Moyna
Redactora Adjunta

Gary K. Baker
Asistente de Dirección

Erica Fischer Dorantes
Ayudante de Dirección

POCKET BOOKS
NEW YORK   LONDON   TORONTO   SYDNEY

The University of Chicago Spanish Dictionary

Spanish–English • English–Spanish

Student Edition

Originally Compiled by Carlos Castillo and Otto F. Bond

FIFTH EDITION

David Pharies
Editor in Chief

María Irene Moyna
Associate Editor

Gary K. Baker
Assistant Editor

Erica Fischer Dorantes
Editorial Assistant

POCKET BOOKS
NEW YORK   LONDON   TORONTO   SYDNEY

POCKET BOOKS, a division of Simon & Schuster, Inc.
1230 Avenue of the Americas, New York, NY 10020

Copyright © 2002 by The University of Chicago
This Student Edition copyright © 2003 by The University
of Chicago

Published by arrangement with The University of Chicago Press

ISBN 978-1-4165-4694-8

First Pocket Books printing December 2003

10 9 8 7 6 5 4 3

POCKET and colophon are registered trademarks of
Simon & Schuster, Inc.

Manufactured in the United States of America

For information regarding special discounts for bulk purchases,
please contact Simon & Schuster Special Sales at 1-800-456-6798
or business@simonandschuster.com.

Contents

Preface to the Fifth Edition

The University of Chicago Spanish Dictionary has been compiled for the general use of the American English-speaking learner of Spanish and the Spanish-speaking learner of American English.

With this purpose in mind, the editors of the fifth edition have introduced a number of significant improvements. One of the most important changes is the addition of many new words and meanings in order to bring the dictionary up to date with the latest technical advancements and cultural changes. Especially significant are additions in the fields of medicine (*anorexia, antioxidant, clone, defibrillate, gene splicing, HIV, hypoglycemia, liposuction, mammography, melanoma, metastasis, progesterone, scoliosis*), electronics (*CD, fax, magnetic resonance imaging, microwave, satellite dish*), computers (*browser, cache, chat room, megabyte, on-line, scanner, search engine, URL, website*), and science and technology (*entropy, genome, nanosecond, polyurethane, pulsar, smart bomb*). Recent cultural phenomena are captured in items such as *bungee jumping, e-commerce, mountain bike, politically correct, pro-life, sexual harassment*, and *surrogate mother*, as well as in slang terms such as *bigtime, ditsy, hype*, and *no-brainer*. In order to provide the most up-to-date picture of the language, many obsolescent or obsolete terms have been eliminated, such as *aught, ere, forenoon, fortnight, kerchief, knave, morrow*, and *o'er*.

Another significant improvement in the fifth edition is the consistent use of parenthetical words meant to guide the choice of equivalents from a series. For example, among the various equivalents of *soft*, the user is advised to choose *blando* to apply to butter, *suave* to apply to skin, and *tenue* to apply to light. Similarly, users are enabled by these parenthetical words to choose appropriate equivalents for *sheet* according to whether reference is being made to a sheet of paper (*hoja*), of ice (*capa*), of glass (*lámina*), or to a bed covering (*sábana*).

A change that will enhance the usability of the dictionary is the integration into the entries themselves of material that was formerly presented in charts and lists, such as idioms, proverbs, names of nations, and cardinal and ordinal numbers.

The amount and quality of grammatical information has been expanded. For the first time, gender markings for Spanish noun equivalents are provided on the English–Spanish side, thus freeing users from having to seek this information on the Spanish–English side. Additionally, transitive and intransitive verbal meanings are distinguished.

The frequent references to regional usage characteristic of the fourth edition have been de-emphasized here, partly for reasons of space, partly because of the notorious unreliability of the available information on regional dialects. In the present edition, such information is provided only where a word of more general currency might not be understood (see the various equivalents of Eng. *bean*) or where the word is universally recognized as being characteristic of a given dialect (see Sp. *che, cuate*).

Acknowledgments

The Editor in Chief and the University of Chicago Press wish to acknowledge with thanks the contributions to early project planning made by the following Advisory Board, all from the University of Chicago: Paolo Cherchi, Gene B. Gragg, Eric P. Hamp, Salikoko Mufwene, and Michael Silverstein.

Preámbulo a la quinta edición

Este libro se ha compilado para el uso general del anglohablante estadounidense que estudia español y para el hispanohablante que estudia el inglés americano.

Con este propósito, los editores de la presente edición han incorporado una cantidad sustancial de mejoras. Uno de los cambios más importantes es la adición de muchos términos y significados nuevos que han puesto el diccionario al día con los avances tecnológicos y las transformaciones culturales. De especial importancia son las incorporaciones en los campos de la medicina (*anorexia, antioxidante, clon, desfibrilar, empalme genético, escoliosis, hipoglucemia, VIH, liposucción, mamografía, melanoma, metástasis, progesterona*), la electrónica (*CD, fax, imagen por resonancia magnética, microondas, parabólica, píxel*), la informática (*bit, caché, en línea, escáner, megabyte, motor de búsqueda, navegador, protector de tensión, sitio web, URL*) y la ciencia y la tecnología (*bomba inteligente, entropía, genoma, nanosegundo, púlsar, poliuretano*). Los recientes fenómenos culturales se ven reflejados en términos tales como *antiaborto, bicicleta de montaña, lifting, limpieza étnica, madre de alquiler, políticamente correcto,* y *puénting* además de palabras familiares, tales como *chute, coca, curro, mala leche, truja*. Al mismo tiempo, para captar la lengua en su forma más actualizada se han eliminado muchas palabras arcaicas o caídas en desuso como *acullá, albéitar, asaz, luengo* y *postrer*.

Otra mejora considerable de la quinta edición es el uso sistemático de indicadores semánticos, que van entre paréntesis y cuyo objetivo es guiar en la elección del equivalente apropiado a partir de una serie de posibilidades. Por ejemplo, entre los diferentes equivalentes de *destino*, se advierte al usuario que opte por *fate* cuando significa 'hado', por *destination* cuando significa 'lugar adonde se viaja' y por *use* cuando significa 'uso'. Del mismo modo, la presencia de estos indicadores semánticos posibilita al usuario elegir con certeza entre los equivalentes de *calmar* según se hable de los nervios (*to calm*), dolor (*to soothe*), miedo (*to allay, to quell*) o sed (*to quench*).

Otro cambio que sin duda facilitará el empleo del diccionario es la integración, en el cuerpo del mismo, de material que en ediciones anteriores se presentaba en forma de cuadros y listas, tal como expresiones idiomáticas, refranes, nombres de países y números cardinales y ordinales.

También se ha incrementado la cantidad y calidad de la información gramatical. Por primera vez se proporcionan las marcas de género gramatical para los sustantivos en la sección inglés–español, lo cual elimina la necesidad de consultar la sección español–inglés para obtener esta información. Además, se distinguen los significados verbales transitivos e intransitivos.

En comparación con la edición anterior, la nueva insiste mucho menos en las diferencias dialectales en el vocabulario del español, en parte por razones de espacio y en parte porque la información disponible sobre ese aspecto del vocabulario es incompleta y poco fidedigna. En la presente edición las referencias al léxico regional se limitan a unos cuantos tipos de términos, concretamente, aquellos que pueden resultar desconocidos en una determinada comunidad lingüística (como los muchos equivalentes españoles del ingl. *bean*) y aquellos que son universalmente reconocidos como típicos de un dialecto dado (ver *che*, *cuate*).

Agradecimiento

El Director y la Editorial de la Universidad de Chicago desean expresar su gratitud por las contribuciones a la planificación de la obra hechas por los miembros del Consejo Editorial, concretamente por Paolo Cherchi, Gene B. Gragg, Eric P. Hamp, Salikoko Mufwene y Michael Silverstein.

How to Use *The University of Chicago Spanish Dictionary*

Order of Entries

Alphabetical order is observed irrespective of hyphens or spaces, such that *air conditioner* precedes *aircraft* and *middle school* precedes *middle-sized*. Homographs are placed under a single entry (*lie* 'to prevaricate', *lie* 'to recline', both pronounced [laɪ]), with different pronunciations if applicable (e.g., *bow* [baʊ] 'forward end of a vessel', *bow* [bo] 'bend, curve'). Regarding Spanish, according to the current policy of the Spanish Royal Academy,[1] *ch* and *ll* are no longer recognized as separate letters, such that *ch* now follows *ce* and precedes *ci*, and *ll* follows *li* and precedes *lo* in alphabetization.

Compounds listed within entries are also alphabetized. However, the need to list compounds under their first element sometimes interferes with alphabetization, as when *slumlord*, a compound listed under *slum*, comes before the next headword, *slumber*, even though strict alphabetization would require the reverse.

Spelling

Spelling of English words reflects common American usage, variants being noted where applicable (*ax, axe; sulphur, sulfur; stymie, stymy*). The spelling of Spanish words, where possible, follows the conventions of the Spanish Royal Academy. For the orthography of problematic Spanish words such as recent borrowings (*escáner, scooter*), country names (*Malí, Irak*) and adjectives of nationality (*zimbabuo*), a variety of authorities were consulted, including the *Diccionario del español actual*, the *Diccionario de dudas*, the *Libro de estilo* published by the Madrid newspaper *El País*, and various Internet sources.[2] It should be noted that there is vacillation in some cases, cf. *Bahrain*, which is listed as *Bahrein* in the *Libro de estilo* and as *Bahráin* or *Bahréin* in the *Diccionario de dudas*. In these cases, we either opt for the form that appears to be most generally accepted or provide multiple equivalents.

---

1. Real Academia Española, *Ortografía de la lengua española* (Madrid: Espasa-Calpe, 1999), p. 2.

2. Manuel Seco, Olimpia Andrés, and Gabino Ramos, *Diccionario del español actual* (Madrid: Aguilar, 1999); Manuel Seco, *Diccionario de dudas y dificultades de la lengua española*, 10th ed. (Madrid: Espasa-Calpe, 1998), *El País: Libro de estilo*, 9th ed. (Madrid: Ediciones El País, 1990).

Omissions

Some categories of words are systematically omitted from the vocabulary entries. First, irregular English past tense and participial forms (e.g., *drunk*, *smitten*), formerly included among the entries, have been removed and are presented instead in a verb table (p. 282). Second, adverbial forms in *-ly* (English) and *-mente* (Spanish) are included only when their usage and meaning are not transparently derivable from their adjectival bases. Thus, *clearly* is omitted, as its usage is predictable from its adjectival base ('in a clear way'), while *surely* is included, since it means, in addition to 'in a sure way', also 'undoubtedly' or 'without fail'. Similarly, *claramente* 'clearly' is omitted, while *atentamente* is retained, since the latter, in addition to meaning 'in an attentive manner', is also used as a farewell, equivalent to 'yours truly'. Third, English nouns in *-ing* and adjectives in *-ed*, which may appear as glosses of Spanish words, are not always accorded separate entries on the English–Spanish side, due to their derivational regularity and to considerations of space.

Structure of Entries

1. HEADWORD. Spelling variants, if any, follow the most frequent form, which appears first. In Spanish, occupational designations, titles, and kinship terms are shown in both masculine and feminine forms, as in *abogado -da*.
2. PRONUNCIATION. Pronunciation of English words is indicated through a modified version of the International Phonetic Alphabet, whose conventions are explained on p. 276. No individual transcription of Spanish words is required, given the simplicity and consistency of the Spanish orthographic system. See "The Spanish Spelling System and the Sounds Represented" (p. 2) for an explanation.
3. GRAMMATICAL CATEGORY. Meanings are marked according to whether they reflect usage as a noun (*n*), adjective (*adj*), adverb (*adv*), conjunction (*conj*), preposition (*prep*), pronoun (*pron*), interjection (*interj*), transitive verb (*vt*), or intransitive verb (*vi*). The exception to this rule is that nouns on the Spanish–English side are marked only by gender, i.e., *m* (masculine noun) or *f* (feminine noun).

    Order of meanings within an entry reflects frequency of usage. Where more than one grammatical category can be rendered by the same gloss, the two are listed together, cf. Eng. *red*, which can be glossed as Sp. *rojo* in both its adjective and noun meanings.

    Traditionally, Spanish adjectives are listed in their masculine form only. However, where the adjective normally functions as a noun as well, it is shown with both masculine and feminine forms if both are possible, cf. the case of *africano -na*, which can mean *African* in the adjectival sense as well as *African (man)* and *African (woman)*.

    Special mention must be made of the combination "vi/vt." Occasionally, a single verb form may function both transitively and intransitively, e.g., both *to eat* and its Spanish equivalent *comer*. Not infrequently, however, Spanish glosses of English intransitives require the addition of the pronominal particle *-se*. Thus, in cases such as *to bathe*, marked "vi/vt" and glossed *bañar(se)*, it should be understood that the bare form is transitive, and the *-se* form intransitive. Finally, where transitivity differs between a headword and its equivalent in the second language, particles must be added to reflect this, as in the case of the transitive English verb *to regret*, which is glossed in Spanish as *arrepentirse de*, since *arrepentirse* alone is intransitive. Where an English verb can be used both transitively and intransitively and its Spanish equivalent is only intransitive, the latter may sometimes be made transitive through the addition of a preposition, which appears in parentheses. Thus, English *fight* is glossed as *pelear (con)* to show that its intransitive equivalent is *pelear*, whereas its transitive equivalent is *pelear con*.

Again for reasons of economy, pronominal forms of Spanish verbs are omitted in two cases: First, when the particle *-se* functions as a direct object, either reflexive or reciprocal, cf. *mirarse*, which can mean both *to look at oneself*, and *to look at each other*, and second, when the addition of *-se* does not affect the English translation, cf. *bañar(se)*, glossed in both meanings as *to bathe*. In contrast, pronominal forms of verbs are included when they differ substantially in meaning from the bare forms, cf. *ir*, glossed as *to go*, vs. *irse*, which means *to leave*.

4. DELIMITERS. Whenever a word, within a grammatical category, is considered to have two or more meanings, these are differentiated by means of delimiters, that is, explanatory markers. Most commonly, synonyms are used, cf. *retort*, which in the meaning 'reply' is glossed as *réplica* and in the meaning 'vessel' as *retorta*, though on occasion other strategies may be adopted. Thus, transitive verbs are sometimes best differentiated according to the objects they take, cf. *to negotiate* (a contract), which is glossed *negociar*, while *to negotiate* (an obstacle) is glossed *salvar*. Similarly, adjectives may be most easily distinguished by showing the referents to which they regularly apply, cf. *refreshing*, which applied to drink is *refrescante*, to sleep is *reparador*, and to honesty is *amable*. Not infrequently, a single equivalent covers almost all meanings of a headword in a single grammatical category. In such cases, only the "exceptional" meaning, placed second, is delimited. For example, the equivalent of Eng. *net* in almost all its meanings is Sp. *red*, though when it refers specifically to a hairnet it is *redecilla*. Although delimiters typically precede the gloss they are meant to distinguish, occasionally they are placed afterward. In these cases they are meant to erase doubts about the applicability of a given gloss in a specific secondary context, cf. *site*, whose gloss *sitio* is followed by the delimiter "also Internet."

5. GLOSSES. Insofar as is possible, glosses are intended to match the headword in terms of meaning, register, and frequency. Thus, *cop* is glossed as *poli* rather than the more formal *policía*. Similarly, *orinar* is glossed as *to urinate* rather than the informal *to pee*. Glosses separated by a comma are to be considered interchangeable, if not perfectly synonymous. Semicolons, on the other hand, indicate separate meanings.

6. REGIONAL USAGE. No systematic attempt has been made to reflect regional usage in either English or Spanish, since in the great majority of cases a word of more general currency is available as a gloss. Thus, among the many Spanish equivalents of Eng. *peasant*, Sp. *campesino* is understood everywhere, even where a local term also exists, such as Puerto Rican *jíbaro*, Cuban *guajiro*, and Chilean *guaso*. However, Spanish regional usage is marked where either of the following conditions are met: (1) there is no term of international currency, or it might not be understood in a given location (cf. the various regional Spanish equivalents of Eng. *bean*), or (2) a specific regionalism is known throughout the Spanish-

speaking world to be typical of a given dialect, cf. River Plate *che*, Mexican *ándale*, *cuate*.

7.   STYLISTIC MARKERS. Because, as mentioned earlier, equivalents are chosen in order to match headwords in all aspects of their meaning, including register and frequency, stylistic markers are only infrequently employed. For example, there is no need to mark the Spanish gloss *tonto* as familiar, since it is meant to be equivalent to the equally familiar Eng. *fool*. Only five register markers are employed: literary (*lit*), which also includes poetic and formal language, familiar (*fam*), which designates words used among family and friends, vulgar (*vulg*), for words whose use is socially censured, pejorative (*pej*), which implies a negative evaluation, and *offensive* (not abbreviated), for words meant to insult people.

8.   COMPOUNDS. Ease of usage would dictate that each lexical item receive its own entry, but for reasons of economy this is not possible in a concise dictionary. This explains why compound words, which are composed of two or more preexisting words, are listed in almost all cases under the entry of their initial constituent, at the end of the corresponding grammatical category. Thus, *doghouse* is listed as —*house*, under *dog*. There are certain exceptions to this convention, however. First, compounds are listed under the headword of their second constituent when the first is extremely frequent, as are the so-called empty verbs such as Eng. *keep*, *take*, *turn*, Sp. *hacer*, *tener*, *tomar*. Thus, *to have a good time*, glossed *divertirse*, is listed under *time* rather than *have*, and *tener paciencia*, glossed *to be patient*, is under *paciencia* rather than *tener*. Second, English compounds whose first element is a preposition (*offsides*, *outcast*, *overcome*) are listed as separate headwords, chiefly because of their frequent grammatical complexity, cf. *overhead*, which can be an adverb (*it flew overhead*), an adjective (*overhead projector*), or a noun (*overhead from grant money*). Conversely, derived words, that is, words that contain one or more affixes (e.g., *antiabortion*, composed of the prefix *anti-* plus *abortion*, and *kingdom*, composed of *king* plus the suffix *-dom*), are listed as separate headwords.

9.   ILLUSTRATIVE PHRASES. Appearing together with the compound words pertinent to any given grammatical category are illustrative phrases, a category defined so as to include idioms, collocations, proverbs, and, especially, sentences required to clarify usage in some way, as when the usage of *gustarle a uno* as a gloss of *to like* is illustrated by the phrase *he likes dogs*, with the translation *le gustan los perros*.

Cómo usar el *Universidad de Chicago Diccionario Español–Inglés, Inglés–Español*

Orden de las entradas

Se respeta el orden alfabético, independientemente de la presencia de guiones o espacios, de tal manera que *air conditioning* precede a *aircraft* y *middle school* precede a *middle-sized*. Los homógrafos se ubican en una sola entrada (*lie* 'mentir' y *lie* 'yacer', ambos con la pronunciación [laɪ]), y se indican sus distintas pronunciaciones si corresponde (e.g., *bow* [baʊ] 'proa' y *bow* [bo] 'curva'). En cuanto al español y siguiendo la política oficial de la Real Academia Española,[1] *ch* y *ll* ya no se reconocen como letras independientes, de tal manera que *ch* ahora sigue a *ce* y precede a *ci*, y *ll* sigue a *li* y precede a *lo* en el orden alfabético.

Asimismo, los compuestos incluidos dentro de una entrada determinada aparecen en orden alfabético a continuación de su primer elemento, lo cual a veces interfiere con el orden alfabético general. Así, por ejemplo, *rompeolas* aparece a continuación de *romper*, porque se trata de un compuesto de dicho verbo, si bien el orden alfabético requeriría lo contrario.

Ortografía

La ortografía de los vocablos ingleses refleja el uso general en inglés americano, y las variantes se incluyen en los casos pertinentes (*ax, axe; sulphur, sulfur; stymie, stymy*). La ortografía española sigue las convenciones de la Real Academia Española. Para la grafía española de palabras problemáticas, tales como préstamos recientes (*escáner, scooter*), nombres de países (*Malí, Irak*) y gentilicios (*zimbabuo*), se consultaron fuentes tales como el *Diccionario del español actual*, el *Diccionario de dudas*, el *Libro de estilo* de *El País* de Madrid y varios sitios en el Internet.[2] Corresponde hacer notar que la grafía de algunos términos vacila entre varias posibles, cf. la versión española de *Bahrain*, que aparece como *Bahrein* en el *Libro de estilo* y como *Bahráin* o *Bahréin* en el *Diccionario de dudas*, en cuyo caso damos la forma que parece más generalmente aceptada u ofrecemos varias.

---

1. Real Academia Española, *Ortografía de la lengua española* (Madrid: Espasa-Calpe, 1999), p. 2.

2. Manuel Seco, Olimpia Andrés y Gabino Ramos, *Diccionario del español actual* (Madrid: Aguilar, 1999); Manuel Seco, *Diccionario de dudas y dificultades de la lengua española*,10ª ed. (Madrid: Espasa-Calpe, 1998), *El País: Libro de estilo*, 9ª ed. (Madrid: Ediciones El País, 1990).

Omisiones

Algunas categorías de palabras se omiten sistemáticamente de las entradas del diccionario. En primer lugar, las formas irregulares de los pretéritos y participios pasados del inglés (e.g., *drunk*, *smitten*), que en ediciones anteriores aparecían incluidas en el cuerpo del diccionario, se han eliminado y se presentan ahora tabuladas (p. 282). En segundo lugar, las formas adverbiales en *-mente* (español) y en *-ly* (inglés), se incluyen solamente cuando su uso y significado no pueden deducirse claramente de sus bases adjetivas. De esta forma, *claramente* se omite, ya que su significado es predecible a partir de su base adjetiva ('de manera clara'), mientras que *atentamente* se incluye, ya que además de significar 'de manera atenta', también se usa como fórmula de despedida epistolar. Del mismo modo, se omite *clearly*, porque su equivalente, *de manera clara*, se deduce de su base adjetiva, mientras que se incluye *surely* porque además de significar *de forma segura* también quiere decir *sin duda*. Finalmente, debe notarse que los sustantivos ingleses terminados en *-ing* y los adjetivos en *-ed*, que pueden aparecer como traducción de palabras españolas en la parte español–inglés, no figuran siempre como cabezas de artículo en la parte inglés–español debido a la total regularidad de su formación y a consideraciones de espacio.

Estructura de las entradas

1. PALABRAS CABEZA DE ARTÍCULO. Las variantes ortográficas, si las hay, siguen a la forma más frecuente, que aparece en primer término. En español, las designaciones de profesiones y oficios, los títulos y las relaciones de parentesco aparecen tanto en la forma masculina como en la femenina, como por ejemplo, *abogado -da*.

2. PRONUNCIACIÓN. La pronunciación de las palabras inglesas se indica mediante una versión modificada del Alfabético Fonético Internacional, cuyas convenciones se explican en la p. 276. No se requiere transcripción individual de las palabras españolas, gracias a la simplicidad y sistematicidad de la ortografía española. Para detalles, ver la sección titulada "The Spanish Spelling System" en la p. 2.

3. CATEGORÍA GRAMATICAL. Los significados se marcan según reflejen el uso de la palabra como sustantivo masculino (*m*), sustantivo femenino (*f*), adjetivo (*adj*), adverbio (*adv*), conjunción (*conj*), preposición (*prep*), pronombre (*pron*), interjección (*interj*), verbo transitivo (*vt*) o verbo intransitivo (*vi*). En inglés, en cambio, los sustantivos se marcan con *n*, abreviación de *noun*.

   Los significados dentro de una entrada aparecen ordenados de manera que el más frecuente figure primero. Cuando la misma traducción cubre el significado de dos categorías gramaticales, ambas aparecen juntas, cf. el inglés *red*, que puede traducirse como *rojo* tanto en su significado sustantivo como en el adjetivo.

   Siguiendo la tradición, los adjetivos españoles aparecen exclusivamente en su forma masculina. Sin embargo, cuando el adjetivo frecuentemente funciona además como sustantivo, se muestra tanto en la forma masculina como en la femenina si ambas son posibles, cf. el caso de *africano -na*, traducido al inglés como *African*, forma adecuada para todos sus usos.

   La combinación "vi/vt" merece mención especial. En ocasiones, una única forma verbal funciona tanto transitiva como intransitivamente, v.g., tanto *comer* como su equivalente inglés *to eat*. Sin embargo, es también frecuente que las traducciones españolas de verbos intransitivos ingleses requieran el agregado de una partícula pronominal *-se*. Así, en casos tales como *to bathe* que se marca "vi/ vt," y se traduce como *bañar(se)*, debe entenderse que la forma no pronominalizada es transitiva y la forma con *-se* es intransitiva. En aquellos casos en los que la palabra cabeza de artículo y su equivalente en la otra lengua difieren en transitividad, se deben agregar partículas para reflejar esta diferencia. Tal es el caso del verbo *aprobar*, que se traduce al inglés como *to approve of* en algunos de sus significados, ya que *to approve* es intransitivo si no va acompañado de preposición. Finalmente, en los casos en los que un verbo español puede usarse tanto intransitiva como transitivamente y su equivalente inglés es exclusivamente intransitivo, este último puede a veces volverse transitivo mediante el agregado de una preposición entre paréntesis. Así, el esp. *chivar* se traduce como *to snitch* (*on*) para mostrar que su forma intransitiva en inglés es *to snitch* mientras que el equivalente transitivo es *to snitch on*.

Por razones de espacio se omiten las formas pronominales de los verbos españoles en dos casos. En primer lugar, se omiten si la partícula pronominal hace las veces de complemento directo reflexivo o recíproco, cf. *mirarse* (a sí mismo o el uno al otro). En segundo lugar no se incluyen tampoco si la partícula pronominal no afecta la traducción al inglés, como en el caso de *bañar* y *bañarse*, ambos *to bathe*. Sí se incluyen aquellas formas pronominales que difieren semánticamente de sus verbos de base, cf. *ir* vs. *irse*.

4. INDICADORES SEMÁNTICOS. En aquellos casos en los que una palabra, dentro de una misma categoría gramatical, tiene dos o más acepciones, estas se distinguen por medio de indicadores semánticos, o sea, explicaciones parentéticas. Lo más frecuente es que se empleen sinónimos, cf. *arco*, que se traduce *arc* cuando se trata de una curva, como *arch* cuando se refiere a una estructura arquitectónica, y como *bow* cuando se trata de un arma, aunque en otras ocasiones se adoptan otras estrategias. Así, los verbos transitivos a veces se distinguen con mayor facilidad mediante los tipos de complementos directos que los acompañan, cf. *acordonar* (un zapato) *to lace*, (un lugar) *to rope off*, (una moneda) *to mill*, mientras que la forma más sencilla de distinguir adjetivos es mostrar los tipos de referentes a los cuales se aplican con mayor frecuencia, cf. *inseguro*, que aplicado a una personalidad se traduce por *insecure*, a un vehículo por *unsafe*, y al andar por *unsteady*. Es frecuente que un único equivalente abarque casi todas las acepciones de una palabra cabeza de artículo dentro de una categoría gramatical determinada. En esos casos, solamente el significado "excepcional," que aparece en segundo lugar, se acompaña de un indicador semántico. Por ejemplo, el equivalente de *acceso* en casi todas sus acepciones es *access*, excepto cuando se refiere a un ataque de tos o rabia, en cuyo caso se traduce como *fit*. Aunque los indicadores semánticos normalmente preceden a la traducción que les corresponde, en ocasiones se ubican después. En estos casos tienen como objetivo eliminar dudas acerca del empleo de una traducción determinada en un contexto secundario específico, cf. *acompañar*, cuya traducción *to accompany* va seguida de un indicador semántico "también en música" para confirmar al lector su aplicación a ese contexto.

5. TRADUCCIONES. En la medida de lo posible, se ha tratado de que las traducciones sean equivalentes a la palabra cabeza de artículo en cuanto a su significado,

registro y frecuencia. Así, *poli* se traduce como *cop* y no como *policeman*, palabra más formal. De la misma forma, *to urinate* se traduce como *orinar* y no como *hacer pipí*, expresión más familiar. Las traducciones separadas por una coma deben considerarse equivalentes, aunque no sean exactamente sinónimas. El uso del punto y coma indica acepciones distintas.

6. USO REGIONAL. No se ha hecho ningún esfuerzo sistemático por reflejar usos regionales, ni en inglés ni en español, ya que en la gran mayoría de los casos existe una palabra de uso general. Así, entre los muchos equivalentes españoles de la palabra inglesa *peasant*, su equivalente español *campesino* se entiende en todo el mundo de habla hispana, aun cuando existan términos locales, tales como *jíbaro* en Puerto Rico, *guajiro* en Cuba y *guaso* en Chile. Sin embargo, el uso regional se indica para el español en dos casos específicos. En primer lugar se encuentran los casos en los que una palabra determinada podría resultar desconocida en una región dada, como los varios equivalentes españoles del ingl. *bean*. Segundo, se han incluido regionalismos que se reconocen en todo el mundo de habla hispana como típicos de un dialecto determinado, cf. español rioplatense *che*, mexicano *ándale*, *cuate*.

7. INDICADORES DE ESTILO. Ya que, como se mencionó anteriormente, los equivalentes se eligen para que correspondan a las palabras de cabeza de artículo en todos los aspectos de su significado, incluyendo nivel de lengua y frecuencia, los indicadores de estilo se usan poco. Por ejemplo, no hay necesidad de indicar que la palabra inglesa *fool* es familiar, ya que figura como equivalente del español *tonto*. Se han empleado cinco indicadores de estilo: literario (*lit*), que incluye lenguaje poético y formal, familiar (*fam*), que designa palabras que se usan en situaciones de intimidad, vulgar (*vulg*), que designa términos cuyo uso está censurado socialmente, peyorativo (*pey*), que designa palabras que tienen una carga connotativa negativa hacia el referente y *ofensivo* (sin abreviar), que designa insultos.

8. COMPUESTOS. El criterio de facilidad de uso requeriría que cada palabra recibiera su propia entrada, pero por razones de economía de espacio esto no es posible en un diccionario conciso. Por lo tanto, las palabras compuestas, que están formadas por dos o más vocablos preexistentes, aparecen en casi todos los casos en la entrada de su primer constituyente, al final de la categoría gramatical correspondiente. De tal forma, *hombre rana* aparece como — *rana*, en la entrada de *hombre*. Hay ciertas excepciones a esta regla, sin embargo. En primer lugar, los compuestos aparecen bajo la cabeza de artículo de su segundo constituyente cuando el primero es extremadamente frecuente, tal como lo son los verbos semánticamente "vacíos" como el español *hacer, tener, tomar* y el inglés *keep, take, turn*. De este modo, *tener paciencia* aparece en la entrada de *paciencia* y no en la de *tener*, y *to have a good time* figura bajo *time* y no bajo *to have*. En segundo lugar, los compuestos ingleses cuyo primer elemento es una preposición (*offsides, overcome, outcast*), aparecen como cabezas de artículo independientes, sobre todo debido a su complejidad gramatical, cf. *overhead*, que puede ser adverbio (*it flew overhead*, que equivale a *voló en lo alto*), adjetivo (*overhead projector*, es decir, *retroproyector*) y sustantivo (*overhead from grant money*, o sea, *gastos generales de una subvención*). No obstante, las palabras derivadas, i.e., aquellas que contienen uno o más afijos (e.g., *anticuerpo*, compuesta del prefijo *anti-* y *cuerpo*, y *cabezón*, compuesta por *cabeza* y el sufijo *-ón*), figuran como cabezas de artículo independientes.

9. FRASES ILUSTRATIVAS. Junto con las palabras compuestas de una determinada categoría gramatical figuran las frases ilustrativas, una categoría que incluye expresiones idiomáticas, colocaciones típicas, refranes y especialmente, oraciones necesarias para aclarar el uso de alguna palabra, como cuando el uso de *like* como traducción de *gustar* se ilustra con la frase *he likes dogs*, que se traduce *le gustan los perros*.

Spanish–English · Español–Inglés

List of Abbreviations / Lista de abreviaturas

adj	adjetivo	adjective
adv	adverbio, adverbial	adverb, adverbial
Am	América	America
art	artículo	article
conj	conjunción	conjunction
def	definido	definite
dem	demostrativo	demonstrative
Esp	España	Spain, Spanish
f	femenino	feminine
fam	familiar	familiar
indef	indefinido	indefinite
interj	interjección	interjection
interr	interrogativo	interrogative
inv	invariable	invariable
lit	literario	literary
loc	locución	locution
m	masculino	masculine
Méx	México	Mexico
num	numeral	numeral
pej	peyorativo	pejorative
pers	personal	personal
pl	plural	plural
pos	posesivo	possessive
prep	preposición, preposicional	preposition, prepositional
pron	pronombre	pronoun
rel	relativo	relative
RP	Río de la Plata	River Plate
sg	singular	singular
v aux	verbo auxiliar	auxiliary verb
vi	verbo intransitivo	intransitive verb
vt	verbo transitivo	transitive verb
vulg	vulgar	vulgar

Spanish Pronunciation

Spanish orthography very closely mirrors Spanish pronunciation, much more so than is the case in English. This explains why, in bilingual dictionaries such as this, each English entry must be accompanied by a phonetic representation, while Spanish pronunciation may be presented in synoptic form.

This synopsis is only meant as an introduction, however. In spite of the clarity of the orthographical system of Spanish, the individual sounds of the language are difficult for adult native speakers of English to pronounce, and this difficulty is compounded by the syllabic structure of the language. For these reasons, readers who wish to perfect their pronunciation of Spanish are strongly advised to seek the help of a competent teacher.

To say that orthography mirrors pronunciation means that there is a close correlation between letters and sounds. Thus, most Spanish letters correspond to a single sound, or to a single family of closely related sounds, as is the case for all vowels, and the consonants *f*, *l*, *m*, *n*, *p*, *t*, and *s*. In a few cases a single letter represents two very different sounds, as *c*, which is pronounced as *k* before *a*, *o*, and *u*, but *th* (as in *thin*, or as *s* in America) before *e* or *i*. Rarely, two letters represent a single sound, as in the case of *ch*.

The overarching differences between Spanish and English pronunciation are tenseness of articulation and syllabification within the breath group. Due to the tenseness of their articulation, for example, all Spanish vowels have a clear nondiphthongal character, unlike English long vowels, which tend to be bipartite (e.g., *late*, pronounced [leⁱt]). Syllabification is a problem for English speakers because in Spanish, syllables are formed without respect to word boundaries, such that *el hado* 'fate' and *helado* 'ice cream' are both pronounced as e-la-do, and the phrase *tus otras hermanas* 'your other sisters' is syllabified as tu-so-tra-ser-ma-nas. In fast speech, vowels may combine, as in *lo ofendiste* 'you offended him', pronounced lo-fen-dis-te. Finally, when Spanish consonants occur in clusters, very often the articulation of the second influences that of the first, as when *un peso* 'one peso' is pronounced um-pe-so, and *en que* 'in which' is pronounced eŋ ke, where ŋ represents the sound of the letters *ng* in English.

The Spanish Spelling System and the Sounds Represented

I.   VOWELS

i as a single vowel always represents a sound similar to the second vowel of *police*. Examples: **hilo, camino, piso.** As a part of a diphthong, it sounds like the *y* of English *yes, year.* Examples: **bien, baile, reina.**

e is similar to the vowel of *late* ([leⁱt]), but without the diphthong. Examples: **mesa, hablé, tres.**

a is similar to the vowel of *pod*. Examples: **casa, mala, América.** Notably, **a** is always pronounced this way, even when not stressed. This contrasts with the English tendency to reduce unstressed vowels to schwa ([ə]), as in *America*, pronounced in English as [ə-mé-rɪ-kə].

o has a value similar to that of the vowel in Eng. *coat* [koʷt], but without the diphthong. Examples: **no, modo, amó.**

u has a value similar to that of English *oo*, as in *boot* [buʷt], but without the diphthong. Examples: **cura, agudo, uno.** Note that the letter **u** is not pronounced in the syllables **qui, que, gui,** and **gue** (unless spelled with dieresis, as in *bilingüe*). When **u** occurs in diphthongs such as those of **cuida, cuento, deuda,** it has the sound of *w* (as in *way*).

II. CONSONANTS

b and **v** represent the same sounds in Spanish. At the beginning of a breath group or when preceded by the *m* sound (which may be spelled *n*), they are both pronounced like English *b*. Examples: **bomba, en vez de, vine, invierno.** In other environments, especially between vowels, both letters are pronounced as a very relaxed *b*, in which the lips do not completely touch and the air is not completely stopped. This sound has no equivalent in English. Examples: **haba, uva, la vaca, la banda.**

c represents a *k* sound before **a, o, u, l,** and **r.** However, this sound is not accompanied by a puff of air as it is in Eng. *can* and *coat* (compare the *c* in *scan*, which is more similar to the Spanish sound). Examples: **casa, cosa, cuna, quinto, queso, crudo, aclamar.** (Note that, as mentioned above, the vowel **u** is not pronounced in **quinto** and **queso.**) In contrast, when appearing before the vowels **e** and **i, c** is pronounced as *s* in Spanish America and the southwest of Spain, and as *th* (as in *thin*) in other parts of Spain (see **s** for more information).

ch is no longer considered to be a separate letter in the Spanish alphabet. However, it represents a single sound, which is similar to the English *ch* in *church* and *cheek*. Examples: **chato, chaleco, mucho.**

d is phonetically complex in Spanish. In terms of articulation, it is pronounced by the tongue striking the teeth rather than the alveolar ridge as in English. Second, it is represented by two variants. The first of these, which is similar to that of English *dame* and *did*, occurs at the beginning of breath groups or after **n** and **l.** Examples: **donde, falda, conde.** In all other situations the letter represents a sound similar to the *th* of English *then*. Examples: **hado, cuerda, cuadro, usted.** This sound tends to be very relaxed, to the point of disappearing in certain environments, such as word-final and intervocalic.

f is very similar to the English *f* sound. Examples: **faro, elefante, alfalfa.**

g is phonetically complex. Before the vowels **e** and **i,** it is pronounced as *h* in most American dialects, while in northern Spain it is realized like the *ch* in the German word *Bach*. Examples: **gente, giro.** At the beginning of breath groups before the vowels **a, o, u,** and before the consonants **l** and **r,** it is pronounced like the **g** of English *go*. Examples: **ganga, globo, grada.** In all other environments it is pronounced as a very relaxed *g*. Examples: **lago, la goma, agrado.**

h is silent. Examples: **hoja, humo, harto.**

j is realized in most American dialects as *h*, while in northern Spain it is pronounced like the *ch* in the German word *Bach*. Examples: **jamás, jugo, jota.**

k sounds like Eng. *k*, but without the accompanying puff of air. Examples: **kilo, keroseno.**

l is pronounced forward in the mouth, as the *l* in *leaf, leak*, never in the back, as in *bell, full*. Examples: **lado, ala, sol.**

ll is no longer considered to be a separate letter in the Spanish alphabet. However, it does represent a single sound, which differs widely in pronunciation throughout the Spanish-speaking world. In most areas, it is pronounced like the *y* of Eng. *yes*, though with greater tension. In extreme northern Spain and in parts of the Andes, it sounds like the *lli* in Eng. *million*. In the River Plate area it is pronounced like the *g* in *beige* or the *sh* in *ship*. Examples: **calle, llano, olla.**

m is essentially the same as in English. Examples: **madre, mano, cama.** However, in final position, as in **álbum** 'album', it is pronounced *n*.

n is normally pronounced like Eng. *n*. Examples: **no, mano, hablan.** There are exceptions, however. For example, before **b, v, p,** and **m,** it is pronounced *m*, as in **en Barcelona, en vez de, un peso,** while before **k, g, j, ge-,** and **gi-,** it is realized as [ŋ], the final sound of Eng. *sing*, as in **anca, tengo, naranja, engendrar.**

ñ is similar to but more tense than the *ny* of Eng. *canyon*. Examples: **cañón, año, ñato.**

p is like English *p* except that it is not accompanied by a puff of air, as it is in Eng. *pill* and *papa* (compare the *p* in *spot*, which is more similar to the Spanish sound). Examples: **padre, capa, apuro.**

q combined with **u** has the sound of *k*. Examples: **queso, aquí, quien.**

r usually represents a sound similar to that of the *tt* in Eng. *kitty*, and the *dd* in *ladder*. Examples: **caro, tren, comer.** In contrast, at the beginning of words, and after **n, l, s,** the letter **r** is realized as a trill, as in **rosa, Enrique, alrededor, Israel.** The double letter **rr** always represents a trill, as in **carro, correr, guerrero.**

s is pronounced the same as in standard American English in most parts of Spanish America and in parts of southern Spain. In most of Spain, in contrast, it is realized with the tip of the tongue against the alveolar ridge, producing a whistling sound that is also common in southern dialects of American English. Examples: **solo, casa, es.** In the Caribbean and in coastal Spanish generally, there is a strong tendency to pronounce **s** in certain environments (usually preconsonantal) as *h*, or to eliminate it entirely. In these dialects, *esta* may be pronounced as *ehta* or *eta*.

t differs from English *t* in two respects: first, it is articulated by the tongue touching the teeth rather than the alveolar ridge, and second, it is not accompanied by a puff of air, as it is in English *too* and *titillate* (compare the *t* in *stop*, which is more similar to the Spanish sound). Examples: **tela, tino, tinta.**

x has a wide range of phonetic realizations. Between vowels, it is usually pronounced *ks* or *gs* (but never *gz*), as in **examen, próximo,** though in a few words it is pronounced as *s*, e.g., *exacto, auxilio*. Before a consonant, **x** is almost always pronounced *s*, as in **extranjero, experiencia.** In many Mexican and Central American words of indigenous origin, **x** represents *h*, as in **México.**

y varies regionally in its pronunciation. In most areas it is pronounced like the *y* of Eng. *yes*, though with greater tension. In the River Plate area it is pronounced like the *g* in *beige* or the *sh* in *ship*. Examples: **yo, ayer.**

z is subject to dialectal variation as well. In most parts of Spain, except the southwest, it is pronounced as the *th* in Eng. *thin, cloth*. In southwestern Spain and all of Spanish America, in contrast, it is pronounced *s*. Examples: **zagal, hallazgo, luz.**

Stress Assignment in Spanish and the Use of the Written Accent

Spanish words are normally stressed on the next-to-last syllable when they end in a vowel or the consonants **n** or **s**. Examples: **mesa, zapato, acontecimiento, hablan, mujeres.** Words whose pronunciation does not conform to this rule are considered exceptions, and their stressed syllable is indicated with an accent mark. Examples: **lámpara, estómago, género, acá, varón, además.**

Conversely, Spanish words are normally stressed on the final syllable when they end in a consonant other than **n** or **s**. Examples: **mujer, actualidad, pedal, voraz.** Words whose pronunciation does not conform to this rule are considered exceptions, and their stressed syllable is indicated with an accent mark. Examples: **nácar, volátil, lápiz.**

For the purposes of stress assignment, diphthongs are considered the same as simple vowels. Thus, **arduo** and **industria** are considered to have two and three syllables respectively, with regular stress on the penultimate syllable. However, some sequences of vowels are not considered diphthongs. For example, **alegría** and **continúo** are both considered to have four syllables, with the stress mark indicating the absence of a diphthong.

Until recently certain words received written accents in order to differentiate functions, even though they are pronounced identically (this is still true in certain cases, such as **de** 'of', **dé** 'give'). Thus, the orthography **esta** was assigned to the demonstrative adjective ('this', fem.), while the demonstrative pronoun ('this one', fem.) was written **ésta.** This convention is no longer observed by most writers.

Notes on Spanish Grammar

The Noun

Gender. All Spanish nouns, not just those that denote male or female beings, are assigned either masculine or feminine gender. As a general rule, male beings (**muchacho** 'boy', **toro** 'bull') and all nouns ending in **-o** (**lodo** 'mud') are assigned masculine gender (exceptions: **mano** 'hand', **radio** 'radio', **foto** 'photo', all feminine). Similarly, female beings (**mujer** 'woman', **vaca** 'cow') and nouns ending in **-a** (**envidia** 'envy') tend to be assigned feminine gender (exceptions: **mapa** 'map', **drama** 'drama', **día** 'day', all masculine). In addition, nouns ending in **-ción**, **-tad**, **-dad**, **-tud**, and **-umbre** are always feminine: **canción** 'song', **facultad** 'college', **ciudad** 'city', **virtud** 'virtue', and **muchedumbre** 'crowd'. Otherwise, nouns ending in consonants and vowels other than **-o** and **-a** are of unpredictable gender. Some are feminine (**barbarie** 'savagery', **clase** 'class', **nariz** 'nose', **tribu** 'tribe'), while others are masculine (**antílope** 'antelope', **corte** 'cut', **mesón** 'lodge', **nácar** 'mother of pearl').

Nouns in **-o** that denote human beings (and to some extent, animals) form the feminine by replacing **-o** with **-a**, as in **tío** 'uncle' / **tía** 'aunt', **niño** 'boy' / **niña** 'girl', **oso** 'bear' / **osa** 'she-bear'. Where the masculine noun does not end in **-o**, the rules of formation are more complex. For example, nouns ending in **-ón**, **-or**, and **-án** require the addition of **-a**, as in the pairs **patrón** / **patrona** 'patron', **pastor** / **pastora** 'shepherd', **holgazán** / **holgazana** 'lazy person'. In other cases the difference is more unpredictable: **poeta** / **poetisa** 'poet', **emperador** / **emperatriz** 'empress', **abad** 'abbot' / **abadesa** 'abbess'.

Some nouns have different genders according to their meanings: **corte** (m) 'cut', (f) 'court', **capital** (m) 'money capital', (f) 'capital city', while others have invariable endings which are used for both the masculine and the feminine: **artista** 'artist' (and all nouns ending in **-ista**), **amante** 'lover', **aristócrata** 'aristocrat', **homicida** 'murderer', **cliente** 'customer'. Finally, some words vacillate as to gender, e.g., **mar** 'sea', which is normally masculine but is feminine in certain expressions (**en alta mar** 'on the high seas') and in poetic contexts, and **arte,** which is masculine in the singular but feminine in the plural. Some words, such as **armazón** and **esperma,** can be both masculine and feminine.

Pluralization. Nouns ending in an unaccented vowel and **-é** add **-s** to form the plural **libro** / **libros**, **casa** / **casas**, **café** / **cafés**, while nouns ending in a consonant, in **-y**, or in an accented vowel other than **-é** add **-es**: **papel** / **papeles**, **canción** / **canciones**, **ley** / **leyes**, **rubí** / **rubíes**. Exceptions to this rule include the words **papá** / **papás**, **mamá** / **mamás**, and the small group of nouns ending in unaccented **-es** and **-is**, which do not change in the plural: **lunes** 'Monday', 'Mondays', **tesis** 'thesis', 'theses'.

Articles

Definite Article. The equivalent of English **the** is as follows: masculine singular, **el**; feminine singular, **la;** masculine plural, **los;** feminine plural, **las.** Feminine words beginning with stressed **a** or **ha** take **el** in the singular and **las** in the plural: **el alma** 'the soul' / **las almas** 'the souls', **el hacha** 'the hatchet' / **las hachas** 'the hatchets'. In spite of this, these nouns remain feminine in the singular, as shown by adjective

20. **andar**
    Pret. Indic.   **anduve, anduviste, anduvo, anduvimos, anduvisteis, anduvieron**
    Imp. Subj.   **anduviera, anduvieras, anduviera, anduviéramos, anduvierais, anduvieran,** or
    anduviese, anduvieses, anduviese, anduviésemos, anduvieseis, anduviesen

21. **asir**
    Pres. Indic.   **asgo,** ases, ase, asimos, asís, asen
    Pres. Subj.   **asga, asgas, asga, asgamos, asgáis, asgan**
    Imperative   ase (tú), **asga** (usted), asid (vosotros), **asgan** (ustedes)

22. **caber**
    Pres. Indic.   **quepo,** cabes, cabe, cabemos, cabéis, caben
    Pres. Subj.   **quepa, quepas, quepa, quepamos, quepáis, quepan**
    Pret. Indic.   **cupe, cupiste, cupo, cupimos, cupisteis, cupieron**
    Imp. Subj.   **cupiera, cupieras, cupiera, cupiéramos, cupierais, cupieran,** or **cupiese, cupieses, cupiese, cupiésemos, cupieseis, cupiesen**
    Fut. Indic.   **cabré, cabrás, cabrá, cabremos, cabréis, cabrán**
    Cond.   **cabría, cabrías, cabría, cabríamos, cabríais, cabrían**
    Imperative   cabe (tú), **quepa** (usted), cabed (vosotros), **quepan** (ustedes)

23. **caer**
    Pres. Indic.   **caigo,** caes, cae, caemos, caéis, caen
    Pres. Subj.   **caiga, caigas, caiga, caigamos, caigáis, caigan**
    Pret. Indic.   caí, caiste, **cayó,** caímos, caísteis, **cayeron**
    Imp. Subj.   **cayera, cayeras, cayera, cayéramos, cayerais, cayeran,** or **cayese, cayeses, cayese, cayésemos, cayeseis, cayesen**
    Imperative   cae (tú), **caiga** (usted), caed (vosotros), **caigan** (ustedes)
    Pres. Part.   **cayendo**

24. **conducir**
    Pres. Indic.   **conduzco,** conduces, conduce, conducimos, conducís, conducen
    Pres. Subj.   **conduzca, conduzcas, conduzca, conduzcamos, conduzcáis, conduzcan**
    Pret. Indic.   **conduje, condujiste, condujo, condujimos, condujisteis, condujeron**
    Imp. Subj.   **condujera, condujeras, condujera, condujéramos, condujerais, condujeran,** or **condujese, condujeses, condujese, condujésemos, condujeseis, condujesen**
    Imperative   conduce (tú), **conduzca** (usted), conducid (vosotros), **conduzcan** (ustedes)

25. **dar**
    Pres. Indic.   **doy**, das, da, damos, dais, dan
    Pres. Subj.   **dé**, des, **dé**, demos, deis, den
    Pret. Indic.   **di, diste, dio, dimos, disteis, dieron**
    Imp. Subj.   **diera, dieras, diera, diéramos, dierais, dieran**, or
                     diese, dieses, diese, diésemos, dieseis, diesen

26. **decir**[1]
    Pres. Indic.   **digo, dices, dice,** decimos, decís, **dicen**
    Pres. Subj.   **diga, digas, diga, digamos, digáis, digan**
    Pret. Indic.   **dije, dijiste, dijo, dijimos, dijisteis, dijeron**
    Imp. Subj.   **dijera, dijeras, dijera, dijéramos, dijerais, dijeran**, or
                     dijese, dijeses, dijese, dijésemos, dijeseis, dijesen
    Fut. Indic.   **diré, dirás, dirá, diremos, diréis, dirán**
    Cond.   **diría, dirías, diría, diríamos, diríais, dirían**
    Imperative   **di** (tú), **diga** (usted), decid (vosotros), **digan** (ustedes)
    Pres. Part.   **diciendo**
    Past Part.   **dicho**

27. **errar**
    Pres. Indic.   **yerro, yerras, yerra,** erramos, erráis, **yerran**
    Pres. Subj.   **yerre, yerres, yerre,** erremos, erréis, **yerren**
    Imperative   **yerra** (tú), **yerre** (usted), errad (vosotros), **yerren** (ustedes)

28. **estar**
    Pres. Indic.   **estoy, estás, está,** estamos, estáis, **están**
    Pres. Subj.   **esté, estés, esté,** estemos, estéis, **estén**
    Pret. Indic.   **estuve, estuviste, estuvo, estuvimos, estuvisteis,
                     estuvieron**
    Imp. Subj.   **estuviera, estuvieras, estuviera, estuviéramos,
                     estuvierais, estuvieran**, or **estuviese, estuvieses,
                     estuviese, estuviésemos, estuvieseis, estuviesen**
    Imperative   **está** (tú), **esté** (usted), estad (vosotros), **estén** (ustedes)

29. **haber**
    Pres. Indic.   **he, has, ha, hemos,** habéis, **han**
    Pres. Subj.   **haya, hayas, haya, hayamos, hayáis, hayan**
    Pret. Indic.   **hube, hubiste, hubo, hubimos, hubisteis, hubieron**
    Imp. Subj.   **hubiera, hubieras, hubiera, hubiéramos, hubierais,
                     hubieran**, or **hubiese, hubieses, hubiese, hubiésemos,
                     hubieseis, hubiesen**
    Fut. Indic.   **habré, habrás, habrá, habremos, habréis, habrán**

---

1. The compound verbs of *decir* have the same irregularities with the exception of the following: The future and conditional of the compound verbs *bendecir* and *maldecir* are regular: *bendeciré, maldeciré,* etc.; *bendeciría, maldeciría,* etc. The familiar imperative is regular: *bendice tu, maldice tu, contradice tu,* etc. The past participles of *bendecir* and *maldecir* are regular when used with haber or in the passive with ser: *bendecido, maldecido.*

	Cond.	**habría, habrías, habría, habríamos, habríais, habrían**

30. **hacer**

	Pres. Indic.	**hago,** haces, hace, hacemos, hacéis, hacen
	Pres. Subj.	**haga, hagas, haga, hagamos, hagáis, hagan**
	Pret. Indic.	**hice, hiciste, hizo, hicimos, hicisteis, hicieron**
	Imp. Subj.	**hiciera, hicieras, hiciera, hiciéramos, hicierais, hicieran,** or **hiciese, hicieses, hiciese, hiciésemos, hicieseis, hiciesen**
	Fut. Indic.	**haré, harás, hará, haremos, haréis, harán**
	Cond.	**haría, harías, haría, haríamos, haríais, harían**
	Imperative	**haz** (tú), **haga** (usted), haced (vosotros), **hagan** (ustedes)
	Past Part.	**hecho**

31. *a.* **huir**

	Pres. Indic.	**huyo, huyes, huye,** huimos, huís, **huyen**
	Pres. Subj.	**huya, huyas, huya, huyamos, huyáis, huyan**
	Pret. Indic.	huí, huiste, **huyó,** huimos, huisteis, **huyeron**
	Imp. Subj.	**huyera, huyeras, huyera, huyéramos, huyerais, huyeran,** or **huyese, huyeses, huyese, huyésemos, huyeseis, huyesen**
	Imperative	**huye** (tú), **huya** (usted), huid (vosotros), **huyan** (ustedes)
	Pres. Part.	**huyendo**

b. **argüir**

	Pres. Indic.	**arguyo, arguyes, arguye,** argüimos, argüís, **arguyen**
	Pres. Subj.	**arguya, arguyas, arguya, arguyamos, arguyáis, arguyan**
	Pret. Indic.	argüí, argüiste, **arguyó,** argüimos, argüisteis, **arguyeron**
	Imp. Subj.	**arguyera, arguyeras, arguyera, arguyéramos, arguyerais, arguyeran,** or **arguyese, arguyeses, arguyese, arguyésemos, arguyeseis, arguyesen**
	Imperative	**arguye** (tú), **arguya** (usted), argüid (vosotros), **arguyan** (ustedes)
	Pres. Part.	**arguyendo**

32. **ir**

	Pres. Indic.	**voy, vas, va, vamos, vais, van**
	Pres. Subj.	**vaya, vayas, vaya, vayamos, vayáis, vayan**
	Imp. Indic.	**iba, ibas, iba, íbamos, ibais, iban**
	Pret. Indic.	**fui, fuiste, fue, fuimos, fuisteis, fueron**
	Imp. Subj.	**fuera, fueras, fuera, fuéramos, fuerais, fueran,** or **fuese, fueses, fuese, fuésemos, fueseis, fuesen**
	Imperative	**ve** (tú), **vaya** (usted), id (vosotros), **vayan** (ustedes)
	Pres. Part.	**yendo**

33.   **jugar**
      Pres. Indic.   **juego, juegas, juega,** jugamos, jugáis, **juegan**
      Pres. Subj.   **juegue, juegues, juegue,** juguemos, juguéis, **jueguen**
      Pret. Indic.   **jugué,** jugaste, jugó, jugamos, jugasteis, jugaron
      Imperative   **juega** (tú), **juegue** (usted), jugad (vosotros), **jueguen**
                       (ustedes)

34.   **adquirir**
      Pres. Indic.   **adquiero, adquieres, adquiere,** adquirimos, adquirís,
                       adquieren
      Pres. Subj.   **adquiera, adquieras, adquiera,** adquiramos, adquiráis,
                       adquieran
      Imperative   **adquiere** (tú), **adquiera** (usted), adquirid (vosotros),
                       adquieran (ustedes)

35.   **oír**
      Pres. Indic.   **oigo, oyes, oye,** oímos, oís, **oyen**
      Pres. Subj.   **oiga, oigas, oiga, oigamos, oigáis, oigan**
      Pret. Indic.   oí, oíste, **oyó,** oímos, oísteis, **oyeron**
      Imp. Subj.   **oyera, oyeras, oyera, oyéramos, oyerais, oyeran,** or
                       oyese, oyeses, oyese, oyésemos, oyeseis, oyesen
      Imperative   **oye** (tú), **oiga** (usted), oíd (vosotros), **oigan** (ustedes)
      Pres. Part.   **oyendo**

36.   **oler**
      Pres. Indic.   **huelo, hueles, huele,** olemos, oléis, **huelen**
      Pres. Subj.   **huela, huelas, huela,** olamos, oláis, **huelan**
      Imperative   **huele** (tú), **huela** (usted), oled (vosotros), **huelan**
                       (ustedes)

37.   **placer**
      Pres. Indic.   **plazco,** places, place, placemos, placéis, placen
      Pres. Subj.   **plazca, plazcas, plazca, plazcamos, plazcáis, plazcan**

38.   **poder**
      Pres. Indic.   **puedo, puedes, puede,** podemos, podéis, **pueden**
      Pres. Subj.   **pueda, puedas, pueda,** podamos, podáis, **puedan**
      Pret. Indic.   **pude, pudiste, pudo, pudimos, pudisteis, pudieron**
      Imp. Subj.   **pudiera, pudieras, pudiera, pudiéramos, pudierais,**
                       pudieran, or **pudiese, pudieses, pudiese, pudiésemos,**
                       pudieseis, pudiesen
      Fut. Indic.   **podré, podrás, podrá, podremos, podréis, podrán**
      Cond.   **podría, podrías, podría, podríamos, podríais,**
                       podrían
      Pres. Part.   **pudiendo**

39.   **poner**
      Pres. Indic.   **pongo,** pones, pone, ponemos, ponéis, ponen

18

Pres. Subj.	**ponga, pongas, ponga, pongamos, pongáis, pongan**	
Pret. Indic.	**puse, pusiste, puso, pusimos, pusisteis, pusieron**	
Imp. Subj.	**pusiera, pusieras, pusiera, pusiéramos, pusierais, pusieran,** or **pusiese, pusieses, pusiese, pusiésemos, pusieseis, pusiesen**	
Fut. Indic.	**pondré, pondrás, pondrá, pondremos, pondréis, pondrán**	
Cond.	**pondría, pondrías, pondría, pondríamos, pondríais, pondrían**	
Imperative	**pon** (tú), **ponga** (usted), poned (vosotros), **pongan** (ustedes)	
Past Part.	**puesto**	

40. **querer**

Pres. Indic.	**quiero, quieres, quiere,** queremos, queréis, **quieren**
Pres. Subj.	**quiera, quieras, quiera,** queramos, queráis, **quieran**
Pret. Indic.	**quise, quisiste, quiso, quisimos, quisisteis, quisieron**
Imp. Subj.	**quisiera, quisieras, quisiera, quisiéramos, quisierais, quisieran,** or **quisiese, quisieses, quisiese, quisiémos, quisieseis, quisiesen**
Fut. Indic.	**querré, querrás, querrá, querremos, querréis, querrán**
Cond.	**querría, querrías, querría, querríamos, querríais, querrían**
Imperative	**quiere** (tú), **quiera** (usted), quered (vosotros), **quieran** (ustedes)

41. **saber**

Pres. Indic.	**sé,** sabes, sabe, sabemos, sabéis, saben
Pres. Subj.	**sepa, sepas, sepa, sepamos, sepáis, sepan**
Pret. Indic.	**supe, supiste, supo, supimos, supisteis, supieron**
Imp. Subj.	**supiera, supieras, supiera, supiéramos, supierais, supieran,** or **supiese, supieses, supiese, supiésemos, supieseis, supiesen**
Fut. Indic.	**sabré, sabrás, sabrá, sabremos, sabréis, sabrán**
Cond.	**sabría, sabrías, sabría, sabríamos, sabríais, sabrían**
Imperative	sabe (tú), **sepa** (usted), sabed (vosotros), **sepan** (ustedes)

42. **salir**

Pres. Indic.	**salgo,** sales, sale, salimos, salís, salen
Pres. Subj.	**salga, salgas, salga, salgamos, salgáis, salgan**
Fut. Indic.	**saldré, saldrás, saldrá, saldremos, saldréis, saldrán**
Cond.	**saldría, saldrías, saldría, saldríamos, saldríais, saldrían**
Imperative	**sal** (tú),[2] **salga** (usted), salid (vosotros), **salgan** (ustedes)

---

2. The compound *sobresalir* is regular in the familiar imperative: **sobresale tú.**

43. **ser**
   Pres. Indic. **soy, eres, es, somos, sois, son**
   Pres. Subj. **sea, seas, sea, seamos, seáis, sean**
   Imp. Indic. **era, eras, era, éramos, erais, eran**
   Pret. Indic. **fui, fuiste, fue, fuimos, fuisteis, fueron**
   Imp. Subj. **fuera, fueras, fuera, fuéramos, fuerais, fueran**, or
     fuese, fueses, fuese, fuésemos, fueseis, fuesen
   Imperative **sé** (tú), **sea** (usted), sed (vosotros), **sean** (ustedes)

44. **tener**
   Pres. Indic. **tengo, tienes, tiene,** tenemos, tenéis, **tienen**
   Pres. Subj. **tenga, tengas, tenga, tengamos, tengáis, tengan**
   Pret. Indic. **tuve, tuviste, tuvo, tuvimos, tuvisteis, tuvieron**
   Imp. Subj. **tuviera, tuvieras, tuviera, tuviéramos, tuvierais, tuvieran,** or **tuviese, tuvieses, tuviese, tuviésemos, tuvieseis, tuviesen**
   Fut. Indic. **tendré, tendrás, tendrá, tendremos, tendréis, tendrán**
   Cond. **tendría, tendrías, tendría, tendríamos, tendríais, tendrían**
   Imperative **ten** (tú), **tenga** (usted), tened (vosotros), **tengan** (ustedes)

45. **traer**
   Pres. Indic. **traigo,** traes, trae, traemos, traéis, traen
   Pres. Subj. **traiga, traigas, traiga, traigamos, traigáis, traigan**
   Pret. Indic. **traje, trajiste, trajo, trajimos, trajisteis, trajeron**
   Imp. Subj. **trajera, trajeras, trajera, trajéramos, trajerais, trajeran,** or **trajese, trajeses, trajese, trajésemos, trajeseis, trajesen**
   Imperative trae (tú), **traiga** (usted), traed (vosotros), **traigan** (ustedes)
   Pres. Part. **trayendo**

46. **valer**
   Pres. Indic. **valgo,** vales, vale, valemos, valéis, valen
   Pres. Subj. **valga, valgas, valga, valgamos, valgáis, valgan**
   Fut. Indic. **valdré, valdrás, valdrá, valdremos, valdréis, valdrán**
   Cond. **valdría, valdrías, valdría, valdríamos, valdríais, valdrían**
   Imperative **val** or vale (tú), **valga** (usted), valed (vosotros), **valgan** (ustedes)

47. **venir**
   Pres. Indic. **vengo, vienes, viene,** venimos, venís, **vienen**
   Pres. Subj. **venga, vengas, venga, vengamos, vangáis, vengan**
   Pret. Indic. **vine, viniste, vino, vinimos, vinisteis, vinieron**
   Imp. Subj. **viniera, vinieras, viniera, viniéramos, vinierais, vinieran,** or **viniese, vinieses, viniese, viniésemos, vinieseis, viniesen**

Fut. Indic.	**vendré, vendrás, vendrá, vendremos, vendréis, vendrán**	
Cond.	**vendría, vendrías, vendría, vendríamos, vendríais, vendrían**	
Imperative	**ven** (tú), **venga** (usted), venid (vosotros), **vengan** (ustedes)	
Pres. Part.	**viniendo**	

48. **ver**

Pres. Indic.	**veo,** ves, ve, vemos, veis, ven
Pres. Subj.	**vea, veas, vea, veamos, veáis, vean**
Imp. Indic.	**veía, veías, veía, veíamos, veíais, veían**
Imperative	ve (tú), **vea** (usted), ved (vosotros), **vean** (ustedes)
Past Part.	**visto**

49. **yacer**

Pres. Indic.	**yazco** or **yazgo,** yaces, yace, yacemos, yacéis, yacen
Pres. Subj.	**yazca, yazcas, yazca, yazcamos, yazcáis, yazcan,** or **yazga, yazgas, yazga, yazgamos, yazgáis, yazgan**
Imperative	yace (tú), **yazca** or **yazga** (usted), yaced (vosotros), **yazcan** or **yazgan** (ustedes)

50. Defective Verbs

The following verbs are used only in the forms that have an **i** in the ending: **abolir, agredir, aterirse, empedernirse, transgredir.**

The verb **atañer** is used only in the third person, most frequently in the present indicative: atañe, atañen.

The verb **concernir** is used only in the third person of the following tenses:

Pres. Indic.	**concierne, conciernen**
Pres. Subj.	**concierna, conciernan**
Imp. Indic.	concernía, concernían
Imp. Subj.	concerniera *or* concerniese, concernieran *or* concerniesen
Pres. Part.	concerniendo

The verb **roer** (also **corroer**) has three forms in the first person of the present indicative: **roo, royo, roigo,** all of which are infrequently used. In the present subjunctive the preferable form is **roa, roas, roa,** etc., although the forms **roya** and **roiga** are found.

The verb **soler** is used most frequently in the present and imperfect indicative. It is less frequently used in the present subjunctive.

Pres. Indic.	**suelo, sueles, suele,** solemos, soléis, **suelen**
Pres. Subj.	**suela, suelas, suela,** solamos, soláis, **suelan**
Imp. Indic.	solía, solías, solía, solíamos, solíais, solían

21

51.　　Additional Irregular Past Participles
　　　　absolver—**absuelto**
　　　　abrir—**abierto**
　　　　circunscribir—**circunscrito**
　　　　componer—**compuesto**
　　　　cubrir—**cubierto**
　　　　decir—**dicho**
　　　　deponer—**depuesto**
　　　　descomponer—**descompuesto**
　　　　describir—**descrito**
　　　　descubrir—**descubierto**
　　　　desenvolver—**desenvuelto**
　　　　deshacer—**deshecho**
　　　　devolver—**devuelto**
　　　　disolver—**disuelto**
　　　　encubrir—**encubierto**
　　　　entreabrir—**entreabierto**
　　　　entrever—**entrevisto**
　　　　envolver—**envuelto**
　　　　escribir—**escrito**
　　　　hacer—**hecho**
　　　　imprimir—**impreso** (often regular, **imprimido**)
　　　　inscribir—**inscrito**
　　　　morir—**muerto**
　　　　poner—**puesto**
　　　　prescribir—**prescrito**
　　　　proscribir—**proscrito**
　　　　proveer—**provisto** (often regular, **proveído**)
　　　　pudrir—**podrido**
　　　　reabrir—**reabierto**
　　　　reescribir—**reescrito**
　　　　resolver—**resuelto**
　　　　revolver—**revuelto**
　　　　romper—**roto**
　　　　satisfacer—**satisfecho**
　　　　subscribir—**subscrito**
　　　　transcribir—**transcrito**
　　　　ver—**visto**
　　　　volver—**vuelto**

Aa

a PREP voy — **Londres** I'm going to London; **te lo doy** — **ti** I'm giving it to you; **se sentó** — **la sombra** she sat down in the shade; **tumbarse** — **l sol** to lie down in the sun; **una soga** — **l cuello** a rope around his neck; **lo miraba** — **la luz de una vela** she looked at him by the light of a candle; — **dos pesetas cada una** at two pesetas each; — **las tres y media** at three-thirty; **sentarse** — **la mesa** to sit down at the table; **prestar dinero** — **l 15%** to lend money at 15%; **en grupos de** — **cinco** in groups of five; **cocina** — **gas** gas cooker; **fotos** — **todo color** full-color photos; **nadie le gana** — **testaruda** no one touches her for stubbornness; **terminaron** — **puñetazos** they ended up fighting; **¡— jugar!** let's play! **¿— qué vienen?** what are they coming for? **veo** — **mi mamá** I see my mother

abacá M manila

abadía F abbey

abadejo M cod

abad -esa M abbot; F abbess

abajo ADV (dirección) down; (posición relativa) below; **mirar para** — to look down; **el piso de** — the apartment below; **véase** — see below; — **de** under, underneath; **Stefan está** — **del coche** Stefan is under/underneath the car; **¡— el rey!** down with the king! **—firmante** undersigned; **echar** — to knock down; **río** — downstream; **venirse** — to go to ruin

abalanzarse[9] VI to lunge at, to swoop down upon

abanderado -da MF standard-bearer

abandonado ADJ abandoned, **es una persona muy abandonada** she's very unkempt

abandonar VT (a una persona, a una familia) to leave, to desert; (el hogar, un partido) to abandon; (una carrera, el poder) to give up; (una carrera, a un enamorado, el hábito de fumar) to quit; (en los naipes) to fold; (un curso) to drop out of

abandono M (acción de descuidar) neglect; (acción de abandonar, condición de abandonado) abandonment; **por** — by default

abanicar[6] VT to fan

abanico M (utensilio) fan; (de posibilidades) array; **abrirse en** — to fan out

abaratar VT (bajar el precio) to lower the price of; (desprestigiar) to cheapen

abarcar[6] VT (categorías) to embrace, to encompass; (un período de tiempo) to span

abarrotería F Méx grocery store

abarrotero -ra MF Méx grocer

abarrotes M PL Méx groceries; **tienda de** — Méx grocery store

abastecer[13] VT (un ejército, una ciudad) to supply; (una tienda) to stock

abastecimiento M supply

abasto M supply; **mercado de** —**s** farmers' market; **yo solo no doy** — I can't cope alone

abatido ADJ dejected, despondent, downcast

abatimiento M dejection, despondency

abatir VT (bajar) to lower; (derribar) to knock down; (desanimar) to depress; (matar a tiros) to shoot; —**se** to swoop down

abdicar[6] VI/VT to abdicate

abdomen M abdomen

abdominal ADJ abdominal; M sit-up

abecedario M alphabet

abedul M birch

abeja F bee; — **asesina** killer bee

abejón M bumblebee

abejorro M bumblebee

aberración F aberration

abertura F (acción) opening; (de una cueva) mouth

abeto M fir

abierto ADJ (no cerrado, no determinado, sin cubierta) open; (franco) frank; — **de par en par** wide open

abigarrado ADJ motley

abigeato M cattle rustling

abismal ADJ abysmal

abismo M abyss, chasm; — **generacional** generation gap

ablandar VT to soften

abnegación F self-denial

abobado ADJ silly

abocar[6] VI to turn onto; —**se a** to devote oneself to

abochornar VT (calentar) to make too hot; (avergonzar) to embarrass; —**se** to get embarrassed

abocinar VT to flare

abofetear VT to slap

abogacía F legal profession; **ejercer la** — to practice law

abogado -da MF lawyer, attorney

abogar[2] VI — **por** to advocate, to plead for

abolengo m ancestry

abolición f abolition

abolir[50] vt to abolish

abollado adj dented

abolladura f dent

abollar vt to dent; —se to get dented

abolsarse vi to sag

abombar vt to make bulge

abominable adj abominable, loathsome

abominación f abomination

abominar vt to detest

abonado -da mf subscriber

abonar vt (suscribir) to subscribe; (pagar) to make a payment; (poner abono) to fertilize; —se to subscribe

abono m (a una revista) subscription; (para el autobús) pass; (para la tierra) fertilizer; (para una temporada deportiva) season ticket

abordar vt (un avión, un buque) to board; (un problema) to tackle, to approach; (a una persona en la calle) to accost

aborigen adj aboriginal; — australiano Australian aborigine; mf aboriginal, primitive inhabitant

aborrascarse[6] vi to become stormy

aborrecer[13] vt to abhor, to loathe

aborrecible adj hateful, abhorrent

aborrecimiento m abhorrence

abortador -ora mf abortionist

abortar vi to miscarry, to have a miscarriage

abortero -ra mf abortionist

aborto m (espontáneo) miscarriage; (provocado) abortion

abotagarse[7] vi to bloat

abotonar vt to button; —se to button up

abovedar vt (una iglesia) to vault, to cover with a vault; (una calle) to arch, to cover as a vault

abozalar vt to muzzle

abracadabra f abracadabra

abrasador adj burning

abrasar vt to burn; —se to be consumed

abrasión f abrasion

abrasivo adj abrasive

abrazadera f clamp

abrazar[9] vt (rodear con los brazos) to hug, to embrace; (rodear una cosa sujetando) to clasp; (una opinión) to espouse

abrazo m hug, embrace

abrevadero m trough

abrevar vt (dar de beber) to water; (beber) to drink

abreviación f abbreviation

abreviar vt to abbreviate, to abridge

abreviatura f abbreviation

abridor m opener

abrigado adj (ropa) warm; (lugar) sheltered

abrigar[7] vt to shelter; (emociones) to harbor; —se to bundle up

abrigo m (refugio) shelter; (prenda de vestir) coat, wrap

abril m April

abrillantar vt to make shiny

abrir[51] vt/vi to open; vt (con llave) to unlock; (un grifo) to turn on; — el apetito to whet one's appetite; — paso to make way; vi sc abrebotellas bottle opener; abrelatas can opener; vi (el cielo) to clear up; —se to open up; —se paso to press through; en un — y cerrar de ojos in the twinkle of an eye

abrochar vt to fasten; —se to buckle (up)

abrogación f repeal

abrogar[7] vt to repeal

abrojo m bur, sticker

abrumador adj overwhelming

abrumar vt to overwhelm, to weigh down; —se to become foggy

abrupto adj abrupt

absceso m abscess

absolución f acquittal

absoluto adj absolute; en — absolutely not

absolver[2,51] vt to absolve, to acquit

absorbente adj absorbent

absorber vt to absorb

absorción f absorption

absorto adj absorbed, engrossed

abstemio -mia adj abstemious; mf teetotaler

abstenerse[44] vi to abstain; — de to abstain from, to refrain from

abstinencia f abstinence

abstracción f abstraction

abstracto adj abstract

abstraer[45] vt to abstract; —se de to shut out

abstraído adj lost in thought

absurdo adj absurd, preposterous; m absurdity

abuchear vt/vi to boo, to jeer

abucheo m boo, jeer

abuelo -la m grandfather; f grandmother; —s grandparents

abulia f apathy

abultado adj bulgy

abultar vi to bulge

abundancia f abundance, plenty

abundante adj abundant, plentiful

abundar vi to abound; — en to abound in

aburrido adj (sin entretenimiento) bored; (pesado) boring, tiresome

aburrimiento m boredom

aburrir vt to bore; —se to become bored

abusar vt — de to abuse; (sexualmente) to molest

abuso m abuse; — de confianza breach of trust; — de sustancias substance abuse

abyecto adj abject

acá adv (en este lugar) here; (a este lugar) over here, lit hither; — y allá here and there

acabado adj finished; m finish

acabar vt to finish; vi to end; — de to have just; — por to end up by; — con (la corrupción) to put an end to; (las cucarachas) to get rid of; él y yo hemos acabado he and I are through; se acabaron los dulces the candy is all gone; se nos acabaron las ideas we ran out of ideas; y se acabó and that's that

academia f (corporación, escuela militar) academy; (centro privado de enseñanza) private school

académico adj academic

acallar vt to silence, to quiet

acalorarse vr/vi (sofocarse) to overheat; (emocionarse) to get excited

acaloramiento m sufrió un — he got too hot

acalorado adj heated

acampada f camping

acampar vi to camp

acanalar vt to groove

acantonar vt to quarter

acaparar vt (productos) to hoard; (atención) to capture; (monopolizar) fam to hog

acaramelar vt to candy

acariciar vt to caress; — una esperanza to hope

ácaro m mite

acarrear vt (transportar) to cart, to transport; (ocasionar) to bring about

acarreo m cartage, carriage, transport

acaso adv perhaps; por si — just in case

acatamiento m compliance

acatar vt to abide by, to comply with

acatarrar vi to chill; —se to catch cold

acaudalado adj wealthy

acceder vi — a to accede to

accesible adj accessible, convenient

acceso m access; (de ira) fit

accesorio adj & m accessory

accidentado -da adj (viaje) eventful; (terreno) uneven; mf accident victim

accidental adj accidental

accidentarse vi to have an accident

accidente m (suceso imprevisto) accident; (del terreno) feature; (automovilístico)

acción f (acto) action; (valor de bolsa) share of stock; — de gracias thanksgiving; las buenas acciones good deeds; acciones preferenciales preferred stock; acciones ordinarias common stock

accionar vt to operate

accionista mf shareholder, stockholder

acebo m holly

acechar vt (emboscar) to lie in ambush; (amenazar) to stalk

acecho m rondar en — to prowl; estar al — to lie in wait

aceitar vt to oil

aceite m oil; — de linaza linseed oil; — de oliva olive oil; — de ricino castor oil; — vegetal vegetable oil

aceitera f oilcan

aceitoso adj oily

aceituna f olive

aceleración f acceleration

acelerador m accelerator

acelerar vt to accelerate, to speed up; vi to accelerate, to step on the gas; — en vacío to rev, to race; —se to get nervous

acémila f pack animal

acento m (rasgos fonéticos, signo) accent; (especial intensidad) stress

acentuar vt (la hermosura) to accentuate; (ortográficamente) to accent; (oralmente) to stress; —se to accentuate

acepción f gloss, meaning

aceptable adj acceptable

aceptación f acceptance

aceptar vt to accept

acequia f irrigation ditch

acera f sidewalk

acerado adj made of steel

acerar vt to steel

acerca prep — de about, concerning

acercamiento m approach

acercar vt to bring near; os acerco a la estación I'll give you a ride to the station; —se to come near, to approach

acería f steel mill

acerrimo adj bitter

acero m steel; — inoxidable stainless steel

acertado adj right

acertar vt to hit; vi to be right; — con to hit upon; — a to happen to; no — to miss the mark

acertijo m riddle, conundrum

acervo m heritage

acetona f acetone

achacar vt to blame

achacoso adj infirm

achaparrado adj (planta) stunted; (persona)

squat

achaque M affliction, ailment; —s aches and pains

achatado ADJ weak-kneed

achicar[6] VT (empequeñecer) to make small; (un vestido) to take in; (agua) to bail; —se (acobardarse) to feel intimidated; (empequeñecerse) to get smaller

achicoria F chicory

aciago ADJ unlucky

acicate M incentive

acicalarse VI to dress up

acidez F (de un ácido) acidity; (del vinagre) sourness; —de estómago heartburn

ácido M acid; ADJ (como el ácido) acidic; (fruta) sour; tart

acierto M (contestación correcta) right answer; (buena elección) felicitous choice

aclamación F acclamation, acclaim; por — by acclamation

aclamar VT to acclaim, to hail

aclaración F clarification

aclarar VT (con explicaciones) to clarify; (con agua) to rinse; (la voz) to clear; vi to dawn; **aclaró después de la tormenta** it cleared up after the storm; —se to lighten

aclimatar VT to acclimate

acné M acne

acobardar VT to intimidate

acogedor ADJ (persona) hospitable; (cuarto) cozy

acoger[11b] VT (una sugerencia) to receive; (a un refugiado) to shelter; —se to take refuge; —se a la ley to have recourse to the law

acogida F reception

acogimiento M reception

acolchar VT (pespuntear) to quilt; (rellenar) to pad

acollar VT to collar

acometer VT (atacar) to attack; (emprender) to undertake

acometida F attack

acomodado ADJ well-off

acomodador -ora MF usher

acomodar VT (arreglar) to arrange; (ajustar) to adjust; (adaptar) to adapt; —se (ponerse cómodo) to make oneself comfortable; (adaptarse) to adapt oneself

acomodo M position

acompañamiento M (acción, música) accompaniment; (grupo de personas que acompaña) retinue; (comida) side dish

acompañante ADJ accompanying; MF (compañero) companion; (en música) accompanist

acompañar VI/VT to accompany (también en música); (escoltar) to escort; (en una carta) to enclose; —se de to be accompanied by; **esperemos que el tiempo acompañe** we hope the weather cooperates; **te acompaño en el sentimiento** my thoughts are with you

acompasado ADJ rhythmical, measured

acomplejado ADJ self-conscious

acondicionar VT to prepare

acongojar VT to distress; —se to become distressed

aconsejable ADJ advisable

aconsejar VT to advise, to counsel

acontecer[13] VI to take place

acontecimiento M event; **todo un —** quite a happening; **a esta altura de los —s** at this point in the proceedings

acopio M (acción de guardar) storing; (cosas guardadas) stockpile

acoplamiento M coupling; — universal de cardán universal joint

acoplar VT to couple; —se (juntarse) to couple, to join; (partes) to have feedback

acople M coupling, connection

acorazado ADJ armored; M battleship, warship

acorazar[9] VT to armor

acordar[2] VT en to arrange to; —se (de) to remember

acorde ADJ in agreement; — con in agreement with; M chord

acordeón M accordion

acordonar VT (un zapato) to tie with a lace; (un lugar) to rope off, to seal off; (una moneda) to mill

acorralar VT (meter en un corral) to corral; (impedir la salida) to corner

acortar VT to shorten

acortamiento M shortening

acosar VT (perseguir) to harry; (atacar) to beset; (atormentar) to badger; (solicitar sexualmente) to harass

acostar[2] VT to put to bed; —se to go to bed; —se con to sleep with

acostumbrado ADJ accustomed; (habitual) customary; **estar — a** to be used / accustomed to

acostumbrar VT to accustom; (soler) to be accustomed to; —se (a) to get accustomed (to)

acotación F (anotación) marginal note; (en una obra de teatro) stage directions

acotar VT (un terreno) to mark off; (un

acre ADJ acrid, pungent, sharp; M acre

acrecentamiento M growth, increase

acrecentar[1] VI to grow

acreditar VT (una cuenta) to credit; (a un profesional) to accredit; **a quien pueda — ser el dueño de** to whoever can prove he is the owner of

acreedor -ora ADJ deserving; **saldo —** positive balance; MF creditor

acribillar VT (a balazos) to riddle; (a pedradas) to pelt

acrílico ADJ & N acrylic

acritud F acrimony

acrobacia F (arte) acrobatics; (ejercicio de acrobacia) stunt

acróbata MF INV acrobat

acrobático ADJ acrobatic

acrofobia F acrophobia

acrónimo M acronym

acta F (de nacimiento) certificate; (de una reunión) minutes; (de un congreso) proceedings

acto M (solemne, de una obra de teatro) act; (acción); **— seguido** immediately after; **— fallido** Freudian slip; **en el —** on the spot; **hacer — de presencia** to show up

activar VT to activate

actividad F activity

activismo M activism

activista MF activist

activo -a ADJ active; **en —** working; M assets; **— líquido** liquid assets

actor -triz M actor; F actress; **— de carácter** character actor

actuación F (acción de actuar) acting; (modo de actuar) performance

actual ADJ current, present

actualidad F present time; **—es** latest news; **de —** up-to-date

actualización F (de información) update; **de —** up-to-date

actualizado ADJ up-to-date; (de ordenador) upgrade

actualizar[17] VT to update; (ordenador) to upgrade

actualmente ADV presently

actuar[17] VI to act; (ante el público) to perform

actuario -ria MF (judicial) clerk; (de seguros) actuary

acuarela F watercolor

acuario M aquarium

acuartelar VT to quarter

acuático ADJ aquatic

acuchillar VT to stab, to slash

acuclillado ADJ squatting

acuclillarse VI to squat

acudir VI (ir) to go; (asistir) to attend; **— a** to turn; **— al llamado** to respond to the call; **— al socorro de** to go to the rescue of; **— en masa** to flock

acueducto M aqueduct

acuerdo M agreement; **estar de —** to be in agreement; **ponerse de —** to come to an agreement; **de — con** in accordance with agreement

acumulación F accumulation, build-up

acumulador M storage battery

acumular VT to accumulate; (una fortuna) to amass; **—se** to collect

acuñación F coinage, minting

acuñar VT (hacer monedas, una expresión) to coin; (meter cuñas) to wedge

acuoso ADJ watery

acupuntor -ora MF acupuncturist

acupuntura F acupuncture

acurrucarse VI to nestle, to huddle

acusación F accusation, charge

acusado -da MF accused; (en un juicio) defendant

acusador -ora MF accuser

acusar VT (señalar como culpable) to accuse; (detectar) to detect; (revelar) to betray; (entre niños) to tattle, to tell; **— el golpe** to feel the blow; **— recibo** to acknowledge receipt

acuse M acknowledgment

acústica F acoustics

acústico ADJ acoustic

adagio M adage

adaptabilidad F resilience

adaptación F adaptation

adaptar VT to adapt

adecuado ADJ appropriate

adecuar VT to adapt; **—se a** to be suitable for

adefesio M sight, hideous thing

adelantado ADJ (economía, alumno) advanced; (reloj) fast; (tren) ahead of time, ahead of schedule; **por —** in advance

adelantamiento M (de una fecha) bringing forward; (de un coche) overtaking

adelantar VT (una fecha, dinero) to advance; (la mano) to move forward; (un coche) to pass; (una noticia) to tell before; VI (un reloj) to gain; **— en** to make progress in; **—se** (sacar ventaja) to get ahead; (actuar antes) to go ahead; (innovar) to be ahead; (hablar antes) to get ahead of oneself

adelante ADV forward. **— con los faroles**

let's get started; — **de mí** in front of me;
de aquí en — from now on; **hacia** —
forward; **ir** — to go ahead; **más** — later;
sacar — to make prosper; **seguir** — to go
on
adelanto m (de la ciencia) advance;
(pago) advance; **el** — **de los relojes**
setting the clocks forward
adelfa f oleander
adelgazar[9] vi to lose weight; vt to lose;
(hacer perder peso) to make one lose
weight; (hacer menos espeso) to thin;
(hacer parecer delgado) to make one look
thinner; —**se** to get thinner
ademán m gesture; **hacer un** — **a alguien**
to motion to someone
además adv moreover, besides, in addition;
— **de deberme dinero** besides/in
addition to owing me money
adentro adv inside; **ir para/hacia** — to go
inside; **hablar para sus** —**s** to talk to
oneself; **con lo de** — **para afuera** inside
out
aderezar[9] vt (embellecer) to adorn;
(condimentar) to season, to garnish
aderezo m (adorno) adornment; (de un
alimento) seasoning; (de una ensalada)
salad dressing
adeudar vt (deber) to owe; (cargar en
cuenta) to debit
adeudo m (endeudamiento) indebtedness; (a
una cuenta) debit
adherencia f adhesion
adherir[73] vi to adhere; —**se a** (una cosa) to
stick to; (una huelga) to join; (una idea) to
subscribe to
adhesión f (a una cosa) adhesion; (a una
idea) adherence
adhesivo adj adhesive; M (pegamento)
cement, adhesive; (calcomanía) sticker
adicción f addiction
adición f addition
adicional adj additional
adictivo adj addictive
adicto -**ta** adj addicted; mf addict
adiestramiento m training
adiestrar vt to train
adinerado adj wealthy, well-to-do
adiós INTER goodbye; **hacer** — **con la
mano** to wave goodbye
adiposo adj fatty
aditivo m additive
adivinanza f riddle
adivinar vt to guess
adivino -**na** mf fortune teller
adjetivo adj & m adjective

adjudicación f award
adjudicar[6] vt to award; —**se** to be awarded
adjuntar vt (incluir en una carta) to enclose;
(añadir) to add
adjunto adj (unido) attached; (en un mismo
envío) enclosed; (asistente) adjunct; adv
herewith
adminículo m gadget
administración f administration; —
pública civil service
administrador -**ora** mf administrator
administrar vt (una empresa, un
medicamento) to administer; (justicia) to
dispense; —**se** to budget
administrativo adj administrative
admirable adj admirable
admiración f admiration
admirador -**ora** mf admirer; (de una estrella
de cine) fan
admirar vt to admire; —**se** to be amazed;
—**se de** to wonder at
admisible adj admissible, allowable
admisión f (aceptación) admission;
(reconocimiento) acknowledgment
admitir vt (dejar entrar, reconocer) to admit;
(aceptar) to accept; (permitir) to allow
adobar vt (aderezar una comida) to fix;
(curtir una piel) to tan; (encurtir) to pickle
adobe m adobe
adobo m sauce for seasoning
adoctrinar vt to indoctrinate
adolecer[13] vi — **de** to suffer from
adolescencia f adolescence
adolescente adj adolescent; mf adolescent,
teenager
adonde REL ADV **esa es la casa** — **vamos**
that's the house (where) we're going to
adónde ADV INTER & PRON where
adopción f adoption
adoptar vt to adopt
adoptivo adj adoptive
adoquín m cobblestone
adorable adj adorable
adoración f (a un ser amado) adoration; (a
un dios) worship
adorador -**ora** mf worshiper
adorar vt (a una persona) to adore; (a un
dios) to worship
adormecer[13] vt (dar sueño) to make drowsy;
(entumecer) to numb; —**se** (de sueño) to
become drowsy; (de frío) to go numb
adormilado adj sleepy
adornar vt to adorn, to embellish
adorno m adornment, ornament, decoration
adquirir[34] vt to acquire; (una característica)
to take on

adquisición F acquisition; (a una colección, al personal) addition; (de una compañía) takeover

adrede ADV on purpose

adrenalina F adrenaline

aduana F customs; (edificio) customshouse

aduanero -ra MF customs officer

aducir[24] VT to offer as proof

adueñarse VI to take possession

adulación F flattery

adulador -ora ADJ flattering; MF flatterer

adular VI/VT to flatter

adulón -ona ADJ flattering

adulterar VT to adulterate

adulterio M adultery

adúltero -ra MF adulterer

adulto -ta ADJ & M adult

adusto ADJ stern

advenedizo ADJ upstart

advenimiento M advent

adverbio MF adverb

adversario -ria MF adversary, opponent

adversidad F adversity

adverso ADJ adverse

advertencia F (aviso) notice; (amonestación) warning, admonition

advertir[3] VT (avisar) to warn; (notar) to notice; (notificar) to advise, to tip off

Adviento M Advent

adyacente ADJ adjacent

aéreo ADJ aerial; **correo —** air mail

aeróbic M aerobics

aeróbico ADJ aerobic

aerobio ADJ aerobic

aerodeslizador M hovercraft

aerodinámica F aerodynamics

aerodinámico ADJ aerodynamic, streamlined

aeródromo M airport

aeroespacial ADJ aerospace

aeronáutica F aeronautics

aeronave F aircraft

aeropuerto M airport

aerosol M (suspensión) aerosol; (aparato) spray can

aerotransportado ADJ airborne

aerotransportar VT to airlift

afabilidad F affability, friendliness

afable ADJ affable, friendly

afamado ADJ famed

afán M eagerness

afanar VT *fam* to swipe; **—se** to work hard

afanoso ADJ hardworking

afasia F aphasia

afear VT to make ugly; **—se** to become ugly

afección F condition

afectación F affectation

afectado ADJ (por un desastre) affected, stricken; (modales) affected, unnatural

afectar VT to affect

afecto M affection, fondness; **— a** fond of

afectuoso ADJ affectionate, loving

afeitado ADJ clean-shaven; M shave

afeitadora F shaver

afeitar VT to shave

afelpado ADJ & M plush

afeminado ADJ effeminate, sissy

aferrado ADJ stubborn, obstinate

aferrar VT (agarrar) to grasp; (atar) to grapple; **—se** to cling

affaire M affair

Afganistán M Afghanistan

afgano -na ADJ & MF Afghan, Afghani

afianzar[9] VT to secure; (un préstamo) to guarantee

afiche M poster

afición F (inclinación) inclination; (afecto) fondness; (conjunto de aficionados) fans

aficionado -da ADJ **— a** fond of; MF (no profesional) amateur; (hincha) fan

aficionarse VI **— a** to become fond of

afilado ADJ sharp; M sharpening

afilador -ora MF grinder, sharpener

afilar VT to sharpen, to grind

afiliarse VI **— con** to affiliate oneself with

afín ADJ kindred, related

afinación F tune-up

afinado ADJ in tune

afinador -ora MF tuner

afinar VT (una destreza) to perfect; (un plan) to fine-tune; (un piano) to tune; **—se** to become thinner

afinidad F (afecto) affinity; (parentesco) kinship

afirmación F (aseveración) assertion; (aseveración positiva) affirmation

afirmar VT (decir) to assert, to declare; (decir que algo es cierto) to affirm; (sujetar) to secure; **—se** to steady oneself

afirmativa F affirmative answer

afirmativo ADJ affirmative

aflicción F affliction, woe

afligir[11] VT (dar dolor) to afflict; (entristecer) to distress

aflojar VT (una soga) to slacken, to loosen; (la vigilancia) to relax; **— el dinero** to hand over the money; VI to ease up, to slack off; **—se** to work loose

afluencia F influx

afluente M tributary

afluir[31] VI (ríos) to flow (into); (turistas) to flock

afortunado ADJ fortunate, lucky

afrecho M bran

afrenta F affront

afrentar vt to offend

África f Africa

africano -na adj & mf African

afroamericano -na adj & mf African-American

afrontar vt to face

afuera adv outdoors, outside; f pl. —s outskirts

agachar vt to lower; —se to crouch, to stoop

agalla f (de pez) gill; (de roble) gallnut; tener —s to have guts/spunk

agarrado adj tight-fisted

agarrar vt (sujetar) to seize, to grasp, to grab; (capturar) to catch; (adherirse) to grip; — por sorpresa to catch by surprise; —le la onda a algo to get the swing of something; —se to hold on; —se de to latch onto; agarré por la calle ocho I took eighth street; agarró y se fue he up and went

agarre m grip

agarrón m grab

agarrotarse vr (el cuerpo) to stiffen up; (un motor) to seize (up)

agasajar vt to entertain

agasajo m entertainment

agazaparse vi to crouch

agencia f agency, bureau; — de viajes travel agency

agenciar vt to wrangle

agente mf agent; (espía) operative; — de policía police officer

ágil adj agile, nimble

agilidad f agility

agitación f (acción de agitar, nerviosismo) agitation; (protesta) turmoil, unrest

agitado adj (estado) agitated; (vida) eventful, hectic; (mar) choppy; (sueño) uneasy

agitador -ora m (aparato) agitator; mf agitator, troublemaker

agitar vt (sacudir) to agitate, to shake up; —se (incitar a la protesta) to agitate; —se (ponerse nervioso) to get worked up; (moverse) to thrash around

aglomeración f crowd

aglomerado m particle board

aglomerarse vi to crowd together

agnóstico -ca adj & mf agnostic

agobiado adj (por los enemigos) embattled; (por el trabajo) overwhelmed

agobiante adj overwhelming

agobiar vt (con una carga excesiva) to weigh down; (con el trabajo) to overwhelm; (con impuestos) to burden

agolparse vi to crowd together

agonía f throes of death; ser un —s to be a

agonizante adj dying

agonizar[2] vi to be in the throes of death

agorafobia f agoraphobia

agorero -ra adj ominous; mf soothsayer

agosto m August; hacer su — to make hay while the sun shines

agotado adj (una persona) worn-out; (un libro) out-of-print; (una mercancía) out-of-stock

agotamiento m (de una persona) exhaustion; (de un recurso) depletion

agotar vt (un recurso) to exhaust, to use up, to deplete; (la energía) to sap; (un libro) to go out of print; (a una persona) to wear down; —se (acabarse) to be all gone; (venderse) to sell out; (secarse) to dry up

agraciado adj attractive

agraciar vt to grace

agradable adj (persona) agreeable, pleasant, congenial; (situación) pleasant, enjoyable

agradar vt to please

agradecer[13] vt (dar las gracias) to thank; (sentir gratitud) to be grateful for; se agradece thank you

agradecido adj thankful, grateful

agradecimiento m gratitude, thankfulness, appreciation; (en un libro) acknowledgment

agrado m pleasure; de su — to his liking

agrandamiento m enlargement

agrandar vt to enlarge

agrario adj agrarian

agravar vt to aggravate, to make worse; —se to get worse

agraviar vt to outrage

agravio m outrage

agredir[50] vt to assault

agregado m (funcionario de embajada) attaché; (profesor asociado) adjunct; m (mezcla) aggregate

agregar[7] vt to add

agresión f (violencia) aggression; (ataque) attack; — con lesiones assault and battery

agresivo adj aggressive

agresor -ora mf aggressor, assailant

agreste adj rough

agriar[16] vt to make sour; —se to go sour

agrícola adj inv agricultural

agricultor -ora mf agriculturist, farmer

agricultura f agriculture, farming

agridulce adj (sabor) sweet-and-sour; (memoria) bittersweet

agrietarse vr to crack (los labios) to chap

agrimensor -ora mf surveyor

agrimensura f surveying

agrio adj sour
agrisarse vi to gray
agropecuario adj agricultural
agrumarse vi to lump
agrupación f group
agrupar vt to group
agua f water; — con gas sparkling water; — corriente running water; — de colonia cologne; — de grifo tap water; — de manantial spring water; — dulce fresh water; — marina aquamarine; — mineral mineral water; — oxigenada hydrogen peroxide; — salada salt water; — s abajo downstream; — s arriba upstream; — s negras sewer water; hacer — fam to take a leak; se me hace — la boca my mouth is watering
aguacate m avocado
aguacero m shower, cloudburst, downpour
aguada f watering hole
aguadero m watering hole
aguado adj (fruta) watery; (vino, sopa) watered-down
aguantar vt (miserias) to endure; (a una persona molesta) to bear, to stand; (un peso) to bear; (la respiración) to hold; vi (mantenerse) to stand; (durar) to last; (esperar) to wait; (no pudrirse) to keep; — se (para el trabajo) endurance, stamina; (para el vino) tolerance
aguante m (para el trabajo) endurance, **aguantarse** grin and bear it
aguar vt (añadir agua, despojar de fuerza) to water down; (estropear) to spoil; — se to become diluted; *xr sg* **aguañestas**
aguardar vt to wait; vt to wait for, to await
aguardentoso adj hoarse
aguardiente m brandy
aguarrás m turpentine
agudeza f (visual) sharpness, keenness; (del ingenio) quickness; (para los negocios) acumen; (dicho agudo) witticism
agudo adj (dolor, enfermedad, ángulo) acute; (vista, mente) sharp, keen; (mención)
agüero m portent, omen; de mal — portentous
aguijada f goad
aguijar vt to goad
aguijón m (de planta) spur; (de insecto) sting, stinger
aguijonear vt (a un animal) to goad, to prod; (insecto) to sting
águila f eagle; es un — he is sharp
aguilucho m eaglet
aguinaldo m Christmas bonus
aguja f (para coser, tejer, de tocadiscos, de pino, de velocímetro) needle; (de reloj) hand; (del móvil) railroad switch; — de crochet (chapitel) steeple, spire; — de crochet crochet hook; — de punto knitting needle; — de zurcir darning needle; como una — en un pajar like a needle in a haystack
agujerear vt to pierce
agujero m hole; (de una ley) loophole; (déficit) shortfall; — negro black hole; tapar — s to pay debts
aguzar[9] vt to sharpen; — el oído to prick up one's ears
ahechaduras f pl. chaff
ahí adv there; por — over there, thereabouts; de — hence; — te quiero ver I want to see you in that situation
ahijado -a m godson; f goddaughter
ahínco m trabajar con — to work hard
ahogar[7] vt (asfixiar en agua) to drown; (inundar un motor con combustible) to flood; (asfixiar por falta de aire) to smother; (reprimir un grito) to stifle; (estrangular) to strangle; (asfixiar por presión al cuello) to throttle, to choke; — las penas bebiendo to drown one's sorrows in drink; — se (en agua) to drown; (por calor, falta de aire) to suffocate
ahogo m (por un esfuerzo) breathlessness; (por un aprieto) — s to live a comfortable life / vivir sin — s
ahondar vt (un hoyo) to deepen; (un asunto) to dig deeper into; — se to become deeper
ahora adv now; — bien now then; — mismo right now; por — for the present, for now; hasta — to date, up to now, so far
ahorcar[6] vt to hang, fam to string up
ahorrar vt to save; (librar de una molestia) to spare
ahorrativo adj frugal, thrifty
ahorro m thriftiness; — s savings
ahuecar[4] vt to hollow out; — la voz to speak in a hollow voice
ahumado adj smoked; m smoking
ahumar vt to smoke
ahuyentar vt to drive away, to scare away; — se to get scared
airado adj irate
airarse vt to get angry
airbag m airbag
aire m air; (melodía) tune; (manera de ser) manner; — acondicionado air conditioning; — libre outdoors; al — libre outdoors; cambiar de — s to change surroundings; darse — s to change surroundings; en el — up in the air; postura; en el — up in the air; estar en

el — to be on the air; **tener — de** to look like; **tomar —** to breathe in; **tomar el —** to get some air

airear vt to air out

airoso adj graceful

aislacionismo m isolationism

aislado adj isolated (persona) secluded

aislador m insulator; adj insulating

aislamiento m (acción de aislarse) isolation; (cosa que aísla) insulation; (soledad) seclusion

aislante m insulator

aislar vt (dejar separado, separar) to isolate; (poner fuera de contacto) to insulate; (rechazar socialmente) to ostracize

ajar vt (una planta) to wither; (las manos) to make rough; (la piel) to age

ajedrez m chess

ajeno adj (de otro) belonging to someone else; (extraño) alien; **— a un peligro** oblivious to a danger; **— a mi voluntad** beyond my control; **— a mi experiencia** foreign to my experience

ajetrearse vi to bustle about

ajetreo m bustle, hustle and bustle

ají m chili

ajo m garlic

ajuar m (de novia) trousseau; (mobiliario) furnishings

ajustado adj tight, snug; **— a la ley** in accordance with the law

ajustar vt (hacer corresponder, retocar una prenda) to adjust; (retocar un contrato) to tweak; (apretar) to tighten; vi to fit tight; **— cuentas** to settle accounts; **— se a derecho** to be in accordance with the law

ajuste m (acción de ajustar) adjustment; (del cinturón) tightening; (de una máquina) fine-tuning; (de cuentas) settlement; (de una prenda) alteration; **hacer — s** to tinker with

ala f (de ave) wing; (de sombrero) brim; **cortarle las — s a alguien** to clip someone's wings

alabanza f praise

alabar vt to praise

álabe m warp

alacena f pantry

alacrán m scorpion

alamar m (adorno con flecos) frog; (presilla) clasp

alambique m still

alambrada f wire fence

alambrado m (barrera) wire fence; (acción de alambrar) wiring

alambrar vt to wire

alambre m wire; **— de púas** barbed wire

alameda f poplar grove

álamo m poplar (tree)

alancear vt to wound with a lance, to spear

alano m mastiff

alarde m show; **hacer — de** to boast of, to show off

alardear vi **— de** to boast about

alargar[2] vt (hacer más largo) to lengthen; (un brazo, un guiso) to stretch (out); **— la vista** to peer into the distance; **— se** to go on (longer than expected)

alarido m scream, howl

alarma f alarm; **— antirrobo** burglar alarm; **— contra incendios** fire alarm

alarmar vt to alarm

alba f dawn

albacea mf inv executor

albanés -esa adj & mf Albanian

Albania f Albania

albañal m sewer

albañil m mason, bricklayer

albañilería f masonry

albaricoque m apricot

albatros m albatross

alberca f (depósito) reservoir; (piscina) Méx swimming pool

albergar[2] vt (dar refugio) to shelter; (hospedar) to lodge; (ser sede de) to house; (guardar rencor, un secreto) to harbor; **— se** to take shelter

albino -na mf albino

albor m dawn

alborada f dawn, reveille

albóndiga f meatball

alborotador -ora adj rowdy; mf troublemaker

alborotar vt (el pelo) to muss; (la casa) to mess up; (la calle) to cause trouble in; (a los niños) to excite; **— se** to get excited

alboroto m hubbub, fuss

alborozado adj joyful

alborozar[9] vt to gladden; **— se** to rejoice

alborozo m joy

albricias f pl & interj congratulations

álbum m album

alcachofa f artichoke

alcahuete -ta mf (soplón) tattletale; (mediador, encubridor) procurer

alcaide m warden

alcalde -esa mf mayor

álcali m alkali

alcalino adj alkaline

alcance m (de una persona) reach; (de los deseos) attainment; (de un misil) range; (de una ley) scope; **de cortos — (s)**

meager intellect; **al —** at hand, within reach; **a su —** within his reach; **al — del oído** within hearing; **dar — a** to catch up with; **de gran —** far-reaching; **de largo —** long-range

alcancía F piggybank

alcanfor M camphor

alcantarilla F (para agua sucia) sewer; (para lluvias) gully, gutter

alcantarillado M sewage system

alcanzar[7] VT (llegar a un punto, cumplir un deseo) to reach; (igualar) to catch up with; (pasar, poner en la mano) to pass; (herir a balazos) to get; **no alcanzo a verlo** I can't quite see it; **no me alcanza el dinero** I don't have enough money; **alcancé a conocer a mi abuela** I was born soon enough to meet my grandmother

alcaparra F caper

alcaucil M artichoke

alcázar M fortress

alce M elk; (norteamericano) moose

alcoba F bedroom

alcohol M alcohol; **— etílico** ethyl alcohol

alcohólico -ca ADJ & MF alcoholic

alcoholismo M alcoholism

alcornoque M (árbol) cork tree; (persona) blockhead

alcuza F oilcan

aldaba F (para llamar) knocker; (para cerrar) bolt

aldabón M large knocker

aldea F village, hamlet

aldeano -na MF villager; **joven aldeana** village girl

aleatorio ADJ random

aleccionar VT to teach a lesson

aledaños M PL vicinity

alegar[7] VT (aducir) to adduce; (pretender) to claim

alegato M (a favor de) plea; (en contra de) allegation

alegoría F allegory

alegrar VT (a una persona) to gladden; (una fiesta) to brighten up; **—se** to be glad; (por efecto del alcohol) to get tipsy

alegre ADJ joyful, cheerful, lighthearted; (ebrio) tipsy, lit

alegría F joy, merriment, cheer

alejamiento M withdrawal

alejar VT (distanciar) to move away; (ahuyentar) to scare off; **—se** (físicamente) to move away; (emocionalmente) to withdraw

alelar VT to stupefy

alemán -ana ADJ & MF German; M (lengua) German

Alemania F Germany

alentar[7] VT (animal) to encourage, to cheer up; VI to breathe

alergia F allergy

alérgico ADJ allergic

alergólogo -ga MF allergist

alerón M (de avión) aileron, flap; (de coche) spoiler

alerta ADJ INV, ADV & F alert

alertar VT to alert

aleta F (de pez) fin; (de ballena) fluke; (de buceador) flipper

aletargado ADJ sluggish

aletargarse[7] VI to fall into a lethargy

aletazo M flap of a wing

aletear VI to flap, to flutter

aleteo M flapping, flutter

alevín M small fry

alevosía F treachery

alevoso ADJ treacherous

alfabetismo M literacy

alfabetización F literacy

alfabetizar[7] VT (enseñar a leer y a escribir) to teach to read and write; VT (disponer en orden alfabético) to alphabetize

alfabeto M alphabet

alfanumérico ADJ alphanumeric

alfarería F pottery

alfarero -ra MF potter

alféizar M windowsill

alfeñique M (golosina) sugar paste; (persona) weakling

alférez MF second lieutenant; **— de fragata** ensign

alfil M bishop

alfiler M pin; **— de corbata** tiepin; **no cabe un —** it's totally full

alfiletero M pincushion

alfombra F carpet; (suelta) rug

alfombrar VT to carpet

alfombrilla F mat

alforja F saddlebag; **—s** seaweed

alga F seaweed; **—s** algae

algarabía F uproar

algarrobo M locust tree

algazara F merriment

álgebra F algebra

algo PRON something, anything; ADV somewhat; **— es** something is better than nothing; **por — será** there must be reason

algodón M cotton; **— de azúcar** cotton

candy; **se crió entre algodones** he had a protected childhood

algoritmo M algorithm

alguacil M sheriff, marshal; (en un tribunal) bailiff

alguien PRON INDEF somebody, someone; **vino — a hablarte** someone came to talk to you; (en preguntas) anybody, anyone; **¿— lo vio?** did anyone see him?

algún ADJ some; **—s** some, a few; **sin ruido —** without a sound; **en alguna parte** somewhere; **de alguna manera** somehow; **en algún momento** sometime; **¿lo has visto alguna vez?** have you ever seen him? **¿hay alguna forma de hacer esto?** is there any way to do this?

alhaja F jewel (también persona); **—s** jewelry

alhajero M jewelry box

alharaca F fuss

alhelí M wallflower

aliado -da ADJ allied; MF ally

alianza F alliance; (de Dios) covenant

aliar[16] VT to ally

alias M alias

alicaído ADJ crestfallen

alicates M PL pliers

aliciente M inducement

aliento M (aire respirado) breath; (ánimo) encouragement; **cobrar —** to catch one's breath; **sin —** out of breath, breathless; **contener el —** to hold one's breath;

aligerar VT to lighten; **— el paso** to quicken one's pace

alijo M cache, stash

alimentación F (de una persona) nourishment, food; (de una máquina) feeding

alimentar VT (a una persona) to feed, to nourish; (un fuego) to stoke

alimenticio ADJ nutritious, nourishing; **industria alimenticia** food industry; **pensión alimenticia** alimony

alimento M food, nourishment

alineación F (de un equipo deportivo) lineup; (de un coché) alignment

alinear VT (un grupo de cosas) to line up; (a un deportista) to put in the lineup; **—se con** to align oneself with

aliñar VT to smooth; (pelo) to straighten

aliño M condiment, seasoning

alistamiento M enlistment

alistar VT (hacer menos pesado) to lighten; **alistar** VT to enlist

aliviar VT (mitigar) to alleviate, to relieve; (tranquilizar) to relieve; **—se** (mejorarse) to get better; (hacer sus necesidades) to relieve oneself

alivio M .relief

aljaba F quiver

aljibe M cistern

allá ADV there, over there; **más —** farther, beyond; **el más —** the hereafter; **— tú** that's your problem

allanamiento M raid; **— de morada** forcible entry

allanar VT (la tierra) to level, to smooth; (una dificultad) to iron out; (una casa) to raid; **— el camino** to smooth the way

allegado -da ADJ close to; MF relative

allegar[40] VT to gather; **—se** to arrive

allí ADV (punto en el espacio) there; (punto en el tiempo) then; **por —** through there

alma F soul; **con toda el —** from the bottom of one's heart; **hasta el —** to the bone; **no me cabía el — en el cuerpo** I was overjoyed; **se me fue el — al piso** my heart sank

almacén M (depósito) warehouse, storehouse; (tienda) department store; **almacenes** department store

almacenaje M storage

almacenamiento M storage

almacenar VT to store, to stock up on

almacenista MF wholesaler

almádena F sledgehammer

almáciga F nursery

almanaque M (publicación anual) almanac; (calendario) calendar

almeja F clam

almendra F almond

almendro M almond tree

almíbar M syrup

almidón M starch

almidonado ADJ stiff

almidonar VT to starch

almirante M admiral

almohada F pillow; **consultarlo con la —** to sleep on it

almohadilla F (para sentarse) cushion; (en las patas de los perros) pad

almohadón M cushion

almohaza F currycomb

almohazar[47] VT to groom

almorranas F PL piles, hemorrhoids

almuerzo M lunch

almorzar[2,9] VT to lunch, to eat lunch

alocado ADJ wild

aloe M aloe vera

alojamiento M lodging, accommodations; (militar) quarters

alojar VT (a un invitado) to lodge, to accommodate; (a unos huérfanos) to

alojar VT (a las tropas) to quarter; —se (una bala) to lodge; (una persona) to board, to room

alondra F lark

alpaca F alpaca

alpinismo M mountain climbing

alpinista MF mountain climber, mountaineer

alpino ADJ alpine

alpiste M birdseed

alquería F farmhouse

alquilar VT to rent; se alquila for rent

alquiler M (pago mensual) rent; (acción de alquilar) renting; coche de — rental car; dar en — to hire out

alquitrán M tar

alquitranar VT to tar

alrededor ADV around; — de la casa around the house; M —es (de un área) surroundings; (de una ciudad) outskirts

alta F discharge; dar de — to discharge

altanería F haughtiness

altanero ADJ haughty

altar M altar

alteración F alteration; alteraciones al orden público public disturbances

alterar VT to alter; — el ánimo to upset; —se to get upset

altercado M altercation

altercar VI — con to quarrel with

alternador M alternator

alternar VT to alternate; — con to rub elbows with

alternativa F alternative

alternativo ADJ (cambiante) alternating; (optativo) alternative

alterno ADJ alternate; alterna y continua AC/DC

alteza F highness

altibajos M PL ups and downs

altiplano M high plateau

altisonante ADJ high-sounding

altitud F altitude

altivez F haughtiness

altivo ADJ haughty

alto ADJ (que está arriba) high; (que tiene mayor altura vertical) tall; de alta fidelidad high fidelity; de alta potencia high-powered; de alta velocidad high-speed; en — grado to a great extent; en alta mar on the high seas; M altavoz loudspeaker; altoparlante loudspeaker; (altura) height; (piso) upper story; — el fuego cease-fire; ADV loud; hablar — to talk loud; cotizarse — to be set high; INTERJ halt!

altruismo M altruism

altura F (de persona, edificio, ola, epidemia) height; (de avión) altitude; (del suelo sobre el mar, lugar alto) elevation; a estas —s at this stage; a la — de la calle ocho at eighth street; a la — de las circunstancias equal to the circumstances

alubia F bean

alucinar VT (causar alucinaciones) to hallucinate; (fascinar) to fascinate; (deslumbrar) to bowl over; VI (sufrir alucinaciones) to hallucinate

alud M avalanche

aludir VI — a to allude to, to refer to

alumbrado M lighting; ADJ lit

alumbramiento M childbirth

alumbrar VT to light up; (dar a luz) to give birth

aluminio M aluminum

alumnado M student body

alumno -na M (de enseñanza primaria) pupil; (de enseñanza secundaria) student

alusión F allusion

aluvión M (de preguntas, pedidos) barrage; (de personas) flood

alza F appreciation; — de precios boost in prices

alzamiento M (acción de alzar) raising; (insurrección) uprising

alzaprima F crowbar

alzar VT (la mano, la voz, una casa) to raise; (a un niño) to lift up; — la vista to look up; —se to rise up in rebellion; —se con to make off with

amabilidad F kindness; ¿tendría la — de...? would you mind...?

amable ADJ kind, nice

amado -da MF beloved

amaestrador -ora MF trainer

amaestramiento M training

amaestrar VT to train

amagar VI/VT amagó que iba a llover it looked like it was going to rain; amagó con llover it threatened to rain

amago M — de hacer — to make as if

amalgamar VT to amalgamate

amamantar VT to nurse, to breast-feed

amanecer VI to dawn; — enfermo to wake up ill; amaneció en Londres I woke up in London; M dawn, sunrise, daybreak

amanerado ADJ effete

amansar VT to tame

amante MF lover; ADJ — de fond of

amañar VT (una elección) to rig; (un documento) to tamper with

amapola F poppy
amar VT to love
amargar[7] VT to embitter
amargo ADJ bitter
amargor M bitterness
amargura F bitterness
amarillear VI/VT to yellow, to turn yellow
amarillento ADJ yellowish
amarillo -lla ADJ yellow; MF (esquirol) scab
amarra F cable, rope; **—s** moorings; **soltar —s** to cast off
amarrar VT (un barco) to moor; (una cosa) to secure, to tie down
amartillar VT (pegar con martillo) to hammer; (un arma) to cock
amasar VT (masa) to knead; (una fortuna) to amass
amateur ADJ & MF amateur
amatista F amethyst
Amazonas M Amazon River
ambages M **hablar sin —** to not mince words, to speak plainly
ámbar M amber
ambición F ambition
ambicionar VT to have the ambition of
ambicioso ADJ ambitious; (codicioso) overambitious
ambidextro ADJ ambidextrous
ambiental ADJ environmental; (temperatura) ambient
ambiente ADJ ambient; M (condiciones biológicas) environment; (atmósfera) atmosphere, ambiance; (sector social) milieu
ambigüedad F ambiguity
ambiguo ADJ ambiguous
ámbito M (ambiente) scene; (alcance) scope; (esfera) sphere
ambivalente ADJ ambivalent
ambos ADJ & PRON both
ambulancia F ambulance
ambulante ADJ itinerant
ameba F ameba
amedrentar VT to scare
amén INTERJ amen; **decir —** to approve without discussion; **— de** besides
amenaza F threat, menace
amenazador ADJ threatening
amenazar[9] VT to threaten; **— con** to threaten to
amenidad F (cualidad de ameno) pleasantness; (placer) pleasure
amenizar[9] VT to make entertaining
ameno ADJ enjoyable, entertainment
América F America
americano -na ADJ & MF American; F sport coat

ametrallador -ora MF gunner; F (arma) machine gun
ametrallar VT to strafe
amianto M asbestos
amigable ADJ friendly
amígdala F tonsil
amigdalitis F tonsillitis
amigo -ga ADJ friendly; **— de** fond of; **— lo ajeno** thieving; MF friend
aminoácido M amino acid
aminorar VT to lessen
amistad F (relación) friendship; (amigo) friend; **trabar —** to strike up a friendship
amistoso ADJ friendly, amicable
amnesia F amnesia
amniocentesis F amniocentesis
amnistía F amnesty
amo -ma M (de esclavo, sirviente) master; (de animal) owner; (de esclavo, de sirviente) mistress; (de animal) owner; **ama de leche** wet nurse; **ama de llaves** housekeeper; **ama de casa** homemaker
amodorrado ADJ drowsy
amodorrar VI to make drowsy; **—se** to become drowsy
amolar[2] VT to annoy
amoldar VT to mold
amonestación F admonition, warning
amonestar VT to admonish, to warn
amoníaco M ammonia
amontonamiento M to pile up
amontonar VT to pile up
amor M love; **— propio** self-esteem; **de mil —es** gladly; **hacerle el — a** to make love to; **por el — de Dios** for God's sake; **por al arte** unremunerated
amoral ADJ amoral
amoratado ADJ (de golpes) black-and-blue; (de frío, por falta de oxígeno) blue
amordazar[9] VT (a una persona) to gag; (a un perro, a los críticos) to muzzle
amorfo ADJ amorphous
amorío M love affair
amoroso ADJ loving, amorous
amortajar VT to shroud
amortiguador M shock absorber
amortiguar[8] VT (un sonido) to muffle, to absorb; (un golpe) to cushion, to absorb; (un dolor) to deaden, to dull
amortizar[9] VT (recuperar a plazos) to amortize; (depreciar) to depreciate
amoscarse[6] VI to get peeved
amostazarse[9] VI to get peeved
amotinarse VI (en un barco) to mutiny; (en una ciudad) to riot
amparar VT (proteger) to protect; (refugiar) to shelter; **—se** to protect oneself

amparo m (protección) protection; (refugio) shelter; **al — de** under the protection of

amperio m ampere

ampliación f (de una foto) enlargement; (de una casa) extension

ampliar[16] vt (una foto) to enlarge; (una calle) to extend; (una explicación) to expand; (un volumen) to amplify

amplificador m amplifier

amplificar[6] vt (un sonido) to amplify; (una imagen) to magnify

amplio adj (información, tiempo) ample; (piso) spacious, roomy; (región, resonancia, sonrisa) broad; (vestido) full; **de amplias miras** open-minded

amplitud f (de comprensión) breadth; (de onda) amplitude

ampolla f (de la epidermis) blister; (vasija) vial

ampollar vt to blister

ampuloso adj bombastic

amputar vt to amputate

amueblar vt to furnish

amuleto m amulet, charm

anacronismo m anachronism

ánade m duck

anadear vi to waddle

anaerobio adj anaerobic

anal adj anal

anales m pl. annals

analfabetismo m illiteracy

analfabeto -ta adj & mf illiterate

analgésico adj & m analgesic

análisis m analysis

analítico adj analytical, analytic

analizar[7] vt to analyze

analogía f analogy

analógico adj (relativo a la analogía) analogical; (no digital) analog

análogo adj analogous

ananás m pineapple

anaquel m shelf

anaranjado adj & m (color) orange

anarquía f anarchy

anarquista mf anarchist

anatema m anathema

anatomía f anatomy

anatómico adj anatomical

anca f haunch, rump

ancho adj wide, broad; **a sus anchas** at his ease; **me viene —** it's too wide for me; m width, breadth; **a lo —** widthwise; **tiene un metro de —** it's one meter wide

anchoa f anchovy

anchura f width, breadth

ancianidad f old age

anciano -na adj elderly, aged; mf old person

ancla f anchor

anclar vi/vt to anchor

andada f **volver a las —s** to backslide

andador -ora mf walker

Andalucía f Andalusia

andaluz -za adj & mf Andalusian

andamiaje m (para construcción) scaffolding; (fundamento) framework

andamio m scaffold

andanada f broadside

andante adj walking

andanzas f pl. adventures

andar[20] vi to walk; (coche, motor, reloj) to run; (el tiempo) to pass; (un aparato) to work; **— con cuidado** to be careful; **— en coche** to travel by car, to ride in a car; **— mal** to be in bad shape, to be a mess; **— mal del corazón** to have heart trouble; **—se por las ramas / con vueltas** to beat around the bush; **no —se con rodeos** to make no bones about it; **en eso ando** that's what I'm up to; **¡andando!** move on!; **¿dónde anda a estas horas?** where is he at this hour? **¡ándale!** Mex (apresúrate) come on! (de acuerdo) OK; m gait

andariego adj fond of walking

andas f **llevar en —** RF to carry on one's shoulders

andén m platform

Andes m pl. Andes

andino adj Andean

Andorra f Andorra

andorrano -na adj & mf Andorran

andrajo m rag, tatter

andrajoso adj ragged, tattered

andrógino adj androgynous

anécdota f anecdote

anegar[7] vt to flood

anejo adj attached; m accompanying volume

anemia f anemia; **— falciforme** sickle cell anemia

anémico adj anemic

anestesia f (acción de anestesiar) anesthesia; (sustancia) anesthetic

anestésico adj & m anesthetic

anestesiología f anesthesiology

aneurisma m aneurysm

anexar vt to annex; (con una carta) to enclose

anexión f annexation

anexo m (de un edificio) annex, (a ley) rider

anfeta f fam speed

anfetamina f amphetamine

anfibio ADJ & M amphibian

anfiteatro M amphitheater

anfitrión -ona M host; F hostess

ángel M angel; **— de la guarda** guardian angel

angélico ADJ angelic

angina F **—s** tonsillitis; **— del pecho** angina pectoris

angioplastia F angioplasty

anglosajón -ona ADJ & MF Anglo-Saxon

Angola F Angola

angoleño -na, angoleño -ña, angoleés -esa ADJ & MF Angolan

angosto ADJ narrow

angostar VT to narrow, to contract

angostura F (cualidad de angosto) narrowness; (desfiladero) narrows

anguila F eel; **— eléctrica** electric eel

angular ADJ angular; **— recto** right angle

ángulo M (figura geométrica, enfoque) angle; (rincón, esquina) corner; **— muerto** blind spot

angustia F (desasosiego) anguish, anxiety; (congoja) heartache; (desazón) distress

angustiado ADJ distraught

angustiante ADJ nerve-wracking

angustiarse VT to distress; **—se** to feel distressed

angustioso ADJ distressing

anhelante ADJ longing

anhelar VT to long for, to yearn for

anhelo M longing, yearning

anidar VI to nest

anillas F PL. gymnastics rings

anillo M ring; **— de boda** wedding ring; **me queda como — al dedo** it fits me like a glove

ánima F soul of the departed

animación F (viveza) animation, liveliness; (en películas) animation

animado ADJ (vivo) animate; (bullicioso) lively

animador -ora MF (de un espectáculo) host; (de un equipo) cheerleader

animal ADJ & M animal

animar VT (dar vida) to animate, to enliven; (incitar) to encourage, to urge on; (dar aliento) to cheer up; **—se** (alegrarse) to cheer up; (atreverse) to gather courage

ánimo M (espíritu) spirit; (aliento) encouragement; (humor) mood; (intención) intention; **no estoy de — para eso** I'm not in the mood for that; INTERJ hang in there!

animosidad F animosity

animoso ADJ spirited

aniñado ADJ childlike

aniquilar VT to annihilate, to wipe out

anís M anise

aniversario M anniversary

anoche ADV last night

anochecer[13] VI to get dark; **anochecimos en París** night found us in Paris; M nightfall, dusk

anomalía F anomaly

anómalo ADJ anomalous

anonadar VT (anquilar) to annihilate; (aturdir) to confound

anonadado ADJ (desconcertar) to dumbfound; **—se** to become dumbfounded

anónimo ADJ anonymous; M anonymous letter

anorak M anorak

anoréxico ADJ anorexic

anorexia F anorexia

anormal ADJ abnormal; MF freak

anotación F (nota) annotation, notation; (en fútbol) goal

anotar VT (apuntar) to note; (marcar un tanto) to score; **—se** to sign up

anquilosarse VT (las articulaciones) to become stiff; (una institución) to become stagnant

ansia F (deseo) eagerness; (congoja) anguish

ansiar[16] VT to covet

ansiedad F anxiety

ansioso ADJ anxious, eager

antagonismo M antagonism

antagonista MF antagonist

antagonizar[9] VT to antagonize

antaño ADV in the old days

antártico ADJ antarctic

Antártida F Antarctica

ante PREP before; **— este problema** in the face of this problem; **— todo** above all; M suede

anteanoche ADV night before last

anteayer ADV day before yesterday

antebrazo M forearm

antecedente ADJ & M antecedent; **—s** (profesionales) background; (criminales) record

antecesor -ora MF (antepasado) ancestor; (predecesor) predecessor

antedicho ADJ aforesaid

antelación LOC ADV **con —** beforehand

antemano LOC ADV **de —** beforehand

antena F (de radio) antenna, aerial; (de insecto) antenna, feeler

anteojera F blinder

anteojos M PL. glasses, spectacles; **— de sol**

sunglasses; — **bifocales** bifocals

antepasado -da MF ancestor, forebear

antepecho M sill

anteponer[39] VT (poner delante, poner antes) to place before; (dar preferencia) to give priority to

anterior ADJ (en el tiempo) previous; (en el espacio) anterior, front; — **a** prior to

antes ADV before; — **de** before; — **la muerte** I'd rather die; — **bien** rather

antiaborto ADJ antiabortion, right-to-life

antiaéreo ADJ & M antiaircraft

antibacteriano ADJ antibacterial

antibalas ADJ INV bulletproof

antibalístico ADJ antiballistic

antibiótico ADJ & M antibiotic

antibloqueo ADJ INV antilock

anticipación LOC ADV con — in advance

anticipado ADJ; **por** — in advance

anticipar VT (una fecha) to move up; (dinero) to advance; (el porvenir) to anticipate; —**se a los acontecimientos** to jump the gun

anticipo M advance, deposit

anticoncepción F contraception

anticonceptivo ADJ & M contraceptive

anticongelante M antifreeze

anticuado ADJ antiquated, out-of-date, outdated

anticuerpo M antibody

antidepresivo ADJ & M antidepressant

antídoto M antidote

antieconómico ADJ wasteful

antiestético ADJ unsightly

antígeno M antigen

antigualla F old piece of junk

antiguano -na ADJ & M Antiguan

Antigua y Barbuda F Antigua and Barbuda

antigüedad F (cualidad de antiguo) antiquity; (objeto) antique; (tiempo en un cargo) seniority

antiguo ADJ (era, historia) ancient; (ropa) old; (mueble) antique; **a la antigua** in the old style; **la antigua capital** the former capital; **más** — with more seniority

antihistamínico M antihistamine ADJ & M anti-histamine

antiinflamatorio ADJ & M anti-inflammatory

Antillas F PL West Indies

antílope M antelope

antimonio M antimony

antimonopolio ADJ antitrust

antioxidante ADJ & M antioxidant

antiparras F PL goggles

antipatía F antipathy

antipático ADJ unfriendly, unkind

antipoliomielítico ADJ antipolio

antisemitismo M anti-Semitism

antiséptico ADJ & M antiseptic

antisocial ADJ antisocial

antítesis F antithesis

antitranspirante M antiperspirant

antitrust ADJ antitrust

antojadizo ADJ whimsical

antojarse VI **se le antojó comer salchicha** he took a notion to eat sausage; **esa tarea se me antoja difícil** that task seems hard to me

antojo M (deseo) whim, craving; (mancha de nacimiento) birthmark

antología F anthology; reader

antónimo M antonym

antorcha F torch

antracita F anthracite

ántrax M anthrax

antro M (bar) dive, joint; — **de perdición** den of iniquity

antropología F anthropology

antropólogo -ga MF anthropologist

anual ADJ annual, yearly

anualidad F annuity

anuario M annual, yearbook

anudar VT to knot; **se le anudó la garganta** he got all choked up

anulación F (de un contrato) cancellation; (de un matrimonio) annulment

anular VT (un matrimonio) to annul; (un contrato, un evento) to cancel; (una sentencia) to overrule, to overturn; (un talón) to void, to ring finger

anunciador -ora MF announcer

anunciante MF advertiser

anunciar VT (información) to announce; (un producto) to advertise

anuncio M (de información) announcement; (de un producto) advertisement; — **clasificado** classified advertisement; — **publicitario** advertisement; **poner un** — to place an ad

anzuelo M fishhook; **morder / picar el** — to take the bait

añadidura F addition; **por** — in addition

añadir VT to add

añejo ADJ aged, vintage

añicos M **hacerse** — to break into a thousand pieces

añil M indigo, bluing

año M year; (de la escuela) grade; (de vino) vintage; — **bisiesto** leap year; — **luz** light-year; **de cuarenta** —**s** aged forty; — **pasado** last year; **en los** —**s veinte** in the 1920s; **entrado en** —**s** getting on in years; **¿cuántos —s tienes?** how old are you?

añojo -ja M yearling

añoranza F longing; (del hogar) homesickness

añorar VT to long for; to be homesick for

añoso ADJ old

añublo M blight

aorta F aorta

apabullar VT (impresionar) to bowl over; (derrotar) to crush

apacentar¹ VI to graze, to pasture

apacible ADJ good-natured

apaciguar¹ VT (pacificar) to pacify; (aplacar) to mollify, to appease; **—se** to calm down

apadrinar VT to sponsor; (en un bautismo) to act as godfather to; (en una boda) to act as best man for; (en un duelo) to second

apagado ADJ (no llamativo) flat; (no intenso) dull

apagar² VT (un fuego) to put out, to extinguish; (una luz) to turn off, to turn out; (motor) to turn off, to kill; (una vida) to kill, to snuff out; (la sed) to quench; **—se** (luz) to go out, (color) to fade; (una voz) to trail off; (un volcán) to become extinct

apagón M blackout, outage

apalabrarse VI **— con** to make a verbal agreement with

apalear VT to thrash

aparador M sideboard, buffet, cupboard

aparato M (de gimnasia) apparatus; (de cocina) appliance; (teléfono) telephone; (máquina, dirigencia política) machine; (boato) pomp; **— circulatorio** circulatory system; **—de televisión** television set; **— ortodóntico** braces; **— ortopédico** leg brace

aparatoso ADJ pompous

aparcamiento M (lugar para aparcar) parking lot; (acción de aparcar) parking

aparcar¹ VI/VT to park; MF SG **aparcacoches** valet

aparcero -ra MF sharecropper

aparear VT (animales) to mate; (calcetines) to match, to pair; **—se** (animales) to mate; (en un baile) to pair off

aparecer¹³ VI (ponerse a la vista, publicarse) to appear; (hacer acto de presencia) to show up; **se me apareció un ángel** an angel appeared to me

aparejar VT (un cuarto, un ejército) to prepare; (problemas) to entail; (una embarcación) to rig

aparejo M (de caballo) harness; (de buque) rigging; (para pescar) tackle; **—s** equipment

aparentar VT to feign; VI to show off; **aparenta la edad que tiene** she looks her age

aparente ADJ apparent; **un precio —** an acceptable price

aparición F (fantasma) apparition; (acción de aparecer) appearance

apariencia F (aspecto) appearance; (fingimiento) pretense, semblance; **las —s engañan** appearances are deceiving; **guardar las —s** to keep up appearances

apartado M corner; **— postal** post office box; ADJ (recóndito) secluded; (distante) distant; **muy —** far apart

apartamento M apartment

apartamiento M separation

apartar VT to part; **apartar las monedas de veinticinco centavos** set out / sort out the quarters; **apartó la silla de la pared** he moved the chair away from the wall; **lo aparté para hablarle** I took him aside to talk to him; **apartó la cacerola del fuego** she took the pan off the fire; **lo apartó de un empujón** she pushed him away; **apartaron al ministro de su cargo** they removed the minister from his post; **apartó la vista** he looked away; VI **se apartaron del buen camino** they strayed from the straight and narrow; **los resultados se apartan de lo esperado** the results depart/deviate from the norm; **se apartó para que no atropellara el coche** he got out of the way so the car wouldn't hit him

aparte ADJ separate; ADV kidding aside; **dejar —** to exclude; **punto y —** new paragraph; M aside; PREP **— de** (además de) besides; (salvo) except for

apasionado ADJ (amante, hombre) passionate; (defensa, comentario) impassioned

apasionar VT **eso me apasiona** I love that; **—se por** to be passionate about

apatía F apathy

apático ADJ apathetic

apear VT to get down; **—se** to dismount

apechugar¹ VI **— con** to put up with

apedrear VT to stone

apegarse² VI to become attached

apegado ADJ attached

apego M attachment

apelación F appeal

apelar VI/VT to appeal

apellidarse VI to have the surname of

apellido M surname, last name

aplomado adj (equilibrado) poised; (vertical) plumb

aplomar vt to plumb

aplomo m poise

apnea f apnea

apocado adj timid

apocalipsis mf apocalypse

apocamiento m timidity

apocarse⁶ vr to become intimidated

apodar vt to nickname

apoderado -da mf proxy, agent

apoderarse vi — de to take possession of, to seize

apodo m nickname

apogeo m apogee; en su — (una fiesta) in full swing; (un estilo) in its heyday, at its peak

apolillado adj (comido por las polillas) moth-eaten; (anticuado) antiquated

apología f apology

aporrear vt to club, to cudgel

aportación f contribution

aportar vt (posibilidades, evidencia) to provide; (dinero) to contribute

aporte m contribution

aposento m chamber

apostador -ora mf bettor

apostar² vt/vi to bet, to wager; (a un centinela) to station, to post; — por (caballo) to bet on; (cambio) to commit to

apóstol m apostle

apóstrofe mf apostrophe, invocation

apóstrofo m apostrophe

apostura f bearing

apoyar vt (sostener) to rest; (respaldar) to support, to back; (votar por) to second; (respaldar un argumento) to buttress; —se en (recostarse contra) to lean on, to prop against; (basarse en) to be based on; m sg

apoyabrazos m armrest

apoyo m support

apreciable adj (digno de aprecio) esteemed; (perceptible) noticeable; (registrable) appreciable

apreciación f appreciation

apreciado adj dear

apreciar vt (reconocer la valía) to appreciate; (percibir) to notice; (registrar) to measure; (considerar) to take into consideration; (sentir afecto) to cherish; —se (un fenómeno) to be noticeable; (moneda) to appreciate

aprecio m appreciation

aprehender vt (a un delincuente) to apprehend; (contrabando) to seize; (una idea) to grasp

apelotonarse vi (una almohada) to ball up; (gente) to bunch together

apenado adj grieved

apenar vt to grieve, to pain; —se to be grieved

apenas adv hardly, scarcely, barely; — llegó, se demayó no sooner had he arrived than he fainted

apéndice m (órgano, parte de un libro) appendix; (añadido) appendage

apendicectomía f appendectomy

apendicitis f appendicitis

apercibir vt to warn; —se de to notice

aperitivo m appetizer

apero m farm implement

apertura f opening

apesadumbrado adj doleful

apestar vt (hacer heder) to stink up; (causar la peste) to plague; vi to stink, to reek

apestoso adj smelly

apetecer¹³ vi no me apetece ir contigo I don't feel like going with you

apetecible adj appetizing

apetito m appetite

apetitoso adj appetizing

ápice m apex; (de la lengua) tip; no apartarse ni un — not to diverge a jot

apio m celery

apisonadora f steamroller

apisonar vt to pack down

aplacamiento m appeasement

aplacar⁶ vt (a una persona) to appease, to mollify; (miedo, sed, pasión) to allay, to quench; —se to relent

aplanadora f steamroller

aplanamiento m flattening, leveling

aplanar vt (un terreno) to level, to flatten; (con una aplanadora) to roll

aplastado adj flattened

aplastamiento m crushing

aplastante adj (derrota) crushing; (victoria) sweeping

aplastar vt (achatar) to squash, to crush; (derrotar) to plaster, to stomp; (una revolución) to squelch, to smash, to crush; —se to crumple

aplaudir vt/vi to applaud

aplauso, aplausos m (pl) applause

aplazamiento m postponement; (de un proceso legal) continuance

aplazar⁷ vt to postpone, to put off

aplicable adj applicable

aplicación f (acción de aplicarse) application; (de un castigo) administration

aplicado adj industrious

aplicar⁶ vt to apply; —se to work hard, to

aprehensión f (arresto) apprehension; (incautación) seizure

apremiante adj pressing

apremiar vt to pressure

apremio m pressure

aprender vt/vi to learn; **— de memoria** to memorize, to learn by heart

aprendiz, -za mf (de un oficio) apprentice, trainee; (de una lengua, canto) learner

aprendizaje m (de un oficio) apprenticeship; (acto de aprender) learning

aprensión f apprehension, misgivings

aprensivo adj apprehensive

apresar vt (aprisionar) to imprison; (incautar) to seize

aprestar vt to prepare; **—se a** to get ready to

apresurado adj hasty, hurried

apresurar vt to hurry, to hasten **—se** to hasten to

apretado adj (zapato) tight; (beso) hard; (racimo) compact, (síntesis) succinct; (jornada) busy; (situación) difficult, dangerous

apretar¹ vt (un botón) to press; (un gatillo) to squeeze; (un tornillo) to tighten; (los dientes, puños) to clench; (a un bebé) to clasp; **me apretó para que le diera dinero** he pressured me to give him money; **ese profesor nos aprieta** that teacher demands a lot of us; vi (zapatos) to be tight, to pinch; (sol) to be intense; (esforzarse) to try hard, to bear down; **—se** to crowd together

apretón m squeeze; **— de manos** handshake

aprieto m jam, fix, predicament; **en —s** in need, hard-pressed; in dire straits; **estar en un —** to be in a tight spot, to be in trouble, to be in a pickle; **poner en —s** to embarrass

aprisa adv quickly

aprisco m (para el ganado) fold

aprisionar vt to trap

aprobación f (aceptación) approval; (de una ley) passage, adoption; (nota) passing grade

aprobar² vt (una medida, una opinión) to approve of; (una ley) to pass, to approve; (un examen) to pass; vi to pass

aprontar vt to ready

apropiación f appropriation; **— indebida** embezzlement

apropiado adj appropriate, suitable

apropiarse vt to appropriate

aprovechable adj usable

aprovechado adj opportunistic

aprovechamiento m use

aprovechar vt (una ocasión) to take advantage of; (el espacio) to utilize; (la enseñanza) to profit from; vi to be useful; **—se de** to take advantage of; **¡qué aproveche!** enjoy your meal

aproximación f approach

aproximado adj approximate

aproximar vt to bring near; **—se** to approach; **— a** to approximate

aptitud f aptitude; **—es musicales** musical aptitude

apto adj apt, suitable; **— para menores** for general audiences

apuesta f bet, wager

apuesto adj good-looking

apuntalar vt to prop up, to shore up

apuntar vt (señalar) to point out; (dirigir a un blanco) to aim; (matricular) to enroll; (escribir) to write down, to note; (ayudar a un actor) to prompt; vi (una flecha) to point; (canas) to sprout; **—se** to score; **a un blanco** to aim at a target; **me apunto para ir con vosotros** I'm game to go with you

apunte m notation; **—s** notes; **tomar —s** to take notes; **llevar el — a alguien** to pay attention to someone

apuñalar vt to stab

apurado adj (situación) difficult; (persona) in dire straits; Am (apresurado) in a hurry

apurar vt (consumir) to drink up; (apremiar) to put under pressure

apuro m predicament, fix; Am (prisa) hurry; **estar en —s** to be in distress

aquejado adj stricken

aquejar vt to afflict, to trouble

aquel adj that; **aquella chica se llama María** that girl is named María; **aquellas ciudades son antiguas** those cities are old; pron that one; **— el mayor** that one is the oldest; **aquellos son mis hijos** those are my children; **de mis dos hijos, Juan y Pedro, éste es gordo y — es flaco** of my two sons, Juan and Pedro, the latter is fat and the former is thin; **en/por entonces** back then

aquí adv here; **está por —** it is around here; **ven por —** come this way; **hasta —** this far; **de — a cuatro horas** four hours from now; **de — en adelante** from now on; **de — para allá** to and fro, back and forth; **— y ahora** here and now

aquietar vt to quiet; **—se** (los nervios) to calm down; (una tormenta) to subside

ara loc adv **en —s de** for the sake of

árabe mf (persona) Arab; (caballo) Arabian; adj Arabic; (lengua) Arabic; (costumbre, arte) Arab

Arabia Saudí, Arabia Saudita F Saudi Arabia

arácnido M arachnid

arado M plow

Aragón M Aragon

aragonés -esa ADJ Aragonese; MF (persona) Aragonese; M (dialecto) Aragonese

arancel M (impuesto) tariff; (lista de honorarios) list of fees

arancelario M **acuerdo —** tariff agreement

arándano M cranberry

arandela F washer

araña F (arácnido) spider; (candelabro) chandelier

arañar VT (rayar) to scratch; (herir con garras) to claw, to scratch; (raspar) to scrape, to score

arañazo M scratch

arañero M warbler

arar VI/VT to plow, to till

arbitraje M arbitration

arbitrar VT (un desacuerdo) to arbitrate; (un partido) to referee, to officiate; (un partido de béisbol) to umpire

arbitrario ADJ arbitrary

arbitrio M (libre albedrío) free will; (capricho) whim; (decisión) discretion; (deseos) wishes

árbitro -tra MF (del buen gusto) arbiter; (de conflictos) arbitrator; (de encuentros deportivos) referee

árbol M tree; (mástil) mast; **— de Navidad** Christmas tree; **— de levas** camshaft; **— genealógico** family tree

arbolado ADJ woody, wooded

arboleda F grove, clump

arbóreo ADJ arboreal

arbusto M shrub, bush

arca F ark; **— de Noé** Noah's ark; **las —s municipales** municipal coffers

arcada F arcade, archway; **tener / dar —s** to gag

arcaico ADJ archaic

arcaísmo M archaism

arcano ADJ arcane

arce M maple (tree)

arcén M shoulder of a road

archienemigo -ga MF archenemy

archipiélago M archipelago

archisabido ADJ very well-known

archivador M filing cabinet

archivar VT (guardar en un archivo) to file; (arrinconar) to shelve

archivo M (lugar) archive; (fichero de ordenador) file; (acción de archivar) filing

arcilla F clay

arco M (curva, eléctrico) arc; (estructura arquitectónica) arch; (arma, varilla de violín) bow; **— iris** rainbow

arder VI to burn; **la cosa está que arde** things are really getting hot; **el trigo se ardió** the wheat spoiled

ardid M scheme, artifice

ardiente ADJ (de deseo) ardent; (de calor, fuego, deseo) burning

ardilla F squirrel; **— de tierra** gopher; **— listada** chipmunk

ardite M **no valer un —** not to be worth a penny

ardor M (de pasión) ardor; (de fuego) heat; **— de estómago** heartburn

arduo ADJ arduous, grueling

área F area

arena F (tierra) sand; (plaza) arena; **— movediza** quicksand

arenero M sandbox

arenga F harangue

arengar[7] VT to harangue

arenisca F sandstone

arenoso ADJ sandy

arenque M herring

arete M earring

argamasa F mortar

Argelia F Algeria

argelino -na ADJ & MF Algerian

Argentina F Argentina

argentino -na ADJ Argentine, Argentinian; (propio de la plata) silvery; MF Argentinian

argolla F iron ring

argón M argon

argot M slang

argucias F PL trickery

argüir[31] VI to argue

argumentar VT to argue

argumento M (razonamiento) argument; (conjunto de sucesos) plot

aridez F dryness

árido ADJ (seco) arid, dry, barren; (aburrido) dry; **—s** dry goods

arisco ADJ surly

arista F (borde) edge; (de trigo) beard, **limar —s** to overcome difficulties

aristocracia F aristocracy

aristócrata MF aristocrat

aristocrático ADJ aristocratic

aritmética F arithmetic

aritmético ADJ arithmetical

arma F (instrumento bélico) arm, weapon; (división del ejército) branch; **— blanca** sharp weapon; **— de fuego** firearm; **a las —** to arms; **de —s tomar** resolute.

tomar las —s to take up arms

armada f armada, fleet

armado -da adj armed, at

armada a mano armada at gunpoint; m assembly, putting together

armador -ora mf shipowner

armadura f (piezas de hierro) armor; (de edificio) framework; (de gafas) frame; (de música) key signature

armamento m armament

armar vt (proveer de armas) to arm; (abastecer una embarcación) to equip; (reforzar) to reinforce, (ensamblar) to assemble, to put together; (levantar una tienda de campaña) to pitch; **— jaleo** to whoop it up; **— relajo** to make a mess; **—se** to arm oneself with; **— una pendencia** to pick a fight, to start a quarrel

armario m (de ropa) wardrobe, closet; (de cocina) cabinet, armoire

armatoste m unwieldy object

armazón mf framework, skeleton

Armenia f Armenia

armenio -nia adj & mf Armenian

armería f (depósito de armas) armory; (tienda de armas) gun shop

armiño m ermine

armisticio m armistice

armonía f harmony

armónico -ca adj & m harmonic

armonioso -sa adj harmonious

armonizar vt/vi to harmonize, to blend

ARN (ácido ribonucleico) m RNA

arnés m harness

aro m (de baloncesto) hoop; (de rueda) rim

aroma m (olor agradable) aroma; (del vino) bouquet

aromático adj aromatic

arpa f harp

arpía f shrew

arpillera f burlap

arpón m harpoon

arponear vt to harpoon

arqueado adj arched

arquear vt to arch

arqueología f archaeology

arquetipo m archetype

arquitecto -ta mf architect

arquitectónico adj architectural

arquitectura f architecture

arrabal m outlying slum

arraigar vt to take root

arrancar vt (una planta) to uproot; (el pelo) to tear out; (un diente) to pull; (un vicio) to eradicate; (una flor) to pick; (una confesión) to extract; **— de** to wrest from; vi/vt (un vehículo) to start; **arrancó**

para el valle he took off for the valley; **arrancó a sudar** he began to sweat; **sus problemas arrancan de su niñez** his problems are rooted in his childhood; **—se los cabellos** to tear one's hair (out)

arranque m (proceso de arrancar un coche) starting; (dispositivo para arrancar un coche) starter; (decisión, empuje) impulse; **— de ira** fit of rage

arrasar vt (destruir) to level, to raze; (derrotar) to crush; **— con** to obliterate; vi to win

arrastrado adj wretched

arrastrar vt (mover por el suelo) to drag; (llevarse consigo) to sweep away; (atraer) to draw; (soportar) to bear; (pronunciar lentamente) to draw out; **— los pies** (moverse con dificultades) to shuffle; (ser renuente) to stall; vi to hang down to the floor; **—se** (una serpiente) to slither; (una lagartija, un insecto) to crawl; (una persona) to grovel; m sg **arrastraplés** shuffle

arrayán m myrtle

arrear vt to drive, to herd

arrebatar vt (quitar) to snatch away, to wrest away; (quemar) to burn on the outside; **—se** to have a fit

arrebatiña f mad scramble

arrebato m fit, outburst

arreciar vt to increase in intensity

arrecife m reef

arreglar vt (poner en orden, concertar, adaptar música) to arrange; (ordenar) to arrange; (reparar) to fix, to repair; (resolver) to settle; **— cuentas** to settle accounts; **ya te arreglo** I'll fix you; **—se** (embellecerse) to fix oneself up; (llevarse bien con) to get along with; (entablar relaciones amorosas) to start dating; (reconciliarse) to make up; (conformarse) to make do; (despejarse) to clear up; **—se en** to agree on; **arreglárselas** to cope, to manage

arreglo m arrangement; **con — a** in accordance with; **no tiene —** it can't be helped; **llegar a un —** to settle; **—s** alterations

arrellanarse vi to lounge, to loll

arremangado adj turned up

arremangar vt to roll up; **—se** to roll up one's sleeve, to knuckle down

arremeter vi to attack; **— contra** to lunge at

arremetida f thrust, lunge

arremolinarse (viento) to whirl around; (agua) to eddy

arrendajo m bluejay

arrendamiento m rental

arrendar vt/vi to rent, to lease

arrendatario -ria mf tenant

arreo m adornment; **—s** tack, harness

arrepentido adj repentant, rueful

arrepentimiento m (contrición) repentance; (disgusto) regret

arrepentirse³ vi (de los pecados) to repent; (de los errores) to regret

arrestar vt to arrest

arresto m arrest

arriar¹⁶ vt (la bandera) to lower; (un cabo) to slacken

arriate m flower bed

arriba adv above; **—¡—!** get up! **¡—las manos!** stick 'em up! **¡—Juan!** long live Juan! **de —abajo** from top to bottom; **lleno hasta —** full to the brim; **te vas para —** you are doing well; **viven —** they live upstairs

arribar vi LIT to arrive; (buque) to put into port

arribista mf social climber

arribo m LIT arrival

arriendo m leasing, rental

arriero -ra mf animal driver

arriesgado adj (peligroso) risky; (valiente) daring

arriesgar³ vt/vi to risk; **—se** to take a chance

arrimar vt (acercar) to bring near; (golpear) to strike; **—se a** (apoyarse) to lean on; (acercarse) to get near

arrinconar vt (acorralar) to corner; (poner en un rincón) to put in a corner

arritmia f arrhythmia

arrobamiento m rapture

arrobarse vi to be enraptured

arrodillarse vi to kneel

arrogancia f arrogance

arrogante adj arrogant

arrogarse² vt to assume

arrojadizo adj projectile

arrojar vt (lanzar) to throw, to hurl; (expulsar) to throw out; (botar) to throw away; (vomitar) to throw up, to vomit; (proyectar una luz) to shed, to throw; **—un saldo de** to show a balance of; **—se** to hurl oneself

arrojo m boldness, daring

arrollador adj overwhelming

arrollar vt (poner en forma de rollo) to roll up; (arrastrar) to run over; (derrotar) to defeat

arropar vt to wrap up; (en la cama) to tuck in; **—se** to pull up the covers

arroyo m stream, creek

arroz m rice; **—integral** brown rice

arrozal m rice field

arruga f wrinkle

arrugar³ vt to wrinkle; **—el ceño** to knit one's brow; **—se** (pasar a tener arrugas) to get wrinkles; (asustarse) to be afraid

arruinar vt (estropear) to ruin; (destruir) to destroy, to ravage; (aguar) to spoil; (dejar en la quiebra) to bankrupt, to ruin; **—se** to go to ruin

arrullar vi (una paloma) to coo; vt (a un enamorado) to whisper sweet nothings to; (a un niño) to rock to sleep, to lull to sleep

arrullo m (de la tórtola) cooing; (del agua) babbling

arrumbar vt (arrinconar) to put aside; (marginalizar) to marginalize

arsenal m (depósito) arsenal; (astillero) navy yard

arsénico m arsenic

arte m sg art; f pl arts; m (destreza) skill, ability; (actividad técnica) craft; **bellas —s** fine arts; **el —por el —** art for art's sake; **malas —s** wiles; **no tener ni —ni parte en algo** to have nothing to do with something; **por —de** by means of

artefacto m (aparato útil) contrivance, device; (bomba) bomb

arteria f artery

arterioesclerosis f arteriosclerosis

artero adj artful, wily

artesanía f (trabajo, obra) craft; (habilidad) craftsmanship

artesano -na mf artisan, craftsman

ártico adj arctic

articulación f (acción de articular) articulation; (juntura) joint

articular vt (pronunciar) to articulate, to enunciate; (unir) to join

artículo m article; (entrada en un diccionario) article, entry; **—de fondo** editorial; **—definido** definite article; **hacer el —** to give a sales pitch

artífice mf (autor) architect; (artesano) craftsman; f craftswoman

artificial adj artificial

artificio m artifice

artificioso adj affected, contrived

artillería f artillery

artillero -ra mf gunner

artimaña f trick, wile

artista mf artist

artístico adj artistic

artritis f arthritis

artroscópico adj arthroscopic

Aruba F Aruba

arveja F pea

arzobispo M archbishop

arzón M saddletree

as M ace (también atleta)

asa F handle

asado ADJ roasted; M (carne asada) roast; (acción de asar) roasting

asador -ora M spit; MF barbecue cook

asalariado -da MF wage-earner

asaltante MF mugger

asaltar VT (a una persona) to assault, to assail; (un banco) to hold up; (con preguntas) to assail; **—le una idea** to be struck by an idea

asalto M (ataque) assault; (de un banco) holdup, stickup; **tomar por —** to storm

asamblea F assembly, gathering

asar VT to roast; **— a la parrilla** to grill; **— con adobo** to barbecue

asbesto M asbestos

ascendencia F ancestry

ascendente ADJ (que incrementa) ascending, rising; (hacia arriba) upward

ascender VT (a un empleado) to promote; (una montaña) to climb; VI to ascend; **— a** to amount to

ascendiente MF ancestor

ascenso M (acción de ascender) ascent; (en el trabajo) promotion

ascensor M elevator

asceta MF INV ascetic

ascético ADJ ascetic

asco M disgust, revulsion; **hacer — a** to reject; **me da —** it makes me sick, it disgusts me; **ese hombre está hecho un —** that man is a mess

ascórbico ADJ ascorbic

ascua F ember; **estar en —s** to be on pins and needles; **tener en —s** to string along

aseado ADJ well-groomed

asear VT to clean up

asediar VT to besiege

asedio M siege

asegurar VT (una victoria) to assure; (una frontera, una cerradura) to secure; (con un contrato de seguro) to insure; **—se (de)** to make sure (of); **te lo aseguro** I assure you

asemejarse VI **— a** to resemble

asentaderas F PL buttocks

asentar VT (datos) to enter; (una población) to establish; **—se** (posarse) to settle; (madurar) to settle down

asentimiento M assent, acquiescence

asentir VI to assert, to acquiesce; **— con la cabeza** to nod

aseo M (acción de asearse) cleaning; (cualidad de aseado) cleanliness; (cuarto de baño) bathroom; (servicio) toilet, restroom

asequible ADJ (que se puede obtener) available; (que se puede pagar) affordable

aserción F assertion

aserradero M sawmill, lumber mill

aserrado ADJ serrated; M sawing

aserrar[1] VT to saw

aserrín M sawdust

aserto M assertion

asesinar VT to murder; (a una figura pública) to assassinate

asesinato M murder, killing; (de una figura pública) assassination

asesino -na ADJ murderous; MF killer, murderer; (de una figura pública) assassin

asesor -ora MF consultant, advisor

asesoramiento M consulting, advising

asesorar VT to advise

asestar VT **— un golpe** to inflict/deal a blow

aseveración F assertion

aseverar VT to assert

asexual ADJ asexual

asfalto M asphalt

asfixia F suffocation, asphyxiation

asfixiar VT to suffocate, to smother

así ADV so, thus, like this; **— como** in the same way that; **— de ... grande** that big; **— que** so that; **¿— que no vienes?** so you're not coming?

Asia F Asia

asiático -ca ADJ & MF Asian

asidero M hold; **eso no tiene — en la realidad** that has no basis in reality

asiduo ADJ (lector) assiduous; (cliente) steady

asiento M (lugar donde sentarse, parte de una silla, de válvula) seat; (de nóminas) entry, record; **tomar —** to take a seat

asignación F (acción de asignar) assignment; (acción de dar fondos) appropriation; (pago) allowance

asignar VT (una tarea) to assign; (fondos) to allot, to allocate

asignatura F subject

asilado -da MF inmate

asilar VT (a un político) to give asylum to; (un animal) to shelter

asilo M (para los perseguidos) asylum; (para huérfanos, ancianos) home

asimétrico ADJ asymmetric

asimilar VT (vitaminas, un grupo étnico) to assimilate; (información) to absorb

asimismo ADV likewise

asir[21] VT to grasp, to grip; **—se a** to hold onto

asistencia f (presencia, personas presentes) attendance; (ayuda) assistance, aid; (servicio para averías) roadside assistance; — **médica** health care; — **social** (ayuda) welfare; (profesión) social work

asistente -ta adj assistant; mf assistant; — **social** social worker

asistir vt — **a** (estar presente) to attend; (ayudar) to help, to assist

asma f asthma

asmático adj asthmatic

asno m ass, donkey

asociación f association

asociado -da mf associate

asociar vt to associate; —**se** to join

asolamiento m desolation

asolar vt to desolate, to devastate

asomar vi to show, vt to poke out, to stick out; —**se a** to look out

asombrar vt to astonish, to amaze, to astound; —**se** to be astonished

asombro m astonishment, amazement

asombroso adj astonishing, amazing

asomo LOC ADV **ni por** — by no means

asonancia f assonance

aspa f (de hélice) blade; (de ventilador) vane

aspecto m (faceta) aspect, feature; (apariencia) looks

aspereza f roughness, harshness; **limar** —**s** to smooth over disagreements

áspero adj nasty, rough; (terreno, mano) rough; (lucha) bitter; (tiempo, voz) harsh

aspiración f (ambición) aspiration, ambition; (respiración) breathing in; (succión) suction

aspiradora f vacuum cleaner

aspirante mf applicant, candidate

aspirar vt to breathe in, to inhale; — **a** to aspire to

aspirina f aspirin

asquear vt to disgust

asqueado adj disgusted

asquerosidad f nastiness; **¡estás hecho una** —**!** you're gross!

asqueroso adj nasty, disgusting, gross

asta f (de toro) horn; (de ciervo) antler; (de bandera) flagpole; (de lanza) shaft; **a media** — at half mast

asterisco m asterisk, star

asteroide m asteroid

astigmatismo m astigmatism

astilla f (de madera) chip, splinter; (de vidrio) sliver; —**s** kindling

astillar vt to chip, to splinter

astillero m shipyard

astringente adj & m astringent

astro m (del cielo) celestial body; (de cine) movie star

astrofísica f astrophysics

astrología f astrology

astronauta mf astronaut

astronáutica f astronautics

astronomía f astronomy

astrónomo -ma mf astronomer

astucia f (listeza) cunning, guile; (treta) trick

asturiano -na adj & mf Asturian

Asturias f sg Asturias

astuto adj shrewd, wily, cunning

asueto m time off

asumir vt (una responsabilidad) to assume, to shoulder; (una mala noticia) to accept; — **un cargo** to take office

asunto m (cuestión) matter; (de una obra artística) theme

asustadizo adj easily frightened, jumpy

asustado adj frightened

asustar vt to frighten, to scare; —**se** to become frightened

atacante adj attacking; mf assailant

atacar[6] vt to attack, to assault; —**se de risa** to have a laughing fit

atado m bundle

atadura f **sin** —**s** with no strings attached

atajador m tackle

atajar vt (interrumpir) to cut off; vi (tomar un atajo) to take a shortcut

atajo m shortcut

atalaya f watchtower

atañer[18,50] vt to concern, to pertain to

ataque m (violento, de asma) attack; (de rabia, de tos) fit; (de epilepsia) seizure; — **cardíaco** heart attack; — **de nervios** nervous breakdown; — **relámpago** blitz

atar vt (sujetar) to tie, to bind; — **cabos** to make sense of something; —**se los zapatos** to tie one's shoes

atardecer[13] vi to get dark; m late afternoon, dusk, evening; **al** — at dusk

atareado adj busy

atarearse vi to busy oneself

atascadero m (lodazal) quagmire; (de tránsito) bottleneck

atascado adj stuck

atascar[6] vt to stop up; (una máquina) to jam; (el tráfico) to obstruct; —**se** (un vehículo) to get stuck; (una máquina) to get jammed

ataúd m coffin, casket

ataviar[16] vt to attire, to array; —**se** to dress up

atavío m attire, garb

ateísmo m atheism

atemorizar[9] vt to frighten

atención f attention; (médica) care; (acto de

cortesía) courtesy; **a la — de** to the attention of; **llamar la —** (hacer notar) to call attention; (ser llamativo) to attract attention; (interesar) to interest; INTERJ watch out!

atender[1] VI **— a** to pay attention to; (el trabajo) to attend to, to take care of; VT (a un enfermo) to take care of, to look after; (una súplica) to heed; (a un cliente) to serve

atenerse[44] VI **— a los hechos** to bear the facts in mind; **— a la ley** to abide by the law

atentado M assassination; assassination attempt; **un — contra** an affront to

atentamente ADV (con atención) attentively; (despedida en cartas) yours truly / sincerely

atentar[1] VI **— contra la vida de alguien** to make an attempt on someone's life

atento ADJ (que presta atención) attentive; (amable) thoughtful

atenuar[17] VT (la violencia) to attenuate; (una luz) to dim; **—se** to abate

ateo -a MF atheist

aterciopelado ADJ velvety

aterido ADJ stiff with cold

aterirse[50] VI to become stiff with cold

aterrador ADJ terrifying

aterrar VT to terrify

aterrizaje M landing; **— forzoso** crash landing

aterrizar[9] VI/VT to land

aterrorizar[9] VT to terrify

atesorar VT (memorias) to treasure; (dinero) to hoard

atestado ADJ crowded, crammed

atestar VT (certificar) to attest to; (llenar) to jam, to pack

atestiguar[8] VT to bear witness, to testify

atiborrar VT to stuff; **—se** to stuff one's face

atiesar VT to stiffen

atildado ADJ spruced up

atinar VT (dar en el blanco) to hit the mark; (adivinar) to guess right; **no — a decir palabra** not to manage to get a word out

atisbar VT (mirar con disimulo) to peek at, to peep at; (vislumbrar) to catch a glimpse of; VI to peek

atisbo M glimpse, hint

atizar[9] VT (un fuego) to poke, to stake; (las pasiones) to stir up, to stoke

atlántico ADJ Atlantic; M **Océano Atlántico** Atlantic Ocean

atlas M atlas

atleta MF athlete

atlético ADJ athletic

atletismo M track and field

atmósfera F atmosphere

atmosférico ADJ atmospheric

atolladero M quagmire

atolondrado ADJ scatterbrained; (muchacha) ditsy

atómico ADJ atomic

atomizar[9] VT to atomize

átomo M atom

atónito ADJ dumbfounded

atontado ADJ stupefied

atontar VT to stupefy

atorar VT to jam; **—se** to choke

atormentar VT to torment; **—se por** to agonize over

atornillar VT to bolt

atracadero M dock

atracar[6] VT (amarrar) to dock; (robar) to hold up, to mug; **—se** to gorge oneself

atracción F attraction

atraco M holdup, stickup

atracón M **darse un —** to gorge

atractivo ADJ (capacidad de atraer) attractiveness, appeal; M (cosa que atrae) attraction; **— sexual** sex appeal

atraer[45] VT to attract

atragantarse VI to choke

atrancar[6] VT to bolt, to bar

atrapada F catch

atrapar VT (en una trampa) to trap, to ensnare, to catch; (una pelota, el interés) to catch

atrás ADV **— de la casa** behind the house; **cuatro años —** four years back; **hacia —** backward; **para —** back / backwards; **quedarse —** to fall behind

atrasado ADJ (pasado) late; (en el pago) in arrears, behind; (país) backward; (un libro de biblioteca) overdue; **tengo sueño —** I'm behind in my sleep; **el reloj anda —** the clock is slow; **feliz cumpleaños —** happy belated birthday

atrasar VT (un plazo) to delay; (una mesa) to push back; (un reloj) to turn back; VI (un reloj) to run slow; **—se** to fall behind, to lag

atraso M (condición de atrasado) backwardness; (pago) back payment; (de trabajo) backlog; **con dos meses de —** two months in arrears

atravesar[1] VT (cruzar) to cross; (ir de lado a lado) to span; (penetrar) to impale, to run through; **— un momento difícil** to go through a difficult moment; **se me atravesó un caballo** a horse crossed in front of me; **—se en la cama** to lie crossways in bed

atreverse VI to dare

atrevido ADJ (audaz) bold, daring; (insolente) insolent

atrevimiento M (cualidad de atrevido) boldness, daring, audacity; (acción atrevida) daring act

atribución F attribution; **atribuciones** powers

atribuir³¹ vt to attribute, to ascribe (a to); **—se** to be distressed

atributo M attribute

atril M stand

atrincherar vt to entrench

atrio M atrium

atrocidad F atrocity

atrofia F atrophy

atrofiar vt to atrophy, to stunt

atronador ADJ thunderous, deafening

atronar² vt to make a racket

atropellar vt (a un peatón) to run over, to run down; (los derechos de alguien) to trample upon

atropello M (de un peatón) running over; (ultraje) outrage; (de derechos) trampling

atroz ADJ (modales, crimen) atrocious; (dolor) excruciating; (ofensa) grievous

atún M tuna

aturdido ADJ bewildered; **estar —** to be in a daze

aturdimiento M bewilderment

aturdir vt to bewilder, to daze

atusar vt to smooth, to fix

audacia F audacity, boldness

audaz ADJ audacious, bold

audible ADJ audible

audición F audition

audiencia F (tribunal) court; (reunión, conjunto de oyentes) audience; (hecho de oír en pleno) hearing

audífono M (para los sordos) earphone; (para música) headphones

audio M audio; **—libro** book on tape; **—visual** audiovisual

audiología F audiology

auditar vt/vi to audit

auditivo ADJ auditory

auditor -ora MF auditor

auditoría F audit

auditorio M (público) audience; (local) auditorium

auge M (del mercado) boom; (de una moda) heyday; (de una carrera) peak

augurar vt to foretell; **no — nada bueno** not to bode well

aula F (de clase) classroom; (de conferencia) lecture hall

aullar vi to howl

aullido M howl

aumentar vt to augment, to increase; vi to increase; (los precios) to rise, to escalate; (población) to swell; (violencia) to escalate

aumento M increase; (de expectativas) rise, upturn; (de peso) gain; (de población) growth; (de precios) rise, upturn; (de peso) gain

aun ADV even; **— así** even so; **— cuando** even though/if

aún ADV still

aunque CONJ though, although

aura F aura

áureo ADJ golden

aureola F halo

auricular M (de teléfono) receiver; **—es** headphones, earphones

aurora F dawn, aurora; **— boreal** aurora borealis, northern lights

auscultar vt to listen to with a stethoscope

ausencia F absence

ausentarse vr to absent oneself

ausente ADJ absent, missing

auspicios M PL auspices

austeridad F austerity

austero ADJ austere, stern

Australia F Australia

australiano -na ADJ & MF Australian

Austria F Austria

austríaco -ca ADJ & MF Austrian

autenticar⁹ vt to authenticate

auténtico ADJ authentic

autismo M autism

auto M (coche) auto; (orden judicial) writ; **— de choques** bumper car

autoadhesivo M decal; (para el parachoques) bumper sticker

autoayuda F self-help

autobiografía F autobiography

autobomba M fire engine

autobús M bus

autocine M drive-in movie theater

autocompasión F self-pity

autocontrol M self-control

autócrata MF INV autocrat

autóctono ADJ indigenous

autodestructivo ADJ self-destructive

autodisciplina F self-discipline

autoestima F self-esteem

autogobierno M self-government

autógrafo M autograph

autoimagen F self-image

automático ADJ automatic

automatización F automation

automatizar? ADJ (mecanizar) to automate; (hacer automáticamente) to do automatically

automóvil M automobile
automovilista MF motorist
automovilístico ADJ automotive
autonomía F autonomy; (de un vehículo) range
autopista F freeway, turnpike
autopropulsado ADJ self-propelled
autopsia F autopsy
autor -ora MF author
autoridad F authority
autoritario ADJ (tiránico) authoritarian; (respetado) authoritative
autorización F authorization
autorizar[9] VT to authorize; (dar propiedad intelectual) to license
autosatisfacción F self-satisfaction
autoservicio M (sistema de venta) self-service; (tienda) convenience store
autosuficiente ADJ self-sufficient; (presumido) smug
autovía F freeway
auxiliar VT to help; ADJ auxiliary; MF assistant; — **de vuelo** (hombre) steward; (mujer) stewardess
auxilio M help
avalancha F avalanche
avalar VT to guarantee, to co-sign
avaluar[17] VT to appraise
avalúo M appraisal
avance M (acción de avanzar, adelanto) advance, headway; (sinopsis de película) trailer
avanzada F scouting party
avanzado ADJ advanced
avanzar[9] VI (ir hacia adelante) to advance; (progresar) to make headway; **a medida que avanzaba la mañana** as the morning progressed; VT to move forward; (una cinta) to fast-forward
avaricia F avarice
avariento ADJ avaricious, miserly
avaro ADJ miserly, avaricious
avasallar VT to subjugate
ave F bird; — **de corral** poultry; — **de rapiña** bird of prey; — **canora** songbird; — **zancuda** wading bird
avecindarse VI to take up residence
avellana F hazelnut
avellano M hazel
avena F oats
avenencia F agreement
avenida F avenue
avenir[47] VT to reconcile; —**se a** to come around; —**se bien** to get along
aventadora F fan, blower
aventajar VT (ser mejor) to be superior to; (sobrepasar) to get ahead of

aventón M **dar un** — *Méx* to give a lift
aventura F (suceso que implica riesgo) adventure; (relación amorosa) fling, affair
aventurado ADJ (arriesgado) risky; (atrevido) daring
aventurar VT (arriesgar) to risk; (sugerir) to venture; —**se a** to dare to
aventurero -ra ADJ adventurous; MF adventurer
avergonzado ADJ (tímido) abashed; (arrepentido) ashamed
avergonzar[2,9] VT to shame, to embarrass; —**se** to be ashamed / embarrassed
avería F (de frutas) damage; (de coche) breakdown, mechanical trouble
averiado ADJ (un coche) broken-down; (un televisor) on the blink
averiarse[16] VI (fruta) to become damaged; (un coche) to break down
averiguar[8] VT to find out, to ascertain
aversión F aversion, dislike
avestruz MF ostrich
avezado ADJ seasoned
aviación F aviation
aviador -ora MF aviator
aviar[16] VT to fix
avidez F eagerness
ávido ADJ eager, avid
avinagrado ADJ sour
avinagrar VT to sour; —**se** to become sour
avío M tidying up; —**s de pescar** fishing tackle
avión M (máquina) airplane; (ave) martin; — **comercial** airliner; — **a reacción** jet airplane; — **caza** fighter airplane
avisar VT (notificar) to advise; (a la policía) to alert
aviso M notice; — **publicitario** advertisement; **estar sobre** — to be forewarned; **poner sobre** — to forewarn; **sin previo** — without warning
avispa F wasp
avispado ADJ lively
avisparse VI to wise up
avispero M wasp's nest; **alborotar el** — to stir up a wasp's nest
avispón M hornet
avistar VT to catch sight of
avivar VT (una fiesta) to enliven; (un fuego, un debate) to fuel; (una llama) to fan
avizorar VT to spy on
axila F underarm
ay INTERJ (de dolor) ouch; (de decepción) oh, no; (de sorpresa desagradable) oh; — **de mí** poor me
ayer ADV yesterday
ayuda F help; (después de un desastre) relief

ayudante -ta MF assistant, helper; — **de médico** physician's assistant
ayudantía F assistantship
ayudar VT to help, to aid
ayunar VI to fast
ayunas F PL, **en —** (antes de comer) without eating; **en —** I am fasting
ayuno M fast
ayuntamiento M (gobierno municipal) municipal government; (edificio) city hall
azabache M jet; ADJ jet-black, raven
azada F hoe
azadón M hoe
azafato -ta AIR (en aviones) flight attendant; (en ferias) host
azafrán M saffron
azahar M orange blossom
azar M chance; **al —** by chance, at random
azaroso ADJ (arriesgado) risky; (aleatorio) random
azerbaiyano -na, azerbaijano -na ADJ & M Azerbaijani, Azerbaijanian
Azerbaiyán F Azerbaijan
azogar² VT to silver
azogue M (sustancia) quicksilver, mercury; **tener — en el cuerpo** to be restless; (niño inquieto) restless child
azorar VT to embarrass
azotaina F flogging
azotar VT (con azote) to whip, to lash, to flog; VI/VT (el viento) to whip, to buffet; (el sol) to beat down; (la lluvia) to sting
azote M (instrumento) whip; (golpe) lash; (aflicción) scourge; (golpe de viento) buffet
azotea F flat roof
azúcar MF sugar; — **moreno -na** brown sugar
azucarar VT to sugar
azucarera F (fábrica) sugar mill; (recipiente) sugar bowl
azucarero M sugar bowl
azucena F white lily
azufre M sulfur/sulphur
azul ADJ blue; — **acero** steel blue; — **celeste** sky-blue; — **claro** light blue; — **marino** navy blue
azulado ADJ bluish
azular VT to color blue
azulear VT (tener color azul) to be blue; (ponerse azul) to become blue; VT (dar color azul) to color blue
azulejar VT to tile
azulejo M tile
azuzar² VT (a un perro) to sic; (a una persona) to egg on

Bb

baba F drivel, drool, slobber; (de un caracol, de agua estancada) slime; **se le cae la baba por el coche nuevo** he's drooling over the new car
babear VI to drivel, to drool
babero M bib
babor M portside
babosa F slug
babosear VI/VT to slobber (on)
baboso ADJ (caracol) slimy; (persona que babea) driveling; (persona tonta) idiotic; (adulador) fawning
babuino M baboon
baca F luggage rack
bacalao M cod
bache M pothole; (momento) bad time; (de aire) air pocket
bacheado ADJ bumpy
bachiller -ra M (graduado) high school graduate; (alumno) high school student
bachillerato M baccalaureate
bacilo M bacillus
backgammon M backgammon
bacteria F bacteria
bacteriología F bacteriology
badajo M bell clapper
badana F sheepskin
bagaje M baggage
bagatela F trifle
bagazo M pulp
Bahamas F PL Bahamas
bahameño -ña ADJ & M Bahamian
bahía F bay
Bahréin M Bahrain
bahreiní ADJ & MF Bahraini
bailador -ora ADJ & MF folk dancer; ADJ dancing
bailar VI/VT to dance; **me bailan los pantalones** my pants are falling off; **me tocó — con la más fea** I was left holding the bag; **que me quiten lo bailado** I enjoyed it anyway
bailarín -ina M/F dancer
baile M (movimiento rítmico) dance; (fiesta) dance, ball; — **aeróbico** aerobic dance; — **de máscaras** masked ball; — **folklórico** folk dance; — **zapateado** clog dance
bailongo M hop
bailotear VI to jig
baivel M bevel
baja F (caída barométrica) drop; (de precios) decline; (víctima de guerra) casualty; (del)

ejército) discharge, dismissal; (licencia)
leave; **dar de —** to discharge; **darse de
—** to call in sick
bajada f (acción de bajar, pendiente)
descent; (vista en caballo) dismount; **—
contra-reloj** downhill ski race
bajar vi to go down, (corriendo) to run
un caballo) to get down, (de un ómnibus)
to step off, to get off; (emperorar) to
worsen; (alcanzar) to reach down; (la
marea) to ebb; (una creciente) to subside;
vt (las escaleras) to go down; (un avión de
un tiro) to shoot down; (comida con
agua) to wash down; (la cabeza) to lower;
(un cargamento) to let down; (el
volumen) to turn down; (focos) to dim;
(la voz) to lower, to soften; **— de
categoría** to demote; **— el cursor** to
scroll down; **— en picada** to dive; **—
los pantalones** to pull down one's pants
bajeza f (cualidad) baseness; (acción) vile act
bajío m shoal
bajista adj (bolsa) bearish
bajo adj (nubes, estante, precio, voz grave)
low; (persona) short; (voz débil) soft; (río)
lower; (vista, persianas lowered) (acto)
base; **baja espalda** small of the back; **de
baja ley** base; PREP under; **— control**
under control; **— cuerda** under-the-table;
— fianza on bail; **— fuego** under fire; **—
sospecha** under a cloud; **— tierra**
underground; **poner — llave** to lock up;
por lo — under one's breath; M (voz
grave) bass; (de pantalón) cuff; **hacer los
—s** to cuff; ADV low
bala f (de pistola) bullet; (de prueba
olímpica) shot, (de cañón) ball
balada f ballad
baladí adj trivial
balance m (cálculo) balance; (documento)
balance sheet; (de víctimas) toll;
(movimiento) sway; **hacer un —** to take
stock
balancear vt to swing; vi to sway; **—se** to
sway
balanceo m (de un cuerpo) swinging, swing;
(de un barco) rolling, roll
balancín m seesaw
balanza f scale; **— comercial** balance of
trade; **— de pagos** balance of payments
balar vi to bleat
balasto m ballast
balaustrada f banister
balazo m (disparo) shot; (herida) bullet
wound
balbucear vi to stammer; (un bebé) to
babble

balbuceo m stammering; (de bebé)
babble, babbling
balcón m balcony
balde m pail, bucket; **de —** gratis; **en —**
in vain
baldear vt to flush
baldío adj (terreno) fallow; (acción) useless
baldosa f (en una casa) floor tile; (en una
calle) flagstone
balido m bleat, bleating
balística f ballistics
balístico adj ballistic
ballena f whale; (hueso) whalebone
ballenato m whale calf
ballet m ballet
balneario m summer resort; (con aguas
medicinales) spa
balón m ball; **baloncesto** basketball;
balonmano European handball; y
balonvolea volleyball
balsa f raft, balsa; (lago) pond
bálsamo m balsam, balm
baluarte m bulwark, stronghold
bambolear vt to sway, to swing; **—se** to
sway, to swing
bamboleo m swinging, swaying
bambú m bamboo
banal adj banal; **una respuesta —** a pat
answer
banana f banana
banano m banana tree
banca f (industria) banking (en el juego)
bank
bancario -ria adj bank, banking; mf banker
bancarrota f bankruptcy
banco m (establecimiento) bank; (asiento)
bench; (de peces) school, (de arena) shoal,
spit; **— de datos** data bank; **— de niebla**
fog bank
banda f (musical) band; (cinta ancha) band,
sash; (grupo) gang, band, ring; (dibujo)
stripe; (de un neumático) tread, (lindero)
side, edge, border; (de un barco) side; **—
de frecuencia** frequency band; **—
horaria** time slot; **— magnética**
magnetic strip; **— sonora** sound track
bandada f (de aves) flock, flight; (de peces)
school
bandeja f tray; **me lo sirvieron en —** (de
plata) they served it to me on a silver
platter
bandera f flag; **jurar la —** to pledge
allegiance to the flag
banderín m pennant
banderola f pennant
bandido -da mf bandit, outlaw; (como

epíteto (rascal)

bando M (decreto) edict; (partido) camp
bandolero -ra M bandit
Bangládesh M Bangladesh
banjo M banjo
banquero -ra MF banker
banqueta F (taburete) stool, (acera) *Méx* sidewalk
banquete M banquet
banquetearse VI to feast
banquillo M bench
bañar VT to bathe; (una torta) to ice, to frost; **—se** to take a bath, to bathe
bañera F bathtub
bañista MF bather
baño M (acción) bath; (cuarto) bathroom, lavatory; (de torta) icing, frosting; **darse un —** (bañarse) to take a bath; (nadar) to take a swim; **— (de) María** double boiler; **— de sangre** bloodbath
bar M bar
baraúnda F ruckus, racket
baraja F pack/deck of cards
barajada F shuffle
barajar VI/VT (naipes) to shuffle; (alternativas) to weigh
baranda F railing, guard rail
barandal M banister
barandilla F rail, railing
barata F *Méx* sale
baratear VT to sell cheap
baratija F trinket, knickknack
barato ADJ cheap
baratura F cheapness
barba F beard; **—s** whiskers; **hacer algo en las —s de alguien** to do something right under someone's nose
barbacoa F barbecue
barbadense ADJ & MF Barbadian
barbado ADJ bearded
Barbados M Barbados
barbaridad F atrocity; **una — de** a lot of; **¡qué —!** what nonsense!
barbarie F savagery
bárbaro -ra ADJ (salvaje) barbarous, barbaric; (estupendo) cool, super; MF barbarian
barbecho M fallow land
barbería F barbershop
barbero -ra MF barber
barbilla F chin
barbitúrico M barbiturate
barbudo ADJ bearded
barca F rowboat
barcaza F barge
barco M boat
bardo M bard
bario M barium

barítono ADJ & M baritone
barlovento M windward
barniz M (para madera) varnish; (para cerámica) glaze; (de cultura) veneer
barnizar² VT (madera) to varnish; (cerámica) to glaze
barómetro M barometer
barón M baron
barquero -ra M boatman; F boatwoman
barquillo M rolled wafer
barra F (de hierro, arena, chocolate; en un bar) bar; (en gimnasia) crossbar; (signo ortográfico) slash; **— de jabón** bar of soap; **— espaciadora** space bar
barrabasada F mischief
barraca F (en las fiestas) stall, stand; (casucha) hovel
barracuda F barracuda
barranca F ravine
barranco M gully, ravine
barrena F (de un taladro) bit; (de un avión) tailspin; **entrar en —** to go into a tailspin
barrenar VT to drill
barrendero -ra MF street sweeper
barrer VI/VT to sweep; (derrotar) to defeat decisively; M SG **barreminas** mine-sweeper
barrera F barrier; (valla) barrier, bar; **— arancelaria** tariff barrier; **— de coral** barrier reef; **— del sonido** sound barrier
barrica F vat
barricada F barricade
barrida F sweep
barrido M (acción de barrer) sweeping; (movimiento) sweep
barriga F belly; (gorda) paunch; **rascarse la —** to do nothing
barrigón ADJ pot-bellied
barril M barrel, keg, drum
barrio M neighborhood, quarter; **— residencial** residential neighborhood; **—s bajos** slums
barritar VI to trumpet
barro M (lodo) mud; (arcilla) clay; (acné) pimple; **de —** earthen
barroco ADJ & M baroque
barroso ADJ muddy
barrote M bar
barruntar VT to suspect
barrunto M suspicion
bártulos M PL stuff
barullo M hubbub
basal ADJ basal
basalto M basalt
basar VT to base; **—se en** (depender de) to

rely on; (fundamentar en) to be based on

basca f nausea

báscula f scale

base f (apoyo, área militar, química) base; (punto de partida) basis; (de maquillaje) foundation; (de una campaña) plank; **—de concurso** contest rules; **—de datos** database; **—de lanzamiento** launching pad; **con —en** on the basis of; **en —a** on the basis of; **las —s** (de un partido) grass roots; (de un sindicato) rank and file; **tener una —sólida** to be on a strong footing

salario — base salary

básico adj basic

basic m (lenguaje de programación) basic

bastante adj & pron enough, sufficient; adv (suficientemente) enough, (mucho) quite a lot; (algo) quite, pretty

bastar vi to be enough, to suffice; **¡basta!** enough!

bastardilla f italics

bastardo -da adj & mf ofensivo bastard

bastedad f coarseness

bastidor m (de un teatro) wing; (para bordado) frame; (de un coche) chassis; (de una ventana) sash; **entre —es** (en teatro) offstage; (en privado) behind the scenes

bastimentos m pl. provisions

basto adj coarse, crude; m suit in the Spanish deck of cards

bastón m (para andar) cane, walking stick; **—de esquí** ski pole

basura f rubbish, garbage, trash

basural m Am dump

basurero -ra mf (persona) garbage collector; m (lugar) dump

bata f (para llevar en casa) robe, housecoat; (de laboratorio) lab coat; (de pacientes) hospital gown; **—de baño** bathrobe

batahola f racket

batalla f battle; (de coches) wheelbase; **—naval** sea battle; **ropa de —** everyday clothing; **trabar —** to engage in battle

batallar vi to battle

batallón m battalion

batata f sweet potato

bate m baseball bat

batea f tray

bateador -ora mf batter

batear vi to bat

batería f (de coche, artillería) battery; (de cocina) pots and pans; (musical) drums

baterista mf drummer

batiburrillo m hodgepodge

batido m shake, milk shake

batidor m whisk, beater

batidora f mixer

batintín m gong

batir vt (una alfombra) to beat; (un terreno) to comb; (mantequilla) to cream; to churn; (un récord) to break; (huevos) to beat; (crema) to whip; (alas) to flap, to beat; **—se en duelo** to duel; **—se en retirada** to retreat; **— palmas** to clap, to applaud

batuta f baton; **llevar la —** to call the shots

baudio m baud

baúl m trunk

bautismo m baptism, christening; **—de fuego** baptism of fire

bautizar[9] vt to baptize, to christen

bautizo m christening, baptism

baya f berry

bayeta f cleaning cloth

bayo adj bay

bayoneta f bayonet

baza f card trick; **meter —en una conversación** to participate in a conversation

bazar m bazaar

bazo m spleen

bazofia f slop

bazuca f bazooka

beagle m beagle

beato adj (bendito) blessed; (piadoso) beatified; (santurrón) overly pious

bebé m baby, infant

bebedero m (recipiente) drinking trough; (lugar) watering hole

bebedor -ora mf drinker

beber vi/vt to drink

bebercio m fam booze

bebida f drink, beverage

beca f scholarship, fellowship

becario -ria m scholar, fellow

becerro m calf; (piel) calfskin

becuadro m natural sign

befa f jeer

befar vt to jeer at

beicon m Esp bacon

beige adj inv & m beige

beldad f beauty

belga adj & mf Belgian

Bélgica f Belgium

Belice m Belize

beliceño -ña adj & mf Belizean

bélico adj warlike

belicoso adj (guerrero) bellicose; (agresivo) feisty

beligerante adj & mf belligerent

bellaco m rascal, scoundrel

bellaquería f mischief

belleza f beauty

bello adj beautiful

bellota F acorn
bemol ADJ & M flat; **tener —es** to be tricky
bencina F benzine
bendecir[26b] VT to bless
bendición F (parte de la misa) benediction; (acción y efecto de bendecir) blessing; (cosa excelente) boon, blessing; —
bendito ADJ (agua) holy; (alma) blessed; **— sea** may he be blessed; **dormir como un —** to sleep like a log; **es un —** he is a saint
benefactor -ora M benefactor, patron; F benefactress, patroness
beneficencia F charity; **— pública** welfare
beneficiar VT to benefit; **—se de** to benefit from
beneficiario -ria MF (de una herencia, perdón, acto de bondad) beneficiary; (de un cheque) payee
beneficio M benefit (también espectáculo)
beneficioso ADJ beneficial
benéfico ADJ beneficent
benemérito ADJ worthy of esteem
benevolencia F benevolence
benévolo ADJ benevolent
bengala F flare
benigno ADJ benign
Benín M Benin
benjamín -ina MF youngest child
berebere -esa ADJ & MF Berinese
bermejo ADJ reddish
bermellón M vermilion
berrear VI (animal) to bellow, to bawl; (bebé) to squall
berrido M (de animal) bellowing, bawling; (de bebé) squall, squalling
berrinche M tantrum
berro M watercress
berza F cabbage
besar VT to kiss
beso M kiss
bestia F beast
bestial ADJ bestial
best-seller ADV best seller
besuquear VT to kiss repeatedly; **—se to** make out
betabel M Méx beet
betún M shoe polish
Biblia F Bible
bíblico ADJ biblical
bibliografía F bibliography
biblioteca F library; (estante) bookcase
bibliotecario -ria MF librarian
bicarbonato M bicarbonate; **— de sosa**
bicarbonate of soda
bíceps M SG biceps(s)
bicho M (insecto) bug (también en informática); (animal) *fam* critter; **— raro** odd bird; **mal —** creep; **¿qué — te ha picado?** what's gotten into you? **—s**
vermin
bici F bike
bicicleta F bicycle; **— de montaña** mountain bike; **— estática** stationary bike
biela F connecting rod
Bielorrusia F Belarus
bien ADV well; **—aventurado** blessed; **— hecho** ADJ well-made, well-done; **— poco** very little; **arreglado** ADJ well groomed; **—hecho** well-made, well-done; **agarrarse —** to hold on tight; **ahora —** now then; **apretar —** to press hard; **está —** she is fine; **más —** rather; **me doy — cuenta** I'm perfectly aware; **pues —** now; **qué —** how wonderful; **sí —** although; **ya está —** that's enough; M good; **—es** assets; **—es inmuebles** real estate; **—es muebles** personal property; **—es raíces** real estate; **—estar** real estate; **—estar** well-being, welfare; **—hechor** benefactor; **persona de —** a good person
bienio M biennium
bienvenida F welcome
bienvenido ADJ welcome
bifurcación F fork, forking (en un programa de computadora) branch
bifurcarse⁶ VI to fork, to branch off
bigamia F bigamy
bigote M mustache; (de animal) whisker
bikini M bikini
bilateral ADJ bilateral
bilingüe ADJ & MF bilingual
bilingüismo M bilingualism
bilis F bile
billar M billiards, pool; (mesa) pool table
billete M (de viaje, para espectáculos) ticket; (de banco) bill, banknote
billetera F billfold
billón M trillion
bimestral ADJ bimonthly
bimestre M two-month period
binario ADJ binary
bingo M bingo
binomial ADJ binomial
binomio M binomial
biodegradable ADJ biodegradable
biofeedback M biofeedback
biografía F biography
bioingeniería F bioengineering
biología F biology
biombo M folding screen

biopsia f biopsy

bioquímica f biochemistry

biorritmo m biorhythm

biotecnología f biotechnology

bipartidista adj bipartisan

bipolar adj bipolar

birlar vt fam to pinch, to swipe

Birmania f Burma

birmano -na adj & mf Burmese; from Myanmar

birrete m mortarboard

bis m encore

bisabuelo -la m great-grandfather; f great-grandmother

bisecar[6] vt to bisect

bisel m bevel

biselar vt to bevel

bisiesto adj **año** — leap year

bisnieto -ta m great-grandson; f great-granddaughter

bisonte m bison, buffalo

bistec m beefsteak

bisturí m scalpel

bisutería f costume jewelry

bit m bit

bizarría f gallantry

bizarro adj gallant

bizco -ca adj cross-eyed

bizcocho m sponge cake

bizcochuelo m sponge cake

bizquear vi to be cross-eyed

black-jack m black-jack

blanca f half note

blanco m (color) white; (tez) fair; m (color) white (también de huevos, ojos); (de tiro) target; (de una burla) butt; — **fácil** sitting duck, **dar en el —** to hit the target; — (hoja de papel, mente) blank; (sin dormir) sleepless; **en — y negro** in black and white

blancura f whiteness; (de tez) fairness

blancuzco adj whitish

blandir vt to brandish, to wield

blando adj soft; (sensiblero) mushy

blandura f softness

blanqueador m bleach

blanquear vt (una pared) to whitewash; (dinero) to launder; (verduras) to blanch; **—se** to whiten

blanquecino adj whitish

blanqueo m whitening

blasfemar vi/vt to blaspheme

blasfemia f blasphemy

blasón m coat of arms

blasonar vi to boast

blazer m blazer

blindado adj armored

blindaje m armor

blindar vt to armor

bloc m writing tablet, pad of paper

bloque m block (también de motor, político); (edificio) building; **en —** together

bloquear vt (una carretera, un asalto, un pase) to block; (un puerto) to blockade; (cuentas bancarias) to freeze; **—se** to freeze

bloqueo m block; (militar) blockade; choke

blues m pl, blues

bluff m bluff

blusa f blouse, top

boa f boa constrictor

boato m pomp

bobada f foolish act; (fruslería) trifle

bobalicón -ona adj goofy; mf nincompoop

bobear vi to fool around, to monkey around

bobería f (cualidad) foolishness; (dicho) foolish remark; (hecho) foolish act

bobina f (de coche) coil; (de película) reel; (de alambre, de cable) bobbin

bobinar vt to reel

bobo -ba adj (tonto) dumb, dimwit, silly; (estupefacto) flabbergasted; mf booby, fool

boca f mouth (también de río); (de un arma de fuego) muzzle; (del estómago) pit; (de una cueva) opening; **— a —** mouth-to-mouth; **— abajo** face down; **— arriba** face up; **—calle** intersection; **a — de jarro** at close range; **callarse la —** to shut up

bocadillo m snack; Esp sandwich

bocado m bite, morsel; (de una brida) bit

bocanada f (de líquido) mouthful; (de humo) puff; (de aire) sniff

boceto m sketch

bocazas mf sg loudmouth

bochorno m (calor) oppressive heat; (vergüenza) embarrassment

bochornoso adj (caluroso) sultry, oppressive; (vergonzoso) embarrassing, muggy

bocina f (de coche) horn; (megáfono) megaphone

bocinazo m honk, toot

boda f wedding; — **de oro** golden anniversary; — **de plata** silver anniversary

bodega f (despensa subterránea) cellar; (para vinos) wine cellar; (vinería) winery; (espacio en un barco, avión) hold; (tienda de comestibles) Caribbean, Central America grocery store

bodeguero -ra mf wine producer; Caribbean, Central America grocer

bofe m (de animal) lung; **echar los** —**s** to tire oneself out

bofetada f slap

boga LOC ADV **en** — in vogue, fashion

bogar vi/vt to row

bohemio -mia adj & m Mf Bohemian

boicot m boycott

boicotear vt to boycott

boicoteo m boycott

boina f beret

bol m bowl

bola f (pelota) ball; (canica) marble; (de helado) dip; — **blanca** cue ball; **en** —**s** in the buff; **no dar pie con** — to be lost; **no dar ni** — not to pay attention

bolera f bowling alley

boleta f (de lotería) ticket; (de votación) Méx ballot

boletín m bulletin

boleto m ticket

boliche m (juego) bowling; (bolera) bowling alley

bolígrafo m ballpoint pen

bolita f pellet

Bolivia f Bolivia

boliviano -na adj & m Mf Bolivian

bollo m bun, roll

bolo m bowling pin; **jugar a los** —**s** to bowl

bolsa f bag, purse; (de canguro) pouch; (de valores) stock market; — **de aire** airbag; — **de estudio** scholarship; — **de miseria** pocket of poverty; **hace** —**s** it pooches out

bolsillo m pocket; **de** — pocket-sized

bolsista Mf stockbroker

bolso m (grande) bag; (pequeño) purse

bomba f (para agua, gasolina) pump; (noticia, mujer) fam bombshell; (artefacto explosivo) bomb; — **atómica** atomic bomb; — **de hidrógeno** hydrogen bomb; — **de neutrones** neutron bomb; — **de tiempo** time bomb; — **fétida** stink bomb; — **incendiaria** incendiary bomb; — **inteligente** smart bomb; **lo pasamos** — we had a blast

bombacha f RF panties, underpants

bombardear vt to bombard

bombardeo m bombardment, bombing

bombardero -era Mf (tripulante) bombardier; m (avión) bomber

bombear vt to pump

bombero -era Mf firefighter

bombilla f lightbulb

bombo m bass drum; **dar** — to extol; **con** — **y platillo** with great fanfare

bombón m (dulce de chocolate) bonbon, candy; (mujer atractiva) fam dish

bombonería f candy store

bonachón adj (amable) good-natured; (inocente) naïve

bonanza f (buen tiempo) fair weather; (prosperidad) prosperity

bondad f goodness, kindness; —**es** virtues; **tenga la** — **de** would you please

bondadoso adj kind, kindly

boniato m sweet potato

bonito adj pretty; m tuna

bono m (financiero) bond; (vale) voucher

boñiga f dung

boquear vi to gasp

boquete m opening

boquiabierto adj openmouthed, astonished

boquilla f (para cigarros) cigarette holder; (para una trompeta) mouthpiece; **defender de** — to pay lip-service to

bórax m borax

borbollar vi to bubble

borbollón m bubbling; (alboroto) Am commotion; **a borbollones** bubbling over

borbotar vi to bubble, to gurgle

borboteo m bubbling, gurgling

bordado m embroidery, needlework

bordar vt/vi to embroider

borde m edge, border; (de un vaso) rim, brim; (de un desastre) brink; (de una calle) Méx curb

bordear vt (rodear) to skirt, go along the edge of; (adornar) to trim

bordillo m curb

bordo LOC ADV **a** — on board

bordó, bordeaux adj & m maroon

borla f (de birrete) tassel; (algodón) powder puff

boro m boron

borra f dregs

borrachera f (estado) drunkenness; (juerga) drunken spree

borrachín -ina m drunkard

borracho -cha adj drunk, wasted; **no lo hago ni** — I would never do such a thing; m Mf drunkard, wino

borrador m (bosquejo) rough draft; (goma) eraser

borrar vt to erase; —**se de un club** to withdraw from a club

borrasca f squall

borrego m lamb

borrico m donkey

borrón m blot, blotch, smudge; — **y cuenta nueva** to start over at square one

borronear vt to smudge

borroso adj blurry, fuzzy

boscaje M thicket

Bosnia-Herzegovina F Bosnia and Herzegovina

bosnio -nia ADJ & M/F Bosnian

bosque M forest, woods

bosquecillo M grove

bosquejar VT to sketch, to outline

bosquejo M sketch, outline

bosta F dung

bostezar[9] VI to yawn

bostezo M yawn

bota F (calzado) boot; (bolsa) leather wine bag

botadura F launch

botánica F botany

botánico ADJ botanical

botar VI (una pelota) to bounce; (un buque) to launch; (a un borracho) to throw out

botarate M fool

bote M (jarro) can; (embarcación) boat; (rebote) bounce; **— de basura** garbage can; **— de remos** rowboat; **— de salvamento** lifeboat; **de — en —** filled to overflowing

botella F bottle

botero M boatman

botija F earthen jug

botijo M earthen jar

botín M (de guerra) booty, plunder; (de primeros auxilios) first-aid kit

botiquín M (en el baño) medicine cabinet; (de aparato, de planta) bud, de camisa) button; (remache) stud; **botones** bellboy, page

botón M (de planta) bud, de aparato, de camisa) button; (remache) stud; **botones** bellboy, page

bouquet M bouquet

boutique F boutique

bóveda F (techo) arched roof, vault; **— celeste** the vault of heaven

bowling M bowling

box M pit

boxeador -ora M/F boxer, prizefighter

boxear VI/VT to box

boxeo M boxing

bóxer M boxer

boya F (en el mar) buoy; (corcho) float

boyante ADJ buoyant

boyar VI to buoy

bozal M muzzle

bozo M fuzz on the lip

bracear VI to move one's arms

bracero -ra M migrant worker

bragas F PL underpants, panties

bragueta F fly

brainstorming M brainstorming

bramar VI (ciervo, cochino) to bellow; (león, viento) to roar

bramido M (de ciervo, cochino) bellow; (de león, viento) roar

brandy M brandy

brasa F ember

brasero M brazier

Brasil M Brazil

brasileño -ña ADJ & M/F Brazilian

brasilero -ra ADJ & M/F Brazilian

bravata F act of bravado

bravío ADJ wild

bravo ADJ (animal, río) wild; (terreno) rugged; (persona) brave; (barrio) tough; INTERJ bravo!

bravucón -ona ADJ bullying; M bully

bravuconería F bullying

bravura F (de bestia) fierceness; (de persona) courage

braza F fathom

brazada F (cantidad) armful; (en natación) stroke

brazalete M bracelet

brazo M arm (también de silla); (de cornamenta) branch; (de balanza) beam; **— de mar** sound; **— derecho** right-hand man; **—s** day laborers; **con los —s abiertos** with open arms; **con los —s cruzados** with crossed arms; **ir del —** to go arm in arm; **luchar a — partido** to fight to the end

brea F pitch, tar

brecha F breach, gap

brécol M broccoli

bregar[7] VI to struggle, to toil

breña F scrubland

breve ADJ brief, short; (bikini) scanty; **en —** shortly

brevedad F brevity, shortness; **a la —** as soon as possible

bribón -ona ADJ roguish; M rascal, rogue, scoundrel

brida F bridle

brigada F brigade

brillante ADJ brilliant, bright; M brilliant, gem

brillantez F brilliance

brillantina F glitter

brillar VI (los ojos) to sparkle, to twinkle; (nieve) to glisten; **— por su ausencia** to be conspicuous by its absence

brillo M shine, luster, sparkle; (de los ojos) twinkle; (de nieve) glistening; (del pelo, plumas) sheen; (de diamantes) sparkle; **dar —** to give luster; **sacar —** to polish

brilloso ADJ shiny

brincar[6] VI to hop, to skip

brinco M hop, skip
brindar VI to toast; **— por alguien** to toast someone; **—se a hacer algo** to volunteer to do something
brindis M toast
brío M spirit
brioso ADJ spirited
brisa F breeze
británico ADJ British
brizna F blade of grass
broca F drill bit
brocado M brocade
brocal M curb
brocha F paint brush; **de — gorda** coarse
broche M (alhaja) brooch; (sujetador) clasp, clip; (para el pelo) barrette; **— de oro** grand finale
brocheta F skewer
brócoli, bróculi M broccoli
broma F (chiste) joke; (réplica) jest, wisecrack; **— pesada** practical joke; **—s aparte** kidding aside; **en —** in jest; **gastar una —** to play a joke; **ni en —** no way; **no estoy para —s** I'm not in the mood for kidding
bromear VI to joke, to kid
bromista MF wag, joker
bromo M bromine
bromuro M bromide
bronca F row; **armar una —** to cause a disturbance, to raise a rumpus; **echarle — a alguien** to bawl someone out
bronce M bronze
bronceado ADJ (cubierto de bronce) bronzed; (piel) tanned; (de color bronce) bronze; M suntan
broncear VT (un objeto) to bronze; (a una persona) to tan; **—se** to get a tan
bronco ADJ (voz) gruff; (terreno) rough; (caballo) wild
bronquio M bronchial tube
bronquitis F bronchitis
brotar VI (planta) to sprout; (enfermedad eruptiva) to break out; (agua) to gush, to flow, to issue
brote M (de una enfermedad) outbreak; (retoño) sprout, spear
broza F brushwood
bruces LOC ADV **de —** face down
brujería F deviltry, witchcraft
brujo -ja M wizard, sorcerer; F witch
brújula F compass
bruma F mist
brumoso ADJ misty
brunch M brunch
bruneano -na ADJ & MF Bruneian
Brunéi M Brunei

bruñir[18] VT to burnish
brusco ADJ (descortés) brusque, curt; (repentino) sudden
brusquedad F (descortesía) brusqueness; (lo repentino) suddenness
brutal ADJ brutal
brutalidad F brutality
bruto -ta ADJ (ignorante) ignorant; (maleducado, burdo) uncouth; (violento) brutish; (no neto) gross; **a lo —** roughly; **en —** in the rough; **recaudar en —** to gross; MF (ignorante) blockhead; (persona violenta) brute; (mal educado) lout, brute
bucal ADJ oral
bucear VI to scuba-dive; (indagar) to explore
buceo M scuba diving
buche M (en las aves) crop; (bocado) mouthful
bucle M curl, ringlet; (en informática) loop
budín M pudding
bueno ADJ good; **buena voluntad** willingness; **a la buena de Dios** haphazardly; **de buenas a primeras** out of the blue; **estar —** to be sexy; **hace buen tiempo** it is fine weather; **lo —** the good thing; **por las buenas o por las malas** by hook or by crook; **ser — con los números** to be good at figures; INTERJ OK! **—s días** good day / morning; **buenas noches** good night / evening; **buenas tardes** good afternoon
buey M ox, steer
búfalo M buffalo, bison
bufanda F scarf, muffler
bufar VI to snort; **está que bufa** he is incensed
bufete M (despacho) lawyer's office; (negocio) practice
buffet M buffet
bufido M snort
bufón -ona MF buffoon, jester
bufonear VI to clown
buhardilla F (desván) attic, garret; (ventana) dormer
búho M owl
buhonero -ra MF peddler
buitre M vulture, buzzard
buje M bushing
bujía F spark plug
bulbo M bulb
buldog M bulldog
bulevar M boulevard
Bulgaria F Bulgaria
búlgaro -ra ADJ & MF Bulgarian
bulla F uproar, fuss, bustle
bulldozer M bulldozer
bullicio M uproar, racket, bustle

bullicioso adj boisterous, rowdy

bullir [19] vi (hervir) to boil; (hacer burbujas) to bubble; (ajetrearse) to bustle; (moverse) to stir

bullón M puff

bulto M (paquete) bundle; (tumor) lump, growth; (silueta) shape; (saliente) bulge; **a** ~ approximately; **escurrir el** ~ to slack off

bungaló M bungalow

bungee M bungee o bungee jumping

búnker M bunker

buñuelo M fritter

buque M ship

burbuja F bubble

burdel M brothel

burdo adj coarse

burgués adj bourgeois

burla F ridicule, mockery; **hacer** ~ **a alguien** to mock someone

burlar vt to mock; ~**se de** to scoff at, to make fun of

burlesco adj burlesque

burlón adj mocking

burocracia F bureaucracy

burócrata MF bureaucrat

burro M (animal) donkey, ass; (persona) dunce; adj dense

burrez F stupidity

burundés -esa adj & MF Burundian

Burundi M Burundi

bus M bus

busca LOC ADV **en** ~ **de** in search of

buscar [6] vt to seek, to look for, to search for; (datos, palabras) to look up; (provocar) to provoke; (la verdad) to seek after; (minerales) to prospect for; (talento) to scout for; ~**se problemas** to invite trouble; **tú te lo buscaste** you asked for it; **ir a** ~ to fetch; **se buscan personas** beeper

búsqueda F search; ~ **del tesoro** treasure hunt

busto M bust

butaca F armchair; (en el teatro) orchestra seat

Bután M Bhutan

butanés -esa adj & MF Bhutanese

butano M butane

buzo M diver

buzón M mailbox; ~ **de sugerencias** suggestion box

bypass M bypass operation

byte M byte

Cc

cabal adj (completo) complete; (exacto) exact; (honrado) upright; **no estar uno en sus** ~**es** to be in one's right mind

cabalgar [7] vi to ride horseback

caballa F mackerel

caballada F herd of horses

caballejo M nag

caballeresco adj chivalrous

caballería F (tropas a caballo) cavalry; (equino) equine; (condición de caballero) knighthood

caballeriza F stable

caballerizo M groom

caballero M (señor) gentleman; (hidalgo) knight, cavalier; ~ **andante** knight errant; adj gentlemanly

caballerosidad F chivalry

caballeroso adj chivalrous, gentlemanly

caballete M (soporte de madera) sawhorse; (de la nariz) bridge; (de pintor) easel; (de tejado) ridge

caballo M (animal) horse; (en ajedrez) knight; (heroína) fam smack; **a** ~ on horseback; ~ **de carreras** racehorse; ~ **de batalla** hobbyhorse; ~ **de fuerza** horsepower; ~ **de Troya** Trojan horse

cabaña F (casa tosca) hovel; (casa de campo) cabin, cottage; (conjunto de ganado) livestock

cabaret M cabaret

cabecear vi (con la cabeza) to nod; (dormirse) to nod off; (un barco) to bob, to pitch

cabeceo M (de la cabeza) nodding; (de un barco) pitching

cabecera F (de cama) headboard; (de mesa) head

cabecilla MF ringleader

cabellera F head of hair

cabello M hair; **traído por los** ~**s** far-fetched

caber [22] vi to fit; **no cabe duda** there is no doubt; **no cabe nadie más** there is no room for anybody else; **no** ~ **uno en sí** to be puffed up with pride; **no cabe en lo posible** it is absolutely impossible; **¿en qué cabeza cabe?** who would believe that?

cabestrillo M sling

cabestro M halter

cabeza F head; ~ **de chorlito** scatterbrain,

airhead; — **de playa** beachhead; — **de
puente** bridgehead; — **de turco**
scapegoat, fall guy; — **rapada** skinhead;
a la — at the forefront; **caerse de** — to
fall headfirst; **echarse de** — to plunge
headlong; **ir a la** — to lead the way; **por**
— each; **romperse la** — to rack one's
brains; **se le fue la** — it went to his
head; **sentar** — to settle down; **tiene la
— cuadrada** she's a square

cabezada F nod; **dar** —**s** to nod off

cabezal M magnetic head

cabeza F magnetic head

cabezazo M butt (with the head)

cabezón ADJ (de cabeza grande) big-headed;
(testarudo) pig-headed; (fuerte) strong

cabezudo ADJ (de cabeza grande) big-headed;
(testarudo) pig-headed

cabida F capacity; **dar** — to include; **tener
— en** to fit in

cabina F (de pasajeros) cabin; (de piloto)
cockpit; (de camión) cab; (de teléfono,
control) booth

cabizbajo ADJ crestfallen, downcast

cable M cable

cableado M wiring

cablevisión F cable television

cabo M (parte extrema) end; (hilo) thread;
(cuerda) rope; (saliente de la costa) cape;
(rango militar) corporal; — **suelto** loose
end; **al** — **de** at the end of; **atar** —**s** to
make sense of; **de** — **a rabo** from
beginning to end; **llevar a** — to carry out

cabotaje M coastal trade

caboverdiano -na ADJ & MF Cape Verdean

Cabo Verde M Cape Verde

cabra F goat; — **montés** mountain goat;
como una — completely crazy

cabrearse VI to get mad

cabrestante M winch

cabrillas F PL. whitecaps

cabrio M rafter

cabrío ADJ **macho** — he-goat

cabriola F caper

cabriolar VI to cavort

cabritilla F kid (leather)

cabrito M kid (goat)

cabrón -ona M (macho de cabra) he-goat;
(hombre cuya mujer le engaña) cuckold;
MF (cobarde) wimp

caca F poop; **hacer** — to poop

cacahuate M Méx peanut

cacahuete M Esp peanut

cacao M cocoa

cacarear VI to cackle, to squawk

cacareo M cackling, squawking

cacatúa F cockatoo

cacería F hunt; — **de brujas** witch hunt

cacerola F saucepan

cacha F (de navaja) handle; (nalga) hip;
hasta la — completely

cachalote M sperm whale

cacharro M (vasija) earthen pot; (coche
viejo) clunker, jalopy

cachaza F slowness

cachazudo ADJ slow

caché M (en informática) cache; (distinción)
cachet

cachear VT to body-search, to frisk

cachetada F slap

cachete M cheek

cachiporra F blackjack

cachivaches M PL. stuff, odds and ends

cacho M hunk

cachorro M (de oso, lobo, tigre, león) cub;
(de perro) puppy

cacique M (de indios) chief, chieftain; MF
(caudillo) political boss

cacofonía F cacophony

cacto M cactus

cactus M cactus

cada ADJ each; — **uno** each one; — **vez más**
more and more; — **vez menos gente**
fewer and fewer people; — **vez menos
harina** less and less flour; — **vez peor**
worse and worse; — **doscientas pesetas —
una** two hundred pesetas each/apiece

cadalso M gallows

cadáver M corpse; (para disecar) cadaver

cadavérico ADJ ghastly

caddie, caddy MF caddie

cadena F (serie de piezas) chain; (de
televisión) network; (cordillera) mountain
range; — **alimenticia** food chain; — **de
montaje** assembly line; — **perpetua** life
sentence; —**s** shackles; **tirar la** — to flush

cadencia F cadence

cadera F hip

cadete MF cadet

cadmio M cadmium

caducar⁶ VI to lapse, to expire

caducidad F expiration

caduco ADJ (destinado a caer) deciduous;
(decrépito) decrepit

caer²³ VI to fall; (perder el equilibrio) to fall
down; (colgar) to hang; (ir a parar) to end
up; **al — la noche** at nightfall; — **en
desgracia** to fall into disfavor; — **en
desuso** to fall into disuse; — **en cama** to
fall ill; — **en cuenta** to catch on; — **en
ruina** to fall into disrepair; —**le bien /
mal a uno** (una persona) to make a
good/bad impression; (una comida) to
agree with; —**le en suerte a uno** to fall

to one's lot; **— muy bajo** to fall so low;
caiga quien caiga let fall who may;
dejar — to drop; **está al —** he's about to
fall; **—se de culo** to fall down; **—se de culo** to
show up; — to fall on one's bottom;

café m (bebida) coffee; (color) brown;
to fall to one's bottom;

cafeína f caffeine

cafetal m coffee plantation

cafetera f coffeepot

cafetería f snack bar, cafeteria, diner

cafetero -ra m/f coffee dealer; adj **industria
cafetera** coffee industry

cafeto m coffee bush

caída f (acción de caer) fall, tumble, spill; (de
presión arterial) drop; (de un ordenador)
crash; (de una cortina) hang; **— libre** free
fall; **— del sol** sunset

caído adj (orejas) floppy; (arco del pie) fallen;
los —s the fallen

caimán m alligator

caja f box; **— chica** petty cash; **— de
ahorros** savings bank; **— de cambios**
transmission; **— de escalera** stairwell; **—
de fusibles** fuse box; **— de
herramientas** tool kit; **— de
jubilaciones** pension fund; **— de
música** music box; **— de reloj**
watchcase; **— fuerte** safe; —
registradora (aparato) cash register, till;
(lugar) checkout counter; **— tonta** idiot
box; **— torácica** rib cage; **entrar en —**
to get going

cajero -ra m/f cashier; (en un banco) teller; **—
automático** ATM

cajetilla f pack (of cigarettes)

cajilla f pack (of cigarettes)

cajón m (para transportes) crate; (parte de un
mueble) drawer; **que es de —** that's a
foregone conclusion

cajuela f Méx car trunk

cal f lime; **cerrar a — y canto** to close
hermetically

calabacín m zucchini

calabaza f (grande y redonda) pumpkin;
(pequeña y/o alargada) squash; (vaciado)
gourd; **dar —s** to turn down

calabozo m dungeon

calado m draft

calamar m squid

calambre m cramp

calamidad f calamity

calamina f calamine

calandria f lark

calar vt (agujerear) to perforate; (empapar)
to soak, to drench; **— a alguien** to see
through someone; **— hondo** to resonate;

—se to get drenched

calavera f skull; m libertine

calcar vt (sobre papel) to trace; (imitar) to
copy

calcetería f hosiery

calcetín m sock

calcinar vt to bake

calcio m calcium

calco m (acción de calcar) tracing; **es el — de
su padre** he's the spitting image of his
father

calcomanía f decal

calculador adj calculating

calculadora f calculator

calcular vt (averiguar una cantidad) to
calculate, to figure; (sopesar) to weigh;
(prever) to reckon

cálculo m (acción de calcular) calculation;
(aritmética) arithmetic; (integral,
diferencial) calculus; (biliar) gallstone;
— renal kidney stone

caldear vt to warm up; **— los ánimos** to
get everyone upset

caldera f (en una máquina de vapor) boiler;
(recipiente con asas) kettle; (de la
calefacción) furnace

calderón m hold

caldo m broth, stock; **— de cultivo** culture
medium

calefacción f heat, heating; **— central**
central heating

calendario m calendar

caléndula f marigold

calentador m heater; **— de agua** water
heater

calentamiento m warming; (en deportes)
warm-up; **— global** global warming

calentar¹ vi/vt (poner caliente) to warm, to
heat; **—se** (ponerse caliente, prepararse
para un partido) to warm up, to heat up

calentura f (fiebre) fever

calesa f buggy

caletre m **no tener —** to have no brains

calibrar vt to gauge, to calibrate

calibrador m caliper

calibre m (de pistola, tubo) caliber; (de
alambre) gauge; (instrumento para medir)
caliper

calicó m calico

calidad f quality; **de —** of good quality;
estoy aquí en — de representante I'm
here in my capacity as representative

caliente adj (agradable) warm; (excesivo) hot

calificación f (nota) grade, mark; (acción de
asignar notas) grading; (juicio) rating; **le
dieron la — de genio** they called him a

calificar[1] vt (expresar la calidad) to rate, to adjudge; (asignar nota) to grade; **—se como** to be characterized as

caligrafía f (calidad de letra) penmanship; (arte) calligraphy

calima f haze

callado adj silent, quiet; **estarse —** to keep quiet

callar vt (no manifestar, hacer que calle) to quiet; (no hablar) to remain silent; (dejar de hablar) to shut up; **—se la boca** to shut up; no pipe down

calle f street; (en un campo de golf) fairway; **— abajo** down the street; **— arriba** up the street; **— de sentido único** one-way street; **hacer la —** *fam* to cruise for johns; **no pisar la —** to stay home

calleja f narrow street

callejear vi to walk the streets

callejero adj to walk the streets; **perro —** stray dog; **caos —** chaos in the streets

callejón m alley; **— sin salida** blind alley, dead end

callo M callus, corn

calloso adj callous

calma f calm; **— chicha** absolute calm; **mantener la —** to keep one's temper; **tomar las cosas con —** to take things easy

calmante adj & M sedative

calmar vt (los nervios) to calm; (dolor) to soothe; (miedo) to allay, to quell; (sed) to quench; **—se** (una persona) to calm down; (una tormenta, la ira) to subside, to abate

calmo adj calm

calmoso adj easygoing

calor M heat, warmth; (actitud acogedora) warmth; **hace — hoy** it's hot today; **los —es** hot flashes; **tengo —** I'm hot

caloría f calorie

calumnia f calumny, slander

calumniar vt to slander, to malign

calumnioso adj slanderous

caluroso adj (día) hot; (recepción) warm

calva f bald spot

calvario M **mi vida es un —** *fam* my life is hell

calvo adj bald, baldheaded; **ni tanto ni tan —** *fam* it ain't necessarily so; **quedarse —** to go bald

calza f long sock

calzada f pavement

calzado M footwear

calzador M shoehorn

calzar[9] vt (poner zapatos) to shoe; (hacer zapatos para) to make shoes for; **— a la familia** to buy shoes for the family; **calzo 42** I take size 10: **—se** to put on shoes

calzones M pl (de mujer) panties; (de hombre) shorts

calzoncillos M pl underpants, briefs; **— largos** long johns

cama f bed; **— de agua** waterbed; **— doble** double bed; **— elástica** trampoline; **— individual** twin bed; **guardar —** to be confined to bed; **meterse en la — con** to sleep with

camada f litter

camafeo M cameo

camaleón M chameleon

cámara f (espacio) chamber; (de neumático) inner tube; (fotográfica) camera; **— de comercio** chamber of commerce; **— de diputados** lower house; **— de gas** gas chamber; **— de oxígeno** oxygen tent; **— frigorífica** locker; **— legislativa** legislature; **en — lenta** in slow motion; MF INV (persona que maneja una cámara) camera operator

camarada MF INV comrade

camarero -ra M (en un restaurante) waiter, server; (en un coche cama) steward; F (en un restaurante) waitress, server; (en un coche cama) stewardess; (en un hotel) maid

camarilla f clique

camarógrafo -fa M cameraman; F camerawoman

camarón M shrimp

camarote M cabin, stateroom

cambalache M fraudulent swap

cambalachear vt/vi to swap fraudulently

cambiante adj (que cambia) changing; (propenso a cambiar) changeable; (temperamento) volatile

cambiar vt/vi to change; (una cosa por otra) to exchange, to swap, to trade; **— de marcha** to shift gears; **— de opinión/ parecer** to change one's mind; **— de sitio** to move

cambio M (acción de cambiar) change; (de ferrocarril) railway switch; (de marcha) gear; (cotización) exchange rate; **— de divisas** foreign exchange; **— para peor** a turn for the worse; **— y fuera** over and out; **a — (de)** in return (for); **en —** on the other hand

cambista MF money changer

Camboya F Cambodia

camboyano -na adj & MF Cambodian

camelear vt to push (drugs)

camello -lla M (animal) camel; (vendedor de

droga) pusher; (animal) female camel; (vendedora de droga) pusher

camerino m dressing room

Camerún m Cameroon

camerunés -esa adj & mf Cameroonian

camilla f stretcher, litter

camillero -ra mf hospital orderly

caminante mf wayfarer

caminar vi/vt to walk

caminata f long walk; (por un lugar agreste) hike

camino m (carretera) road; (itinerario, dirección que hay que seguir) way; — de on the way to; — de mesa table runner; — de rosas bed of roses; abrirse — to make way; a medio — halfway; en — (a) on the way (to); llevar por mal — to lead astray; mostrar el — to lead the way; ponerse en — to set out; señalar — to show the way

camión m truck, Méx bus; — de la basura garbage truck; — de mudanzas moving van; — de remolque tow truck, wrecker; — de reparto delivery truck; — volteador dump truck

camionero -ra mf truck driver; Méx truck bus driver

camioneta f (furgoneta) van, minivan; (camioncito) pickup truck; (coche sin maletero) station wagon

camisa f shirt; — de fuerza straitjacket; meterse en — de once varas to get into a jam

camiseta f (exterior) T-shirt; (interior) undershirt

camisón m nightgown

camorrista mf rowdy

campamento m (de refugiados, exploratorio) camp; (recreativo) campground

campana f bell; tocar una — to ring a bell

campanario m belfry, bell tower

campanilla f (campana pequeña) small bell; (flor) bluebell; (órgano en la boca) uvula

campanilleo m ringing

campánula f bellflower

campaña f campaign; de — on the front; hacer — to campaign

campechano adj straightforward

campeón -ona mf champion

campeonato m championship

campero por hombre — a man from the country

campesino -na mf peasant; adj casa — country

campestre adj rural

camping m (lugar) campground; (actividad)

campiña f open country

campista mf camper

campo m (fuera de la ciudad) country, countryside; (para cultivos, deportes, ámbito) field; (grupo en un conflicto) camp; — abierto range; — de acción field of action; — de batalla battlefield; — de concentración concentration camp; — de golf golf course; — de tiro shooting range; — libre free rein; visual field; a — traviesa cross-country

campus m campus

camuflaje m camouflage

camuflar vt to camouflage

can m dog

cana f white hair; echar una — al aire to go out for a good time

Canadá m Canada

canadiense adj & mf Canadian

canal m (cauce artificial de agua) canal; (estrecho marítimo, banda de frecuencia) channel; (emisora) station

canalé m ribbed fabric

canalizar vt to channel

canalla mf ofensivo scum, lowlife

canalón m spout

canana f cartridge belt

canapé m divan

canario -ria m canary, adj of/from the Canary Islands; mf Canary Islander

canasta f basket

canasto m hamper

cancelación f cancellation

cancelar vt (un contrato, un sello) to cancel; (una deuda) to pay off; (una actividad) to call off

cáncer m cancer; — de mama breast cancer

cancerígeno adj carcinogen

canceroso -sa mf cancer patient

cancha f (de baloncesto, tenis) court; (de fútbol) field; ¡abran —! ¡gangway! falta — there's no room

canciller mf (de Alemania, de universidades) chancellor; (de EEUU) Secretary of State

canción f song; — de cuna lullaby

candado m padlock

candela f candle

candelabro m candelabrum

candelero m candlestick; en — in the limelight

candente adj red-hot

candidato -ta mf candidate

candidatura f (hecho de ser candidato) candidacy; (conjunto de candidatos en equipo) ticket

candidez f innocence

cándido adj naïve

candil m oil lamp

candilejas f pl footlights

candor m innocence

canela f (especia) cinnamon; (árbol) cinnamon tree

canesú m yoke of a shirt

cangrejo m crab

canguro m kangaroo; mf inv Esp baby-sitter

caníbal adj & mf cannibal

canica f toy marble

canijo adj weak, puny

canilla f (espinilla) shin; (pantorrilla) calf; (grifo) faucet

canino adj canine; **tener un hambre canino** to be ravenous; m canine (tooth)

canje m exchange

canjear vt (prisioneros, libros) to exchange; (un cupón) to redeem

cano adj gray-haired

canoa f canoe

canon m (regla, modelo) canon; (canción) round

canónigo m canon

canoso adj gray-haired

cansado adj (fatigado) tired, weary; (fatigoso) wearing, tiring

cansancio m weariness

cansar vt (fatigar) to tire, to tire out; (aburrir) to bore; **—se** to get tired

cantante mf singer

cantar vi/vt to sing; vt (anunciar) to call out; (confesar) to confess; **— a tono** to sing on key; **—le a alguien las cuarenta** to give someone a piece of one's mind; **— victoria** to declare victory; **en menos que cante un gallo** before you can say Jack Robinson; m epic poem; **eso es otro —** that's another story

cántaro m pitcher; **llover a —s** to rain cats and dogs

cantera f quarry

cántico m chant

cantero m RP flowerbed

cantidad f quantity, amount; (de dinero) amount, sum; **— de gente** a lot of people

cantimplora f canteen

cantina f (lugar donde comer) mess hall, mess, canteen; (bar) tavern

cantinela f chant

cantinero -ra mf bartender

canto m (cosa cantada) song; (piedra) pebble; **— de cisne** swan song; **— llano** chant; **— rodado** rounded pebble; **de —** on edge

cantor -ora mf singer

canturrear vi to hum

canturreo m hum, humming

caña f (planta gramínea) reed; (de azúcar) cane; (cerveza) Esp beer; (vaso para cerveza) Esp beer glass; **— de pescar** fishing pole; **dale —** floor it

cañada f (barranco) ravine; (arroyo) brook

cáñamo m hemp

cañaveral m reed patch

cañería f (en la calle) piping; (en la casa) plumbing

caño m (tubo) pipe; (grifo) spout; (de arma) barrel; **de doble —** double-barreled

cañón m (arma) cannon; (pieza hueca) barrel; (cañada profunda) canyon; (de pluma, bolígrafo) shaft

cañonero m gunboat

caoba f mahogany

caos m chaos

caótico adj chaotic

capa f (prenda) cape, cloak; (de pintura, animal) coat; (de tierra) layer; (de hielo) sheet; **— de ozono** ozone layer; **— freática** water table; **de — y espada** cloak and dagger

capacidad f capacity; **—es** aptitude, ability, capability

capacitar vt (entrenar) to train; (habilitar) to qualify

capar vt to castrate

caparazón m shell

capataz -za mf boss, overseer

capaz adj (que puede hacer algo) capable, able; (apto) apt; (espacioso) spacious, roomy; (competente) competent

capear vt to ride out; **— un temporal** to weather a storm

capellán m chaplain

caperuza f pointed hood

capilar adj & m capillary

capilla f chapel; **estar en —** (castigado) to be in the doghouse; (esperando una noticia) to be on pins and needles

capital m (dinero) capital; (de préstamo) principal; **— de riesgo** venture capital; **el —** big business; f capital (city); adj main

capitalino adj capital city; **atmósfera capitalina** capital city atmosphere

capitalismo m capitalism

capitalista mf capitalist; adj capitalistic

capitalización f capitalization

capitalizar⁹ vt (aportar capital) to capitalize; (aprovechar) to capitalize on

capitán -ana mf captain

capitanear vt to captain

caray INTERJ fam shoot!

carbohidrato M carbohydrate

carbón M (sustancia sólida) coal; (pedazo) piece of coal; **— de leña** charcoal

carboncillo M charcoal drawing

carbonera F coal bin

carbono M carbon

carburador M carburetor

carca MF INV fam fossil, old fogey

carcaj M quiver

carcajada F burst of laughter, guffaw

carcamal MF INV fam fossil, old fogey

cárcel F jail, prison

carcelero -ra M/F jailer

carcinógeno M carcinogen

carcinoma M carcinoma; **— de célula basal** basal cell carcinoma

carcomido ADJ worm-eaten

carda F card, comb

cardán M universal joint

cardar VT (lana) to card, to comb; (pelo) to rat, to tease

cardenal M (pájaro, prelado) cardinal; (moretón) bruise

cardíaco -ca ADJ cardiac; MF heart patient

cardinal ADJ cardinal

cardiología F cardiology

cardiovascular ADJ cardiovascular

cardo M thistle

cardumen M school of fish

carear VT to bring face to face; **—se** to meet face to face

carecer VI to lack

carencia F lack, deficiency

carente ADJ lacking; **— de** lacking in

carestía F (escasez) scarcity; (costo alto) high cost

careta F mask

carga F (cosa cargada) load, freight; (de la prueba, impuesto) burden; (hipoteca) lien; **— de encendedor** refill; (de explosivo, electricidad) charge; **— de municiones** round of ammunition; **— útil** payload; **volver a la —** to insist

cargado ADJ (bebida) stiff; (pausa) pregnant; (cartucho) live; **— de deudas** deep in debt; **— de espaldas** stooping

cargador M (de batería) charger; (de arma de fuego) clip, magazine

cargamento M cargo, load, shipment

cargar VT (cargamentos, dados, un arma, un programa de ordenador) to load; (una batería, a una cuenta) to charge; (de obligaciones) to burden with; (a un niño) to carry; (a un estudiante) Esp to flunk;

capital M capital

capitolio M capitol

capitular VI to capitulate

capítulo M chapter

capó M hood (of a car)

capo M mafia boss

capota F top

capote M cloak; (de coche) Méx hood; **decir para su —** to say under one's breath

capricho M caprice, whim, notion

caprichoso ADJ (impredecible) capricious; (impulsivo) whimsical, fanciful; (malcriado) willful

cápsula F capsule

captar VT (un concepto) to grasp; (atención, interés) to capture; (una emisión) to receive; (una indirecta) to get; **— la onda** to get the drift

captor -ora M/F captor

captura F (acción de capturar) capture; (pesca capturada) catch

capturar VT to capture; (pescado) to catch

capucha F (de cabeza) hood, cowl; (de lapicero) cap

capuchina F nasturtium

capuchino M cappuccino

capullo M (de insecto) cocoon; (de flor) bud

caqui M khaki

cara F (rostro) face; (de cubo) surface; (de papel, moneda) side; (morro) nerve; **a —** face to face; **o cruz** heads or tails; **dar la —** to face up to things; **de — al sur** facing south; **decir en la —** to tell to one's face; **de dos —s** two-sided; **la otra — de la moneda** the other side of the coin; **poner buena —** to put on a good face; **se le ve en la —** it's written all over his face; **tener — (dura)** to have a lot of nerve; **dar de la —** an inch and a leg; **volverle la — a** to snub

caracol M (molusco) snail; (concha) snail shell; **i—es!** fam darn!

carácter M (temperamento, signo) character; (rasgo) characteristic; (índole) kind

característica F characteristic, feature

característico ADJ characteristic

caracterizar VT to characterize

caramba INTERJ fam darn! good grief! heck!

carámbano M icicle

carambola F carom; **por —** indirectly

caramelo M (azúcar fundido) caramel; (dulce pequeño) bonbon

caramillo M reed pipe

carátula F (máscara) mask; (portada) title page

caravana F (en el desierto, convoy) caravan; (remolque) trailer

carnicería F (tienda) butcher's shop;
— **de identidad** identification card

carnicero -ra M (de butcher;
(matanza) carnage, bloodbath

carnívoro ADJ (cruel) cruel;
carnivorous; **carnívoro** M butcher -ra

carnoso ADJ fleshy

caro ADJ expensive, costly, high-priced; ADV
at a high price

carona F saddle pad

carótida F carotid artery

carozo M RF pit

carpa F (pez) carp; (tienda de circo) circus
tent

carpeta F (para documentos, también en
ordenador) folder; (cartera) portfolio

carpintería F (oficio) carpentry; (taller)
carpenter's shop

carpintero -ra M carpenter

carraspear VI to clear one's throat

carraspera F scratchy throat

carrera F conjunto de estudios, trayectoria
professional; career; (competición) race; (en
las medias) run; (recorrido corto) run,
dash; (de pistón) stroke; — **a pie** footrace;
— **de caballos** horse race; — **de relevos**
relay race; **a la** — running; **hacer** — to
succeed in a profession; **tomar** — to get a
running start

carreta F wagon

carrete M (de película) reel; (de hilo) bobbin;
(de alambre) spool

carretera ADJ highway; — **de circunvalación**
bypass; — **de peaje** toll road

carretero ADJ **— sistema** — highway system

carretilla F (de una rueda) wheelbarrow; (de
más de una rueda) dolly; **de** — by
memory

carretón M large wagon

carril M (de ferrocarril) rail; (de calle) lane

carrillo M cheek; **a dos/cuatro —s**
voraciously

carrizo M reed

carro M (vehículo de dos ruedas) cart;
(automóvil) car; (de máquina de escribir)
roll; — **alegórico** parade float; —
blindado armored car; — **de guerra**
chariot, **poner el** — **delante de los**
bueyes to put the cart before the horse;
subirse al — to get on the bandwagon

carrocería F auto body

carroña F carrion

carroza F (coche de caballos) coach; (de
desfile) parade float; (fúnebre) hearse

carruaje M carriage, coach

carta F (misiva) letter; (naipe) playing card; (de

(molestar) to bother; — **a alguien de**
responsabilidades to saddle someone
with responsibilities; — **al hombro** to
shoulder; — **con la culpa** to saddle with
blame; — **de combustible** to fuel; VI to
charge; — **sobre** to charge, to attack

cargo M (función en una empresa) position;
(en una factura, a una cuenta) charge;
(acusación) count, charge; — **de** — under
my charge; **hacerse** — **de**
(responsabilizarse de) to take charge of;
(ser consciente de) to understand;
investir de un — to induct into office;
los niños están a — **de la maestra** the
children are under the care of the teacher;
la maestra está a — **de los niños**
the teacher is in charge of the children

cargoso ADJ fussy

carguero ADJ freight-carrying

caribeño ADJ Caribbean

caricatura F (retrato) caricature; (con texto)
cartoon

caricaturista MF cartoonist

caricaturizar VT to caricature

caricia F caress

caridad F charity

caries F cavity, tooth decay

carillón M chimes

cariño M (amor) affection, fondness; (apodo)
honey; **darle** — **a alguien** to send love
to someone; **ella y el perro se hacen**
—s she and the dog nuzzle each other;
hacer con — to do with great care;
tenerle — **a alguien** to be fond of
someone

cariñoso ADJ affectionate, loving

carisma M charisma

carismático ADJ charismatic

cariz M complexion

carmesí ADJ & M crimson

carmín M (carmesí) crimson; (lápiz de labios)
lip gloss

carnal ADJ carnal

carnaval M carnival

carne F (para comer) meat; (de animal vivo,
de persona, de tomate) flesh; — **de**
cañón cannon fodder; — **de cerdo** pork;
— **de cordero** mutton; — **de gallina**
goose bumps; — **de res** beef; — **de**
venado venison; — **y hueso** flesh and
blood; **como** — **y uña** fam thick as
thieves; **en** — **viva** raw; **metido en** —**s**
overweight

carnear VT to butcher

carnero M ram

carnet M — **de conducir** driver's license; —

cartearse vi to correspond

cartel m poster, placard; — **en** showing

cartelera f (de periódico) entertainment section; (publicitaria) billboard; (tablón para anuncios) bulletin board

cárter m oil pan

cartera f (para dinero) wallet, billfold; (para papeles) briefcase; (de alumnos) satchel; (bolsa) handbag; (de valores) portfolio

carterista mf pickpocket

cartero -ra m letter carrier; m mailman, postman

cartílago m cartilage

cartilla f (libro para aprender a leer) reader; (librito de información) booklet; — **de** racionamiento ration book

cartografiar[16] vt to chart

cartón m cardboard, pasteboard; — **de** cigarrillos carton of cigarettes

cartuchera f cartridge belt

cartucho m (de arma de fuego) cartridge, shell; (de monedas) roll; (de dinamita) stick; — **de fogueo** blank cartridge

cartulina f thin cardboard

casa f (edificio) house; (hogar) home; (negocio) business firm; — **de ancianos** old folks' home; — **de citas** cheap motel for rendezvous; — **de empeños** pawnshop; — **de la moneda** mint; — **de muñecas** dollhouse; — **de pompas fúnebres** funeral home; — **de reposo** rest home; — **embrujada** haunted house; — **rodante** house trailer; — **solariega** manor house; **de** — at home; **en** — at home; **entró como Perico por su** — he made himself right at home; **estás en tu** — make yourself at home; **ir a** — to go home; **la** — **paga** on the house; **poner una** — to set up a household; **quedarse en** — to stay home; **tirar la** — **por la ventana** to live it up

casaca f riding jacket

casadero adj marriageable

casado adj married

casamentero -ra mf matchmaker

casamiento m wedding, marriage ceremony

casar vr to marry off; —**se** vr to get married, to wed; —**se con** to get married to; **no** —**se con nadie** to remain independent

cascabel m (cosa que tintinea) jingle bell; (de víbora) rattle; **ser un** — to be lively; **poner el** — **al gato** to stick one's neck out

cascada f cascade, waterfall

cascajo m old wreck

cascar[7] vt (quebrar) to crack; (dar bofetadas) to slap around; —**se** to crack open; m sg **cascanueces** nutcracker

cáscara f (de huevo, fruto seco) shell; (de granos, arvejas) husk; (de fruto seco) hull; (de fruta) rind; (de naranja, manzana) peel

cascarrabias mf sg crab, grouch; adj inv grouchy

casco m (de ciclista, militar) helmet; (de obrero) hard hat; (de barco) hull; (de naranja) shell; (una del pie de caballería) hoof; — **urbano** limits of the city

cascote m rubble

caserío m (aldea) hamlet; (casa) Esp farmhouse

casero -ra adj (doméstico) domestic; (hecho en casa) homemade; mf caretaker; m landlord; f landlady

caseta f (en un mercado) booth, stall; (de guardia) guardhouse; (de perro) doghouse

casete mf cassette

casi adv almost, nearly; — **diez mil** almost/ nearly ten thousand; — **lo hago** I almost did it; — **siempre** almost always; — **nadie** hardly anyone; — **nunca** hardly ever

casilla f (en el tablero de ajedrez) square; (en una tabla) box; (en un casillero) pigeonhole, cubbyhole; — **de perro** doghouse; **sacarle a alguien de sus** —**s** to drive someone up the wall

casino m (club) men's club; (lugar de recreo) casino

caso m case; **en** — **de** in the event of; **en** — **de que** in case that; **el** — **es que** the deal is that; **en todo** — in any case, at any rate; **en último** — as a last resort; **eso no viene al** — that is beside the point; **hacer** — **(de)** to pay attention (to); **hacer** — **omiso de** to disregard; **no hay** — there's no point; **pongamos por** — let's suppose that; **venir al** — to come to the point

caspa f dandruff

casquillo m (de bala) case; (de lámpara) socket

cassette mf cassette

casta f caste

castaña f chestnut; — **de cajú** cashew

castañetear vi to chatter; — **con los dedos**

to snap one's fingers

castañeteo M (de dientes) chattering; (de dedos) snapping

castaño M (árbol) chestnut tree; (color, madera) chestnut; ADJ chestnut-colored, brown

castañuela f castanet

castellano ADJ & M/f Castilian; M (lengua) Castilian

Castilla f Castile

castillo M castle; — **de arena** sand castle; —**s en el aire** fam pie in the sky

casting M casting

castizo ADJ traditional

casto ADJ chaste

castor M beaver

castrar VT (a un hombre, animal) to castrate; (a una mascota) to neuter, to fix; (a mascotas hembras) to spay

casual ADJ chance, accidental

casualidad f chance, coincidence; **da la — que** it so happens that; **oír por —** to overhear; **por —** by chance

casucha f shack

cata f — **de vinos** wine-tasting

catalán -ana ADJ (del catalán) Catalan; (de Cataluña) Catalonian; M/f Catalan; M (lengua) Catalan

catalejo M spyglass

catalizador M catalyst

catalogar VT to catalog, catalogue

catálogo M catalog, catalogue

Cataluña f Catalonia

catar VT to taste

catarata f (cascada) cataract, waterfall; (de los ojos) cataract

catarrí ADJ & M/f Qatari

catarro M cold

catástrofe f catastrophe

catecismo M catechism

cátedra f (puesto de profesor) chair, professorship; (enseñanza) teaching; (división académica) department; **sentar —** to hold forth

catedral f cathedral

catedrático -ca M/f (full) professor

categoría f category; **de —** important; **de — mundial** world-class; **de poca —** third-rate

catéter M catheter

caterpillar M caterpillar

cátodo M cathode

catolicismo M Catholicism

católico -ca ADJ Catholic; M/f Catholic

catorce NUM fourteen

catre M cot

catsup M catsup, ketchup

cauce M channel; — **de río** riverbed

cauchero -ra M/f rubber gatherer; ADJ **industria cauchera** rubber industry

caucho M rubber; — **sintético** synthetic rubber

caución f security payment

caudal M (conjunto de bienes) wealth; (cantidad de agua) volume of water

caudaloso ADJ mighty

caudillo M leader

causa f cause; (proceso) case; — **noble** worthy cause; — **perdida** lost cause; **a — de** on account of, because of; **con conocimiento de —** wittingly; **hacer — común** to work together

causar VT to cause; — **problemas** to make trouble

cáustico ADJ caustic

cautela f caution

cauteloso ADJ cautious, wary

cauterizar VT to cauterize

cautivar VT (tomar cautivo) to capture; (atraer la simpatía) to captivate

cautiverio M captivity

cautivo -va M/f captive

cauto ADJ cautious, wary

cavar VT to dig

caverna f cavern, cave

cavidad f cavity

cavilar VI to muse

cayado M shepherd's crook, staff

cayo M key

caza f (acción de cazar) hunt, hunting; (conjunto de animales) wild game; — **mayor** big game; — **menor** small game; **andar a la — de** to hunt; **dar — a** to hunt down; M (avión) fighter

cazador -ora ADJ hunting; M/f hunter; f windbreaker

cazar VT/VI (buscar presas) to hunt; (matar presas) to shoot, to bag; (atrapar presas) to trap; M/f sus **cazatalentos** talent scout

cazatorpedero destroyer, torpedo-boat

cazo M (para agua) dipper; (para sopa) ladle

cazoleta f pipe bowl

cazuela f (recipiente) casserole; (cazo) pan

CD M CD; — **CD-ROM** CD-ROM

cebada f barley

cebador M pump primer

cebar VT (un animal) to fatten; (bombas) to prime; (anzuelos) to bait; — **se** to vent one's anger

cebo M (para peces) bait, lure; (para animales)

feed

cebolla F onion

cebollar M onion patch

cebollino M scallion

cebra F (animal) zebra; (paso) crosswalk

cecear VI to lisp

ceceo M lisp

cecina F jerky

cedazo M sieve

ceder VT (propiedad) to cede, to assign; (un sitio) to yield, to give up; VI (disminuir) to diminish; (perder resistencia) to give way

cedro M cedar

cédula F — **de identidad** identification card

céfiro M zephyr

cegar[1,7] VT to blind

ceguera F blindness

ceja F (sobre el ojo) eyebrow; (en una encuadernación) tab; **quemarse las** — to cram for an exam

cejar VI to back down

cejijunto ADJ with thick eyebrows

celada F ambush

celador -ora MF school monitor

celar VT to watch over jealously

celda F cell

celebración F (fiesta) celebration; (acto solemne) performance

celebrar VT (festejar) to celebrate; (una reunión) to hold; (un rito) to perform

célebre ADJ famous, noted

celebridad F celebrity

celeste ADJ (relativo al firmamento) celestial; (del color del cielo) azure, light blue

celestial ADJ celestial, heavenly

célibe ADJ celibate; MF unmarried person

cellisca F sleet; **caer** — to sleet

celo M (diligencia) zeal; (excitación sexual) heat; **estar en** — to be in heat; **—s** jealousy; **tener —s** to be jealous

celofán M cellophane

celosía F window lattice

celoso ADJ (que tiene celos) jealous; (diligente) zealous

célula F cell; — **adiposa** fat cell; — **estaminal embrional** stem cell

celular ADJ cellular; M mobile phone

celulitis F cellulite

celuloide M celluloid

celulosa F cellulose

cementar VT to cement

cementerio M cemetery, graveyard

cemento M cement; — **armado** reinforced concrete

cena F supper, dinner

cenagal M quagmire, swamp

cenagoso ADJ marshy, swampy

cenar VI to eat supper, to eat dinner; **vamos a — pescado** we're having fish for dinner

cencerro M cowbell

cenicero M ashtray

ceniciento ADJ ashen

cenit M zenith

cenizas F PL ashes, cinders

censar VI/VT to take a census (of)

censo M census

censor -ora MF censor; — **de cuentas** auditor

censura F (reprobación) censure; (control) censorship

censurador ADJ censuring

censurar VT (criticar) to censure; (examinar) to censor

centavo M cent

centella F sparkle; **pasar como una** — to go by in a flash

centelleante ADJ sparkling

centellear VI to sparkle, to scintillate

centelleo M sparkle

centenar M group of a hundred; **—es** hundreds

centenario M centennial; ADJ centenarian

centeno M rye

centésimo ADJ & M hundredth

centígrado ADJ centigrade

centímetro M centimeter

céntimo M cent

centinela MF INV sentry, sentinel

centrado ADJ true; M truing

central ADJ central; F plant; — **de teléfonos** telephone exchange; — **eléctrica** power plant; — **lechera** milk processing plant; — **nuclear** nuclear power plant

centralita F switchboard

centrar VT to center; **—se** to focus, to be focused

céntrico ADJ central

centrífugo ADJ centrifugal

centrípeto ADJ centripetal

centro M center; (de ciudad) downtown; — **comercial** shopping center; — **de gravedad** center of gravity; — **de mesa** centerpiece

Centroamérica F Central America

ceñido ADJ tight

ceñir[5,18] VT (rodear) to gird; (abrazar) to encircle; — **la corona** to be crowned; VI (estar apretado) to be tight; **—se a** (limitarse) to limit oneself to; (arrimarse) to get close to

ceño M **fruncir el** — to frown, to scowl

cepa F (de árbol) stump; (de viña) stock; (de bacteria) strain; **de pura** — of good stock

cepillar VT (dientes, pelo) to brush; (madera)

cepillo M (para el pelo, los dientes) brush; — (para madera) carpenter's plane; — **de dientes** toothbrush

cepo M (para cazar) trap; (para inmovilizar coches) boot

cera F wax; — **de oídos** earwax; — **para muebles** polish

cerámica F (arte) ceramics; (conjunto de artículos) pottery, earthenware

cerámico ADJ ceramic

cerbatana F blowpipe

cerca ADV near, nearby, close; — **de** near, close to; **de** — at close range; F fence

cercado M (terreno cercado) enclosure; (cerca) fence

cercanía F proximity, nearness, closeness

cercano ADJ near, nearby (lugar); (pariente) related; **Oriente Cercano** Near East

cercar[6] VT (rodear con una cerca) to fence, to enclose; (sitiar) to besiege

cercenar VT (cortar) to chop off; (reducir) to curtail, to encroach upon

cerciorarse VI — **(de)** to make sure (of)

cerco M (sitio) siege; (cerca) *Am* fence

cerda F bristle

cerdo -da M (animal, persona sucia) hog, pig; (carne) pork; F sow

cerdoso ADJ bristly

cereal M cereal; —**es** breakfast cereal; **cultivo** — cereal crop

cerebral ADJ cerebral

cerebro M brain (también genio); **lavarle el** — **a** to brainwash

ceremonia F ceremony

ceremonial ADJ & M ceremonial

ceremonioso ADJ ceremonious

cereza F cherry

cerezo M cherry tree

cerilla F match

cernir[7] VT (cerner) — **se** (un ave) to hover; (un desastre) to loom

cernícalo M kestrel

cero M zero; (en deportes) nothing, goose egg, zip; (en tenis) love; — **absoluto** absolute zero; **partir de** — to start from scratch; **ser un** — **a la izquierda** to be a nobody

cerrado ADJ (no abierto) closed; (denso, tonto) dense; (poco comunicativo) reserved, (intransigente) closed-minded; (curva) sharp; M enclosure

cerradura F lock; — **de combinación** combination lock

cerrajería F locksmith's shop

cerrajero -ra M F locksmith

cerrar[1] VT (la puerta, un cajón) to close, to shut; (un trato) to close, to clinch; (un terreno) to enclose; (el gas, un grifo) to turn off; (una fábrica) to shut down, to close; — **filas** to close ranks; — **el paso** to block passage; VI to close; — **se** (una flor, una tienda) to close; (un plazo) to end; — **se el cielo** to become overcast

cerrazón F closed-mindedness

cerro M hill

cerrojo M bolt

certamen M contest; — **de belleza** beauty contest

certero ADJ sure

certeza F certainty

certidumbre F certainty

certificación F certification

certificado ADJ certified; M certificate; — **de nacimiento** birth certificate

certificar[4] VT (la autenticidad de algo) to certify; (una carta) to register

cervatillo M lawn

cervecería F bar

cerveza F beer; — **de barril** draft beer

cérvix F (del cuello) cervix

cerviz F (uterino) cervix

cesar VI to cease; — **de trabajar** to stop working; — **en un cargo** to resign from a position; — **a** to dismiss

cesárea F Cesarean section

cese M cessation; — **el fuego** ceasefire; — **de actividades** shutdown

cesión F (de propiedad) assignment; (de derechos) waiver

césped M lawn, grass; (para deportes) turf

cesta F basket

cestería F basketry

cesto M (cesta) basket; (para ropa) hamper

cetrino ADJ olive-colored

chabacano ADJ (modales) crude; (gustos) tacky; M *Méx* apricot

chacal M jackal

cháchara F servant girl

cháchara F small talk

chacota F joke; **tomarse algo a la** — to take lightly

chacra F small farm

Chad M Chad

chadiano -na ADJ & N Mr Chadian

chal M shawl, wrap

chala F *Am* husk; **quitar la** — to husk

chalán M horse trader

chalé M cottage

chaleco M waistcoat, vest; — **antibalas** bulletproof vest; — **de fuerza** straitjacket; — **salvavidas** life jacket

chalupa F small canoe; *Méx* tortilla with

sauce

chamaco -ca M *Méx* boy; F *Méx* girl

chamarra F sheepskin jacket

chambergo M wide-brimmed hat

chambón adj clumsy

chamuscar[9] vt to scorch, to singe; **—se** to get scorched, to get singed

chamuscadura F scorching

champán M champagne

champaña F champagne

champú M shampoo

champiñón M mushroom

chancearse vi **— de** to make fun of

chance MF chance

chanchullo M *fam* monkey business

chancho M *fam* hog

chancleta F thong, flip-flop; **tirar la —** to kick up one's heels

chancla F galosh, overshoe; **—s** rubbers

chándal M sweatsuit

chantaje M blackmail

chantajear vt to blackmail

chanza F jest

chao INTERJ bye-bye

chapa F (de metal) sheet metal; (identificación de policía) badge; (tapa de botella) bottle top; (de madera) veneer; **— en la puerta** shingle on the door; **hacer — y pintura** to fix the bodywork and paint

chapado adj **— a la antigua** old-fashioned

chapalear vi to splash

chapar vt to plate

chaparro M scrub oak; adj *Méx* short

chaparrón M cloudburst

chaperón -ona MF chaperon(e); **ir de —** to chaperone(e)

chapitel M spire, steeple

chapoteo M splash, splashing

chapucear vt to botch, to bungle

chapucería F (cosa chapuceada) botched job; (cualidad de chapucero) sloppiness

chapucero adj shoddy, slipshod

chapurrear vt to speak a language poorly

chapuza F botched job

chapuzar[9] vi to dive

chaqueta F jacket; **— de sport** sport jacket

charada F charades

charco M puddle, pool; **cruzar el —** to cross the ocean

charca F pond

charcutería F (tienda) delicatessen; (industria) sausage-making

charla F chat, talk

charlar vi to chat, to gab

charlatán -ana adj talkative; MF (parlanchín) chatterbox, windbag; (curandero) charlatan, quack

charlotear vi to chatter, to jabber

charloteo M chatter, jabber

charol M (barniz) varnish; (cuero barnizado) patent leather

charolar vt to varnish

charqui M beef jerky

charro adj flashy, tawdry

chárter M charter flight

chascar vt (los nudillos, un hueso) to crack; (los labios) to smack; (la lengua) to click

chascarrillo M funny anecdote

chasco M (broma) prank; (decepción) dud; **llevarse un —** to be disappointed

chasis M frame, chassis

chasquear vt (decepcionar) to disappoint; (una cerradura, la lengua) to click; (un látigo) to crack; (los labios) to smack; (los dedos) to snap; **—se** to be disappointed

chasquido M (de látigo, madera, las articulaciones) crack; (de los labios) smack; (de la lengua, una cerradura) click; (de los dedos) snap

chata F bedpan

chatarra F scrap iron

chatarrería F junkyard

chato adj (nariz) snub-nosed; (zapatos, pecho) flat; **— como una tabla** as flat as a pancake

chaucha F green bean

chaval -la M *Esp* boy; F *Esp* girl

chaveta F cotter pin; **perder la —** *fam* to go bonkers

che INTERJ *RP* say! hey!

checo -ca adj & MF Czech

chef M chef

cheque M check; **— de viajero** traveler's check

chequear vt to check

chequera F checkbook

chic adj & M chic

chicha F (bebida alcohólica) *Am* corn liquor; (carne) *Esp fam* meat; **de — y nabo** two-bit; **ni — ni limonada** neither fish nor fowl

chicharra F (insecto) cicada; (timbre eléctrico) buzzer

chichón M bump, lump, knot

chicle M chewing gum; **— de globo** bubblegum

chico -ca adj small, little; M boy; F girl; **mis —s** my kids

chicote M *Am* whip

chicotear vt *Am* to whip

chicoteo M Am whipping

chiflado adj fam nuts, cuckoo, loony

chifladura f craziness

chiflar vi (silbar) to whistle; vr (volver loco) to drive crazy; **—se** to go crazy

chiflido M whistle

chile M chili

Chile M Chile

chileno -na adj & mf Chilean

chillar vi (persona) to shriek (puerta, ratón) to squeal

chillido M (de persona) shriek; (de puerta, cerdo) squeal

chillón adj (sonido) shrill; (color) loud, gaudy

chimenea f (de casa) chimney; (hogar) fireplace; (de volcán, baño, mina) vent; (de fábrica) smokestack

chimpancé M chimpanzee

china f (porcelana) china; (piedra) pebble

China f China

chinchilla f chinchilla

chinche mf (insecto) bedbug; (chincheta) thumbtack; (persona molesta) pain

chinchorro M rowboat

chino -na adj Chinese; M (lengua) Chinese; mf Chinese; **eso es —** that's Greek to me

chip M (de ordenador, en golf) chip; (de patata) potato chip

Chipre M Cyprus

chipriota adj & mf Cypriote)

chiquillín -ina M little boy; f little girl

chiquito adj tiny, wee

chiripa f stroke of good luck; **por / de —** by a fluke

chirivía f parsnip

chirona f jail

chirriante adj squeaky

chirriar vi (puerta, freno) to squeak (ave, freno) to screech

chirrido M (de puerta, freno) squeak; (de ave, freno) screech

chisgarabís M pipsqueak

chisguete M squirt

chisme M (noticia) gossip, piece of gossip; (objeto) fam gizmo, thingamajig

chismear vi to gossip

chismoso -sa adj gossipy; mf gossip

chispa f (partícula incandescente) spark; (ingenio) wit; **echar —s** to be furious; **pasar echando —s** to whiz by

chispeante adj (que echa chispas) sparkling; (ingenioso) witty

chispear vi (echar chispas) to spark; (lloviznar) to sprinkle

chisporrotear vi (leña) to sputter;

chisporroteo M (de leña) sputter; (de carne) sizzle (cigarrillo) to fizzle; (carne) to sizzle

chiste M (verbal) joke; (visual) cartoon; **— verde** dirty joke; **no le veo el —** I don't see the humor in it

chistera f top hat

chistoso adj funny, amusing, humorous

chivar vi/vr to snitch (on), to rat (on)

chivato -ta mf (delator) informer, snitch, stool pigeon; (chivito) kid

chivo M kid; **— expiatorio** scapegoat; **estar como un —** to be crazy as a loon

chocante adj shocking, jarring

chocar vi (dar con) to bump, to collide; (estar en conflicto) to clash; vt (sorprender) to shock; (causar un accidente) to wreck; **— los cinco** to shake hands

chocarrería f coarseness

chochear vi to be in one's dotage

chochera f senility, dotage

chochez f senility, dotage

chocho adj senile; **estar —** to be in one's dotage; **estar — con** to dote on

choclo M ear of corn

chocolate M chocolate; (bebida) cocoa, hot chocolate

chocolatera f chocolate pot

chocolatina f chocolate bar

chófer, chofer mf chauffeur, driver

cholo -la mf (mestizo) person of mixed race; (indio) Europeanized Indian

chopo M poplar

choque M (de objetos móviles) collision, bump, crash; (eléctrico, emocional, cultural) shock

chorizo M sausage

chorlito M plover

chorrear vi/vt (poco) to drip, (mucho) to gush

chorro M spurt, jet; **a —s** in buckets

chotearse vi **— de** to make fun of

choteo M mocking

chovinismo M chauvinism

chubasco M squall, shower

chuchería f trinket, knick-knack

chueco adj Am crooked

chuleta f (papel para copiar) cheat sheet; **— de cerdo** pork chop; **— de ternera** veal cutlet

chulo -la M (proxeneta) pimp, (dandi) dandy, dude; (bravucón) tough guy; mf working-class resident of Madrid; adj (fanfarrón) boastful; (bonito) cute

chupada f (de cigarro) puff; (de bebida) sip

chupar vt/vr (succionar) to suck; (fumar) to puff (on); vr (absorber) to absorb; (vivir a costa de) to sponge off of; **chúpate esa** put that in your pipe and smoke it; M sg

chupasangre leech

chupete M pacifier

chupetín M RP lollipop, sucker

churrasco M Am barbecued steak

churro M fritter

chusma f rabble, riffraff

chutar vt (drogas) to shoot up; (un balón) to shoot

chute M narcotic fix

chuzo M watchman's pike

CIA f CIA

cianuro M cyanide

cianotipo M blueprint

ciberespacio M cyberspace

cibernética f cybernetics

ciberpunk M cyberpunk

cíclico adj cyclical

ciclista MF bicycle rider, cyclist

ciclo M cycle; **—motor** moped; **—vital** life

ciclón M cyclone

ciclotrón M cyclotron

cicuta f hemlock

ciego adj (que no ve) blind; (por borrachera) plastered; (por los efectos de drogas) high; **quedarse —** to go blind; **a ciegas** blindly

cielo M (firmamento) sky; (paraíso) heaven; **—abierto** open mining; **— raso** ceiling; **¡—s!** good heavens! **estar en el séptimo —** to be in seventh heaven; **me cayó del —** it's a godsend; **poner el grito en el —** to hit the ceiling

ciempiés M centipede

cien, ciento NUM hundred; **por ciento** percent

ciénaga f swamp, mire, marsh

ciencia f (campo de estudio) science; certainty; **—ficción** science fiction; **—s políticas** political science; **a — cierta** with certainty; **las — ocultas** the occult; **no tiene —** nothing to it

cieno M mud, mire, ooze

científico -ca adj scientific; MF scientist

cierre M (cosa para cerrar) clasp, fastener; (de cremallera) zipper; (acción de cerrar) closing, closure; **— patronal** lock-out; **al**

— at press time

cierto adj certain; (verdadero) true; (seguro) sure; **en — sentido** in a sense; **hasta — punto** to a certain extent; **por —** by the way; INTERJ you're right!

ciervo -va M deer; (macho) stag; **— volante** stag beetle; f (hembra) doe, hind

cierzo M north wind

cifra f (0-9) digit; (número) figure; (clave) cipher, key; **poner en —** to encode

cifrar vt/vr to write in code; **— la esperanza en** to place one's hopes on; **—se en** to amount to

cigarra f cicada

cigarrera f cigar case, cigarette case

cigarrillo M cigarette

cigarro M cigarette; (puro) cigar

cigoto M zygote

cigüeña f stork

cigüeñal M crankshaft

cilíndrico adj cylindrical

cilindro M cylinder

cima f summit

cimarrón -ona adj wild; MF runaway slave

címbalo M cymbal

cimbel M decoy

cimbrar vt to sway, to vibrate

cimentar vt (una casa) to lay the foundation of; (una victoria) to secure

cimiento M foundation

cinc M zinc

cincel M chisel

cincelar vt to chisel

cincha f cinch, girth

cinchar vt to cinch, to girth

cinco NUM five

cincuenta NUM fifty

cine M cinema, movies

cinematografiar vt/vi to film

cinematográfico adj cinematographic

cinematografía motion-picture industry

cingalés -esa adj & MF Sri Lankan

cínico -ca adj cynical; MF cynic

cinismo M cynicism

cinta f (para adornar) ribbon; (adhesiva) tape; (cinematográfica) film; **— aislante** electrical tape; **— de vídeo** video tape; **— magnetofónica** recording tape; **— métrica** tape measure; **— rodante** treadmill; **— transportadora** conveyor belt

cintura f (de persona) waist; (de cosa) middle

cinto M belt

cinturón M belt; **— de seguridad** safety belt

ciprés M cypress

circo M circus

circonio M zirconium

circuitería F circuitry

circuito M circuit; **— cerrado** closed circuit; **— impreso** circuit board; **— integrado** integrated circuit

circulación F circulation; **poner en —** to circulate

circular VI to circulate; **hay que — por la derecha** you have to drive on the right; F circular letter

círculo M circle; **— vicioso** vicious circle

circuncidar VT to circumcise

circundante ADJ surrounding

circundar VT to surround

circunferencia F circumference

circunlocución F circumlocution

circunscribir[51] VT to circumscribe

circunspecto ADJ circumspect

circunstancia F circumstance

circunstancial ADJ circumstantial

cirio M candle

cirro M cirrus

cirrosis F cirrhosis

ciruela F plum; **— pasa** prune

ciruelo M plum tree

cirujano -na M surgeon

cirugía F surgery; **— de corazón abierto** open-heart surgery; **— plástica / estética** plastic surgery

cisne M swan

cisterna F cistern

cita F (romántica) date; (con el médico) appointment; (textual) quotation, quote; **— a ciegas** blind date; **darse —** to meet

citación F citation, summons

citar VT (a un testigo) to summon; (a un autor) to cite, to quote; **—se con** (el médico) to make an appointment with; (un amigo) to make a date with

cítrico ADJ citric; M citrus

ciudad F city

ciudadanía F citizenship

ciudadano -na M citizen

Ciudad del Vaticano F Vatican City

ciudadela F citadel

cívico ADJ civic

civil ADJ (no criminal, no religioso) civil; (no militar) civilian

civilidad F civility

civilización F civilization

civilizador ADJ civilizing

civilizar[47] VT to civilize; **—se** to become civilized

cizalla F metal shears

cizaña F **— to sow discord**

clamar VT to clamor for; **— por** to clamor for

clamor M clamor, outcry

clamorear VI/VT to shout

clamoreo M shouting

clamoroso ADJ clamorous

clan M clan

clandestino ADJ clandestine

claqué M tap dance

clara F egg white

claraboya F skylight

clarear VT (ponerse claro) to become clear; (amanecer) to grow light; (volverse menos espeso) to grow less dense; VT to illuminate; **—se** to grow light

claridad F clarity; (luz) brightness, lightness

clarificar[7] VT to clarify, to clear

clarín M bugle

clarinete M clarinet

clarividente ADJ & M air clairvoyant

claro ADJ clear; (franco) straightforward; (que tiene mucha luz) light, bright; **azul —** light blue; **a las claras** clearly; ADV clearly; INTERJ of course! M (en un bosque) clearing; **— de luna** moonlight

clase F (grupo social, sesión docente, conjunto de alumnos) class; (aula) classroom; (tipo) kind, sort; **— alta** upper class; **— obrera** working class; **— turista** economy class; **dar —** to teach a class; **toda — de** all sorts of

clasicismo M classicism

clásico ADJ (destacado, consabido) classic; (de un período histórico) classical; M classic

clasificación F classification (deportiva)

clasificado M want ad

clasificar[7] VT to classify; (en deportes) to qualify; **—se para** to qualify for; **—se segundo** to come in second

claustro M cloister; **— de profesores** university faculty

claustrofobia F claustrophobia

claustrofóbico ADJ claustrophobic

cláusula F clause

clausura F closing

clavadista MF diver

clavado ADV exactly; M nailing

clavar VT to nail, to drive a nail into; (pinchar) to stick, to poke; **— la mirada / los ojos en alguien** to stare at someone; **— los frenos** to stomp on the brakes; **me clavaron** I got a raw deal

clave F (sistema de signos) code; (tabla de correspondencias, base) key; (signo musical) clef; (clavicémbalo) harpsichord;

clef (de mapa) legend; — **de fa** bass clef; — **de sol** treble
de seguridad password; —

clavel M carnation
clavetear VT to put pegs on
clavicémbalo M harpsichord
clavícula F collarbone, clavicle
clavija F (de guitarra) peg; (de enchufe) pin
clavo M (pieza de metal) nail; (capullo) clove; (de zapato) spike; **dar en el** — to hit the nail on the head
claxon M car horn
clearing M clearing
clemencia F clemency, mercy
clemente ADJ clement
clerecía F (funciones de clérigo) ministry; (conjunto de clérigos) clergy
clerical ADJ clerical
clérigo M clergyman, minister
clero M clergy
clic M click; **hacer** — to click; **hacer doble** — to double-click
cliché M (placa fotográfica) photographic plate; (expresión muy usada) cliché
cliente MF (de un profesional) client; (de un negocio) customer; (de un restaurante) patron; (de un hotel) guest
clientela F clientele
clientelismo M patronage
clima M climate
climatérico ADJ climacteric
climatización F air conditioning
clímax M climax
clinch M clinch
clínica F clinic
clip M paper clip
cloaca F sewer
clon M clone
clonación F cloning
clonaje M cloning
clonar VT to clone
cloquear VI to cluck
cloqueo M cluck, clucking
cloro M chlorine
clorofila F chlorophyll
cloroformo M chloroform
cloruro M chloride
club M club (también palo de golf); — **nocturno** nightclub
coacción F compulsion, coercion; **bajo** — under duress
coagular VI to coagulate; (sangre) to clot
coágulo M clot
coalición F coalition
coartada F alibi
coartar VT (una libertad) to restrict; (a una persona) to inhibit; (la creatividad) to strangle

cobalto M cobalt
cobarde ADJ cowardly; MF coward
cobardía F cowardice
cobertizo M shed
cobertor M cover
cobertura F (de nieve, aérea) cover; (de noticias, telecomunicativa) coverage
cobija F cover; (manta) blanket
cobijar VT to shelter; **—se** to seek shelter
cobra F cobra
cobrador -ora MF (persona que cobra) collector; M (perro) retriever
cobranza F collection
cobrar VT (impuestos) to collect; (una cuenta) to charge; (un cheque) to cash; (el sueldo) to earn; (víctimas) to claim; (adquirir) to gain; — **ánimo** to take heart; — **caro** to charge a lot; — **de más** to overcharge; **vas a** — you're in for it
cobre M (elemento) copper; (objetos de cobre) copper utensils
cobrizo ADJ copper-colored
cobro M collection
coca F (planta, hoja) coca; (cocaína) fam coke
cocaína F cocaine
cocear VI/VT to kick
cocer² VI/VT (huevos) to boil; (verduras) to cook; (cerámica) to fire; — **al vapor** to steam; — **a medio** — half-cooked; **romper a** — to break into a boil; **¿qué se cuece aquí?** what's up?
coche M (automóvil, vagón) car; (autobús) coach; (vehículo tirado por caballerías) carriage; — **bomba** car bomb; — **cama** sleeper; — **comedor** dining car; — **de bebé** stroller, baby carriage; — **de bomberos** fire engine; — **de choque** bumper car; — **de línea** city bus; — **deportivo** sports car; — **fúnebre** hearse; **ir en** — to go by car, to drive; **pasar en coche** to go on a drive
cochera F carport
cochinada F (acto asqueroso) filthy action; (acto perverso) dirty trick
cochinilla F woodlouse
cochino ADJ filthy; M pig
cocido M stew
cociente M quotient
cocina F (habitación) kitchen; (aparato para cocinar) range, stove; (arte de guisar) cuisine, cookery
cocinar VI/VT to cook; (tramar) to cook up
cocinero -ra MF cook
cócker M cocker spaniel
coco M (fruto del cocotero) coconut; (cabeza) fam dome; (fantasma) bogeyman; **comerse el** — to get all worked up

cocodrilo M crocodile

cóctel M (fiesta) cocktail party; (bebida) cocktail, mixed drink

codazo M jab with the elbow; **dar —s** to elbow

codear VI/VT to elbow, to jab; **—se** to nudge one another; **—se con** to rub elbows with

codeína F codeine

codicia F (deseo de poseer) greed; (deseo sexual) lust

codiciar VT (una cosa) to covet; (sexualmente) to lust after

codicioso ADJ covetous, greedy

codificar⁶ VT to codify, to encrypt

código M code; **— de barras** bar code; **— genético** genetic code; **— postal** zip code

codo M elbow; **— a —** side by side; **— de tenista** tennis elbow; **empinar el —** to drink too much; **hablar por los —s** to talk one's head off; **hasta los —s** up to one's elbows

codorniz F quail

coeficiente M coefficient; **— de inteligencia** intelligence quotient

coerción F compulsion

coetáneo ADJ contemporary

coexistencia F coexistence — **pacífica** peaceful coexistence

cofre M coffer

coger¹ᵇ VT (a un criminal) to catch; (con las manos) to grasp; (flores) to gather; to pick; (cosas del suelo) to pick up; to receive; (a un empleado) to hire; (una emisora) to catch; (un camino, tren, curso) to take; (espacio) to take up; (un pez) to land, to catch; **— de sorpresa** to catch by surprise; **— el sueño** to fall asleep; **— hacia el castillo** to turn toward the castle; **—le miedo a algo** to get scared of something; **—le el tranquillo a algo** to get into the swing of things; **—se un resfriado** to come down with a cold; **coge y le dice** he ups and says

cognado ADJ & M cognate

cognitivo ADJ cognitive

cogollo M heart

cogote M neck

cohabitar VI to live (with); (sin casarse) to cohabitate

cohecho M bribe

coheredero -ra M F joint heir

coherencia F (consecuencia) consistency; (lógico) coherence

coherente ADJ (consecuente) consistent; (lógico) coherent

cohesión F cohesion

cohesivo ADJ coherent

cohete M rocket

cohetería F rocketry

cohibición F inhibition

cohibido ADJ inhibited, self-conscious

cohibir VT to inhibit

coincidencia F coincidence

coincidir VI to coincide

coito M coitus

cojear VI to limp; **saber de qué pie cojea alguien** to know someone's weaknesses

cojera F limp

cojín M cushion

cojinete M bushing; **— de bolas** ball bearing

cojo ADJ lame, crippled

cok M coke

col F cabbage; **— de Bruselas** Brussels sprouts

cola F (de perro, ave, avión) tail; (de vestido) train; (hilera de gente) line; (pegamento) glue; **— de caballo** ponytail; **hacer —** to stand in line; **no pegar ni con —** not to go together; **traer —** to have consequences

colaboración F collaboration

colaborador -ora M F (de periódico) contributor; (con el gobierno) collaborator

colaborar VI to collaborate; (con un periódico) to contribute

colación F **sacar a —** to bring up

colacionar VT to collate

colador M (para té) strainer; (para verduras) colander

colágeno M collagen

colapso M collapse

colar² (té) to strain; (metal líquido) to pour; VI to go through, to slip through; **esa excusa no va a —** that excuse won't wash; **—se en una fiesta** to crash a party

colateral ADJ collateral

colcha F bedspread

colchón M mattress; (recurso de emergencia) cushion

colchoneta F mat

colear VI (un perro) to wag the tail; (un tema) to be pending; (un auto) to fishtail

colección F collection

coleccionar VT to collect

coleccionista MF collector

colecta F charity collection

colectivo M (grupo) collective; (autobús) Am bus

colector M (de aguas negras) sewer; (eléctrico) collector; (de coche) manifold

colega MF INV colleague

colegio M (escuela privada) private school; (centro de enseñanza primaria) elementary

school; (asociación de profesionales);
association, college

colegir[5,11] vi to gather

cólera f rage, wrath; **montar en** — to fly
into a rage; M cholera

colérico adj irritable

colesterol M cholesterol

coleta f pigtail

coletilla f tag

coleto M **decir para su** — to say to oneself

colgadero M hanger; adj hanging

colgado adj high and dry

colgadura f drapery; **—s** hangings

colgante adj hanging; M pendant

colgar[2,7] vt (suspender, ahorcar) to hang;
(un teléfono, un abrigo) to hang up; vi
(un espejo) to hang; — (un andrajo) to
dangle; (un asunto) to be pending; **esa
falda te cuelga por atrás** that dress
hangs down in the back; **— as —** (un
ordenador) to crash; **—se de** to get
hooked on; **—se del teléfono** to tarry on
the phone

colibrí M hummingbird

cólico M colic

coliflor f cauliflower

colilla f cigarette butt

colina f hill, knoll

colindante adj neighboring

colindar vi **— con** to border (on), to adjoin

coliseo M coliseum

colisión f collision

collage M collage

collar M (de perlas) necklace; (de perro)
collar; **— antipulgas** flea collar

collera f horse collar

collie M collie

colmar vt (un vaso) to fill; (una demanda)
to satisfy; **— de alabanzas** to lavish
praise upon

colmena f beehive

colmillo M (de persona) eyetooth; (de
elefante) tusk; (de víbora) fang

colmo M **— de la locura** height of folly;
¡eso es el —! that takes the cake; **para —**
to top it all

colocación f (ubicación) placement; (puesto)
position

colocar[6] vt (poner, encontrar un puesto
para) to place; (casar) to marry off;
(invertir) to invest; **—se** to get a job

coloide M colloid

Colombia f Colombia

colombiano -na adj & M Colombian

colón M (moneda de El Salvador y Costa
Rica) colon

colon M colon

colonia f (territorio, grupo de insectos)
colony; (comunidad de inmigrantes)
community, settlement; (vivienda)
development; (perfume) cologne

colonial adj colonial

colonización f colonization

colonizador -ora MF colonist

colonizar[9] vt to colonize, to settle

colono -na MF (habitante de una colonia)
colonist, settler; (arrendatario) tenant
farmer

coloquial adj colloquial

coloquio M colloquium

color M color; (pintura) paint; (maquillaje)
rouge; (de naipes) flush; **—es primarios**
primary colors; **a todo —** full color; **de —**
of color

coloración f coloring

colorado adj & M red; **ponerse —** to blush

colorante adj & M coloring

colorear vt to color

colorido M (de un caballo) coloring; (de un
comentario, paisaje) color; adj colorful

colosal adj (grande) colossal; (estupendo)
wonderful

columbrar vt to glimpse

columna f column; **— de dirección**
steering column; **— vertebral** spinal
column, backbone

columnista MF columnist

columpiar vt/vi to swing

columpio M swing

colza f (planta) rape; (aceite) rapeseed oil

coma f (signo) comma; M (falta de
conciencia) coma

comadre f (chismosa) gossip; (partera)
midwife

comadreja f weasel

comadrona f midwife

comandancia f command

comandante M (rango militar) major;
(militar que ejerce el mando) commander;
— en jefe commander in chief

comandar vt to command; **— un avión** to
pilot an airplane

comando M (militar) commando; (orden
dada al ordenador) command

comarca f district

comatoso adj comatose

comba f (de una pared) bulge; (de madera)
warp; **saltar a la —** to jump rope

combar vt (una pared) to sag; (madera) to
warp

combate M combat; **fuera de —** out of the
competition

combatiente M combatant

combatir VI/VT to combat

combativo ADJ combative

combinación F combination; (billete) transfer ticket

combinar VT to combine; **—se para hacer algo** to agree to do something

combo M combo

combustible ADJ combustible; M fuel

combustión F combustion

comedero M trough

comedia F comedy; (farsa) farce; **— de situación** situation comedy, sitcom

comediante MF comedian

comedido ADJ moderate; Am obliging

comedirse⁵ VI to show restraint; **— a hacer algo** RF to volunteer to do something

comedor M dining room; (de empresa) cantina

comensal MF fellow diner

comentador -ora MF commentator

comentar VI/VT to comment (on), to remark (on)

comentario M (análisis) commentary; (observación) comment, remark

comentarista MF commentator

comenzar⁵ VI/VT to begin, to start; **— a comer** to begin to eat; **— comprando** to begin by buying

comer VT/VI to eat; (al mediodía) to eat lunch; (en ajedrez) to take; (en el juego de las damas) to jump; **dar de —** to feed; **sin — ni beber** through no fault of one's own; **—se** (ácido) to eat away; (completamente) to eat up; **—se las eses** to drop s; **—se las palabras** to eat one's words; **—se un semáforo rojo** to run a red light

comercial ADJ commercial

comercialización F marketing, merchandising

comercializar VT (dar carácter comercial) to commercialize; (llevar al mercado) to market

comerciante MF merchant, trader, dealer

comerciar VI to trade

comercio M commerce, trade; **— exterior** foreign trade; **— minorista** retail trade

comestible ADJ edible; M **—s** groceries

cometa M (cuerpo celeste) comet; F (juguete) kite

cometer VT to commit

cometido M function

comezón F itch; **tener —** to itch

cómic M comic book

comicios M PL polls

cómico -ca ADJ comic, comical; MF comedian

comida F (alimento que se toma de una vez) meal; (conjunto de cosas para alimentarse) food; (de mediodía) lunch; **— basura** junk food; **— rápida** fast food

comienzo M beginning; **a —s de** toward the beginning of; **al —** at first; **desde un / el comienzo** from the start

comilla F quotation mark; **entre —s** in quotes

comilón -ona MF big eater; F binge

comino M cumin seed; **me importa un —** fam I don't give a hoot; **no vale un —** fam it's not worth a hoot

comisaría F **— de policía** police station, precinct

comisario -ria MF commissioner; (jefe de policía) police chief

comisión F (acción de cometer, porcentaje ganado) commission; (conjunto de personas) committee

comisionar VT to commission

comistrajo M bad food

comisura F **— de los labios** corner of the mouth

comité M committee

comitiva F retinue

como ADV (del mismo modo que) as, like; **ella pinta — yo** she paints like I do; (aproximadamente) about; **pesa — diez kilos** it weighs about ten kilos; CONJ (puesto que) since; **— no tenemos dinero** since we have no money; **— no me pagues** if you don't pay me; **era — que muy viejo** he was, like, real old; **— que te voy a permitir** like I would let you; **— quieras** as you please; **— si** as if; **— si me lo fuera a creer** a likely story

cómo ADV how; (¿perdón? what?) **¿—?** how?; (¡qué?) what! **¡— brillan las estrellas!** how the stars are shining! **¿— no?** of course; **¿a — lo vende?** what does that cost?

cómoda F bureau, chest of drawers, dresser

comodidad F (cualidad de cómodo) comfort; (cosa cómoda) convenience; **—es** amenities

cómodo ADJ (mueble) comfortable; (horario) convenient; (persona) lazy

comodín M joker, wild card

Comoras F PL Comoros

compactar VT to compact

compacto ADJ compact

compadecer¹³ VT to pity; **—se de** to take pity on

compadre M pal, crony

compañero -ra MF companion; (de un zapato) mate; **— de clase** classmate; **— de cuarto** roommate

compañía F company; **en — de** in the company of

comparable ADJ comparable

comparación F comparison

comparar VI/VT to compare; **—se con** to compare with

comparativo ADJ comparative

comparecer[13] VI to appear

compartimiento M compartment

compartir VT (bienes) to share; (el tiempo) to divide

compás M (instrumento de dibujo) compass; (ritmo) beat; (espacio entre barras) measure, bar; (división de música en partes iguales) time signature; **marcar el —** to beat time

compasión F compassion

compasivo ADJ compassionate, sympathetic

compatible ADJ compatible

compatriota MF compatriot

compeler VT to compel

compendiar VT to summarize

compendio M digest, condensation

compenetración F bonding

compensación F compensation

compensar VT to compensate

competencia F (pugna, competición deportiva, conjunto de competidores) competition; (cualidad de competente) competence

competente ADJ competent

competición F athletic competition, meet

competidor -ora ADJ competing; MF competitor

competir[5] VI to compete, to vie

competitivo ADJ competitive

compilador M compiler

compilar VT to compile

compinche M chum, crony

complacencia F satisfaction

complacer[37] VT to please, to gratify; **—se (en)** to take pleasure (in)

complaciente ADJ (que complace) obliging; (que consiente) indulgent

complejidad F complexity

complejo ADJ complex; M complex; **— de inferioridad** inferiority complex

complementar VT to complement, to supplement

complemento M complement; **— alimenticio** dietary supplement; **— directo** direct object; **— indirecto** indirect object; **—s** fringe benefits

completar VT to complete; **—se** to be completed

completo ADJ complete; (baño, pensión, hotel) full; **hoy tenemos el —** today we have a full house; **por —** completely

complexión F build

complicación F complication

complicado ADJ complicated

complicar[6] VT to complicate; **—le a alguien la vida** to give someone trouble

cómplice MF accomplice

complicidad F complicity

complot M plot

componenda F (arreglo provisional) quick fix; (arreglo ilegal) shady deal

componente ADJ & M component

componer[39] VT (un grupo) to compose, to make up; (imprenta) to set; (un coche descompuesto) to fix; (música) to compose; **—se de** to be composed of; **componérselas** to deal with one's problems alone

comportamiento M conduct, behavior

comportarse VI/VT to conduct oneself, to behave

composición F composition

compositor -ora MF composer

compostura F (arreglo) repair; (dignidad) composure

compra F purchase; **ir de —s** to go shopping

comprador -ora MF (persona que compra) buyer, purchaser; (persona que está de compras) shopper

comprar VT to buy, to purchase

comprender VT (entender) to understand, to comprehend; (abarcar) to cover, to include

comprensible ADJ comprehensible, understandable

comprensión F (intelectual) understanding, comprehension; (emocional) sympathy, understanding

comprensivo ADJ understanding

compresa F compress

compresión F compression

comprimido ADJ compressed; M tablet

comprimir VT to compress

comprobación F verification, check

comprobante M proof; **— de compra** proof of purchase

comprobar[2] VT (verificar) to verify, to check; (probar) to prove; (darse cuenta) to realize

comprometer VT (obligar) to commit; (poner en peligro) to jeopardize, to compromise; **—se** (prometer) to promise; (tomar partido) to commit oneself; (para casarse) to get engaged

compromiso M (ideología, obligación, promesa) commitment; (acuerdo)

compuerta f sluice gate, floodgate
compuesto ADJ (ojos, tiempo, interés) compound; **— de** to be composed of; M compound
compulsión f compulsion
compulsivo ADJ compulsive
compungirse[11] VI to feel sorry
computación f computing
computadora f Am computer; **— personal** Am personal computer
computar VT to compute
computarizar[7] VT to computerize
cómputo M computation
comulgar[7] VI (recibir el sacramento) to take communion; (estar de acuerdo) to agree
común ADJ common; **en —** in common; **por lo —** generally; **el — de las gentes** the majority of the people
comuna f commune
comunicable ADJ communicable
comunicación f communication; (ponencia) presentation; **se nos cortó la —** we got disconnected
comunicar[7] VI/VT to communicate; **—se con** (entenderse) to communicate with; (tener acceso a) to open into; (ponerse en contacto con) to reach
comunicativo ADJ communicative
comunidad f community
comunión f communion
comunismo M communism
comunista ADJ & M/F communist
con PREP with; **— lo que come, tendría que estar obesa** given what she eats, she should be obese; **— mucho** by far; **— que le digas alcanza** just telling him is enough; **— tal que** provided that; **— todo** all things considered
conato M minor problem
concavidad f hollow
cóncavo ADJ concave
concebible ADJ conceivable
concebir[5] VT (engendrar) to conceive; (explicarse) to conceive of
conceder VT (dar) to grant; (admitir) to concede, to allow
concejal M/F councilor
concejo M council
concentración f concentration; (manifestación) rally, demonstration
concentrar VT to concentrate; **—se** (prestar atención) to concentrate; (manifestar) to rally

concepción f conception
concepto M concept; (literario) conceit
concernir[50] VT to concern
concertar[1] VT (arreglar) to arrange; (concretar) to finalize; (planear) to concert; **—se** to agree
concesión f (admisión) concession; (otorgamiento) grant; (permiso comercial) franchise
concha f shell
conchabarse VI to conspire
conciencia f (vida moral) conscience; (vida mental) consciousness; **tomar — de** to come to grips with
concienzudo ADJ conscientious, thorough
concierto M (música) concert; (armonía) harmony; (acuerdo) agreement
conciliar VT (personas) to conciliate; (ideas) to reconcile; **— el sueño** to get to sleep
concilio M council
concisión f conciseness
conciso ADJ concise, brief
conciudadano -na M/F fellow citizen
concluir[31] VI/VT to conclude
conclusión f conclusion
concluyente ADJ conclusive
concomitante ADJ attendant
concordancia f agreement
concordar[2] VI to agree
concordia f concord
concretar VT (cerrar) to finalize; (especificar) to be specific about; (realizar) to realize; **—se a** to focus on
concreto ADJ concrete; **en —** specifically
concubina f concubine
concurrencia f gathering
concurrente ADJ well-attended
concurrir VT (confluir) to come together; (asistir) to attend
concursante M/F contestant
concurso M (para un premio) contest; (como parte de una licitación) call for bids; (para un puesto de trabajo) competitive examination, **— de belleza** beauty pageant
concusión f graft
concusionario -ria M/F grafter
condado M county
conde M count
condecoración f decoration
condecorar VT to decorate
condena f (castigo) sentence; (crítica) condemnation; **¡qué —!** what a pain!
condenación f condemnation
condenar VT (criticar) to condemn;

(sentenciar) to sentence; **eso le condenó al fracaso** that doomed him to failure; **—se** to go to hell

condensación f condensation

condensar vt to condense

condesa f countess

condescendencia f (tolerancia) acquiescence; (superioridad) condescension

condescender[1] vi (acomodarse) to acquiesce; (dignarse) to condescend

condición f condition; **— social** social station; **a — de que** on the condition that; **condiciones** (físicas) condition; (de un contrato) terms, provisos

condicional adj & m conditional

condicionamiento m conditioning

condicionar vt to condition

condimentar vt to season

condimento m condiment, seasoning

condiscípulo -la mf classmate

condolencias f pl condolences; **dar las —** to offer one's condolences

condolerse[2] vi to offer one's condolences

condominio m condominium

cóndor m condor

conducente adj conducive

conducir[24] vt (a un grupo) to lead; (una orquesta, electricidad) to conduct; (un coche) to drive, to steer; **—se** to behave

conducta f (moral) conduct, behavior; (biológica) behavior

conducto m (de agua) conduit; (anatómico) duct; **por — de** through

conductor -ora m (de electricidad, calor) conductor; mf (de coches) driver

conectar vi/vt to connect

conejillo m **— de Indias** Guinea pig

conejo m rabbit

conexión f connection

confabulación f collusion

confección f (fabricación) confection; (calidad) workmanship; **de —** ready-made

confeccionar vt to manufacture

confederación f confederation

confederado -da adj & mf confederate

confederar vt to form a confederacy

conferencia f (discurso) lecture; (reunión) conference; **— de prensa** press conference; **dar una —** to give a lecture

conferenciante mf lecturer

conferenciar vi to confer

conferencista mf lecturer, speaker

conferir[3] vt to confer, to bestow; (un título) to confer

confesar[1] vi/vt to confess

confesión f confession

confesionario m confessional

confesor -ora mf confessor

confiabilidad f reliability

confiable adj reliable

confiado adj (seguro de sí) confident; (crédulo) trusting

confianza f confidence, trust; **en —** in confidence; **tener —** to be confident; **tener — en** to have confidence in; **tomar —s** to be overly familiar with

confianzudo adj over-familiar

confiar[16] vt (un secreto) to confide; (una cosa) to entrust; **— en** to rely on; **confío que Dios me proteja** I trust that God will protect me

confidencia f confidence

confidencial adj confidential

confidente mf confidant; m (mueble) love seat

configuración f configuration

confinamiento m confinement

confinar vt to confine

confines m pl. bounds, confines

confirmación f confirmation

confirmar vt to confirm

confiscación f confiscation, seizure

confiscar[6] vt to confiscate

confitar vt to candy

confite m candy

confitería f confectionery

confitura f confection

confluencia f (de calles) junction; (de ríos) confluence

conflicto m conflict

conformar vt to adapt; **—se con** to settle for

conforme adj in agreement, content; **— a** in accordance with; **— amanece** as dawn breaks

conformidad f conformity, agreement; **estar de / en — con** to be in accordance with

conformismo m conformity

confort m comfort

confortable adj comfortable

confortar vt to comfort

confraternidad f fraternity, fellowship

confraternizar[9] vi to fraternize

confrontar vt (a un enemigo) to confront; (dos listas) to compare

confundido adj confused, mixed-up

confundir vt to confuse, to perplex, to baffle; **—se** (personas) to become confused; (cosas) to mingle

confusión f (mental) confusion; (de cosas) clutter, disarray

confuso adj (que no comprende, falto de

orden) confused; (difícil de comprender) confusing

congelación f freezing

congelado adj frozen

congelador m freezer

congelar vt to freeze

congeniar vi — **con** to get along with

congénito adj congenital

congestión f congestion

conglomeración f conglomeration

conglomerado m conglomeration

Congo m Congo

congoja f anguish, grief

congoleño -ña adj & mf Congolese

congregación f congregation

congregar⁷ vt to congregate

congresista mf (representante) member of congress; (asistente a un congreso) conventioneer

congreso m (cuerpo legislativo, edificio) congress; (reunión periódica) convention

congresual adj congressional

congruencia f congruence

congruente adj congruent

conífera f conifer

conjetura f conjecture, surmise

conjeturar vt to conjecture, to surmise

conjugación f conjugation

conjugar⁷ vt to conjugate

conjunción f conjunction

conjuntivitis f conjunctivitis

conjunto¹ (grupo de cosas) set; (totalidad) total, aggregate; (de ropa) outfit; — **musical** ensemble; **en** — as a whole, all told; adj joint

conjuración f conspiracy

conjurado -da mf conspirator

conjurar vt (conspirar) to conspire, to plot; (alejar un daño) to ward off

conjuro m incantation, spell

conmemorar vt to commemorate

conmemorativo adj memorial

conmigo pron with me

conmiseración f commiseration

conmoción f commotion; — **cerebral** brain concussion

conmovedor adj moving, touching

conmover⁷ vt to move, to touch

conmovido adj moved, touched

conmutador m switch

conmutar vt to commute

connatural adj inborn

connotación f connotation

cono m cone

conocedor -ora adj who know(s); mf connoisseur, expert

conocer¹³ vt to know (también en sentido carnal); (reconocer) to recognize; (tratar por primera vez) to meet; — **el paño** to know the ropes; **se conoce que** it is clear that

conocido -da adj well-known; mf acquaintance

conocimiento m knowledge, acquaintance; — **de embarque** bill of lading; **perder el** — to lose consciousness; **poner en** — to inform; — **s** knowledge

conque conj so

conquista f conquest

conquistador -ora mf conqueror; adj conquering

conquistar vt (un terreno) to conquer; (el amor de alguien) to win

consabido adj habitual

consagración f consecration

consagrar vt (declarar consagrado) to consecrate; (dedicar) to devote

consciente adj conscious; — **del problema** aware of the problem

consecución f attainment, achievement

consecuencia f (hecho que resulta de otro) consequence; (cualidad de consecuente) consistency; — **a** — **de** as a result of

consecuente adj (que se sigue de) consequent, logical; (fiel en sus actos) consistent

consecutivo adj consecutive

conseguible adj obtainable

conseguir⁵,¹² vt to get; (un objetivo) to achieve; (un puesto de trabajo) to land, to get; — **hacer algo** to manage to do something

consejero -ra mf (persona que da consejos) adviser; (miembro del consejo) board member

consejo m (opinión) counsel, advice; (comité) council; — **de guerra** court-martial

consenso m consensus

consentimiento m consent, acquiescence

consentir⁵ vt (permitir) to consent to, to acquiesce to; (mimar) to pamper, to indulge; — **en** to permit

conserje mf (limpiador) janitor; (portero) superintendent; (recepcionista) hotel clerk

conserva f canned food; **en** — canned

conservación f conservation, preservation

conservador -ora mf (en política) conservative; (de museo) curator; adj (de las tradiciones) conservative; (de comida) preservative

conservadurismo m conservatism

conservante m preservative

conservar vt (guardar) to keep; (seguir teniendo) to retain; (no destruir) to preserve; (no malgastar) to conserve

conservatorio M conservatory

considerable ADJ considerable

consideración F consideration; **de —** considerable; **tomar / tener en —** to take into consideration

considerado ADJ considerate, thoughtful

considerar VT to consider

consigna F watchword

consignación F consignment

consignar VT to consign

consignatario -ria MF consignee

consigo PRON with oneself / himself / herself / themselves

consiguiente ADJ consequent; **por —** consequently

consistencia F consistency

consistente ADJ (que consiste) which consists; (firme) consistent

consistir VI **— en** to consist of

consola F console

consolación F consolation

consolar² VT to console

consolidar VT to consolidate

consonante ADJ & F consonant

consorcio M consortium

consorte MF consort

conspicuo ADJ conspicuous

conspiración F conspiracy, plot

conspirador -ora MF conspirator, plotter

conspirar VI to conspire, to plot

constancia F (en el amor) constancy; (en el trabajo) steadiness; (prueba) documentary proof

constante ADJ & F constant; **—s vitales** vital signs

constar VI to be stated; **— de** to consist of, to be composed of; **hacer —** to mention; **me consta que** I am aware that; **que conste** let it be known

constatar VT to verify

constelación F constellation

consternación F consternation, dismay

consternar VT to dismay

constipación F constipation

constipado ADJ *Esp* suffering from a cold; *Am* head cold

constitución F constitution

constitucional ADJ constitutional

constituir VT to constitute

constitutivo ADJ (constituyente) constituent; (inherente) inherent; **— de un delito** which constitutes a crime

constituyente ADJ constituent

constreñimiento M constraint

constreñir⁵,¹⁸ VT (limitar) to constrain; (apretar) to constrict, to constrain

constricción F constriction

construcción F (acción y actividad de construir, cosa construida) construction, building; (gramatical) construction; **construcciones** building blocks

constructivo ADJ constructive

construir³¹ VI/VT to construct, to build

consuelo M consolation, comfort, solace

consuetudinario ADJ (acción habitual) habitual; (derecho) common

cónsul MF consul

consulado M consulate

consulta F (acción de consultar) question; (pregunta) question; (consultorio del médico) doctor's office

consultar VT to consult; **—lo con la almohada** to sleep on it

consultoría F consulting

consultorio M doctor's office

consumado ADJ consummate, accomplished

consumar VT to consummate

consumidor -ora MF consumer; ADJ consuming

consumir VT to consume; **—se** (agua) to boil off; (neumático) to wear out; **—se de** to be consumed by

consumismo M consumerism

consumo M consumption

consunción F consumption

contabilidad F accounting, bookkeeping

contable MF accountant, bookkeeper

contactar VT/VI to contact; **-(se) con** to get in contact with

contacto M contact; **en — con** in touch with

contado M **al —** in cash; ADJ **—s** few

contador -ora ADJ counting; M (de dinero) counter; (de electricidad) meter; **— Geiger** Geiger counter; MF accountant; **— público** certified public accountant

contaduría F accountant's office

contagiar VT to infect

contagio M contagion; (de ordenador)

contagioso ADJ contagious, catching, infectious

contaminación F (del agua, de la comida) contamination; (del medio ambiente) pollution

contaminante M contaminate

contaminar VT (agua, alimentos, cultura) to contaminate; (el medio ambiente) to pollute; **—se** (agua) to become contaminated; (medio ambiente) to become polluted

contar² VI/VT (medir una cantidad) to count; (decir historias) to tell; **el hotel cuenta**

con una piscina the hotel has a swimming pool; **cuento con mi hermano** I count on my brother; **esto no cuenta** this doesn't count; **¿me lo vas a contar a mí?** you can say that again; **mi padre cuenta 55 años** my father is 55 years old; **tienes que — con el tiempo** you have to watch the time; VI to count

contemplar VT (mirar, tener en cuenta) to contemplate; (consentir) to spoil; VI to contemplate

contemplación F contemplation

contemporáneo ADJ contemporary

contender[1] VI to contend

contenedor M container

contener[44] VT (un líquido) to contain; (risa, lágrimas) to hold back; (entusiasmo) to restrain; (el aliento) to hold

contenido ADJ restrained; M content(s)

contentar VT to satisfy; **—se** to be satisfied

contento (feliz) happy; M contentment

contera F (de paraguas) tip; (de bolígrafo) cap

contestación F answer, reply

contestador M answering machine

contestar VT to answer; VI to talk back, to mouth off

contextura F makeup; (de persona) build

contexto M context

contigo PRON with you

contiguo ADJ contiguous; **estar — a** to adjoin

continental ADJ continental

continente M continent, mainland; ADJ continent

contingencia F contingency

contingente ADJ & M contingent

continuación F continuation; (de película) sequel; **a —** after that; **a — hubo una guerra** there ensued a war

continuar[17] VI/VT to continue

continuidad F continuity

continuo ADJ (ininterrumpido) continuous; (repetido) continual

contonearse VI (mujer) to swing one's hips; (hombre) to swagger

contoneo M (de mujer) swinging of the hips; (de hombre) swagger

contorno M (forma) outline, contour; (tamaño de árbol, persona) girth

contorsión F contortion

contra PREP against; M **el pro y el —** the pros and cons; **en —** against; drawback; **llevar a alguien la —** to contradict someone

contraatacar[6] VI/VT to counterattack

contraataque M counterattack

contrabajo M double bass; MF INV double bass player

contrabandear VI/VT to smuggle

contrabandista MF smuggler

contrabando M (introducción de mercancías) smuggling; (mercancías introducidas) contraband; **hacer —** to smuggle

contracción F contraction

contrachapado M plywood

contractual ADJ contractual

contracultura F counterculture

contradecir[26b] VT to contradict

contradicción F contradiction

contradictorio ADJ contradictory

contraejemplo M counterexample

contraer[45] VT to contract; (limitar) to limit; **— matrimonio** to get married

contraespionaje M counterespionage

contrafuerte M (de muro) buttress; (de zapato) counter

contrahecho ADJ deformed

contralor -ora MF comptroller, controller

contralto M (voz) alto; MF (persona) alto

contramandar VT to countermand

contraoferta F counteroffer

contraorden F countermand

contrapartida F compensation

contrapelo LOC ADV **a —** against the grain

contrapesar VT to counterbalance

contrapeso M counterbalance

contraproducente ADJ counterproductive

contrariar[16] VT to annoy; **—se** to get annoyed

contrariedad F (fastidio) annoyance; (dificultad) snag

contrario ADJ (opuesto) opposite; (discrepante) conflicting; **al —** on the contrary; **de lo —** otherwise; **llevar la contraria** to be contrary; **por el —** on the contrary; **soy — al doblaje de películas** I'm against the dubbing of films; **todo lo —** just the opposite

contrarrestar VT to counteract

contrarrevolución F counterrevolution

contraseña F password, watchword

contrastar VI/VT to contrast

contraste M contrast

contrata F contract

contratación F hiring

contratar VT (a un empleado) to hire; (un

servicio) to contract for; **—se** to be hired

contratiempo M mishap

contratista MF contractor, builder

contrato M contract

contravenir[47] VI to contravene

contraventana F shutter

contribución F (cosa contribuida) contribution; (impuesto) tax

contribuir[31] VT to contribute

contribuyente MF taxpayer

contrincante MF opponent

contrito ADJ contrite

control M (dominio, dirección) control; (médico) checkup; (vigilancia) check; (puesto) checkpoint; **— de calidad** quality control; **— de la natalidad** birth control; **— remoto** remote control; **bajo —** under control

controlador -ora MF comptroller

controlar VT (ejercer control) to control; (llevar a cabo un control) to check on

controversia F controversy

contumacia F obstinacy

contumaz ADJ stubborn

contusión F bruise

convalecer[13] VI to convalesce

convección F convection

convencer[10a] VT (por medio de la lógica) to convince; (por insistencia) to persuade

convención F convention

convencimiento M (acción de convencer) convincing; (creencia) conviction

convencional ADJ conventional

conveniencia F (cómodo) convenience; (lo aconsejable) desirability; **a su —** at your convenience

conveniente ADJ (cómodo) convenient; (aconsejable) advisable

convenio M agreement; **— colectivo** collective bargaining

convenir[47] VI (ser apropiado) to be suitable; (llegar a un acuerdo) to agree

convento M convent

converger[11b] VI to converge

conversación F conversation; **trabar — con** to engage in a conversation with

conversar VI to converse

conversión F conversion

converso -sa MF convert

convertible ADJ convertible

convertidor M converter

convertir[4] VT to convert; **— se en** to become

convexo ADJ convex

convicción F conviction

convicto -ta ADJ convicted; MF convict

convidar VT to invite; Am to offer

convincente ADJ convincing, compelling

convite M (invitación) invitation; (banquete) banquet

convocación F convocation

convocar[6] VT to convoke, to call together; (una reunión, un concurso) to convene

convoy M convoy

convoyar VT to convoy

convulsión F convulsion

conyugal ADJ conjugal, marital

cónyuge MF spouse

coñac M cognac, brandy

cooperación F cooperation

cooperar VI to cooperate

cooperativa F cooperative, co-op

cooperativo ADJ cooperative

coordenada F coordinate

coordinación F coordination

coordinado ADJ coordinate

coordinar VT to coordinate

copa F (vaso) goblet, wineglass; (de árbol) top; (de sombrero) crown; (palo de la baraja) card in the suit of copas (trofeo, parte de un sujetador) cup; **ir de —s** to go for a drink

copete M (de pelo) tuft; (de plumas) crest; **estar hasta el —** to be fed up

copia F copy; (de foto) print; **— de seguridad** backup copy

copiadora F copy machine

copiar VT (reproducir) to copy; (en un examen) to cheat

copión -ona MF copycat

copioso ADJ copious, plentiful

copla F (canción) popular song; (estrofa) stanza

copo M (de nieve) snowflake; (masa de lana) wad; **—s de maíz** cornflakes

copropietario -ria MF joint owner

coprotagonista MF co-star

copular VI to copulate

copyright M copyright

coque M coke

coqueta F (mujer) coquette; (mueble) dressing table

coquetear VI to flirt

coquetería F flirtation

coqueto ADJ flirtatious

coraje M (valentía) courage; (enojo) anger

coral M (marino) coral; (musical) chorale

coralino ADJ coral

coraza F armor

corazón M heart; (de manzana) core; **corazón** M (vocativo) honey; **con el — en la boca** really tired, **de buen —** kindhearted; **de todo —** wholeheartedly; **romper el — a alguien** to break someone's heart

corazonada F hunch

corbata F necktie, tie, cravat

corcel M charger, steed

corchea F eighth note; — **con puntillo** dotted eighth note

corchete M (en costura) hook and eye; (paréntesis recto) square bracket; (llave) brace

corcho M (para botella) cork; (para pescar) float

corcova F hump, hunchback

corcovear VI to buck

cordel M string

cordero M lamb; (piel) lambskin

cordial ADJ cordial

cordillera F mountain range

cordón M cord; (al borde de la calle) *Am* curb; — **de apertura** rip cord; — **de zapatos** shoelace, shoestring; — **policial** police cordon; — **umbilical** umbilical cord

cordoncillo M ridge, rib

cordura F sanity

Corea F Korea; — **del Norte** North Korea; — **del Sur** South Korea

coreano -na ADJ & MF Korean

corear VI/VT to chant

coreografía F choreography

cornada F goring

cornear VT to gore

corneja F crow

corneta F cornet; M bugler

cornisa F cornice, ledge

corno M horn; — **francés** French horn

coro M (grupo de cantantes) choir, chorus; (pieza de música) chorus; (parte de la iglesia) loft; **cantar a —** to sing in unison

corolario M corollary

corona F crown

coronación F coronation

coronar VT to crown

coronel M colonel

coronilla F crown of the head; **estar hasta la —** to be fed up

corpiño M bodice; (sujetador) *Am* bra

corporación F guild

corporal ADJ corporal, bodily

corpulento ADJ stout, corpulent

corpus M corpus

corpúsculo M corpuscle

corral M (de granja) barnyard, farmyard; (para ganado) corral, pen

correa F feather strap; (de ventilador) belt; (de perro) leash

corrección F (acción de corregir) correction; (cualidad de correcto) correctness

correcto ADJ (apropiado) correct, proper; (acertado) right

corrector -ora MF editor; — **de pruebas** proofreader

corredizo ADJ sliding

corredor -ora ADJ running; MF (persona que corre) runner; (deportista automovilístico, ciclista) racer; (intermediario) broker, agent; M (pasillo) hallway, corridor

corregir[11] VT to correct; (exámenes) to grade; —**se** to mend one's ways

correlacionar VT to correlate

correlato M correlate

correo M mail; (edificio) post office; — **aéreo** air mail; — **certificado** certified mail; — **electrónico** e-mail; **echar al —** to mail

correoso ADJ tough

correr VI (persona, agua, calle) to run; (coche) to go fast; (una puerta) to slide; (dinero, tiempo) to pass; — **con los gastos** to take on the costs; VT (una cortina) to draw; (una carrera, un riesgo) to run; —**se** (moverse) to scoot over; (colores) to run, to bleed; (tinta) to smear

correría F foray

correspondencia F correspondence

corresponder VI (ser adecuado, estar en consonancia) to correspond; (pertenecer) to belong; VT (amor, favores) to reciprocate; **a mí me corresponde llamarla** it's up to me to call her

correspondiente ADJ corresponding; MF correspondent

corresponsal MF correspondent

corretaje M broker's/agent's commission

corretear VI to run around

corrida F (acción de correr) running; (competición) race; (de banco) run; — **de toros** bullfight; **de —** without stopping

corrido ADJ (que tiene mucha experiencia) worldly; (continuo) uninterrupted; **de —** without stopping; M ballad

corriente ADJ (que corre) running; (común) usual; (franco) frank; **el — mes** the current month; **estar al —** to be up-to-date; F (de agua, electricidad) current; (de dinero) flow; (de pesimismo) wave; (de aire) draft; — **alterna** alternating current; — **continua** direct current; — **del Golfo** Gulf Stream; **dejarse llevar por la —** to conform; **llevarle la — a alguien** to humor someone

corrillo M group of gossips

corro M circle of people

corroborar VT to corroborate

corroer[50] VT to corrode

corromper VT (a una persona) to corrupt; (un alimento) to rot; —**se** (una persona) to corrupt; (un alimento) to rot; —**se** (una persona) to become corrupt; (un alimento) to rot

corrompido adj corrupt

corrosión f corrosion

corrupción f corruption

corrupto adj corrupt

corsé m corset

cortada f shortcut

cortador -ora mf (persona) cutter; f (aparato) cutter; **cortadora de césped** lawn mower

cortadura f cut

cortante adj cutting (instrumento), (frío, viento) biting; (tono), instrumento sharp

cortar vt to cut; (un vestido, el uso de algo) to cut out; (a un locutor, una rama, el gas) to cut off; (un árbol) to cut down; (las uñas) to clip; (el césped) to mow; — **el paso** to block; — **por lo sano** to take drastic action; m se **cortacésped** lawn mower; **cortacircuitos** circuit breaker; **cortafuego** fire line; **cortapapeles** paper cutter; **cortaplumas** penknife; **cortaúñas** nail cutter; vi (el frío) to bite; (la piel) to crack; —**se** (una persona) to be intimidated; (la leche) to curdle, to sour; —**se el pelo** to get a haircut

corte m (de un traje, herida) cut; (acción de cortar) cutting; (de televisión) commercial break; (estilo) style; — **de pelo** haircut; — **y confección** dressmaking; **eso me da** — that embarrasses me; f court; (séquito) retinue; —**s** Spanish parliament; **hacer la** — to court

cortejar vt to court, to woo

cortejo m (séquito) entourage; (acción de cortejar) courtship

cortés adj courteous, polite

cortesano -na mf courtier

cortesía f courtesy

córtex m cortex

corteza f (de árbol) bark; (de pan, de la Tierra) crust; (de queso, fruta) rind; — **cerebral** cerebral cortex

cortijo m country house

cortina f (de ventana) curtain; (de lluvia) sheet; — **de humo** smokescreen

cortisona f cortisone

corto adj (bajo, no largo) short; (no inteligente) short on brains; (encogido) bashful; —**circuito** short circuit; — **de vista** short-sighted; **a** — **plazo** in the short run; **quedarse** — to come up short; **vestirse de** — to wear a short dress; m short (film)

cosa f thing; **como quien no quiere la** — without realizing it; **como si tal** — as cool as a cucumber; **como son las** —**s** what a surprise; **decir una** — **por otra** to tell a lie; **esperamos** — **de cinco minutos** we waited about five minutes; **las** —**s como son** let's be honest; **las** —**s de la vida** that's life; **no es gran** —'s no big deal; **otra** — something else

cosecha f crop, harvest; **de su** — of his invention; **vino** — **1975** wine of 1975 vintage

cosechadora f combine

cosechar vt (cultivos) to harvest; (resultados) to reap

coser vt/vi to sew

cosignatario -ria mf cosigner

cosmético adj & m cosmetic

cósmico adj cosmic

cosmología f cosmology

cosmonauta mf cosmonaut

cosmopolita adj cosmopolitan

cosmos m cosmos

cosmovisión f worldview

coso m doodad

cosquillas f **hacer** — to tickle; **tener** — to be ticklish

cosquillear vt to tickle

cosquilleo m tickle

cosquilloso adj ticklish

costa f (del mar) coast, shore; **a toda** — at all costs; —**s** costs

Costa de Marfil f Ivory Coast

costado m side; **al** — alongside; **de** — edgewise; **por los cuatro** —**s** from all sides

costal m sack

costanero adj coastal

costar² vt/vi to cost; — **trabajo** to be difficult; — **un dineral** to cost a fortune; — **un ojo de la cara** to cost an arm and a leg

Costa Rica f Costa Rica

costarricense, costarriqueño -ña adj & mf Costa Rican

coste m cost; — **de (la) vida** cost of living

costear vt (pagar) to defray costs; vi to sail along the coast

costero adj coastal

costilla f rib; **lo hizo a** —**s de su padre** he did it at his father's expense

costo m cost; — **de (la) vida** cost of living

costoso adj costly

costra f (de pan) crust; (de herida) scab

costroso adj (de pan) crusty; (de herida) scabby

costumbre f (manera habitual) habit; (uso

tradicional) custom; **de —** habitual; **tener la — de** to be accustomed to

costura f (acción de coser) sewing; (línea de puntadas) stitching; (unión de dos piezas) seam; **alta —** high fashion

costurero m (caja) sewing box; (sastre) tailor; f seamstress

costurón m large scar

cota f (nivel del agua) height above sea level; (estándar) benchmark

cotejar vt to check against

cotejo m comparison

cotidiano adj everyday

cotización f price quote/quotation

cotizar[1] vt to quote

coto m **— de caza** game preserve; **poner — a** to put an end to

cotorra f (loro) parrot; (persona) chatterbox

cotorrear vi to chatter

covacha f small cave

coyote m coyote

coyuntura f joint; **aprovechar la —** to take advantage of the situation

coz f kick; **dar coces** to kick

crack m (cocaína) crack; (deportista) ace

cráneo m cranium, skull

craso adj crass

cráter m crater

crayola® f crayon

creación f creation

creacionismo m creationism

creador -ora mf creator; adj creative

crear vt/vi to create

creativo adj creative

crecer[13] vi to grow; (masa, río) to rise; (madera, mar) to swell; (la luna) to wax

crecido adj (adulto) grown; (grande) large; (río) rise of a river

creciente adj (que crece) growing; (luna) crescent; m (luna creciente) (marea) high tide

crecimiento m growth

credencial f credential

crédito m (solvencia, unidad de estudios) credit; (hecho de creer) credence; (fama) reputation; (préstamo) loan; **dar — a** to believe; **—s** film credits; **vender a —** to sell on credit

credo m creed

crédulo adj credulous, gullible

creencia f belief

creer[14] vt/vi (tomar como cierto) to believe; (opinar) to think, to feel; **—se** to fall for; **¿quién se cree que es?** who does he think he is? **se cree artista** he fancies himself an artist; **¡ya lo creo!** I should

creíble adj credible, believable

crema f cream (también cosmético); **— de** say sol

cremallera f (de coche) rack; (de prenda) zipper; **— y piñón** rack and pinion

cremar vt to cremate

cremoso adj creamy

creosota f creosote

crepitación f crackle

crepitar vi to crackle

crepúsculo m twilight

crespo adj wiry, kinky

crespón m crepe

cresta f (de ola, montaña) crest; (de ave) tuft; (de gallo) comb

creyente mf believer; adj believing

cría f (acción de criar) breeding; (camada) litter; (animal joven) young

criadero m **— de peces** hatchery; **— de pollos** chicken farm

criado -da m servant; f maid

criador -ora mf breeder

crianza f (de animales) breeding; (de hijos) upbringing; (modales) manners

criar[16] vt (animales) to breed; (hijos) to bring up, to rear, to raise; **estar criando malvas** fam to be pushing up daisies; **—se** to grow up

criatura f (ser extraño) creature; (bebé) baby

criba f sieve

cribar vt to sift

crimen m (delito grave) serious crime; (asesinato) murder; **— de guerra** war crime

criminal adj & mf criminal

criminalidad f crime

crin f mane

criollo adj (nacido en América) born in Spanish America; (tradicionalmente americano) traditionally Spanish American; m (lengua) Creole

críquet m cricket

crisálida f chrysalis

crisantemo m chrysanthemum

crisis f crisis

crisma f crown of the head

crisol m crucible, melting pot

crispar vi (un músculo) to contract; (los puños) to clench; (los nervios) to be on edge

cristal m (mineral, vidrio de gran calidad) crystal; (vidrio de ventana) Esp glass; pane; **—** (lente) lens; **— labrado** cut glass

cristalería f (objetos de cristal) glassware; (establecimiento) glassware store; (fábrica) glassworks

cristalino adj (de cristal) crystalline; (transparente) crystal clear; m lens of the eye

cristalizar⁹ vi/vr to crystallize

cristiandad f Christendom

cristianismo m Christianity

cristiano -na adj & mf Christian; **hablar en —** (claramente) to speak clearly; (español) to speak Spanish

criterio m criterion

crítica f criticism; (de un libro) review

criticar⁷ vr to criticize

crítico -ca adj critical; mf critic; (de un libro) reviewer

criticón -ona adj critical; mf faultfinder

Croacia f Croatia

croar vi to croak

croata adj & mf inv Croatian

crocante adj crisp, crunchy

croché, crochet m crochet; **hacer —** to crochet

croissant m croissant

crol m crawl

cromado adj chroming

cromo m chromium, chrome

cromosoma m chromosome

crónica f (narración de eventos) chronicle; (reportaje) feature; — **policial** police report

crónico adj chronic

cronología f chronology

cronológico adj chronological

cronometraje m timing

cronometrador -ora mf timer, timekeeper

cronometrar vr to time

cronómetro m chronometer, stopwatch

croquet m croquet

croquis m rough sketch

cross m cross-country race

cruasán m croissant

cruce m (acción de cruzar, lugar donde cruzar) crossing; (de dos calles) crossroads, intersection; (de razas) crossbreeding; (animal procedente de una mezcla) cross; — **peatonal** crosswalk

crucero m (buque) cruiser; (viaje de placer) cruise

cruceta f crosspiece

crucial adj crucial

crucificar⁷ vr to crucify

crucifijo m crucifix

crucigrama m crossword puzzle

crudo -da adj (comida, seda) raw; (tiempo, invierno, imágenes) harsh; (petróleo, lenguaje) crude; **agua cruda** hard water; **color —** yellowish white

cruel adj cruel, mean

crueldad f cruelty, meanness

cruento adj grisly, gruesome

crujido m (de puerta, piso) creak; (de un tallo al quebrarse) crack; (de hojas) rustle; (de un fuego) crackle

crujiente adj (manzana, tocino) crisp, crispy; (nueces) crunchy

crujir vi (puerta, piso) to creak; (dientes) to grate; (hojas) to rustle; (nueces) to crunch; (fuego) to crackle

cruz f cross; (de moneda) tails; **hacerse cruces de** to dread

cruzada f crusade

cruzado -da mf crusader; adj (cheque) crossed; (fuego) cross; (traje) double-breasted

cruzamiento m (de piernas, razas) crossing; (de calles) crossroads; (de razas) cross

cruzar⁹ vr to cross; (un cheque) to write across; **—le la cara a alguien** to backhand someone's face; **cruzo los dedos** I'll keep my fingers crossed; **—se con alguien** to bump into someone; **—se de brazos** to fold one's arms; **se me cruzó un ciervo** a deer crossed in front of me

cuaderno m notebook; — **de bitácora** logbook; — **de espiral** spiral notebook

cuadra f (establo) stable; (distancia entre calles) Am block

cuadrado adj square; **estar —** to be fat; m square; **es (un) —** he's a square; **dos al —** two squared; **elevar al —** to square

cuadrar vr (trabajar en ángulo recto) to square; vi (corresponder) to fit; (ser conveniente) to be convenient; (ser iguales) to balance, to add up; **— con** to be in agreement with

cuadricular vr to divide into squares

cuadrilátero adj quadrilateral; m (en boxeo) ring; (polígono) quadrilateral

cuadrilla f (de ladrones) gang; (de obreros) crew; (baile) square dance

cuadro m (cuadrado) square; (pintura) picture; (de bicicleta) frame; (de jardín) bed; (de tela) checker; (de fútbol) team; — **clínico** symptoms; — **sinóptico** table; **a / de —s** checked

cuadrúpedo adj & m quadruped

cuajada f curd

cuajar vi (leche) to curdle; (queso, cemento) to set; (gelatina) to jell; (un movimiento literario) to come about; **—se** to curdle; **la cosa no cuajó** that didn't pan out

cuajarón m clot

cual pron rel which; **el / la —** (cosa) which; (persona) who; **lo —** which; **sea — sea**

whichever it may be; ADV like; **— hoja al viento** like a leaf in the wind

cuál PRON INTERR which; **¿cuáles son los tuyos?** which ones are yours?

cualidad f quality

cualquiera ADJ INDEF any; **de cualquier manera / forma** anyhow, **en cualquier lado** anywhere; PRON INDEF (cosa) any; (persona) anyone; **— que sea su nacionalidad** whatever his nationality may be; **— que elijas** whichever one you choose; **— podría hacer eso** anyone could do that

cuando ADV REL when; **— la guerra** during the war; **— menos** at least; **— mucho** at most; **se rompió — lo usaba** it broke while she was using it

cuándo ADV INTERR & PRON when

cuantía f (cantidad) quantity; (importancia) importance

cuantificar VT to quantify

cuantioso ADJ considerable

cuanto ADJ REL any; **— lee — libro ve** she reads any book she sees; PRON REL **unos —** a few; CONJ **— hice — pude** I did as much as I could; ADV **— antes** as soon as possible; **— más trabajo, menos consigo** the more I work, the less I accomplish; **en —** as soon as possible; **en — que** as; **— a** regarding

cuánto ADJ, ADV & PRON INTERR (dinero, agua) how much; (personas, cosas) how many; **¿cada —?** how often? **¿piensas quedarte?** how long do you plan to stay?

cuarenta NUM forty; **cantarle las — a alguien** to bawl someone out

cuarentena f quarantine; **una — de libros** forty-odd books

cuarentón -ona MF person in his or her forties

cuaresma f Lent

cuarta f (marcha) fourth gear; (palmo) span of a hand

cuartear VT (una res) to quarter; (los labios) to chap; **—se** to chap

cuartel M barracks; **— general** headquarters; **no dar —** to give no quarter

cuartelada f military coup

cuartelazo M military coup

cuarteto M quartet

cuartilla f sheet of paper

cuarto ADJ one-fourth, quarter; M (cuarta parte) fourth, quarter; (habitación) room; (cantidad) quarter, one fourth; **— de baño** bathroom; **— de estar** living room; **— de final** quarter finals; **— oscuro** darkroom; **¡ni que ocho —s!** no way! **tres —s** three fourths

cuarzo M quartz

cuasar M quasar

cuatrero -ra MF cattle rustler

cuatrillizo -za MF quadruplet

cuatro NUM four; **— ojos** four-eyes; **más de —** a good number

Cuba f Cuba

cuba f (barril) cask, barrel; (tina) tub, vat

cubano -na ADJ & MF Cuban

cubeta f (recipiente triangular) tray; (balde) pail; **— de hielo** ice tray

cúbico ADJ cubic

cubículo M cubicle

cubierta f (de libro) cover; (cosa para cubrir) covering; (neumático) tire; (de buque) deck

cubierto M place setting; **— de plata** silverware; **a —** sheltered

cubismo M cubism

cubo M (cuerpo geométrico, tercera potencia) cube; (balde) bucket; (de rueda) hub; (juguete) building block; **— de basura** trash can

cubrir[51] VT to cover; (con carteles) to plaster; (una vacante) to fill; (con pintura) to coat; (con crema batida) to smother; (de niebla) to fog up; **—se** (nublarse) to fog up; (ponerse el sombrero) to put on one's hat

cucaracha f cockroach

cuchara f spoon; (de excavadora) bucket; (para helado) scoop; **meter la —** to butt in

cucharada f (lo que cabe en una cuchara) spoonful; (medida) tablespoonful; (de helado) dip

cucharadita f teaspoonful

cucharear VT to spoon

cucharita f teaspoon

cucharón M (para helado) scoop, dipper; (para sopa) ladle

cuchichear VI/VT to whisper

cuchicheo M whisper

cuchilla f (cuchillo grande) large knife, cleaver; (de afeitar) blade; (de licuadora) blade; (de patín) runner

cuchillada f (golpe) stab, slash; (herida) wound, gash

cuchillería f (conjunto de cuchillos) cutlery; (tienda) cutlery store

cuchillo M knife; **pasar a —** to kill with a knife

cuclillas LOC ADV **en —** squatting; **sentarse en —** to squat

cuclillo M cuckoo

cuco ADJ cute

cucú INTERJ cuckoo

cucurucho M (de papel) paper cone; (para helado) ice-cream cone; (capirote) hood

cuello M (parte del cuerpo) neck; (parte de una prenda) collar; **— de botella** bottleneck; **— uterino** cervix; **— vuelto** turtleneck; **estoy hasta el — en deudas** I'm up to my neck in debts

cuenca F (conjunto de tierras) basin; (cavidad del ojo) eye socket

cuenco M earthen bowl

cuenta F (cálculo) count, calculation; (factura) bill, check; (relación de ingresos y gastos) account; (bolita) bead; (depósito bancario) bank account; **— conjunta** joint account; **— corriente** checking account; **— de ahorros** savings account; **— de crédito** charge account; **— de gastos** expense account; **— regresiva / atrás** countdown; **abrir / cerrar una —** to open / close an account; **a fin de —s** when all is said and done; **ajustar —s** to settle old scores; **caí en (la) — de que** it just dawned on me that; **dar — de** to finish off; **dar —** to give an accounting; **darse —** to realize; **en resumidas —s** in short; **eso corre por mi —** that is my responsibility; **habida — de** bearing in mind; **más de la —** more than necessary; **pasar la —** to call in a favor; **tomar / tener en —** to take into account; **trabajar por — propia** to freelance; M SG **cuentagotas** eyedropper

cuento M story, tale; **— chino** tall tale; **— de hadas** fairy tale; **— de nunca acabar** never-ending tale; **déjese de —s** come to the point; **traer a —** to bring up; **venir a —** to be to the point

cuerda F (soga) cord, rope; (parte de un arco) bowstring; (de guitarra) string; (de reloj) spring; **— floja** tight rope; **—s vocales** vocal cords; **bajo —** under-the-table; **contra las —s** on the ropes; **dar — a** to wind

cuerdo ADJ sane

cuerno M horn (también instrumento de viento); (de caracol) feeler; (de ciervo) antler; **— de la abundancia** horn of plenty; **coger el toro por los —s** to take the bull by the horns; **poner —s a** to be unfaithful to

cuero M (piel de animal) hide; (piel curtida) leather; **— cabelludo** scalp; **en —s** naked

cuerpo M body; (torso) torso; **¡— a tierra!** hit the deck! **— de bomberos** fire department; **— de policía** police force; **—**

de prensa press corps; **— docente** teaching staff; **a — de rey** in great luxury; **dar — a** to flesh out; **de — entero** through and through; **ganó por tres —s de ventaja** he won by three lengths; **ir de —** to have a bowel movement

cuervo M crow, raven

cuesta F slope; **— abajo** downhill; **— arriba** uphill; **a —s** piggyback

cuestión F question; **en — de** in a matter of; **poner en —** to question; **ser — de** to be a matter of

cuestionable ADJ questionable

cuestionador ADJ questioning

cuestionar VT to question

cuestionario M questionnaire

cueva F cave

cuidado M (atención) care; (preocupación) worry; **con el perro** beware of the dog; **— de la casa** housekeeping; **al — de** in care of; **eso me trae sin —** I don't care about that; **tener —** to be careful; **un enfermo de —** a severely ill patient; INTERJ look out!

cuidador -ora MF caregiver, caretaker

cuidadoso ADJ careful

cuidar VT to take care of, to look after; **— de** to take care of; **— la casa** to keep house; **— niños** to babysit; **—se de** to beware of

culata F (anca) haunch; (de rifle) butt; (de motor) cylinder head

culatazo M (golpe) blow with the butt of a rifle; (rebote al disparar) recoil

culebra F snake

culebrear VI to slither

culebrilla F shingles

culinario ADJ culinary

culminar VI to culminate

culpa F (responsabilidad) fault, blame; (sentimiento) guilt; **echar la — a** to blame; **por — de** because of; **tener la —** to be to blame

culpabilidad F guilt

culpable ADJ guilty; MF culprit

culpar VT to blame

cultivado ADJ (tierra) cultivated; (perlas) cultured

cultivador -ora MF (persona) cultivator; F (aparato) cultivator

cultivar VT (cosechas) to grow, to raise; (la tierra) to farm; (relaciones, inteligencia) to cultivate; (microbios) to culture

cultivo M (de plantas) growing; (de la tierra) farming; (de microbios) culture; (de relaciones) cultivation; **de —** cultured

culto ADJ educated, cultured; M worship;

libertad de — freedom of religion

cultura F culture; — **general** general knowledge

cultural ADJ cultural

culturismo M body-building

cumbre F summit

cumplido ADJ (cortés) polite; (perfecto) perfect; M compliment; **hacer algo de** — to do something out of duty; **hacer un** — to pay a compliment

cumplimiento M (de un contrato) performance; (de una promesa, obligación) fulfillment; (de un plazo) expiration

cumplir VT (una obligación) to fulfill, to discharge; (una promesa) to keep; (una condena) to complete, to serve; — **diez años** to turn ten; **hacer** — to enforce; VI (acceder a las relaciones sexuales) to have sexual relations; (vencer) to expire; — **con** to meet a goal; **me cumple informarle que** it is my duty to inform you that

cúmulo M (grupo) host; (tipo de nube) cumulus

cuna F (que se puede mecer) cradle; (con barandas) crib

cundir VI (extenderse) to spread; (rendir) to go a long way

cuneta F roadside ditch; **en la** — out to pasture

cuña F (pieza para hender) wedge; (recipiente de excrementos) bedpan

cuñado -da M brother-in-law; F sister-in-law

cuño M die; **de** — **hispano** with a Hispanic stamp

cuota F (cantidad que le corresponde a uno) quota; (cantidad que hay que pagar) dues; (mensualidad) installment

cupé M coupé

cupo M (cantidad) quota; (capacidad) Am room

cupón M coupon

cúpula F dome

cura F cure, remedy; M priest

curable ADJ curable

curación F cure

curandero -ra M F healer

curar VT (una enfermedad, carne) to cure; (una herida) to heal; VI to heal; **—se** to heal; **—se en salud** to take precautionary measures

curiosear VI to look around; (en asuntos ajenos) to pry

curiosidad F curiosity

curioso ADJ curious

curita F Am adhesive bandage, Band-Aid™

currículum M résumé

curro M Esp job

curruca F warbler

curry M curry

cursar VT (un curso) to take; (un telegrama) to send

cursi ADJ (afectado) affected; (de mal gusto) tacky

cursivo ADJ cursive; **escribir en** — to write in cursive

curso M (de río) course; (de río, enfermedad) course; acontecimientos, moneda) course; (período docente) academic year; (grupo de estudiantes que siguen el mismo curso) class; (libro de texto) textbook; — **legal** legal currency; **el mes en** — the current month

cursor M cursor

curtidura F tannery

curtiembre F tannery

curtir VT (cuero) to tan; (cutis) to weather; **—se** (envejecerse) to get weathered; (acostumbrarse a las dificultades) to become accustomed to hardships

curva F curve

curvatura F curvature

curvo ADJ curved

cúspide F summit

custodia F custody, keeping; **en** — in escrow

custodiar VT to guard

custodio -dia M F guardian

cutícula F cuticle

cutis M facial skin

cuyo ADJ REL whose

cyborg M cyborg

Dd

dádiva F gift

dadivoso ADJ generous

dado ADJ given; M die; **jugar a los —s** to throw dice

dador -ora M F giver; — **de sangre** blood donor

daga F dagger

dalia F dahlia

daltónico ADJ color-blind

dama F lady; (en el juego de la dama) King; **jugar a las —s** to play checkers; — **de honor** bridesmaid

damajuana F demijohn

damasco M (fruta) apricot; (árbol) apricot tree

damisela f damsel

dandi m dandy

danés -esa adj Danish; mf Dane; m (lengua) Danish

danza f dance; — **del vientre** belly dance;

danzante mf dancer

danzar[9] vt/vi to dance

dañar vt to harm, to damage; — **se** to suffer harm

dañino adj harmful

daño m damage, harm; — **emergente** actual damage; — **físico** bodily harm; — **s y perjuicios** damages; **hacer** — to harm

dañoso adj harmful

dar[25] vt (un regalo) to give; (un golpe, naipes) to deal; (sal) to add; (una fiesta) to throw; (la hora) to strike; (un olor) to give off; (la alarma) to raise; (un paseo) to take; — **a** (un edificio) to face; (una calle) to lead to; — **a conocer** to announce; — **a entender** to intimate; — **con** to hit upon, to find; — **de alta** to discharge, to release from the hospital; — **de baja** to discharge; — **de comer** to feed; — **de sí** this fabric gives; — **en la pared** to hit the wall; — **le con** to scrub with; **lo mismo da** it makes no difference; **¿qué más da?** what difference does it make? **dale que dale** on and on; **hoy no doy una** today I can't get anything right; **le doy cincuenta años** he must be about fifty; **me da rabia / miedo** that makes me angry / afraid; **no me da al tiempo para ir al cine** I don't have time to go to the movie; **que no le dé el sol** don't let the sun shine on it; **y dale** enough already; — **se** to be found; — **se a** to indulge in; — **se por conforme** to be satisfied, **dárselas de** to boast of being

dardo m dart

dársena f dock

datar vt to date; — **de** to date from

dátil m date

dato m piece of information; — **s** data

de prep — **la familia** of the family; — **Madrid** from Madrid, **habló** — **la guerra** he talked about the war; — **hombre** — **gafas** the man with glasses; **el mejor estudiante** — **la clase** the best student in the class; **fácil** — **hacer** easy to do; **más** — **tres** more than three; **llevar** — **la mano** to lead by the hand; **regreso a España** upon returning to Spain; — **venta en farmacias** on sale in pharmacies; **ancianos** — **respeto** older

people to be respected; — **lo más lindo** really pretty, **tonto** — **mí** silly me

deambular vi to amble, to saunter

deán m dean

debacle m debacle

debajo adv under; **por** — **de** under, below; — **de** under, underneath; prep — **de** under

debate m debate

debatir vt to debate; — **se** to struggle

debe m debit

deber v aux **deben apoyarme** they should support me; **debe de ser** it must be; **deberías sentarte** you should sit down; vt to owe; **me debes una** you owe me one; **me debo a mis alumnos** I'm devoted to my students; m duty; — **es** homework

debidamente adv duly

debido adj due; — **a** due to, owing to; **a su** — **tiempo** in due time

débil adj (que tiene poca fuerza) weak; (endeble) frail, feeble; (sonido) faint

debilidad f weakness; (cualidad de endeble) frailty; (de un sonido) faintness

debilitamiento m weakening

debilitar vt to weaken, to debilitate

débito m debit

debutar vi to make a debut

década f decade

decadencia f (moral) decadence, decay; (cultural, económica) decline

decadente adj decadent

decaer[23] vi (fuerza) to weaken; (energía) to ebb; (salud) to fail; (ánimo) to flag; **decaimiento** m (decadencia) decline; (debilidad) weakness

decano -na adj senior; mf dean

decapitar vt to behead, to decapitate

decatlón m decathlon

decencia f decency

decente adj decent; **muy** — rather good

decepción f disappointment

decepcionante adj disappointing

decepcionar vt to disappoint

decibelio m decibel

decidido adj resolute, determined; **una decidida preferencia a** a decided preference

decidir vt/vi to decide; — **se** to make up one's mind; — **se a** to resolve to

deciduo adj deciduous

decimal f tenth

decimal adj decimal

décimo adj & m tenth

decir[26] vt (palabras, oraciones) to say; (una mentira, un chiste, la verdad) to tell; —

tonterías to talk nonsense; **con —te que** suffice it to say that; **este tipo no me dice nada** this guy leaves me cold; **¿que me lo diga a mí?** you're telling me that? vi to say; **diga** hello (al contestar el teléfono); **es —** that is to say; **he dicho** I have spoken; **no es prometedor que digamos** it's hardly promising; **no me digas** you don't say; **querer —** to mean; m saying

decisión f decision; **tomar una —** to make a decision

decisivo adj decisive

declaración f (de amor, independencia, guerra) declaration; (de un hecho) statement; (de un testigo) deposition; — **de derechos** bill of rights; — **de impuestos/de la renta** tax return; — **jurada** affidavit

declarar vt (amor, independencia, ingresos) to declare; (un hecho) to state; — **culpable** to find guilty; **os declaro marido y mujer** I pronounce you man and wife; vi (como testigo) to testify; **—se** (un amante) to declare one's love; **—se culpable** to plead guilty; **—se en huelga** to go on strike; **—se en quiebra** to declare bankruptcy

declinar vi/vt to decline

declive m (pendiente) slope, drop; (decadencia) decline

decoración f decoration; — **de interiores** interior decorating

decorado m (de una casa) decoration; (de un escenario) scenery

decorar vt to decorate

decorativo adj decorative

decoro m decorum, propriety

decoroso adj decorous, proper

decrépito adj decrepit

decretar vt to decree

decreto m (disposición ejecutiva) decree; (ley) act

dedal m thimble

dedicación f dedication

dedicar vt (la vida) to dedicate, to devote; (un libro) to dedicate; **—se** to dedicate oneself; (a los estudios) to apply oneself

dedicatoria f dedication

dedo m (de la mano) finger; (del pie) toe; — **anular** ring finger; — **índice** index finger; — **mayor/del corazón** middle finger; — **meñique** little finger; — **pulgar** thumb; **chuparse el —** to be a fool; **chuparse los —s** to lick one's fingers; **cruzar los —s** to keep one's fingers crossed; **elegir a —** to appoint

directly; **hacer —** to hitch a ride; **no mover un —** not to lift a finger

deducción f deduction

deducible adj deductible

deducir[24] vt (concluir) to deduce, to conclude; (descontar) to deduct

defecar[7] vi/vt to defecate

defección f defection

defecto m defect, flaw

defectuoso adj defective, faulty

defender[1] vt to defend; (una causa) to champion; (los derechos) to stand up for, to stick up for; **se defiende en francés** he can hold his own in French

defendible adj defensible

defensa f defense; **aprende — personal** he's learning self-defense; **lo dijo en propia —** he said it in self-defense

defensivo adj defensive; **a la defensiva** on the defensive

defensor -ora mf defender; (de una causa) champion

deferencia f deference

deficiencia f deficiency

deficiente adj deficient

déficit m deficit

definición f definition

definido adj definite

definir vt to define

definitivo adj (superior) definitive; (final) final; **en definitiva** all things considered

deflación f deflation

deflector m baffle

deforestación f deforestation

deformación f deformation

deformar vt to deform; **—se** to become deformed

deforme adj deformed

deformidad f deformity

defraudar vt (cometer fraude) to defraud; (decepcionar) to disappoint

defunción f death

degenerado -da adj & mf degenerate

degenerar vi to degenerate

degollar[2] vt to slash someone's throat

degradación f degradation

degradar vt (envilecer) to degrade, to debase; (rebajar el rango) to demote; **—se** to degrade

degüello m throat-slashing; **lucha a —** fight to the death

dehesa f pasture

deidad f deity

dejadez f slovenliness

dejado adj slovenly

dejar vt (abandonar, no comer, legar) to leave; (a un enamorado) to leave, to dump; (permitir) to let; (soltar) to let go; **— de** to stop; **— caer** to drop; **déjame en paz** leave me alone; **me dejó atónito** it left/rendered me speechless; **no dejes de venir** don't fail to come; **te lo dejo en mil dólares** I'll sell it to you for one thousand dollars; **—se** to let oneself go; **—se crecer la barba** to grow a beard; **déjate de joder** give me a break

deje M slight accent

dejo M (sabor) aftertaste; (acento) slight accent; (toque) hint; **tener un — de** to smack of

delantal M apron

delante ADV in front; **— de** in front of, ahead of

delantera F (de carrera) lead; (de vestido) front; **llevar la —** to be in the lead; **tomar la —** to take the lead

delantero ADJ (pata) front; (línea) forward; M front

delatar VT to inform against, to squeal on; **— la edad** to betray one's age

delator -ora MF accuser, informer

delegación F delegation

delegado -da MF delegate

delegar[7] VT to delegate

deleitar VT to delight; **—se en algo** to revel in something; **—se la vista con** to feast one's eyes on

deleite M delight

deletrear VT to spell; **— mal** to misspell

deleznable ADJ despicable

delfín M dolphin

delgadez F thinness

delgado ADJ thin, slender, slim

deliberación F deliberation

deliberado ADJ deliberate

deliberar VI/VT to deliberate

delicadeza F (tacto) gentleness; (fineza) delicacy; **con —** gently; **tuvo la — llamar** he was kind enough to call

delicado ADJ (suave, fácil de romper, controvertido) delicate; (enfermizo) frail; (exquisito) dainty; (quisquilloso) squeamish

delicatessen F PL delicacies

delicia F delight

delicioso ADJ delicious, delectable

delimitar VT to delimit

delincuencia F crime

delincuente ADJ & MF delinquent, criminal; **— juvenil** juvenile delinquent

delineador M eyeliner

delinear VT to delineate, to outline

delirante ADJ delirious, raving

delirar VI to be delirious, to rave

delirio M delirium; **— paranoico** paranoid delusion; **—s de grandeza** delusions of grandeur

delito M crime, offense

demacrado ADJ drawn, gaunt, haggard

demagogo -ga MF demagog

demanda F (de mercancías) demand; (de seguros) insurance claim; (pleito) lawsuit; **por —** on demand; **entablar una —** to file a lawsuit

demandado -da MF defendant

demandante MF plaintiff

demandar VT (pedir) to ask for; (poner pleito) to sue, to file a suit against

demarcar[6] VT to demarcate

demás ADJ (restante) remaining; PRON the others, the rest; **lo —** the rest; **y —** and whatnot; ADV **por lo —** moreover; **por —** useless

demasía LOC ADV **en —** excessively

demasiado ADV too; too much; **eso es — para mí** that's too much for me; **él es — alto** he's too tall; ADJ too much; too many; **— dinero** too much money; **demasiadas cosas** too many things

demencia F (locura) insanity; (senilidad) senility

demente ADJ demented, insane, deranged

democracia F democracy

demócrata MF INV democrat

democrático ADJ democratic

demografía F demographics

demográfico ADJ demographic

demoler[2] VT to demolish, to tear down

demonio M demon; **¿qué —s haces?** what the heck are you doing? **un frío de —s** bitter cold

demora F delay

demorar VT to delay; **—se** to linger

demostración F demonstration; **— de fuerza** show of force

demostrar[2] VT (mostrar) to demonstrate, to show; (hacer ver la verdad) to prove, to demonstrate

demostrativo ADJ demonstrative

demudar VT to change, to alter

denigrar VT to denigrate, to disparage

denodado ADJ untiring

denominación F (valor) denomination; (nombre) designation

denominar VT to designate, to term

denostar[2] VT to revile

denotación F denotation

denotar VT to denote

densidad F density

denso ADJ dense; (líquido) heavy

dentado ADJ (rueda) toothed; (montaña)

dentadura F set of teeth; — **postiza** false teeth
ragged
dental ADJ dental
dentellada F (mordedura) bite; (señal de diente) tooth mark; **a —s** biting
dentífrico M dentifrice
dentista MF dentist
dentro ADV inside; — **de la casa** inside the house; — **de la ley** within the law; — **de quince días** (en el plazo de) within two weeks; (al cabo de) in two weeks; **por** — within
denuncia F (acusación) denunciation; (de mina, de seguro) claim
denunciar VT (un hecho negativo) to denounce; (una mina) to claim; (un delito) to report
deparar VT to have in store for
departamento M (división) department; (piso) small apartment
departir VI lit to commune
dependencia F (hecho de depender) dependence; (habitación) dependency; (filial) branch office
depender VI to depend; — **de** to depend on
dependiente -ta ADJ dependent; MF clerk
depilar VT to remove hair
depilatorio ADJ & M depilatory
deplorable ADJ deplorable
deplorar VT to deplore
deponer[39] VT (las armas) to lay down; (a un ministro) to depose, to remove; VI to defecate
deportar VT to deport
deporte M sport; **me gusta el —** I like sports/athletics
deportista ADJ athletic; MF athlete
deportivo ADJ athletic; **revista deportiva** sports magazine
deposición F (de un testigo) deposition; (de un ministro) removal; (movimiento de vientre) bowel movement
depositante MF depositor
depositar VT to deposit; **—se** to settle
depositario -ría MF repository
depósito M (en el banco) deposit (de gasolina) tank; (de agua) reservoir; (de cadáveres) morgue; (de armas) depot, dump; (de mercancías) stock room, storehouse; **hacer un —** to make a deposit; **en —** on consignment
depravado ADJ depraved
depreciar VI to depreciate
depredador -ora MF predator
depresión F depression
deprimente ADJ depressing

deprimido ADJ depressed
deprimir VT to depress
deprisa ADV quickly
depuración F purification; (de un programa) debugging
depurar VT to purify; (un programa) to debug
derby M derby
derecha F (política) right wing; **a la —** to the right; **de —s** right-wing
derechista ADJ right-wing; MF rightist
derecho ADJ (no izquierdo) right; (recto) straight; **ponerse —** to hold oneself erect; ADV straight; **volver — a casa** to go straight home; **todo —** straight ahead; M (preceptos, disciplina) law; (posibilidad legal) right; — **consuetudinario** common law; — **de admisión** fee; — **internacional** international law; —**s aduaneros** tax on imports; —**s civiles** civil rights; — **de autor** copyright; —**s de la mujer** women's rights; —**s de los animales** animal rights; **estar en su —** to be entitled; **poner al —** to put on right side out; **registrar los —s** to copyright
derechura F straightness
deriva F drift; **ir a la —** to be adrift
derivación F derivation
derivado M (subproducto) by-product; (palabra) derivative
derivar VT to derive
dermatología F dermatology
dermatólogo -ga MF dermatologist
derogación F repeal
derogar VT to repeal
derramamiento M spill, spilling; — **de sangre** bloodshed
derramar VT (un líquido) to spill; (sangre, lágrimas) to shed; **—se** to spill over, to run over
derrame M spill; — **cerebral** stroke, cerebral hemorrhage
derredor LOC ADV **en —** all around
derrengar[7] VT (dañar la espalda) to sprain one's back; (cansar) to exhaust
derretir[7] VT to melt; **—se por alguien** to be crazy about someone
derribar VT (un edificio) to demolish, to tear down; (a una persona) to knock down; (un gobierno) to topple, to overthrow; (un avión) to shoot down, to down
derrocamiento M overthrow
derrocar[6] VT (un gobierno) to overthrow, to topple; (a un dictador) to depose
derrochador -ora ADJ extravagant; MF (de dinero) spendthrift; (de recursos)

squanderer
derrochar VT (dinero) to squander; (salud) to radiate
derroche M (de recursos) waste; extravagance; (de color) profusion
derrota F defeat
derrotar VT to defeat
derrotero M course
derrubio M washout
derruir VT to demolish; —se to collapse; (túnel, caverna) to cave in
derrumbadero M precipice
derrumbamiento M collapse
derrumbar VT to demolish; —se (edificio) to collapse; (túnel, caverna) to cave in
derrumbe M (de tierra) landslide; (de un edificio) collapse
desabotonar VT to unbutton, to undo
desabrido ADJ (comida) tasteless; (persona) surly; *Am* dull; *Esp* surly
desabrigado ADJ undone, unfastened
desabrochar VT to undo; (ganchos) to unhook, (hebillas, cinturones) to unbuckle; (botones) to unbutton; —se to come undone
desacato M disrespect; —al tribunal contempt of court
desacelerar VT to decelerate
desacierto M mistake
desaconsejable ADJ inadvisable
desaconsejar VT to caution against
desacoplar VT to uncouple, to disconnect
desacostumbrado ADJ unusual
desacostumbrar VT to break of a habit; —se to lose a habit
desacreditar VT to discredit
desactivar VT (explosivo, situación) to defuse; (mecanismo) to disable; (virus) to deactivate
desacuerdo M disagreement; estar en —to be at odds
desafiar[16] VT (retar) to challenge, to dare; (enfrentar) to defy
desafilado ADJ dull; —se to become dull
desafinar VT to be out of tune
desafinado ADJ out of tune, off-key
desafío M (reto) challenge; (desobediencia) defiance
desafortunado ADJ unfortunate, unlucky
desafuero M (de un diputado) withdrawal of immunity; (ultraje) outrage
desagradable ADJ disagreeable, unpleasant
desagradar VT to displease
desagradecido ADJ ungrateful
desagrado M displeasure
desagraviar VT to make amends, to redress

desagravio M redress
desaguadero M drainpipe
desaguar[8] VI to drain
desagüe M (acción de desaguar) drainage; (de lavabo) drain, drainpipe; (en la azotea) gutter
desaguisado M mess
desahogado ADJ (cómodo) comfortable; (espacioso) spacious
desahogar[7] VT (aliviar) to relieve; (expresar) to pour out one's feelings
desahogo M relief; vivir con — to live an easy life
desairar VT to slight, to snub, to rebuff
desaire M slight, snub, rebuff
desajustar VT to loosen; —se to come loose
desalentador ADJ despondent
desalentar[1] VT to discourage, to dishearten; —se to get discouraged
desaliento M discouragement, dismay
desaliñado ADJ disheveled, slovenly, unkempt
desaliño M slovenliness
desalmado ADJ heartless
desalojar VT (una piedra) to dislodge; (un tribunal) to clear; (por peligro) to evacuate; (por no pagar) to evict; (dejar vacío) to vacate
desamparado ADJ helpless, forlorn
desamparar VT to forsake
desamparo M abandonment, helplessness
desangrar VT to bleed
desanimar VT to discourage
desánimo M discouragement
desaparecer[13] VI to disappear, to vanish; (morir) to pass away
desaparición F disappearance; (muerte) demise
desapasionado ADJ dispassionate
desapego M detachment
desapercibido ADJ unnoticed
desaprobación F disapproval
desaprobar[2] VT to disapprove of
desarmamento M disarmament
desarmar VT (quitar las armas) to disarm; (desmontar) to take apart
desarmado ADJ unarmed
desarraigar[7] VT to uproot
desarreglar VT to disturb, to mess up
desarreglo M (nervioso) disorder; (falta de arreglo) mess
desarrollar VT (aumentar) to develop; (extender algo arrollado) to unroll; (llevar

a cabo) to carry out; (aclarar) to elaborate, to flesh out; —**se** to unfold

desarrollo M development; (de una ecuación) expansion; **en** — developing

desarticulado ADJ disjointed

desaseado ADJ slovenly

desaseo M slovenliness

desasir[21] VT to let go of

desasosiego M uneasiness

desastrado ADJ (desaseado) untidy; (funesto) ill-fated

desastre M disaster

desastroso ADJ disastrous

desatado ADJ (ambición) unfettered; (zapatos) untied

desatar VT (un nudo) to untie, to loosen; (una ola de violencia) to unleash; —**se** to come untied; —**se en insultos** to let out a string of insults

desatascador M plunger

desatascar[6] VT (un inodoro) to unclog; (una cosa) to dislodge

desatención F lack of attention

desatender[1] VT (no ocuparse de algo) to neglect; (ignorar) to ignore

desatendido ADJ (descuidado) neglected; (ignorado) ignored

desatento ADJ inattentive

desatinado ADJ imprudent

desatornillar VT to unscrew

desatracar[6] VI/VT to shove off

desavenencia F discord

desayunar VT **desayuné huevos** I had eggs for breakfast; —**se** to have breakfast; —**se (con que)** to find out (that)

desayuno M breakfast

desazón F uneasiness

desbandarse VI to disband

desbaratar VT (un plan) to disrupt; (un hechizo) to break

desbocado ADJ (caballo) runaway; (collar) loose

desbordamiento M overflow

desbordante ADJ overflowing

desbordar VI (derramar) to overflow; VT (abrumar) to overwhelm; —**se** to overflow, to spill over

desbravar VT to break

descabalgar[7] VI to dismount

descabellado ADJ harebrained

descabezar[9] VT to behead; — **un sueño** to take a nap

descafeinado ADJ decaffeinated

descalabrar VT to split someone's head open

descalabro M disaster

descalificar VT to disqualify

descalzar[9] VT to take off someone's shoes;

—**se** to take off one's shoes

descalzo ADJ barefoot

descaminado ADJ **andar / ir** — to be on the wrong track

descamisado ADJ (sin camisa) shirtless; (pobre) poor

descansar VI/VT to rest; — **en paz** to rest in peace; —**se en** to rely on

descanso M (acción de descansar) rest; (de escalera) staircase landing; (tiempo en que se descansa) break; **en** — at ease

descapotable ADJ & M convertible

descarado ADJ shameless, impudent, brazen; **a la descarada** shamelessly

descarga F (de batería, agua, armas) discharge; (de buques) unloading; (emocional) outpouring; (de electricidad) shock

descargar[7] VT (una batería, agua) to discharge; (un buque, un arma de fuego) to unload; (bombas) to drop; (un programa de computadora) to download; —**se** (una batería) to drain; (ira) to vent

descargo M **en su** — in his defense

descarnado ADJ (realidad) stark; (cara) emaciated

descaro M effrontery, impudence, nerve

descarriar[16] VT to lead astray; —**se** to go astray

descarrilarse VI to derail, to jump the track

descartar VT (un naipe) to discard; (una posibilidad) to dismiss, to discard

descarte M discard; **por** — by elimination

descascararse VI (en jirones) to peel; (en fragmentos) to chip, to flake

descendencia F (linaje) descent; (descendientes) descendants

descendente ADJ descending, downward

descender[1] VI to descend; — **de** to descend from

descendiente MF descendant

descenso M descent

descifrar VT to decipher

descodificar[6] VT to decode

descolgar[2,7] VT (una cortina) to take down; (un teléfono) to pick up; —**se con** to come up with; —**se de** to come down from

descollar[2] VI to excel

descolorido ADJ (persona) pale; (cosa) colorless

descomponer[39] VT (disgustar) to upset; (dar diarrea) to give diarrhea; (dar náuseas) to make nauseous; (productos químicos) to break down; (cadáveres) to decompose; (un reloj) to break; — **en factores** to factor; —**se** (productos químicos) to break

descomponer⁴⁹ vt to break down; (cadáveres) to decompose; (un reloj) to break; (sentir náuseas) to be nauseous; (tener diarrea) to have diarrhea; (disgustarse) to go to pieces

descomposición f (de cadáveres) decomposition; (de productos químicos) breaking down; (diarrea) diarrhea

descompuesto adj (roto) broken; (caótico) chaotic; (con diarrea) having diarrhea

descomunal adj enormous

desconcertado adj disconcerted

desconcertante adj disconcerting

desconcertar¹ vt to disconcert, to puzzle, to baffle; —se to become disconcerted

desconcierto m confusion

desconectado adj disconnected

desconectar vt to disconnect

desconexión f (acción de desconectar) disconnecting; (incomunicación) disconnection

desconfiado adj mistrustful, suspicious

desconfianza f mistrust

desconfiar¹⁶ vt to distrust, to mistrust, to be wary of

descongelación f thawing

descongestión f decongestion

descongestionante m decongestant

desconocer¹³ vt (no reconocer) to fail to recognize; (no saber) not to know

desconocido, -da adj unknown; una actividad desconocida an unheard-of activity; mf stranger

desconocimiento m ignorance

desconsideración f thoughtlessness

desconsiderado adj thoughtless, inconsiderate

desconsolado adj disconsolate, dejected

desconsolador adj disheartening

desconsolar vt to dishearten; —se to become disheartened

desconsuelo m dejection

descontar² vt to discount; (quitar del sueldo) to deduct; (excluir) to exclude; to dock

descontentadizo adj hard to please

descontentar vt to displease

descontento adj & m discontent

descorazonado adj disheartened

descortés adj discourteous, impolite

descortesía f discourtesy, impoliteness

descortezar vt to strip the bark from

descoser vt to rip; —se to come unsewn; adj unsewn; m unsewn place; hablar como un — to talk one's head off

descostrar vt to remove the crust from

descoyuntado adj dislocated, out of joint

descoyuntar vt to dislocate; —se to become dislocated

descrédito m discredit

descreído, -da adj unbelieving; mf unbeliever

descreimiento m unbelief

describir⁵¹ vt to describe

descripción f description

descriptivo adj descriptive

descuartizar⁹ vt to quarter

descubierto adj (destapado) uncovered; (sin sombrero) hatless; al — in the open; estar al — to be exposed; poner al — to expose, to lay bare; en — overdrawn; m overdraft

descubridor, -ora mf discoverer

descubrimiento m discovery

descubrir¹ vt (hallar) to discover; (destapar) to uncover; —se to take off one's hat; — el pastel to spill the beans

descuento m discount

descuidado adj (en lo que se hace) careless, negligent; (en el arreglo de su persona) slovenly

descuidar vt to neglect; yo me ocupo de eso don't worry, I'll take care of that; —se to be negligent

descuido m (falta de cuidado) neglect; (acción descuidada) oversight; al — off-hand; por — by chance

desde prep (origen) from; (tiempo) since; — Madrid from Madrid; — el martes since Tuesday; — luego of course; — el principio from the start; — el vamos from the start; — entonces ever since

desdecirse²⁶ vi (decir lo contrario) to contradict oneself; (negar lo dicho) to retract

desdén m disdain, scorn

desdentado adj toothless

desdeñar vt to disdain, to scorn

desdeñoso adj disdainful, scornful

desdicha f misfortune, por — unfortunately

desdichado adj wretched

desdoblamiento m division

desdoblar vt (desplegar) to unfold, (dividir) to divide

deseabilidad f desirability

deseable adj desirable

desear vt to desire

desecación f drying

desecar⁶ vt to dry, —se to dry up

desechar vt (ropa vieja) to discard; (una oferta) to refuse; (una posibilidad) to dismiss

desecho m waste material; —s refuse, waste

desembalar vt to unpack

desembarazar⁹ vt to rid of; —se to get rid of

desembarcadero M dock

desembarcar[61] VT (de un buque) to disembark, to go ashore; (de un avión) to deplane

desembarco M landing

desembarque M landing

desembocadura F mouth

desembocar[6] VI to flow; — en to flow into; la calle Ocho desemboca en la Rambla eighth street feeds into the Rambla

desembolsar VT to disburse, to pay out

desembolso M disbursement, outlay

desembragar[7] VI/VT to disengage (the clutch)

desempacar[6] VT to unpack

desempañar VT to wipe clean

desempeñar VT to redeem; — un cargo to perform the duties of a position; — un papel to play a part; —se to get out of debt

desempeño M (de un cargo o papel) performance; (de una cosa en prenda) redemption

desempleado ADJ unemployed

desempleo M unemployment

desempolvar VT to dust off

desencadenar VT (quitar las cadenas) to unchain; (producir algo) to trigger, to spark

desencajado ADJ (mandíbula) dislocated; (mirada) wild, estaba — en el funeral he was deeply disturbed at the funeral

desencajar VT (un cajón) to unstick; (la mandíbula) to dislocate

desencantar VT (desilusionar) to disillusion; (quitar un hechizo) to remove a spell from

desenchufar VI/VT to unplug

desenfado M lack of inhibition

desenfrenadamente ADV with wild abandon

desenfrenado ADJ (sin moderación) unbridled, wanton, rampant; (muy rápido) reckless

desenganchar VT to unhook

desengañar VT to disabuse; —se (de un error) to become disabused; (de una ilusión) to become disillusioned

desengaño M disillusion

desengranar VT to take out of gear

desenmarañar VT to disentangle

desenmascarar VT to unmask, to expose

desenredar VT to disentangle

desenrollar VT to unroll

desenroscar VT to untwist

desentenderse[51] VI to pay no attention; hacerse el desentendido ADJ — to pretend not to notice/know

desenterrar[1] VT (una cosa) to unearth, to dig up; (un cadáver) to disinter

desentonar VI (cantar mal) to sing off key; (estar fuera de lugar) to be out of place

desentrañar VT to unravel

desenvoltura F self-assurance

desenvolver[2,51] VT (desenrollar) to unroll; (quitar la envoltura) to unwrap; —se to behave

desenvuelto ADJ self-assured

deseo M desire, wish; (sexual) desire; pedir un — to make a wish

deseoso ADJ desirous

desequilibrado-da ADJ unbalanced; MF unbalanced person

desequilibrar VT to unbalance

desequilibrio M imbalance

deserción F desertion

desertar VI/VT to desert; — de to defect from

desértico ADJ desert

desertor -ora MF deserter

desesperación F desperation

desesperado ADJ desperate

desesperanza F despair, hopelessness

desesperanzado ADJ hopeless

desesperanzar[7] VT to discourage, to deprive of hope; —se to despair

desesperar VT to despair; VI to drive crazy

desestabilizar[7] VT to destabilize

desestimación F rejection

desestimar VT to reject

desfachatez F audacity

desfalcar[6] VT to embezzle

desfalco M embezzlement

desfallecer[13] VI (debilitarse) to grow weak; (desmayarse) to faint

desfallecimiento M (debilidad) weakness; (desmayo) faint

desfibrilar VT to defibrillate

desfigurar VT (el rostro) to disfigure; (una estatua) to deface

desfiladero M narrow passage

desfilar VI to file by; (soldados, modelos) to parade

desfile M parade

desgana F (falta de apetito) lack of appetite; (falta de entusiasmo) lack of enthusiasm

desganado ADJ without enthusiasm

desgarbado ADJ ungainly, gawky

desgarrado ADJ (prenda) torn; (grito) heart-rending

desgarradura f tear

desgarrar vt (rasgar) to tear; (causar dolor) to break one's heart; —se to tear, to pull

desgarro m muscle pull

desgastar vt to wear away; —se to get worn away

desgaste m wear and tear

desglosar vt (una suma) to itemize; (un documento) to separate out

desgracia f (infortunio) misfortune; (infelicidad) unhappiness; —s personales casualties; caer en — to fall into disgrace/disfavor

desgraciado -da adj (desafortunado) unfortunate; (infeliz) unhappy; Mf (persona desafortunada) unfortunate person

desgranar vt (granos) to thrash, to thresh; (guisantes) to shell

desgreñado adj disheveled, unkempt; —se to muss up one's hair

desgreñar vt to dishevel;

desguazar[9] vt to scrap

deshabitado adj (territorio) uninhabited; (casa) vacant

deshacer[30] vt (una acción) to undo; (una cama) to strip; (una cosa) to destroy; (un sólido en un líquido) to dissolve; (un nudo) to untie; —la maleta to unpack the suitcase; —se de to get rid of; —se en elogios to rave about

desharrapado adj ragged

deshelar[7] vt to thaw

desheredar vt to disinherit

deshielo m thaw

deshierbar vt to weed

deshilachar vt to unravel

deshojado adj leafless

deshojar vt to strip of leaves; —se (un árbol) to shed leaves; (un libro) to lose pages

deshonestidad f (falta de honradez) dishonesty; (falta de recato) immodesty

deshonesto adj (no honrado) dishonest; (no modesto) immodest

deshonra f dishonor, disgrace

deshonrar vt to dishonor, to disgrace

deshonroso adj dishonorable

deshora loc adv a — at an inopportune time; comer a — to eat between meals

deshuesar vt (un fruto) to stone; (un animal) to bone

deshumanizar[9] vt to dehumanize

desidia f indolence

desierto adj (lugar) deserted; (premio) unawarded; M (región árida) desert; (región poco fértil y no habitada) wilderness

designación f (acción de designar, nombre) designation; (nombramiento) appointment

designar vt to designate; (a un funcionario) to appoint

designio M design

desigual adj (pelea) one-sided; (actuación) uneven; (números) not equal; (rango) unequal; (terreno) uneven

desigualdad f inequality; (del terreno) roughness

desilusión f disillusion, disappointment

desilusionar vt to disillusion, to disappoint; —se to become disillusioned/disappointed

desinfectante adj & M disinfectant

desinfectar vt to disinfect

desinflado adj (globo, persona) deflated, (neumático) flat; M flat tire

desinflar vt to deflate

desinformación f disinformation

desinformar vt to misinform

desinhibido adj uninhibited

desintegración f disintegration, — atómica atomic decay

desintegrarse vi to disintegrate; (materia radiactiva) to decay

desinterés M (falta de interés) lack of interest; (generosidad) unselfishness

desinteresado adj (que no muestra interés) disinterested; (generoso) unselfish, selfless

desistir vi to desist

deslavado adj faded

deslavar vt (quitar color) to fade; (lavar ligeramente) to wash superficially

desleal adj (persona) disloyal, faithless; (competencia) unfair

desleír[15] vt to mix with a liquid

deslindar vt to mark off

desliz M slip

deslizamiento M slide, glide

deslizar[9] vt (un patín) to slip, to slide, to glide; (una tarjeta) to swipe; —se (un patín) to slide, to glide; (un error) to slip by

deslucido adj (actuación) dull; (color) dingy

deslucir[35b] vt (un espectáculo) to tarnish; (color) to make dingy

deslumbramiento M dazzle

deslumbrante adj dazzling

deslumbrar vt to dazzle; —se to be dazzled

deslustrar vt to tarnish

deslustre M tarnish

desmadejado adj (fatigado) exhausted;

desmadejar vt to exhaust; (desgarbado) ungainly

desmán m abuse

desmantelar vt to dismantle

desmañado adj awkward, clumsy

desmayar vi to lose courage; **—se** to faint, to pass out

desmayo m faint, swoon; **peleó sin —** he fought unflaggingly

desmedido adj excessive

desmejorar vt (empeorar el aspecto) to look worse; (debilitarse) to get worse

desmembrar vt to dismember

desmentido m denial

desmentir[3] vt to deny

desmenuzar[9] vt (pan) to crumble; (zanahorias) to mince

desmerecer[13] vi **no — de** to compare favorably with

desmesurado adj (esfuerzo) inordinate; (orejas) too large

desmigajar vt to crumb, to crumble

desmitificar[6] vt to debunk

desmochar vt to top, to cut the top off of

desmontar vt (limpiar un monte) to clear; (desarmar) to dismantle, to take apart; (derribar de una caballería) to throw; **—se** to dismount

desmoralizar[9] vt to demoralize; **—se** to become demoralized

desmoronar vt to crumble

desmovilizar[9] vt to demobilize

desnatar vt to skim

desnaturalizado adj (madre) unnatural; (aceite) denatured

desnudar vt to undress; **—se** to get undressed

desnudez f nakedness

desnudo adj nude, naked

desnutrición f malnutrition

desnutrido adj underfed, malnourished

desobedecer[13] vt to disobey

desobediencia f disobedience; **— civil** civil disobedience

desobediente adj disobedient

desocupación f (paro) unemployment; (abandono de vivienda) vacating

desocupado adj (asiento, casa) unoccupied, empty; (tiempo) idle; (que no trabaja) unemployed

desocupar vt to vacate; **—se** to get free

desodorante m deodorant

desoír[35] vt to turn a deaf ear to

desolación f desolation

desolado adj desolate, bleak;

desolar vt to lay waste to; **—se** to be desolated

desollar[2] vt to skin; **— vivo** to skin alive

desorbitado adj out of proportion; (ojos) bulging

desorden m disorder, disarray; **— público** public disturbance; **en —** in disarray

desordenado adj (persona, situación) messy; (niño, vida) wild; (cuarto) untidy, disorderly; (archivo) disorganized

desordenar vt to mess up

desorganización f disorganization

desorganizado adj disorganized

desorientar vt to disorient; (confundir) to confuse; **—se** to lose one's bearings, to become disoriented

desovar vi to spawn

desoxidar vt to deoxidize

despabilado adj (despierto) wide-awake; (listo) on the ball

despabilar vt (cortar el pabilo) to trim the wick off; (despertar) to awaken; **—se** to wake up

despachar vt (problemas) to dispatch; (una carta) to mail; (a un cliente) to take care of; (mercancías) to ship; (a una víctima) to bump off; (un pedido) to fill; **— al público** to sell to the public; **—se a su gusto** to speak one's mind

despacho m (oficina) office; (comunicación) dispatch; (envío de cartas) mailing; (envío de mercancías) shipping

despachurrar vt to squash

despacio adv slow, slowly

desparasitar vt to worm

desparejo adj uneven

desparpajo m (desenvoltura) ease; (descaro) impudence

desparramar vt to scatter; **—se** to be scattered

desparramo m (lío) commotion; (de libros) clutter

desparramarse vt (caerse) to sprawl; (abrirse de piernas) to spread one's legs

despecho m spite; **por —** out of spite

despectivo adj derogatory, pejorative

despedazar[9] vt to tear to pieces

despedida f farewell; **— de soltero** bachelor party

despedir[5] vt (acompañar a una persona que se va) to see off; (echar de un empleo) to fire, to dismiss; (emitir un dolor) to emit, to give off; **despídeme de tus padres** say good-bye to your parents for me; **—se (de)** to take leave (of), to say good-bye (to)

despegar[7] vt (dos cosas pegadas) to detach; vi (un avión) to take off; (un cohete) to blast off; **—se** to become detached

despegue M (de avión) takeoff; (de cohete) blastoff, liftoff

despeinado ADJ unkempt

despejado ADJ (el cielo) clear, cloudless; (un camino) clear; (la frente) with one's hair pulled back; (una persona) bright

despejar VT (el campo) to clear; VI (una duda, el cielo) to clear up; —se to sober up

despellejar VT to skin

despensa F pantry

despeñadero M cliff

despeñar VT to push off a precipice; —se to fall down a precipice

despepitar VT (una granada) to seed; (una manzana) to core; —se por una cosa to be crazy about something

desperdiciar VT to waste; —se to go to waste

desperdicio M waste; —s scraps

desperdigar[7] VT to scatter; —se to be scattered

desperezarse[9] VI to stretch

desperfecto M damage; — mecánico mechanical breakdown

despertador M alarm clock

despertar[1] VT (a una persona) to awaken, to wake up; (sospecha) to arouse; (interés, deseo) to kindle; —se to wake up

despiadado ADJ merciless, heartless, ruthless

despido M dismissal, termination

despierto ADJ (no dormido) awake; (vivaracho) alert

despilfarrar VT to squander

despilfarro M waste

despistado ADJ absent-minded

despistar VT to throw off the track; (a un perseguidor) to lose; —se to get confused

desplante M rude remark

desplazar[7] VT to displace; —se to move

desplegar[?] VT (algo plegado) to unfold; (una bandera) to unfurl; (tropas) to deploy; (interés) to display

despliegue M display

desplomarse VI (edificio, precios) to collapse; (una persona) to slump

desplome M collapse

desplumar VT (un ave) to pluck; (a una víctima) to fleece

despoblado ADJ uninhabited; — de árboles treeless; M open country

despojar VT to despoil; —se to shed leaves

despojos M PL (de batalla) spoils; (mortales) remains

desportilladura F chip

desportillar VT to chip

desposeer VT to dispossess

déspota MF INV despot

despótico ADJ despotic

despotismo M despotism

despotricar[6] VI to rant

despreciable ADJ (vil) contemptible, despicable, worthless; (insignificante) negligible

despreciar VT (menospreciar) to despise; to look down on; (rechazar) to snub

desprecio M (menosprecio) contempt; disdain; (rechazo) snub

desprender VT (un cierre) to unfasten; (algo prendido) to detach; (gases) to give off; —se de algo to part with something; —se la ropa to undo one's clothes; —se de lo dicho se desprende que from what has been said it follows that

desprendimiento M (de retina) detachment; (de energía) release; (de tierra) landslide; (generosidad) generosity

despreocupado ADJ carefree

desprestigiar VT to discredit; —se to lose one's prestige

desprestigio M loss of prestige

desprevenido ADJ unprepared; tomar — to take by surprise

desproporcionado ADJ disproportionate, out of proportion

despropósito M nonsense

desprovisto — de lacking in

después ADV after, afterward; — de after; — de todo after all

despuntar VT/VI to blunt; —se to become blunt

desquiciar VT to unhinge; —se to come unhinged

desquitarse VI to get even

desquite M getting even

desregular VT to deregulate

destacado ADJ outstanding

destacamento M military detachment, military detail

destacar[6] VT (tropas) to detach; (una cualidad) to accentuate; VI to stand out; —se to stand out

destajo LOC ADV a — by the job

destapar VT (una cacerola) to take the top off of; (un plan, a un niño) to uncover; —se (en la cama) to uncover; (desnudarse) to bare all

destartalado ADJ dilapidated

destellar VI to flash

destello M flash

destemplado ADJ (persona) feverish; (sonido)

out of tune
desteñido adj washed-out
desteñir.[5,18] vi/vt to fade; vi to run; —se to fade
desternillarse vi — **de risa** to die laughing
desterrado -da adj exiled, banished; mf exile
desterrar[1] vt to exile, to banish
destetar vt to wean
destete m exile, banishment
destilación f distillation
destilar vt to distill
destilería f distillery
destinar vt (determinar el destino) to destine; (dirigir) to address; (asignar) to commit
destinatario -ria mf addressee, recipient
destino m destiny, fate, lot; (uso) use; (lugar adonde se viaja) destination
destitución f dismissal
destituir[31] vt to dismiss
destornillador m screwdriver
destoxificación f detoxification
destrabar vt to untie
destreza f dexterity, skill
destripar vt to gut
destronar vt to dethrone
destrozar[9] vt (estropear) to ruin; (causar grandes daños) to destroy, (derrotar) to rout
destrozo m damage
destrucción f destruction
destructible adj destructible
destructivo adj destructive
destructor -ra adj destructive; m (buque) destroyer; mf (persona) destroyer
destruir[31] vt (reducir a pedazos) to destroy, to obliterate; (estropear) to ruin
desunir vt to divide; —se to come apart
desusado adj (no frecuente) unusual; (no usado) obsolete
desuso m disuse, obsolescence; **caer en —** to fall into disuse
desvaído adj faded
desvainar vt to hull, to husk
desvalido adj helpless
desvalijar vt (un cuarto) to ransack; (a una persona) to clean out
desvalimiento m helplessness
desván m attic
desvanecer[13] vt (un color) to fade; (un contorno) to blur; —se (una persona) to faint; (un color, arrugas) to fade; (un sonido) to trail off
desvanecido adj (una persona) fainted; (un color) faded; (un contorno) blurred
desvanecimiento m (de una persona)

painting; (de colores) fading; (de un contorno) blurring
desvariar[16] vi to rave
desvarío m raving
desvelado adj sleepless
desvelar vt to keep awake; —se to be sleepless
desvelo m (falta de sueño) sleeplessness; —**s** (esfuerzos) efforts
desvencijado adj dilapidated, rickety; **estoy —** I'm all beat up
desventaja f disadvantage; **estar en —** to be at a disadvantage
desventura f misfortune
desventurado adj unfortunate
desvergonzado adj shameless
desvergüenza f shamelessness
desvestir[7] vt to undress; —se to get undressed
desviación f (de una norma) deviation, divergence; (para coches) detour; (de fondos) diversion; (de la columna vertebral) curvature; — **estándar** standard deviation
desviar[16] vt (la vista) to avert; (fondos) to divert; (un golpe) to ward off; (una conversación) to steer; (un tren) to sidetrack; —**se de** (un camino) to stray from; (una norma) to deviate from
desvío m (camino secundario) side road, (desviación) detour
desvirtuar[17] vt to distort; —se to become distorted
desvivirse vi — **por hacer algo** to bend over backward to do something; — **por alguien** to go out of one's way for someone
detallado adj detailed
detallar vt to detail, to go into detail about
detalle m (pormenor) detail; (venta al por menor) retail; (lista) list; **¡qué —!** how thoughtful; **con / al / en —** in detail
detallista adj (cuidadoso) meticulous; (considerado) thoughtful; m (comercio) retail; mf retailer
detectar vt to detect
detective m detective — **privado** private eye
detención f (arresto) detention, arrest; (de un vehículo) stop; — **domiciliaria** house arrest; — **ilegal** false arrest
detener[44] vt (arrestar) to detain, to arrest; (parar) to stop; —se to stop; —**se en** to linger on; —**se a pensar** to stop to think
detenido adj thorough
detenimiento loc adv **con —** with care
detergente adj & m detergent

deteriorar vr to deteriorate
deterioro m deterioration
determinación f determination
determinar vr to determine
detestable adj detestable
detestar vr to detest
detonación f detonation; **hacer detonaciones** to backfire
detonar vi/vt to detonate
detrás adv behind; **— de** (en el espacio) behind; (en el tiempo) after; **por —** behind
detritus m debris
deuda f debt
deudor -ora adj & mf debtor; **— hipotecario** mortgagor
devaluación f devaluation
devanar vt to spool; **—se los sesos** to rack one's brain
devaneo m (acción de pasatiempo) idle pursuit; (amorío) fling
devastar vt to devastate
devengar⁷ vt to earn
devoción f devotion
devolución f return
devolver²,⁵¹ vr (volver al dueño) to return; vi (vomitar) to throw up
devorar vt to devour
devoto adj (pío) devout; (que muestra devoción) devoted
dextrosa f dextrose
día m day; **— a —** day-to-day; **— tras —** day after day; **al —** up-to-date; **al otro —** on the next day; **de —** by day; **de todos los —s** everyday; **el — de mañana** in the future; **hoy —** nowadays; **no veo el —** I can't wait; **ponerse al —** to catch up; **por —** by the day; **todo el —** all day; **todos los —s** every day; **un — sí y otro no** every other day; **vivir al —** to live from hand to mouth
diabetes f sg diabetes
diablo m devil; **pobre —** poor devil; **¿por qué —s dices eso?** fam why the heck are you saying that?
diablura f deviltry, mischief
diabólico adj diabolic, devillish
diácono m deacon
diacrítico adj & m diacritic
diafragma m diaphragm
diagnosticar⁷ vr to diagnose
diagrama m diagram; **— de flujo** flow chart
dial m dial
dialéctica f dialectic
dialéctico adj dialectic
dialecto m dialect

dialectología f dialectology
diálisis f dialysis
dialogar⁷ vi to dialog, to hold talks
diálogo m dialog, conversation; **— de sordos** conversation in which no one listens
diamante m diamond; **— en bruto** diamond in the rough
diámetro m diameter
diana f bull's eye
diapasón m tuning fork
diapositiva f slide
diario adj daily; m (periódico) newspaper; (de sucesos personales) journal, diary; (de navegación) log; **a —** every day; **de —** everyday; **llevar un —** to keep a diary
diarrea f diarrhea
diatriba f diatribe
dibujante mf illustrator
dibujar vt to draw; **—se** to appear, to loom
dibujo m (arte de dibujar, cosa dibujada) drawing; (diseño) design; **— al carbón** charcoal drawing; **—s animados** animated cartoon
dicción f diction
diccionario m dictionary
dicha f happiness
dicharachero adj witty
dicho adj aforementioned; m saying
dichoso adj happy; **todo el — día** the whole blessed day
diciembre m December
dictado m (ejercicio) dictation; (orden) dictate; **escribir al —** to take dictation
dictador -ora mf dictator
dictadura f dictatorship
dictamen m (opinión) report; (judicial) ruling
dictaminar vi (dar una opinión) to report; (fallar) to rule
dictar vt to dictate; **— clase** to teach class; **— sentencia** to rule
diecinueve num nineteen
dieciocho num eighteen
dieciséis num sixteen
diecisiete num seventeen
diente m (de persona, sierra) tooth; (de víbora) fang; (de rueda entrada) cog; (de tenedor) prong; **— de león** dandelion; **— de leche** baby tooth; **—s postizos** false teeth; **entre —s** under one's breath; **tener buen —** to have a good appetite
diesel m diesel
diestra f right hand
diestro -tra adj (habilidoso) skillful, deft; (no zurdo) right-handed; mf right-handed

person; **a diestra y siniestra** on all sides

dieta F diet; **estar a —** to be on a diet

diezmar VT to decimate

diez NUM ten

diezmo M tithe; **pagar el —** to tithe

difamación F (oral) slander; (escrito) libel

difamar VT to defame, to malign; (oralmente) to slander; (por escrito) to libel

difamatorio ADJ slanderous libel

diferencia F difference; **a —** de unlike; **hacer —s entre** to treat differently; **partir la —** to split the difference

diferencial ADJ & M (distancia, pieza de coché) differential; F (matemática)

diferenciar VT to differentiate; **—se de** to differ from

diferente ADJ different

diferir[3] VT (aplazar) to defer; VI (ser diferente) to differ

difícil ADJ difficult, hard

dificultad F difficulty

dificultar VT to make difficult

dificultoso ADJ difficult

difteria F diphtheria

difundir VT (luz) to diffuse; (noticias) to broadcast

difunto -ta ADJ & MF deceased

difusión F (de luz) diffusion; (de noticias) broadcasting

difuso ADJ diffuse

digerible ADJ digestible

digerir[3] VT to digest

digestible ADJ digestible

digestión F digestion

digestivo ADJ digestive

digesto M digest

digital ADJ digital

dígito M digit

dignarse VI to deign

dignatario -ria MF dignitary

dignidad F dignity

digno ADJ (respetable) worthy; (orgulloso) dignified; **— de confianza** trustworthy; **— de elogio** praiseworthy

digresión F digression

dije M charm

dilación LOC ADV **sin —** without delay

dilatación F (del metal, parte dilatada) expansion; (del ojo) dilation

dilatar VT (pupila, capilares, útero) to dilate; (metal, músculo) to expand; (posponer) to defer; **—se en un asunto** to dwell on a subject

dilema M dilemma

dilettante MF dilettante

diligencia F (laboriosidad) diligence, industry; (vehículo) stagecoach

diligente ADJ diligent, industrious

dilucidar VT to elucidate

diluido ADJ dilute

diluir[31] VT (una solución) to dilute; (pintura, sopa) to thin

diluvio M deluge

dimensión F dimension

dimes M PL **— y diretes** gossip; **andar en — y diretes** to quibble

diminutivo ADJ & M diminutive

diminuto ADJ (tamaño) diminutive; (cantidad) minute

dimisión F resignation

dimitir VI to resign

Dinamarca F Denmark

dinámica F dynamics

dinámico ADJ dynamic

dinamismo M vigor

dinamita F dynamite

dinamitar VT to dynamite

dínamo M dynamo

dinastía F dynasty

dinero M money; **— contante y sonante** ready cash, hard cash; **— de plástico** plastic, credit card; **— sucio** dirty money

dinosaurio M dinosaur

diodo M diode; **— electroluminiscente** light-emitting diode

Dios M God; **dios —** **dirá** we'll see; **— los cría y ellos se juntan** birds of a feather flock together; **— mediante** God willing; **¡— mío!** my God! **— te lo pague** may God reward you; **— y su madre** everybody and their dog; **a la buena de —** any old way; **como — manda** as it should be; **¡por —!** oh, my! **que — te oiga** I hope you're right

diosa F goddess

diploma M diploma

diplomacia F diplomacy

diplomático -ca ADJ diplomatic; MF diplomat

diptongo M diphthong

diputación F council

diputado -da MF representative

dique M (presa) dike; (al lado de un río) levee; **— seco** dry dock

dirección F (sentido, rumbo) direction; (domicilio) address; (administración) management; (oficina de administración de una escuela) principal's office; (mecanismo para conducir, acción de conducir) steering; **— asistida** power steering

directiva f (orden) directive; (norma) guideline; (junta de directores) board of directors

directivo -va adj leadership; Mf officer

directo adj (sin desviaciones, intermediarios) direct; (derecho) straight; **en —** live

director -ora Mf (de una empresa) director, manager; (de una escuela) principal; (de orquesta) conductor; **— de correos** postmaster

directorio M (índice) directory; (junta directiva) board of directors

dirigente Mf leader; **— sindical** union leader

dirigible adj dirigible

dirigir[11] vt (una obra teatral) to direct; (una empresa) to manage; (una orquesta) to conduct; (a un turista) to guide; (un saludo, una carta, una pregunta, una crítica) to address; **—se a** (hablar con) to address; (ir a) to go to; (tratar de) to be aimed at

discar[6] vt/vi Am to dial

discernimiento M discernment, insight

discernir[?] vt to discern

disciplina f discipline

disciplinar vt to discipline

discípulo -la Mf disciple

disco M (cartílago, objeto plano y circular) disk; (fonográfico) record; **— compacto** compact disk; **— duro** hard disk; **es un — rayado** Am he's a broken record

díscolo adj unruly

discontinuo adj discontinuous

discordancia f discord

discordia f discord

discoteca f (lugar donde bailar) discotheque; (colección de discos) record collection

discreción f discretion; **a —** at one's own discretion

discrepancia f discrepancy

discrepar vi to disagree; **— de** to take issue with

discreto adj (prudente) discreet; (de unidades indivisibles) discrete; **un partido —** a sorry game

discriminación f discrimination; **— positiva** affirmative action

discriminar vt to discriminate; **— a** to discriminate against

disculpa f (excusa) excuse; (perdón) apology

disculpable adj excusable

disculpar vt (excusar) to excuse; (perdonar) to forgive, to pardon; **—se** to apologize

discurrir vi (transcurrir) to pass; (exponer) to discourse

discursear vi to make speeches

discurso M (enunciado) discourse; (alocución pública) speech, address; **— de apertura** keynote address

discusión f (charla) discussion; (riña) argument

discutible adj debatable, questionable

discutir vt (hablar sobre) to discuss; vi (disputar) to dispute; (oponerse a) (reñir) to argue

disecar[6] vt (cortar) to dissect; (preparar para conservar) to stuff

diseminación f dissemination

diseminar vt to disseminate

disensión f dissension, dissent

disenso M dissent

disentería f dysentery

disentir[?] vi to dissent, to disagree

diseñar vt to design

diseño M design; **— de interiores** interior design; **— gráfico** graphic design

disertación f lecture

disertar vi to lecture

disfraz M (para ocultarse) disguise; (de carnaval) costume

disfrazar[9] vt to disguise

disfrutar vi/vt to enjoy; **— de** to enjoy

disfrute M enjoyment

disfunción f dysfunction

disgustado adj (molesto) upset; (enojado) angry

disgustar vt (molestar) to upset; **—se** (molestarse) to get upset; (enfadarse) to get angry

disgusto M (desagrado) unpleasantness; (discusión) quarrel; **a —** (con desgana) against one's will; (con incomodidad) uncomfortably; (en disconformidad) in conflict; **esa niña no da más que —s** that girl keeps us upset all the time

disidente adj & Mf dissident

disimulado adj **hacerse el —** to pretend not to notice

disimular vt (fingir) to dissemble; (ocultar) to conceal

disimulo M (fingimiento) dissimulation; (ocultamiento) concealment

disipación f dissipation

disipar vt (niebla, calor) to dissipate (dudas) to dispel; (miedo) to allay; (dinero) to squander; **—se** to dissipate; (miedo, dudas) to allay, to lift

dislocar[6] vt to dislocate; **—se** to get dislocated

disminuir[31] vt to diminish, to decrease, to lessen; (depreciar) to belittle

disolución f dissolution

disoluto adj dissolute, loose

disolvente M solvent; **— de pintura** paint thinner

disolver[2,51] VT to dissolve; (una reunión) to break up

disonancia F discord

dispar ADJ disparate

disparar VT (un arma de fuego) to shoot, to fire; (una cámara) to click; (la inflación) to trigger; VI (en fútbol) to shoot; **—le a alguien** to shoot at someone; **—se**

disparatado ADJ absurd

disparatar VI to talk nonsense

disparate M absurdity, nonsense; **decir —s** to talk nonsense; **un — de plata** a ton of money

disparo M (acción de disparar) shooting; (tiro, herida) shot

dispensa F dispensation

dispensación F dispensation

dispensar VT to dispense; **— de** to exempt from

dispensario M dispensary

dispersar VT to disperse

dispersión F dispersal

display M display

displicencia F flippancy; (actitud) cavalier

disponer[39] VT (colocar) to arrange; (preparar) to prepare; to dispose; (mandar) to order; **— de** to have; **—se** to get ready; **—se a** to set about

disponible ADJ available

disposición F (voluntad) disposition; (colocación) arrangement; (de ánimo) mood, **a — de** at the disposal of

dispositivo M device; **— intrauterino** intrauterine device

dispuesto ADJ ready; **bien —** willing, no **estar — a** to be unwilling to

disputa F (controversia) dispute; (riña) argument

disputar VI/VT to dispute; **—se el poder** to vie/challenge/ contend for power; **—se la posición** to jockey for position

disquete M floppy disk

disquetera F disk drive

distancia F distance; **a —** at arm's length; **guardar —s** to keep at a distance; **¿a qué — está?** how far away is it?

distanciar VT to distance

distante ADJ distant

distar VI it's a far cry from; **dista diez kilómetros de** it's ten kilometers from

distender[51] VT (aflojar) to relax; (dilatar) to

distinción F distinction

distinguido ADJ distinguished

distinguir[12] VT to distinguish

distintivo ADJ distinctive; distinguishing; M distinguishing characteristic

distinto ADJ different; (diferente; no el mismo) distinct

distorsión F distortion

distorsionar VT to distort

distracción F distraction

distraer[45] VT (la atención) to distract; (fondos, mano de obra) to divert; **—se** to entertain oneself

distraído ADJ distracted, absent-minded; **hacerse el —** to play dumb

distribución F distribution

distribuidor -ora MF (persona) distributor; M (pieza de un motor) distributor

distribuir[31] VT to distribute

distrito M district; **Distrito de Columbia** M District of Columbia

disturbio M disturbance, trouble

disuadir VT (mediante palabras) to dissuade; (mediante acciones) to deter

diurético ADJ & N diuretic

diurno ADJ (actividad) daytime; (animal) diurnal

divagación F rambling

divagar[7] VI to ramble on, to digress

diván M divan; (de psiquiatra) couch

divergencia F divergence

divergir[11] VI to diverge

diversidad F diversity

diversión F (pasatiempo) amusement, entertainment, fun; (hecho de distraer la atención) diversion

diverso ADJ diverse; **—s** various

divertido ADJ amusing, entertaining

divertir[4] VT to amuse, to entertain; **—se** to have a good time, to have fun

dividendo M dividend

dividir VT to divide; (un territorio conquistado) to partition

divieso M boil

divinidad F divinity

divino ADJ divine; **estuvo —** it was heavenly; **lo pasé —** I had a wonderful time

divisa F (señal) emblem; (moneda currency; (moneda extranjera) foreign currency

divisar VT to make out, to catch sight of

división F division; (de un territorio conquistado) partition

divisorio ADJ dividing

divorciar vt to divorce; — se to get divorced

divorcio m divorce

divulgar[7] vt (un secreto) to divulge; (información) to disseminate

dobladillo m hem; hacer — s to hem

doblaje m dubbing

doblar vt (una sábana) to fold; (el capital) to double; (una esquina) to turn; (la voz de un actor) to dub; vi (un coche) to turn; (una campana) to knell; — se to bend over

doble adj double; — agente double agent; — personalidad split personality; — visión double vision; de — caño double-barreled; de — filo double-edged; de — sentido two-way; mf (persona muy parecida, actor sustituto) double; m (repique) knell; — s doubles; el — double

doblegar[7] vt to break

doblez m fold; f deceitfulness

doce num twelve

docena f dozen; — del fraile baker's dozen

docente adj teaching

dócil adj (persona, animal) docile; pliant; (pelo) manageable

docto -ora adj learned

doctor -ora mf doctor

doctorado m doctorate

doctrina f doctrine

documental adj & m documentary

documentar vt to document

documento m document

dogma m dogma

dogmático adj dogmatic

dogo m pug

dólar m dollar

dolencia f ailment

doler² vi to ache, to hurt; me duele el brazo my arm aches, my arm is sore; — se de (compadecerse) to feel sorry for; (arrepentirse) to regret

doliente mf mourner

dolor m (físico) pain, ache; (espiritual) sorrow, pain; — de barriga bellyache; — de cabeza headache; — de espalda backache; — de muela toothache; — de oídos earache; — de garganta sore throat

dolorido adj aching, sore

doloroso adj painful

doma f (de caballos) breaking; (de leones) taming

domado adj (caballo) broken; (león) tamed

domador -ora mf (de perros) trainer; (de leones) lion tamer

domar vt (caballos, personas) to break; (leones) to tame

domesticar[7] vt to domesticate, to tame

doméstico -ca adj domestic; mf servant

domiciliarse vi to take up residence; ¿dónde se domicilia usted? where do you reside?

domicilio m (casa) dwelling; (dirección) address

dominación f domination

dominador -ora adj (predominante) dominant; (tiránico) domineering

dominante adj (predominante) dominant; (tiránico) domineering, overbearing

dominar vt (tener bajo su autoridad, ser más alto) to dominate; (reprimir los impulsos) to control, to rein in; (tener sometido a su voluntad) to domineer

domingo m Sunday; — de Ramos Palm Sunday; — de Pascua Easter Sunday

Dominica f Dominica

dominicano -na adj & mf Dominican

dominio m (sobre una tierra, derecho de usar una cosa) dominion; (de sí mismo) control; (de una lengua) mastery, command; (hecho de dominar) domination; (ámbito, campo) domain; — público public domain

dominiqués -esa adj & mf Dominican

dominó m (pieza) domino; (juego) dominoes

domo m dome

don m (gracia) gift; (título, jefe mafioso) don; un — nadie a nobody

dona f Méx doughnut

donación f donation

donador -ora mf donor

donante mf donor

donar vt to donate

doncella f lit maiden

donde adv rel, where; de — whence, from which; ir — el herrero to go to the blacksmith's shop; — quiera wherever

dónde adv INTER where

donoso adj graceful

doña f doña

dopar vt to dope

dorado adj (cubierto de oro) gilt; (del color de oro) golden, gilt

dorar vt to gild; — la píldora to sweeten the pill

dormido adj asleep

dormir¹ vt/vi to sleep; — a to put to bed; — a un paciente to anesthetize a patient; — la mona to sleep it off; — se me ha dormido el brazo my arm has fallen asleep

asleep
dormir vi to doze, to snooze
dormitorio m bedroom
dorso m back, reverse
dos num two; — **puntos** colon; — **veces** twice; **cada** — **por tres** constantly; **en un** — **por tres** in a jiffy; **los** — both of them
DOS m DOS
dosel m canopy
dosificar⁶ vt to dose
dosis f (de medicamento) dose; (de droga) hit
dotación f (de fondos) endowment; (de personal) complement
dotar vt to endow
dote f dowry; — **s** talents
dragado m dredging
dragar⁷ vt (para limpiar) to dredge; (para buscar objetos) to drag; m sg
dragaminas minesweeper
dragón m (animal fantástico) dragon; (planta) snapdragon
drama m drama
dramático adj dramatic
dramatizar⁹ vt to dramatize
dramaturgo -ga mf playwright, dramatist
drapear vt to drape
drástico adj drastic
drenaje m drainage
drenar vi/vt to drain
driblar vi/vt to dribble
dribbling m dribble, dribbling
dril m drill
drive m drive
drive-in m drive-in
driver m (de golf) driver
droga f drug; — **s de diseño** designer drugs; **tomar** — **s** to do drugs; mf **drogadicto -ta** drug addict
drogar⁷ vt to drug
drogata mf inv junkie
drogota mf inv junkie
droguería f (tienda) drugstore; (industria) drug industry
droguero -ra mf druggist
ducado m dukedom
ducha f shower
ducharse vt to shower
ducho adj skillful
dúctil adj (metal) ductile; (persona) flexible, supple
duda f doubt; **en** — in doubt; **fuera de** — beyond doubt; **no cabe** — there's no doubt; **poner en** — to cast doubt on; **sin** — without a doubt, undoubtedly; **sin lugar a** — **s** without doubt; **tengo una**

— I have a question
dudar vt to doubt; (vacilar) to hesitate; —
dudoso adj doubtful; **de dudosa honestidad** of dubious honesty
duelo m (combate) duel; (luto) mourning; (pena) grief, (dolientes) mourners; **estar de** — to be in mourning
duela f stave
duende m (gnomo) goblin, gremlin; (gracia) charm
dueño -ña mf owner; **me sentí** — **de la situación** I felt like I was in control of the situation; m landlord; f landlady
dueto m duet
dulce adj (sabor, personalidad) sweet; (clima) pleasant; (agua) fresh; — **amargo** bittersweet; m (cosa dulce) sweet; (mermelada) preserves, conserve
dulcería f confectionery
dulcificar⁶ vt to sweeten
dulzón adj unpleasantly sweet
dulzor m sweetness
dulzura f sweetness
dúo m duet; **decir a** — to say in unison
duna f dune
dúplex m duplex
duplicado adj & m duplicate; **por** — in duplicate
duplicar⁶ vt to duplicate
duplicidad f duplicity
duque m duke
duquesa f duchess
durabilidad f durability
duración f duration; (de una película, vocal) length
duradero adj (ropa) durable, serviceable; (pilas) long-lasting
durante prep during; — **el mandato de los demócratas** under the Democrats; — **muchos años** for/over many years
durar vi/vt to last
duraznero m peach tree
durazno m (fruto) peach; (árbol) peach tree
dureza f (de metal) hardness; (del clima, de la expresión, de una tempestad) severity; (del invierno) harshness; (de un boxeador) toughness; (del cuero) stiffness
durmiente adj sleeping; m railroad tie, sleeper
duro adj (metal, golpe, droga, agua) hard; (clima, tormenta) severe; (invierno, grifo) stuck; (viento) strong; (autoridad) inflexible; (pan) stale; (cuero) stiff; — **de corazón** hard-hearted; — **de entenderas** slow on the uptake; a

duras penas barely; m five peseta coin; **no tengo un —** I'm flat broke

DVD m DVD

Ee

e conj and

ebanista mf cabinetmaker

ébano m ebony

ebrio adj drunk, inebriated

ebullición f boiling

eccema m eczema

echar vt (una pelota, redes) to throw, to cast; (yemas, hojas) to sprout; (a un empleado) to fire; (humo, olor) to give off; (un líquido) to pour; (a un borracho) to throw out; **— abajo** to knock down; **— a la basura** to throw away; **— al mar** to put to sea; **— al correo** to mail; **— anclas** to drop anchor; **— a pique** to sink; **— carnes** to get fat; **— de menos** to miss; **— de ver** to notice; **— mano de** to seize upon; **— la culpa** to blame; **— por la borda** to jettison; **— raíces** to take root; **— sangre** to bleed; **— suertes** to draw lots; **— una carta** to mail a letter; **— una siesta** to take a nap; **— un vistazo a** to glance at, to take a look at; **te echo una carrera** I'll race you; **—le el muerto a alguien** to pass the buck to someone; **—se** to lie down; **—se a correr** to bolt; **—se a** to start to; **—se a perder** to spoil; **—se a reír** to burst out laughing; **—se a un lado** to dodge; **—se para atrás** to lean back; **—se atrás** to back down

ecléctico adj eclectic

eclesiástico adj & m ecclesiastic

eclipsar vt to eclipse; (superar) to eclipse, to outshine, to overshadow; **—se** to fade

eclipse m eclipse; **— de sol** solar eclipse; **— de luna** lunar eclipse

eco m echo; **hacerse —** to echo; **hacerse — de** to repeat

ecología f ecology

ecológico adj environmental

ecologista adj environmental; mf environmentalist

economato m commissary

economía f (conjunto de actividades de producción) economy; (ciencia) economics; (familiar) finances; **— doméstica** home economics; **—s** savings; **hacer —s** to be thrifty

económico adj (relativo a la economía) economic; (que gasta poco) frugal, thrifty; (que cuesta poco) economical

economista mf economist

economizar⁹ vt to economize, to save

ecosistema m ecosystem

ecuación f equation

ecuador m equator

Ecuador m Ecuador

ecualizar⁹ vt to equalize

ecuatoriano -na adj & mf Ecuadorian

ecuménico adj ecumenical

edad f age; **— avanzada** ripe old age; **— mental** mental age; **— de Piedra** Stone Age; **— Media** Middle Ages; **— de merecer** marriageable age

edición f (tienda, ejemplar) edition; (acción de editar) publication; **— de sobremesa** desktop publishing

edicto m edict

edificación f building

edificar⁹ vt (construir) to build; (infundir sentimientos morales) to edify, to uplift

edificio m building

editar vt to edit, to publish

editor -ora adj publishing; mf editor

editorial adj publishing; f publishing house; m editorial

editorializar⁹ vi to editorialize

educación f (en la escuela) education; (de normas sociales) breeding; **— a distancia** distance learning; **— cívica** — cívica **especial** special education; **— física** physical education

educado adj (cortés) well-bred, (instruido) educated

educador -ora mf educator

educar⁹ vt (a una persona en la escuela) to educate; (a una persona en la casa, la voz) to train

educativo adj educational

edulcorante m sweetener

EEUU (Estados Unidos) m sg USA

efectivo adj (eficaz) effective, (real) actual; **hacer —** (un cheque) to cash; (una deuda) to pay off; (una amenaza) to make good on; **en —** in cash; **—s** troops

efecto m (resultado) effect, result; (letra comercial) bill of exchange; (rotación) English, spin; **en —** in fact; **llevar a —** to carry out; **surtir —** to work; **—s invernadero** green house effect; **—s especiales** special effects; **—s personales** personal effects; **perder —** to wear off;

él PRON PERS M SG (como sujeto) he; — **dijo** he said; (como objeto) him; **para** — for him; **le di el libro a** — I gave the book to him; **estamos hablando de** — we're talking about him; **el libro de** — his book

elaboración F (de miel, comida) making; (de un informe) development; (de un método) drafting

elaborado ADJ elaborate

elaborar VT (un método) to elaborate, to develop; (comida) to make; (un informe) to draft

elasticidad F elasticity

elástico ADJ (sustancia) elastic; (cuerpo) supple; (horario) flexible; M elastic

elección F (votación) election; (selección) choice, selection; **no tuve** — I had no choice

electo ADJ elect

elector -ora ADJ electoral; MF elector

electoral ADJ electoral

electricidad F electricity; — **estática** static electricity

electricista MF electrician

eléctrico ADJ (aparato) electric; (instalación, corriente) electrical

electrificar[6] VT to electrify

electrificado ADJ electrified

electrificante ADJ electrifying

electrizar[9] VT (suministrar electricidad) to electrify; (emocionar) to galvanize, to electrify

electrocardiograma M electrocardiogram

electrocutar VT to electrocute

electrodo M electrode

electrodoméstico M electrical appliance

electroencefalograma M electroencephalogram

electroimán M electromagnet

electrólisis F electrolysis

electromagnético ADJ electromagnetic

electrón M electron

electrónica F electronics

electrónico ADJ electronic

elefante M elephant

elegancia F elegance

elegante ADJ (que tiene gracia) elegant; (en el vestir) stylish, smart

elegible ADJ eligible

elegir[11] VT to choose, to select; (votar) to elect

elemental ADJ (sencillo) elementary; (básico) elemental

elemento M element

elenco M cast

elevación F elevation; **tirar por** — to throw

rebotar con — to glance off; **a estos** —**s** to this effect; **para los** —**s** to all intents and purposes; **por** — **de** as a consequence of

efectuar[17] VT to effect; —**se** to be carried out

eficacia F efficacy; — **de una ley** force of law

eficaz ADJ effective

eficiencia F efficiency

eficiente ADJ efficient

efigie F effigy; **quemar en** — to burn in effigy

efímero ADJ ephemeral, fleeting

efusivo ADJ effusive

egipcio -cia ADJ & MF Egyptian

Egipto M Egypt

égloga F pastoral

ego M ego

egocéntrico ADJ egocentric, self-centered

egoísmo M selfishness

egoísta ADJ selfish; MF selfish person

egotismo M egotism

egresado -da MF graduate

eje M (de la Tierra) axis; (de un vehículo) axle; — **del pistón** piston rod; **eso me parte por el** — that messes me up

ejecución F (de un condenado) execution; (de un plan, una orden) carrying out, execution; (de una tarea) performance; (de una propiedad) foreclosure

ejecutar VT (a un condenado) to execute; (un plan, una tarea, música) to perform; (una propiedad) to foreclose on

ejecutivo -va ADJ & MF executive

ejemplar ADJ exemplary, model; M (libro) copy; (individuo) specimen

ejemplificar[7] VT to exemplify

ejemplo M (cosa típica) example; (modelo) model; **a** — **de** on the example of; **dar** — to set an example; **por** — for example

ejercer[10] VT (una profesión) to practice; (influencia, fuerza) to exert; (poder) to wield

ejercicio M exercise; (de una profesión) practice; **hacer** — to take exercise; — **contable** accounting period; — **físico** physical exercise; **en** — active

ejercitar VT (la vista, los músculos) to exercise; (a soldados) to drill; (a alumnos) to train; —**se** to train

ejército M army; **el** — the military

ejido M common

ejote M Méx green bean

el ART DEF M THE; — **de la derecha** the one on the right; — **que** the one that; — **que sepa** whoever knows

elevado adj (pensamiento, estilo) elevated; (fiebre, montaña) high; (precios) high

elevador m elevator

elevar vt (en una jerarquía) to elevate; (precios, voz, objeto) to raise; (el espíritu) to uplift; **— la vista** to look up; **— al cuadrado** to square; **— al cubo** to cube; **—se a** to go up to, to rise to; **el rascacielos se eleva sobre la ciudad** the skyscraper towers over the city

elfo m elf

eliminación f elimination

eliminar vt to eliminate

eliminatoria f heat

elíptico adj elliptical

elite/élite f elite

elitista adj & mf elitist

ella PRON PERS & SG (como sujeto) she; **— dijo** she said; (como objeto) her; **para —** for her; **le di el libro a —** I gave the book to her; **el libro de —** their book

ellas PRON PERS & PL (como sujeto) they; **— dijeron** they said; (como objeto) them; **para —** for them; **les di el libro a —** I gave them the book; **el libro de —** their book

ello PRON it; **— es que** the fact is that

ellos PRON PERS M (como sujeto) they; **— dijeron** they said; (como objeto) them; **para —** for them; **les di el libro a —** I gave them the book; **el libro de —** their book

elocuencia f eloquence

elocuente adj eloquent; **las estadísticas son —s** the statistics speak for themselves

elogiar vt to praise

elogio m praise

elote m Méx corn on the cob

elucidación f elucidation

elucidar vt to elucidate

eludir vt to elude, to avoid, to dodge

emanación f emanation, flow

emanar vi/vt to emanate

emancipación f emancipation

emancipar vt to emancipate; **—se** to become free

emascular vt to emasculate

embadurnar vt to daub

embajada f embassy

embajador -ora mf ambassador

embalador -ora mf packer

embalaje m packing

embalar vt to pack; vi to accelerate

embaldosar vt to tile

embalsamar vt (a un muerto) to embalm; (un animal) to stuff

embalse m reservoir

embanderar vt to adorn with flags

embarazada adj pregnant

embarazar⁷ vt (impedir) to hamper; (fecundar) to make pregnant; **—se** to get pregnant

embarazo m (obstáculo) impediment; (estado de embarazada) pregnancy

embarazoso adj embarrassing, awkward

embarcación f boat, embarkation, craft

embarcadero m wharf, pier

embarcar⁶ vt (pasajeros) to embark; (mercancías) to load; **—se** to embark, to go aboard; **—se en** to embark upon

embargar⁷ vt to seize; **estar embargado de emoción** to be overcome with emotion

embargo m embargo; **— judicial** seizure; **imponer un —** to embargo; **sin —** nevertheless, however

embarque m (de mercancías) loading; (de pasajeros) embarkation

embarrado adj smeared with mud

embarrar vt to smear with mud, to muddy

embate m lashing

embaucador m confidence man

embaucar⁶ vt to dupe

embeber vt to soak up; **—se** to be enraptured

embelesar vt to enrapture

embeleso m rapture

embellecer¹³ vi/vt to beautify

embestida f charge

embestir⁵ vi/vt to charge

embetunar vt to polish

emblanquecer¹³ vi/vt to whiten

emblema m emblem

embobar vt to amaze; **—se** to be amazed

embolia f embolism

émbolo m piston, plunger

embolsar vt (dinero) to pocket; (una compra) to bag

emborrachar vt (a una persona) to intoxicate; (el carburador) to flood; **—se** to get drunk

emborronar vt (manchar) to blot; (hacer impreciso) to blur

emboscada f ambush

emboscar⁶ vt to ambush; **—se** to lie in ambush

embotamiento m (efecto de embotar) dullness, bluntness; (acción de embotar) dulling

embotar vt to dull

embotelladora f bottling plant

embotellamiento m (acción de embotellar) bottling; (de tráfico) traffic jam, bottleneck

embotellar vt (cerveza) to bottle; (tráfico) to bottle up

embozar[2] vt to conceal

embragar[3] vt to engage the clutch

embrague m clutch

embriagado adj drunken

embriagar[7] vt to intoxicate; **—se** to become intoxicated

embriaguez f intoxication, drunkenness

embrión m embryo

embrollar vt to embroil

embrollo m muddle

embromar vt to kid

embrujar vt to bewitch

embrujo m spell

embrutecer[13] vt to stupefy

embudo m funnel

embuste m lie

embustero -ra mf liar, trickster

embutido m sausage

embutir vt to cram, to jam

emergencia f emergency

emerger[11b] vi to emerge; (del agua) to surface

emigración f (de personas) emigration; (de animales) migration

emigrante adj & mf emigrant

emigrar vi (personas) to emigrate; (animales) to migrate

eminencia f eminence; **— gris** gray eminence

eminente adj eminent

emisario -ria mf emissary; m outlet

emisión f (de acciones, billetes) issue; (de olor) discharge; (de programas) broadcast; (de vapor) emission

emisor m emitting; m transmitter

emisora f radio/television station

emitir vt (un olor, vapor) to emit; (juicios) to pronounce; (dinero, acciones) to issue; vi/vt (programas) to broadcast; **—se** to be on the air

emoción f emotion; **¡qué —!** what a thrill!

emocional adj emotional

emocionante adj (conmovedor) touching; (apasionante) exciting

emocionar vt (apasionar) to excite; (conmover) to move, to touch; **—se** (estar apasionado) to be excited; (estar conmovido) to be touched

emotivo adj emotional

empacador -ora mf packer

empacar[6] vt (regalos, mercancías) to pack; (algodón) to bale

empachar vt to cause indigestion; **—se de** to get sick on, to suffer indigestion;

empacho m (indigestión) indigestion; (cohibición) inhibition; **no tener — en** to have no qualms about

empalagar[7] vi/vt to cloy

empalagoso adj cloying, saccharine

empalar vt to impale

empalizada f stockade, palisade

empalmar vt to splice; **— con** to join

empalme m (de caminos) junction; (de cuerdas) splice; **— genético** gene splicing

empanada f turnover, pie

empanar vt to bread

empañado adj (vidrio) misty, foggy; (metal, reputación) tarnished

empañar vt (vidrio) to fog up, to blur; (metal, reputación) to tarnish

empapado adj soggy, sopping wet

empapamiento m soaking

empapar vt (mojar) to soak, to drench; (recoger con algo) to soak up; **—se** (mojarse) to get soaked; (enterarse) to find out all about

empapelado m wallpapering

empapelar vt to paper, to wallpaper; **— las calles** to plaster the streets

empaque m (acción de empacar) packing; (envoltorio) packaging

empaquetar vt to pack, to package; **—se** to get dolled up

empaquetadura f gasket

emparedado m sandwich

emparejar vt (una carga, un partido) to even up; vt/vi (los enamorados) to pair up

emparentado adj akin, related

emparentarse vi to become related by marriage

empastar vt to fill

empaste m filling

empatar vt to tie

empate m tie

empatía f empathy

empecinado adj stubborn

empedernido adj (criminal) hardened; (mujeriego) incorrigible; (solterón) confirmed

empedernirse[50] vi to become hardened

empedrado m (acción) paving with stones; (cosa) cobblestone pavement; adj paved with stones

empedrar[1] vt to pave with stones

empeine m (del pie) instep; (del vientre) groin

empellón m shove; **a empellones** with shoves, shoving

empeñar vt to pawn; **— la palabra** to pledge; **—se** (endeudarse) to go into debt; (obstinarse) to insist; (esforzarse) to apply oneself; **—se en** to engage in

empeño M (prenda) pawn; (insistencia) insistence; (deseo) desire; (esfuerzo) exertion; **poner — en** to strive for

empeorar VT to make worse, VI to aggravate; VI to worsen; **—se** to get worse

empequeñecer13 VT to make smaller; VI to get smaller

emperador -triz M emperor; F empress

emperifollarse VI to deck oneself out, to doll oneself up

empezar9 VI/VT to begin, to start; **— a** to start to; **— de cero** to start from scratch; **para —** for starters; **no tengo ni para — con él** I can't touch him; **por —** to begin with; **empezamos mal** we got off to a bad start; **un tubo sin —** an unopened tube; **por algo se empieza** you have to start somewhere

empinado ADJ steep

empinar VT to raise; **— el codo** to drink; **—se** (una persona) to stand on tiptoes; (un caballo) to rear; (una torre) to tower

empírico ADJ empirical

empizarrar VT to cover with slate

emplasto M plaster

emplastar VT to plaster

empleado -da MF employee

emplear VT (usar) to employ, to use; (dar trabajo) to employ; **—se en** to be employed

empleo M (ocupación) employment, work; (puesto de trabajo) job; (utilización) use

emplumado ADJ feathery

emplumar VT (poner plumas a algo) to adorn with feathers; (pegar plumas en el cuerpo) to tar and feather; VI (echar plumas) to grow feathers

empobrecer13 VI/VT to impoverish

empollar VT (huevos) to hatch, to brood; VI (para un examen) to cram

empollón -ona MF grind, egghead

empolvar VT to cover with dust; **—se** (con cosméticos) to powder oneself; (con polvo) to get dirty

emponzoñar VT to poison

emporado ADJ built-in

emprendedor ADJ enterprising

emprender VT (una tarea) to undertake; (un viaje) to embark on; **—la con alguien** to attack someone

empresa F (cosa que se emprende) undertaking; (compañía) company, enterprise; **— libre** free enterprise; **— privada** private enterprise; **— pública** public company

empresario -ria MF entrepreneur

empréstito M loan

empujar VT to push; (con violencia) to shove, (apretujar) to

empuje M (ánimo) drive, (fuerza de propulsión) thrust; (fuerza hacia arriba) lift

empujón M shove, push; **dar empujones** to jostle

empuñadura F (espada) hilt; (cuchillo) handle

empuñar VT to grasp

emular VT to emulate

en PREP in; **— Asturias** in Asturias; (sobre una superficie) on, upon; **— la mesa** on the table; **sentarse — el suelo** to sit on the table; **me lo vendió — mil pesetas** she sold it to me for a thousand pesetas; **— la parada del autobús** at the bus stop; **— la noche** at night; **ir — tren** to go by train

enaguas F PL petticoat

enajenación F (mental) insanity; (cambio de dueño) transfer

enajenar VT (trasladar) to transfer; (alienar) to alienate; **—se** (a los amigos) to alienate

enaltecer13 VT to extol

enamorado -da ADJ in love; MF lover

enamoramiento M infatuation

enamorar VT to make fall in love; **—se (de)** to fall in love with

enano -na MF (de los cuentos de hada, persona deforme) dwarf; (de proporciones normales) midget

enarbolar VT (una bandera) to raise on high; (un garrote) to brandish

enardecer13 VT to inflame; **—se** to become inflamed

enardecimiento M inflaming

encabezamiento M heading

encabezar9 VT (una carta, una obra, un gobierno) to head; (un desfile) to lead

encabritarse VI (un caballo) to rear (up); (enfurecerse) to get furious

encadenar VT (poner en cadenas) to chain; (unir) to link

encajar VI/VT to fit; **el policía me encajó una multa** the policeman stuck me with a fine; **tu historia no encaja** your story doesn't hold water

encaje M (tejido) lace; (reserva bancaria) reserve; (acción de encajar) fitting together

encajonar VT (meter en una caja) to box; (apretar) to squeeze in

encallar VI to run aground, to strand (una ballena) to beach; VT to ground

encamarse VI **— con** to go to bed with

encaminar VT to direct; **—se hacia** to head for

encanecer[13] VI to go gray; VT to cause to go gray

encanijado ADJ sickly

encanijarse VI to get sickly

encantado ADJ (a gusto) delighted; (hechizado) enchanted; **— de conocerla** pleased to meet you

encantador -ora ADJ charming, delightful; MF charmer

encantamiento M enchantment

encantar VT to enchant; **eso me encanta** I love that

encanto M (encantamiento) enchantment; (atractivo) charm; **un — de persona** a delightful person; **como por —** as if by magic

encapotado ADJ overcast

encapotarse VI to become overcast

encapricharse VI **— con/de/por** to become infatuated with

encapuchar VT (a una persona) to hood; (un bolígrafo) to put the top on

encaramar VT to raise; **—se** to climb up on; **—se al primer puesto** to rise to first place

encarar VT to face; **me encaró el fusil** he pointed the rifle at me; **—se con** to face

encarcelamiento M imprisonment

encarcelar VT to imprison, to jail, to incarcerate

encarecer[13] VI (subir de precio) to increase in price; VT (rogar) to beg

encarecidamente ADV earnestly

encargado -da MF person in charge; **— de curso** lecturer

encargar[7] VT (dar cargo) to put in charge; (pedir) to order; (mandar) to commission, to order; **— a alguien una tarea** to charge someone with a task; **—se de** to take care of

encargo M (pedido) order; (tarea) assignment, charge, errand; **construido por/de —** custom-built; **hecho por —** made-to-order

encariñarse VI **— de** to become fond of

encarnado ADJ (rojo) red; (uña) ingrown

encarnar VT (un ideal) to embody; (a un personaje) to play; **se me encarnó una uña** one of my nails got ingrown

encarnizado ADJ fierce

encarnizarse[9] VI **— con alguien** to attack someone viciously

encarte M insert

encasillar VT to pigeonhole

encauzamiento M channeling

encauzar[9] VT to channel

encendedor M cigarette lighter

encender[1] VT (un cigarro, fuego) to light; (un fósforo) to strike; (una luz, radio) to switch on, to turn on; (pasión) to arouse; VI **—se** (una persona, sexualmente) to get aroused; (una lámpara) to turn on

encendido ADJ (rojo) bright; (sexualmente) aroused; M ignition

encerado M (pizarrón) blackboard; (acción de encerar) waxing; (capa de cera) wax coating; ADJ waxed

encerar VT to wax, to polish

encerrar[1] VT (palabras entre paréntesis) to enclose; (una oveja) to pen; (a una persona) to lock up; (un contenido) to contain; (un peligro) to involve; **—se** (aislarse) to isolate oneself; (obstinarse) to become fixated

enchapar VT (metal) to plate; (madera) to veneer

enchilada F enchilada

enchufar VT (un aparato eléctrico) to plug in; (a un protegido) to fix up; **— un tubo con otro** to fit one pipe into another

enchufe M (de aparatos eléctricos) socket, plug-in, electrical outlet; (situación ventajosa) connection

encías F PL gums

enciclopedia F encyclopedia

encierro M (confinamiento) confinement; (lugar) enclosure

encima ADV (arriba) on top; (además) in addition; **— de** on top of; **por — de** above; **sacar de —** to get rid of; **orinarse —** to urinate on oneself; **ya tenía el coche —** the car was already on top of me; **no lleves tanto dinero —** don't carry so much money on you; **los exámenes están —** the exams are upon us; **mi madre siempre me está —** my mother is always on me; **lo leí por —** I scanned it

encimera F counter

encina F oak

encinta ADJ pregnant

enclaustrar VT to cloister

enclavarse VI to be located

enclave M enclave

enclenque ADJ (endeble) sickly; (desvencijado) rickety

encoger[11b] VI/VT to shrink; **—se** (una prenda) to shrink; (una persona) to be intimidated; **—se de hombros** to shrug one's shoulders

encogido ADJ (tímido) shy; M (acción de encoger) shrinkage

encogimiento M (acción de encoger) shrinking; **— de hombros** shrug

encolar VT to glue

encolerizar[9] VT to incense; **—se** to become incensed, to lose one's temper

encomendar[1] VT to entrust; **—se** to commend oneself

enconar VT to inflame; VI **—se** (discusión) to become inflamed; (herida) to fester

encono M animosity

encontrado ADJ contrary, opposing

encontrar[2] VT (hallar) to find; (converger) to meet; **— a** to run into; **—se** (estar ubicado) to be located; (hallarse) to feel; **—se con** (verse, según plan) to meet with; (verse, por coincidencia) to run into; (enterarse) to find out; **vas a encontrarte la casa en obras** you'll find the house under construction

encontronazo M collision

encordar[2] VT to string

encorvado ADJ stoop-shouldered

encorvamiento M slouch, stoop

encorvar VT to stoop; **—se** to bend over

encostrarse VI to scab

encrespar VT (el pelo) to curl; (el mar) to make choppy; **—se** (el pelo) to get curly; (el mar) to get choppy

encrucijada F crossroads

encuadernación F (oficio) bookbinding; (lo encuadernado) binding

encuadernar VT to bind

encuadrar VT to frame; **la poesía de esta época se encuadra en tres tendencias** the poetry of this period can be classified into three tendencies

encubierto ADJ covert

encubrimiento M (de un delincuente) concealment; (de un escándalo) cover-up

encubrir[51] VT (un secreto) to conceal; (un escándalo) to cover up, to hush up

encuentro M (casual) encounter; (planeado) meeting; (partido) game; (de atletismo) meet; **salir al — de** (ir a encontrar) to go out to meet; (prevenir) to counter

encuerar VT to strip

encuesta F survey, poll

encuestar VI/VT to survey, to poll

encumbrado ADJ elevated, lofty

encumbramiento M elevation

encumbrar VT to elevate

encurtido M pickle

encurtir VT to pickle

ende LOC ADV **por —** hence

endeble ADJ (persona) feeble; (material, argumento) flimsy; (mesa) rickety

endémico ADJ endemic

endemoniado ADJ (poseído por el diablo) possessed by the devil; (niño) devilish;

enderezar[9] VT to straighten; **enderézate** stand up straight; **la niña se enderezó con los años** the girl straightened out after a few years

endeudarse VT to get into debt

endiablado ADJ devilish; (pregunta) tough

endocrino ADJ endocrine

endomingado ADJ dressed in one's Sunday best

endorfina F endorphin

endosante MF endorser

endosar VT to endorse

endoso M endorsement

endulzante M sweetener

endulzar[9] VT to sweeten; **se endulzó el tiempo** the weather became milder

endurecer[13] VT to harden; VI **—se** (musculos) to get hard; (cola) to set

endurecimiento M hardening

enebro M juniper

eneldo M dill

enema MF enema

enemigo -ga ADJ & MF enemy; **buques —s** enemy ships; **ser — de una cosa** to dislike a thing

enemistad F enmity

enemistar VT to cause enmity between; **—se con** to become an enemy of

energético ADJ (política energética) energy policy

energía F energy **— nuclear** nuclear energy; **— hidráulica** water power; **— solar** solar energy; **— térmica** thermal energy

enérgico ADJ (persona) energetic; (protesta, medida, tono) forceful

enero M January

enervar VT (debilitar) to enervate; (irritar) to irritate

enfadado ADJ angry

enfadar VT to anger; VI **—se** to get angry

enfado M anger

enfadoso ADJ annoying

enfardar VT to bale

énfasis M emphasis

enfático ADJ emphatic

enfatizar[9] VT to emphasize

enfermar VT to sicken; VI to become sick; **—se** to become ill

enfermedad F (estado de enfermo) sickness, illness; (cardiovascular, de Parkinson) disease; (social) ill; **— contagiosa** contagion; **— coronaria** heart disease; **— mental** mental illness

enfermería F infirmary

enfermero -ra M male nurse; F nurse

enfermizo adj (persona) sickly, infirm; (obsesión, aspecto) unhealthy; (imaginación) sick

enfermo -ma adj sick, ill; **me tiene — que vengan tarde** I'm sick of them coming late; Mr patient; **— del corazón** person with a heart condition

enfisema m emphysema

enflaquecer[13] vi to get thin

enfocar[7] vt (los ojos) to focus; (un faro) to point; (una cámara) to train; (un tema) to approach

enfoque m approach

enfrentamiento m clash

enfrentar vt to confront; (una dificultad) to face, to tackle; **— a** to pit against; **—se con** to clash with

enfrente adv opposite; **— de** in front of, opposite

enfriamiento m (del aire) cooling; (de una persona, chill); (de la economía, las relaciones) cooling off

enfriar[16] vt to cool, to chill; vi **—se** to cool off

enfundar vt to sheathe

enfurecer[13] vt to infuriate, to enrage; vi **—se** to become enraged, to rage

enfurruñado adj sulky

enfurruñarse vi to sulk

engalanar vt (una mesa) to decorate; (a una muchacha, etc.) to dress up; **—se** to dress up

enganchar vt (bueyes) to hitch; (una red) to snag; (un teléfono) to hook up; (a los televidentes, a un adicto) to hook; vi **—se** to get hooked

enganche m (del gas, teléfono) connection, hookup; (de drogas) addictiveness; (de vagones) coupling; (de caballos) team; (entrada) Méx down payment

enganchón m snag

engañador adj deceitful

engañar vt (mentir) to deceive; (ser infiel) to cheat on; **— el hambre** to ward off hunger; **—se** to deceive oneself

engaño m deceit, deception

engañoso adj deceitful

engarzar vt to set

engaste m setting

engatusar vt to coax, to cajole

engendrar vt (emociones) to engender; (hijos) to procreate

englobar vt to encompass

engomar vt to glue

engordar vi to get fat, to put on weight; vt to make fat, to fatten; **esta semana he engordado dos kilos** I gained two kilos this week

engorroso adj irksome

engoznar vt to hinge

engranado adj meshed, interlocking; **estar — ** to be in gear

engranaje m gears, gearing; **el — del partido** the party apparatus

engranar vt (meter una marcha) to put in gear, to throw into gear; (encajar) to mesh; **— la marcha atrás** to put (the car) in reverse

engrandecer[13] vt (la fama) to aggrandize; (un palacio) to make more grandiose

engrapar vt to staple, to cramp

engrasar vt (untar) to grease; (manchar) to make greasy; (sobornar) to grease someone's palm; **—se** to get greasy

engrase m grease job

engreído adj conceited

engreírse[15] vt to get conceited

engrillar vt to shackle

engrosar vt (una manifestación) to swell; (un volumen) to grow; (una persona) to get fat

engrudo m paste

engullir[19] vt to gobble

enhebrar vt (un hilo) to thread; (cuentas) to string; **— idioteces** to string together a bunch of idiocies

enhorabuena f congratulations; interj congratulations

enigma m (misterio) enigma, conundrum; (adivinanza) riddle; (problema) puzzle

enjabonar vt (poner jabón) to soap, to lather; (adular) to flatter

enjaezar[9] vt to harness

enjalbegar[9] vt to whitewash

enjambre m swarm

enjaular vt (un animal) to cage; (a una persona) to jail

enjuagar[7] vt to rinse; (ropa) to rinse out; (platos) to rinse off

enjuague m (limpieza) rinse, rinsing; (trama) scheme; **— bucal** mouthwash

enjugar[7] vt (la frente) to wipe; (lágrimas) to wipe away

enjuiciar vt to prosecute, to try

enjuto adj (delgado) thin

enlace m (de trenes) link; (químico) bond; (boda) marriage; (persona) liaison

enladrillado m brick pavement

enladrillar vt to brick, to pave with bricks

enlatar vt to can

enlazar[9] vt (unir) to link; (sujetar con lazo) to rope, to lasso; vi to connect; **—se** to connect

enlodar vt to muddy; **—se** to get muddy

enloquecedor adj maddening

enloquecer¹³ vt to drive crazy, vi to go crazy; **—se** to go crazy

enlosado m flagstone pavement

enlosar vt to pave with flagstones

enmantecar⁶ vt to butter

enmarañar⁶ vt (pelo) to entangle; (problema) to complicate

enmarcar⁶ vt (un cuadro) to frame; **se enmarca dentro de** it takes place in the context of

enmascarar vt to mask

enmendar¹ vt (una ley) to amend; (un texto) to revise; **— la situación** to mend matters; **no me enmiendes la plana** don't correct me; vi **—se** to mend one's ways

enmienda f (de una ley) amendment; (de un texto) revision

enmohecer¹³ vt to mold; **—se** to get moldy, to mold

ennegrecer¹³ vi/vt to blacken

ennoblecer¹³ vt to ennoble

enojadizo adj hotheaded

enojado adj angry, mad

enojar vt to anger; **—se** to get angry

enojo m anger

enojoso adj bothersome

enorgullecer¹³ vt to fill with pride; **—se de** to take pride in

enorme adj enormous

enramada f bower

enrarecido adj thin, rare

enrarecimiento m rarity, thinness

enredadera f creeper

enredar vt (enmarañar) to entangle; (complicar) to complicate; (involucrar) to mix up; vi to cause trouble; **—se** to get tangled up; **—se con** to become involved with

enredijo m tangle, snarl

enredo m (enredijo) snarl; (lío) mess; (amancebamiento) affair

enredoso adj complicated

enrejado m (conjunto de rejas) grating, grate; (entrecruzamiento de varillas) lattice

enrejar vt to install a grate on

enriquecer¹³ vt to enrich; **—se** to become rich

enrojecer¹³ vi/vt to redden

enrollar vt (manga, alfombra) to roll up; (hilo, cuerda, cinta magnética) to wind up; **—se con** to become involved with

enronquecer¹³ vt to make hoarse; vi to become hoarse

enroscar vt (soga) to coil, to roll up; (tuerca) to screw in; (tapa) to screw on; **—se** (vid) to wine; (serpiente) to coil up

ensacar⁶ vt to sack

ensalada f salad

ensalzar⁴ vt to extol

ensanchar vt to widen; **—se** (una calle) to widen; (una falda) to flare

ensanche m (de una calle) widening; (de una ciudad) expansion

ensangrentado adj gory, bloody

ensangrentar vt to smear blood on; **—se** to get covered with blood

ensartar vt (cuentas) to string; (aguja) to thread; (con un pincho) to pierce; (historias) to rattle off

ensayar vt (probar) to try out; (intentar) to try; (analizar un metal) to assay; (practicar una obra teatral) to rehearse

ensayo m (intento) trial, attempt; (de teatro) rehearsal; (de un metal) assay; (nuclear) testing; (obra literaria) essay; **— general** dress rehearsal; **por — y error** by trial and error

ensenada f cove

enseña f ensign

enseñanza f teaching, education; **—s** teachings

enseñar vt (mostrar) to show; (instruir) to teach; **— a** to teach how to

enseres m pl household utensils

ensillar vt to saddle up

ensimismarse vi to lose oneself in thought

ensoberbecer¹³ vt to make haughty; **—se** to become haughty

ensombrecer¹³ vt (oscurecer) to make shadowy; (entristecer) to sadden

ensoñación f dream

ensoñador adj dreaming

ensordecedor adj deafening

ensordecer¹³ vt to deafen

ensortijar vt to curl

ensuciar vt to dirty, to sully; **—se** (ponerse sucio) to get dirty; (defecar) to soil oneself; **—se en** to defecate on

ensueño m reverie, dream

entablar vt (relaciones) to establish; (un conflicto) to start; (una conversación) to strike up; (una demanda) to file; (una pelea) to pick

entablillar vt to splint

entallar vt to take in

entarimar vt to floor with planks

ente m (ser) entity; (excéntrico) weirdo; (agencia) agency

enteco adj sickly

entender¹ vt to understand; (oír) to hear; **— de** to know about; **—se con** (comunicar) to communicate with; (llevarse bien) to get along with; **dar a** — to intimate; **yo me entiendo** I know what I'm doing; **se entiende** of course

entendido -da ADJ (comprendido) understood; (experto) expert; **tengo entendido** I understand that; **caridad mal entendida** misguided charity; MF expert; **darse por entendido** to acknowledge; **estar — de** to be privy to

entendimiento M understanding

enterar VT to inform; **—se (de)** to find out (about); **recién me entero** I just found out; **para que te enteres** just so you know

entereza F fortitude

enternecedor ADJ touching

enternecer[13] VT to touch; **—se** to be touched

entero ADJ (completo) entire, whole; (número) whole; **se mantuvo — durante el funeral** he held himself together during the funeral; M integer, whole number

enterrar[1] VT to bury

entibiar VT to make lukewarm; **—se** to become lukewarm

entidad F entity; **de —** significant; **— bancaria** banking institution

entierro M burial, funeral

entintar VT to stain with ink

entoldar VT to cover with an awning

entomología F entomology

entonación F intonation

entonar VT to sing; VI to sing in tune; **con —** to go well with; **—se** to get tipsy

entonces ADV then; **desde —** ever since; **hasta —** until then; **el — presidente** the then president; CONJ (así que) so

entornado ADJ half-open

entornar VT (una puerta) to leave ajar; (los ojos) to partially close

entorpecer[13] VT (los sentidos) to dull; (el paso) to hinder; **—se** to become sluggish

entorpecimiento M (de los sentidos) dullness; (del paso) hindrance

entrada F (sitio por donde se entra, de un actor) entrance; (acción de entrar, artículo de diccionario) entry; (conjunto de personas que asisten) gate; (oportunidad para actuar) opening; (billete, derecho, precio de entrar) admission; (llegada) arrival; (primer plato) entrée; (pago inicial) down payment; (tempo en beisbol) inning; **—s** cash receipts; **— de coches** driveway; **— por partida doble** double entry; **de —** from the start

entramado M lattice

entrante ADJ (alcalde, etc) incoming; (año) next; M recess

entrañas F PL (intestinos) entrails, *fam* guts; (sentimientos) heart, core; **— de la tierra** bowels of the earth; **de mis —** of my own flesh and blood

entrar VI to enter; (a trabajar) to come in; (en un lugar) to fit; VT (datos) to enter, to input; **le entré dos pastillas** I brought in two pills for him; **me entró miedo** I became afraid; **me entró sueño** I got sleepy; **no sé cómo —le a esa chica** I don't know how to approach that girl; **la física no me entra** I can't learn physics; **no entra entre mis favoritos** it is not included among my favorites; **la semana que entra** next week; **este vestido no me entra** this dress doesn't fit me; **seis entra dos veces o doce** six goes into twelve two times; **dejar —** to let in; **hacer — en razón** to bring to reason; **— en calor** to warm up; **— en coma** to go into a coma; **— en cuarto** to enter a room; **— en una discusión** to take part in a discussion; **— en materia** to get to the meat of a matter; **— en vigencia / vigor** to go into effect

entre PREP (dos) between; (muchos) among; **— vaso y vaso** between glasses; **— dientes** under one's breath

entreabierto ADJ ajar, half-open

entreabrir[51] VT (puerta) to crack open; (los ojos) to half-open

entreacto M intermission

entrecano ADJ graying

entrecejo M space between the eyebrows

entrecortado ADJ (voz) faltering; (respiración) irregular

entrecortarse VI to falter

entrecruzar[9] VT to interlace; **—se** to cross

entredicho LOC ADV **en —** in doubt

entrega F (de un paquete) delivery; (de un manuscrito) submission; (al vicio) surrender; (de una novela) installment; (de revista) issue; **por —s** serial; **— a domicilio** home delivery; **— de premios** presentation of awards; **— inicial** down payment

entregar[7] VT (un paquete) to deliver; (a un rehén, prisionero) to hand over; (a un delincuente) to turn in; (a una hija en matrimonio) to give; (premios) to hand out, to present; (los deberes) to hand in; (el coche) to trade in; **—se (a)** to surrender (to), to dedicate oneself to

enunciado M utterance

enunciar VT (palabras) to enunciate; (una teoría) to articulate, to enunciate

envainar VT to sheathe

envalentonar VT to make bold; **—se** to get bold

envanecer¹³ VT to make vain; **—se** to become vain

envarado ADJ stiff

envaramiento M stiffness

envasar VT to package; **— al vacío** to vacuum-pack

envase M packaging

envejecer¹³ VT to make old; **ese maquillaje te envejece** that makeup makes you look old; VI to grow old, to age

envenenamiento M poisoning

envenenar VT to poison

envergadura F (de un avión) wingspan; (de un ave) wingspread; (de un evento, proyecto) importance

envés M back

enviado -da MF (político) envoy; (periodístico) correspondent

enviar¹⁶ VT to send

enviciar VT to corrupt; **—se con** to get hooked on

envidia F envy

envidiable ADJ enviable

envidiar VT to envy

envidioso ADJ envious, jealous

envilecer¹³ VT to debase

envío M (de mercancías) shipment; (de un manuscrito) submission

envite M bet

envoltorio M (cosa envuelta) bundle; (envoltura) wrapper

envoltura F wrapping, wrapper

envolver².⁵¹ VT (involucrar) to involve; (cubrir) to wrap; (atrapar) to entangle; (rodear) to surround; **—se** to become involved

enyesar VT (enlucir con yeso) to plaster; (escayolar) to put in a cast

enzima MF enzyme

épica F epic

épico ADJ epic

epicentro M epicenter

epidemia F epidemic

epidémico ADJ epidemic

epidermis F epidermis

epifanía F epiphany

epilepsia F epilepsy

epiléptica F epilepsy

epidémico ADJ epidemic

epílogo M epilog

episódico ADJ episodic

episodio M episode

epitafio M epitaph

---

entrelazar⁹ VT to intertwine

entremés M (obra de teatro) interlude; (comida) hors d'oeuvre

entremeter VT to insert; **—se en** (meterse) to get mixed up in; (inmiscuirse) to meddle in

entremetido -da ADJ meddlesome, nosy; MF meddler

entremezclar VT to intermingle

entrenador -ora MF trainer, coach

entrenamiento M training

entrenar VI/VT to train

entrepierna F (de personas) crotch; (de pantalón) inseam

entrepiso M mezzanine

entresacar VT (seleccionar) to cull; (hacer menos espeso) to thin

entresuelo M (de hotel) mezzanine; (de cine) balcony

entretanto ADV meanwhile

entretejer VT (el pelo, una tela) to weave; (una historia) to weave together

entretener⁴⁴ VT (hacer atrasar) to delay; (distraer) to distract, (divertir) to entertain; **—se** (divertirse) to amuse oneself; (detenerse) to delay

entretenido -da ADJ entertaining

entretenimiento M entertainment, amusement

entrever⁴⁸ VT (apenas) to catch a glimpse of; (adivinar) to intersperse; **—se** to meddle

entrevía F gauge

entrevista F interview

entrevistar VT to interview; **—se con** to have an interview with

entristecer¹³ VT to sadden; **—se** to become sad

entrometerse VI to meddle, to interfere

entrometido -da ADJ meddlesome, nosy; MF meddler, busybody

entronque M (ferroviario) junction; (parentesco) relationship

entropía F entropy

entumecido ADJ (dedo, diente) numb; (músculo) stiff

entumecimiento M (de los dedos, dientes) numbness; (de los músculos) stiffness

enturbiar VT (el agua) to muddy; (una decisión) to muddle; (el juicio, la alegría) to cloud; **—se** (agua) to get muddy; (alegría) to be marred

entusiasmado ADJ enthusiastic

entusiasmar VT to excite; **—se** to be excited

entusiasmo M enthusiasm, excitement

entusiasta MF enthusiast; ADJ enthusiastic

enumerar VT to enumerate

epítome M epitome

época F (momento) time, period; (período histórico) age; (temporada) season; (período geológico) epoch

epopeya F epic poem

equidad F equity

equidistante ADJ equidistant

equilibrar VT to balance

equilibrio M equilibrium, balance; **perder el —** to lose one's balance; **hacer —s** to do a balancing act

equino ADJ & M equine

equinoccio M equinox

equipaje M baggage, luggage

equipamiento M equipment

equipar VT to equip, to outfit

equiparar VT to equate

equipo M (materiales) equipment; (grupo de personas) team; **— de vida** life-support system; **— deportivo** sweatsuit; **— de esquí** ski gear

equitación F horsemanship

equitativo ADJ equitable

equivalente ADJ equivalent

equivaler⁴⁶ VI to be equivalent; **lo que equivale a decir** which amounts to saying

equivocación F mistake

equivocado ADJ mistaken, wrong; **estar —** to be wrong/ mistaken

equivocar⁷ VT to mistake; **—se** to be mistaken, to make a mistake; **—se de sala** to choose the wrong room; **si no me equivoco** unless I'm mistaken

equívoco ADJ (ambiguo) equivocal; (moralmente dudoso) questionable; M misunderstanding

era F (período) era, age; (lugar donde se trilla) threshing floor; (parcela) plot

erario M treasury

erecto ADJ erect; (postura) upright

erguir³ᵇ VT to lift, to raise; **—se** to rise

erguido ADJ erect, upright

erial M uncultivated land

erigir¹¹ VT (construir) to erect; (fundar) to found; **—se en** to set oneself up as

Eritrea F Eritrea

eritreo -a ADJ & M&F Eritrean

erizado ADJ bristly; **— de** bristling with

erizar⁹ VT to set on end; **—se** to bristle

erizo M hedgehog; **— de mar** sea urchin; **ser un —** to be a grouch

ermitaño -ña M hermit; M (cangrejo) hermit crab

erógeno ADJ erogenous

erosión F erosion

erótico ADJ erotic

erradicar⁶ VT to eradicate, to root out

errado ADJ erroneous, in error

errante ADJ wandering

errar²⁷ VI to miss; **— el cálculo** to miscalculate; VI (estar equivocado) to be mistaken; (vagar) to roam, to rove, to wander

errata F misprint, typographical error

errático ADJ erratic

erróneo ADJ erroneous

error M error, mistake; **— de imprenta** misprint

eructar VI to belch, to burp

eructo M belch, burp

erudición F learning, scholarship

erudito -ta ADJ (persona) erudite; (obra) scholarly, learned; MF scholar

erupción F eruption; **hacer —** to erupt

esbelto ADJ slender

esbozar⁹ VT to outline; **— una sonrisa** to give a hint of a smile

esbozo M sketch, outline; **— de una sonrisa** hint of a smile

escabechar VT to pickle

escabroso ADJ (agreste) rugged; (espinoso) thorny; (sórdido) lurid, sordid

escabullirse¹⁹ VI (ladrones) to slip away, to steal away; (lagartijas) to scurry away/ off; **— de** to wiggle out of

escafandra F (en el agua) scuba gear; (en el espacio) spacesuit

escala F (escalera, escalafón) ladder; (serie de grados, notas, relación de importancia) scale; (parada) stopover; **hacer — en** to stop over at; **— salarial** wage scale; **a — nacional** nationwide; **de gran —** large-scale; **sin —** nonstop

escalada F (de una montaña) climb; (de violencia) escalation

escalador -ora MF climber

escalar VT to scale, to climb

escaldadura F scald

escaldar VT (la piel) to scald; (las verduras) to blanch; **—se** to get scalded

escalera F (en un edificio) stairs, staircase; (de mano) ladder; (de naipes) flush; **— mecánica** escalator; **— de caracol** spiral/ winding staircase; **— de color** straight flush; **— real** royal flush

escalfar VT to poach

escalinata F grand staircase

escalofriante ADJ chilling, hair-raising

escalofrío M chill; **—s** the shivers

escalón M (peldaño) step, stair; (terraza) terrace; (de escalera de mano, de escalafón) rung; (formación militar)

escalonar VT (distribuir) to stagger; (aterrazar) to terrace

escalope M scallop

escama F (de animal) scale; (de piel, de corteza) flake

escamoso ADJ (animal) scaly; (piel) flaky

escamotear VT (esconder) to palm, (robar) to snatch; (eludir) to shirk

escampar VI to clear up

escandalizar[9] VT (chocar) to scandalize; (causar escándalo) to cause a scandal; **—se** to be shocked

escándalo M (suceso vergonzoso) scandal; (riña) uproar

escandaloso ADJ (chocante) scandalous, shocking; (ruidoso) raucous

escandir VT lit to scan

escanear VT to scan

escáner M scanner

escaño M seat in parliament

escapada F (escape) escape

escapar VI (de un lugar, una situación) to escape; (de una persona, responsabilidad) to run away; **—se** (persona) to escape; (gas) to leak; **se me escapó una sonrisa** I inadvertently smiled; **Matilde se me está escapando de las manos** Matilde is getting out of hand

escaparate M shop window

escapatoria F escape, way out

escape M (de fantasía, escapatoria) escape; (de motor) exhaust; (de gas, agua) leak

escarabajo M beetle

escaramuza F skirmish

escaramuzar[13] VI to skirmish

escarbar VT/VI to dig, to scratch; **— en los archivos** to dig around in the files; **— los dientes** to pick one's teeth

escarcha F frost

escarchar VT to frost

escardar VT to weed

escarlata ADJ & M (color) scarlet; F (enfermedad) scarlet fever

escarlatina F scarlet fever

escarmentar[1] VI to learn one's lesson; VT to teach a lesson

escarmiento M lesson; **que te sirva de —** let that be a lesson to you

escarnecer[13] VT to deride

escarnio M derision

escarpa F steep slope

escarpado ADJ steep, precipitous; M steep slope

escasear VI (estar escaso) to be scarce; (acabarse) to grow scarce

escasez F (falta) shortage; (carestía) scarcity, want

escaso ADJ sparse, scarce; **una docena escasa** a scant dozen; **— de** short on; **— de personal** short-handed

escatimar VT to skimp on; **no — gastos** to spare no expense

escena F (fragmento de una obra de teatro, episodio) scene; (escenario) stage; **montar una —** to make a scene; **en —** on stage; **poner en —** to stage; **entrar en —** to go on stage

escenario M stage

escenificación F staging

escenificar[6] VT to stage

escepticismo M skepticism

escéptico -ca ADJ skeptical; MF skeptic

escisión F split

esclarecer[13] VT to elucidate

esclavitud F slavery

esclavizar[9] VT to enslave

esclavo -va MF slave

esclerosis F sclerosis; **— múltiple** multiple sclerosis

esclusa F (de un canal) lock; (de una presa) floodgate, sluice gate

escoba F broom

escobilla F whisk broom

escocer[2,10c] VI to sting

escocés -esa ADJ Scottish; (cuadros) **escocés** plaid; MF Scot; M (whisky) Scotch; (lengua) Scottish

Escocia F Scotland

escoger[11b] VT to choose

escolar MF pupil; ADJ **— año —** school year

escoliosis F scoliosis

escollo M (en el mar) reef; (obstáculo) obstacle

escolta F (policial) escort; MF INV (persona) escort

escoltar VT to escort

escombros M PL rubble, debris

esconder VT to hide; VI **—se** to hide

escondidas LOC ADV **a —** on the sly; **entrar a —** to sneak in; **meter algo a —** to sneak something in; **jugar a las —** to play hide and seek

escondite M hiding place; (de ladrón) hideout; (de cazador) blind; **jugar al —** to play hide and seek

escondrijo M hiding place

escopeta F shotgun

escoplo M chisel

escora F listing

escorar VI to list

escoria F (de metales) slag; (de la sociedad) scum, dregs

escorpión M scorpion

escotado adj low-cut

escote m (parte del vestido) neckline; (parte del cuerpo) cleavage; **pagar a —** to go Dutch

escotilla f hatch

escozor m smarting sensation

escribiente mf clerk

escribir¹ vt/vi to write; **¿cómo se escribe?** how do you spell it? **— a máquina** to type

escrito adj written; **no —** unwritten; **por —** in writing; m document; **— a máquina** typewritten

escritor -ora mf writer, author

escritorio m (mueble) desk; (oficina) office

escritura f (acción o escrito) writing; (certificado de propiedad) deed; **— de traspaso** conveyance; **— de venta** bill of sale

escrúpulo m scruple; qualm; **sin —s** unscrupulous

escrupuloso adj scrupulous

escrutar vt (a una persona) to scrutinize; (el horizonte) to scan; (votos) to count

escrutinio m (examen) scrutiny; (recuento) vote count

escuadra f (de buques, soldados) squadron; (instrumento) square

escuadrilla f (de aviones) flight of aircraft; (de buques) squadron

escuadrón m squadron; **— de la muerte** death squad

escualidez f (delgadez) skinniness; (suciedad) squalor

escuálido adj (sucio) squalid; (delgado) thin

escuchar vt/vi to listen to; (oír) to hear; vi to listen; **— a hurtadillas** to eavesdrop

escudar vt to shield

escudo m (arma defensiva) shield; (moneda de Portugal) escudo; **— de armas** coat of arms

escudriñar vt (a una persona) to scrutinize, to peer at; (el horizonte) to scan

escuela f school; **— industrial** trade school; **— normal** school of education; **— pública** public school; **— primaria** elementary school; **— secundaria** secondary school; **tener —** to have good technique

escueto adj (explicación) succinct; (verdad) simple

esculpir vt/vi to sculpture, to sculpt

escultor -ora mf sculptor

escultura f sculpture

escupir vt/vi to spit

escupitajo m spit

escurridizo adj (acera) slippery; (ladrón) elusive, slippery

escurrir vt/vi (platos, verduras) to drain; (ropa) to wring out; **—se** to slink away

ese m that; those; **esa chica se llama Matilde** that girl is named Matilde; **esas ciudades son antiguas** those cities are old; pron that one; those; **ese es el mayor** that one is the oldest; **esos son mis hijos** those are my children

esencia f essence

esencial adj essential; **lo —** gist, bottom line, name of the game

esfera f (sólido) sphere; (espacio, ámbito) realm, sphere; (de reloj) face, dial

esférico adj spherical; m soccer ball

esforzado adj valiant

esforzarse⁹ vi to try hard, to exert oneself; **por** to strive to, to make an effort to

esfuerzo m effort

esfumar vt to tone down; **—se** to vanish

esgrima f fencing; **practicar —** to fence

esgrimir vt (armas) to brandish, to wield; (argumentos) to employ

eslabón m chain link; **— perdido** missing link

eslabonar vt to link

eslavo -va adj Slavic; mf Slav

eslogan m slogan

eslovaco adj & mf Slovakian; m (lengua) Slovakian

Eslovaquia f Slovakia

Eslovenia f Slovenia

esloveno -na adj & mf Slovene; m (lengua) Slovene

esmaltar vt to enamel

esmalte m enamel; **— de uñas** nail polish

esmerado adj painstaking, careful

esmeralda f emerald

esmerarse vi to take pains

esmerilado adj frosted; m frosting

esmerilar vt to frost

esmero m care

esmirriado adj scrawny

esmoquin m tuxedo

esnob m snob

esnifar vt to snort

esnórquel m snorkel

eso pron dem that; **— es** that's true; **— sí** granted; **a — de las tres** at about three o'clock; **a — de —, nada** no way! **— llega y me dice** at that moment he arrives and says to me: **— y — que le dije que viniese temprano** even when I told him to come early

esófago m esophagus

esotérico adj esoteric

espaciado m pitch, spacing

espacial adj spatial; **nave —** space ship

espaciar vt to space; **—se** to space out

espacio m space (capacidad) space, room; (superficie) expanse; (separación entre líneas) space, spacing; (en un formulario) blank space; (porción de tiempo) span; **— aéreo** aerospace; **— exterior** outer space; **— noticioso** newscast; **a doble —** double-spaced, **a un —** single-spaced; **por — de una semana** for a week

espacioso adj spacious, roomy

espada f sword; **—s** (palo de naipes) swords; **— de doble filo** double-edged sword; **estar entre la — y la pared** to be between a rock and a hard place

espalda f back; **a — de alguien** behind one's back; **cargar de —s** to fall on one's back; **nadar de —** to do the backstroke; **tener las —s anchas** to take a lot of abuse; **volver las —s** to turn one's back

espaldar m chair back

espantadizo adj easily scared

espantado adj frightened

espantajo m scarecrow

espantar vt to frighten, to scare; (ahuyentar) to frighten away, to scare away; **—se** to get scared; m se **espantapájaros** scarecrow

espanto m fright, dread; **estás hecho un —** you look a sight; **estoy curado de —** nothing surprises me anymore

espantoso adj frightful, dreadful

España f Spain

español -ola adj Spanish; mr Spaniard; m (lengua) Spanish

esparadrapo m surgical tape

esparcimiento m (recreo) relaxation; (reparto) spreading

esparcir[10b] vt to scatter, to spread; **—se** to amuse oneself

espárrago m asparagus

espasmo m spasm, jerk

espasmódico adj jerky

espástico adj spastic

espátula f spatula

especia f spice

especial adj & m special; **en —** in particular

especialidad f specialty, specialization

especialista mf specialist

especialización f specialization

especializar[09] vt to specialize; **—se en** to specialize in

especie f (en ciencias naturales) species; (clase) kind; **—s en peligro de extinción** endangered species; **pagar en —** to pay in kind; **una — de** a kind of

especiero m spice rack

especificar[07] vt to specify

específico adj & m n specific

espécimen m specimen

espectacular adj spectacular

espectáculo m (escándalo) spectacle; (actuación pública) show; (vista) sight; **dar el —** to make a spectacle of oneself

espectador -ora mr (de un espectáculo) spectator; (de un suceso) onlooker

espectro m (fantasma) specter; (de luz, medicina) spectrum

especulación f speculation

especulador -ora mr speculator

especular vt to speculate; adj mirror; **— imagen —** mirror image

espejismo m (en el desierto) mirage; (ilusión) illusion

espejo m mirror; **— de cuerpo entero** full-length mirror; **— retrovisor** rearview mirror

espeluznante adj hair-raising

espeluznar vt to terrify; **—se** to be terrified

espera f (acción de esperar) wait; (aplazamiento) extension; **estar en — de** to be waiting for

esperanza f hope; **— de vida** life expectancy; **con una — de voto de 12,5%** expected to get 12.5% of the vote

esperanzado adj hopeful

esperanzador adj hopeful

esperanzar[09] vt to give hope to

esperar vt (tener esperanza) to hope; (llevar a un hijo, creer que sucederá algo) to expect; (aguardar) to wait for; vi to wait; **era de —** it was to be expected; **espera sentado** don't hold your breath; **estoy esperando un milagro** I'm hoping for a miracle; **todavía espera confirmación** it still awaits confirmation

esperma mf sperm

esperpento m grotesque person or thing

espesar vt to thicken

espeso adj (pelo, sopa, niebla) thick; (cejas) bushy

espesor m thickness

espesura f (espesor) thickness; (lugar poblado de matorrales) thicket

espetar vt (decir bruscamente) to blurt out; (atravesar con un espeto) to run a spit through

espía mf inv spy

espiar[16] vt to spy; vt to spy on

espichar vt fam to croak, to bite the dust

espiga f spike

espigar[07] vt to glean; vi to grow spikes; **—se** to grow tall

espina f (de planta) thorn; (de pez) fish

bone; — **dorsal** spinal column; **me quedé con la** — I was left wondering

espinaca F spinach

espinal ADJ spinal

espinazo M spine, backbone

espinilla F (de persona) shin; (de animal) shank; (grano) blackhead

espino M thorny shrub

espinoso ADJ thorny

espionaje M espionage

espiración F expiration

espiral ADJ & F spiral

espirar VI/VT to exhale, to breathe out, to expire

espíritu M (ser no físico, fantasma, de una ley) spirit; (alma) soul; — **fuerte** free spirit; — **deportivo** sportsmanship; — **emprendedor** can-do attitude; — **Santo** Holy Spirit

espiritual ADJ & M spiritual

espita F spigot

espléndido ADJ (estupendo) splendid; (generoso) lavish

esplendor M splendor

esplendoroso ADJ magnificent

espliego M lavender

espolear VT to spur

espoleta F bomb fuse

espolón M (de gallo, planta, estímulo) spur; (de buque) ram

espolvorear VT to dust, to sprinkle

esponja F (animal, utensilio) sponge; (borracho) souse

esponjado ADJ spongy

esponjar VT to make spongy; —**se** to become spongy

esponjoso ADJ spongy

esponsales M PL betrothal

espontaneidad F spontaneity

espontáneo ADJ spontaneous

espora F spore

esposar VT to handcuff

esposo -**sa** M husband; F wife; **esposas** F handcuffs

espuela F spur

espulgar[30] VT to delouse

espuma F (de cerveza) froth; (de jabón) suds, lather; (de la boca) foam; (de colchón) foam rubber; (de mar) foam, spray; **echar** — **por la boca** to foam at the mouth; **hacer** — to make suds

espumar VT (quitar la espuma) to skim; (formar espuma) to foam

espumarajo M foam; **echar** —**s por la boca** to foam at the mouth

espumillón M tinsel

espumoso ADJ foamy

esputo M sputum

esquela F note; — **mortuoria** death notice

esqueleto M (huesos) skeleton; (armazón) framework; **mover el** — (bailar) to dance; (moverse) to move

esquema M outline; **romperle los** —**s a alguien** (planes) to ruin one's plans; (conceptos) to shatter one's preconceptions

esquí M (tabla) ski; (deporte) skiing; — **acuático** (tabla) water ski; (deporte) water skiing; **hacer** — **acuático** to water-ski

esquiar[16] VI to ski

esquila F (cencerro) cowbell; (acción de esquilar) shearing

esquilador -**ora** MF sheep shearer

esquilar VT to shear, to clip

esquileo M shearing

esquimal ADJ & MF Eskimo; M (lengua) Eskimo

esquina F corner; **en cada** — everywhere

esquirol M strikebreaker; pey scab

esquivar VT (a una vecina) to avoid; (un golpe) to dodge

esquivo ADV (tímido) shy, coy; (huraño) aloof; (reservado) elusive

esquizofrenia F schizophrenia

estabilidad F stability

estabilizar[9] VT to stabilize

estable ADJ (mesa) stable; (precio) firm; (huésped) long-term

establecer[13] VT to establish; (averiguar) to ascertain; — **una cita** to set up an appointment; —**se** to settle

establecimiento M establishment

establishment M establishment

establo M stable

estaca F (con punta) stake; (gruesa) club

estacada F stockade; **dejar en la** — to leave in the lurch

estacar[6] VT (atar) to stake; (delimitar) to stake off

estación F (de tren, autobús, radio) station; (parte del año) season; — **bípeda** bipedal stance; — **de bomberos** fire station; — **de esquí** ski resort; — **de servicio** filling station; — **de trabajo** work station; — **espacial** space station

estacionamiento M (acción) parking; (lugar) parking lot

estacionar VT (tropas) to station; (un vehículo) to park; —**se** (un coche) to park; (precios) to level off

estacionario ADJ stationary

estadía F stay

estadio M (recinto con graderías) stadium; (fase) stage

estadista M statesman; F stateswoman

estadística F (ciencia) statistics; **—s** (datos numéricos) statistics

estado M (manera de estar, unidad política) state; **— civil** marital status; **— de cuenta** bank statement; **— de alarma** state of emergency; **— de ánimo** state of mind; **— de excepción** martial law; **— de guerra** state of war; **— de sitio** state of siege; **— mayor** chiefs of staff; **— policíaco** police state; **— sólido** solid state; **en — interesante** expecting; **en — vegetativo** brain-dead

Estados Unidos M PL / SG United States

estadounidense ADJ & MF American

estafa F swindle; scam; racket

estafador -ora MF swindler

estafar VT to swindle

estalactita F stalactite

estalagmita F stalagmite

estallar VI (una bomba) to explode; (un globo) to burst; (una guerra) to break out; (una persona) to snap; **— de risa** to burst with laughter; **— en una carcajada** to burst out laughing; **hacer —** to set off

estallido M (de bomba, color) explosion; (ruido) bang, report

estampa F (de revista) illustration; (imagen) image; (apariencia) appearance; **de buena —** good-looking; **la viva — de la madre** the spitting image of her mother; **la viva — de la desolación** the very picture of desolation

estampado ADJ printed; M (tela) print; (acción)

estampar VT (en tela, papel) to print; (con un molde, en metal) to stamp; **—le un beso a alguien** to plant a kiss on someone

estampida F stampede

estampilla F stamp

estampillar VT to stamp

estancado ADJ stagnant

estancar⁶ VT to stem; to dam; to block; **—se** to stagnate

estancia F (estadía) stay; (habitación) hall; (hacienda) RF cattle ranch

estanco ADJ waterproof; M government store

estandarización F standardization

estandarizar⁹ VT to standardize

estandarte M standard, banner

estanque M pond

estante M (tabla) shelf; (mueble) bookcase

estantería F (mueble) bookcase; (en una biblioteca) stack

estañar VT to tin-plate

estaño M tin

estar²⁸ VI to be; **— a tres kilómetros de aquí** to be three kilometers from here; **— bien** to be all right; **— del corazón —** to have heart trouble; **— de más** to be unnecessary; **— para** to be about to; **— por** (a favor de) to be in favor of; (a punto de) to be about to; **— trabajando duro** to be working hard; **¿a cuántos estamos?** what day of the month is it? **ahí está** that's it; **¿está Alice?** is Alice there? **estén muy buenos tus zapatos nuevos** your new shoes are nice; **estate tranquilo** don't worry; **no —** to be out; **cuarto de —** living room

estático ADJ static

estatua F statue

estatura F (importancia) stature; (altura de una persona) height

estatuto M (ley) statute; (de una sociedad) bylaw

este ADJ DEM this, these; **esta chica se llama Hilary** this girl is named Hilary; **estas ciudades son antiguas** these cities are old; PRON DEM this one, these; **— es el mayor** this one is the oldest; **estos son mis hijos** these are my children; M & ADJ east; **hacia el —** eastward

estela F (de una embarcación) wake; (de humo, polvo) trail; **dejar una —** to leave a trail

estelar ADJ stellar

estenotipista MF court reporter

estentóreo ADJ booming

estepa F steppe

estera F mat

estercolar VT to fertilize with manure

estercolero M dunghill

estéreo ADJ & M stereo; **en —** in stereo

estereotipo M stereotype

estéril ADJ sterile; (mujer) barren

esterilidad F sterility

esterilizar⁹ VT to sterilize

esternón M sternum

esteroide M steroid

estertor M death rattle

estética F aesthetics

estético ADJ aesthetic

estetoscopio M stethoscope

estibador M longshoreman

estibar VT to stow

estiércol M manure

estigma M stigma

estigmatizar⁹ VT to stigmatize

estilarse VI to be in style

estilo M (literario, estético) style; (de

natación) stroke; — **de vida** lifestyle; — **espalda** backstroke; — **indirecto** reported speech; — **libre** freestyle; — **mariposa** butterfly stroke; — **pecho** breaststroke; — **perrito** dog paddle; **cosas por el** — things like that

estima F esteem, regard

estimación F (cálculo) estimate; (estima) estimation

estimado ADJ esteemed; — **Sr.** Dear Sir

estimar VT (apreciar) to esteem; (determinar el valor) to estimate; (opinar) to think

estimulación F stimulation

estimulante ADJ stimulating; M stimulant

estimular VT to stimulate; (alentar) to encourage

estímulo M stimulus

estío M *lit* summer

estipendio M stipend

estipulación F stipulation

estipular VT to stipulate

estirar VT (alargar) to stretch; — **el cuello** to crane one's neck; — **la pata** *fam* to kick the bucket; (crecer) to grow; —**se** to stretch

estirón M growth spurt; **pegar un** — to have a growth spurt

estirpe F lineage

esto ADJ & PRON this; — **es** that is to say; **a todo** — meanwhile; **en** — at this point

estofa F type; **de baja** — low-class

estofado M stew

estofar VT to stew

estoico -**ca** ADJ & MF stoic

estolón M runner

estómago M stomach

Estonia F Estonia

estonio -**nia** ADJ & MF Estonian; M (lengua) Estonian

estopa F tow

estorbar VT (obstaculizar) to hinder, to impede; (ser una molestia) to be a nuisance

estorbo M (obstáculo) hindrance, impediment; (molestia) nuisance

estornino M starling

estornudar VI to sneeze

estornudo M sneeze

estrafalario ADJ bizarre, outlandish

estragar[7] VT (físicamente) to devastate; (moralmente) to corrupt

estrago M havoc; **hacer** —**s** to wreak havoc

estrangular VT to strangle

estratagema F stratagem

estrategia F strategy

estratégico ADJ strategic

estrato M stratum, layer; — **social** social class

estratosfera F stratosphere

estrechamiento M constriction

estrechar VT (hacer más estrecho) to narrow; (abrazar) to embrace; **la estrechó en sus brazos** he held her in his arms; —**se** to get narrower; —**se la mano** to shake hands

estrechez F (cualidad de estrecho) narrowness; (estrechamiento) narrowing; (apretos) dire straits

estrecho ADJ narrow; **la falda le quedaba estrecha** the skirt was too tight for her; M strait

estrella F star; — **binaria** binary star; — **de cine** movie star; — **de mar** starfish; — **fugaz** shooting star, falling star; **ver las** —**s** to see stars

estrellado ADJ (como una estrella) starlike; (cubierto de estrellas) starry

estrellar VT (aplastar) to smash; (romper) to crack; —**se** (avión) to crash; (intento) to fail; —**se contra** to smash into

estremecer[13] VT to make shudder; **el terremoto estremeció París** the earthquake rocked Paris; —**se** to shudder

estremecimiento M shudder

estrenar VT (un vestido) to wear for the first time; (una obra de cine, teatro) to debut; (una bicicleta) to try out for the first time; (un título) to use for the first time; —**se** to debut

estreno M (de una película) premiere; (de un objeto) first use; (de una actividad) debut

estreñido ADJ (constipado) constipated; (antipático) uptight

estreñimiento M constipation

estreñir[18] VT to constipate; —**se** to become constipated

estrépito M racket, clatter; **causar** — to clatter

estrepitoso ADJ noisy

estrés M stress

estresar VT to stress (out)

estría F (en la piel) stretch mark; (en una columna) flute

estriado ADJ (piel) covered with stretch marks; (columna) fluted; (piedra) streaked

estriar[16] VT to flute; —**se** to get stretch marks

estribación F spur

estribar VI — **en** (apoyarse en) to lean on;

estribillo M refrain

estribo M (de silla, oído) stirrup; (de coche) running board; **perder los — s** to fly off the handle

estribor M starboard

estricnina F strychnine

estricto ADJ strict

estridente ADJ strident

estrofa F verse, stanza

estrógeno M estrogen

estropajo M scrubber; **tengo la boca que es un —** my mouth is as dry as a bone

estropajoso ADJ sinewy

estropear VT to ruin

estructura F structure

estructural ADJ structural

estruendo M din, racket

estruendoso ADJ thunderous

estrujamiento M (para romper) crushing; squeezing

estrujar VT (aplastar) to crush; (apretar) to squeeze; (para sacar jugo) squeezing

estrujón M squeeze

estuario M estuary

estucar⁶ VT to stucco

estuche M (para joyas) jewelry box; (para pastillas) pill box; (para lentes) glasses case

estuco M stucco

estudiantado M student body

estudiante MF student

estudiantil ADJ — **vida** student life

estudiar VI/VT to study

estudio M (acción de estudiar, investigación, habitación de casa) study, (habitación de artista) studio, (apartamento pequeño) studio apartment; **en —** understudy

estudioso -sa ADJ studious, MF scholar

estufa F (para calentar) heater, stove; (para cocinar) Méx stove

estupefaciente M & M narcotic

estupefacto ADJ stunned, speechless

estupendo ADJ stupendous, terrific; **me la pasé — en la casa de Hilary** I had a great time at Hilary's house

estupidez F stupidity; **estupideces** nonsense

estúpido ADJ stupid

estupor M stupor

estupro M statutory rape

etapa F stage; **por —** s by stages

etcétera CONJ etcetera, and so forth

éter M ether

eternizarse⁹ VI to drag on

eternidad F eternity

eterno ADJ eternal, everlasting

ética F ethics

ético ADJ ethical

---

etimología F etymology

etíope ADJ & MF Ethiopian

etiqueta F (normas de comportamiento) etiquette; (en una lata, botella) label; (en una prenda) tag; **— adhesiva** sticker; **— de identificación** name tag; **— de precio** price tag; **nos trataron con —** they treated us very formally; **vestirse de —** to dress formally

etiquetar VT (latas, botellas, personas) to label; (prendas) to tag

étnico ADJ ethnic

etnicidad F ethnicity

etnografía F ethnography

etnología F ethnology

eucalipto M eucalyptus

eufemismo M euphemism

euforia F euphoria

eunuco M eunuch

euro M euro

Europa F Europe

europeo -a ADJ & MF European

eutanasia F euthanasia

evacuación F (de un lugar) evacuation; (del vientre) bowel movement; (de agua) drainage

evacuar VT (un lugar, a una persona) to evacuate; (el vientre, los excrementos) to void; (agua) to drain

evadir VT to evade; **—se** to escape

evaluación F evaluation

evaluar¹⁷ VT (analizar) to evaluate, to assess; (tasar) to estimate; (calificar) to test

evangélico ADJ evangelical

evangelio M gospel

evaporación F evaporation

evaporar VT to evaporate; **—se** to vanish

evasión F (fiscal) evasion; (de prisioneros, de la realidad) escape; **— de capitales** capital flight

evasiva F **salirse con —s** to beat around the bush

evasivo ADJ evasive

evasor -ora MF evader

evento M event

evidencia F evidence; **dejar / poner en —** to show up; **quedar / ponerse en —** to become apparent

evidenciar VT to make evident; **—se** to become evident

evidente ADJ evident, obvious

evitar VT (eludir) to avoid; (ahorrar) to spare

evocar⁶ VT (una memoria) to evoke; (a los espíritus) to conjure up

evolución F evolution

evolucionar VI to evolve

ex MF fam ex

exacerbar vt (intensificar) to exacerbate; (irritar) to aggravate

exactitud f accuracy, precision

exacto adj exact, precise, accurate; interj exactly

exageración f exaggeration

exagerado adj exaggerated; **Jorge es un —** Jorge always exaggerates

exagerar vt/vi to exaggerate

exaltar vt to exalt; **—se** to get excited

examen m (inspección) examination; (prueba) examination, test, exam; **— de ingreso** entrance examination; **— final** final examination; **— médico** checkup; **dar un —** to take a test; **poner un —** to give a test

examinar vt (inspeccionar) to examine; (someter a un examen) to test

excavación f excavation; (arqueológica) dig

excavador -ora mf (persona) excavator; f (aparato) excavator, earthmover

excavar vt to excavate, to dig

excedente adj & m surplus

exceder vt (sobrepasar) to exceed; (superar) to surpass; **—se de** to go beyond

excelencia f excellence; **por —** par excellence

excelente adj excellent, great

excentricidad f eccentricity

excéntrico adj eccentric

excepción f exception; **a — de** with the exception of

excepcional adj exceptional

excepto adv & prep except

exceptuar vt to except

excesivo adj excessive

exceso m excess; **— de equipaje** excess baggage; **beber en —** to drink to excess; **comer en —** to overeat

excitación f (de músculos) excitement; (sexual) arousal

excitante adj stimulating

excitar vt (un órgano) to excite; (sexualmente) to arouse; **—se** (sexualmente) to get aroused; (átomos) to get excited

exclamación f exclamation

exclamar vt to exclaim

excluir[32] vt to exclude

exclusión f exclusion

exclusivo adj exclusive

excremento m excrement

excomulgar[7] vt to excommunicate

excretar vt to excrete

excursión f excursion, outing

excusa f excuse

excusable adj excusable

excusado m Méx toilet

excusar vt to excuse

exención f exemption

exento adj exempt; **— de impuestos** tax-exempt

exequias f pl funeral rites

exhalar vt/vi (aire) to exhale, to breathe out; (un olor) to give off; **— un suspiro** to sigh

exhausto adj exhausted

exhaustivo adj exhaustive, thorough

exhibición f (manifestación) exhibition; (despliegue) display

exhibir vt (fotos) to exhibit; (mercancías) to display; (el carnet de identidad) to show; **—se** to be shown

exhortar vt to exhort, to urge

exigencia f demand

exigente adj demanding, exacting

exigir[11] vt to demand; **exigen a alguien que sepa inglés** they require someone who knows English

exiguo adj meager; **exigua mayoría** scant majority

exiliado -da mf exile

exiliar vt to exile

exilio m exile

eximio adj illustrious

eximir vt (de impuestos) to exempt; (de sospecha) to clear; (de una responsabilidad) to excuse

existencia f existence; **complicarle la — a alguien** to cause someone trouble; **la lucha por la —** the fight for survival; **—s** stock on hand, **en —** in stock, on hand

existente adj extant, existing

existir vi to exist

éxito m success; (musical) hit; **— de taquilla** blockbuster; **tener —** to be successful; **tiene — con las mujeres** he's popular with women

exitoso adj successful

éxodo m exodus

exonerar vt to exonerate

exorbitante adj exorbitant

exorcizar vt to exorcise

exorcismo m exorcism

exótico adj exotic

expansión f (crecimiento) expansion; (diversión) relaxation

expansivo adj (que expande) expansive; (efusivo) effusive

expatriado -da mf expatriate

expatriar vt to expatriate, exile

expectativa f (esperanza) expectation;

vida life expectancy

expectorar vi/vt to expectorate, to cough up

expedición f (viaje) expedition; (de documentos) issuing; (de mercancías) delivery

expedicionario -ria adj expeditionary; mf member of an expedition

expedidor -ora adj shipping; mf shipper

expediente m (administrativo) file, dossier; (policial, académico) record

expedir⁵ vt (enviar) to dispatch; (emitir) to issue

expeler vt to expel

experiencia f experience

experimentado adj experienced

experimental adj experimental

experimentar vt (hacer experimentos) to experiment; vt (tener experiencia de) to experience

experimento m experiment

experto -ta adj & mf expert

expiación f atonement

expiar vt to atone for

expirar vi to expire

explayarse vi to become extended; — **sobre** to enlarge upon

explicable adj explainable, explicable

explicación f explanation

explicar⁴ vt to explain; **—se** to make oneself clear; **no me explico por qué** I can't figure out why

explicativo adj explanatory

explícito adj explicit

exploración f exploration

explorador -ora adj exploring; mf

explorar vi/vt to explore; (con fines diagnósticos) to scan; (con fines militares) to scout

explosión f explosion; **hacer —** to explode

explosivo adj & m explosive

explotar vt (sacar provecho) to exploit; (hacer explosión) to explode

exponente m exponent

exponer³⁹ vt (al sol, al peligro) to expose; (al público) to exhibit, to display; (explicar) to state, to set forth; **—se al peligro** to expose oneself to danger

exportación f (acción) exportation, export; (cosa) export

exportar vi/vt to export

exposición f (feria) exposition; (de arte) exhibition; (explicación) explanation; (al sol, a una influencia, al peligro) exposure

expresar vt to express

expresión f expression; **valga la —** so to speak

expresivo adj expressive

expreso adj (explícito) express; (rápido) fast; m express train

exprimidor m juicer

exprimir vt (naranjas) to squeeze; (zumo) to squeeze out

expropiar vt to expropriate

expuesto adj exposed; **lo —** what has been said

expulsar vt to expel; (de un bar) to throw out; (de un partido) to eject

expulsión f expulsion

exquisito -ta adj exquisite; (comida) delicious; mf effete snob

extasiado adj rapt

extasiarse¹⁶ vi to be enraptured

éxtasis m ecstasy (también droga)

extender² vt (el brazo, radio de acción, gratitud) to extend; (un tapete, una masa, un idioma) to spread; (un cheque) to draw up; **—se** to extend; **—se sobre** to enlarge upon; **la fiesta se extendió hasta las 3** the party lasted until 3 o'clock

extendido adj (brazos) outstretched; (costumbre) widespread

extensión f (del antebrazo, semántica, telefónica) extension; (de terreno) expanse; (de un texto) length; (eléctrica) extension cord; **por —** by extension; **tener mucha —** to be widespread

extensivo adj extensive; **hacer —** to extend

extenso adj (calendario, plan, grupo) extensive; (narración, programa de radio) extended

extenuado adj exhausted

exterior adj (de fuera) exterior, outer; (mundo) outside; (política) foreign; m (parte de afuera) exterior, outside; (aspecto) outward appearance; **en —es** on location

exteriorizar⁹ vt to externalize

exterminación f extermination

exterminar vt to exterminate

exterminio m extermination

externo adj external

extinción f extinction

extinguidor m fire extinguisher

extinguir¹² vt (un fuego) to extinguish, to put out; (una especie) to make extinct, to wipe out; **—se** (animal, volcán) to go extinct

extinto adj extinct

extintor m fire extinguisher

extirpación f removal

extirpar VT to remove

extorsión F extortion

extorsionar VT to extort money from

extorsionista MF racketeer

extra ADJ extra; **horas —s** overtime; MF INV (de película) extra; M (cosa accesoria) extra; F (pago extraordinario) bonus

extracto M (resumen) abstract; (de café) extract

extraditar VT to extradite

extraer[45] VT (esencia) to extract; (minerales) to mine; (un diente) to pull

extramarital ADJ extramarital

extranjero -ra ADJ foreign; MF foreigner; **en el —** abroad

extrañar VT (sorprender) to surprise; (echar de menos) to miss; **no es de — que** it's no wonder that; **no me extraña** it doesn't surprise me; **—se** to be surprised

extrañeza F surprise

extraño -ña ADJ (persona, costumbre) strange; (partícula) foreign; MF stranger

extraoficial ADJ unofficial

extraordinario ADJ extraordinary

extrapolar VI/VT to extrapolate

extrasensorial ADJ extrasensory

extraterrestre ADJ & M alien, extraterrestrial

extravagancia F (cualidad de extravagante) extravagance; (comportamiento extravagante) outrageous behavior

extravagante ADJ flamboyant, outrageous

extraviar[16] VT (perder) to misplace; (confundir) to lead astray; **—se** to lose one's way, to get lost

extravío M loss

extremado ADJ extreme

extremar VT to maximize

extremidad F extremity

extremo ADJ (máximo, mínimo, extraordinario) extreme; (más lejos) farthest; **con — cuidado** with utmost care; M (punto más alejado) extreme; (de una región) end; **llegar al — de** to go so far as to; **— Oriente** Far East; **extrema izquierda** far left; **extrema unción** last rites

extrovertido -da ADJ extroverted; MF extrovert

exuberante ADJ (vegetación, jóvenes) exuberant; (mujer) voluptuous

exudar VI/VT to exude

exultante ADJ exhilarated, exultant

exultar VI to exult

eyacular VI/VT to ejaculate

eyectar VT to eject

Ff

fábrica F factory, plant; (de acero, de textiles) mill

fabricación F manufacture, manufacturing

fabricante MF manufacturer; (de coches) maker

fabricar[6] VT (producir) to manufacture, to make; (construir) to build; (inventar) to concoct, to fabricate

fabril ADJ manufacturing

fábula F (relato) fable; (mentira) falsehood

fabuloso ADJ (imaginario) imaginary; (magnífico) awesome, fabulous

facción F faction; **facciones** facial features

faceta F facet

facha F **estaba hecho una —** he was a sight

fachada F façade

facial ADJ facial

fácil ADJ easy; (promiscuo) easy, loose; **— de entender** self-explanatory; **— de usar** user-friendly

facilidad F ease; (habilidad) facility, knack

facilitar VT (hacer más fácil) to facilitate; (proporcionar) to furnish

facsímil M fax

factible ADJ feasible

fáctico ADJ factual

factor M factor

factoría F trading post

factura F bill, invoice

facturable ADJ billable

facturación F billing

facturar VT to invoice; (equipaje) to check

facultad F (habilidad) faculty; (autoridad) authority; (división de una universidad) college

facundia F gift of gab

faena F (trabajo corporal) chore; (labor) task; (molestia) nuisance

fagot M bassoon

fairway M fairway

faisán M pheasant

faja F (en la cintura) sash; (prenda interior) girdle; (de tierra) ribbon, strip

fajar VT (ceñir) to gird; (envolver) to wrap up; (golpear) to thrash

fajo M (de dinero) wad; (de papel, paja) sheaf

falacia F fallacy

falaz ADJ fallacious

falda F (prenda de vestir) skirt (también mujer o mujeres); (de una montaña) slope

faldón M (de una camisa) tail, shirttail; (de un saco) coattail

falible ADJ fallible

falla F (en un argumento) flaw; (en un motor) miss; (de una máquina) failure; (geológica) fault; **las Fallas** Valencian holiday

fallar VI (no funcionar) to fail; (un motor) to miss; VI/VT (un juez) to find, to rule

fallecer[13] VI to pass away, to decease

fallecimiento M demise, decease

fallo M (de una computadora) bug, failure; (de la memoria) lapse; (de un juez) ruling, finding

falsear VT to falsify

falsedad F (dicho falso) falsehood; (condición de falso) falseness

falsificación F (de dinero) counterfeit; (de un documento) forgery

falsificar[6] VT to falsify, to fake; (dinero) to counterfeit; VI/VT (una firma) to forge

falso ADJ (incorrecto) false, untrue; (no auténtico) fake, phony; (dinero) counterfeit; (promesa) hollow; (amigo) faithless, two-faced; (excusa) made-up; **falsa alarma** false alarm; **jurar en —** to perjure oneself; **paso en —** a false step; **salida en —** false start

falta F (defecto) fault; (carencia) lack, want; (ausencia) absence, miss; (jugada ilícita) foul; (de ortografía) mistake; **— de aire** shortness of breath; **— de respeto** disrespect; **a — de** for want of, in the absence of; **hacer —** to be necessary; **me hace —** I need; **sin —** without fail

faltar VI (ausentarse) to be absent; (no haber) to be lacking; **— a la palabra** to break a promise; **— a la verdad** to misstate oneself; **—le el respeto a** to disrespect; **— poco para las cinco** to be almost five o'clock; **me falta tiempo** I don't have enough time; **¡no faltaba más!** (con indignación) that's the last straw; (no hay de qué) don't mention it! (no te molestes) I wouldn't hear of it

falto ADJ lacking; **— de esperanza** devoid of hope

fama F (condición de conocido) fame; (reputación) reputation

famélico ADJ ravenous

familia F family; **— nuclear** nuclear family; **en —** in the family; **jefe de —** head of household; **la señora de Juan tuvo —** John's wife had a baby

familiar ADJ (de familia) (of the) family; (amistoso, coloquial, conocido) familiar; (de tamaño grande) family-size; **coche —** family car; **vida —** family life; MF relative; **—es** next of kin

familiaridad F familiarity

familiarizar[9] VT to familiarize, to acquaint; **—se** to acquaint oneself, to become familiar with

famoso ADJ famous

fanático -ca ADJ fanatic; MF fanatic, zealot; (de deportes) freak

fanatismo M fanaticism

fanega F bushel

fanfarria F fanfare

fanfarrón -ona MF braggart, show-off; ADJ blustering

fanfarronear VI to bluster

fanfarronería F bluster, swagger

fango M mire

fangoso ADJ miry

fantasear VI to fantasize

fantasía F (imaginación) imagination; (imagen) fantasy; **de —** fake, artificial

fantasioso ADJ (niño) imaginative; (idea) fanciful

fantasma M ghost, phantom

fantasmagórico ADJ ghostly

fantástico ADJ fantastic

farándula F show business

fardo M (paquete) bundle; (de heno, algodón) bale

farfolla F husk

farfulla F jabber

farfullar VI to jabber

faringe F pharynx

faríngeo ADJ pharyngeal

farmacéutico -ca MF pharmacist, druggist; ADJ pharmaceutical

farmacia F pharmacy, drugstore

farmacología F pharmacology

faro M (torre) lighthouse; (luz) beacon; **— delantero** headlight

farol M (portátil) lantern; (del alumbrado público) street lamp, streetlight; (pie de hierro) lamppost; (jactancia, envite) bluff; **darse —** to show off, to put on airs

farra F spree; **ir de —** to go on a spree

farsa F (engaño) sham, hoax; (obra teatral, imitación ridícula) farce, mockery

farsante MF fraud, fake

fascículo M installment

fascinación F fascination

fascinante ADJ fascinating

fascinar VI/VT to fascinate

fascismo M fascism

fascista ADJ & MF fascist

fase F phase

fastidiado ADJ irked

fastidiar VT to irk

fastidio M annoyance

fastidioso ADJ annoying, wearisome

fatal ADJ (mortal) fatal; (terrible) terrible; **mujer —** femme fatale; ADV very badly

fatalidad F (desgracia) misfortune; (destino) destiny

fatídico ADJ ill-fated

fatiga F fatigue, exhaustion; **—s** hardships

fatigado ADJ tired, weary

fatigar⁷ VT to tire out

fatigoso ADJ (cansado) tiring; (aburrido) tiresome

fauces F PL jaw

favor M favor, **a — de** in favor of; **por —** please

favorable ADJ favorable

favorecer¹³ VT to favor

favoritismo M favoritism

favorito -ta ADJ favorite; M favorite; (en una elección) front-runner; (de la maestra) pet

fax M fax

faxear VT to fax

faz F face

FBI M FBI

fe F faith; **— de bautismo** baptismal certificate; **— de erratas** list of errors; **— de nacimiento** birth certificate; **de buena —** in good faith; **dar — de** to vouch for

febrero M February

febril ADJ (con fiebre) feverish; (actividad) feverish, hectic

fecha F date

fechado ADJ dated

fechar VT to date

fechoría F misdeed

fecundar VT to fertilize; (una hembra) to impregnate

fecundo ADJ fertile

federación F federation

federal ADJ federal

felicidad F happiness; **¡—es!** congratulations

felicitación F congratulation; **¡felicitaciones!** congratulations!

felicitar VT to congratulate

feligrés -esa MF parishioner; **feligreses** congregation

felino ADJ feline; M cat

feliz ADJ happy

felpa F plush

felpudo M door mat

femenino ADJ (como una mujer, de género gramatical) feminine; (de la mujer) female

feminidad F femininity

feminismo M feminism

fémur M femur

fenómeno M phenomenon

feo ADJ ugly, homely; (dentadura) bad; (accidente) nasty

féretro M coffin

feria F (mercado) market; (exposición) fair; (espectáculo) carnival; (celebración) holiday

feriante MF trader at fairs

fermento M ferment

fermentar VT to ferment; (cerveza) to brew

fermentación F fermentation

feroz ADJ ferocious, fierce

férreo ADJ iron; (disciplina) harsh

ferretería F (tienda) hardware store; (artículos) hardware

ferrocarril M railroad, railway

ferroviario -ria ADJ railroad; MF railroad employee

ferry M ferryboat

fértil ADJ fertile

fertilidad F fertility

fertilizante M fertilizer

fertilizar⁹ VT to fertilize

ferviente ADJ fervent

fervor M fervor, zeal

fervoroso ADJ zealous

festejar VT to celebrate

festejo M celebration

festín M feast; **darse un —** to treat oneself

festival M festival

festividad F festivity

festivo ADJ festive, gay; **día —** holiday

festón M scallop

festonear VT to scallop

fetal ADJ fetal

fétido ADJ foul-smelling

feto M fetus

feudal ADJ feudal

feudo M manor

fiabilidad F reliability

fiable ADJ reliable

fiador -ora MF guarantor, voucher; (prestamista) backer; (de un preso) bondsman

fiambre M (carne) cold cut; (cadáver) fam stiff

fianza F security, guaranty; (de un preso) bail

fiar¹⁶ VT (garantizar) to vouch for; **—se de** to trust

fiasco M fiasco

fibra F fiber; **— de vidrio** fiberglass; **— óptica** optical fiber

fibroso ADJ fibrous

ficción F fiction

ficha F (pieza) token; (de dominó) domino;

(de damas) checker; (en póker, ruleta) chip; (tarjeta) index card; mf (rv (persona con antecedentes penales) delinquent

fichar vt to open a file on; vi to punch in

fichero m (de computadora) file; (archivador) filing cabinet

ficticio adj (no real) fictitious; (novelesco) fictional

fideicomiso m trusteeship

fideicomisario -ria mf trustee

fidelidad f fidelity, faithfulness; (de una traducción) closeness; (a la bandera) allegiance

fideo m noodle

fiduciario -ria adj & mf fiduciary

fiebre f fever; **— aftosa** foot-and-mouth disease; **— amarilla** yellow fever; **— de candilejas** stage fight; **— del oro** gold rush; **— tifoidea** typhoid fever; **tener —** to run a fever

fiel adj faithful, (exacto) true, accurate; m pointer on a scale; **los —es** the congregation

fieltro m (sombrero de fieltro) felt hat

fiera f beast; **ponerse hecho una —** to go berserk

fiereza f ferocity

fiero adj fierce; (muy grande) huge

fierro m piece of iron

fiesta f (festejo) party; (día feriado) holiday; **aguar una —** to ruin a party

fiestero -ra adj fond of parties; mf merrymaker, party animal

figura f figure

figurado adj figurative

figurar vi (aparecer) to feature; (lucirse) to be seen; (incluirse) to figure, to enter into; **—se** (imaginarse) to imagine; **¡figúrate!** imagine!

figurativo adj figurative

figurín m fashion plate

figurón m dummy

fijación f fixing

fijador m hairspray

fijar vt (un cartel) to fix, to fasten; (una fecha) to set; **—se en** (notar) to notice; (prestar atención) to pay attention to, to focus on

fijo adj (sujeto, que no cambia) fixed; (inmóvil) fixed, stationary; (firme) firm; (definitivo) definite; (permanente) permanent

fila f (uno detrás del otro) row, file; (hombro a hombro) rank; (de espera) line; **— india** single file: **cerrar —s** to close ranks; **romper —s** to break ranks

filamento m filament

filantropía f philanthropy

filarmónica f philharmonic

filarmónico adj philharmonic

filete m (de carne) fillet; (de un plato) rim

filetear vt to fillet

filial adj filial; f affiliate

filibusterismo m filibustering

filigrana f filigree

Filipinas f Philippines

filipino -na adj & mf Philippine

filmar vt to film, to shoot

filo m (de una navaja) cutting edge; (biológico) phylum; **de doble —** (two-edged; **al — de las sop** at around two o'clock

filón m seam, vein, pocket

filoso adj sharp

filosofía f philosophy

filosófico adj philosophical

filósofo -fa mf philosopher

filtración f (acción de filtrar) filtration; (de información) leak

filtrar vt to filter; **—se** to leak through

filtro m filter; **— de aire** air filter; **— de amor** love potion

fin m (conclusión, objetivo) end; **— de año** New Year's Eve; **— del mundo** (lugar apartado) boondocks; **—de semana** weekend; **— de siglo** turn of the century; **al —** at last; **— y al cabo** at any rate; **a — de que** so that; **a — de mes** toward the end of the month; **en —** in conclusion; **poner — a** to put an end to; **por —** at last; **sin —** (ilimitado) myriad; (continuo) endless

finado adj late

final adj final, last; f (deportiva) final; m (de una historia) ending; (de un terreno) end; (de una carrera) finish; (de una filmación) wrap

finalista mf finalist

finalización f completion

finalizar[9] vt to finish

finalmente adv at last

financiación f (para una compra) financing; (para un proyecto científico) funding

financiamiento m (para una compra) financing; (para un proyecto científico) funding

financiar vt (una compra) to finance; (un proyecto) to fund, to underwrite

financiero -ra adj financial; mf financier

finanza f finance; **—s** finances

finca f property

finés -esa mf Finn; m (lengua) Finnish; adj Finnish

fineza f (atención) courtesy; (suavidad) smoothness

fingir[11] vt/vi (sorpresa) to feign; (un ataque al corazón) to fake; **fingió que la quería** he pretended to love her

finiquito m settlement

finito adj finite

finlandés, -esa Mf Finn; m (lengua) Finnish; adj Finnish

Finlandia f Finland

fino adj (vino, arena, pelo, metal) fine; (sentidos) keen, sharp; (medias) sheer; (hielo, alambre, voz) thin; (modales) smooth, refined

firma f (compañía) firm; (rúbrica) signature

firmamento m sky

firmante Mf signer

firmar vt/vi to sign

firme adj firm; (control) tight; (colores) fast; (amarras) secure; (mano) steady, sure; (resistencia) stiff; (apoyo, resistencia) strong, staunch, steadfast; **mantenerse —** to stand one's ground; **¡—s!** attention!

firmeza f firmness; (de la mano) steadiness; (de la resistencia) stiffness; (del apoyo) strength

fiscal adj fiscal; Mf public prosecutor, district attorney

fiscalía f prosecution

fisgar vt/vi to snoop

fisgón, -ona adj snooping; Mf snoop

fisgonear vi to snoop

física f physics

físico, -ca adj physical; Mf (persona) physicist; m (cuerpo) physique

fisiología f physiology

fisiológico adj physiological

fisonomía f features

fisura f fissure

fiyano adj Fijian

Fiyi M Fiji

fláccido, flácido adj (sin firmeza) limp; (gordo) flabby

flaco adj thin, skinny; **su lado —** his weakness

flacura f thinness

flagrante adj (injusticia) gross; **en — delito** in the act

flamante adj brand-new

flamear vt (llamear) to flame; (ondear) to flap

flamenco, -ca adj Flemish; Mf Flemish person; m (lengua) Flemish; (ave) flamingo; m (baile) flamenco

flamígero adj flaming

flan m caramel custard

flanco m (de un animal, eléctrico) flank; (de un neumático) sidewall

flanquear vt to flank

flaquear vi (intención) to waver; (salud) to wane

flaqueza f weakness

flash m (noticias, visión) flash; (lámpara) flash

flashback m flashback

flatulencia f flatulence

flauta f flute; **— dulce** recorder

flautín m piccolo

flecha f arrow

flechar vt to wound with an arrow

flechazo m (herida) wound from an arrow; (enamoramiento) love at first sight

fleco m (de una alfombra) fringe; (de pelo) bangs

flema f phlegm

flequillo m bangs

fletamento m charter

fletar vt to charter

flete m (contratación) charter; (envío) transport; (precio de transporte) freight

flexibilidad f flexibility; (libertad) latitude

flexible adj flexible; (cuerpo humano) limber, supple; (opinión) pliant, pliable

flojear vt to slacken

flojedad f laxity; looseness; (debilidad) weakness

flojera f (debilidad) weakness; (pereza) laziness

flojo adj (no ajustado) loose, slack; (holgazán) lazy; (inferior) crummy; (débil) weak; (sin fundamento) flimsy

floppy m floppy disk

flor f flower, blossom, bloom; (cumplido) compliment; **— de la edad** prime of life; **— de Pascua** poinsettia; **— y nata** the cream of the crop; **a — de** flush with; **en — ** in bloom

floración f blooming, blossoming

floral adj flowery

floreado adj flowery

florear vt (adornar con flores) to decorate with flowers; (adornar) to adorn

florecer[13] vi (echar flores) to flower, to bloom; (prosperar) to flourish, to thrive

floreciente adj (que prospera) flourishing, prosperous; (que echa flores) blooming

florecimiento m flourishing

floreo m flourish

florería f florist's shop

florero m flower vase

florete m fencing foil

florido adj flowery

florista Mf florist

floritura f flourish

flota f fleet

flotador m (cosa que flota) float; (de un avión) pontoon; adj floating

flotante adj floating, buoyant

flotar vi (estar suspendido, variar en valor) to float; (moverse en la superficie) to drift; (en el aire) to waft

flote m flotation, a — flote, poner a — to set afloat

fluctuación f fluctuation, (amplitud de variación) range

fluctuar[17] vi to fluctuate

fluidez f (lo fluido) fluency; (lo aguado) thinness

fluido adj (que fluye) fluid, flowing (no viscante) fluent; m fluid

fluir[31] vi to flow

flujo m flow; (uterino) discharge; — **de caja** cash flow

flúor m (elemento gaseoso) fluorine; (sal) fluoride

fluorescente adj fluorescent

fluoruro m fluoride

flux m flush

fluyente adj flowing

fobia f phobia

foca f seal

foco m (punto central) focus; (bombilla) bulb; (lámpara potente) spotlight

fofo adj mushy

fogata f bonfire; (en un campamento) campfire

fogonazo m flash

fogonero m fireman

fogoso adj fiery, spirited

folclore m folklore

folio m folio

folíolo m leaflet

follaje m foliage

folleto m pamphlet, brochure

follón m (confusión) mess; (alboroto) ruckus

fomentar vr (estudio) to promote; (amistad) to foster; (discordia) to foment; (apoyo) to drum up

fomento m encouragement

fonda f inn

fondear vi to anchor

fondillos m pl seat of pants

fondista mf (posadero) innkeeper; (corredor) long-distance runner

fondo m (parte más profunda de algo) bottom; (de un salón) rear; (del mar) bed; (de un cuadro, foto) background; (de una biblioteca) holdings; — **común** pool; — **físico** endurance; — **musical** background music; — **mutuo** mutual fund; — **s** funds, **a** — in depth; **carrera de** — long-distance race; **de cuatro en** — four abreast; **de** — in depth; **sin** — bottomless; **tocar** — to hit rock bottom

fonética f phonetics

fonógrafo m phonograph

fonología f phonology

fontanería f plumbing

fontanero -ra mf plumber

forajido -da mf outlaw

foráneo adj foreign; **influencia foránea** outside influence

forastero -ra mf stranger, outsider

forcejear vi to struggle

forcejeo m struggle

fórceps m forceps

forense adj forensic; mf forensic scientist

forja f (fogón) forge; (acción de forjar) forging; (taller) blacksmith's shop

forjado adj wrought

forjar vr (metales, un acuerdo) to forge; (un acuerdo) to hammer out; (un documento) to frame

forma f (figura) form, shape; (manera) manner; **ponerse en** — to get in shape; **no hay** — no way; **dar** — **a** to shape

formación f formation

formal adj (que atañe a la forma) formal, serious; (fiable) reliable

formalidad f (convencionalidad) formality; (fiabilidad) reliability

formalismo m formality

formalizar[9] vr to make official; —**se** to settle down

formar vr to form; (reunir tropas) to muster; (entrenar) to train; —**se** (montañas) to form; (estudiantes) to be educated

formatear vr to format

formateo m formatting

formativo adj formative

formato m format

formidable adj formidable

formón m wood chisel

fórmula f formula

formular vr to formulate; (un plan, una pregunta) to frame; (un documento) to word

formulario m form

fornicar[6] vi to fornicate

fornido adj stout, sturdy

foro m forum; (de un escenario) back

forrado adj (con un forro) lined; (bien provisto) flush

forraje m forage, fodder

forrajear vi to forage

forrar vr (un saco) to line; —**se** to line one's pockets

forro M lining; (de un libro) jacket

fortalecer[13] VT to fortify, to strengthen

fortaleza F (construcción) fortress, fort; (fuerza) fortitude

fortificación F fortification

fortificar[6] VT to fortify

fortuito ADJ fortuitous, accidental

fortuna F fortune; **por —** fortunately; **probar —** to try one's luck; **hacer —** to become rich

forúnculo M boil

forzar[7] VT to force, to coerce; **— la entrada** to break into

forzoso ADJ (por la fuerza) forcible; (inevitable) necessary; (aterrizaje) forced

fosa F (sepultura) grave; (de la nariz) cavity; (en el fondo del mar) trench

fosfato M phosphate

fósforo M (sustancia) phosphorus; (cerilla) match

fósil ADJ & M fossil

foso M (de un castillo) moat; (de un taller, teatro) pit

foto F snapshot, photo

fotocopia F photocopy

fotocopiadora F photocopier

fotocopiar VI/VT to photocopy

fotoeléctrico ADJ photoelectric

fotogénico ADJ photogenic

fotografía F (foto) photograph; (arte) photography

fotográfico ADJ photographic

fotografiar[16] VT to photograph

fotógrafo -fa MF photographer

fotón M photon

fotosíntesis F photosynthesis

foul M foul

frac M tails

fracasar VI to fail; (una película) to bomb; (una embarcación) to break up

fracaso M failure; (una película) flop, bomb

fracción F fraction

fractura F fracture, break

fracturar VT to fracture, to break; **se fracturó la cadera** she broke her hip

fragancia F fragrance

fragante ADJ fragrant; **en —** in the act

fragata F frigate

frágil ADJ (delicado) delicate; (que se quiebra) fragile, brittle; (una paz) tenuous

fragilidad F (condición de quebradizo) brittleness, delicacy; (debilidad) frailty

fragmento M fragment; (de metal, piedra) scrap; (de una conversación) snatch; (de un texto) extract, excerpt

fragoso ADJ rugged

fragua F (fogón) forge; (taller) blacksmith's shop

fraguar[8] VT to forge; (una trama) to hatch; VI (cemento, yeso) to set

fraile M friar

frambuesa F raspberry

frambueso M raspberry bush

francés -esa ADJ French; M (lengua) French; (hombre) Frenchman; F (mujer) Frenchwoman

franchute -uta MF PEY frog

Francia F France

franco ADJ (sincero) frank, candid, (exento) free; **una franca mayoría** a clear majority; **un tratado —americano** a Franco-American treaty

francotirador -ora MF sniper

franela F flannel

franja F ribbon

franquear VT (una frontera) to cross; (una carta) to frank; **—se** to be frank

franqueo M postage

franqueza F frankness

franquicia F (concesión) franchise; (exención) exemption

frasco M (recipiente de vidrio) flask; (de medicina, perfume) bottle; (de mermelada) jar

frase F phrase

frasear VI/VT to phrase

fraternal ADJ fraternal, brotherly

fraternidad F fraternity

fraternizar[9] VT to fraternize

fraterno ADJ fraternal

fraude M fraud

fraudulento ADJ fraudulent

frazada F blanket

frecuencia F frequency; **con —** frequently

frecuentar VT to frequent; (una tienda) to patronize

frecuente ADJ frequent

fregadero M sink

fregado M scrubbing

fregar[7] VT to scour, to scrub

fregona F (persona) scrubwoman, drudge; (utensilio) mop

freír[15] VI/VT to fry

frenar VT (un coche) to brake; (la inmigración) to restrain; (los impulsos) to bridle; VI to brake, to apply the brakes

frenesí M frenzy; (de actividad) flurry

frenético ADJ frantic

freno M (de coche) brake; (de caballo) bit; (contra el contrabando) curb

frente F forehead; **el sudor de la —** the sweat of one's brow; M (parte delantera, zona de combate, zona meteorológica) front; (de un edificio) face; **— a** (ante) in the face of; (al otro lado) facing; **— a —**

face to face: **de —** head-on; **en — de** in front of; **hacer —** to face; **pasar al —** to come to the fore

fresa f (fruta) strawberry; (herramienta) mill

fresadora f milling machine

fresar vt to mill

frescachona f buxom woman

fresco adj (que acaba de producirse, descansado) fresh; (frío) cool, brisk; (de poco abrigo) light; (no cocinado) raw; (pintura) wet; m (frío) coolness; (pintura) fresco

frescor m (de verduras) freshness; (del aire) coolness

frescura f (de verduras, del carácter) freshness; (del tiempo) coolness; (comentario) impudent remark

fresno m ash tree

friabilidad f looseness

friable adj of coldness, coolness

fricción f friction, rubbing

friccionar vt to rub

frigorífico m (electrodoméstico) refrigerator; (cámara) refrigeration chamber

frijol m bean

frío adj cold; (muy frío) frigid; m cold, tener **—** to be cold

friolento adj sensitive to cold

friolera f la **— de $50,000** a trifling $50,000

frita f (acción de freír) frying; (comida frita) dish of fried food

frito adj fried; m dish of fried food

fritura f (acción de freír) frying; (comida frita) dish of fried food

frívola f frivolity

frivolidad f frivolity

frívolo adj frivolous

fronda f foliage

frondoso adj leafy

frontera f frontier, border

fronterizo adj frontier

frontón m (juego) jai alai; (pista) jai alai court

frotación f rubbing

frotar vi/vr to rub

frote m rub

frotis m smear

fructífero adj fruitful

fructificar vi to bear fruit

fructosa f fructose

frugal adj frugal

frunce m (volante) ruffle; (defecto) pucker

fruncir vt to gather; **— el ceño** to frown, **— los labios** to purse one's brow; **—** to knit one's lips

fruslería f trifle

frustración f frustration

frustrar vt (los planes) to frustrate, to thwart, to foil; (las esperanzas) to shatter, to dash; **—se** to fail, to miscarry

fruta f fruit

frutal adj m fruit; fruit tree; m fruit dish

frutero -ra mf fruit vendor; fruit dish

fruto m fruit; **—s del mar** seafood

fuego m fire; (para un cigarro) light; **—s artificiales** fireworks; **abrir el —** to begin to fire; **alto el —** cease-fire; **bajo — ** under fire; **arma de —** firearm; **entre dos —s** between a rock and a hard place; **hacer —** to fire; **poner/pegar/ prender — a** to set fire to

fuelle m bellows

fuel-oil m fuel oil

fuente f (surtidor) fountain; (manantial, referencia) spring; (caracteres de imprenta) font; **de buena —** from the horse's mouth

fuera adv outside, out; **— de** outside of; **— de borda** outboard; **— de combate** out of commission; **— de serie** one of a kind; **¡— !** INTERJ out!

fuero m (jurisdicción) jurisdiction; (privilegio) privilege, charter

fuerte adj strong; (ruido) loud; (cuero) tough; (personalidad) forceful; (castillo) fort; (comida) hearty; m (castillo) fort; (talento especial) strong point; adv (tirar) strongly; (respirar) heavily; (gritar) loud; **soplar —** to bluster; **pisar —** to stomp; **atar —** to tie tight

fuerza f (capacidad de mover algo) force; (de una persona, animal) strength; **— aérea** air force; **— bruta** brute force; **— de la naturaleza** force of nature; **— de tarea** task force; **— de voluntad** willpower; **—s armadas** armed forces; **a — de** by dint of; **hacer —** to press on; **por la —** by force; **sacar — de flaqueza** to pull oneself together

fuga f (escape) escape, flight; (de la cárcel) jailbreak; (de gas) leak; (de capitales) drain

fugarse¹ vi to flee, to escape; **— con** to abscond with

fugaz adj fleeting

fugitivo -va adj fugitive; mf fugitive

fulano -na mf so-and-so; **—, zutano y mengano** Tom, Dick and Harry; f tart, tramp

fulgor m radiance

fulgurar vi to flash

full m full house

fullero -ra mf (tramposo) cheat; (en naipes) card sharp

fulminante m cap; adj devastating

fulminar vt to strike with lightning; to thunder; **lo fulminó con la mirada** she gave him a withering look

fumadero m crackhouse

fumador -ora mf smoker

fumar vi/vt to smoke; **—se mucho dinero** to blow a lot of money

fumigar² vt to fumigate, to fog

función f (uso) function; (de una obra de teatro) performance; (cargo) office

funcionamiento m operation, working

funcionar vi to function, to work; (motor) to run

funcionario -ria mf government employee, official

funda f cover; (de una almohada) pillowcase, slip; (de navaja) sheath

fundación f foundation

fundador -ora mf founder

fundamental adj (básico) fundamental; (importante) crucial

fundamentarse vi to be based

fundamento m foundation, basis; **—s** fundamentals

fundar vt (un instituto) to found, to establish; (un argumento) to base

fundición f (fábrica) foundry; (acción de fundirse) fusing

fundido adj molten; m (en cinematografía) fade-in/out

fundidor -ora mf foundry worker

fundir vt (combinar) to fuse; (derretir) to melt; (moldear) to mold; **—se** (combinarse) to fuse; (romperse una bombilla) to burn out

fúnebre adj funeral

funeral adj & m funeral

funerario -ria adj funeral; f funeral parlor; mf funeral director

funesto adj ill-fated, unlucky

funicular m cable car

funky adj funky

furgón m (vagón) boxcar; (camioneta de policía) police van; **— de cola** caboose

furia f fury

furibundo adj furious, livid

furioso adj furious; (tempestad) fierce

furor m fury; **hacer —** to be all the rage

furtivo adj furtive, stealthy

fuselaje m fuselage

fusible m electric fuse

fusil m rifle

fusilar vt to execute with firearms

fusión f (derretimiento) melting; (nuclear) fusion; (empresarial) merger

fusionar vt (metales) to fuse; (compañías) to merge

fusta f crop

fustigar² vt to lash, to whip; (criticar) to lash out at

fútbol m soccer; **— americano** football

fútil adj futile, trivial

futilidad f triviality

futuro adj future; m future; **—s** futures

G g

gabacho -cha adj & mf (francés) pey frog; (americano) pey American

gabán m overcoat

gabardina f trench coat

gabinete m (ministerial) cabinet; (oficina) office

Gabón m Gabon/ Gabun

gabonés -esa adj & mf Gabonese

gacela f gazelle

gaceta f gazette

gacetilla f short news item

gachas f pl. **— de avena** oatmeal

gacho adj (orejas) drooping; (cabeza) bowed; (ojos) lowered

gachupín -ina mf Méx pey Spaniard

gafar vt to jinx

gafas f pl. glasses

gafe m jinx

gaffe m gaffe, faux pas

gag m gag

gaita f bagpipe

gaje m **—s del oficio** occupational hazards

gajo m (rama) branch; (de naranja) section

gala f (cena) banquet; **—s** finery; **hacer — de** to boast of, to flaunt; **vestirse de —** to dress up

galán m gallant, suitor; (en un drama) leading man

galante adj gallant

galantear vt to court

galanteo m courting

galantería f (caballerosidad) gallantry; (cumplido) compliment

galardón m award

galaxia f galaxy

galera f galley (también prueba de imprenta); RF top hat

galerada f galley proof

galería f gallery; (pasillo) corridor; (tiendas) mall, gallery; (de coro) loft; (subterráneo) tunnel; **—s** Esp department store

Gales m Wales

galés -esa adj & mf Welsh

galgo M greyhound

Galicia F Galicia

gallardete M pennant

gallardía F (elegancia) elegance; (valentía) bravery

gallardo ADJ (elegante) elegant; (valiente) brave

gallego -ga ADJ Galician; M (lengua) Galician; MF Galician

gallera F cockpit

galleta F (salada) cracker; (dulce) cookie

gallina F (pollo) chicken; (hembra) hen; MF coward; — **clega** blind man's bluff; — **de los huevos de oro** the goose that laid the golden egg

gallinero M (de gallinas) chicken coop; (de teatro) gallery; **alborotarse el** — to raise a ruckus

gallito ADJ cocksure, cocky

gallo M cock, rooster; (de la voz) break; **tener** — **s en la garganta** to have a frog in one's throat; **en menos que canta un** — before you can say Jack Robinson

galopar VI/VT to gallop

galón M (de líquido) gallon; (de tela) stripe

galope M gallop; **al** — at a gallop

galvanizar VT to galvanize

gama F gamut, range

gamba F large shrimp

gamberro -rra MF punk, hoodlum

Gambia F Gambia

gambiano -na ADJ & MF Gambian

gamo M buck

gamuza F chamois (también piel); (piel de venado) buckskin, deerskin; (de vaca) suede

gana F urge; **con** — **s** with a vengeance; **de buena** — willingly; **tener** — **s de** to feel like; **tengo** — s I have to go to the bathroom); **no me da la** — I absolutely don't want to

ganadero -ra M cattleman; F cattlewoman; ADJ **industria ganadera** cattle industry

ganado M livestock; — **ovino** sheep; — **porcino** swine; — **vacuno** cattle

ganador -ora MF winner; ADJ winning

ganancia F profit, gain, return; — **s** (recaudación de un evento) proceeds; (de un juego) winnings; (de un negocio) earnings

ganapán M (obrero) menial worker; (trabajo) bread-and-butter

ganar VI/VT (una guerra, la lotería) to win; (kilos, en eficacia) to gain; (un sueldo) to earn; (tiempo, espacio) to save; (tierra) to reclaim; **dejarse** — **por algo** to give in to something; **nos ganaron el**

partido they beat us; — **se la vida** to make a living

gancho M hook (también en boxeo); (rama) snag; (para sujetar) clip; (atractivo) lure; **echar a uno el** — to hook someone; **tener** — to be attractive

gandul -la MF loafer

ganga F bargain, steal

gangoso ADJ twangy

gangrena F gangrene

gangrenarse VI to gangrene

gángster M gangster

ganguear VI to twang

ganso M (animal) goose; (macho) gander; (tonto) fam ding-a-ling

ganzúa F picklock

gañido M yelp

gañir VI to yelp

garabatear VI to scribble

garabato M scribble; **hacer** — **s** to scribble

garaje M garage

garante MF voucher

garantía F (de producto) guarantee, warranty; (de promesa) security, guaranty; (de un derecho) guarantee

garantizar VT (un producto) to guarantee, (de un derecho) to warranty; (prometer) to warrant

garañón M stud, horse

garbanzo M chickpea

garbo M grace

garboso ADJ graceful

garfio M hook

garganta F (interno) throat; (todo) neck; (valle estrecho) gorge

gargarismo M gargle

gárgara F gargle; **hacer** — **s** to gargle

garita F sentry box

garito M gambling house

garra F (de ave) claw; (de león) paw with claws; **caer en las** — **s de alguien** to fall into someone's clutches

garrafa F decanter

garrapata F tick

garrapatear VI to scribble

garrapiñar VT to candy

garrocha F pole

garrote M club

garrucha F pulley

gárrulo ADJ garrulous

garza F heron

gas M gas; — **es** (de motor) fumes; (de intestino) gas; — **lacrimógeno** tear gas; — **mostaza** mustard gas; — **natural** natural gas; — **nervioso** nerve gas; **a todo** — at full speed

gasa f gauze; (para heridas) dressing

gaseosa f soda, soft drink

gaseoso adj gaseous

gasoducto m pipeline

gasolina f gasoline, gas

gasolinera f gas station

gastado adj (neumático) smooth; (ropa) worn-out, shabby

gastador -ora adj extravagant, wasteful; mf spendthrift

gastar vt (dinero, tiempo) to spend; (energía) to expend; (neumáticos, ropa) to wear out, to use up; — **una broma** to play a trick; **—se** to wear out

gasto m (dinero) expense, expenditure, outlay; (desgaste) wear

gástrico adj gastric

gastritis f gastritis

gastroenteritis f gastroenteritis

gastrointestinal adj gastrointestinal

gastronomía f gastronomy

gatas LOC ADV **a —** on all fours

gatear vi to creep, to crawl

gatillo m (en un arma de fuego) trigger; (de dentista) forceps

gatito m kitten

gato m (felino) cat; (aparato para levantar) jack; **— montés** wildcat, mountain lion; **aquí hay — encerrado** I smell a rat; **a gatas** on all fours; **dar — por liebre** to sell someone a pig in a poke

gaucho m gaucho

gaveta f small drawer

gavilán m hawk

gavilla f (de maíz) sheaf; (de maleantes) gang

gaviota f seagull

gayola f big house

gazmoñería f prudery

gazmoño -ña mf prude; adj prudish

gaznate m gullet

gazpacho m Esp cold vegetable soup

geco m gecko

géiser m geyser

gel m gel

gelatina f gelatin

gélido adj frigid

gema f gem, jewel

gemelo -la adj & mf twin; **—s** (mellizos) twins; (binoculares) binoculars, opera glasses; (de camisa) studs

gemido m (de dolor) moan, groan; (de queja) whine

gemir[1] vi (gruñir) to moan, to groan, to whine; (lloriquear) to whine

gen, gene m gene

genealogía f genealogy

generación f generation

generador m generator

general adj & m general; **por lo —** generally

generalidad f generality

generalizar[9] vi/vr to generalize; **—se** to become widespread

generar vt to generate

genérico adj generic

género m (clase) kind; (gramatical) gender; (tela) material; (literario) genre; (biológico) genus; **— humano** human race; **—s** dry goods

generosidad f generosity

generoso adj generous

genética f genetics

genético adj genetic

genial adj brilliant

genio mf (persona inteligente) genius; m (inteligencia) genius, brilliance; (temperamento) temperament, nature; (mal humor) temper; **de mal —** mean; **de buen —** genial

genitudo adj quick-tempered

genocidio m genocide

genoma m genome

gente f (personas) people; **— de campo** country folk; **— de color** persons of color; **— joven** young people; **— menuda** small fry; **buena —** good person

genti adj (cortés) gracious; (no judío) gentile; mf gentile

gentileza f graciousness

gentío m crowd

gentuza f rabble, riffraff

genuino adj genuine

geocéntrico adj geocentric

geoestacionario adj geostationary

geofísica f geophysics

geográfico adj geographical

geografía f geography

geología f geology

geológico adj geological

geometría f geometry

geométrico adj geometric

Georgia f Georgia

georgiano -na adj & mf Georgian

geotérmico adj geothermal

geranio m geranium

gerencia f management

gerente -ta mf manager

geriátrico adj geriatric

germen m germ

germinar vi to germinate, to sprout

gerundio m gerund, present participle

gestación f gestation

gesticular vi to gesture; (exageradamente) to

gestión f (acción) step, maneuver; (empresarial) management; (política) administration; **—es** negotiations; **hacer —es para** to take steps to

gestionar vt (negociar) to negotiate; (administrar) to administer

gesto m (con la cara) face; (con las manos) gesture; **hacer —s a** to make faces at

Ghana f Ghana

ghanés -esa adj & mf Ghanaian

giba f hump, hunch

gibón m gibbon

Gibraltar m Gibraltar

gibraltareño -ña adj & mf Gibraltarian

giga f gig

gigabyte m gigabyte

gigante adj giant, gigantic; mf giant

gigantesco adj gigantic

gimnasia f gymnastics

gimnasio m gymnasium, gym

gimotear vi to whimper

gimoteo m whimper

ginebra f gin

ginecología f gynecology

ginecólogo -a mf gynecologist

gingivitis f gingivitis

gira f tour

girar vi/vt (una llave, un volante, un coche, a la derecha) to turn; vi (repetidas veces) to revolve, to spin, to whirl; vt (dinero) to wire

girasol m sunflower

giratorio adj rotary, revolving

giro m (movimiento circular) rotation, spin; (cambio de dirección) turn; (expresión) turn of phrase; (monetario) draft, remittance; **— postal** money order

giroscopio m gyroscope

gitano -na adj & mf gypsy

glacial adj glacial, bitter

glaciar m glacier

gladiador m gladiator

glamoroso adj glamorous

glamour m glamour

glándula f gland

glandular adj glandular

glaseado m (de una torta) glaze; adj (papel) glossy

glasear vt to glaze

glaucoma m glaucoma

glicerina f glycerin

global adj (mundial) global; (de conjunto) blanket, overall

globo m (esfera) globe; (de árbol de Navidad) ball; (lleno de gas) balloon; (en tenis) lob; **— ocular** eyeball. **— terráqueo** globe

glóbulo m globule; (de sangre) corpuscle

gloria f glory

glorieta f (pérgola) arbor; (rotonda) traffic circle

glorificar vt to glorify

glorioso adj glorious

glosa f gloss

glosar vt to gloss

glosario m glossary

glotón -ona adj gluttonous; mf glutton

glotonería f gluttony

glucosa f glucose

gluglutear vt to gobble

gobernador -ora adj governing; mf governor

gobernante adj governing; mf ruler

gobernar vt/vi to govern, to rule; (un buque) to steer

gobierno m government

goce m enjoyment

gofre m waffle

gol m goal

goleador -ora mf shooter

goleta f schooner

golf m golf

golfo -fa m (mar) gulf; (sinvergüenza) rascal; f tramp

golletería f delicacy

golondrina f swallow

golosina f sweet, goody, tidbit

goloso adj sweet-toothed

golpazo m bang, whack

golpe m (físico) blow, knock, whack; (emocional) blow; (estafa) sting; (robo) holdup; (de viento) buffet; (con el codo) to jab; (con los nudillos) tap; **— bajo** low blow; **— de calor** heat stroke; **— de estado** coup; **— de gracia** coup de grâce; **— de sol** sunstroke; **de —** suddenly; **de un —** all at once

golpear vi/vt to strike, to hit; (a la puerta) to knock, to rap; (dar una paliza a una persona) to beat, to batter (con el codo) to jab

golpecito m tap

golpetear vi (lluvia) to patter; (motor) to knock; (algo suelto) to rattle

golpeteo m tap; (de lluvia) patter; (de un motor) knock; (de algo suelto) rattle

goma f (de mascar) gum; (caucho) rubber; (neumático) tire; **— de borrar** eraser; **— de mascar** chewing gum; **— elástica** rubber band; **— espuma** foam

gomero m rubber tree

gomoso adj slimy

góndola f gondola

gong m gong

gonorrea f gonorrhea, *fam* the clap
gordiflón adj pey falso
gordito adj chubby
gordo adj fat; **se armó la gorda** all hell broke loose; **hacer la vista gorda** to turn a blind eye
gordura f (cualidad de gordo) fatness; (sebo) fat
gorgojo m weevil
gorila m gorilla; (en un bar) bouncer; (guardaespaldas) bodyguard
gorjear vi (ave) to warble, to chirp, to twitter; (niño) to gurgle
gorjeo m (de ave) warble, twitter, chirp; (de niño) burgle
gorra f cap; **de —** at someone else's expense; **vivir de —** to sponge
gorrión m sparrow
gorro m cap, bonnet
gorrón m sponge, sponger
gorronear vi/vt to mooch, to freeload
gospel m gospel
gota f (de líquido) drop; (de sudor) bead; (enfermedad) gout; **a —** drop by drop; **ser dos —s de agua** to be like two peas in a pod; **sudar la — gorda** (sudar) to sweat profusely; (trabajar) to work hard
gotear vi (caer gota a gota) to drip; (rápidamente) to dribble, to trickle; (salirse) to leak; (llover) to sprinkle
goteo m drip (también intravenoso); (rápido) dribble, trickle
gotera f leak
gotero m dropper
gótico adj Gothic; m (lengua) Gothic
gourmet adj & mf gourmet
gozar[9] vi/t to enjoy; **— de** to enjoy
gozne m hinge
gozo m pleasure, enjoyment
gozoso adj enjoyable
grabación f recording
grabado adj engraving; (con ácido) etching
grabador -ora m/f (persona) engraver; f (instrumento) tape recorder; (empresa) recording company
grabar vi/t (marcar) to engrave; (con ácido) to etch; (en cinta magnetofónica) to record, to tape; **— en la memoria** to etch/imprint on one's memory
gracejo m wit
gracia f (garbo, desenvoltura) grace; gracefulness; (humor) humor; (monería) antic; (favor) favor; (indulto) pardon; **¡—s!** thanks! thank you! **— a Dios** thank God; **caer en —** to please; **dar —s** to say the blessing; **dar las —s** to thank; **hacer —** to amuse; **tener —** to be funny

grácil adj supple, graceful
gracioso adj (chistoso) amusing, funny; (gentil) gracious
gradas f pr bleachers
gradería f bleachers
grado m (de temperatura, de parentesco, de un ángulo, de universidad) degree; (militar) rank; (de alcohol) proof; **de buen —** willingly; **en alto —** to a great extent; **en mayor o menor —** to some extent; **quemadura de primer —** first-degree burn
graduación f (de una escuela) graduation, (rango militar) military commencement; (de alcohol) proof; (de un lente óptico) correction
graduado -da mf graduate
gradual adj gradual
graduar[17] vt (ajustar) to adjust; (regular) to regulate; **—se** to graduate, to get a degree
grafiti m graffiti
grafiar[16] vt to graph
gráfica f (arte) graphics; (representación) graph, chart
gráfico -ca adj graphic; **acento —** written accent; m (representación) graph, chart; mf (empleado) printer
grafito m graphite
grama f lawn
gramática f grammar
gramatical adj grammatical
gramo m gram
grana adj inv & f scarlet
granada f (fruta) pomegranate; (proyectil) grenade; **— de mano** hand grenade
Granada f Grenada
granadino -na adj & mf Grenadian
granado m pomegranate tree; adj notable
granate f garnet
Gran Bretaña f Great Britain
grande adj large, (importante) great; **un gran poeta** a great poet; **divertirse en —** to have a whale of a time; **a —s alturas** at high altitudes; **de gran alcance** far-reaching; **de gran escala** large-scale; **en gran parte** in large measure; **gran almacén** department store
grandeza f greatness; **delirios de —** delusions of grandeur
grandiosidad f grandeur
grandioso adj grandiose, grand
granero m (edificio) granary, grain barn; (recipiente) bin, crib

granito M granite

granizada F hailstorm

granizar[1] VI to hail

granizo M hail

granja F farm

granjero -ra MF farmer

granjearse VI to win for oneself

grano M (de una foto, arena, semilla) grain; (cereal) cereal, grain; (barrio) pimple; — **de café** coffee bean; **ir al** — to come to the point

granuja MF ragamuffin

granular VT to granulate; —**se** to become granulated

grapa F (para sujetar madera) clamp; (para sujetar papel) staple

grapadora F stapler

grasa F (aceite) grease; (animal) fat

grasiento ADJ greasy

graso ADJ, **grasoso** ADJ greasy

gratificar[6] VT to gratify

gratificación F bonus

gratis ADV free

gratitud F gratitude, thankfulness

grato ADJ pleasant

gratuito ADJ (gratis) free; (arbitrario) wanton, gratuitous

grava F gravel

gravamen M (impuesto) tax, assessment; (carga sobre una propiedad) lien

gravar VT to tax, to assess

grave ADJ (enfermedad, decisión) grave, serious; (sonido) low, deep; (injuria) grievous; (de carácter) earnest

gravedad F (fuerza de atracción) gravity; (de una situación) seriousness; (de una tormenta) severity; (de un tono) depth; (de una personalidad) earnestness

gravitación F gravitation

gravoso ADJ burdensome

graznar v (cuervo) to caw, to croak; (pato) to quack; (ganso) to honk

graznido M (de cuervo) caw, croak; (de pato) quack; (de ganso) honk

Grecia F Greece

greda F clay

green M (de golf) green

gregario ADJ gregarious

gremial ADJ union

gremio M (conjunto de personas) trade; (asociación histórica) guild; (sindicato) trade union

greña F mop of hair

grey F flock, fold

griego -ga ADJ & MF Greek

grieta F crevice, crack

grifo M faucet, spigot, tap

grillete M fetter, shackle

grillo M (insecto) cricket; —**s** shackles

grima F uneasiness; **dar** — (disgustar) to be upsetting; (dar asco) to be disgusting

gripe F flu, influenza

gris ADJ & M gray

grisáceo ADJ grayish

gritar vi/vt to shout, to yell; (chillar) to scream

gritería F shouting

grito M shout, cry; (chillido) scream; **el último** — the last word; **estar en un** — to be in agony; **pedir a** —**s** to clamor for; **poner el** — **en el cielo** to hit the ceiling

grosella F currant

grosellero M currant

grosería F (cualidad) rudeness; (hecho, dicho) profanity, something rude

grosero ADJ (descortés) rude, ill-mannered, boorish; (vulgar) vulgar, profane; (sin arte) coarse, unrefined

grosor M thickness

grotesco ADJ grotesque

grúa F (máquina) crane; (automóvil para remolcar coches) wrecker, tow truck

gruesa F gross

grueso ADJ (persona) thick-set, heavy; (tabla) thick; (palabra, arena) coarse; M (grosor) thickness; (parte más numerosa) majority

grulla F crane

grumo M lump

grumoso ADJ lumpy

gruñido M (de perro) growl, snarl; (de cerdo) grunt; (humano) grumble

gruñir[18] vi (el cerdo) to grunt; (el perro) to growl, to snarl; (el ser humano) to grumble

gruñón -ona ADJ grumpy; MF grumpy person

grupa F rump; **volver** —**s** to turn around

grupo M group; — **de apoyo** support group; — **de presión** lobby; — **étnico** ethnicity; — **paritario** peer group; — **sanguíneo** blood type

gruta F grotto, cavern

guacal M crate

guacamole M Méx guacamole

guacho M (cría de ave) chick; Am (animal huérfano) orphan

guadaña F scythe

guagua MF (frustería) trifle; Caribbean bus; MF Chile baby; LOC ADV **de** — for nothing, free

guaje -ja MF urchin

guano M guano, bird dung

guantada F slap

guante M glove; — **de boxeo** boxing glove;

arrojar el — to challenge; **echarle el — a alguien** to capture someone; **te queda como un —** it fits you like a glove

guantelete M gauntlet

guantera F glove compartment

guapetón -ona MF *fam* fox

guapo ADJ (de hombre) good-looking, handsome; (de mujer) good-looking, pretty; (valiente) brave; **¡hola —!** hey, good-looking!

guarapo M cane syrup

guarda MF INV (guardián) guard; F (almacenamiento) storage

guardar VT (almacenar) to keep, to store; (conservar, datos) to save; (observar) to observe; (proteger) to guard; **— rencor** to hold a grudge; **— un secreto** to keep a secret; **—se de** to guard against; M SG **guardabarros** fender; **guardacostas** Coast Guard cutter; **guardaespaldas** bodyguard; **guardafangos** fender; **guardapelo** locket; **guardarropa** (armario, ropa) wardrobe; (en un local) cloakroom; MF SG **guardabosques** forest ranger, forester; **guardafrenos** brake operator; **guardagujas** switch operator; **guardameta** goalie

guardería F nursery, day-care center

guardia MF (persona) guard; **— civil** civil guard; F (vigilancia) guard; **bajar la —** to let down one's guard; **de —** on duty, on watch; **en —** en garde; **hacer/montar —** to stand guard

guardián -ana MF guardian, keeper

guarecerse VT to take shelter

guarida F den, lair

guarismo M cipher

guarnecer VT (un plato) to garnish; (un vestido) to trim; (una fortaleza) to man, to garrison

guarnición F (de tropas) garrison; (de comida) trimmings; **guarniciones** harness

guarro ADJ filthy; M pig

guasa LOC ADV **de/a —** in jest, as a joke

guasón -ona MF joker

guata F padding

Guatemala F Guatemala

guatemalteco -ca ADJ & MF Guatemalan

guau INTERJ woof

guay ADJ cool, great

guayaba F guava

guayabera F tropical pleated shirt

gubernamental ADJ governmental

gubernativo ADJ governmental

gubia F gouge

guedeja F shock of hair

guepardo M cheetah

guerra F war, warfare; **dar —** to aggravate; **en pie de —** at war; **— fría** cold war

guerrear VI to war

guerrero -rra ADJ warrior; **operación —** war operation; **espíritu —** warrior spirit

guerrilla F group of guerrillas

guerrillero -ra MF guerrilla

gueto M ghetto

guía MF (persona) guide, leader; F (cosa o animal) guide; **— telefónica** telephone directory

guiar VT to guide, to lead; **—se por** to follow

guijarro M pebble

guinche M hoist

guinda F cherry

guindilla F *Esp* small hot pepper

Guinea F Guinea

guineano -na ADJ & MF Guinean

guiñapo M rag

guiñar VI/VT to wink

guiño M wink

guión M (ortografía) hyphen; (libreto) script, screenplay

guionista MF screenwriter

guirnalda F garland; (de Navidad) tinsel

guisa F **a — de** by way of

guisante M pea

guisar VI/VT to cook; (en guisado) to stew

guiso M stew, casserole

guitarra F guitar

gula F gluttony

gusano M worm; **— de seda** silkworm

gustar VT (agradar) to be pleasing to; **ella me gusta** I like her; **le gustan los perros** he likes dogs; **no me gustan las fiestas** I dislike parties; **te guste o no te guste** whether you like it or not; **cuando gustes** whenever you want; **— de** to be fond of; (saborear) to taste

gusto M (sentido, sabor, aprecio estético) taste; (agrado) pleasure; (preferencia personal) like; **a —** at ease; **a mí —** to my liking; **dar —** to be a pleasure; **darle — a alguien** to humor someone; **darse el —** to indulge oneself; **de mal —** in bad taste; **el — es mío** the pleasure is mine; **estar a —** to be comfortable; **mucho —** nice to meet you; **por —** for fun; **tener el — de** to have the pleasure of; **tomar el — a una cosa** to become fond of something

gustoso ADJ (que gusta de) fond of;

(agradable) pleasant; ADV willingly

Guyana F Guyana

guyanés -esa ADJ & MF Guyanese

Hh

haba F bean; (verde) Lima bean

habano M cigar

haber²⁹ V AUX to have; — **comido cuatro veces en un día** to have eaten four times in a day; **habérselas con** (un problema) to grapple with; (una persona) to have it out with; **ha de llegar mañana** he is to arrive tomorrow; **hay** there is, there are; **hay viento** it is windy; **hubo** there was/ were; **había** there was/were; **hay que** it is necessary to; **no hay de qué** don't mention it; **no hay forma** no way; **no hay problema** no problem; **¿qué hay?** what's up; **todo lo habido y por haber** everything possible M (hacienda) assets; (columna en una cuenta) credit; **—es** earnings

habichuela F bean; — **verde** string bean

hábil ADJ adept, able; **día —** workday

habilidad F ability, skill

habilidoso ADJ deft, skillful

habilitar VT (equipar) to outfit; (autorizar) to authorize

habitación F (vivienda) dwelling; (cuarto) room

habitante MF inhabitant; (de un barrio) resident

habitar VT to inhabit

hábitat M habitat

hábito M habit (también vestimenta religiosa)

habitual ADJ habitual, usual

habituar¹⁷ VT to accustom; **—se** to get used to

habla F (lenguaje) speech; (modalidad local) dialect; — **infantil** baby talk; **al —** in communication with; **quedarse sin —** to be left speechless

hablador ADJ talkative

habladurías F idle talk, gossip

hablar VI/VT to talk, to speak; — **de** to talk about; — **hasta por los codos** to talk one's head off; — **no cuesta nada** talk is cheap; — **por señas** to use sign language; — **por teléfono** to talk on the phone; **sin rodeos** to speak one's mind; — **solo/ para sí** to talk to oneself; **hablando**

mal y pronto pardon my French; **no —se** not to be on speaking terms; **no me hagas —** don't get me started on it

habilla F malicious tale

hacedor -ora MF maker

hacendado -da MF landowner

hacendoso ADJ industrious, diligent

hacer³⁷ VT (crear) to do, to make; (causar) to make; (decir) to go; (resolver) to do; — **frío/calor/viento** to be cold/hot/ windy; — **una torta** to make a cake; — **un crucigrama** to do a crossword puzzle; **me hizo llorar** he made me cry; **la vaca hace 'mu'** the cow goes moo; **hace mucho tiempo** a long time ago; **hace poco** a short while ago; **hizo como si estuvieras presente** he acted as if you were here; **a lo hecho, pecho** you've got to face the music; **la hiciste buena** you've really screwed up; **¿qué le vamos a hacer?** that's life; **¿qué se hizo de Juan?** whatever became of Juan? **haz el trabajo** do the work; **—se rico** to become rich; **—se el tonto** a lo play the fool; **—se el listo** to pull a stunt; **—se pasar por el jefe** to pose as the boss; **—se a un lado** to step aside; **—se amigo de** to befriend; **—se a la oscuridad** to get used to the dark; **—se rogar** to play hard to get

hacha F (grande) ax(e); (pequeña) hatchet

hachís M hashish

hacia PREP (en dirección) toward; (aproximadamente) about; — **abajo** downward; — **adelante** forward; — **adentro** inward; — **afuera** outward; — **arriba** upward; — **atrás** backward; — **el este** eastward; — **la izquierda** to the left; — **dar** — to face

hacienda F estate; (de ganado) ranch; (impositiva) Internal Revenue Service

hacina F shock

hacinar VT (liar) to shock; (atestar) to crowd in

hada F fairy

hado M fate

Haití M Haiti

haitiano -na ADJ & MF Haitian

halagar⁴⁰ VT to flatter

halago M flattery

halagüeño ADJ (palabras) flattering; (perspectiva) promising

halcón M falcon

hálito M breath

hallar VT to find; **—se** to be; **—se en un aprieto** to be in a pickle; **—se mal de salud** to be in a bad way

hallazgo M (resultado científico) finding; **ese documento fue un — sensacional** that document was a real find

halo M halo

halógeno adj & M halogen

halterofilia F weight training, weightlifting

hamaca F hammock

hambre F (deseo de comer) hunger; (hambruna) famine; **tener —** to be hungry; **pasar —** to hunger; **morirse de —** to starve

hambrear VI/VT to starve

hambriento adj (que tiene hambre) hungry; (que se muere de hambre) famished, starving

hambruna F famine

hamburguesa F hamburger

hampa F underworld

hámster M hamster

handicapar VT to handicap

hangar M hangar

haragán -ana adj indolent; MF loafer

haraganear VI to loaf

haraganería F laziness

harapiento adj ragged, tattered

harapo M rag, tatter

hardware M hardware

harén M harem

harina F (fino) flour; (grueso) meal; **— de avena** oatmeal; **— de maíz** cornmeal; **es — de otro costal** that's another kettle of fish

hartar VT to satiate; **—se** (de comida) to have one's fill; (de aburrimiento) to get sick

hartazgo M surfeit, excess

harto adj (satisfecho) full; **estar —** to be fed up; **ese asunto me tiene —** I'm sick and tired of the whole business

hasta PREP (temporal) till, until; (espacial) (up) to; **— ahora** to date/ so far; **— cierto punto** to a certain extent; **— luego** good-bye, see you later; **— pronto** see you later; **camino — la esquina** he walked to the corner; **lo llenó — el borde** he filled it up to brim; **estar — la coronilla** to be fed up; ADV even; **— mi madre lo notó** even my mother noticed it; **— que** until

hastiado adj jaded

hastial M gable

hastiar[16] VT to cloy, to tire; **—se** to grow weary of

hastío M tedium

hato M (envoltorio) bundle; (rebaño) herd

haya F beech

hayuco M beechnut

haz M (de leña) bundle; (de luz) beam; (de flechas) sheaf

hazaña F deed, exploit, feat

hazmerreír M laughingstock

he VT IMPERSONAL **he aquí la lista** here's the list

hebilla F buckle

hebra F (de hilo) thread; (vegetal) fiber

hebreo -a adj & MF Hebrew

heces F PL (de vino, café) dregs; (excremento) feces

hechicería F enchantment

hechicero -ra adj bewitching; M sorcerer; F sorceress

hechizar[?] VT to bewitch, to enchant; (al público) to enthrall

hechizo M charm, spell

hecho M fact; **los —s de la noche del 17** the events of the night of the 17th; **de —** in fact

hechura F cut

hectárea F hectare

heder[?] VI to stink, to reek

hediondez F stench

hediondo adj stinking, smelly

hedonismo M hedonism

hedor M stink, stench

hegemonía F hegemony

helada F (frente frío) freeze; (escarcha) frost

heladera F refrigerator

heladería F ice-cream parlor

helado adj (muy frío) frozen, freezing; (con hielo) icy; M ice cream

helar[?] VI/VT to freeze

helecho M fern

hélice F (espiral) helix; (de avión) propeller; (de barco) screw, propeller

helicóptero M helicopter

helio M helium

hematoma M hematoma

hembra F (de animal) female; (de la ballena, foca) cow; (ave) hen; (del venado) doe

hemisferio M hemisphere

hemofilia F hemophilia

hemoglobina F hemoglobin

hemorragia F hemorrhage

hemorroides F PL hemorrhoids

henchir[?] VT to swell

hender[?] VI/VT to cleave, to split

hendido adj cleft, split

hendidura F rift, rent

henil M hayloft

heno M hay; **fiebre de —** hay fever

hepatitis F hepatitis

heraldo M herald

herbicida M weedkiller, herbicide

herbívoro adj herbivorous; m herbivore

herboso adj grassy

heredad f homestead

heredar vt/vi (recibir en herencia) to inherit; (dar en herencia) to bequeath

heredero -ra m heir; f heiress

hereditario adj hereditary

hereje mf heretic

herejía f heresy

herencia f (económica) inheritance; (cultural) heritage; (genética) heredity

herida f injury; (abierta) wound; **respirar por la** — to reopen an old wound

herido adj injured; (con herida abierta) wounded

herir³ vt/vi to injure; (con herida abierta) to wound; (sentimientos) to hurt

hermanastro -tra m stepbrother; f stepsister

hermandad f (de hombres) brotherhood; (de mujeres) sisterhood

hermanito -ta m little brother; f little sister

hermano m brother; (también religioso); — **mayor** big brother; — **menor** little brother; f sister (también religiosa); — **mayor** big sister; — **menor** little sister

herméticamente adv airtight

hermético adj hermetic, airtight; (a prueba de agua) watertight; (que no revela secretos) secretive

hermosear vt to beautify

hermoso adj beautiful, lovely

hermosura f beauty

hernia f hernia

héroe m hero

heroico adj heroic

heroína f (droga) heroin; (personaje) heroine

heroísmo m heroism

herpes m herpes; (en la boca) cold sore

herradura f horseshoe

herraje m ironwork

herramienta f tool

herrar¹ vt (un caballo) to shoe; (una vaca) to brand

herrería f blacksmith's shop

herrero -ra mf blacksmith

herrumbre f rust

hervidero m swarm

hervidor m kettle

hervir³ vt/vi to boil; **— a fuego lento** to simmer; **— de** to be swarming with; **me hervía la sangre** I was seething

hervor m (acción de hervir) boiling; **levantar el** — to come to a boil

heterodoxo adj unorthodox

heterogéneo adj heterogeneous

heterosexual adj heterosexual; fam straight

hexágono m hexagon

hiato m hiatus

hibernar vi to hibernate

híbrido adj & m hybrid

hidalgo m hidalgo

hidalguía f (nobleza) nobility; (generosidad) generosity

hidratar vt to hydrate

hidráulico adj hydraulic

hidroavión m hydroplane, seaplane

hidrocarburo m hydrocarbon

hidroeléctrico adj hydroelectric

hidrofobia f hydrophobia

hidrógeno m hydrogen

hiedra f ivy

hiel f gall

hielo m ice; **— seco** dry ice; **romper el** — to break the ice

hiena f hyena

hierba f (pasto) grass; (especia) herb; (marihuana) fam weed; **— buena** mint; **mala** — weed; **y otras** — **s** and so on

hierro m iron (también de golf); — **corrugado** corrugated iron; — **forjado** wrought iron; — **fundido** cast iron; — **s** handcuffs

hígado m liver; **malos** — **s** ill will

higiene f hygiene

higo m fig; **me importa un** — I couldn't care less

higuera f fig tree

hijastro -tra m stepson; f stepdaughter

hijo -ja m son; — **de su madre** vulg son of a gun; **John Smith,** — John Smith, Jr.; **sin** — **s** childless; f daughter

hilacha f loose threads

hilado m spinning

hilandería f (fábrica) spinning mill; (técnica) spinning

hilandero -ra mf spinner

hilar vt/vi to spin; **— fino** to split hairs

hilaridad f mirth

hilera f row, line

hilo m (para coser) thread; (para tejer, hilar) yarn; (alambre) filament, — **de agua** trickle; — **de perlas** string of pearls; — **de pensamiento** train of thought; — **de voz** thin voice; — **dental** floss; **al** — in a row; **mover** — **s** to pull strings; **seguir el** — **de** to keep track of; **pender de un** — to be hanging by a thread; **perder el** — to lose track

hilván m basting

hilvanar vt to baste, to tack

himno m (religioso) hymn; (patriótico) anthem

hincapié m emphasis; **hacer** — to emphasize

hincar* VT — **los dientes en** to sink one's teeth into; **—se** to kneel

hincha MF INV (aficionado) supporter; F (antipatía) Esp grudge

hinchado ADJ (inflamado) swollen; (exagerado) inflated

hinchar VT to swell; (un globo) to blow up: **— por el equipo de Uruguay** to pull for the Uruguayan team; **—se** (cuerpo) to swell; (pulmones) to inflate; (las mejillas) to bulge; (de orgullo) to puff up; (el pan) to rise

hinchazón F swelling

hindi M Hindi

hindú ADJ & MF Hindu

hinojos LOC ADV **de —** on one's knees

hipar VI to hiccup

hiperactivo ADJ hyperactive, overactive

hipermétrope ADJ farsighted

hipersensible ADJ hypersensitive; (a la crítica) touchy

hipertensión F high blood pressure

hiperventilar VI to hyperventilate

hipnosis F hypnosis

hipnotizar VI/VT to hypnotize, to mesmerize

hipo M (espasmo) hiccup; (sollozo) sob; **tengo —** I have the hiccups

hipoalérgico ADJ hypoallergenic

hipocondríaco -ca, hipocondriaco -ca ADJ & MF hypochondriac

hipocresía F hypocrisy

hipócrita ADJ INV hypocritical, two-faced; MF INV hypocrite

hipódromo M racetrack

hipogloso M halibut

hipoglucemia F hypoglycemia

hipopótamo M hippopotamus

hipoteca F mortgage

hipotecar VT to mortgage

hipotecario ADJ **— banco —** mortgage bank

hipótesis F hypothesis

hiriente ADJ hurtful; (comentario) nasty; catty

hirviente ADJ boiling

hisopo M swab

hispano -na ADJ Hispanic, Spanish-speaking; MF Spanish-speaking person

hispanoamericano ADJ Spanish-American

Hispanoamérica F Spanish America

histamina F histamine

histerectomía F hysterectomy

histérico ADJ hysterical

historia F (el pasado, estudio del pasado) history; (relato) story; **— clínica** case history; **dejarse de —s** to stop fooling around; **esa es otra —** that's another story; **la —se repite** history repeats

historiador -ora MF historian

historial M record

histórico ADJ (de importancia histórica) historic; (pertinente a la historia) historical

historietas F PL funnies

histrionismo M histrionics

hito M landmark, milestone; **de — en —** fixedly; **marcar un —** to be a milestone

hobby M hobby

hocicar* VI/VT (un cerdo) to root; (un caballo) to nose

hocico M snout, muzzle

hockey M hockey

hogaño ADV LIT nowadays

hogar M (lumbre) hearth, fireplace; (casa, asilo) home

hogareño ADJ domestic; **persona hogareña** homebody

hoguera F bonfire, campfire

hoja F (de planta) leaf; (de mesa plegadiza) flap; (de papel) sheet; (de un libro) page; (de navaja) blade; **— de afeitar** razor blade; **— de metal** foil; **—s** to leaf; **— de servicio** record; **—lata** tin plate

hojaldre M puff pastry

hojarasca F fallen leaves

hojear VT to page through, to flip through, to browse

hojuela F flake; **—s de maíz** cornflakes

hola INTERJ hello

Holanda F Holland

holandés -esa ADJ Dutch; M (hombre) Dutchman; (lengua) Dutch; F Dutchwoman

holding M holding company

holgado ADJ (vida) comfortable; (pantalón) loose-fitting, baggy; (cuarto) roomy

holganza F (haraganería) idleness; (diversión) leisure

holgar*? VI to loaf, **huelga decir** it is needless to say

holgazán -ana ADJ lazy, idle; MF idler, loafer, slouch

holgazanear VI to idle, to loaf

holgazanería F laziness

holgura F (de movimiento) ease; (financiera) comfort; (de la ropa) looseness

holístico ADJ holistic

hollejo M skin

hollín M soot, smut

holocausto M holocaust

hombre M **— anuncio** sandwich man; **— de bien** a man of good will; **— de familia** family man; **— de las cavernas** caveman; **— de la calle** man in the

hombre m — de negocios businessman; — del saco bogeyman; — de paja straw man; — lobo werewolf; — orquesta one-man band; — rana frogman; es bien — he's a real he-man; ¡entra, come on!

hombro m shoulder; encogerse de — s to shrug, cargar al — to shoulder; en / a — s piggyback; poner el — to lend a hand

hombruno adj mannish

homenaje m homage, tribute

homeopatía f homeopathy

homeopático adj homeopathic

homicida mf inv murderer

homicidio m homicide, murder

homogeneizar vt to homogenize

homogéneo adj homogeneous

homólogo -ga mf counterpart

homosexual adj homosexual; fam gay

homóplato m shoulder blade

honda f sling, slingshot

hondo adj deep; m hollow

hondonada f hollow, dell

hondura f depth; meterse en — s to get in over one's head

Honduras f Honduras

hondureño -ña adj & mf Honduran

honestidad f (castidad) chastity, modesty; (honradez) honesty

honesto adj chaste, modest; (honrado) honest, straightforward

hongo m (seta) mushroom; (moho) fungus; aburrirse como un — to be bored stiff

honor m honor; con —es with honors; tener el — de to have the honor of; hacer los —es a to be appreciative of

honorable adj honorable

honorario adj honorary; m —s fee

honra f honor

honradez f honesty

honrado adj honest

honrar vt to honor; (hacer más digno de) to do credit to

honroso adj honorable

hora f hour; — de dormir bedtime; — oficial standard time; —s extras overtime; a esta — at this time; ¿a qué —? at what time? a todas —s at all hours; a última — at the last minute; es decir la — to tell time; en — on time; es —de it is time to; es — de que me vaya it's time for me to go; kilómetros por — kilometers per hour; no ver la — de to be dying to; por — by the hour; ¿qué — es? what time is it? ya era — it was about time

horadar vt to bore

horario m schedule, timetable; (manecilla del reloj) hour hand

horca f (cadalso) gallows; (herramienta con púas) pitchfork; — de ajos string of garlic

horcajadas loc adv a — straddle, astride

horda f horde

horizontal adj horizontal

horizonte m horizon; (de una ciudad) skyline

horma f (de zapato) shoe last; (de queso) wheel

hormiga f ant; — blanca termite

hormigón m concrete

hormigonera f cement mixer

hormiguear vi (diverse animales) to swarm; (sentir hormigueo) to tingle

hormigueo m tingle

hormiguero m anthill

hormona f hormone

hornada f batch

horneado m baking

hornear vt/vi to bake

hornilla f burner

horno m (industrial) furnace; (doméstico) oven; (para cerámica) kiln; — de microondas microwave oven; — alto blast furnace; el — no está para bollos it's not a good time; recién salido del — brand-new

horóscopo m horoscope

horquilla f (para el pelo) hairpin; (horca) pitchfork

horrendo adj horrendous, horrid; (feo) hideous, ghastly

horrible adj horrible

horripilante adj gruesome, hair-raising

horror m (miedo, repulsión) horror; (cosa monstruosa) abomination; (espectáculo) sight; tener — a to be scared of

horrorizar vt to horrify, to shock, to appall

horroroso adj appalling, awful

horticultura f horticulture

hortera adj inv tacky, uncool, cheesy

hortaliza f vegetable; —s produce, truck

hosco adj sullen, surly

hospedaje m lodging

hospedar vt to lodge, to accommodate; —se to lodge, to room

hospicio m (para peregrinos) hospice; (para huérfanos) orphanage

hospital m hospital

hospitalario adj hospitable

hospitalidad f hospitality

hostal m hostel

hostería f hostelry

hostia f (oblea) host, wafer; (golpe) whack

hostigar[1] vt to harass, to harry

hostil adj hostile

hostilidad F hostility

hotel M hotel

hotelero -ra MF hotel keeper

hoy adv today; — **(en) día** nowadays; **de — en adelante** from now on; — **por** — at present

hoya F river basin

hoyo M hole (también de golf); (muy profundo) pit

hoyuelo M dimple

hoz F sickle

hozar[9] vi to root

HTML M HTML

hucha F piggy bank

hueco adj (vacío) hollow; (vanidoso) vain, affected; **palabras huecas** empty words; M (entre los dientes) gap; (cavidad) hollow; (del ascensor) shaft

huelga F strike, work stoppage; — **de hambre** hunger strike; **declararse en** — to strike; **en** — on strike

huelguista MF striker

huella F (señal dejada al pasar) trace, trail; (de pie) footprint, track; (de rueda) track; — **dactilar / digital** fingerprint; **seguir las — s de alguien** to follow in someone's footsteps

huérfano -na adj & MF orphan

huerta F (de verduras) large vegetable garden; (de árboles frutales) large orchard; **la — valenciana** the farming region of Valencia

huerto M (de verduras) vegetable garden; (de árboles frutales) orchard

hueso M (de animal) bone; (de una fruta) stone, pit; **calado hasta los — s** soaked to the bone; **la sin —** the tongue; **no dejarle — sano** to break someone's bones; — **duro de roer** a hard pill to swallow

huésped MF (invitado) guest; (anfitrión) host (también de parásitos)

hueste F host

huesudo adj bony

hueva F spawn

huevo M egg; — **de Pascua** Easter egg; — **duro** hard-boiled egg; — **estrellado / frito** fried egg; — **pasado por agua** soft-boiled egg; — **s revueltos** scrambled eggs; **ir pisando — s** to walk on eggshells

huida F flight

huir[1] vi to flee, to fly

hule M oilcloth

hulla F soft coal; — **blanca** hydroelectric power

humanidad F (cualidad y condición) humanity; (conjunto de los seres humanos) mankind; — **es** humanities

humanismo M humanism

humanitario adj (organización, ayuda) humanitarian; (generoso) humane

humano adj (del hombre) human; (generoso) humane; M human

humareda F cloud of smoke

humeante adj smoking

humear vi (echar humo) to give off smoke; (echar vapor) to give off steam

humedad F (del aire) humidity; (de un paño) dampness; (en la tierra) moisture; (mancha) moisture stain

humedal M wetland

humedecer[13] vt (sello, ojo) to moisten; (paño) to dampen; **se le humedecieron los ojos** his eyes grew teary

húmedo adj damp; (aire) humid; (tierra) moist; (tiempo) wet; soggy

húmero M flue, funnel

humildad F (actitud de humilde) humility; (condición) lowliness

humilde adj (actitud) humble; (condición) low, lowly, mean

humillación F humiliation

humillar vt (dañar el amor propio) to humiliate; (hacer sentirse disminuido) to humble; — **se** to grovel

humo M smoke; (vapor) vapor; — **s** conceitedness; **bajarle los — s a alguien** to cut someone down to size; **echar —** to put out smoke; **estar que echa —** to be fuming; **hacerse —** to vanish into thin air

humor M (actitud risueña) humor; (estado de ánimo) mood

humorada F witty remark

humorismo M (humor) humor; (profesión) comedy

humorístico adj humorous

humoso adj smoky

hundimiento M (acción de hundirse) sinking; (hoyo) sinkhole

hundir vt (un barco) to sink, to scuttle; (arruinar) to destroy; (enterrar) to bury; — **se** (barco) to sink; (empresa, edificio, precios) to collapse; (tierra) to subside; (sol) to go down

húngaro -ra MF Hungarian

Hungría F Hungary

huracán M hurricane

huraño adj sullen, unsociable

hurgar[7] vi (en una bolsa) to rummage; (en la basura) to scavenge; — **se las narices**

to pick one's nose
hurón m ferret
huronear vt to ferret out
hurra interj hurrah
hurtadillas LOC ADV a — stealthily
hurtar vt to steal, to swipe; — **el cuerpo** to dodge; **—se** to hide
hurto m theft, larceny; — **con escalo** breaking in
husky m (perro) husky
husmear vt (un pedazo de carne) to sniff at; (a un delincuente) to smell out; (peligro) to smell; (en los asuntos ajenos) to nose around in, to poke around in
husmeo m sniff
huso m spindle; — **horario** time zone
huy INTERJ (sorpresa) wow; (pena) oh

Ii

ibérico adj Iberian
iceberg m iceberg
ictericia f jaundice
ida f **—s y vendías** comings and goings
idea f (reflexión) idea, thought; (intuición) inkling
ideal adj & m ideal
idealismo m idealism
idealista adj idealistic; MF idealist
idear vt to devise, to think out, to plan; (un método) devise; (un plan) to conceive; (una solución) to engineer; (un complot) to hatch
idem PRON & ADV ditto
idéntico adj identical
identidad f identity
identificación f identification
identificar[6] vt to identify
ideología f ideology
idílico adj idyllic
idilio m idyll
idioma m language
idiosincrasia f idiosyncrasy
idiota adj inv idiotic, lamebrained; MF inv fam idiot
idiotez f idiocy
ídolo m idol
idolatría f idolatry
idolatrar vt to idolize
idóneo adj (calificado) expert; (ideal) ideal
iglesia f church
iglú m igloo
ignición f ignition
ignífugar[7] vt to fireproof

ignorancia f ignorance
ignorante adj ignorant, uneducated
ignorar vt (no saber) to be unaware of; (hacer caso omiso de) to ignore, to disregard; (despreciar) to shrug off, to discount
igual adj (idéntico) equal; (semejante) same, alike; (liso) even; **me da** — it's all the same to me; **al** — **que** just like; m equal sign
igualar vt (alisar) to level; (ser igual a) to equal; (hacer iguales) to equalize; (compararse con) to match
igualdad f equality
ijar m loin
ijada f loin
ilegal adj illegal, unlawful, lawless
ilegítimo adj illegitimate
ileso adj unharmed, unhurt
ilícito adj illicit
ilimitado adj unlimited; (energía) boundless; (horizonte) limitless
iluminación f illumination, lighting; (moral) enlightenment
iluminado adj lit
iluminar vt (un cuarto) to illuminate, to brighten; (moralmente) to enlighten
ilusión f (idea o imagen falsa) illusion; (deseo) dream, fond hope; (entusiasmo) thrill; — **óptica** optical illusion; **me da** — I'm looking forward to
iluso adj naive
ilusorio adj illusory
ilustración f illustration; **la** — the Enlightenment
ilustrar vt to illustrate; (intelectualmente) to enlighten
ilustre adj illustrious
imagen f (representación, reputación) image; (foto, televisión) picture; (unidad de película fotográfica) frame; — **especular** mirror image; **la** — **del tacto** the soul of tact; — **por resonancia magnética** magnetic resonance imaging
imaginable adj conceivable
imaginación f imagination
imaginar vt to imagine, to picture; (idear) to dream
imaginario adj imaginary
imaginativo adj imaginative
imán m magnet
imantar vt to magnetize
imbatible adj unbeatable
imbécil adj idiotic; MF ofensivo imbecile, moron
imbuir[31] vt to imbue

imitación f imitation

imitador -ora mf (que imita) imitator; (que imita gestos y voces) mimic; **—— de Elvis** an Elvis wannabe

imitar vt to imitate; (en gestos y voces) to mimic, to impersonate

impacientar vi/vt to impatience

impaciencia f impatience

impaciente adj impatient; *fam* antsy

impactar vi/vt to impact

impacto m impact

impagado adj unpaid

impala m impala

impar adj odd, uneven

imparcial adj impartial, unbiased; (justo) evenhanded; (que no toma partido) nonpartisan

imparcialidad f impartiality

impartir vt to impart

impasible adj impassive

impasse m impasse

impávido adj undaunted

impecable adj (perfecto) flawless; (limpio) spick and span

impedimento m impediment, hindrance; (incapacidad) handicap

impedir[5] vt to impede, to prevent, to hinder; (acceso) to bar

impeler vt (empujar) to impel; (inducir) to drive

impenetrable adj impenetrable

impensable adj unthinkable

imperar vt to prevail

imperativo adj & m imperative

imperceptible adj imperceptible

imperdible m safety pin

imperecedero adj undying

imperfecto adj & m imperfect

imperial adj imperial

imperialismo m imperialism

impericia f lack of skill

imperio m (forma de gobierno) empire; (hecho de imperar) rule

imperioso adj (mandón) imperious; (necesario) imperative

impermeabilizar[9] vt to waterproof

impermeable adj (al agua) waterproof; (a la crítica) impervious; m raincoat, slicker

impersonal adj impersonal

impertinencia f (actitud) impertinence; impudence; (réplica) backtalk

impertinente adj impertinent, impudent

ímpetu m impetus

impetuoso adj impetuous, brash

impío adj godless

implacable adj implacable, relentless

implantar vt to implant

implante m implant

implementar vt to implement

implemento m implement

implicar[6] vt (involucrar) to implicate, to involve; (conllevar) to entail

implícito adj implicit

implorar vi/vt to implore

imponente adj (impresionante) imposing; (espantoso) forbidding

imponer[39] vt to impose, to force upon; (gravar) to assess; **—se** to get one's way

impopular adj unpopular

importación f import

importancia f importance

importante adj important; (cantidad) substantial; (tema, asunto) weighty; (suceso, ocasión) momentous

importar vt (ser de importancia) to matter; **me importa un comino** I don't give a hoot, **no importa** it makes no difference; vt (introducir bienes) to import

importe m amount

importunar vt to besiege

importuno adj inopportune

imposibilidad f impossibility

imposibilitar vt to make impossible

imposible adj impossible

imposición f imposition; (de impuestos) assessment

impostor -ora mf impostor, fraud

impotencia f impotence

impotente adj powerless; (sexualmente) impotent

impreciso adj inaccurate

impredecible adj unpredictable

impregnar vt to impregnate

impremeditado adj unpremeditated

imprenta f (arte, oficio) printing; (máquina) press, printing press

imprescindible adj indispensable

impresión f (efecto en el ánimo) impression; (acción de imprimir) printing; (huella) imprint

impresionante adj (logro) impressive; (edificio) grand, imposing; (panorama) breathtaking

impresionar vt to impress; **—se** to be overwhelmed

impreso m printed matter

impresor -ora mf (persona) printer; f (aparato) printer; **impresora de inyección de tinta** ink-jet printer; **impresora gráfica** plotter; **impresora láser** laser printer

imprevisible adj unpredictable

imprevisto adj unforeseen; m unforeseen event

imprimir[1] vi/vt to print; (marcar con presión) to imprint
improbable adj improbable, unlikely
improductivo adj unproductive
impromptu M impromptu
impropio adj (inadecuado) unbecoming; (atípico) atypical
improvisación F improvisation, role-playing
improvisado adj impromptu
improvisando adv ad lib
improvisar vi/vt to improvise
improviso LOC ADV **de —** all of a sudden
imprudencia F (actitud) recklessness; (acción) reckless act
imprudente adj imprudent, unwise
impublicable adj unprintable
impúdico adj immodest
impuesto M tax, duty; **— de sucesión** inheritance tax; **—s** taxation; **— sobre ingresos** income tax; **— sobre las ventas** sales tax; **— sobre rentas** income tax
impugnar vt to contest, to dispute
impulsar vt (empujar) to propel, to drive; (estimular) to boost
impulsivo adj impulsive
impulso M (estímulo) boost; (deseo espontáneo) impulse, urge
impureza F impurity
impuro adj (sustancia) impure; (pensamiento) impure, unclean
inacabado adj unfinished
inaccesible adj inaccessible
inaceptable adj unacceptable, inadequate
inacostumbrado adj unwonted
inactividad F inactivity
inactivo adj inactive
inadaptado -da adj maladjusted; Mr misfit
inadecuado adj unsuitable
inadvertido adj unnoticed, unobserved
inagotable adj (recursos) inexhaustible; (optimismo) unfailing
inaguantable adj unbearable
inalámbrico adj cordless, wireless
inalterable adj unalterable, unchangeable
inalterado adj unchanged
inamovible adj immovable
inanición F starvation
inanimado adj inanimate
inapetencia F lack of appetite
inapreciable adj (invalorable) invaluable; (muy pequeño) too small to be seen
inapropiado adj unsuitable
inasequible adj inaccessible
inaudible adj inaudible
inaudito adj unheard-of, unprecedented;
(sufrimiento) untold
inauguración F (de un gobierno) inauguration; (de una carretera, etc.) dedication
inaugurar vt (un gobierno) to inaugurate; (una carretera) to dedicate
incalculable adj untold
incandescencia F glow
incandescente adj incandescent, glowing
incansable adj untiring, tireless
incapacidad F inability
incapacitar vt to disable, to incapacitate
incapaz adj incapable
incautación F seizure
incauto adj unwary
incendiar vt to set fire to; vi/vt to burn; **—se** to catch fire, to burn down
incendiario -ria adj incendiary; Mr arsonist
incendio M conflagration, fire, blaze; **— doloso** arson
incentivo M incentive, inducement
incertidumbre F uncertainty, suspense
incesante adj incessant, ceaseless
incesto M incest
incidencia F incidence
incidental adj incidental
incidente M incident
incienso M incense
incierto adj uncertain
incinerar vt to incinerate
incipiente adj incipient
incisión F incision
incisivo adj incisive; M incisor
incitar vt to incite, to whip up
incivilizado adj uncivilized
inclemencia F **las —s del tiempo** foul weather
inclemente adj inclement, foul
inclinación F (de personalidad) inclination, bent, disposition; (acto de inclinar) tilting; (estado de inclinado) tilt; (de un techo) slant; (del terreno) slope; (sesgo) bias
inclinar vt (ladear) to tilt; (bajar la cabeza) to bend over; (tener tendencia a) to tend; **—se** (doblarse en la cintura) to hang; (hacer una reverencia) to bow
incluir[31] vt (incorporar) to include; (abarcar) to include; to comprise
inclusive adv even
inclusivo adj inclusive
incluso adj even
incógnita F unknown (quantity)
incógnito LOC ADV **de —** incognito
incoherente adj incoherent
incoloro adj colorless
incomestible adj inedible
inconformista adj & Mr nonconformist

incomible adj inedible
incomodar vt to inconvenience
incomodidad f uneasiness
incómodo adj (silla) uncomfortable; (situación) awkward, inconvenient; (baúl) cumbersome; (silencio) uneasy; (que siente molestia) ill at ease
incomparable adj incomparable, peerless
incompatible adj incompatible
incompetente adj incompetent
incompleto adj incomplete
incomprensible adj incomprehensible
incomunicación f disconnect
incomunicar vt to disconnect
inconcebible adj inconceivable
inconcluso adj unfinished
incondicional adj unconditional, unqualified
inconexo adj disconnected
inconformista mf nonconformist
inconmovible adj unmistakable
inconsciente adj (sin sentido) unconscious, senseless; (ignorante) unaware, oblivious
inconsecuente adj inconsistent
inconsecuencia f inconsistency
inconsistente adj inconsistent
inconsolable adj heartbroken
inconstancia f inconstancy
inconstante adj inconstant, changeable
inconstitucional adj unconstitutional
incontable adj countless
incontenible adj uncontrollable
incontinente adj incontinent
incontrolable adj uncontrollable
incontrovertible adj incontrovertible
inconveniencia f inconvenience
inconveniente adj improper; m inconvenience, downside
incorporado adj built-in
incorporar vt to incorporate, to build into; (incluir) to incorporate; —se (erguirse) to sit up
incorrecto adj incorrect, wrong
incorregible adj incorrigible
incredulidad f disbelief
incrédulo adj incredulous
increíble adj (que no puede creerse) incredible, unbelievable; (extraordinario) amazing
incrementar vt to augment
incremento m increment, increase
incriminar vt to incriminate
incrustación f inlay
incrustado adj (en piedra) embedded; (joyas) inlaid
incrustar vt to embed; (oro) to inlay; —se en to become embedded in
incubadora f incubator
incuestionable adj unquestionable

inculcar vt to inculcate, to instill
inculto adj (sin modales) uncultured, unrefined; (sin instrucción) uneducated
incumbencia f no es de tu — it's none of your business
incurable adj incurable
incurrir vi — en (una deuda) to incur; (un error) to fall into
incursión f raid, foray
incursionar vi to foray
indagación f investigation, probe
indagar vi/vt to investigate, to inquire into
indebido adj undue
indecencia f indecency
indecente adj indecent
indecible adj unspeakable
indecisión f indecision
indeciso adj (que no ha decidido) undecided; (que suele vacilar) wishy-washy
indecoroso adj improper
indefendible adj indefensible
indefenso adj defenseless
indefinible adj indefinable
indefinido adj indefinite
indeleble adj indelible
indelicado adj indelicate
indemnización f indemnity; (de guerra) reparation; (de un pleito) recovery
indemnizar vt to indemnify
independencia f independence; (de un individuo) self-reliance
independiente adj independent
indescriptible adj indescribable
indeseable adj undesirable; unwelcome
indestructible adj indestructible
indeterminado adj indeterminate
indexar vt to index
India f India
indicación f indication; (instrucción) instruction; **indicaciones** directions
indicador m pointer
indicar vt to indicate, to point out; (aparato de medida) to read, to register; (mostrar) to show
indicativo adj & m indicative
índice m (lista alfabética) index; (tabla de materias) table of contents; (dedo) index finger
indicio m clue, sign
Índico m Océano — Indian Ocean
indiferencia f indifference; (frialdad) coolness
indiferente adj (apático) indifferent, unconcerned; (frío) cool; (sin entusiasmo) lukewarm; (no conmovido) unmoved; esa chica me es — I don't care about that

indígena adj inv indigenous; mf inv native girl

indigente adj destitute, indigent

indigestión f indigestion

indignación f indignation

indignado adj indignant

indignar vt to make indignant; **—se** to become indignant

indigno adj unworthy

índigo m indigo

indio -dia adj & mf Indian

indirecta f hint

indirecto adj indirect; (ruta) roundabout

indisciplinado adj unruly

indiscreción f indiscretion

indiscreto adj indiscreet

indiscutible adj unquestionable

indispensable adj indispensable

indisponer[39] vt to indispose; **—se** to become indisposed

indispuesto adj (disgustado) upset; (enfermo) indisposed

indistinto adj indistinct, vague

individual adj individual; (habitación) single

individualidad f individuality

individualismo m individualism

individualista mf individualist

individuo adj & m individual

indivisible adj indivisible

índole f type

indolencia f indolence

indolente adj indolent

indoloro adj painless

indomable adj indomitable

indomado adj unbroken

Indonesia f Indonesia

indonesio -sia adj & mf Indonesian

inducción f induction

inducir[24] vt to induce, to prompt

indudablemente adv undoubtedly

indulgencia f indulgence

indulgente adj indulgent, lenient

indultar vt to pardon

indulto m pardon

indumentaria f apparel

industria f industry, trade

industrial adj industrial; mf industrialist

industrioso adj industrious

inédito adj unpublished

inefable adj ineffable

ineficaz adj ineffective, ineffectual

ineficiente adj inefficient

inelegible adj ineligible

inepto adj inept

inequívoco adj unequivocal

inercia f inertia

inerte adj inert

inescrutable adj inscrutable

inesperado adj unexpected

inestabilidad f instability

inestable adj unstable; (andar) unsteady

inestimable adj inestimable, invaluable

inevitable adj inevitable; (accidente) unavoidable

inexacto adj inaccurate

inexcusable adj inexcusable

inexorable adj inexorable

inexperto adj inexperienced, unskilled; (ojo) untrained

inexplicable adj inexplicable

inexpresivo adj inexpressive, wooden

infalible adj infallible, foolproof; (confiable) unfailing

infame adj infamous

infamia f infamy

infancia f childhood

infante -ta mf (hijo -ja del rey) infante -ta; m (soldado) infantrymen

infantería f infantry; **— de marina** marine corps

infantil adj (como niño) childlike; (aniñado) childish, infantile

infección f infection

infeccioso adj infectious

infectar vt to infect; **—se** to become infected

infecto adj foul, repugnant

infelicidad f misery

infeliz adj unhappy, wretched, miserable; mf poor wretch

inferencia f inference

inferior adj (en calidad) inferior; (en posición) lower

inferioridad f inferiority

inferir[3] vt to infer

infernal adj infernal; (ruido) unholy

infestar vt to infest

infiel adj unfaithful, faithless, untrue

infierno m hell; (lugar donde hace mucho calor) inferno; **en el quinto —** in the middle of nowhere

infinidad f infinity; **una — de** a large number of

infinitivo adj & m infinitive

infinito adj infinite; m infinity

inflación f inflation

inflado m inflation

inflamable adj flammable

inflamación f inflammation

inflamar vt to inflame; **—se** to become inflamed

inflar vt (neumáticos) to inflate, to pump up; (globos) to blow up; (precios) to balloon

inflexible adj (rígido) inflexible; (testarudo) unbending, adamant

infligir¹ vt to inflict

influencia f influence, pull, clout; (sobre las masas) sway

influir¹ vi — **en** / **sobre** to influence (las masas) to sway

influjo m influence

influyente adj influential

informal adj (no formal) informal, casual; (poco fiable) unreliable

informante mf (para un estudio) informant; (de la policía) informer

informar vt to inform, to appraise; (un militar) to debrief; (un periodista) to report; (un abogado) to advise; **—se** to become informed

informática f computer science

informatizar⁹ vt to computerize

informe m report; (militar) debriefing; **—s** information, adj shapeless

infortunio m misfortune

infracción f (de reglamentos) infraction; (de contrato) breach; (de tránsito) violation

infractor -ora mf lawbreaker

infraestructura f infrastructure

infrarrojo adj & m infrared

infrascrito -ta m undersigned

infringir¹ vt to infringe, to breach, to violate

infructuoso adj fruitless, unsuccessful

ínfulas f pl. airs; **darse —** to put on airs

infundado adj groundless, unfounded

infundir vt to infuse, to imbue

infusionar vt to steep

ingeniar vt to contrive; **ingeniárselas para** to contrive to

ingeniería f engineering; **— genética** genetic engineering; **— química** chemical engineering

ingeniero -ra mf engineer; **— civil** civil engineer; **— electricista** electrical engineer

ingenio m (mental) ingenuity, cleverness; (verbal) wit; (artefacto) artifact; **— de azúcar** (refinería) sugar refinery, sugar mill; (plantación) sugar plantation

ingeniosidad f ingenuity

ingenioso adj ingenious, resourceful

ingenuo -nua adj (inocente) naive; (crédulo) gullible; mf dupe

ingerir⁴ vt/vi to ingest

ingestión f ingestion

ingle f groin

inglés -esa adj English; m Englishman; (lengua) English; f Englishwoman

ingobernable adj unruly

ingratitud f ingratitude

ingrato -ta adj thankless, ungrateful; mf ingrate

ingrávido adj weightless

ingrediente m ingredient; **—s** makings

ingresar vt (datos) to input; (dinero en una cuenta) to deposit; vi (a un hospital) to be admitted

ingreso m (permiso para entrar) entrance, entry; (depósito bancario) deposit; (renta) income; **—s** (de una firma) earnings; (del Estado) revenue

inhábil adj unskilled

inhabilidad f inability

inhabilitar vt to disqualify

inhalar vt/vi to breathe in, to inhale

inherente adj inherent

inhibición f inhibition

inhibir vt to inhibit

inhospitalario adj inhospitable

inhóspito adj inhospitable

inhumano adj inhuman

iniciación f initiation, induction

inicial adj initial; (pago) up-front; f initial

inicializar⁹ vt to initialize

iniciar vt (comenzar) to initiate; (admitir) to induct

iniciativa f initiative

inimitable adj inimitable

ininflamable adj fireproof

ininteligible adj unintelligible

ininterrumpido adj continuous, unbroken

injertar vt to graft

injuria f (insulto) insult, verbal abuse; (daño) damage

injuriar vt to insult, to abuse verbally

injurioso adj insulting, injurious, verbally abusive

injusticia f injustice; (acto injusto) wrong; (error judicial) miscarriage of justice

injustificable adj unjustifiable

injustificado adj uncalled-for, unwarranted

injusto adj unjust, unfair

inmaculado adj immaculate, spotless

inmaduro adj immature

inmanejable adj unmanageable

inmaterial adj immaterial

inmediación f vicinity

inmediato adj immediate, instant; **de —** at once

inmensidad f immensity, vastness

inmenso adj immense, vast

inmigración f immigration

inmigrante ADJ & MF immigrant
inmigrar VI to immigrate
inminente ADJ imminent, impending
inmiscuir[31] VI to mix; **—se** to meddle
inmoral ADJ immoral
inmoralidad F immorality
inmortal ADJ & MF immortal
inmortalidad F immortality
inmóvil ADJ motionless, immobile
inmovilizar[9] VT to immobilize; (en una pelea) to pin
inmune ADJ immune
inmunidad F immunity
inmutable ADJ unchangeable, immutable
innato ADJ innate, inborn
innecesario ADJ unnecessary, needless
innovación F innovation
innocuo ADJ innocuous
innoble ADJ ignoble
innegable ADJ undeniable
innumerable ADJ innumerable, countless
inocencia F innocence
inocente ADJ innocent, guiltless; MF dupe
inocuo ADJ harmless
inodoro ADJ odorless; M toilet, commode
inofensivo ADJ inoffensive, harmless
inoperable ADJ inoperable
inolvidable ADJ unforgettable
inoportuno ADJ inopportune, untimely
inorgánico ADJ inorganic
inoxidable ADJ rustproof
inquietar VT to worry
inquieto ADJ (movedizo) restless; (preocupado) uneasy
inquietud F (intranquilidad) restlessness; (preocupación) alarm
inquilino -ina MF (de un apartamento) tenant, renter; (de una pensión) lodger
inquina F spite
inquirir[34] VI/VT to inquire
inquisición F inquisition
inquisitivo ADJ inquisitive
insalubre ADJ unhealthy
insaciable ADJ insatiable
insatisfactorio ADJ unsatisfactory
insatisfecho ADJ dissatisfied, unhappy
inscribir[51] VT (grabar) to inscribe; (matricular) to register, to enroll; **—se** to register, to enroll
inscripción F (grabado) inscription; (matriculación) registration, enrollment
insecticida M insecticide
insectívoro ADJ insectivorous
insecto M insect
inseguro ADJ (personalidad) insecure; (vehículo) unsafe; (el andar) unsteady
insensato -ta ADJ foolish; MF fool

insensibilizar[9] VT to desensitize
insensible ADJ (cruel) insensitive, callous; (imperturbable) unfeeling, thick-skinned; (entumecido) numb
inseparable ADJ inseparable
inserción F insertion
insertar VT to insert
inservible ADJ useless
insidioso ADJ insidious
insigne ADJ famous
insignia F insignia, badge
insignificante ADJ insignificant, unimportant
insincero ADJ insincere
insinuación F insinuation; (sexual) innuendo
insinuante ADJ suggestive
insinuar[17] VT to insinuate, to suggest; **—se** to insinuate oneself
insípido ADJ insipid, flavorless
insistencia F insistence; (perseverancia) persistence
insistente ADJ insistent; (perseverante) persistent
insistir VI/VT to insist, (perseverar) to persist; **— en** to insist on; **— sobre** to harp on
insolación F (por sol) sunstroke; (por calor) heatstroke
insolencia F insolence; (comentario) smart remark
insolente ADJ insolent, sassy
insólito ADJ unusual; (accidente) freak, freakish
insoluble ADJ insoluble
insolvente ADJ insolvent
insomne ADJ wakeful, unable to sleep
insoportable ADJ unbearable, impossible; (dolor) excruciating
insospechado ADJ unsuspected
insostenible ADJ untenable
inspección F inspection; (encuesta) canvass
inspeccionar VT to inspect, to survey
inspector -ora MF inspector
inspiración F (idea) inspiration; (inhalación) inhalation
inspirar VI/VT to inspire; VI to inhale, to breathe in
instalación F installation
instalar VT to install; **—se** to take up residence
instancia LOC ADV **a —s de** at the request of
instantánea F snapshot
instantáneo ADJ instantaneous
instante M instant; **al —** right away
instar VT to enjoin
instigar[7] VT to instigate, to abet
instintivo ADJ instinctive

instinto m instinct; **— suicida** death wish

institución f institution; **— benéfica** charity

instituir[31] vt to institute

instituto m institute; (escuela secundaria) high school

institutriz f governess

instrucción f instruction, schooling

instructivo adj instructive

instructor -ora mf instructor

instruir[31] vt to instruct, to school

instrumental adj instrumental

instrumentar vt (un plan) to implement; (música) to do the instrumentation for

instrumento m instrument; **— de metal** brass instrument; **— de viento** wind instrument

insubordinado adj insubordinate

insubordinación f insubordination

insuficiencia f insufficiency; (de los órganos) failure

insuficiente adj insufficient, inadequate

insufrible adj insufferable

insulina f insulin

insulso adj bland

insultar vt to insult

insulto m insult, put-down

insuperable adj (resultado) insuperable; (obstáculo) insurmountable

insurgente adj & mf insurgent

insurrección f insurrection

insurrecto -ta adj rebellious, mf rebel

intacto adj intact, unbroken

intachable adj blameless

intangible adj intangible

integral adj integral; (harina) whole-grain

integrante adj integral

integrar vt to form; (ser miembro de) to be a member of

integridad f integrity

integro adj whole; (moralmente) upright

intelecto m intellect

intelectual adj & mf intellectual

inteligencia f intelligence (también militar); (persona) mind; **— artificial** artificial intelligence

inteligente adj intelligent, bright, smart

inteligible adj intelligible

intemperie LOC ADV **a la —** exposed to the weather

intención f intention, intent

intencional adj intentional

intensidad f intensity

intensificar[9] vt to intensify; **—se** to intensify

intensivo adj intensive

intenso adj intense; (debate) fierce; (calor) severe

intentar vt/vi to try, vt to attempt

intento m (tentativa) try, attempt; (propósito) intention

interactivo adj interactive

interactuar[17] vi to interact

intercalación f insertion

intercalar vt to insert

intercambiador m interchange

intercambio m exchange

intercambiar vi/vt to exchange

interceder vi to intercede

interceptación f interception

interceptar vt to intercept

intercesión f intercession

intercesor -ora mf advocate

interés m (intelectual, financiero) interest; (preocupación) concern; (participación comercial) stake; **— compuesto** compound interest

interesado adj interested; (preocupado) concerned; (egoísta) self-serving

interesante adj interesting

interesar vt to interest; **—se por** to become interested in

interestatal adj interstate

interestelar adj interstellar

interfaz mf (electrónica/informática) interface

interferencia f interference; (en una transmisión) interference, static

interferir[60] vt to jam; vi to interfere

interin m interim; **en el —** meanwhile

interino adj acting, interim

interior adj (de un edificio) interior; (no costeño) inland; (dentro de una organización) internal; (hacia dentro) inward, m interior

interiorizar[9] vt to internalize

interjección f interjection

interlineal adj interlinear

interlock m interlock

interlocutor -ora mf interlocutor

interludio m interlude

intermediario -ria m middleman; mf (mensajero) go-between

intermedio adj intermediate; m intermission; **por — de** through

interminable adj interminable, unending, endless

intermitente adj intermittent; m turn signal

internacional adj international

internado -da m (escuela) boarding school; (período de práctica) internship; mf (alumno) boarding student; (en un hospital) inmate

internalizar[9] vt to internalize

internar vt (en una cárcel) to intern; (en un hospital) to admit; (en un manicomio) to commit

internet M Internet

internista MF internist

interno -na adj internal; MF (alumno) boarding-school student; (prisionero, médico) intern

interpersonal adj interpersonal

interponer[39] vt to interpose; **— se** to intervene

interpretación F interpretation; (artístico) performance, rendition

interpretar vt to interpret; (música) to perform; (intérprete) to construe

intérprete MF interpreter; (músico) artist

interracial adj interracial

interrelacionado adj interrelated

interrelación F interrelation

interrogador -ora MF questioner; adj questioning

interrogar[7] vt/vi (por la policía) to interrogate; (con intensidad) to grill; (a un testigo) to question, to cross-examine

interrogativo adj interrogative

interrogatorio M interrogation, questioning

interrumpir vt/vi to interrupt; (servicios) to disrupt, to cut off; (producción de un modelo) to discontinue; (en una conversación) to intrude, to cut in

interrupción F interruption; (en una conversación, infusión) (de producción) stoppage

interruptor M switch

intersección F intersection

intersticio M interstice

intervalo M interval; (en el teatro) interval

intervención F intervention; (de intermisión), interlude

intervenir[47] vt/vi to intervene; **— un teléfono** to wiretap

intervía F interview

intestino adj & M intestine; **— delgado** small intestine; **—s** bowels

intimar vi to become friendly

intimidad F intimacy

intimidar vt (una persona) to intimidate; (una tarea) to daunt

íntimo adj intimate, close

intitular vt to entitle; **— se** to be entitled

intolerable adj intolerable

intolerancia F intolerance, bigotry

intolerante adj intolerant, narrow-minded

intoxicación F intoxication, poisoning; **— con plomo** lead poisoning; **— por alimentos** food poisoning

intoxicar[6] vt to poison, to intoxicate

intransigente adj intransigent, uncompromising

intransitivo adj intransitive

intravenoso adj intravenous

intrepidez F fearlessness

intrépido adj (sin miedo) intrepid, fearless; (aventurero) adventurous

intriga F intrigue

intrigante MF schemer; adj scheming

intrigar[7] vi/vt to intrigue, to scheme

intrincado adj intricate

intrínseco adj intrinsic

introducción F introduction

introducir[24] vt (incorporar) to introduce; (colocar) to put in, to insert

introspección F introspection

introvertido -da adj introverted; MF introvert

intrusión F intrusion

intrusivo adj intrusive

intruso -sa adj intruding; MF intruder

intuición F intuition

intuir[31] vt to sense

intuitivo adj intuitive

inundación F flood

inundar vt/vi to inundate, to flood; (de regalos) to shower

inusual adj unusual

inútil adj useless, pointless; (esfuerzo) futile; (persona) worthless, good-for-nothing

inutilidad F uselessness; (de un esfuerzo) futility

inutilizar[9] vt to render useless, to put out of commission

invadir vt/vi to invade

invalidar vt to render invalid

inválido -da adj (discapacitado) invalid; (nulo) void; MF invalid

invalorable adj priceless, invaluable

invariable adj invariable

invasión F invasion

invasor -ora MF invader; adj invading

invencible adj invincible

invención F invention (también mentira); (mental) construct

inventar vt to invent; (una historia) to fabricate, to make up

inventariar[16] vt/vi to inventory

inventario M inventory

inventiva F ingenuity

inventivo adj inventive

invento M invention

inventor -ora MF inventor

invernadero M greenhouse, hothouse

invernal adj wintry

invernar vi to winter

inverosímil adj unlikely, farfetched

inversión f (trueque) inversion; (financiero) investment

inversionista mf investor

inverso -sa adj inverse, reverse; **— a la inversa** the other way around

inversor -ora mf investor

invertir¹ vt/vi to invert, to reverse; vi/vt (dinero) to invest

investidura f inauguration, investment

investigación f (policial) investigation, inquiry; (científico) research

investigador -ora mf investigator

investigar² vt/vi to investigate, to look into; (científico) to research

investir vt/vi to invest; **— de un cargo** to invest, to office

invicto adj unbeaten

invierno m winter

invisible adj invisible; (oculto) unseen

invitación f invitation

invitado -da mf guest

invitar vt/vi to invite

invocación f invocation

invocar⁴ vt to invoke; (espíritus) to conjure

involucrar vt (implicar) to implicate; (consistir de) to involve

involuntario adj involuntary; (accidental) inadvertent

inyección f injection, shot; (en coches) fuel injection

inyectado adj **— de sangre** bloodshot

inyectar vt to inject

ión m ion

ionizar⁴ vt to ionize

ir³² vi to go; (deber estar situado) to belong; **— a caballo** to ride horseback; **— a pie** to walk; **— a por** to fetch; **— aprendiendo** to learn gradually; **— corriendo** to run; **— de mal en peor** to go from bad to worse; **— en coche** to drive/ride in a car; **— tirando** to scrape along, **no me va ni me viene** it's all the same to me; **¿cómo te va?** how are you? **¡vaya!** well now! **¡vaya a saber uno!** go figure! **¡vamos!** let's go! come on! **¡vaya hombre!** what a man! **¡ve a freír esparragos!** take a hike! **va por dos años que me casé** it's going on two years since I got married; **voy a comer hongo venenoso** she goes and eats a poisonous mushroom; **en lo que va del año** since the beginning of the year; **ya van siete veces que me lo dice** that makes seven times that she's told me; **voy a ir de rojo** I'm going dressed in red; **para que no vayas a creer** lest you should think, **no vayas a caerte** don't fall; **¡qué va!** no way! **— se** to go away, to leave; **— se a la quiebra** to go broke; **— se a las manos** to come to blows; **— se a pique** to founder; **— se de vacaciones** to take a vacation

ira f ire, wrath

Irak m Iraq

Irán m Iran

iraní adj & mf Iranian

iraquí adj & mf Iraqi

irascible adj irascible, quick-tempered

iridiscente adj iridescent

iris m iris

Irlanda f Ireland

irlandés -esa mf Irish; adj Irish

ironía f irony

irónico adj ironic, wry

irracional adj irrational, unreasonable

irradiar vt to radiate, to irradiate

irreal adj unreal

irreconocible adj unrecognizable

irrecuperable adj irretrievable

irreflexivo adj thoughtless

irrefutable adj irrefutable

irregular adj irregular; (borde, filo) ragged; (piso) unsteady; (superficie) rough, uneven; (comportamiento) erratic, haphazard

irremediable adj hopeless

irremplazable adj irreplaceable

irreparable adj irreparable

irreprochable adj irreproachable, flawless

irresistible adj irresistible

irrespetuoso adj disrespectful

irresponsable adj irresponsible

irreverente adj irreverent

irrevocable adj irrevocable

irrigación f irrigation

irrigar¹ vt/vi to irrigate

irritable adj irritable

irritación f irritation

irritante adj (molesto) irritating, grating; (agresivo) abrasive

irritar vt/vr to irritate, to aggravate

irrumpir vi to burst into

isla f island, isle; **— s Fiyi** Fiji Islands; **— s Malvinas** Falkland Islands; **— s Marshall** Marshall Islands; **— s Salomón** Solomon Islands; **— s Vírgenes** Virgin Islands

islamismo m Islam

islandés -esa mf Icelander; adj Icelandic

Islandia f Iceland

isleño -ña mf islander

isobara f isobar

isométrico ADJ isometric
isótopo M isotope
Israel M Israel
israelí ADJ & MF Israeli
istmo M isthmus
Italia F Italy
italiano -na ADJ & MF Italian
itálico ADJ italic
ítem M item
itinerante ADJ itinerant
itinerario M itinerary
IVA (impuesto al valor añadido / agregado) M sales tax
izar⁹ VT to hoist, to raise
izquierda F left (también política); (mano) left hand; **a la —** to the left
izquierdista ADJ & MF leftist
izquierdo ADJ left

Jj

jab M jab
jabalí M (wild) boar
jabalina F javelin
jabón M soap
jabonera F soap dish
jabonoso ADJ soapy
jaca F nag
jacinto M hyacinth
jactancia F boastfulness
jactancioso ADJ boastful, blustering
jactarse VI to boast, to brag
jacuzzi M Jacuzzi™, hot tub
jade M jade
jadear VI to pant, to gasp
jadeo M panting, gasping
jaez M harness
jaguar M jaguar
jalar VI/VT to pull, to tug
jalea F jelly
jaleo M (lío) mess; (barahúnda) ruckus
jam M jam session
Jamaica F Jamaica
jamaicano -na ADJ & MF Jamaican
jamaiquino -na ADJ & MF Jamaican
jamás ADV never
jamelgo M hack
jamón M ham
Japón M Japan
japonés -esa ADJ & MF Japanese
jaque M check; **— mate** checkmate; **tener a uno en —** *fam* to have someone by the short hairs

jaqueca F migraine
jarabe M syrup
jarana F revelry; **ir de —** to paint the town red
jarcia F rigging
jardín M (de flores) garden; (de césped) yard; **— de niños** kindergarten; **— infantil** nursery
jardinero -ra MF gardener
jarra F (cántaro) jug, pitcher; (taza) mug; **en —s** akimbo
jarro M pitcher, jug
jarrón M vase
jaspe M jasper; (mármol) veined marble
jaula F cage, coop
jauría F pack
jazmín M jasmine
jazz M jazz
jeans M PL jeans
jefatura F headquarters
jefe -fa MF (en un lugar de trabajo) boss; (militar) commander; (departamental) chair, head; (policial) chief; **— del estado mayor** chief of staff
jején M gnat
jengibre M ginger
jerarquía F hierarchy
jerez M sherry
jerga F jargon, slang
jerigonza F gibberish, gobbledygook; (juego lingüístico) pig Latin
jeringa F syringe
jeringar⁹ VT to annoy
jeroglífico ADJ hieroglyphic
jersey M sweater
Jesús INTERJ God bless you! gesundheit!
jesuita ADJ INV & M Jesuit
jeta F (hocico) snout; (cara) mug
jet-set M jet set
jilguero M goldfinch
jinete -ta MF rider
jinetear VI to ride horseback
jingle M jingle
jirafa F giraffe
jobar INTERJ holy cow! holy Moses! holy mackerel!
jockey M jockey
jocoso ADJ jocular
jofaina F basin
jolgorio M rumpus
Jordania F Jordan
jordano -na ADJ & MF Jordanian
jornada F (día laboral) workday; (coloquio) colloquium
jornal M daily wage
jornalero -ra MF day laborer
joroba F hump

jorobado -da ADJ & MF hunchback

jorobar VT (molestar) to hassle; (estropear) to gum up

jota F jay; no saber ni — to know zilch

joven ADJ young; M (muchacho) youth

jovial ADJ jovial

joya F jewel; (persona apreciada) gem; —s jewelry

joyería F jewelry store

joyero -ra MF jeweler

joystick M joystick

juanete M bunion

jubilación F retirement; (pagos) pension

jubilar VT to pension, to retire; —se to retire

júbilo M glee

jubiloso ADJ jubilant, joyous

judía F bean; — blanca navy bean; — pinta pinto bean; — verde green bean

judicial ADJ judicial

judío -ía ADJ Jewish; MF Jew

judo M judo

juego M (actividad recreativa) play; (partido de pelota) game; (conjunto de tazas) set; — de (conjunto de muebles) suite; — de damas checkers; — de palabras pun, play on words; —s Olímpicos Olympic Games, estar en — to be at stake; hacer — to match

juerga F binge; irse de — to go on a binge

juerguista MF merrymaker

jueves M Thursday

juez -za MF judge (en deportes) referee; — de paz justice of the peace

jugada F play, move

jugador -ora MF player; (apostador) gambler

jugar[33] VI to play; (apostar) to gamble; — a la baraja / a los naipes to play cards; — con fuego to play with fire; — limpio to play fair; —se to risk

jugarreta F bad turn

jugo M juice

jugoso ADJ juicy

juguete M plaything, toy

juguetear VI to toy with, to fiddle with

juguetón -ona ADJ playful

juicio M (criterio) judgment; (proceso) trial; perder el — to lose one's mind; a mi — in my estimation

juicioso ADJ judicious

juke-box M jukebox

julio M July

jumbo ADJ jumbo; M jumbo jet

jumper M jumper

junco M rush, reed; (barco chino) junk

jungla F jungle

junio M June

junta F (reunión) meeting; (concejo) council; (juntura) joint; (pieza de coche) gasket

juntar VT (tubos) to attach; (valerita) to muster; (flores) to gather, to pick; (ganado) to round up, to wrangle; — polvo to gather dust; — valor to muster courage; —se (acumularse) to gather; (asociarse) to band together; (reunirse) to come together

junto ADJ together; LOC ADV — a next to; — con together with

juntura F (lugar) juncture; (articulación) joint

jurado -da MF juror; M (conjunto de jurados) jury

juramentar VI/VT to swear in; —se to be sworn in

juramento M oath

jurar VI/VT to swear, to vow; — en falso to perjure oneself; — la bandera to pledge allegiance to the flag

jurisdicción F jurisdiction

jurisprudencia F (doctrina) jurisprudence; (derecho) law

justa F joust, tilt

justamente ADV precisely, fairly

justicia F justice

justificación F justification

justificar VT to justify

justo ADJ just, (equitativo) equitable; (pío) righteous, upright; — después de right after; — en ese momento exactly at that moment

juvenil ADJ (inmaduro) juvenile; (de apariencia joven) youthful

juventud F youth

juzgado M court

juzgar[7] VI/VT to judge, to pass judgment (on); — mal to misjudge

Kk

kaki M khaki

kart M go-cart

kayak M kayak

Kazako -ka ADJ & MF Kazakh('h)

Kazajstán M Kazakhstan

Kenia F Kenya

keniata ADJ INV & MF INV Kenyan

kermés F bazaar

keroseno M kerosene

ketchup M catsup, ketchup

kilo M kilo

kilobyte M kilobyte
kilociclo M kilocycle
kilogramo M kilogram
kilometraje M mileage
kilómetro M kilometer
kilovatio M kilowatt; f —hora kilowatt-hour
Kirbati M Kiribati
kosher ADJ kosher
Kuwait M Kuwait
kuwaití ADJ & MF Kuwaiti
Kirguistán M Kyrgyzstan

Ll

la ART DEF F the; —de the one with, that one with; PRON PERS it, her; PRON REL —que she who, the one that
laberinto M labyrinth, maze
labio M lip; —leporino harelip
labia F gift of gab
labor F (trabajo) labor; (tarea) task; (manualidad) handiwork
laboral ADJ legislación —labor legislation
laboratorio M laboratory
laborioso ADJ (trabajoso) laborious; (amante del trabajo) hard-working
labrado ADJ carved
labranza F plowing
labrar VT to till; —se una carrera to carve out a career
laca F lacquer
lacar[6] VT to lacquer
lacayo M lackey, flunky
lacio ADJ straight
lacónico ADJ (persona) laconic; (comentario) terse
lacra F (física) scar; (moral) blight
lacre M sealing wax
lacrimógeno ADJ tear-producing
lactar VT to nurse
lácteo ADJ (parecido a la leche) milky; (hecho de leche) dairy
ladeado ADJ (torcido) awry, askew; (asimétrico) lopsided
ladear VT to tilt; (la cabeza) to cock; (un avión) to bank; (ignorar) to snub; to ignore; —se to tilt, to lean
ladeo M tilt
ladera F hillside
ladillas F PL crabs
ladino ADJ artful

lado M side; —a —side by side; al —nearby; ¡a un —! gangway! de —sideways; hacerse a un —to move over
ladrar VI/VT to bark; VI/VT (hablar de modo áspero) to snap (at)
ladrido M bark, barking
ladrillo M brick
ladrón -ona MF (de casas) burglar; (con violencia) robber; (con astucia) thief
lagartija F lizard; (ejercicio) push-up
lagarto M alligator
lago M lake
lágrima F tear, teardrop
lagrimear VI to weep
laguna F lagoon; (de la memoria, conocimiento) gap; (legal) loophole
laico -ca MF layperson; ADJ lay
laja F slab
lamentable ADJ (desafortunado) lamentable, regrettable; (ruinoso) woeful
lamentación F lamentation
lamentar VT to lament, to regret; —se to lament, to wail
lamento M lament, lamentation
lamer VT to lick; VI/VT (el mar) to lap
lamida F lick
lámina F (de vidrio, metal) sheet; (de metal) plate; (grabado) print
laminar VT to laminate
lámpara F lamp
lamparilla F night-light
lampiño ADJ (sin pelo) hairless; (sin barba) beardless
lana F wool; —de acero steel wool
lanar ADJ wool-bearing
lance M incident
lancear VT to lance, to spear
lanceta F lancet, lance
lancha F launch, boat; —a motor motorboat
langosta F (crustáceo) lobster; (insecto) locust
langostino M prawn
languidecer[13] VI to languish, to wilt
languidez F languor
lánguido ADJ languid, listless
lanilla F flannel
lanolina F lanolin
lanudo ADJ woolly, shaggy
lanza F lance, spear; romper una —por alguien to stick one's neck out for someone; M SG —llamas flame thrower
lanzadera F shuttle
lanzador -ora MF pitcher
lanzamiento M (de un cohete, producto) launch; (de suministros) drop; (de una roca grande) heave; (de una pelota) pitch

lanzar⁹ vt (un cohete, un producto) to launch; (una pelota) to throw; (una bala) to fire; (algo pesado) to heave; (lodo) to sling; vi/v/t (vomitar) to puke; **—se** to launch forth/out

lanzazo M thrust with a lance

Laos M Laos

laosiano -na adj & M Mr Laotian

lápida F stone tablet; (de sepultura) gravestone, tombstone

lapidar vt to stone

lapidario adj & M lapidary

lápiz M pencil; **— de color** crayon; **— de labios** lipstick

lapso M lapse, span

lapsus M lapse, slip of the tongue

laptop M laptop

laquear vt to lacquer

largar⁷ vt (soltar) to let go; **—se** fam to scram, to buzz off, to shove off

largo adj wide, long; (discurso) lengthy; **— de aquí** scram! **—metraje** feature film; **a la larga** in the long run; **a lo —** lengthwise; M length

largueza F generosity

larguirucho adj lanky

laringe F larynx

laringitis F laryngitis

larva F larva

lascivia F (deseo) lust; (perversión) lewdness

lascivo adj (pervertido) lascivious, lewd

láser M laser

lástima F (compasión) pity; **¡qué —!** what a shame!

lastimadura F hurt

lastimar vt to hurt; (insultar) to hurt one's feelings; **—se** to get hurt

lastimoso adj pitiful

lastre M ballast

lastrar vt to ballast

lata F tin can, can; (con tapa) canister; (pesadez) bore; **dar la —** to be a nuisance

latente adj latent, dormant

lateral adj lateral, side

látex M latex

latido M (individual) beat, throb; (colectivo) beating; (del corazón) heartbeat

latifundio M large estate

latigazo M (golpe) lash; (chasquido) crack of a whip

látigo M whip

latín M Latin

latino -na adj (relativo a los hispanos) Latino; (relativo a la lengua latina) Latin; M Latino; F Latina

Latinoamérica F Latin America

latinoamericano adj Latin American

latir vi to beat, to throb

latitud F latitude (también flexibilidad)

latón M brass

latrocinio M larceny

laudable adj laudable

laurel M laurel; **dormirse sobre los —es** to rest on one's laurels

lava F lava

lavable adj washable

lavabo M (retrete) lavatory, toilet; (recipiente) sink

lavadero M laundry

lavado M wash, washing; **— de cerebro** brain washing; **— de dinero** money laundering; **— en seco** dry cleaning

lavadora F washing machine

lavanda F lavender

lavandería F laundry

lavandera F washerwoman

lavar vt/vi to wash; (ropa) to launder; **—se** to wash up: **—se las manos** to wash one's hands; M sg **lavaplatos/lavavajillas** dishwasher

lavativa F enema

lavatorio M washroom

laxante M laxative

laxitud F laxity

laxo adj lax

lazada F bowknot

lazar⁹ vt to lasso

lazarillo M (persona) guide for the blind; (perro) guide dog

lazo M (soga) lasso, rope; (vuelta) loop; (nudo corredizo) noose; (relación) tie, bond

le PRON PERS **— dije** I told you/him/her; **— vi** Esp I saw him; **se — murió el perro** his/her dog died on him/her

leal adj loyal, trusty

lealtad F loyalty, allegiance

lección F lesson, assignment; **darle una — a alguien** to teach someone a lesson

lechada F whitewash

leche F (de vaca) milk; **— desnatada** skim milk; **— en polvo** powdered milk; **— entera** whole milk; **— homogeneizada** homogenized milk; **— malteada** malted milk; **¿qué —s quieres?** Esp fam what the hell do you want? **mala —** nasty disposition; **ir a toda —** to barrel along; **ese tío es la —** that guy's a case; **es un mala —** Esp fam he's a nasty creep

lechería F dairy

lechero -ra adj dairy; M milkman; F milkmaid

lecho M bed (también de río)

lechón M suckling pig

lechoso ADJ milky
lechuga F lettuce
lechuza F screech owl, barn owl
lector -ora MF reader
lectura F (acción) reading; (material) reading matter
leer[14] VI/VT to read
legación F legation
legado M legacy, bequest
legajo M file
legal ADJ legal, lawful
legalizar[9] VT to legalize
legar[7] VT to will, to bequeath
legendario ADJ legendary
leggings M PL leggings
legible ADJ legible
legión F legion
legislación F legislation
legislador -ora MF legislator, lawmaker
legislar VI/VT to legislate
legislativo ADJ legislative
legislatura F legislature
legítimo ADJ legitimate, lawful, rightful
lego -ga MF layperson; ADJ lay
legua F league
leguleyo -ya MF pey shyster
legumbre F legume
leído ADJ well-read
lejanía F distance
lejano ADJ distant, faraway; (parentesco) remote
lejía F (producto de limpieza) bleach; (de sosa) lye
lejos ADV far away, far; **a lo —** in the distance; **— de** far from; **desde —** from afar
lelo ADJ silly
lema M motto; (político) slogan
lencería F lingerie
lengua F (órgano) tongue; (idioma) language; **— materna** mother tongue
lenguado M sole
lenguaje M language (también en informática); **— corporal** body language; **— de máquina** machine language; **— de ensamblador** assembly language
lenguaraz ADJ gossipy
lengüeta F (de un instrumento de viento) reed; (de un zapato) tongue
lengüetazo M lick
lente MF lens; **— filtrador** filter lens; **—s** eyeglasses; **—s de contacto** contact lenses; **—s negros/oscuros** sunglasses, shades
lenteja F lentil
lentitud F slowness

lento ADJ (no rápido) slow; (no inteligente) dull; (letárgico) sluggish
leña F firewood
leñador -ora MF woodcutter, lumberjack
leñera F woodshed
leño M log
leñoso ADJ woody
león M lion; **— marino** sea lion
León M Leon
leona F lioness
leonés ADJ Leonese
leopardo M leopard
lepra F leprosy
lerdo ADJ slow
lesbiano -na ADJ lesbian; F lesbian
lesión F injury, lesion
lesionar VT to injure; **—se** to get injured
Lesotho M Lesotho
letal ADJ lethal
letargo M lethargy
letón -ona ADJ M MF Latvian
Letonia F Latvia
letra F (del alfabeto) letter; (caligrafía) handwriting; (de una canción) lyrics, words; **— bastardilla / cursiva** italics; **— chica** fine print; **— de cambio** bill of exchange; **— de imprenta** block letter; **—s manuscrita** longhand; **sin —s** uneducated
letrado ADJ learned, literate
letrero M sign
letrina F latrine
leucemia F leukemia
leudar VI to rise; VT to leaven
leva F (de tropas) levy; (de motor) cam
levadura F leaven, yeast
levantamiento M (revuelta) uprising; (suspensión) suspension; **— de pesas** weight-lifting
levantar VT (la mano) to raise; (una caja) to lift; (un interruptor) to switch; (algo caído) to pick up; (perdices) to flush; (a un dormido) to wake up, to rouse; (un edificio) to put up; **— el campamento** to break camp; **— falso testimonio** to bear false witness; **— la mesa** to clear the table; **— la sesión** to adjourn the meeting; **— vuelo** to take flight; **—se** (de la cama) to get up, to rise, to arise; (de una silla) to stand up, to get up; (un edificio) to go up
levar VT **— anclas** to weigh anchor
leve ADJ (brisa) light; (resfrío) mild; (problema) slight
levedad F (de una brisa) lightness; (de un resfrío) mildness
léxico M lexicon, dictionary; ADJ lexical

lexicografía F lexicography

ley F law, statute; **— de prescripción** statute of limitations; **— marcial** martial law; **de buena —** of good quality

leyenda F (mitología) legend; (texto que acompaña una figura) caption

liar[16] VT (paquetes) to bundle; (cigarros) to roll; **—se** to get involved

libanés -esa ADJ & MF Lebanese

Líbano M Lebanon

libélula F dragonfly

libelo M libel

liberación F liberation; (de pecados) deliverance; (de presos) release

liberal ADJ & MF liberal

liberalidad F liberality

liberalismo M liberalism

liberar VT (de un deber) to relieve; (a un pueblo) to liberate; (del sufrimiento) to deliver; (a un preso) to free, to release

Liberia F Liberia

liberiano -na ADJ & MF Liberian

libertad F liberty, freedom; **— condicional** parole; **— de expresión** free speech; **poner en —** to set free; **poner en bajo fianza** to let out on bail; **poner en — condicional** to parole

libertador -ora MF liberator

libertar VT to liberate

libertinaje M licentiousness

libertino -na MF libertine

Libia F Libya

libio -bia ADJ & MF Libyan

libra F pound (también moneda británica)

librar VT to free, to set free; (de una obligación) to release; (un cheque) to write; (una letra de cambio) to draft; (una guerra) to wage; **—se de** to get rid of

libre ADJ free; (asiento) vacant; (camino) clear; (traducción) loose; (de una obligación) exempt; **— albedrío** free will; **— cambio / comercio** free trade; **— de impuestos** duty-free; **— pensador** free thinker

librería F bookstore

librero -ra MF bookseller

libresco ADJ bookish

libreta F small notebook

libreto M libretto

libro M book; **— de bolsa** pocket book; **— de cocina** cookbook; **— de texto** textbook; **— en rústica** paperback; **— mayor** ledger

licencia F (carnet de conducir, libertad) license; (permiso) leave

licenciado -da MF college graduate

licenciar VT to discharge; **—se** to graduate from college

licenciatura F bachelor's degree

licencioso ADJ licentious

liceo M high school

licitación F bid

licitar VT to bid

lícito ADJ lawful, permissible

licor M liqueur, cordial

licuadora F blender

licuar VI/VT to contend, to grapple

líder MF leader

liebre F hare; **levantar la —** to let the cat out of the bag

Liechtenstein M Liechtenstein

liechtensteiniano -na MF Liechtensteiner

lienzo M canvas

lifting M face-lift

liga F (alianza, grupo deportivo) league; (cinta elástica) garter; **— mayor** major league

ligado M slur

ligadura F ligature

ligamento M ligament

ligar[7] VI/VT to bind, (conectar notas) to slur; (perseguir sexualmente) to hit on; (conquistar sexualmente) to score; VI **—se** to bind, **—se las trompas** to have one's tubes tied

ligereza F (de peso) lightness; (de temperamento) levity

ligero ADJ (poco pesado) light; (rápido) swift; (pequeño) slight; **a la ligera** lightly

liguero M garter belt

lijar VI/VT to sandpaper, to sand

lija F sandpaper

lila F (fruta) lime; (árbol) lime tree; **— de**

lila ADJ & MF lilac

lima F nail file

limar VI/VT to file

limero M lime tree

limitación F (restricción) limitation; (defecto) shortcoming

limitar VT to limit; (gastos) to curb; **—se a** to limit oneself to

límite M limit; (de una región) boundary; (de la paciencia) bounds; **— de velocidad** speed limit

limítrofe ADJ bordering

limo M slime

limón M lemon

limonada F lemonade

limonero M lemon tree

limosna F alms, handout

limpiador M cleanser

limpiar VI/VT to clean, (una superficie) to wipe; (la piel) to cleanse; (un camino, una pantalla de computadora, la reputación) to

clear; (animales) to dress; (zapatos) to
shine; (un derrame) to mop up, to wipe
up; (dejar sin dinero) to clean out; m sg

limpiaparabrisas windshield wiper;
limpiavidrios squeegee

limpieza f cleanliness, neatness; (operación
militar) mop-up; — **étnica** ethnic
cleansing

limpio adj clean, neat; (piel, conciencia)
clear; (juego) fair; (sin dinero) broke;
pasar en — to make a clean copy

limusina f limousine

linaje m lineage, ancestry

linaza f linseed

lince m (animal) lynx; (persona astuta) sly
fox; **con ojos de** — sharp-eyed

linchar vt to lynch

lindante adj neighboring

lindar vi to border, to adjoin

linde mf boundary

lindero adj adjoining; m boundary

lindo adj pretty; **un día** — a nice day; **de lo**
— a lot

línea f line; — **de conducta** course of
action; — **de crédito** credit line; — **de**
montaje assembly line

lineal adj linear

linfa f lymph

lingüista mf linguist

lingüística f linguistics

lingüístico adj linguistic

lino m (tela) linen; (fibra) flax

linóleo m linoleum

linterna f flashlight; (de un faro) lantern

lío m (bulto) bundle; (enredo, molestia) mess,
hassle; (amorío) affair, fling; **armar un** — to
raise a rumpus; **meterse en un** — to
get oneself into a mess

liposucción f liposuction

liquidación f (ajuste de cuentas, de bienes)
settlement, liquidation; (rebaja) sale,
clearance sale; (pago completo) payment
in full

liquidar vt (bienes, mercancías) to liquidate;
(una cuenta, herencia) to settle; (a una
persona) fam to waste, to off

liquidez f liquidity

líquido adj & m liquid

lira f lira

lírico adj lyric, lyrical

lirio m iris; — **de los valles** lily of the valley

lirismo m lyricism

lisiado adj (descapacitado) handicapped;
(lesionado) injured

lisiar vt to handicap

liso adj (neumático) bald; (camino) even,
smooth; (terreno) flat; (pelo) straight;
azul — solid blue

lisonja f flattery

lisonjear vt/vi to flatter

lisonjero -ra mf flatterer; adj flattering

lista f list; (de miembros) roster; (de
alumnos) roll; (banda) stripe; (de precios)
schedule, list; — **de control** checklist;
— **de espera** waiting list; **pasar** — to call
the roll

listado adj striped; m listing, printout

listo adj (preparado) ready, set; (inteligente)
clever, smart; **hacerse el** — to pull a
stunt

listón m (tabla) board; (en salto de altura)
crossbar

lisura f smoothness

litera f (cama en el tren, barco) berth; (cama
superpuesta) bunk bed

literal adj literal

literario adj literary

literato -ta mf writer

literatura f literature

litigio m (pleito) lawsuit; (acción de litigar)
litigation

litio m lithium

litoral adj seaside; m seaboard, seacoast

litro m liter

Lituania f Lithuania

lituano -na adj & mf Lithuanian

liviano adj (leve) light; (promiscuo)
promiscuous

lívido adj livid

living m living room

llaga f sore

llama f (fuego) flame; (animal) llama

llamada f call; (grito) hail; (nota al pie)
footnote; — **de cobro revertido** / **por**
cobrar collect call

llamador m knocker

llamamiento m (conversación) call;
(exhortación) appeal; **hacer un** — to
appeal

llamar vt (un nombre, una huelga, por
teléfono) to call; (a la puerta) to knock;
(gritó) to hail; — **la atención** to call
attention; **me llamo Juan** my name is
Juan

llamarada f blaze, flare

llamativo adj (impactante) striking, bold;
(chabacano) gaudy, flashy

llameante adj flaming

llamear vi to flare, to flame

llana f trowel

llano adj (sencillo) plain; (liso) flat, smooth,
level; (de poca profundidad) shallow; m

llano ADJ plain

llanta F (reborde metálico) rim; (neumático) tire

llanto M crying, weeping

llanura F plain, prairie

llave F (para puertas) key; (de armas de fuego) lock; (en lucha libre) lock, hold; (grifo) faucet, tap; (interruptor) light switch; (de gas) cock; **— de tuercas** wrench; **— inglesa** pipe wrench; **— maestra** master key

llavero M key ring

llegada F arrival

llegar⁹ VI (arribar) to arrive, to get there/ here; (alcanzar) to reach; **— a las manos** to come to blows; **— a ser** to become; **— a un arreglo** to cut a deal; **— tarde** to be late

llenar VT to fill; (un formulario) to fill out — **el tanque** to tank up, to gas up; **— el vacío** to take up the slack; **—se** to fill up; **—se de** to get filled with; **—se de oro** to make a killing

lleno ADJ full; **— de** full of; **—** totally; **un — completo** a full house

llevadero ADJ bearable

llevar VT (transportar) to carry, to take; (transportar en coche) to drive; (tener puesto) to wear; (contener) to hold; (inducir) to lead, to drive; **— a cabo** to carry out; **— la cuenta** to keep score; **— la ventaja** to have an advantage; **— los libros** to keep the books; **— un mes aquí** to have been here one month; **le llevo dos años a mi hermano** I'm two years older than my brother; **llevo las de perder** the odds are against me; **—se** to carry away, to take away; **—se bien con** to get along with

llorar VI (con ruido) to cry, to bawl; (con lágrimas) to weep; (una pérdida) to lament; (una muerte) to mourn

lloriquear VI to whimper

lloriqueo M whimper

llorón -ona ADJ weeping; MF crybaby, whiner

lloroso ADJ tearful, weeping

llover² VI/VT to rain; **— a cántaros** to rain cats and dogs; **llueva o truene** rain or shine

llovediza ADJ **agua llovediza** rainwater

llovizna F drizzle

lloviznar VI to drizzle, to mist

lluvia F (de preguntas, críticas) barrage; (de protestas, flechas, piedras) volley; (de golpes, de chispas) shower; **— ácida** acid rain

lluvioso ADJ rainy

lo PRON PERS **— bueno** the good thing; **— de la protesta** the matter of the protest; **— que quiero** what I want; **sé — bueno que eres** I know how good you are; **yo — vi** I saw it/him/you

loable ADJ laudable, praiseworthy

loar VT to laud

lobato M wolf cub

lobby M lobby

lobbista, lobista MF lobbyist

lobezno M wolf cub

lobo M wolf

lobotomía F lobotomy

lóbrego ADJ gloomy

lóbulo M lobe

local ADJ local; M premises

localidad F (pueblo) town, locality; (en un teatro) seat

localización F location

localizar⁹ VT (encontrar) to locate; (limitar) to localize

loción F lotion

loco -ca ADJ insane, mad, crazy; **— de remate** stark raving mad; MF lunatic, insane person; M madman

locomotora F locomotive, train engine

locuaz ADJ garrulous, loquacious

locura F madness, insanity

locutor -ora MF radio announcer

lodazal M quagmire

lodo M mud

lodoso ADJ muddy

logaritmo M logarithm

logia F lodge

lógica F logic

lógico ADJ logical; (bien fundado) sound

logística F logistics

lograr VT to achieve, to accomplish; **logré convencerle** I managed to/ succeeded in convincing him

logro M accomplishment, achievement; (hazaña) feat

loma F knoll

lombriz F (de tierra) earthworm; (de estómago) tapeworm

lomo M (de animal) back ridge; (corte de carne) loin

lona F canvas

longaniza F cured sausage

longevidad F longevity

longevo ADJ long-lived

longitud F (distancia angular) longitude; (largo) length; **— de onda** wavelength

lonja F (mercado) commodity exchange; (loncha) slice of meat

loquera F fam booby hatch, funny farm

loquero -ra MF (psiquiatra) fam shrink; M

(manicomio) fam funny farm

lord M lord

loro M parrot

losa f slab; (baldosa) flagstone

lote M lot

lotería f lottery

loza f (basto) crockery; (fino) china

lozanía f freshness, bloom

lozano adj fresh, blooming

LSD Mr LSD

lubina f bass

lubricante adj & M lubricant

lubricar[6] vt/vi to lubricate

lucero M morning star; — del alba morning star

lucha f (de clases) struggle; (pelea) fight; — libre wrestling

luchador -ora Mr fighter; (en lucha libre) wrestler

luchar vi/vr (contra un enemigo) to fight; (con un problema) to struggle; (en lucha libre) to wrestle; — por to strive for

luciérnaga f firefly, glowworm

lúcido adj lucid, clear-headed

lucir[3b] vi (mostrarse) to look; vr (llevar) to model, to sport; (alardear de) to flaunt; —se (sobresalir) to excel; (ostentar) to show off

lucrativo adj lucrative, profitable

lucro M sin fines de — not for profit

luego adv afterwards, then, next; — de after; desde — of course; hasta — so long

lugar M place; — común platitude; — de nacimiento birthplace; — de trabajo workplace; dar — a to give rise to; no hay — there's no room; en — de instead of

lúgubre adj mournful, gloomy

lujo M luxury; darse un — to indulge oneself; con — de detalles in great detail

lujoso adj luxurious; (hotel) plush

lujuria f lust

lujurioso adj lustful

lumbre f fire

luminosidad f brilliance

luminoso adj luminous

luna f moon; (espejo) large mirror; — de miel honeymoon; estar en la — to be distracted; — llena full moon

lunar adj lunar; M (en la piel) mole; (en una tela) polka dot

lunático -ca adj & Mr lunatic

lunes M Monday

lupa f magnifying glass

lúpulo M hops

lustrar vt to shine, to polish

lustre M luster, shine

lustroso adj (revista) glossy; (pelo) shining, sleek

luto M mourning

Luxemburgo M Luxembourg

luxemburgués -esa Mr Luxembourger; adj Luxembourgian

luz f light (también aparato); (del sol) sunshine; (abertura) aperture; — trasera tail light; — verde green light; dar a — to give birth; sacar a — to disclose

M m

macabro adj grim

macanudo adj cool

Macao M Macao

macarrones M pl. macaroni

Macedonia f Macedonia

macedonio -nia adj & Mr Macedonian

maceta f flowerpot

machacar[6] vt (aplastar) to pound, to crush; (insistir) to harp on

machacón adj persistent

machetazo M hack with a machete

machete M machete

machismo M (male) chauvinism

macho M (animal masculino) male; (mulo) he-mule; (varón) man; (hombre muy varonil) he-man; — cabrío he-goat; — y hembra hook and eye; adj (masculino) male; (fuerte) strong; INTERJ man!

machote adj butch

machucar[6] vr to bruise

macilento adj pale

macizo adj massive; M plateau

Madagascar M Madagascar

madama f madam

madeja f skein

madera f wood; (árboles maderables) timber; (madera para construcción) lumber; — contrachapada plywood; — flotante driftwood; — noble hardwood; —s woodwinds; tocar — to knock on wood

maderaje M woodwork

madero M trunk

madrastra f stepmother

madre f mother; — de alquiler surrogate mother; — patria mother country; — perla mother-of-pearl; — política mother-in-law; — selva honeysuckle;

ciento y la — everybody and their dog

madriguera f burrow, hole

madrileño -ña adj & mf Madrilenian (person) from Madrid

madrina f godmother

madrugada f early morning hours; **a las dos de la** — at two in the morning

madrugador -ra adj & mf early bird

madurar vi to mature, to grow up

madurez f (de personas) maturity; (de frutas) ripeness

maduro adj (de personas) mature; (de frutas)

maestría f master's degree

maestro -tra mf (docente) (school)teacher; (artesano) master

mafia f mafia

mafioso -sa mf mafioso

magia f magic

mágico adj magic, magical

magistrado -da mf magistrate

magistral adj masterful, masterly

magma m magma

magnánimo adj magnanimous

magnate mf magnate, tycoon

magnesia f magnesia

magnesio m magnesium

magnético adj magnetic

magnetismo m magnetism

magnetizar[9] vt to magnetize

magnificar[6] vt to magnify

magnificencia f magnificence

magnífico adj magnificent; (día) glorious

magnitud f magnitude

magno adj great

magnolia f magnolia

magnolio m magnolia tree

mago m magician, wizard

magro adj lean

magulladura f bruise

magullar vt/vi (machucar) to bruise; (mutilar) to mangle

mahonesa f mayonnaise

maicena® f cornstarch

maíz m corn, maize

maizal m cornfield

majadería f stupidity

majadero adj stupid

majar vt to pound

majestad f majesty

majestuoso adj majestic, stately

majo adj (atractivo) good-looking; (agradable) charming

mal (maldad) evil; (enfermedad) malady, affliction; (daño) harm; — **de altura** altitude sickness; — **de ojo** evil eye; ADV wrong, badly; — **aconsejado** misguided;

— **adquirido** ill-gotten; — **hablado** foulmouthed; **hablar** — **de alguien** to speak ill of someone; **hacer** — to do wrong

malabarista mf juggler

malandanza f misfortune

malaria f malaria

Malasia f Malaysia

malasio -sia adj & mf Malaysian

Malawi m Malawi

malawiano -na adj & mf Malawian

malbaratar vt to undersell

malcontento adj discontented

malcriado adj spoiled

malcriar vt to spoil

maldad f evil, wickedness

maldecir[26] vi/vt to curse

maldición f curse

maldito adj accursed

Maldivas f pl. Maldives

maldivo -va adj & mf Maldivian

maleable adj malleable

maleante mf gangster, hoodlum

malear vt to corrupt

maleducado adj ill-mannered, ill-bred

maléfico adj evil

maleficio m evil spell

malentendido m misunderstanding

malestar m (de estómago) upset; (físico) discomfort; (espiritual) malaise; (social) unrest

maleta f suitcase, bag; **hacer la** — to pack one's suitcase

maletero m car trunk

maletín m briefcase

malévolo adj malevolent; (comentario) snide

maleza f underbrush, scrub

malgache adj & mf Madagascan

malgastar vi/vt to waste, to throw away

malgasto m waste

malhechor -ora mf evildoer, criminal

malhumorado adj grumpy, ill-humored

Mali m Mali

malí adj & mf Malian

malicia f malice

malicioso adj malicious, spiteful

maligno adj vicious, evil; (tumor) malignant

malinterpretar vt/vi to misunderstand

malla f (de armadura) mail; (de metal) mesh

malo adj bad; (calidad, letra) poor; (enfermo) ill; **mal estado** disrepair; **mal humor** bad mood; **mala fama** ill repute; **mala hierba** weed; **mala pasada** bad turn; **mala racha** slump; **mala suerte** bad luck; **mala voluntad** ill will

malograr vt to spoil, to ruin; — **se** to miscarry

malpagar vi/vt to underpay
malparto m miscarriage
malsano adj unhealthy, unwholesome
malta f malt
Malta f Malta
maltés -esa adj & mf Maltese
maltratar vt to mistreat, to abuse
maltrato m mistreatment, abuse
maltrecho adj battered
malvado adj wicked, evil
malversación f misuse, misappropriation
malversar vt to misuse, to embezzle
mamá f mama, mamma, mom
mamar vi (un bebé) to suckle, to nurse; vi/vt to drink
mamarracho m sight
mami f mommy
mamífero adj mammalian, mammal; m mammal
mamografía f mammography
mampara f partition
mamut m mammoth
manada f (de ballenas) pod; (de vacas) herd; (de lobos) pack
manantial m (naciente) spring; (cantidad inagotable de algo) wellspring
manar vi to stream out
mancha f (marca) stain, spot; (de tinta) blot; (cosa borrosa) blur; (aceitosa) smear, smudge; (menoscabo) tinge; (en la piel) blemish
manchado adj spotted
manchar vi/vt (ensuciar) to spot; (menoscabar) to stain, to blemish
mancilla f blemish
mancillar vt to defile, to sully
manco adj one-armed
mancuerna f dumbbell
mandado m errand
mandamiento m commandment
mandante mf principal
mandar vi/vt (dar órdenes) to command, to order; (enviar) to send; — **buscar a** to send for; — **decir** to send word; **¿quién manda?** who's in charge?—**se hacer un traje** to have a suit made
mandarina f tangerine
mandatario -ria mf (mediante contrato) agent; (de estado) head of state
mandato m (orden) command, order; (cargo político) term, mandate
mandíbula f jaw; (hueso) jawbone
mandil m apron
mandioca f manioc
mando m (de un estado) rule; (de un aparato) control; — **a distancia** remote control
mandolina f mandolin
mandón -ona adj bossy, domineering; mf bossy person, control freak
mandonear vi/vt to domineer, to boss around
manea f hobble
manear vt to hobble
manecilla f clock hand
manejable adj manageable
manejar vt (un vehículo) to drive, to steer; (un negocio) to run, to manage; (una máquina) to operate
manejo m (de un negocio) running, management; (de asuntos) handling; (de una máquina) operation
manera f manner, way, a — **de** like; **de alguna** — somehow, **de cualquier** — anyway; **de ninguna** — on no account; **de** — **que** so that
manga f (de una camisa) sleeve; (de una nave) beam; (de agua) hose; — **de viento** windsock; **en** —**s de camisa** not wearing a jacket; **ser de** — **ancha** to be broad-minded; **sacar algo de la** — to pull something out of a hat
manganeso m manganese
mangle m mangrove
mango m (agarradera) handle, grip; (fruta, árbol) mango
mangosta f mongoose
manguera f hose
manguito m muff
maní m peanut
manía f (moda, estado patológico) mania; (hábito) bad habit; (tic) tic
maníaco -ca adj maniacal; mf maniac
maníacodepresivo adj manic-depressive
maniatar vt to tie the hands; (manear) to hobble
maniático adj (que tiene manías) crotchety; (melindroso) fastidious
manicomio m insane asylum
manicura f manicure
manicurar vt to manicure
manido adj hackneyed
manifestación f (muestra) manifestation; (protesta) demonstration
manifestar vt to manifest, to show; (expresar) to air; (protestar en público) to demonstrate; (declarar) to state
manifiesto adj & m manifest; **poner de** — to underscore; m (dogma) manifesto
manija f handle
maniobra f (militar) maneuver; (para llamar la atención) stunt

maniobrar VI/VT to maneuver

manipulación f (de la opinión pública) manipulation; (de alimentos) handling

manipular VT (influir) to manipulate; (tocar con las manos) to handle

maniquí M (muñeco) mannequin; MF (modelo) model

manivela f crank

manjar M delicacy

mano f hand (también de naipes); (de pintura) coat; — **a** — one on one; — **de obra** workforce; —**s a la obra** let's get to work; —**s de mantequilla** butterfingers; **a** — (presente) at hand; (con la mano) by hand; **a** — **armada** at gunpoint; **dar una** — **de** — to lend a hand, **dar una** — **de pintura** to put on a coat of paint; **darle una** — **a alguien** to lend someone a hand; **darse la** — (saludo) to shake hands; (señal de afecto) to hold hands; **de primera** — firsthand; **de segunda** — secondhand; **estar a** — **con alguien** to be even with someone; **hecho a** — handmade; **poner las** —**s en el fuego por alguien** to go out on a limb for someone; **quedar a** — to break even; **se le fue la** — he got carried away; **ser** — to lead (in a card game); **tener buena** — **con / para algo** to have a knack for something; **tomarse de la** — to hold hands

manojo M handful; (de llaves) bunch

manómetro M pressure gauge

manopla f mitten

manosear VT (a una persona) to fondle, to grope; (tocar una cosa) to feel, to finger

manoseo M feel, grope

manotazo M swat; **tirarle un** — **a alguien** to take a swipe at someone

manotear VI to swat at

mansalva LOC ADV **a** — at will

mansedumbre f gentleness

mansión f mansion

manso ADJ (humilde) meek; (domesticado) tame; (apacible) gentle

manta f blanket, cover; (liviana) throw

manteca f lard, shortening; RP butter; — **de cacao** cocoa butter

mantecoso ADJ rich, buttery

mantel M tablecloth

mantener[44] VT (conservar, sostener) to maintain; (dejar prolongadamente) to keep; (alimentar, costear a alguien) to provide for; (apoyar a lo largo del tiempo) to sustain; — **a flote** to buoy up; — **el orden público** to keep the peace; — **en suspenso** to keep in suspense; — **la**

calma to remain calm; —**se** (quedarse) to remain; (ganarse la vida) to support oneself; —**se al corriente** to keep abreast; —**se al tanto** to stay informed; —**se firme** to stand pat, to stick to one's guns

mantenimiento M maintenance, upkeep

mantequera f (platillo) butter dish; (aparato para hacer mantequilla) churn

mantequilla f butter; — **de maní** peanut butter

mantilla f mantilla

manto M mantle (también geológico); (de juez) robe

mantón M shawl

mantra M mantra

manual ADJ & M manual

manubrio M handlebar

manufactura f manufacture

manufacturar VT to manufacture

manufacturero -ra ADJ manufacturing; MF manufacturer

manuscrito ADJ written by hand, M manuscript

mantención f maintenance

manzana f (fruta) apple; (de calles) block; — **de discordia** bone of contention

manzanar M apple orchard

manzano M apple tree

maña f (destreza) skill, knack; (artimaña) cunning

mañana f (división del día) morning; (futuro) tomorrow; ADV tomorrow; — **por la** — tomorrow morning

mañanero -ra ADJ early bird

mañoso ADJ tricky

mapa M map; — **en relieve** relief map

mapache M raccoon

maple M maple

maqueta f mock-up

maquillaje M makeup

maquillarse VI to put on makeup

máquina f (aparato) machine; (motor) engine; — **de búsqueda** search engine; — **de coser** sewing machine; — **de escribir** typewriter; — **de lavar** washing machine; — **de vapor** steam engine; — **expendedora** vending machine; — **fotográfica** camera

maquinación f scheming, plotting

maquinador -ora MF schemer

maquinal ADJ automatic

maquinar VI/VT to plot, to scheme

maquinaria f machinery, apparatus; (de un gobierno) machine

maquinilla f clipper; — **de afeitar** razor

maquinista M (de locomotora) locomotive

engineer; (obrero) machinist

mar MF sea; — **de fondo** undercurrent;
llover a mares to rain cats and dogs; **en
alta** — on the high seas; **un** — **de cosas**
a lot of things; **hacerse a la** — to put to
sea

maraca F maraca
maraña F tangle, snarl; (de pelo) mat
marañón M cashew
maratón M marathon
maravilla F wonder, marvel; (flor) marigold;
a las mil —**s** wonderfully
maravillar VT to amaze; —**se** to be amazed,
to marvel
maravilloso ADJ marvelous, wonderful
marca F (récord) record; (de ganado) brand;
(de producto) brand, brand-name, label;
(de coche) make; — **de fábrica**
trademark; — **registrada** registered
trademark; — **de** — name-brand
marcado ADJ (acento) thick; (contraste)
sharp, stark; (descenso) steep; (parecido)
strong
marcador M marker; — **de libros**
bookmark; — **genético** genetic marker
marcar VT to mark; (ganado) to brand; (el
ritmo) to beat; (la hora) to say; (un tanto)
to score; (medida) to read, to show; (un
número telefónico) to dial
marcha F (caminata, pieza musical) march;
(partida) leaving; (progreso) course; (modo
de andar) gait; (cambio en un coche) gear;
(animación) nightlife; — **atrás** reverse;
ponerse en — to get going; **puesta en**
— beginning; **sobre la** — as you go
marchante MF (vendedor) art dealer;
(cliente) customer
marchar VI (soldado) to march; (máquina,
vehículo) to run; —**se** to go away
marchista MF walker
marchitar VT to wither; —**se** to wither, to
shrivel up
marchito ADJ withered, shriveled up
marcial ADJ martial
marco M (de un cuadro, de una puerta, de
referencia) frame; (moneda alemana) mark
marea F tide; — **baja** low tide
mareado ADJ (en una embarcación) seasick;
(en un coche) carsick; (de alegría) giddy;
(con vértigo) dizzy, lightheaded
marear VT to make dizzy; (en un barco) to
make seasick; —**se** to get dizzy; (en un
barco) to get seasick
marejada F tidal wave
maremoto M tidal wave
mareo M (en una embarcación) seasickness;
(en un vehículo) motion sickness;
(vértigo) dizziness
marfil M ivory
marfileño -**ña** ADJ & MF Ivorian
margarina F margarine
margarita F daisy; **echar** —**s a los cerdos**
to cast pearls before swine
margen MF margin; (de la sociedad) fringe; MF
(de un río) bank; **al** — on the outside
marginado -**da** ADJ & MF outcast
marginal ADJ marginal
marginar VT to marginalize
mariachi M mariachi
marido M husband
marihuana F marijuana; fam
marimba F marimba
marina F navy; — **mercante** merchant
marine
marinero -**ra** ADJ (buque) seaworthy;
(nación) seafaring; MF sailor
marino -**na** ADJ marine; MF sailor; (oficial)
naval officer
marioneta F marionette
mariposa F (insecto) butterfly (también
natación); (tuerca) wing nut; —
nocturna moth
mariquita F ladybug
mariscal M marshal; — **de campo** field
marshal
mariscos M PL shellfish
marítimo ADJ maritime
marketing M marketing
marmita F pot
mármol M marble
marmóreo ADJ marble
marmota F groundhog
maroma F rope
marrano M hog
marrón ADJ brown
marroquí ADJ & MF Moroccan
Marruecos M Morocco
marshalés -**esa** ADJ & MF Marshallese
marsopa F porpoise
martes M Tuesday
martillar VI/VT to hammer
martillo M hammer (también hueso del
oído, pieza de revólver); (de juez) gavel; —
neumático jackhammer
martinete M (martillo grande) pile driver;
(pieza de piano) piano hammer
martini M martini
mártir MF martyr
martirio M martyrdom
martirizar[9] VT to martyr, to torment
marxismo M Marxism
marzo M March
mas CONJ but

más adj more; prep plus; adv more; (más tiempo) longer; **— allá de** beyond; **— bien** rather; **— de tres** more than three; **— o menos** more or less; **— que nunca** more than ever; **— que tú** more than you; **a lo —** at best; **a — tardar** at the latest; **de —** extra; **el — allá** the hereafter; **es de lo — simpático** he's really nice; **es —** furthermore; **está de —** it is superfluous; **otro —** yet another; **por — que no** matter how much; **y — todavía** and then some

masa f mass; (de agua) body; (harina líquida) batter; (harina para amasar) dough; **— en** masse, in large numbers; **las — s** the masses; **— de hojaldre** puff pastry

masacrar vt to massacre, to slaughter

masacre m massacre

masaje m massage

masajear vt to massage

masajista m masseur; f masseuse

mascar⁴ vi/vt to chew; (con ruido) to crunch

máscara f mask; **— de gas** gas mask

mascarada f masquerade

mascota f (animal doméstico) pet; (emblema de un equipo) mascot

masculino adj (como un hombre) masculine; (del hombre) male

mascullar vi/vt to mumble

masilla f putty

masivo adj massive

masón m mason

masonería f masonry

mastectomía f mastectomy

masticar⁶ vt to chew

mástil m (en un barco) mast; (para una bandera) flagpole, flagstaff

mastín m mastiff

masturbar vi to masturbate

mata f bush; **— de pelo** head of hair

matadero m slaughterhouse

matador m horrendous, m bullfighter

matanza f slaughter, killing

matar⁷ vt to kill; (animales) to butcher, to slaughter; **— a tiros** to gun down; **— con hambre** to starve; **matasellar** to cancel a stamp; m sg **matamoscas** flyswatter; **matasellos** postmark; **matasanos** quack (doctor)

mate m (en ajedrez) checkmate; (planta, bebida) mate; adj (pintura) flat

matemática, matemáticas f mathematics

matemático -ca adj mathematical; mf mathematician

materia f (tema de estudio) school subject; (tema) topic; **— extraña** extraneous matter; **— fecal** fecal matter; **— gris** gray matter; **— prima** raw material

material adj (necesidades) material; (autor) real; m material

maternal adj (instinto) maternal; (amor) motherly

maternidad f (pertinente al nacimiento) maternity; (estado de ser madre) motherhood

materno adj maternal

matiné m matinee

matiz m (de un color) tint, shade, hue; (de sentido) nuance

matizar⁹ vt (mezclar colores) to blend, to tinge; (moderar) to qualify

matón m (que intimida a los pequeños) bully; (pendenciero) thug

matorral m (mata) thicket; (región) bush

matraz m flask

matriarca f matriarch

matrícula f (de alumnos) enrollment, matriculation; (de un coche) registration; (placa) license plate; (en la universidad) tuition fees

matricular vt to matriculate, to enroll

matrimonio m (pareja) married couple

matriz f (en matemáticas) matrix; (útero) womb; (plantilla) stencil; **casa —** main office

matrona adj frumpy; f matron

matutino adj of the morning

maullar vi to mew

maullido m mew

mauriciano -na adj & mf Mauritian

Mauricio m Mauritius

Mauritania f Mauritania

mauritano -na mf Mauritanian

maxilar m jawbone

máxima f maxim

máximo adj & m maximum; (autoridad) ultimate; (cuidado) utmost

mayo m May; (palo) maypole

mayonesa f mayonnaise

mayor adj (de tamaño) greater, larger; (de edad) older, elder; (rango, clave) major; **al por —** wholesale; **dedo —** middle finger; **— número de votos** the most votes; m (adulto) adult

mayoral m boss

mayordomo m butler

mayoreo m wholesale

mayoría f majority; **— de edad** legal age, majority

medida F (dimensión) measure; (acto de medir) measurement; — **para áridos** dry measure; — **que** as; **en la** — **en que** to the extent that; **hacer a la** — to make to measure; **hecho a la** — made-to-measure; **tomar** —**s** to take measures; **tomarle las** —**s a álguien** to measure someone

medidor M gauge, meter

medieval ADJ medieval

medio ADJ —**día** noon, midday; — **hermano** half brother; **a media asta** at half mast; **clase media** middle class; **el americano** — the average American; **hacer una cosa a medias** to do something halfway; **ir a medias** to go halves; **media hora** half an hour; **mi media naranja** my better half; **temperatura media** mean temperature; **a** — **camino** halfway; **a** — **tiempo** part-time; ADV **derretir** half-melted; **de** — **tiempo** part-time; M (centro) middle; (ambiente) medium; — **ambiente** environment; **tiempo** halftime; —**s** means, resources; **en (el)** — **de** in the middle of; **en** — **de la calle** in the middle of the street; **meterse de por** — to intervene; **por** — **de** by means of; —**s de comunicación** the media; **por todos los** —**s** by all possible means

medioambiental ADJ environmental

mediocre ADJ mediocre; (actuación) lackluster

mediocridad F mediocrity

medir² VT/VI to measure; VT (consecuencias) to gauge; (terreno) to survey; **a pasos** —**se** to step off; —**se** to be moderate

meditación F meditation

meditar VI to meditate, to ponder

médium MF medium, psychic

medroso ADJ fearful

médula F marrow, pith; — **espinal** spinal cord; — **ósea** bone marrow

medusa F jellyfish, man-of-war

megabyte M megabyte

megáfono M megaphone

megahercio, megahertz M megahertz

mejilla F cheek

mejor ADJ better; **el** — the best; **en el** — **de los casos** at best; **te deseo lo** — I wish you the best; ADV the better; **a lo** — maybe; **tanto** — so much the better

mejora F improvement

mejoramiento M improvement

mejorar VT to improve, to improve upon; (las posibilidades de uno) to better; VI (ventas) to pick up; —**se** to get better/well

mayorista M wholesale dealer

mayúsculo -la ADJ (letra) capital; (problema) major; F capital letter

mazmorra F dungeon

mazo M mallet

mazorca F ear of corn; (sin maíz) corncob

mecer [a álguien] VT/VI (cuna) to rock; (columpio) to swing

mecha F (de una vela) wick; (de explosivos) fuse; —**s** (en el pelo) highlights

mechar VT (rellenar con tocino) to lard; (robar) to shoplift

mechero -ra MF shoplifter; M burner; **Bunsen** — Bunsen burner

mechón M lock, strand

medalla F medal

médano M dune

media F (hasta el muslo) stocking; (hasta la cintura) pantyhose; (calcetín) sock; (promedio) mean

mediación F mediation

mediador -ra MF mediator

mediados LOC ADV **a** — **de mayo** in mid-May

mediana F median

mediano ADJ (intermedio en tamaño) medium; (intermedio en calidad) average; **de tamaño** — middle-sized; **de mediana edad** middle-aged

medianoche F midnight

mediante PREP by means of

mediar VI (intervenir en un asunto) to mediate, to intervene; (transcurrir tiempo) to intervene; **mediaba febrero** it was mid-February

medible ADJ measurable

medicación F medication

medicamento M medicine, drug

medicina F medicine

medición F measurement; (de un terreno) survey

médico -ca MF doctor, physician; — **forense** coroner; — **general** general practitioner; ADJ medical

mejora f improvement

melancolía f melancholy, gloom

melancólico adj melancholy, gloomy

melanoma m melanoma

melaza f molasses

melena f mane

melindroso adj affected, finicky

melindre m affectation

mella f notch; **hacer** — to make a dent

mellar vt to notch

mellizo -za adj & mf twin

melocotón m peach

melocotonero m peach tree

melodía f melody

melodioso adj melodious

melodrama m melodrama

melómano -na adj music-loving; mf music-lover

melón m melon, cantaloupe

membrana f membrane; (en los patos) web

membrete m letterhead

membrillo m (fruta) quince; (árbol) quince tree

membrudo adj stout

memorable adj memorable

memorándum m memorandum

memoria f (facultad de recordar, recuerdo) memory; (obra autobiográfica) memoir; (actas) proceedings; — **de acceso directo** random access memory (RAM); — **de sólo lectura** read only memory (ROM); — **intermedia** buffer; — **residente** internal memory; **de** — by heart; **hacer** — to try to remember / recollect

memorial m memorial

memorizar vt/vi to memorize

mención f mention

mencionar vt to mention

mendigar[1] vi to beg

mendigo -ga mf beggar

mendrugo m large crumb

menear vt (las caderas) to wiggle, to shake; (la cola) to wag; — vr (de las caderas) wiggle; (de la cola) wag

menesteroso adj needy, destitute

mengua f diminution, waning

menguante adj waning

menguar[4] vi (luna) to wane; (energía) to diminish, to dwindle

meningitis f meningitis

menjurje m concoction

menopausia f menopause

menor adj (de tamaño) smaller; (de edad) younger; (de importancia, en música) minor; **el** — (de tamaño) the smallest; (de cantidad) the least, the smallest; (de edad) the youngest; mf — **de edad** minor; **al por** — retail

menos adv less; — **de** less than; **al** — at least; **a** — **que** unless; **al** — at least; **por lo** — the least; **no es para menos** there is good reason; **por lo** — at least; **signo de menos** minus sign; **venir a** — to decline; **el que trabaja** — the one who works the least; **las cinco** — **cuarto** quarter to five; **no puede** — **de hacerlo** he cannot help doing it; **tienes** — **que yo** you have less than I; **trabaja** — **que yo** she works less than I; PREP except, but; ADV & PRON less, least; — **agua** less water; — **problemas** fewer problems; minus

menoscabar vt to impair, to undermine

menoscabo m impairment

menospreciar vt/vr (despreciar) to despise; vr (burlarse de) to belittle, to demean

menosprecio m contempt

mensaje m message

mensajería f carrier

mensajero -ra mf messenger, courier

menstruación f menstruation

menstrual adj monthly

mensualidad f (recibida) monthly allowance; (pagada) monthly installment

mensual adj monthly

mensurable adj measurable

menta f mint, peppermint; —**verde** spearmint

mental adj mental

mentalidad f mentality

mente f mind

mentecato -ta adj foolish, simple; mf simpleton

mentir[3] vi to lie

mentira f lie, falsehood

mentirilla f fib, white lie

mentiroso -sa adj lying; mf liar

mentón m chin

mentor -ora mf mentor

menú m menu (también de computadoras); — **del día** daily special

menudeo loc adv **al** — retail

menudo adj (pequeño) small; (insignificante) insignificant; **a** — often; **dinero** — small change; — **perro** that's some dog; M (entrañas) entrails

meñique adj little (finger); M little finger; fam pinkie

meollo m (médula) marrow; (parte sustancial de un asunto) pith, core; (seso) brain

mequetrefe m runt, pipsqueak
mercachifle m peddler, huckster
mercadear vt to market
mercader m merchant
mercadería f merchandise
mercado m market; **— alcista** bull market; **— bajista** bear market; **— de pulgas** flea market; **— de valores** stock market; **— libre** free market; **— negro** black market
mercadotecnia f marketing
mercancía f merchandise, goods
mercante adj merchant
mercantil adj mercantile
merced f loc adv **— a** thanks to; **a (la) — de** at the mercy of
mercenario -ria adj & mf mercenary
mercería f notions
mercurio m mercury, quicksilver
merecedor adj deserving
merecer[13] vt to deserve, to merit
merecido m deserved punishment, due
merendar[1] vi to have a snack
merendero m picnic area
meridiano adj & m meridian
meridional adj southern; mf southerner
merienda f afternoon snack
mérito m merit
meritorio adj meritorious, worthy
merluza f hake
merma f decrease
mermar vi/vt to decrease, to dwindle
mermelada f jam; (de cítricos) marmalade
mero adj mere; **la mera idea** the very idea; adv merely
merodear vi to loiter
mes m month
mesa f table; (consejo) board; (formación geológica) mesa; **— de noche** nightstand; **levantar la —** to clear the table; **poner la —** to set the table
mesada f monthly allowance
mesero -ra m waiter; f waitress
meseta f plateau
mesón m inn, lodge
mesonero -ra mf innkeeper
mestizo -za adj (persona) pey half-breed; (perros) mongrel; mf pey half-breed; (mezcla de europeo e india) mestizo; (perro de raza mezclada) mongrel
mesura f moderation
mesurado adj moderate; (respuesta) measured
meta f (objetivo) goal; (en una carrera) finish line
metabolismo m metabolism
metafísica f metaphysics

metáfora f metaphor
metafórico adj metaphorical
metal m metal; **— precioso** precious metal
metálico adj metallic; m cash
metalurgia f metallurgy
metamorfosis f metamorphosis
metano m methane
metástasis f metastasis
meteorito m meteorite
meteoro m meteor
meteorología f meteorology
meteorólogo -ga m weatherman; f weatherwoman
meter vt to put (into), to stick (into); (lío) to get (into); (invertir) to invest; **— el estómago** to suck in one's stomach; **— la pata** to make a mistake; **— miedo** to scare; **— ruido** to make noise; **— un gol** to score a goal; **—se** to meddle; **—se a bailar** to begin to dance; **—se con** to mess with; **—se en camisa de once varas** to get oneself into a fix
metódico adj methodical
método m method
metralleta f portable machine gun
métrico adj metric
metro m (medida) meter; (cinta de medir) measuring tape; (tren subterráneo) subway
metrónomo m metronome
metrópoli f metropolis
metropolitano adj metropolitan; m subway
mexicano -na adj & mf Mexican
México m Mexico
mezcla f mixture, mix; (en albañilería) mortar; (de café, especias) blend
mezclador -ora mf (persona) mixer; f (aparato) mixer
mezclar vt to mix, to blend; (naipes) to shuffle; (números) to scramble; **—se** (combinarse) to mix; (tener trato con) to mingle; (entrometerse) to meddle
mezcolanza f hodgepodge
mezquindad f (crueldad) meanness; (tacañería) stinginess
mezquino adj (cruel) mean, mean-spirited, petty; (insignificante) small, petty; (tacaño) tight, stingy
mezquita f mosque
mi adj pos my
mí pron pers me; **es para —** it's for me; **me vio a —** he saw me; **me la dio a —** he gave it to me
mico m long-tailed monkey
micra f micron
micro m (autobús) bus; (micrófono) microphone

microbio M microbe, germ
microcirugía F microsurgery
microcomputadora F microcomputer
microeconomía F microeconomics
microficha F microfiche
microfilm M microfilm
micrófono M microphone
Micronesia F Micronesia
micronesio -sia ADJ & MF Micronesian
microonda F microwave; M SG **—s** microwave oven
microordenador M microcomputer
microorganismo M microorganism
microprocesador M microprocessor
microscópico ADJ microscopic
microscopio M microscope; **— electrónico** electron microscope
miedo M fear; **—** to be afraid
miedoso ADJ fearful
miel F honey
miembro M member; (extremidad) limb
mientras CONJ (durante) while, as; (siempre y cuando) as long as; **— que** while; **—**
miércoles M Wednesday
mies F grain; **—es** fields of grain
miga F crumb; **hacer buenas —s** to get along well
migaja F crumb
migración F migration
migrante ADJ migrant
migraña F migraine
mil NUM thousand; **— millones** billion; **llegamos a las — y quinientas** we got there very late
milagro M miracle, wonder
milagroso ADJ miraculous
milano M kite
milenio M millennium
milicia F militia
milígramo M milligram
milílitro M milliliter
milímetro M millimeter
militante ADJ & MF militant
militar ADJ military; MF soldier; VI to militate
milla F mile
millaje M mileage
millar M thousand
millón M million
millonario -ria MF millionaire
millonésimo ADJ & M millionth
mimar VT to pamper, to spoil, to coddle
mimbre M wicker
mímico ADJ mimic; F mimicry
mimo M (trato cariñoso) caressing, cuddling; MF (actor) mime

mimoso ADJ cuddly
mina F (yacimiento) mine; (explosivo) mine; (de un lápiz) lead; (fuente) storehouse
minado M mining
minar VT (sembrar minas) to mine; (socavar) to undermine; VI (cavar) to burrow
mineral M mineral; (de oro) ore; ADJ mineral
minería F mining
minero -ra MF miner; ADJ mining
mingitorio M urinal
miniatura F miniature
minicomputadora F minicomputer
minifalda F miniskirt
minifundio M subsistence farm
minimizar VT (gastos) to minimize; (a una persona) to belittle; VI (un incidente) to play down
mínimo ADJ (cantidad) least; (tamaño) smallest; M minimum; **como —** at least; **en lo más —** at all
minino M kitty
ministerio M (religioso) ministry; (gubernamental) ministry, department
ministro -tra MF minister, secretary; **— de Justicia** Attorney General
minoría F minority
minoridad F minority
minorista MF retailer
minoritario ADJ minority
minucioso ADJ (detalle) minute; (trabajo) thorough; (persona) fastidious
minúsculo ADJ small, minuscule; **letra —** lowercase letter
minusválido ADJ disabled
minuta F (honorarios) lawyers' fees; (actas) minutes
minutero M minute hand
minuto M minute
mío PRON mine; **este libro es —** this book is mine; **un amigo —** a friend of mine
miope ADJ shortsighted, nearsighted
miopía F near-sightedness, myopia
mira F (dispositivo de arma) gun sight; (intención) intention; **con —s a** with a view to
mirada F gaze, look; **— asesina** dirty look; **— de soslayo** side glance; **— fija** stare
mirador M vantage point, overlook
miramiento M consideration
mirar VI/VT to look (at); (un partido, televisión) to watch; **— de soslayo** to look askance (at); **— fijamente** to stare (at); **¡mira (tú)!** you don't say!
miríada F myriad
mirilla F peephole

mirlo M blackbird
mirón M onlooker; (erótico) voyeur
mirto M myrtle
misa F mass
misántropo -pa MF misanthrope
misceláneo ADJ miscellaneous
miserable ADJ (vil, pobre) wretched,
    unhappy; (insignificante) paltry; (tacaño)
    miserly
miseria F (desgracia) misery; (pobreza)
    poverty, squalor; (cantidad despreciable)
    trifle
misericordia F mercy
misericordioso ADJ merciful, gracious
mísero ADJ miserable
misil M missile; **— balístico** ballistic missile;
    — crucero cruise missile
misión F mission
misionero -ra MF missionary
mismo ADJ same; **ese — día** that very day;
    se nombró a sí — he named himself; **lo**
    — the same thing; **me da lo —** it's all the
    same to me; **yo —** I myself
misoginia F misogyny
misterio M mystery
misterioso ADJ mysterious
místico -ca ADJ mystical; MF mystic
mitad F half; **por la —** in half; **en la — de**
    in the middle of; **a — del camino**
    midway
mitigar[7] VT to mitigate
mitin M political meeting
mito M myth
mitología F mythology
mixto ADJ mixed; **escuela mixta** coed
    school
mobiliario M furniture
mocasín M (zapatilla de indio, culebra)
    moccasin; (zapato sin cordones) loafer
mochar VT to chop off
mochila F knapsack, backpack
moción F motion
moco M mucus
moda F fashion; **de —** fashionable, in style;
    ponerse de — to catch on
modales M PL manners
modelar VI/VT to model
modelo ADJ & MF model
módem M modem
moderación F moderation, restraint
moderado -da ADJ moderate; (invierno)
    mild; (precio) reasonable; (respuesta)
    measured; (clima) temperate; MF moderate
moderar VT (restringir) to moderate, to
    restrain; (presidir) to moderate
moderno ADJ modern
modestia F modesty

modesto ADJ modest
módico ADJ moderate, reasonable
modificación F modification
modificar[6] VT to modify
modismo M idiom
modista MF dressmaker
modo M (manera) mode, manner, way;
    (categoría gramatical) mood; (de
    computadora / ordenador) mode; **a — de**
    by way of; **del mismo —** in like manner;
    de ningún — by no means; **de — que**
    so that; **de otro —** otherwise; **de ningún**
    — not at all; **de todos —s** anyway; **en**
    cierto — in a way; **ni —** no dice; **no**
    hay — no way
modorra F drowsiness
modular VT to modulate
mofa F jeer, ridicule
mofarse VT **— de** to make fun of, to scoff at
mofeta F skunk
moflete M fat cheek
mohair M mohair
mohín M grimace
moho M mold, mildew
mohoso ADJ moldy
mojado -da ADJ wet
mojadura F wetting
mojar VT to wet; (impregnar) to dip; **—se** to
    get wet
mojigatería F prudery
mojigato -ta ADJ prudish; MF prude
mojo M dip
mojón M (hito) landmark
molar ADJ molar
Moldavia F Moldova
moldavo -va ADJ & MF Moldovan
molde M (norma) mold, cast; (tortera)
    cakepan; (patrón) pattern; (de imprenta)
    die; **letras de —** block letters
moldeado M molding
moldear VT to mold, to cast
moldura F molding
mole F mass
molécula F molecule
moler[2] VI/VT to mill, to grind; **— a palos** to
    beat thoroughly
molestar VT to bother, to pester; **no te**
    molestes don't bother
molestia F bother, nuisance; **no te tomes la**
    — don't go to the trouble
molesto ADJ bothersome, irksome; (situación)
    uneasy
molibdeno M molybdenum
molienda F grinding
molinero -ra MF miller
molinete M (puerta) turnstile; (juguete)
    pinwheel

molinillo M mill; grinder
molino M mill; — **de viento** windmill
mollete M muffin
molusco M mollusk
momentáneo ADJ momentary
momento M (tiempo) moment; (movimiento) momentum; **al —** immediately; **a cada —** continually; **en todo —** all the time; **no veo el —** I can't wait; **se oscurecía por —s** it was getting darker by the minute
momia F mummy
Mónaco M Monaco
monada F (acción graciosa) antic; (persona atractiva) [fam] peach
monarca MF INV monarch
monarquía F monarchy
monasterio M monastery
mondar VT to pare; **—se los dientes** to pick one's teeth; y SG **mondadientes** toothpick
moneda F (dinero metálico) coin; (divisa) currency; — **corriente** common currency; — **de curso legal** legal tender; — **falsa** counterfeit money
monegasco -ca ADJ & MF Monégasque
monería F antic
monetario ADJ monetary
mongol -la ADJ & MF Mongolian
Mongolia F Mongolia
monigote M puppet
monitor -ora M (aparato) monitor; MF (persona) monitor
monja F nun
monje M monk
mono -na MF (simio) monkey; — **araña** spider monkey; M (mimo) mimic; (prenda de trabajo) overalls, coverall; (síndrome de abstinencia) withdrawal symptoms; **dormir la mona** to sleep it off; ADJ cute
monogamia F monogamy
monokini M topless swimsuit
monólogo M monolog, monologue
mononucleosis F mononucleosis
monopatín M skateboard; (con manillar) scooter; (de nieve) snowboard
monopolio M monopoly
monopolizar¹ VT to monopolize; (un mercado) to corner
monotonía F monotony
monótono ADJ monotonous
monserga F nonsense
monstruo M monster; (persona grotesca) freak
monstruosidad F monstrosity
monstruoso ADJ monstrous
monta F mount; **de poca —** of little value

montaje M (de un aparato) assembly, set up; (de una película) editing
montante M (total) total; (ventana de puerta) transom; (columna) upright
montaña F mountain; — **rusa** roller coaster
montañés -esa ADJ mountain; MF mountain dweller
montañismo M mountaineering
montañoso ADJ mountainous
montar VT (ir a caballo, en bicicleta) to ride; (un aparato) to assemble; (una película) to edit; (subirse al caballo) to mount, to get on; — **en cólera** to fly into a rage; — **una escena** to make a scene; **—se a caballo** to mount a horse
montaraz ADJ coarse
monte M (montaña) mount; (zona agreste) wilderness; — **de piedad** pawnshop
montés ADJ (salvaje) wild; (de la montaña) of the mountains
montículo M mound
montón M pile, heap; (de papel) stack; (de nieve) drift; (de flores) basketful; (de gente) bunch; **a montones** in abundance; **del —** run-of-the-mill
montura F (animal) mount; (silla) saddle; (armazón de gafas) frame, rim
monumental ADJ monumental
monumento M monument
moño M (de pelo) bun; (adorno) bow
mopa F mop
moquearse VI to be snotty
moquillo M distemper
mora F blackberry, mulberry; **en —** in default
morada F dwelling, abode
morado ADJ purple; **ojo —** black eye
morador -ora MF dweller
moral ADJ moral; F (principios éticos) morals; (estado de ánimo) morale; M mulberry tree
moraleja F moral
moralidad F morality
moralista MF moralist
moralizar² VI/VT to moralize
morar VI to dwell, to abide
mórbido ADJ morbid
morboso ADJ (mórbido) morbid; (atractivo) sexy
morcilla F black pudding
mordacidad F sharpness
mordaz ADJ (comentario) cutting, sharp; (persona) sharp-tongued
mordaza F (de la boca) gag; (de un torno) vise jaw
mordedor ADJ biting, snappy
mordedura F bite
morder² VI/VT to bite; **—se la lengua** to bite one's tongue

mordida f (mordisco) bite; (comisión ilegal) bribe, kickback
mordiscar[6] vt/vi to nibble; to nip
mordisco m nibble, nip
mordisquear vt/vi to nip; to nibble
mordisqueo m nibble
moreno adj (piel) dark, dark-skinned, swarthy; (pelo) dark, brunette
moretón m bruise
morfina f morphine
morgue f morgue
moribundo adj dying, moribund
morir[4,51] vi to die; (una calle) to end; —se de envidia to eat one's heart out; —se de hambre to starve; —se de miedo to die of fear; —se de risa to die laughing; —se por algo to crave something; —se por alguien to be crazy about someone
morisco adj Moorish
moro -ra adj Moorish; Mr Moor; —s y cristianos beans and rice; no hay —s en la costa the coast is clear
moroso adj dark-haired, brunette
morrear vi to make out
morriña f homesickness
morro m (monte) knoll; (caradura) gall, nerve; (de un avión) nose; (de animal) snout
morrón m bell pepper
morsa f walrus
mortaja f shroud
mortal adj mortal, deadly; Mr mortal
mortalidad f mortality
mortandad f death toll
mortecino adj fading
mortero m mortar
mortífero adj deadly
mortificación f chagrin
mortificar[7] vt to mortify, to chagrin
mortuorio adj casa mortuaria funeral home
mosaico m mosaic
mosca f fly; (dinero) dough; — muerta hypocrite; —se oía volar una — you could have heard a pin drop
mosquear vt (crear desconfianza) to cause distrust; (hacer enfadarse) to enrage; —se (desconfiar) to distrust; (enfadarse) to become enraged
mosquitero m (de ventana) window screen; (de tienda de campo) mosquito net
mosquito m mosquito
mostacho m mustache, moustache
mostaza f mustard
mostrador m counter
mostrar[2] vt to show; —se reticente to appear reticent

mostrenco adj stray
mota f speck, speckle
mote m nickname
moteado adj speckled, spotted
motear vt to speck, to speckle
motel m motel
motejar — de to brand as
motín m (en un barco) mutiny; (de prisioneros) riot
motivación f motivation
motivar vt (impulsar) to motivate; (causar) to cause
motivo m (causa) motive, reason; (figura repetida) motif, theme; con — de on the occasion of
moto f bike, motorcycle
motocicleta f motorcycle
motociclista mf biker, motorcyclist
motor adj of motion, m motor, engine; — de reacción jet engine; — de búsqueda search engine; — de combustión interna internal combustion engine; — fuera de borda outboard engine
motriz adj fuerza — motive power
movedizo adj restless
mover[2] vt to move; — palancas to pull strings; —se to move, to budge
movible adj movable
movido adj eventful; (foto) blurred
móvil m (motivo) motive; (teléfono) mobile telephone; (adorno, juguete) mobile; adj (que se mueve) mobile; (que puede ser movido) movable; un blanco — a moving target
movilizar[9] vi/vt to mobilize
movimiento m movement, motion; (organización, pieza de reloj) movement; (comercial) traffic; los rojos tienen poco — the red ones don't sell well; un cuerpo en — a moving body
Mozambique m Mozambique
mozambiqueño -ña adj & Mr Mozambican
mozárabe adj Mozarabic
mozo -za adj young; —s en mis años —s in my youth; m (joven) young man; buen — handsome man; (siervo) servant; — de cordel porter; f (joven) young woman; (sierva) servant
mucama f chambermaid
muchacho -cha m a boy, youngster; f girl; (de servicio) maid
muchedumbre f crowd, throng
mucho adj a lot of; (cosas contables) many; (cosas incontables) much; ¿tienes — tiempo? do you have much

mucho -cha adj a lot, many; (en preguntas y oraciones negativas) much; no tenemos — tiempo we don't have much time; tenemos —s problemas we have many problems; adv much; (demasiado) too much; hace — que no lo veo I haven't seen him for a long time; ni con — not by a long shot; ni — menos not by any means; por — que no matter how much

mucoso adj mucous

muda f (de ropa, voz) change; (de plumas, piel de serpiente) molt

mudable adj fickle

mudanza f move

mudar vt to change; (el pelo) to shed; — la piel to molt; — las plumas to molt; —se (de casa) to move (house); —se de ropa to change clothes

mudez f dumbness, muteness

mudo -da adj mute, dumb; (por emoción) speechless; (película) silent; air mute

mueble m piece of furniture; —s furniture

mueblería f (tienda) furniture store; (fábrica) furniture factory

mueca f grimace; hacer —s to grimace

muela f (diente) molar tooth; (piedra) grindstone; — del juicio wisdom tooth

muelle m (para embarcaciones) wharf, pier; (resorte) spring; — en espiral coil; — real mainspring

muérdago m mistletoe

muerte f death; dar — to kill; sus clases son la — his classes are unbearable; de mala — disreputable

muerto adj dead, lifeless; — de cansancio dead tired; — de hambre famished; estoy — de sed I'm parched; echarle el — a uno to pass the buck; ni — not in a million years

muesca f notch, indentation

muestra f (ejemplo) sample; (señal) sign, token; — de orina urine specimen; dar —s de impaciencia to show impatience

muestrear vt to sample

muestreo m sampling

mugido m moo, lowing

mugir[11] vi to moo, to low

mugre f dirt, grime, crud

mugriento adj grimy, dirty

mujer f woman; (esposa) wife

mujeriego adj womanizing; m womanizer

mulato -ta adj & mf mulatto

muleta f crutch

muletilla f cliché

mullido adj fluffy

mullir[19] vt to fluff

mulo -la mf mule (también en el tráfico de drogas)

multa f fine, penalty; (de tránsito) ticket

multar vt to fine; (en tránsito) to ticket

multicultural adj multicultural

múltiple adj multiple

multiplicación f multiplication

multiplicar[6] vi/vt to multiply; —se to breed

multiplicidad f multiplicity

múltiplo m multiple

multitarea f multitasking

multitud f multitude, throng

mundano adj mundane, worldly

mundial adj global, worldwide; la guerra — the world war

mundo m world; todo el — everybody; tener — to be worldly; el tercer — the third world; el — al revés the world upside-down

munición f ammunition, munition

municipal adj municipal; servicios —es city services

municipalidad f municipality

municipio m municipality; (ayuntamiento) city hall

muñeca f (juguete) doll; (articulación del brazo) wrist; — de trapo ragdoll

muñeco m (juguete) boy doll; (de ventrílocuo) dummy; — de nieve snowman

muñón m stump

mural adj & m mural

muralla f wall

murciélago m bat

murmullo m murmur; (de agua) babble

murmuración f gossip

murmurar vi/vt to murmur; vi (agua) to babble

muro m wall

murria f the blues; tener — to have the blues

musa f muse

musaraña f shrew

muscular adj muscular

músculo m muscle

musculoso adj muscular

muselina f muslin

museo m museum

musgo m moss

musgoso adj mossy

música f music; — de cámara chamber music; — folclórica folk music; — incidental incidental music

musical adj & m musical

músico -ca adj musical; mf musician

musitar vi to mutter

muslo m thigh

mustio adj sad, humble; (marchito) limp; (deslucido) faded

musulmán -ana adj & mf Moslem, Muslim

mutación f mutation

mutante adj & mf mutant

mutilar vt to mutilate; to mangle; (a un ser vivo) to maim, to mutilate; (una estatua) to deface

mutuo adj mutual

muy adv very; **estás — grande para eso** you're too big for that

Myanmar m Myanmar

Nn

nabo m turnip

nácar m mother-of-pearl

nacarado adj pearly

nacer[13] vi to be born; (una calle) to begin; **— de** (río) to spring from; **— de nuevo** to have a new lease on life

naciente adj (tendencia) incipient; (sol) rising, m (de río) origin

nacimiento m birth; (pesebre) nativity scene; (naciente) origin (of a river)

nación f nation

nacional adj national; mf national

nacionalidad f nationality

nacionalismo m nationalism

nacionalizar[9] vt to nationalize

nada pron nothing; **— del otro mundo** nothing special; **— en absoluto** nothing at all; **como si —** as if nothing were going on; **de —** you are welcome, don't mention it; **no es por —, pero** I hope you don't mind my saying this, but; **no sirve para —** it's useless; **no tener — que ver con** to have nothing to do with; **para —** in the least; **quedar en la —** to fall through; **salir de la —** to come out of nowhere; adv not at all; **no me gusta —** I don't like it at all; f nothingness

nadador -ora mf swimmer

nadar vi/vt to swim; **— en la abundancia** to be in the lap of luxury

nadería f trifle, nothing

nadie pron nobody; **— más** no one else; **no vi a — en el parque** I didn't see anyone in the park; **un don —** a nobody

nafta f gasoline

nailon m nylon

naipe m playing card

nalgada f smack on the bottom

nalgas f pl. buttocks

Namibia f Namibia

namibio -bia adj & mf Namibian

nana f (canción de cuna) lullaby; (lastimadura) boo-boo; (niñera) baby-sitter

nanosegundo m nanosecond

napalm m napalm

napias f pl. fam snout

naranja f (fruta) orange; adj & m (color) orange; **— de ombligo** navel orange; **mi media —** my better half

naranjal m orange grove

naranjo m orange tree

narcisismo m narcissism

narciso m narcissus, daffodil

narcolepsia f narcolepsy

narcótico adj & m narcotic

narcotizar[9] vt to drug

narcotráfico m narco-trafficking

nariz f nose; **— chata** pug nose; **sonarse la —** to blow one's nose; f pl. **narices** nostrils; **se dio de narices contra la ventana** he bumped his nose on the window; **estoy hasta las narices** I've had it up to here

narración f narration

narrador -ora mf narrator

narrar vt to narrate, to recount

narrativa f narrative

narrativo adj narrative

NASA f NASA

nasal adj nasal

nata f skin of boiled milk; Esp cream

natación f swimming

natal adj natal; (suelo) native

natillas f pl. custard

nativo -va adj & mf native

nato adj **es un músico —** he's a born musician

natural adj natural; (nacido en un lugar) native; (nacido fuera del matrimonio) illegitimate; m nature; **al —** unprocessed; (sin afectación) unaffected

naturaleza f nature; **— muerta** still life

naturalidad f naturalness

naturalista mf naturalist

naturalización f naturalization

naturalizar[9] vt to naturalize; **—se** to become naturalized

naturalmente adv (de forma natural) naturally; (desde luego) of course

naufragar[7] vi to shipwreck

naufragio m shipwreck

náufrago -ga MF shipwrecked person

Nauru M Nauru

nauruano -na ADJ & MF Nauruan

náusea F nausea; **— s** morning sickness; **dar — s** to nauseate; **hasta la —** ad nauseam; **tener — s** to be nauseated, to be sick to one's stomach

nauseabundo ADJ nauseating

nauseoso ADJ queasy

náutica F navigation

náutico ADJ nautical

navaja F jackknife, pocketknife; (de barbero) razor

navajazo M (golpe) stab with a jackknife; (herida) stab wound

naval ADJ naval

nave F (embarcación) vessel; (parte de una catedral) nave; **— espacial** spaceship

navegable ADJ navigable

navegación F navigation; (deportiva) boating

navegador M computer browser

navegante MF navigator; ADJ navigating

navegar[7] VI/VT to navigate; (barco o vela) to sail; (en el Internet) to browse, to surf

Navidad F Christmas

navideño ADJ **fiesta navideña** Christmas party

navío M ship

neblina F mist

neblinoso ADJ misty

nebuloso ADJ (poco claro) nebulous; (que tiene niebla) foggy

necesario ADJ necessary

neceser M toiletry bag

necesidad F (cosa necesaria) necessity; **hacer — es** to relieve oneself; **de primera —** indispensable

necesitado ADJ needy

necesitar VT to need

necio -cia ADJ asinine, foolish; MF pey clod

néctar M nectar

nectarina F nectarine

nefasto ADJ unholy

nefritis F nephritis

negación F (que sirve para negar) negation; (que no acepta) denial

negar[7] VT (decir que no es verdad) to deny; (no dar a alguien algo que ha pedido) to refuse; (no reconocer públicamente) to disavow; **—se** to refuse; **—se a** to refuse to

negativa F (rechazo verbal) denial; (ausencia de cooperación) refusal

negativo ADJ negative; **signo —** minus sign; M (photographic) negative

negligencia F negligence, neglect; (médica) malpractice

negligente ADJ negligent, neglectful

negociación F negotiation

negociante MF business person

negociar VI/VT (tratar condiciones) to negotiate; (realizar un negocio) to trade

negocio M (tienda, actividad comercial) business; (transacción) business deal, business transaction; **hombre de —s** businessman; **mujer de —s** businesswoman; **hacer —** to make a profit

negrear VI to appear black; VT to blacken

negrita F boldface type

negro -ra ADJ black (también aplicado al café sin leche); (futuro) black; **pasarlas negras** to undergo hardships; F (nota) quarter note; MF (persona) person of color, black

negrura F blackness

negruzco ADJ blackish

némesis F nemesis

nene -na M baby boy; F baby girl

nenúfar M water lily

neologismo M neologism

neón M neon

neozelandés -esa MF New Zealander

Nepal M Nepal

nepalés -esa ADJ & MF Nepalese

nepalí ADJ & MF Nepalese

nepotismo M nepotism

nervado ADJ veined

nervio M nerve; **perder los — s** to lose one's cool; **tener los — s de punta** to be on edge

nerviosismo M nervousness

nervioso ADJ (relativo a los nervios) nervous; (inquieto) nervous, jumpy; (carne) sinewy

nervudo ADJ sinewy, wiry

neto ADJ (mejoría) distinct; (ganancia) net

neumático M tire; ADJ pneumatic

neural ADJ neural

neurona F nerve cell

neurosis F neurosis

neurótico -ca ADJ & MF neurotic

neutral ADJ neutral

neutralidad F neutrality

neutralizar[1] VT to neutralize

neutro ADJ neutral; (género) neuter

neutrón M neutron

nevada F snowfall

nevado ADJ snowy

nevar[1] VI to snow

nevera F icebox, refrigerator

nevisca F snow flurry

ni CONJ nor; **— con mucho** not by a long shot; **— hablar** forget it; **— habló conmigo** he didn't even talk to me; **—**

idea (it) beats me; — **no way;** — **que esto fuera un hotel** it's not like this is a hotel; — **siquiera** not even; — **sonar** fat chance; — **estudia** he neither works nor studies; — **una palabra** not a word; **no tiene amigos** — **enemigos** he has no friends nor enemies; **no es rico** — **mucho menos** he's not even close to being rich

nicaragüense ADJ & MF Nicaraguan

Nicaragua F Nicaragua

nicho M niche, recess

nicotina F nicotine

nidada F (huevos) nest of eggs; (crías) hatch, brood

nido M nest

niebla F fog

nieto -ta M grandson; F granddaughter; —**s** grandchildren

nieve F snow (también cocaína, heroína)

Níger M Niger

Nigeria F Nigeria

nigeriano -na ADJ & MF Nigerian

nigerino -na ADJ & MF Nigerien

nigua F chigger

nihilismo M nihilism

nilón M nylon

nimio ADJ insignificant

ninguno PRON **no tengo** — I have none/I don't have any; **ningún amigo mío** no friend of mine; **no tengo ningún libro** I don't have any books; — **de los dos** neither one; **de ningún modo** in no way

niñera F (ocasional) baby-sitter; (permanente) nanny

niñería F childish act

niñez F childhood; (de niño) boyhood; (de niña) girlhood

niño -na M child, kid, boy; F child, kid, girl; — **del ojo** pupil (of the eye); ADJ childish

níquel M nickel

niquelado ADJ nickel-plated

níspero M loquat

nitidez F sharpness

nítido ADJ sharp

nitrato M nitrate

nitrógeno M nitrogen

nitroglicerina F nitroglycerine

nivel M level (también herramienta); (grado jerárquico) echelon; — **de mar** sea level; — **de vida** standard of living; **a** — straight; **a** — **de** level with

nivelar VT to level; (un camino de tierra) to grade

níveo ADJ snowy

no ADV no; — **quiero** I don't want to; — **bien llegaron** no sooner had they arrived; — **sólo** not only; — **sea que** lest; **a** — **ser que** unless

noble ADJ noble; M nobleman; F noblewoman

nobleza F nobility

nocaut M knockout

noche F night; (horas de la noche) nighttime; —**buena** Christmas Eve; —**vieja** New Year's Eve; — **y día** day and night; **de** — at night; **de la** — **a la mañana** overnight; **esta** — tonight; **por la** — at night

noción F notion; **no tener ni** — to have no clue

nocivo ADJ harmful, noxious

nocturno ADJ (que actúa de noche) nocturnal; (que sucede todas las noches) nightly

nodo M node

nodriza F wet nurse

nódulo M node

nogal M walnut tree

nómada MF INV nomad

nombramiento M appointment; (militar) commission

nombrar VT to name, to appoint; (a un oficial militar) to commission

nombre M name; — **de pila** first name; — **de soltera** maiden name; **en** — **de** on behalf of; **eso no tiene** — that's unheard of; **hacerse un** — to make a name for oneself

nomenclatura F nomenclature

nomeolvides M sg forget-me-not

nómina F payroll

nominación F nomination

nominal ADJ nominal

nominar VT to nominate

non ADJ odd; M odd number

nopal M prickly pear

noquear VT to knock out

norcoreano -na ADJ & MF North Korean

nordeste ADJ & M northeast

nórdico ADJ Nordic

noreste ADJ & M northeast

norma F norm, standard

normal ADJ normal, standard; (escuela) teacher's college; (línea) perpendicular line

normalizar[9] VT to normalize

noroeste ADJ & M northwest

norte ADJ & M north

norteamericano -na ADJ & MF (de América del Norte) North American; (de EEUU) American

norteño -ña ADJ northern; MF northerner

Noruega F Norway

noruego -ga ADJ & MF Norwegian

nos PRON us; **él** — **vio** he saw us; — **dio el**

libro he gave us the book, he gave the book to us

nostalgia f nostalgia

nostálgico adj nostalgic

nota f (musical) note; (anotación) annotation; (calificación) grade, mark; — **al pie de página** footnote; **de** — of note; **exagerar la** — to overdo

notable adj notable, noteworthy, remarkable

notación f rotation

notar vt (percibir) to note, to notice; (señalar) to note

notario -ria mf notary

notarizar vt to notarize

noticia f a piece of news; — **s** news; **tener** — **s de alguien** to hear from someone

noticiario m newscast, news bulletin

notificación f notification; (policial)

notificar⁶ vt to notify

notorio adj (conocido públicamente) well-known; (evidente) obvious

novato -ta mf novice; (policía, atleta) rookie

novedad f novelty; —**es** news; **sin** — all's well

novedoso adj novel

novela f novel

novelesco adj fictional

novelista mf novelist

noveno adj ninth

noventa num ninety

noviazgo m engagement

novicio -cia mf novice

noviembre m November

novillo -lla m steer; **hacer** —**s** to play hooky; f heifer

novio -via m (comprometido) fiancé; (no formal) boyfriend; (de boda) bridegroom; f (comprometida) fiancée; (no formal) girlfriend; (de boda) bride

nubarrón m thunderhead

nube f cloud; (de humo) billow; **poner por las** —**s** to praise to the skies; **está en las** —**s** his head is in the clouds; **los precios están por las** —**s** prices have gone through the roof

nublado adj (cielo) cloudy, overcast; (los ojos, de emoción) misty; (por falta de sueño) bleary

nublar vt to blur; —**se** (cielo) to become overcast; (ojos) to cloud over

nuboso adj cloudy

nuca f nape

nuclear adj nuclear

núcleo m nucleus; (de imán, reactor) core

nudillo m knuckle

nudismo m nudism

nudista adj & mf nudist

nudo m knot (también en la madera, medida de velocidad); (de una obra teatral) turning point; (en el pelo) tangle; (en plantas) node; (en la garganta) lump; — **corredizo** slipknot; — **de rizo** square knot

nudoso adj knotty, gnarled

nuera f daughter-in-law

nuestro adj pos our; pron **hijo** our son; pron **nuestro -tra** ours; **esto es** — this is ours

nueve num nine

nuevo adj new; **de** — again; **¿qué hay de** —**?** what's new?

nuez f walnut; — **de Adán** Adam's apple; — **moscada** nutmeg

nulidad f nonentity

nulo adj null and void, invalid

numeral adj & m numeral

numerar vt to number

numérico adj numerical

número m (dígito) number; (en un espectáculo) act; (de una revista) issue; (cifra) figure

numeroso adj numerous

nunca adv never, not ever; **no viene** — he never comes, he doesn't ever come; **más que** — worse than ever; **casi** — hardly ever; **peor que** — worse than ever

nupcial adj nuptial, bridal

nupcias f pl. nuptials

nutria f otter

nutrición f nutrition

nutrido adj **el congreso tuvo una nutrida concurrencia** the conference was well attended

nutriente m nutrient

nutrir vt to nourish

nutritivo adj nutritious, nourishing

Ñ

ñandú m rhea

ñato adj Am pug-nosed

ñoño adj bland

ñu m gnu

Oo

o CONJ or; **— se casa — lo mato** either he
gets married or I'll kill him; **— sea** that is
oasis M oasis
obedecer[13] VI/VT to obey; **esto obedece a
que** this is due to the fact that
obediencia F obedience
obediente ADJ obedient
obertura F musical overture
obesidad F obesity
obeso ADJ obese
obispo M bishop
obituario M obituary
objeción F objection
objetar VI/VT to object, to take exception (to)
objetivo ADJ objective, (lente) objective;
(meta) aim, objective
objeto M object
oblea F wafer
oblicuo ADJ (inclinado) oblique; (sesgado)
biased
obligación F (deber) obligation, duty; (título
financiero) bond
obligar[7] VT to force, to compel, to oblige;
—se (a) to obligate oneself (to)
obligatorio ADJ obligatory, compulsory
oboe M oboe
obra F (artística, literaria, de construcción)
work; (lugar de construcción) construction
site; **— maestra** masterpiece; **en —s**
under construction
obrar VI to act; **obra en nuestro poder** we
acknowledge receipt of
obrero -ra MF worker; ADJ working
obscenidad F obscenity; **—es** filth
obsceno ADJ obscene
obsequiar VT to present, to give; **me
obsequió perfume** he gave me perfume
obsequio M gift
obsequioso ADJ obsequious
observación F observation; (comentario)
remark
observador -ora MF observer; ADJ observant
observancia F observance
observar VI/VT to observe; (hacer un
comentario) to remark, to observe
observatorio M observatory
obsesión F obsession
obsesionar VT to obsess; **—se con** to obsess
over, to be obsessed with
obsesivo-compulsivo ADJ obsessive-
compulsive

obstaculizar VT to impede
obstáculo M obstacle, hindrance,
impediment; (en carreras) hurdle
obstante LOC PREP **no — tu oposición**
notwithstanding your opposition; LOC ADV
no — , voy a ir nevertheless, I am going
to go
obstar VT to preclude
obstetricia F obstetrics
obstinación F obstinacy
obstinado ADJ obstinate, bullheaded
obstinarse VI to be obstinate
obstrucción F obstruction, blockage
obstruir[31] VT to obstruct, to block; (un
aparato) to jam; vi **—se** to get jammed
obtención F acquisition
obtener[44] VT to obtain, to get; (permiso) to
secure; (con dificultad) to procure
obturador M (de una cámara fotográfica)
shutter; (de un coche) choke
obviar VT to circumvent
obvio ADJ obvious
ocasión F occasion; (oportunidad)
opportunity; (ganga) bargain; **de —**
reduced
ocasional ADJ occasional
ocasionar VT to occasion, to cause
ocaso M sunset, twilight
occidental ADJ occidental, western; MF
westerner
occidente M west
océano M ocean
oceanografía F oceanography
ocelote M ocelot
ochenta NUM eighty
ocho NUM eight
ocio M (diversión) leisure; (inacción) idleness
ociosidad F idleness
ocioso ADJ (inactivo) idle; (no usado) unused
octágono M octagon
octano M octane
octava F octave
octavo ADJ & M eighth
octavilla F tract
octeto M byte
octógono M octagon
octubre M October
ocular ADJ eyepiece; ADJ **infección —** eye
infection
oculista MF oculist
ocultar VT to conceal; (información) to
withhold
oculto ADJ unseen, occult
ocultismo M the occult
ocupación F occupation
ocupado ADJ busy; (asiento, aseo) occupied
ocupante MF occupant

ocupar VT to occupy; (contratar) to employ; —se de to take care of

ocurrencia F witticism, quip

ocurrente ADJ witty

ocurrir VI to occur

oda F ode

odiar VI/VT to hate

odio M hatred, hate

odioso ADJ (tarea) odious; (persona) hateful

odontología F dentistry

odre M wineskin

OEA (Organización de Estados Americanos) F OAS

oeste ADJ & M west

ofender VI/VT to offend; —se to get offended, to take offense

ofensa F offense

ofensiva F (militar) offensive; (deportiva) offense

ofensivo ADJ offensive, obnoxious; offense

oferta F offer; (rebaja) special offer; en — on sale

offset M offset

oficial -la ADJ official; MF (militar) officer; (obrero calificado) skilled worker; — general high-ranking officer

oficiar VI to officiate; — de to serve as

oficina F office; (dependencia gubernamental) bureau

oficinista MF office worker

oficio M (actividad laboral) trade, craft; (comunicación oficial) official communication; tiene mucho — he knows his stuff; buenos —s good offices

oficioso ADJ (entrometido) officious; (no oficial) unofficial

ofrecer[13] VT to offer; (en una subasta) to bid; (una cena) to give; — resistencia to put up resistance; ¿qué se le ofrece a Vd.? how can I help you?

ofrecimiento M (acción de ofrecer) offering; (oferta) offer

ofrenda F offering

ofuscar[2] VT to bewilder

ogro M ogre

ohmio M ohm

oído M ear; (facultad) hearing; (órgano) inner ear; (musical) ear; — medio middle ear; al — confidentially; de — by ear

oír[35] VI/VT (percibir) to hear; (atender) to listen; — decir que to hear that; — hablar de to hear about; — misa to attend mass; ¡oye! listen! hey!

ojal M buttonhole

ojalá INTERJ — estuviera aquí I wish he were here; — que venga I hope that he comes

ojeada F glimpse

ojear VT to glimpse

ojeriza F animosity

ojeroso ADJ with dark circles under the eyes

ojiva F (arco) pointed arch; (explosivo) warhead

ojo M (órgano, centro de huracán, instinto, yema de patata) eye; ¡—! careful! look out! — de buen cubero as a rule of thumb; a —s vistas clearly; me costó un — de la cara it cost me an arm and a leg; ¿no tienes — en la cara? are you blind? dichosos los —s que te ven you're a sight for sore eyes; — de buey porthole; — de la cerradura key hole; — de lince eagle-eye; — morado black eye; — por — an eye for an eye

ola F wave; (de un olor) waft; (de protesta) storm

olaje M swell, surge

oleada F wave, surge

óleo M oil painting

oleoducto M pipeline

oleoso ADJ oily

oler[36] VI/VT to smell (también sospechar); — a to smell of

olfatear VI/VT to scent, to sniff

olfateo M smell, sniffing

olfato M (facultad) sense of smell; (instinto) nose

olfatorio ADJ olfactory

olimpiada F Olympiad; —s Olympic games

olímpico ADJ Olympian

oliva F olive

olivar M olive grove

olivo M olive tree

olla F pot; — de grillos snake pit; — podrida stew of mixed vegetables and meat

olmo M elm

olor M smell, odor

oloroso ADJ odorous

olvidadizo ADJ forgetful

olvidar VI/VT to forget; —se (de) to forget; se me olvidó algo I forgot something

olvido M oblivion; caer en el — to be forgotten; echar al — to cast into oblivion; tus —s your forgetfulness

Omán M Oman

omaní ADJ & MF Omani

ombligo M navel

omisión F omission

omiso ADJ hacer caso — (de) to ignore

omitir VT to omit, to leave out; (no notar) to overlook

ómnibus M bus

omnipotencia f omnipotence

omnipotente adj omnipotent

omnisciencia f omniscience

omnisciente adj omniscient

omnívoro adj omnivorous

once num eleven

oncología f oncology

onda f wave; — **corta** short wave; — **expansiva** shock wave; — **sonora** sound wave; **agarrarse la** — **a algo** to get in the swing of things; **captar la** — to get the drift

ondeado adj wavy

ondeante adj flying

ondear vi to wave

ondulación f ripple, ruffle, roll

ondulado adj wavy

ondulante adj undulating

ondular vi to undulate; vi/vt to wave

ónix m onyx

onomatopeya f onomatopoeia

ONU (Organización de las Naciones Unidas) f UN

onza f ounce

opacar⁶ vt (oscurecer) to dull; (eclipsar) to overshadow

opaco adj (no transparente) opaque; (no brillante) dull

ópalo m opal

opción f option; **opciones** stock options

opcional adj optional

OPEP (Organización de Países Exportadores de Petróleo) f OPEC

ópera f (composición) opera; (teatro) opera house

operable adj operable

operación f operation

operador -ora m (en matemáticas) operator; (de teléfono) operator

operar vi/vt to operate; vt (intervenir quirúrgicamente) to operate on; (llevar a cabo) to carry out; vi (hacer cuentas) to do mathematical operations

operario -ria mf operator, operative

opinar vi/vt to hold an opinion, to think

opinión f opinion, view, feeling; **cambiar de** — to change one's mind

opio m opium

oponer³⁹ vt to oppose; —**se** to conflict; —**se a** to oppose, to be against

oporto m port wine

oportunidad f opportunity, chance; (pretexto) opening

oportunista adj & mf opportunistic

oportuno adj (en el momento conveniente) opportune, timely; (adecuado) appropriate

oposición f opposition; **oposiciones** competitive examinations

opositor -ora mf opponent

opresión f oppression

opresivo adj oppressive

opresor -ora mf oppressor

oprimir vt (al pueblo) to oppress; (un botón) to press

optar vi to choose; — **por** to choose

optativo adj optional

óptico -ca adj optical; mf optician; f optics

optimismo m optimism

optimista adj optimistic; mf optimist

optometría f optometry

opuesto adj opposite, contrary; **se mostró** — **al casamiento** he was against the marriage; **dos fuerzas opuestas** two opposing forces; **lo** — the opposite; **dirección opuesta** the opposite/reverse direction

opulencia f opulence

opulento adj opulent; (sociedad) affluent

oración f (frase) sentence; (súplica) prayer

oráculo m oracle

orador -ora mf orator, speaker

oral adj oral

orangután m orangutan

orar vi/vt to pray

oratoria f oratory

oratorio adj oratory

órbita f (de los cuerpos celestes) orbit; (de los ojos) eye socket

orbitador m orbiter

orbital adj orbital

orbitar vi/vt to orbit

orca f killer whale

orden m (limpieza, secuencia) order; — **del día** order of the day; **perturbar el** — **público** to disturb the peace; **sin** — **ni concierto** haphazard; f (mando) command, order; (de religiones) order; (de cateo) warrant; **a sus órdenes** at your service

ordenado adj orderly, neat

ordenador m computer

ordenanza f ordinance; m orderly

ordenar vt (arreglar) to put in order; (mandar) to order, to command; (conferir órdenes) to ordain; —**se** to become ordained

ordeñar vt to milk

ordinal adj ordinal

ordinariez f vulgarity

ordinario adj (corriente) ordinary; (vulgar) vulgar

orear vt to air out

orégano m oregano

oreja f (outer) ear; (de un martillo) claw; (en un utensilio) flap; **aguzar la —** to prick up one's ears; **sonreír de — a —** to smile from ear to ear; **estar hasta las —s en algo** to be up to one's neck in something

orejera f ear muff

orfanato M orphanage

orfebre MF (con oro) goldsmith; (con plata) silversmith

orgánico adj organic

organismo M organism

organista MF organist

organización f organization

organizador -ora MF organizer

organizar[9] vt to organize; (un ataque) to stage; (una fiesta) to give, to throw

órgano M organ

orgía f orgy

orgullo M pride; **es mí —** she's my pride and joy

orgulloso adj proud

orientación f orientation, guidance; (de velas) trim; (de estudios) track; (de un objeto) lie; (del terreno) lay

oriental adj oriental, eastern; MF oriental

orientar vt to orient; **—se** to get one's bearings

oriente M orient, east

oficio M office

origen M origin; (de un problema, conflicto) source; (antecedentes familiares) birth

original adj original, M original; (de una cinta magnética) master

originalidad f originality

originar vt to originate, to give rise to; **—se** to originate, to arise

orilla f (de un lago, mar) shore, bank; (de una cama) edge; (de una prenda) hem

orillar vt (una calle) to border; (una prenda) to hem

orín M rust; M pl. **orines** urine

orina f urine

orinar vi/vt to urinate

orinal M chamber pot

oriundo adj **ser — de** (persona) to hail from; (cosa) to originate in

orla f (de un uniforme) trimming; (de una alfombra) fringe

orlar vt to fringe

Orión M Orion

ornamentación f ornament

ornamento M ornament

ornamental adj ornamental

ornamentar vt to ornament, to embellish

ornar vt to adorn

ornitología f ornithology

oro M gold; **— blanco** white gold; **— en lingotes** gold bullion; **— negro** black gold; **— puro** solid gold; **prometer el — y el moro** to promise the moon

orondo adj self-satisfied

oropel M tinsel

oropéndola f oriole

orquesta f orchestra

orquestar vt to orchestrate

orquídea f orchid

ortiga f nettle

ortodoncia f orthodontics

ortodoxo adj orthodox

ortografía f orthography, spelling

oruga f caterpillar

orujo M rape

orzuelo M sty

osadía f boldness, daring

osado adj bold, daring

osamenta f skeleton

osar vi/vt to dare

oscilación f oscillation

oscilar vi to oscillate, to seesaw; **— entre** to range between

oscuridad f (lugar sin luz) dark, darkness; (condición de oscuro) darkness; (falta de claridad conceptual, anonimato) obscurity

oscuro adj (sin luz) dark; (nublado) murky; (poco claro, poco conocido) obscure; **a oscuras** in the dark

óseo adj bony

osezno M bear cub

ósmosis f osmosis

oso -sa M bear; f she-bear; **— blanco / polar** polar bear; **— hormiguero** anteater

ostentación f ostentation, show, display; **hacer — de —** to flaunt

ostentar vi/vt to display, to show off, to flaunt

ostentoso adj ostentatious, showy

osteoporosis f osteoporosis

ostión M large oyster

ostra f oyster

OTAN (Organización del Tratado del Atlántico Norte) f NATO

otero M hillock

otoñal adj autumnal

otoño M autumn, fall

otorgamiento M grant

otorgar[7] vt (permiso) to grant, to concede; (un premio) to award

otro adj (uno adicional) another; (uno diferente) other; **otra vez** again; **otra cosa** something else; **— más** another one; **al — día** the next day; **de — modo** otherwise; **en otra parte** somewhere else; **la otra cara de la moneda** the flip side; **por otra parte** on the other hand;

PRON (uno más) another one; (una persona diferente) someone else; (una cosa diferente) something else

ovación F ovation, acclaim

oval ADJ oval

óvalo M oval

ovario M ovary

oveja F sheep; (hembra) ewe

overol M overalls; **overoles** M PL

ovillar VT to ball; **—se** to curl up into a ball

ovillo M ball of yarn; **hacerse un —** to curl up

OVNI (objeto volador no identificado) M UFO

ovular VI to ovulate

óvulo M egg

oxidado ADJ oxidized, rusty

oxidar VI/VT to oxidize, to rust

óxido M (cuerpo químico) oxide; (herrumbre) rust

oxígeno M oxygen

oyente MF (que oye) listener, hearer; (alumno no oficial) auditor

ozono M ozone

Pp

pabellón M (de feria) pavilion; (parte de un edificio) wing; (bandera) flag; (departamento de hospital) ward; **— de la oreja** outer ear

pábilo M wick

paca F bale

pacana F (fruto) pecan; (árbol) pecan tree

pacer VI to pasture, to graze; VT to crop, to graze

paciencia F patience; **tener —** to be patient

paciente ADJ & MF patient

pacificar VT to pacify

pacífico ADJ peaceful; M **Océano Pacífico** Pacific Ocean

pacifismo M pacifism

pacto M pact, covenant

paddock M (de caballos) paddock; (de coches)

padecer VI/VT to suffer; **— de cáncer** to suffer from cancer

padecimiento M suffering

padrastro M (marido de la madre) stepfather; (uñero) hangnail

padre M father; **—s** parents, folks; **— de**
familia male head of the household; **—nuestro** the Lord's Prayer; **John Smith, —** John Smith, senior; **ser —** to become a father; **un lío —** a real mess

padrino M (de bautizo) godfather; (de boda) best man; (en un duelo) second

paella F paella

paga F pay; (para un niño) allowance

pagadero ADJ payable, due

pagado ADJ **— de sí mismo** self-satisfied

pagador -ora MF payer

paganismo M paganism

pagano -na ADJ & MF pagan

pagar VT (cuentas, deudas) to pay; (mercancías) to pay for; **—se de** to be proud of; **— el pato** to be left holding the bag; **pagan justos por pecadores** the just pay for the sins of others; **— a plazos** to pay in installments; **— al contado** to pay cash; **— con la misma moneda** to pay in kind; **— en especie** to pay in kind

pagaré M promissory note

página F page

paginar VT to paginate

pago M payment; **— en efectivo** cash payment

paila F large pan

país M country

paisaje M landscape, scenery

paisajismo M landscape architecture

paisano -na M countryman; F countrywoman

paja F straw (también para beber de un vaso); **a humo de —s** thoughtlessly; **por un quítame allá esas —s** for a trifle

pajar M hayloft

pájaro M bird; **— carpintero** woodpecker; **— pinto** cautious person; **un — francés** a French guy

paje M page

pajizo ADJ straw-colored

pajonal M Am grassland

pala F (para cavar) shovel; (para recoger basura) dustpan; (de hélice, remo) blade; (de zapato) upper; (para remar, de ping-pong) paddle; **— mecánica** power shovel; **lo tuvimos que recoger con —** he was exhausted

palabra F (unidad léxica) word; (facultad) speech; **— clave** key word; **—s mayores** a big deal; **cuatro —s** a few words; **cumplir con la —** to keep one's word; **dejar con la — en la boca** to cut someone off in mid-sentence; **en pocas —s** in a nutshell; **faltar a la —** to break a promise; **la última —** the final say; **ni**

una — not a word; **no dijo** — he didn't breathe a word; **un hombre de** — a man of his word; **tener la** — to have the floor; **tomar la** — to take the floor; **traducción** — **por** — word for word translation; **tragarse / comerse las propias** —**s** to eat one's words

palabrero adj long-winded

palabrota f curse word, four-letter word; —**s** profanity

paladar m palate; — **hendido** cleft palate

paladear vt to relish

paladín m champion, crusader

palanca f lever; (mecanismo para levantar algo) lever; (para abrir algo) crowbar; (fuerza) leverage; — **del cambio** gearshift lever; — **de juegos** joystick; — **del regulador** throttle lever; **hacer** — to use leverage

palangana f basin

palco m box

Palau m Palau

palenque m fence

paleontología f paleontology

paleta f (de pintor) palette; (de albañil) trowel; (de ping-pong, para mezclar, batir) paddle; (hélice) blade; (piruli) lollipop, sucker

paletilla f shoulder

paleto -ta m f hayseed, hick

paliar vt to alleviate

palidecer[13] vi to turn pale

palidez f pallor, paleness

pálido adj pallid, pale

palillo m (de dientes) toothpick; (de tambor) drumstick; (para comida china) chopstick; **tocar todos los** —**s** to try everything

palique m chit-chat

paliza f beating, whipping; **dar una** — to beat, to whip

palma f (árbol) palm (tree); (hoja) palm leaf; (de mano) palm (of the hand); **batir** —**s** to clap; **llevarse la** — to take the prize; **conocer como la** — **de la mano** to know like the back of one's hand

palmada f (en la espalda) slap; (aplauso) clap; (en el trasero) spank; **dar una** — (en la espalda) to slap; (en el trasero) to spank

palmear vt to slap on the back

palmera f palm tree

palmípedo m web-footed bird

palmo m span; — **a** — inch by inch

palmotear vt to slap on the back

palo m (de madera) stick; (de barco) mast; (de golf) golf club; — **de naipes** suit; — **de golf** golf club; — **de escoba** broomstick; **dar** —**s** to hit with a stick; **de tal** — **tal astilla** a chip off the old block

paloma f dove, pigeon

palomar m pigeon loft

palomilla f wing nut

palomitas f pl. popcorn, — **maíz** popcorn; **hacer** — to pop corn

palote m rolling pin

palpable adj palpable

palpar vt to feel

palpitación f palpitation

palpitante adj palpitating; **una cuestión** — a burning question

palpitar vi to palpitate

palta f Am avocado

paludismo m malaria

pampa f Am prairie

pamplinas f pl. baloney, hogwash

pan m bread; (pieza) loaf of bread; — **comido** piece of cake, cinch; — **de cada día** everyday occurrence; — **rallado / molido** bread crumbs; **al** —, — **y al vino, vino** to call a spade a spade; **contigo,** — **y cebolla** love is all we need; **ganarse el** — to make a living

pana f corduroy

panacea f panacea, magic bullet

panadería f bakery

panadero -ra m f baker

panal m honeycomb

Panamá m Panama

panameño -ña adj & mf Panamanian

panamericano adj Pan-American

panceta f bacon

páncreas m pancreas

panda m panda bear

pandearse vt to buckle, to sag

pandeo m sag

pandereta f tambourine

pandilla f gang, band

panecillo m roll

panegírico m eulogy

panel m panel

panera f breadbasket

panfleto m pamphlet

pánico adj & m panic

panoja f ear of corn

panorama m panorama; (horizonte) outlook

panorámico adj panoramic

panqueque m pancake

pantaletas f pl. panties

pantalla f (de lámpara) lampshade; (de monitor, para películas) screen; (para actividades ilícitas) cover, front; **la** — **grande** the silver screen; — **dividida** split screen; — **táctil** touchscreen

pantalón M trousers, pants; — **corto** shorts; **pantalones** trousers, pants; **llevar bien puestos los pantalones** to be master in one's own house

pantano M swamp, marsh

pantanoso ADJ swampy, marshy

panteón M vault

pantera F panther

pantomima F mime, pantomime

pantorrilla F calf

pantufla F slipper

panty M pantyhose

panza F paunch, belly

panzudo ADJ pot-bellied

pañal M diaper; **estar en —es** to be in infancy

paño M (trozo de tela) cloth; (de lana) woolen cloth; (para limpiar) rag; — **higiénico** sanitary napkin; — **mortuorio** pall; — **de manos** towel; — **de cocina** dishcloth; — **de mesa** tablecloth; **ella es mi — de lágrimas** I always cry on her shoulder; **—s menores** underwear

pañuelo M (para la nariz) handkerchief; (de cuello) scarf

papa M pope; F *Am* potato; **no saber ni —** not to know a thing; **—s fritas** French fries

papá M papa, dad

papacito M daddy

papada F double chin

papado M papacy

papagayo M parrot

papaíto M daddy

papar VT to eat; MF SG **papamoscas** (pájaro) flycatcher; (tonto) half-wit; **papanatas** twerp

paparruchas F PL baloney, bull

papaya F papaya

papel M paper; (dramático) role, part; — **aluminio** aluminum foil; — **carbón** carbon paper; — **cuadriculado** graph paper; — **de cartas** stationery; — **de estaño** tin foil; — **de estraza** brown paper; — **de lija** sandpaper; — **de seda** tissue paper; — **encerado** wax paper; — **higiénico** toilet paper; — **moneda** paper money; — **tisú** tissue paper; **desempeñar un —** to play a role; **en el —** on paper; **hacer buen —** to cut a good figure

papelera F (fábrica) paper factory; (cubo) wastepaper basket

papelería F stationery store

papeleta F slip of paper; (para votar) ballot

paperas F PL mumps

papito M daddy

páprika F paprika

papú ADJ & MF Papua New Guinean

paquete M (envuelto) package; (atado) bundle; (conjunto de programas) package

Paquistán M Pakistan

paquistano -na ADJ & MF Pakistani

par ADJ even; M (de cosas idénticas) pair; (de cosas diferentes) couple; (título) peer; (en golf) par; **a la —** at par; **sin —** peerless; **de — en —** wide-open

para PREP in order to, for; **lo hice — ganar dinero** I did it in order to earn money; **demasiado — mí** too much for me; **trabajo — mi padre** I work for my father; **— ser perro es inteligente** for a dog he's smart; **— mi sorpresa** to my surprise; **voy — Madrid** I'm going to Madrid; **— las dos** by two o'clock; **— atrás** backwards; **— empezar** for starters; **— llevar** to go; **¿— qué?** what for? — **que** so that, so as to; **— siempre** forever; **habla — sí** he talks to himself; **— mis adentros** to myself; **— morirse de risa** hilarious; **no es — tanto** it's no big deal; **sin qué ni — qué** without rhyme or reason

parabién M congratulations; **dar el —** to congratulate

parada F (acción de parar) stop; (de perro de caza) point; (de taxis) stand; (militar) parade; (relevo de guardia) changing the guard; (de balón) parry

paradero M whereabouts

paradigma M paradigm

parado ADJ (que no se mueve) stationary; (que no tiene trabajo) unemployed, idle; **salir bien —** to come out on top

paradoja F paradox

paradójico ADJ paradoxical

parafernalia F paraphernalia

parafina F paraffin

parafrasear VI/VT to paraphrase

paráfrasis F paraphrase

paraguas M SG umbrella

Paraguay M Paraguay

paraguayo -ya ADJ & MF Paraguayan

paraíso M paradise

paraje M spot

paralela F parallel line; **—s** parallel bars

paralelo ADJ & M parallel; **hacer —s** to draw parallels

parálisis F paralysis

paralítico -ca ADJ & MF paralytic

paralización F (de tránsito) gridlock; (del cuerpo) paralysis

paralizar[9] VT to paralyze; (negociaciones) to

stall; **—se** to gridlock

paramédico -ca ADJ & MF paramedic

parámetro M parameter

paramilitar ADJ & MF paramilitary

páramo M cold highland, moor

parangón M comparison; **sin —** incomparable

parangonar VT to compare

paraninfo M auditorium

paranoia F paranoia

paranoico -ca ADJ & MF paranoid

paranormal ADJ paranormal

parapsicología F parapsychology

parar VI/VT (detener) to stop; (motor) to stall; VT (un pase de pelota) to block; (un golpe) to parry; **— de hacer algo** to stop doing something; **y para de contar** and that's it; **— en seco** to stop short; **ir a —** to end up; **habló sin —** he talked non-stop; **—se** to stop; *Am* to stand up; **—se a pensar** to stop to think; M SG **parabrisas** windshield; **paracaídas** parachute; **paracaidismo** skydiving; **parachoques** bumper; **pararrayos** lightning rod; **parasol** parasol; MF **paracaidista** parachutist

parásito M parasite

parcela F parcel, plot

parcelación F subdivision

parcelar VT to parcel (out)

parche M (para remendar) patch; (de tambor) drum head; **— de ojo** eye patch

parcial ADJ partial

pardillo M linnet

pardo ADJ (color) gray-brown; (mulato) mulatto

pareado M couplet

parear VT to match

parecer[13] VI to seem; **— que** to seem like, to look like; **¿qué te parece?** what do you think? **—se a** to resemble, to look like; M (opinión) opinion; (aspecto) appearance; **al —** apparently; **a mi —** to my mind / way of thinking; **del mismo —** like-minded

parecido ADJ alike, similar; **bien —** good-looking; M similarity, resemblance

pared F wall; **poner a alguien contra la —** to corner; **subirse por las —es** to be furious; **de — a —** wall-to-wall; **reloj de —** wall clock

paredón M execution wall

pareja F (de personas) couple; (de cosas) pair, match; (compañero) partner

parejo ADJ (hermanos) alike; (carrera) even; (dientes) straight; **correr al —** to go hand in hand

parental ADJ parental

parentela F kin

parentesco M kinship, relation

paréntesis M parenthesis

pargo M red snapper

paria MF INV pariah, outcast

paridad F parity

pariente -ta MF relative, relation; **— consanguíneo** blood relative

parir VI/VT to give birth (to)

parlamentar VI to parley

parlamentario -ria ADJ parliamentary; MF member of parliament

parlamento M (en una obra de teatro) speech; (negociación) parley; (cuerpo legislativo) parliament

parlanchín ADJ talkative

parlotear VI to chatter, to rattle on

parloteo M chatter

paro M (pequeña huelga) stoppage; (situación de no tener trabajo) unemployment; (ave) tit; **— cardiaco** cardiac arrest

parodia F parody

parodiar VT to parody

parpadear VI (un ojo) to blink; (una vela) to flicker; (una estrella) to twinkle

parpadeo M (del ojo) blink; (de una vela) flicker; (de una estrella) twinkle

párpado M eyelid

parque M park; **— automotor** fleet of cars; **— de atracciones** amusement park; **— zoológico** zoo

parra F grapevine

párrafo M paragraph; **echar un — con** to have a chat with

parral M grape arbor

parranda F binge, spree; **andar de —** to go on a spree

parrandear VI to revel

parrandero -ra MF party animal

parrilla F (sobre el fuego) grill; (en el horno) broiler; (de calles) grid; (de coche) grille

parrillada F barbecue dish

párroco M parish priest

parroquia F (distrito) parish; (iglesia) parish church

parroquial ADJ parochial

parroquiano -na MF (de iglesia) parishioner; (de tienda) regular

parte F (sección) part; (lugar) place; (papel en un drama) lines; (persona) party; **—s pudendas** private parts; **a otra —** somewhere else; **a —s iguales** fifty-fifty; **de un tiempo a esta —** for some time; **de — de** on behalf of; **de — a —** completely; **echar a mala —** to take amiss; **en —** partly; **en gran —** in large measure; **en otra** — elsewhere; **en / por todas** —s everywhere; **formar** — **de** to be part of; **ir por** —s to proceed by steps; **la mayor** — the most of; **la** — **del león** the lion's share; **no está en ninguna** — it's nowhere to be found; **no va a ninguna** — it's going nowhere; **por ninguna** — on the other hand; **tomar** — **en otra** — to take part in; **dar** — to report; **dar** — **de enfermo** to report sick; **dar** — **de un crimen** to report a crime

partera F midwife

partícula F particle

participio M participle

participar VT (especifico) to participate; — **de / en** to participate in, to share in

particular ADJ (específico) particular; (poco usual) peculiar; (privado) private; **en** — in particular; **clases** —**es** private lessons; M (detalle) particular; (asunto) matter; MF private citizen

partida F (fondos) appropriation; (de caza) party; (cantidad de mercancía) parcel, lot; (de ajedrez) game; (acción de partir) departure; — **de nacimiento** birth record; **jugar una mala** — to play a mean trick; — **doble** double-entry

partidario -ria MF supporter, advocate; (de partido político) partisan

partido M (grupo político) party; (de golf) round; (de tenis, fútbol) game, match; **es un buen** — he's a good match; **sacar de** to take advantage of; **tomar** — to take sides; ADJ split, cleft

partir VT (dividir) to divide; (repartir) to share; (quebrar) to break; **eso me parte por el eje** that screws me up; **que te parta un rayo** go jump in the lake; VI (salir) to depart, to leave; **a** — **de** (entonces) since then; **a** — **del lunes** starting Monday; **—se de risa** to die of laughter

partisano -na MF partisan

partitura F musical score

parto M childbirth, delivery; **estar en** — to be in labor

trabajo de — to be in labor

parvulario M kindergarten, nursery

párvulo -la MF nursery school child

pasa F raisin

pasable ADJ passable

---

pasada F (acción de pasar) passing; (con una máquina) pass; **una mala** — a mean trick; **de** — by the way

pasadizo M secret passage

pasado M past; ADJ (anterior) past; **mañana** day after tomorrow; **el año** — last year; **el** — **mes de septiembre** last September

pasador M pin

pasaje M (sitio por donde se pasa, fragmento de texto) passage; (billete) ticket; (pasajeros) passengers

pasajero -ra ADJ fleeting, transitory; MF passenger

pasaporte M passport

pasar VT (no querer jugar, ir de un lado a otro, seguir su proceso, transcurrir) to pass; (ocurrir) to happen; (mantenerse) to get by on; — **a ser** to become; — **de moda** to go out of style; — **por** to pass by; —**le por la cabeza a alguien** to occur to someone; **pasan de los 80 años** they're over 80 years old; **te pasaste la casa** you missed the house; —**se de la raya** to cross the line; —**se de sol** to get too much sun; —**se de listo** to outsmart oneself; —**se** to spoil; **se me pasó ir a buscarte** I totally forgot to pick you up; **me la paso bien** I have a good time; VT (la sal, una prueba, la plancha) to pass; (un sofocón) to endure; (una tarde) to spend; —**las de Caín** to go through hell; — **en limpio** to make a new copy; — **por alto** to overlook; — **los 50 km/h** to exceed 50 km/h; — **revista** to pass in review; **nos pasó un Volvo** a Volvo passed us; **no lo paso** I can't stand him; **tienen un buen** — they have a comfortable life; **pasamano** (de barco) guard rail, gangway; (de escalera) banister, railing; **pasatiempo** pastime

pasarela F (en un barco) gangplank; (para modelos) runway

Pascua F Easter; (fiesta judía) Passover; **Florida / de Resurrección** Easter Sunday; — **de Navidad** Christmas

pase M pass

pasear VI (a pie) to take a walk; (en bici, a caballo) to go on a ride; (en coche) to go for a drive, to go on a ride; —**se** to parade, to take a walk; —**se a caballo** to go horseback riding; VT (un perro) to walk a dog

paseo M (a pie) walk, stroll; (a caballo, en bicicleta) ride; (en coche) drive, ride; (lugar donde pasear) mall; **irse a** — to go jump in a lake; **dar un —** (a pie) to take a walk; (a caballo, en bicicleta) to go on a ride; (en coche) to go on a drive

pasillo M (de un teatro) aisle; (de un edificio) hallway, corridor; (para vuelo aéreo) corridor

pasión F passion

pasivo ADJ passive; **voz pasiva** passive voice; M SG (en un negocio) liabilities; (de una cuenta) debit side

pasmado ADJ astounded

pasmar VT to astound, to stun; **—se** to be astounded, to be stunned

pasmo M astonishment

pasmoso ADJ astonishing, stunning

paso M (acción de pasar, lugar donde pasar) pass; (de pie, de danza, distancia, de un proceso) step; (velocidad) pace; (de caballerías) walk; (de tornillo) pitch; (de coche) wheelbase; **— elevado** overpass; **— a nivel** grade crossing; **— de tortuga** snail's pace; **— a paso** step by step; **dar —** (dejar pasar) to let pass; (dejar actuar) to make possible; **dar —s** to take steps; **de —** by the way, in passing; **estar de —** to be passing through; **marcar el —** to set the pace; **al — que** while; **salir del —** to get out of a difficulty; **dicho sea de —** incidentally; **a cada —** at every turn; **— del tiempo** passage of time; **abrir —** **para** to make way for; **abrirse —** to plow through, to press through; ADJ dried

pasta F (de almidón) paste; (de harina) dough; (de fideos) pasta; (de libro) hard cover, binding; (dinero) *fam* dough; **de buena —** of good disposition; **— dentífrica / dental** toothpaste

pastar VI/VT to pasture, to graze

pastel M (torta) cake; (tarta) pie; (pintura, cuadro) pastel; **— de cumpleaños** birthday cake; **— de limón** lemon pie; **— de carne** meat pie; **descubrir el —** to spill the beans; ADJ pastel

pastelería F (establecimiento) pastry shop; (conjunto de pasteles) pastry

pastelero -ra M pastry cook

pasterizar, pasteurizar[9] VT to pasteurize

pastilla F (de medicina) tablet, pill; (para la tos) drop; (de jabón) bar

pastizal M grassland

pasto M (terreno) pasture, grassland; (hierba) grass; **ser — de** to be a victim of

pastor -ora MF (de ovejas) shepherd; (sacerdote protestante) pastor, minister; M **— alemán** German shepherd

pastoral ADJ pastoral; F pastoral letter

pastoril ADJ pastoral

pastoso ADJ pasty

pastura F feed

pata F (de animal, mueble) foot, leg; (de pollo) drumstick; (de un enchufe) pin; **— palmada** webfoot; **— de gallo** crow's-foot; **en cuatro —s** on all fours; **a (la) coja** skipping on one leg; **estirar la —** *fam* to kick the bucket; **mala —** bad luck; **metedura de —** faux pas; **meter la —** to slip up; **—s arriba** upside down; ADJ **patihendido** cloven-hoofed; **patitieso** dumbfounded; **patizambo** (hacia adentro) knock-kneed; (hacia afuera) bow-legged

patada F kick; **libros a —s** tons of books; **en dos —s** in a jiffy; **dar —s** to kick; **echar a —s** to kick out

patalear VI (en el aire) to kick; (en el suelo) to stamp

pataleo M (en el aire) kick; (en el suelo) stamp

pataleta F fit; **dar una —** to throw a fit

patán M boor

patata F *Esp* potato; **—s fritas** French fries; **— caliente** hot potato

patear VT (algo, a alguien) to kick; (el suelo) to stamp; VI to tramp around

patentar VT to patent

patente ADJ & F patent; **se hizo — su ignorancia** he betrayed his ignorance; **en trámite** patent pending

paternal ADJ (del padre) paternal; (como padre) fatherly

paternidad F paternity, fatherhood; **prueba de —** paternity test

paterno ADJ paternal

patético ADJ moving

patetismo M pathos

patíbulo M gallows scaffold, gallows

patilla F (de gafas) arm; **—s** sideburns

patín M skate; (de trineo) runner; **— de ruedas** roller skate; **— de cuchilla / de hielo** ice skate

patinaje M skating

patinar VI (una persona) to skate; (un coche sobre hielo) to skid; (un embrague) to slip; (en un examen) to blank out

patinazo M (de embrague) slip; (de coche) skid

patio M (de casa) patio, courtyard; (de escuela) playground

pato M duck; (macho) drake; **pagar el —** to take the rap

patochada F blunder

patógeno M pathogen

patología F pathology

patológico ADJ pathological

patoso ADJ clumsy

patraña F tall tale

patria F fatherland, homeland

patriarca M patriarch

patriarcal ADJ patriarchal

patrimonio M patrimony; — **cultural** cultural heritage; — **personal** personal assets

patriota MF patriot

patriótico ADJ patriotic

patriotismo M patriotism

patrocinador -ora MF sponsor

patrocinar VT to sponsor

patrocinio M sponsorship

patrón -ona MF (protector) patron; (jefe, empleador) (de navío) skipper; M (dueño de pensión) landlord; (de costura) pattern; (punto de referencia) yardstick, standard; (planta) stock; (de un parásito) host; — **de oro** gold standard; F (dueña de pensión) landlady

patronato M board of trustees

patrono -na MF patron

patrulla F (grupo de policías o soldados) patrol, squad; (coche) squad car

patrullar VI/VT to patrol

patrullero M patrol car, squad car

pausa F (musical) pause, rest; **trabajar con** — to work slowly; **hacer** — to pause

pauta F guideline

pavimentar VT to pave

pavimento M pavement

pavo M turkey; — **real** peacock; — **frío** cold turkey; ADJ silly

pavonearse VI to strut, to swagger

pavón M peacock

pavor M dread

pavoroso ADJ frightful

payasada F clownish act or remark; —**s** antics, horseplay

payasear VI to clown around, to horse around

payaso M (de circo) clown; (persona poco seria) buffoon; **hacer el** — to clown around

paz F peace; **estamos en** — we are even; **en — descanse** may she rest in peace; **hacer las paces** to make up; **dejar en** — to leave alone

PC M PC

peaje M toll; (lugar donde se paga) tollbooth

peatón -ona MF pedestrian

peca F freckle

pecado M sin; — **mortal** mortal sin

pecador -ora MF sinner; ADJ sinful

pecaminoso ADJ sinful

pecar⁵ VI to sin; — **contra** to transgress against; — **de bueno** to be too good; — **de generoso** to be too generous; — **de oscuro** to be exceedingly unclear

pecera F aquarium

pechera F (de camisa) front; (de delantal) bib

pecho M (parte de cuerpo) chest; (mama) breast; **dar el** — to nurse; **nadar** — to do the breaststroke; **tomar a** —(**s**) to take to heart; **sacar** — to puff out one's chest

pechuga F breast

pechugona ADJ buxom

pecio M flotsam and jetsam

pecoso ADJ freckled

pectoral ADJ & M pectoral

peculado M embezzlement

peculiar ADJ peculiar

peculiaridad F peculiarity

pedagogía F pedagogy, education

pedagogo -ga MF pedagogue

pedal M pedal

pedalear VI/VT to pedal

pedante ADJ pedantic; MF pedant

pedazo M piece; — **de idiota** absolute idiot; **él es un — de pan** he's a saint; **hacer —s** to tear to pieces, **caerse a —s** to fall to pieces; — **por** — piece by piece

pedernal M flint

pedestal M pedestal

pedestre ADJ pedestrian

pediatra MF INV pediatrician

pediatría F pediatrics

pedido M order, requisition; **hacer un** — to place an order; — **fijo** standing order; — **urgente** rush order

pedigrí M pedigree

pedigüeño ADJ **no seas** — stop asking me for things

pedir⁵ VT (requerir) to ask for, to request; (exigir) to demand; (encargar) to order, to requisition; — **limosna** to beg; — **socorro** to cry for help; — **un deseo** to make a wish; — **que** to ask/pray that; — **la mano** to ask in marriage; — **por alguien** to ask to speak to someone

pedrada F **dar una** — to hit with a stone; **matar a —s** to stone to death

pedregal M rocky ground

pedregoso ADJ stony

pedrería F precious stones

pedrusco M boulder

pedúnculo M stem

pega F snag

pegadizo ADJ catchy

pegajoso ADJ sticky, tacky

pegamento M glue

pegar VT (con el puño) to hit, to strike; (algo con pegamento) to stick, to glue; (botones) to sew on; (una devisa) to peg; **— con** to match; **— contra** to touch; **— un grito** to yell; **— un susto** to give a scare; **— un salto** to jump; **— le un tiro a alguien** to shoot someone; **—se** (adherir) to stick together, to cling; (contagiarse) to be contagious; **—se a** to latch onto; **no — un ojo** to not to sleep a wink

pegote M glob

pegotear VT to gum up

peinado M (estilo) coiffure, hairdo; (acción) combing

peinador -ora MF hairdresser

peinar VT to comb (también registrar); (en una peluquería) to style; **— a contrapelo** to rub the wrong way

peine M comb

pelada F bald spot

pelado ADJ (pobre) poor; (sin cáscara) peeled; (sin pelo) hairless; (sin árboles) treeless; (sin plumas) plucked; (sin dinero) broke

pelador M peeler

pelaje M coat, fur

pelar VT (el pelo) to cut the hair of; (las frutas, verduras) to peel; (a un jugador) to pluck the feathers from; (a un jugador) to fleece; **duro de —** hard to deal with; **el agua está que pela** the water is really hot; **—se** to peel; M sc **pelagatos** nobody

peldaño M step, stair

pelea F (de palabra) fight, quarrel; (de obra) fight, scrape; (de boxeo) fight; **a puñetazos** fistfight; **— de perros** dogfight

pelear VI (con palabras) to fight, to quarrel; (con obras) to fight, to scuffle; **—se con alguien** to have a fight with someone

pelechar VI (perder la piel) to shed; (mejorar) to get better

pelele M (persona sin carácter) wimp; (muñeca) straw doll

peletería F fur store; (comercio) fur trade

pelícano M pelican

película F film (también membrana); (obra cinematográfica) motion-picture film, movie; **de —** extraordinary; **dar una —** to show a film; **— muda** silent film

peligrar VI to be in danger

peligro M danger, peril; **ese muchacho es un —** that boy is dangerous; **en —** in danger; **poner en —** to imperil/ endanger/ jeopardize

peligroso ADJ dangerous, perilous

pelma MF jerk

pelo M (de persona) hair; (de animal) fur; (alfombra) pile; **con —s y señales** with every possible detail; **de medio —** low-class; **eso me viene al —** that suits me perfectly; **montar en —** to ride bareback; **ni un —** not at all; **no tener —s en la lengua** not to mince words; **se le ponen los —s de punta** his hair stands on end; **se salvó por un —** he was saved by the skin of his teeth; **tomar el — a** to make fun of; **traído de los —s** far-fetched; ADJ

pelón ADJ bald

pelota F (objeto) ball; (juego) ball game; **— vasca** jai-alai; **en —s** naked; **pasar la —** to pass the buck

pelotera F brawl

pelotón M (pelota grande) large ball; (de tierra seca) clod; (de ciclistas) pack; (de soldados) platoon; (de fusilamiento) firing squad

peltre M pewter

peluca F wig

peludo ADJ (persona) hairy; (animal) furry; (perro) shaggy

peluquería F (para hombres) barbershop; (para mujeres) beauty shop

peluquero -ra MF (de hombres) barber; (de mujeres) hairdresser

peluquín M toupee

pelusa F (de tela) lint; (de melocotón, cara) fuzz; (de plantas) hair; (de ropa) fluff, lint; (de polvo) dust bunny

pelvis F pelvis

pellejo M (piel de animal) hide, pelt; (odre) wineskin; **salvar el —** to save one's skin; **ser todo — y huesos** to be skin and bones; **jugarse el —** to risk one's life

pellizcar[6] VT to pinch

pellizco M pinching

pena F (castigo) penalty; (tristeza) sorrow; **— de muerte** death penalty, capital punishment; **—s** hardships; **a duras —s** with great difficulty; **me da —** it grieves me; **hecho una —** in a mess; **sería una — perder** it would be a shame to lose; **so — de** on pain of; **valer la —** to be worthwhile

penacho M (de plumas) tuft, crest; (de humo) plume

penado ADJ penal; M penitentiary

penal ADJ penal; M penitentiary

penalidad F (penuria) hardship; (castigo) penalty

penalizar[9] VT to penalize

penalti M penalty kick

penar VI to suffer; VT to punish

penco M plug, nag

pendejo -ja M fur (persona licenciosa) pey swine; (persona tonta) fam dummy

pendencia F wrangle, fight

pendenciero ADJ quarrelsome

pender VI to hang, to dangle

pendiente F slope, incline; M Esp earring; ADJ (aretes) dangling, pending; (negocio) outstanding; **vive — de su hija** she lives for her daughter

pendón M banner

péndulo M pendulum

pene M penis

penetración F penetration

penetrante ADJ (mirada, sonido) penetrating, piercing; (frío) biting; (comentario) cutting; (inteligencia) keen

penetrar VT (pasar al interior) to penetrate, to pierce; (comprender) to comprehend

penicilina F penicillin

peninsular ADJ peninsular

península F peninsula

penitencia F penance

penitenciaría F penitentiary

penitente ADJ & MF penitent

penoso ADJ (que produce tristeza) painful, grievous; (que lleva consigo penalidades) trying

pensador -ora MF thinker; ADJ reflective

pensamiento M (facultad, acción, efecto) thought; (flor) pansy

pensar VI/VT to think; **— en** to think about/over; **— hacer algo** to intend to do something; **eso da que —** that seems questionable; **no lo pienses dos veces** don't think twice

pensativo ADJ pensive, thoughtful

pensión F (asignación periódica) pension, (comidas) board; (hostal) boardinghouse; **— completa** room and board; **tener en —** to have as a boarder

pensionista MF (que vive en una pensión) boarder; (que cobra una pensión) pensioner

pensionado M boarding school

pensionar VT to pension

pentágono M pentagon

pentagrama M musical staff

penthouse M penthouse

penúltimo ADJ next to the last, penultimate

penumbra F semi-darkness, dimness

penuria F (escasez) shortage; (pobreza) poverty

peña F boulder; **— folklórica** folklore club

peñasco M crag

peñascoso ADJ craggy

peñón M crag

peón -ona MF (obrero) unskilled laborer, farm hand; **— caminero** road worker; M (en ajedrez) pawn; (en damas) piece

peonada F gang of laborers

peonaje M gang of laborers

peonza F toy top

peor ADJ worse, worst; **este libro es —** this book is worse; **el — libro** the worst book; ADV worse than; **— que** worse than; **— que nunca** worse than ever; **en el — de los casos** if worst comes to worst; **lo —** the worst (thing); **tanto —** so much the worse

pepa F **es un viva la —** it's bedlam

pepino M cucumber

pepita F (simiente) seed; (tumor de gallina) pip; (masa de oro) nugget

pequeñez F (cualidad de pequeño) smallness; (cosa insignificante) trifle

pequeño -ña ADJ (de poco tamaño) small, little; (de corta edad) young; (de poca importancia) trivial

pera F pear; **pedirle —s al olmo** to ask the impossible

peral M pear tree

perca F perch; **— americana** black bass

percal M percale

percance M accident, mishap

percebe M barnacle

percepción F perception

perceptible ADJ perceptible, noticeable

perceptivo ADJ perceptive

percha F (para el armario) clothes hanger; (palo para colgar cosas) peg; (palo para aves) perch, (perchero) coat rack

perchero M coat rack

percibir VT (experimentar) to perceive, to sense; (recibir) to collect

percudir VT to make grimy; **—se** to get grimy

percusión F percussion

percutor M firing pin

perdedor -ora MF loser

perder[1] VT (dejar de tener algo, extraviar) to lose; to mislay, (echar a perder) to spoil, to ruin; (ser derrotado) to lose; (no sacar el provecho debido) to waste; (no llegar a tiempo, no disfrutar) to miss; **— el conocimiento** to lose consciousness; **— el tiempo** to waste time; **— los estribos** to fly off the handle; **— hojas** to shed leaves; **— pie** to lose one's footing; **— terreno** to lose ground; **echarse a —** to spoil; **el vaso pierde agua** the glass leaks water; **llevo las de —** the odds are against me; **—se** (extraviarse) to lose one's way, to get lost; (pervertirse) to go astray, to go stray; **se han perdido las llaves** the keys have gotten lost; **—se de vista** to disappear; **—(se) una oportunidad** to pass up an opportunity

perdición f perdition, damnation

pérdida f (acción de perder, cosa perdida) loss; **entrar en —** to nosedive; **— de tiempo** waste of time

perdido -da adj (extraviado) lost, missing; (aislado) isolated; (promiscuo) promiscuous; **un borracho —** an utter drunkard; **estar — por alguien** to be crazy about someone; m degenerate; f slut

perdigón m (pollo de perdiz) young partridge; (grano de plomo) birdshot, buckshot

perdiz f partridge

perdón m forgiveness; (oficial) pardon; **con — de los presentes** present company excepted; **no tener —** to be unforgivable

perdonar vt to forgive; (oficial) to pardon; INTERJ excuse me

perdurable adj lasting

perdurar vi to last

perecedero adj perishable

perecer[13] vi to perish

peregrinación f pilgrimage

peregrinar vi to go on a pilgrimage

peregrino -na adj pilgrim; adj far-fetched

perejil m parsley

perenne adj perennial

pereza f laziness, idleness, sloth

perezoso adj lazy, idle; m (animal) sloth

perfección f perfection; **a la —** to perfection

perfeccionamiento m perfecting

perfeccionar vt to perfect

perfecto adj perfect, flawless; **es un — tarado** he's an utter idiot

perfil m profile; **de —** from the side

perfilar vt to outline; **—se** (marcarse) to be outlined; (definirse) to become clear

perforación f perforation; (de un pozo) drilling

perforar vt (agujerear) to perforate; (para petróleo) to drill

perfumar vt to perfume, to scent

perfume m perfume, scent

perfumería f perfumery

pergamino m parchment

pérgola f arbor

pericia f expertness

perico m (loro) parakeet; (cocaína) fam snow

periferia f periphery, fringe

periférico adj & m peripheral

perilla f (adorno, remate) knob; (pelo de barbilla) goatee; **de —** apt

perímetro m perimeter

periódico m newspaper; **— mensual** monthly periodical; adj periodic

periodismo m journalism

periodista mf journalist

periodístico adj journalistic

período m period (también menstruación); (de materia radiactiva) half-life; **— glaciar** ice age

peripecia f vicissitude

peripuesto adj dressed up, dolled up, decked out

periquito m parakeet

periscopio m periscope

perito -ta adj expert, practiced; mf technician

peritonitis f peritonitis

perjudicar[4] vt to harm

perjudicial adj harmful, detrimental

perjuicio m harm

perjurar vt to swear; vi to commit perjury; **—se** to commit perjury

perjurio m perjury

perla f (de nácar) pearl; (persona) gem; (gota de sudor) bead; (de sabiduría) nugget; (frase desafortunada) blooper; **de —s** perfectly

perlado adj pearly

permanecer[13] vi to remain, to stay

permanencia f (carácter de permanente) permanence; (acción de permanecer) stay

permanente adj permanent

permeable adj permeable

permear vt to permeate

permisible adj permissible

permisivo adj permissive

permiso m permission; (para faltar al servicio militar) furlough; (para faltar al trabajo) leave; (licencia) license, permit; **con —** excuse me

permitir vt (dar posibilidad moral) to permit, to allow; (dar posibilidad física) to enable; **—se** (una libertad) to take the liberty of; (un lujo) to allow oneself; **¿me permite?** may I cut in?

permuta f exchange

permutación f permutation

permutar vt to exchange

pernetas loc adv **en —** barelegged

pernicioso adj pernicious

pernicorto adj short-legged

perno m bolt, pin

pero conj but; adv **— muy: — muy lindo** very, very pretty; m objection; **no hay — que valga** no buts about it

perogrullada f platitude

perorar vi to hold forth

perorata f lecture

peróxido M peroxide

perpendicular ADJ perpendicular

perpetuo ADJ perpetual

perpetuar[7] VT to perpetuate

perpetrar VT to perpetrate

perplejidad F perplexity, bewilderment

perplejo ADJ perplexed, bewildered; VT **dejar** — to perplex

perra F (lugar donde guardar perros) pound; (rabieta) tantrum

perrero -ra M/F dogcatcher; ADJ dog-loving

perro M dog; — **caliente** hot dog; — **cobrador** retriever; — **de caza** hunting dog; — **faldero** lapdog; — **de lanas** poodle; — **guía** guide dog; — **pastor** sheepdog; — **policía** police dog; ADJ miserable; **en la perra vida** never

perruno ADJ canine

persa ADJ & M/F Persian; M (lengua) Persian

persecución F (religiosa) persecution; (acción de seguir) pursuit, chase

perseguidor -ora M/F (que sigue) pursuer; (que acosa) persecutor

perseguir[5,12] VT (seguir para alcanzar) to pursue, to chase; (seguir para encontrar) to track down; (acosar) to hound; (tratar de destruir) to persecute

perseverancia F perseverance

perseverar VT to persevere

persiana F blind, shade

persistencia F persistence

persistente ADJ persistent

persistir VT to persist

persona F person; — **legal** legal entity; **en** — in person; — **mayor** adult

personaje M (persona importante) personage; (de obra literaria) character; **es todo un** — he's quite a character

personal ADJ personal; M personnel, staff

personalidad F personality

personificar[6] VT to personify, to embody

perspectiva F (punto de vista, distancia, técnica de representación) perspective; (panorama) view, vista; (posibilidad) prospect; **tener en** — to have planned

perspicacia F insight, sharpness

perspicaz ADJ perspicacious, perceptive

persuadir VT to persuade

persuasión F persuasion

persuasivo ADJ persuasive

pertenecer[13] VI to belong

perteneciente ADJ belonging

pertenencias F PL belongings

pértiga F pole

pertinente ADJ pertinent, relevant

pertrechos M PL military supplies

perturbación F disturbance

perturbar VT to perturb, to disturb

Perú M Peru

peruano -na ADJ & M/F Peruvian

perversidad F (distorsión) perversity; (maldad) wickedness

perversión F perversion

perverso ADJ (distorsionante) perverse; (malvado) wicked

pervertido -da M/F pervert

pervertir[3] VT (hacer vicioso) to pervert; (alterar negativamente) to distort; **—se** to become perverted

pesa F weight; **—s y medidas** weights and measures

pesadez F (cualidad de pesado) heaviness; (tedio) tiresomeness; (persona pesada) tiresome person

pesadilla F nightmare

pesado -da ADJ (que pesa mucho, difícil de digerir) heavy; (aburrido) tiresome; (robusto) heavy-set; (tardo) slow; M/F bore, pest

pésame M condolence, expression of sympathy

pesar VT (apenar) to sadden; (medir el peso de) to weigh; (recaer sobre) to weight down; VI (tener peso, importancia) to weigh; M grief, sorrow; LOC ADV **a** — **de** in spite of

pesaroso ADJ (triste) sad; (arrepentido) repentant

pesca F (acción de pescar) fishing; (lo pescado) catch; **ir de** — to go fishing

pescadería F fish market

pescado M fish

pescador -ora M/F fisherman

pescar[6] VI/VT (capturar peces) to fish; (sacar del agua) to catch; coger, comprender, sorprender, pillar (contraer); (obtener) to land, to nail

pescuezo M neck

pesebre M (para pienso) manger, crib; (belén) nativity scene

peseta F peseta

pesimismo M pessimism

pesimista M/F pessimist

pésimo ADJ dismal, wretched

peso M (fuerza, importancia) weight; (que oprime moralmente) burden; (cosa pesada) load; **vender al** — to sell by weight; **levantar en** — to lift off the ground

pesquería F fishery

pesquero ADJ fishing; M fishing boat

pesquisa F inquiry

pestaña f (del ojo) eyelash; (en costura) fringe; (de papel) tab; **quemarse las —s** to burn the midnight oil

pestañear vi to blink; **sin —** unflinchingly

pestañeo M blink

peste f (enfermedad) plague; (persona molesta) pest; (hedor) stench; **— bubónica** bubonic plague; **— negra** black death; **hablar —s de alguien** to speak badly of someone

pestilencia f pestilence

pestillo M deadbolt, latch

petaca f (para tabaco) tobacco pouch; (para whisky) flask

pétalo M petal

petardear vi to backfire

petardeo M backfire

petate M bundle; **liar el —** to pack up and go

petición f petition, request

peticionar vi to petition

petirrojo M robin

pétreo adj stony

petróleo M petroleum; **— crudo** crude oil

petrolera f oil company

petrolero M oil tanker

petulancia f smugness

petulante adj smug

petunia f petunia

peyorativo adj pejorative

peyote M peyote

pez M fish; **— dorado** goldfish; **— espada** sword fish; **— gordo** fam fat cat, big shot; **— vela** sail fish; **— volador** flying fish; **como — en el agua** perfectly at ease; f pitch

pezón M nipple

pezuña f hoof

piadoso adj pious, saintly

pisar vi to stamp

piano M piano; **— de cola** grand piano; **vertical** upright piano

pianola f player piano

piar[16] vi to peep, to chirp

pica f (lanza) pike; (palo de baraja) spade

picada f (de insecto) bite; (de avión) nosedive; **bajar en —** to dive

picado adj (mar) rough, choppy; (carne) chopped; (de viruela) pocked; M (de avión) nosedive

picadillo M meat and vegetable hash

picador m picador; adj stinging

picadora f grinder

picadura f (de serpiente) bite; (de insecto) sting, bite

picante adj (obsceno) risqué; (especia) spicy, hot; (queso) sharp; M (especia fuerte) strong seasoning; (cualidad) spiciness

picar[4] vt/vi (un pez) to bite; (un ave) to peck; (comer en pequeñas cantidades) to nibble; vt (tomates) to chop up; (carne) to mince; (una vaca) to goad, to poke; (la curiosidad) to pique; (con espuelas) to spur, vi (una comida picante) to sting; (el sol) to burn; (la piel) to itch, to smart; (un avión) to dive; **— alto** to aim high; **— en** to border on; **—se** to spoil; **se pica el mar** the sea is getting rough; **se me picó un diente** I got a cavity; M sg **picapleitos** pey shyster; **picaporte** latch

picardía f mischief

picaresco adj picaresque

pícaro -ra M rogue, rascal; adj roguish, mischievous

picazón f (en la piel) itch; (en la garganta) tickle

picea f spruce

pichi M jumper

pichón M (paloma) pigeon; (cría de ave) chick

picnic M picnic

pico M (de ave) beak, bill; (de montaña) peak; (herramienta) pick; (de tetera) spout; **cuarenta y —** forty-odd; **cerrar el —** to shut one's mouth; **tener el — de oro** to be very eloquent

pícolo M piccolo

picotazo M peck

picotear vt/vi (aves) to peck; (personas) to nibble

pídola f leapfrog

pie M (del cuerpo, de calcetín, de cama, medida) foot; (de foto) caption; (de copa) stem; (de lámpara) stand; (de página) bottom; (para un actor) cue; (de árbol) trunk; (de mueble) leg; **— de atleta** athlete's foot; **— de autor** byline; **— de imprenta** printer's mark; **a —** on foot; **un soldado de —** a foot soldier; **— de banco** silly remark; **a — juntillas** firmly; **al — de la letra** to the letter; **caer de —** to have good luck, **con un — en el estribo** with one foot out of the door; **dar —** (a una crítica) to give rise to; (a un actor) to cue; **de/en —** standing; **en de guerra** (enojado) on the warpath; (belicoso) on a war footing; **estar — con —** to be on a par with; **esto no tiene ni —s ni cabeza** I can't make heads or tails of this; **ir a —** to walk; **perder —** to lose one's footing; **ponerse de —** to stand up

piedad f (cualidad de pío) piety;

(misericordia) mercy; **tener —** to show mercy

piedra f stone; **— angular** cornerstone; keystone; **— caliza** limestone; **— de afilar** whetstone; **— de toque** touchstone; **— pómez** pumice; **preciosa** gemstone; **ser — de escándalo** to be an object of scandal

piel f (humana) skin; (animal) hide, pelt; (prenda de piel) fur; **— de gallina** goose bumps; **— de naranja** cellulite

pienso m feed; **ni por —** no way

pierna f leg; **— de ternera** leg of lamb; **dormir a — suelta** to sleep like a log

pieza f (de artillería, de tela, de música, de teatro, mueble) piece; (habitación) room; **de una —** astonished; **menuda —** a piece of work

pífano m fife

pifia f goof, miscue

pifiar vt to goof up, to miscue

pigmento m pigment

pigmeo -a MF pygmy

pijama m pajamas

pila f (recipiente) basin; (bautismal) baptismal font; (cúmulo) pile, heap, stack; (generador) battery; **— atómica** atomic reactor

pilar m pillar

píldora f pill; **— s para dormir** sleeping pills

pillaje m pillage, plunder

pillar vt (saquear) to pillage, to plunder; (atrapar, coger) to catch; (en el juego infantil) to tag

pillo -lla adj (travieso) naughty; (taimado) sly; MF (adulto) scoundrel; (niño) scamp

pilón m (de fuente) large basin; (de puente) pylon

pilotear, pilotar vt to pilot, to fly

pilote m pile, stilt

piloto MF pilot; (llama pequeña de gas) pilot light; **— automático** autopilot; **— de pruebas** test pilot

pimentar vt to pepper

pimentero m pepper shaker

pimentón m paprika

pimienta f pepper; **— de cayena** red pepper; **— negra** black pepper

pimiento m pepper, bell pepper; **— verde** green pepper

PIN m PIN

pimpollo m (de rosa) rosebud; (de vid) shoot

pináculo m pinnacle

pinar m pine grove

pincel m artist's brush

pincelada f stroke; **dar las últimas — s** to put on the final touches

pinchadura f flat tire

pinchar vt to prick, to puncture; (apuñalar) to poke; (inyectar) to inject; (intervenir un teléfono) to wiretap; (provocar) to needle; vi to have a flat; **ni corta ni pincha** he doesn't count; m sg **pinchadiscos** disk jockey, DJ

pinchazo m (acción de pinchar) puncture, prick; (neumático) flat tire; (puñalada) stab; (de teléfono) wiretap

pincho m (palo afilado) spike; (de rotícería) spit

pingajo m (harapo) tatter; (persona harapienta) person dressed in rags

ping-pong m ping-pong

pingüe adj abundant

pingüino m penguin

pino m (árbol) pine; (ejercicio) handstand; **en el quinto —** in the boondocks

pinta f (mancha) dot; (aspecto) looks; (medida de líquidos) pint

pintar vt (colorear) to paint; (describir) to depict; **este marcador no pinta** this marker won't write; **no — nada** to count for nothing; **las cosas no pintaban bien** things did not look well; **— se** to put on makeup

pintarrajear vt to daub, to smear with paint

pinto adj paint, dappled(d)

pintor -ora MF painter; **— de brocha gorda** house painter

pintoresco adj picturesque, colorful

pintura f (acción de pintar, obra) painting; (sustancia) paint; **— al óleo** oil painting; **— en aerosol** spray paint; **— fresca** wet paint

pinza f (de cangrejo) claw; (de vestido) dart; (instrumento) clothespin; **— s** tweezers

piña f (fruto del pino) pine cone; (ananás) pineapple; (bomba) hand grenade

piñata f piñata

piñón m (semilla del pino) pine nut; (rueda del engranaje) pinion; (de bicicleta) sprocket

pío adj pious; INTERJ peep; **ni —** not a word

piojo m louse; **como — s en costura** like sardines

piojoso adj lousy

pionero -ra MF pioneer

pipa f pipe; (semilla) sunflower seed; **pasarlo —** to have a great time

pipí m pee; **hacer — fam** to pee

pipiolo -la MF novice

pique M (rivalidad) rivalry; (desavenencia) falling-out; **echar a —** to sink; **irse a —** to capsize

piquete M picket

piragua F dugout canoe

pirámide F pyramid

pirata MF INV pirate

piratear VT to pirate

pirómano -na MF pyromaniac

piropo M compliment

pirotecnia F pyrotechnics

pirulí M sucker, lollipop

pisada F (paso) footstep; (huella) footprint; **seguir las —s de** to follow in the footsteps of

pisar VT (oprimir con el pie) to step on, to tread on; (apisonar) to mash; **jamás pisó una plaza de toros** he never set foot in a bullfight; **ir pisando huevos** to walk on eggshells; M SG **pisapapeles** paperweight; VI to step on; **— fuerte** to throw one's weight around

piscifactoría F fishery

piscina F swimming pool

piso M (suelo) floor; (planta) story; (vivienda) apartment; **de — a techo** from the ground up

pisotear VT to tramp on, to trample, to stomp on

pisotón M stamp; **dar un —** to stamp

pista F (rastro) track, scent; (noticia) clue; (de aterrizaje) runway; (de circo) arena, ring; (de patinaje) skating ring; (de tenis) court; (de baile) floor; (de carreras) track; racetrack; **seguir la —** to track; **— para bicicletas** bike lane

pistola F pistol; (para pintura) gun

pistolera F holster

pistolero M gunman

pistón M piston; (explosivo) cap

pitada F drag, puff

pitar VI to toot, to whistle; VT (rechiflar) to boo

pitazo M honk

pitido M whistle, toot

pitillo M cigarette

pito M whistle; **no vale un — fam** it is not worth a damn; **entre —s y flautas** when all is said and done; **¿qué —s toca?** what's his role here?

pitón M (serpiente) python; (punta de cuerno) tip of a bull's horn

pituitario ADJ pituitary

pivotar VI to pivot

pivote M pivot; **— central** kingpin

píxel M pixel

pizarra F (roca) slate; (tablero de escuela)

pizarrón M blackboard, chalkboard

pizca F (de sal) pinch, dash; (de evidencia) shred, (de verdad) grain; (de suciedad) speck; **no entiendo ni —** I don't understand a bit / jot

pizza F pizza

placa F (fotográfica) plate; (de policía) badge; (condecoración, dental) plaque; (de coche) license plate; (de computadora) board, card

placaje M tackle

placar⁶ VI/VT to tackle

placebo M placebo

placenta F placenta, afterbirth

placentero ADJ pleasant

placer³⁷ M pleasure, enjoyment; VI lit to please

plácido ADJ placid

plaf INTERJ plop

plaga F plague; (persona, insecto) pest

plagar³ VT to infest; **—se de** to become infested with

plagio M plagiarism

plan M plan; **— de estudios** curriculum; **se visitó en — de vampiresa** she was dressed to kill

plana F newspaper page; **— mayor** top brass; **enmendar la — a uno** to correct a person's mistakes

plancha F (electrodoméstico) iron; (lámina) metal plate; (parrilla) griddle; **hacer la —** to float; **tirarse una —** to fall flat on one's face

planchado M ironing

planchar VT to iron, to press; **me dejó planchado** it left me speechless

plancton M plankton

planeador M glider

planear VI/VT to plan; VI (volar) to glide, to plane; VT (madera) to plane

planeo M gliding

planeta M planet

planetario M planetarium

planificar⁶ VI/VT to plan

planilla F payroll; **— de cálculo** spreadsheet

plano ADJ flat, even; M (superficie) plane; (de un edificio) plan; (de calles) map; **— inclinado** inclined plane; **caer de —** to fall flat; **de —** flatly; **primer —** foreground

planta F (vegetal) plant; (del pie) sole; **— baja** ground floor

plantación F plantation

plantar VT (una planta, cruz) to plant; (a un novio) to dump; (a un colega) to make wait; **—se** to stand firm, to refuse to move; **— a alguien una bofetada** to give someone a slap; **dejar plantado** to stand up

plantear VT (presentar) to present; **me planteó sus planes** she explained her plans to me; (provocar) to give rise to; **eso plantea un problema** that gave rise to a problem; **—se** to occur to; **¿te has planteado lo que pasa si te quedas sin trabajo?** have you thought about what will happen if you become unemployed?

plantel M (personal) staff; (almáciga) nursery

plantilla F (pieza suelta) insole; (patrón) pattern, stencil

plantío M grove

plasma M plasma

plasta ADJ INV tiresome; F (cosa informe) lump; (persona) bore

plástico ADJ & M plastic

plata F (metal, color, objeto de plata) silver; *Am* money; **hablar en —** to speak in plain language

plataforma F platform (también política); **— de lanzamiento** launching pad; **— petrolífera** oil rig; **— continental** continental shelf

platanar M banana grove

plátano M (fruta) banana; (bananero) banana tree; (árbol ornamental) plane tree

platea F main floor of a theatre

plateado ADJ & M (color) silver; M (acción de platear) silver-plating

platear VT to silver-plate

platero -ra MF silversmith

plática F chat

platicar[6] VI to chat

platija F flounder

platillo M (plato pequeño) saucer; (instrumento musical) cymbal; **— volador** flying saucer

platino M platinum

plato M (recipiente) plate; (comida) dish; **— fuerte** main dish / course; **— hondo** bowl; **— sopero** soup dish

plausible ADJ plausible

playa F beach

playboy M playboy

plaza F (espacio amplio) plaza, public square; (puesto de trabajo) job; **de cuatro —s** four-seater; **— de toros** bullring; **— mayor** main square

plazo M term; **a corto —** short-term; **a largo —** long-term; **a — fijo** fixed-term; **a —s** on credit; **cumplir un —** to meet a deadline

plazoleta F court

plazuela F court

pleamar M high tide

plebe F rabble

plebeyo -ya ADJ & MF plebeian

plegable ADJ folding

plegadera F paper folder

plegadizo ADJ folding

plegar[1,7] VT to fold; **—se (a)** to yield (to)

pleitesía F compliance

pleito M dispute; (judicial) litigation, lawsuit; **poner —** to sue

plenario ADJ & M plenary

plenitud F **— de la vida** prime of life

pleno ADJ complete; **en — día** in broad daylight; **en — invierno** in the dead of winter; **en — rostro** right on the face; **en — verano** in midsummer; **en plena vista** in plain sight; M full session

pliego M leaflet

pliegue M (en papel) fold; (en tela) pleat

plomada F plumb

plomería F plumbing

plomero -ra MF plumber

plomizo ADJ leaden

plomo M (metal, color) lead; (pesos) lead weight; (perdigón) shot; **a —** plumb; **caer a —** to fall vertically; **sin —** unleaded; ADJ tiresome

pluma F (de ave) feather, quill; (para escribir) pen; **— fuente** fountain pen

plumaje M plumage

plumero M dust mop, duster

plumífero ADJ feathery

plumón M down

plural ADJ & M plural

pluralidad F plurality

pluscuamperfecto ADJ & N pluperfect

plutonio M plutonium

pluvial ADJ **aguas —es** rain water

pluviómetro M rain gauge

PNB (producto nacional bruto) M GNP

población F (conjunto de personas) population; (acción de poblar) settlement; (pueblo) town

poblado M hamlet

poblador -ora MF settler

poblar[2] VT (habitar) to populate; (colonizar) to settle; **—se** to become covered with

pobre ADJ poor; MF **los —s** the poor

pobrecito -ta ADJ poor thing

pobreza F poverty; (escasez) scarcity

pocilga F pigsty, pigpen

pocillo M cup

poción F potion

poco ADJ (no mucho) little; **poca paciencia** little patience; **al — rato** after a little while (no muchos) few; **—s pasajeros** few passengers; **al — tiempo** shortly; **a los —s meses** after a few months; **como — at least; de pocas luces** stupid; **en pocas palabras** in a nutshell; ADV **trabaja —** he works little; **— cariñoso** not very charitable; **— a —** little by little; **— más o menos** about; **hace —** a short while ago; **por — me caigo** I almost fell; **tener en —** to hold in low esteem; a little, a bit; **un —** a little bit, a little while; **unos —s** a few

poda F trim

podadera F pruning hook

podar VT to prune, to trim

poder[38] VI to be able to; **no puedo llegar antes de las cinco** I can't get there before five; **¿puede sentarme?** may I be seated? **puede que venga** she may come; **a más no —** to the utmost; **no puedo más** I can't go on; **nadie puede con ella** nobody can deal with her; **no puedo menos que venir** he can't help but come; **no puedo menos de hacerlo** he cannot help doing it; M (fuerza) power; (escrito que da autoridad) proxy, power of attorney; **— judicial** the judiciary branch; **por —** by proxy

poderío M power, might

poderoso ADJ powerful, mighty

podio M podium

podredumbre F rot

podrido ADJ rotten

podrir VER pudrir

poema M poem

poesía F poetry; (poema) poem

poeta-tisa MF poet

poética F poetics

poético ADJ poetic

polaco -ca ADJ Polish; M (lengua) Polish; MF Pole

polar ADJ polar

polaina F legging

polaridad F polarity

polarización F polarization

polca F polka

polea F pulley

polémica F polemic, controversy

polémico ADJ polemic

polen M pollen

poli MF cop; F cops

policía F (en conjunto) police; (mujer) policewoman; M policeman

policíaco ADJ police

poliéster M polyester

poliestireno M Styrofoam™

poligamia F polygamy

políglota ADJ & MF INV polyglot

polígrafo M polygraph

poliinsaturado ADJ polyunsaturated

polilla F moth

polímero M polymer

polinizar VT to pollinate

pólipo M polyp

política F (actividad relativa al gobierno) politics; (conjunto de orientaciones) policy; **— exterior** foreign policy

político -ca ADJ (relativo a la política) political; (diplomático) politic; MF politician

poliuretano M polyurethane

póliza F policy; **— de seguros** insurance policy

polizón -ona MF stowaway

polizonte M PEY cop

polla F pullet

pollada F brood

pollera F woman who raises and sells chickens; Am skirt

pollo M (cría de ave) young chicken; (carne) chicken

polo M (extremo) pole; (juego) polo; **— acuático** water polo; **— de atención** focus of attention; **— Norte** North Pole

Polonia F Poland

poltrona F easy chair

polvareda F cloud of dust; **levantar una —** (causar escándalo) to raise a ruckus; (causar una nube de polvo) to kick up the dust

polvera F compact

polvo M (suciedad) dust; (partículas) powder; **— de hornear** baking powder; **juntar —** to gather dust; **limpio de — y paja** net

pólvora F gunpowder

polvoriento ADJ dusty

polvorín M (almacén de pólvora) magazine; (situación explosiva) powder keg

pomada F salve

pomelo M grapefruit

pómez M pumice

pomo M doorknob

pompa F (boato) pomp; (burbuja) soap bubble; **—s fúnebres** funeral

pomposo ADJ pompous

pómulo M cheekbone

ponche M punch

ponchera F punch bowl

poncho M poncho

ponderación F (acción de ponderar) pondering; (valor relativo) weighting

ponderar VT (considerar) to ponder, to consider; (exagerar) to exaggerate; (ajustar estadísticas) to weight

ponencia f presentation

poner[39] vt to put, to place; (la mesa, un reloj) to set; (huevos) to lay; (azúcar) to add; (un examen) to give; (el televisor) to turn on; (un pleito) to file; **— a alguien a hacer algo** to have someone do something; **— en claro** to clarify; **— en limpio** to recopy, to make a clean copy; **— nombre a un niño** to name a child; **cada uno pone mil pesetas** each person contributes a thousand pesetas; **pongamos que** let us suppose that; **— se** to become; (el sol) to set; (ropa) to put on; **— se a** to begin to; **— se al corriente** to become informed; **— se de acuerdo** to come to an agreement; **— se de pie** to stand up

poney m pony

poniente m (oeste) west; (viento del oeste) west wind

pontón m pontoon

ponzoña f poison

ponzoñoso adj poisonous

pool m pool

popa f poop, stern

populacho m mob

popular adj (conocido y citado) popular; (del pueblo) folk

popularidad f popularity

populoso adj populous

popurrí m potpourri (musical) medley

por prep **— barco** by boat; **— casualidad** by chance; **— Dios** by God; **— etapas** by stages; **— las buenas o — las malas** by hook or by crook; **— litro** by the liter; **— multiplicar —** to multiply by; **lo agarró por la mano** he grabbed him by the throat; **mi amor — ella** my love for her; **— poco tiempo** for a short time; **— primera vez** for the first time; **— vía de argumento** for the sake of argument; **— ejemplo** for instance; **— el momento** for the time being; **— mi** do it for my sake; **— trabaja — mi** work on my behalf; **no me gustan — su olor** I don't like them because of their smell; **— lo supe — El** I found out through him; **pasé — Londres** I passed through London; **un viaje — la costa** a trip around the coast; **— lo que cuentas** from what you're telling me; **— adelantado** in advance; **— escrito** in writing; **— la mañana** in the morning; **— lo general** in general; **— rachas** in spurts; **— está Badajoz** it's near Badajoz; **— fin** at last; **— el mes de marzo** around the month of March; **— ciento** percent; **— consiguiente** consequently; **— escrito** in writing; **— poco se muere** he almost died; **está — hacer** it is yet to be done; **él está — hacerlo** he is in favor of doing it; **recibir — esposa** to take as a wife; **tener —** to consider, to think of as; **¿— qué?** why? for what reason?

porcelana f porcelain, china

porcentaje m percentage

porche m porch, stoop

porcino adj **— ganado —** swine; m pig

porción f (parte) portion, share; (de alimento) helping

pordiosear vt to panhandle

pordiosero -ra mf panhandler

porfía f obstinacy

porfiado adj willful

porfiar[16] vi to insist

pormenor m detail

pormenorizar[9] vt to detail, to go into detail about

pornografía f pornography

pornográfico adj pornographic

poro m pore

poroso adj porous

poroto m Am bean

porque conj because

porqué m why

porquería f (suciedad) filth; (acción despreciable) dirty trick; (cosa de mala calidad) crud, (comida de mala calidad) junk food, (persona despreciable) pey dirtbag

porra f club, cudgel

porrista mf cheerleader

portada f title page

portador -ora m (de enfermedad) carrier; (de cheque) bearer; **— del féretro** pallbearer

portal m portal, doorway

portar vt to carry; **— se** to behave; **— se mal** to misbehave; m sc **portaaviones** aircraft carrier; **portaequipajes** luggage bin; **portaestandarte** standard-bearer; **portafolio** briefcase; **portalámparas** socket; **portaligas** garter belt; **portamonedas** coin purse; **portaobjeto** slide

portátil adj portable

portavoz mf spokesperson

portazo m slam; **dar un —** to slam the door

porte m (envío) freight; (por correo) postage; (aspecto) bearing, carriage; (capacidad de carga) capacity (tamaño) size; **— de armas** the carrying of arms; **— enviar pagado** to send prepaid

potable adj drinkable, potable

pote m (cilíndrico) jar; (panzudo) jug

potasio m potassium

potencia f (sexual) potency; (de una fuerza, nación) power; **es un asesino en —** he's a potential murderer; — **naval** sea power; **de alta —** high-powered; **segunda —** the second power

potencial adj & x m potential

potentado -da mf potentate

potente adj potent, powerful

potranco -ca m colt; f filly

potrero m pasture; Am cattle ranch, stock farm

potro m (caballo) colt; (en gimnasia) vaulting horse; — **de tormento** rack

pozo m (de agua, petróleo) well; (hoyo profundo) pit; (minero) mine shaft; **sacar del** — to rescue; **negro** sink; — **sin fondo** bottomless pit; — **séptico** septic tank

práctica f (repetición, costumbre) practice; (destreza) skill; **en la** — in practice; **poner en** — to put into practice

practicante adj practicing; mf (que practica) practitioner; (asistente de médico) physician's assistant

practicar[6] vt/vi to practice; (un agujero) to make

práctico adj practical; (adiestrado) skillful; m — **de puerto** harbor pilot

pradera f prairie, grassland

prado m meadow, pasture

pragmático adj pragmatic

preadolescente adj & mf preteen, preadolescent

preámbulo m preamble

precalentamiento m warmup

precario adj precarious

precaución f precaution

precaverse vr to take precautions

precavido adj cautious

precedencia f precedence

precedente f precedence; m precedent; **sin** — unprecedented; **sentar** — to set a precedent

preceder vi/vt to precede

precepto m precept

preciado adj (estimado) prized; (valioso) valuable

preciarse vi — **de** to be proud of

precintar vt to seal

precinto m seal

precio m price; **poner** — **a** to put a price on; **no tener** — to be priceless; — **de lista** list price; — **de mercado** market price

preciosista adj precious

portear vt to carry

portería f (de un edificio) entrance area, (en fútbol) goal

portero -ra mf (de un edificio) doorkeeper, superintendent; (en fútbol) goalkeeper; m — **automático** intercom

portón m gate

Portugal m Portugal

portugués -esa adj & mf Portuguese; m (lengua) Portuguese

porvenir m future

pos loc prep **en — de** after

posada f inn, lodge

posaderas f pl, fam rear end

posadero -ra mf innkeeper

posar vt (la mano, los ojos) to rest; vi (en el suelo) to sit down; (como modelo) to pose; **—se** (partículas) to settle; (mariposa) to alight; (pájaro) to perch

posdata f postscript

pose f pose

poseedor -ora mf possessor

poseer[14] vt to possess

posesión f possession

posesivo adj & m possessive

posibilidad f possibility

posible adj possible; **hacer lo** — to do one's best; **es** — it's possible

posición f position; (opinión) stance; (rango) standing; — **fetal** fetal position

positivo adj & x m positive

poso m dregs; (de café) grounds

posponer[39] vt (aplazar) to postpone, to defer, to put off; (relegar) to put after

posta f (relevo) relay; (perdigón) buckshot

postal adj postal; f (tarjeta) postcard

poste m post; (de portería) upright

póster m poster

postergar[7] vt to neglect

posterior adj (en el espacio) back, rear; (anatómico) posterior; (temporal) later; **nuestro divorcio fue posterior a nuestra boda** our divorce came after our wedding

posteridad f posterity

postigo m shutter

postizo adj false; **familia postiza** adoptive family; m hairpiece

postrarse vr to prostrate

postrado adj prostrate, prone

postre m dessert; **a la —** at last

postular vt to postulate

postulante mf candidate

postulado m postulate

póstumo adj posthumous

postura f posture (también opinión)

precioso ADJ (de gran valor, metal, piedra) precious; (muy bonito) beautiful, adorable

precipicio M precipice, cliff

precipitación F precipitation (también atolondramiento)

precipitado ADJ precipitate, hasty, rash; M precipitate

precipitar VI to precipitate; VT to hurl; **—se** (apresurarse) to be hasty; (arrojarse) to plunge, to plummet; (depositarse) to precipitate; (adelantarse) to come to a head

precisar VT (determinar) to determine precisely; (necesitar) to need

precisión F precision, accuracy; **precisiones** clarifications

preciso ADJ precise, accurate; **es — que vengas** you must come; **en este — instante** at this very moment

precoz ADJ (niño) precocious; (diagnóstico) early

precursor -ora MF precursor, forerunner

predecesor -ora MF predecessor

predecir[26b] VT to predict, to foretell

predestinar VT to predestine

predicación F preaching

predicado ADJ & M predicate

predicador -ora MF preacher

predicar[6] VI/VT to preach

predicción F prediction

predilección F predilection

predilecto ADJ favorite, pet

predisponer[39] VT to predispose

predominante ADJ predominant, prevailing

predominar VI to predominate

predominio M predominance

preeminente ADJ foremost

preescolar ADJ nursery; MF nursery school child

preestreno M preview

prefacio M preface

preferencia F preference; (en el tráfico) right of way; **de —** predominately

preferente ADJ preferential; (acciones) preferred

preferible ADJ preferable

preferido ADJ preferred, favorite

preferir[3] VT to prefer

prefijar VT to prefix

prefijo M prefix

pregonar VT (noticias) to make public; (mercancías) to hawk

pregunta F question; **hacer una —** to ask a question

preguntar VI/VT to ask, to inquire; **— por** (pedir información) to inquire about; (pedir para hablar) to ask for; **—se** to

wonder

preguntón ADJ inquisitive

prehistórico ADJ prehistoric

prejuicio M prejudice, bias

prejuzgar[7] VT to prejudge

preliminar ADJ & M preliminary

preludiar VT to prelude

preludio M prelude

prematrimonial ADJ premarital

prematuro ADJ premature; (muerte) untimely

premeditado ADJ premeditated

premiar VT to reward; **las obras premiadas** the award-winning works

première M premiere

premio M (galardón) prize, award; (de la moneda) appreciation; **Juan Pérez, — nacional de poesía** Juan Pérez, winner of the national poetry award; **— gordo** jackpot

premisa F premise

premonición F premonition

prenatal ADJ prenatal

prenda F (fianza) pawn, pledge; (de vestir) article of clothing, garment; **dejar en —** to pawn; **en — de** as a token of

prendar VT to charm; **—se de** to fall in love with

prendedor M brooch, pin

prender VT (agarrar) to grab; (sujetar) to clasp; (enganchar) to fasten; (detener) to arrest; (arraigar) to take root; (encender) to turn on, to switch on; **— fuego** to set on fire; **la vacuna no prendió** the vaccination didn't take

prensa F press; **tener mala —** to have bad press

prensar VT to press

prensil ADJ prehensile

prenupcial ADJ prenuptial

preñada ADJ pregnant

preñez F pregnancy

preocupación F worry, concern

preocupado ADJ worried, concerned, anxious

preocupante ADJ worrisome

preocupar VT to worry, to concern; **—se de** to worry about; **—se por** to be concerned about

preocupón -ona MF worrywart

preparación F preparation

preparado ADJ ready; M preparation

preparar VT to prepare; **—se** to get ready, to brace oneself

preparativo ADJ preparatory; M preparation

preparatorio ADJ preparatory

preponderancia F preponderance

preponderante ADJ preponderant

preponderar VI to predominate
preposición F preposition
prepucio M foreskin
prerequisito M prerequisite
prerrogativa F prerogative
presa F (animal de caza) prey, quarry; (dique) dam
presagiar VT to forebode
presagio M omen, sign
présbita ADV & MF INV farsighted
prescindible ADJ dispensable
prescindir VI — **de** to dispense with
prescribir[51] VT to prescribe
prescripción F prescription
presencia F presence; — **de ánimo** presence of mind
presenciar VT to witness
presentable ADJ presentable
presentación F presentation; (a una persona) introduction
presentador -ora MF (de televisión) host; (de noticiero) anchor
presentar VT to present; (a una persona) to introduce; (la declaración de impuestos, una demanda) to file; (un informe) to submit; (documentos) to produce; (una queja) to lodge; (una renuncia) to tender; —**se** (aparecer) to appear; (hacerse conocer) to introduce oneself
presente ADJ present; M (tiempo) present; (regalo) present, gift; **al** — at the present time; **tener** — to bear in mind; **en el** — **(contrato)** herein; **por la** — **(carta)** hereby
presentimiento M presentiment, foreboding, hunch
presentir[3] VT to have a presentiment of
preservación F (protección) preservation; (ahorro) conservation
preservar VT (proteger) to preserve; (ahorrar) to conserve
presidencia F presidency
presidencial ADJ presidential
presidente -ta MF (de un país) president; (de una reunión, junta) chair
presidiario -ria MF prisoner
presidio M prison
presidir VI to preside; VT to preside over
presilla F loop
presión F pressure; — **atmosférica** atmospheric pressure; — **arterial** blood pressure; — **de aire** air pressure
presionar VT (un botón) to press; (al gobierno) to lobby
preso -sa MF prisoner, inmate
prestación F provision; **prestaciones** benefits

prestador -ora MF lender
prestamista MF lender; (en un montepío) pawnbroker
préstamo M loan
prestar VT to loan, to lend; — **ayuda** to give help; — **atención** to pay attention; — **juramento** to take an oath; — **servicio** to render service
prestatario -ria MF borrower
prestidigitación F sleight of hand
prestigio M prestige
prestigioso ADJ prestigious
presumido ADJ conceited, presumptuous
presumir VT (suponer) to presume; VI (ostentar) to show off; — **de valiente** to boast of one's valor
presunción F presumption
presunto ADJ (autor) presumed; (asesino) alleged; — **heredero** heir apparent
presuntuoso ADJ presumptuous
presuponer[39] VT to presuppose
presupuesto M (de gastos e ingresos) budget; (de costo) estimate
presuroso ADJ hasty
pretencioso ADJ pretentious
pretender VI (sostener) to claim, to purport; — **ser** to claim to be; — **al trono** to pretend to the throne; VT (intentar) to attempt
pretendiente -ta MF (al trono) pretender; (a un puesto) aspirant; M (de una mujer) suitor, admirer
pretensión F pretension
pretérito ADJ past; M past tense; — **perfecto** present perfect
pretexto M pretext, pretense; **so** — **de** under pretense of
pretil M railing
pretina F waistband
prevalecer[13] VI to prevail
prevaleciente ADJ prevalent
prevención F (protección) prevention; (recelo) caution
prevenido ADJ forewarned
prevenir[47] VT (precaver) to prevent; (prever) to foresee; (advertir) to warn; — **contra** to protect oneself against
preventivo ADJ preventive
prever[48] VT to foresee, to anticipate
previo ADJ previous, prior; — **examen de salud** after undergoing a health examination
previsión F foresight, anticipation
prieto ADJ swarthy
prima F (cuota de seguro) premium; (recargo) surcharge; (pago extraordinario) bonus
primario ADJ primary

primate M primate
primavera F spring
primaveral ADJ springlike
primero ADJ & ADV first; **primer ministro** prime minister; **— piso** second floor; **primer plano** foreground; **primera enseñanza** primary education; **primera persona** first person; **—s auxilios** first aid; **a primera vista** at first sight; **de — grado** first degree; **de primera** top-notch; **de primera mano** firsthand; **por primera vez** for the first time; **— del mes** first of the month; F (marcha) first gear; (clase) first-class
primicia F (fruto primero) first fruit; (noticia) scoop
primitivo ADJ primitive
primo -ma MF (hijo de tío) cousin; (persona incauta) sucker, dupe; **— hermano** first cousin; **— segundo** second cousin; ADJ prime
primogénito -ta ADJ & MF firstborn
primogenitura F birthright
primor M (esmero) care; (cosa fina) lovely thing
primordial ADJ primordial
primoroso ADJ exquisite
princesa F princess
principal ADJ principal, main; **la causa — de muerte** the leading cause of death; **el dormitorio —** the master bedroom
príncipe M prince
principesco ADJ princely
principiante MF beginner; ADJ beginning
principiar VT to commence
principio M (fundamento, regla de conducta) principle, tenet; (hecho de empezar, tiempo, lugar) beginning, start; **a —s de** towards the beginning of; **— activo** active ingredient; **al —** at the beginning, at first; **de — a fin** from beginning to end; **desde el —** from the beginning; **en —** in principle
pringar[7] VT (ensuciar) to get greasy; (mojar) to dip
pringoso ADJ greasy
pringue MF grease
prioridad F (autoridad, preferencia) priority, precedence; (en el tráfico) right of way
prisa F haste, hurry; **a toda —** at full speed; **correr —** to be urgent; **darse —** to hurry; **las —s comienzan a la una** the rush starts at one; **tener —** to be in a hurry; **sin —** leisurely
prisión F prison; **— perpetua** life in prison
prisionero -ra MF prisoner; **— de guerra** prisoner of war

prisma M prism
prismáticos M PL binoculars
privacidad F privacy
privación F privation; **pasar privaciones** to suffer want
privado ADJ private; **en —** in private
privar VT to deprive; **—se de** to deprive oneself of
privativo ADJ exclusive
privilegiado ADJ privileged
privilegiar VT to favor, to give a privilege to
privilegio M privilege
pro M advantage; **en — de** in favor of; **en — y en contra** for and against
proa F prow, bow
proaborto ADJ pro-choice
probabilidad F probability; **tienes pocas —es de ganar** you have little chance of winning; **¿qué —es tiene?** what are her odds?
probable ADJ probable, likely
probador M dressing room
probar[2] VT (alimento, bebida) to taste, to try, to sample; (una hipótesis) to prove; (una guitarra) to try out; (un coche) to test-drive; **—se un vestido** to try on a dress; **prueba a venir más temprano** try to come earlier; **no — bocado** not to eat a bite; **— fortuna** to try one's luck
probeta F test tube
problema M problem; **él sólo da —s** he's nothing but trouble
problemático ADJ problematic
procedente ADJ **— de** from
proceder VI to proceed; **— de** to come from; **— a** to proceed to; **— contra** to take action against
procedimiento M procedure; **—s** proceedings
procesado -da MF accused; M processing
procesamiento M prosecution; **— de datos** data processing; **— de textos** word processing
procesar VT to prosecute, to try
procesión F procession; **la — va por dentro** he doesn't let it show
proceso M (conjunto de fases) process; (juicio) trial, legal proceedings
proclama F proclamation
proclamación F proclamation
proclamar VT to proclaim; **—se campeón** to be proclaimed winner
proclive ADJ prone
procrear VI/VT to procreate
procurador -ora MF attorney
procurar VT (intentar) to endeavor; (obtener) to procure, to obtain

prodigar[7] VT to lavish; **—se** to be lavish

prodigio M prodigy

prodigioso ADJ prodigious

pródigo -ga ADJ (derrochador) prodigal; (muy generoso) lavish; MF spendthrift

producción F (acción de producir) production; (cantidad producida) production, yield; **— masiva** mass production

producir[24] VT (efectos, mercancías, películas) to produce; (fruta, resultados) to yield, to bear; **—se** to happen

productivo ADJ productive

producto M product; **— interno bruto** gross national product

productor -ora MF producer; ADJ **un país — de petróleo** an oil-producing country

proeza F exploit

profanación F desecration

profanar VT to profane, to desecrate

profano ADJ profane

profecía F prophecy

proferir[3] VT to utter

profesar VT to profess

profesión F profession

profesional ADJ & MF professional

profesionista MF *Méx* professional

profesor -ora MF (universitario) professor; (de enseñanza secundaria) teacher; (de tenis, perros) instructor

profesorado M faculty

profeta MF INV prophet

profético ADJ prophetic

profetizar[9] VI/VT to prophesy

profilaxis F prevention

prófugo -ga ADJ & MF fugitive

profundidad F (del mar, de comprensión, de un armario) depth; (sabiduría) profundity

profundizar[9] VT to deepen; VI to do into deeply

profundo ADJ (trascendente) profound; (mar, pozo, armario, voz) deep

profuso ADJ profuse

progesterona F progesterone

programa M (de boxeo) card; (de televisión) show, program; (de un curso) syllabus

programación F programming

programador -ora MF programmer

programar VT (una computadora) to program; (un evento) to schedule

progresar VI to progress, to advance

progresista ADJ & MF progressive

progresivo -va ADJ & MF progressive

progreso M progress

prohibición F prohibition, ban

prohibido ADJ forbidden; **prohibida la entrada** no admittance

prohibir VT to prohibit, to ban; **se prohibe fumar** no smoking

prohijar VT to adopt

prójimo -ma MF fellow human

prole F offspring

proletariado M proletariat

proletario -ria ADJ & MF proletarian

proliferación F spread

prolífico ADJ prolific

prolijo ADJ (verboso) wordy; (esmerado) overly careful

prologar[7] VT to preface

prólogo M prologue, foreword, preface

prolongación F prolongation

prolongado ADJ extended

prolongar[7] VT to prolong; **—se** to wear on

promediar VT to average

promedio M average, mean; **de / en —** on average

promesa F promise; **romper una —** to break a promise; **un joven —** a promising young player

prometedor ADJ promising

prometer VT to promise; VI to show promise; **—se** to trust that

prometido -da ADJ engaged; M fiancé; F fiancée

prominente ADJ prominent

promiscuo ADJ promiscuous

promisorio ADJ promissory

promoción F promotion; (conjunto de personas) class

promocionar VT to promote

promontorio M promontory

promotor -ora MF promoter

promover[2] VT (ideas, producto, a un alumno) to promote; (mutua comprensión, una causa) to foster, to further

promulgación F enactment

promulgar[7] VT to promulgate, to enact

pronombre M pronoun

pronominal ADJ pronominal

pronosticar[6] VT to forecast

pronóstico M (del tiempo, de la economía) forecast; (de una enfermedad) prognosis

pronto ADJ (rápido) quick; (listo) ready; ADV soon, promptly; **de —** suddenly; **¡hasta —!** see you soon! **tan — como** as soon as

pronunciación F pronunciation

pronunciado ADJ pronounced

pronunciar VT (un sonido, una sentencia) to pronounce; (un discurso) to make, to deliver; **—se** (acusarse) to be pronounced; (expresarse) to declare one's opinion

propagación F propagation, spread

propaganda F (de ideas) propaganda; (de

mercancías) advertising, publicity; **hacer — ** to advertise
propagar[7] VT to propagate
propalar VT to spread
propano M propane
propasarse VI to go too far
propensión F propensity
propenso ADJ prone
propiciar VT to favor
propicio ADJ propitious, auspicious
propiedad F (cualidad, pertenencia, finca) property; (derecho de dueño) ownership; (corrección) precision; **—es** estate
propietario -ria M (de una tienda) proprietor, owner; (de un apartamento) landlord; F (de una tienda) owner; (de un apartamento) landlady
propina F tip, gratuity; **dar (una) —** to tip
propinar VT **— una paliza** to give a beating
propio ADJ (correcto) proper; **el significado —** the proper meaning; (típico) like; **no es — de él quejarse así** it's not like him to complain like that; (conveniente) appropriate; **una expresión propia** an appropriate expression; (que le pertenece) own; **su — hijo** his own son; **un hijo — ** a son of his own; **por tu — bien** for your own good; (mismo) same; **al — tiempo** at the same time
proponente MF proponent
proponer[39] VT to propose; **—se** to set out to
proporción F proportion, ratio; **proporciones** dimensions
proporcionar VT (ajustar a proporción) to proportion; (brindar) to furnish, to provide
proposición F proposition; (de matrimonio) proposal; **proposiciones deshonestas** indecent proposals
propósito M purpose, intent; **a — ** (adecuado) apropos; (voluntariamente) on purpose, intentionally; (además) by the way, incidentally; **a — de** apropos of
propuesta F proposal
propugnar VT to urge
propulsar VT to propel
propulsión F propulsion; **— a chorro** jet propulsion
propulsor -ora ADJ propelling; MF promoter
prorratear VT to prorate
prórroga F (plazo) extension of time; (de un préstamo) renewal; (de un encuentro deportivo) overtime
prorrogar[7] VT (un pago) to put off, to defer; (un tiempo) to extend; (un préstamo) to renew

prorrumpir VI to burst; **— en llanto** to burst into tears; **— en carcajadas** to burst out laughing
prosa F prose
prosaico ADJ prosaic
proscribir[51] VT to banish, to disenfranchise
proscripción F banishment
proseguir[5,12] VI to proceed
prosódico ADJ prosodic
prospectar VT to prospect
prospector -ora MF prospector
prosperar VI to prosper, to flourish, to thrive
prosperidad F prosperity
próspero ADJ prosperous
próstata F prostate (gland)
prostituir[31] VT to prostitute
prostituta F prostitute
protagonista MF protagonist
protagonizar[9] VT to star in
protección F protection
proteccionista ADJ & MF protectionist
protector -ora ADJ protective; MF protector; **— de tensión** surge protector; **— solar** sunblock
protectorado M protectorate
proteger[11b] VT to protect; (a un artista) to sponsor
protegido -da MF protégé(e)
proteína F protein
prótesis F prosthesis
protesta F protest
protestante MF Protestant
protestar VI/VT to protest
protocolo M protocol
protón M proton
protoplasma M protoplasm
prototipo M prototype
protozoario M protozoan
protuberancia F protuberance, bulge, bump
protuberante ADJ bulging
provecho M (beneficio) benefit; (eructo) burp; **¡buen —!** bon appétit! **sacar — (de)** to benefit (from), to profit (from)
provechoso ADJ beneficial, advantageous
proveedor -ora MF provider
proveer[14,51] VT to provide; **— de** to provide with; **—se de** to provide oneself with
provenir[47] VI to arise; **— de** to stem from
proverbio M proverb
providencia F providence
providencial ADJ providential
provincia F province
provincial ADJ provincial
provinciano -na ADJ & MF provincial
provisión F provision, supply, store
provisional ADJ temporary, provisional
provisorio ADJ temporary

provocación F provocation

provocar VT (fia) to provoke; (sexualmente) to excite; (un incendio) to start; (una respuesta) to elicit

provocativo ADJ provocative

proximidad F proximity, nearness; **en las —es** in the vicinity

próximo ADJ (después) next; (cercano) near, nearby; **el lunes — pasado** last Monday; **de próxima aparición** forthcoming

proyección F projection

proyectar VT to project; (una película) to screen; (una sombra) to cast; **—se** to overhang, to jut

proyectil M projectile

proyecto M project; (arquitectónico) plan; **— de ley** bill

proyector M (para películas) projector; (en el teatro) spotlight

prudencia F prudence

prudente ADJ prudent

prueba F (de imprenta, argumento irrefutable) proof; (argumento parcial) evidence; (intento, dificultad) trial, test; (examen) examination; (de ropa) fitting; **a — de fuego** fireproof; **— de incendio** fireproof; **poner a —** to put to the test

psicodélico ADJ & N psychedelic

psicología F psychology

psicológico ADJ psychological

psicólogo -ga MF psychologist

psicópata MF psychopath

psicosis F psychosis

psicosomático ADJ psychosomatic

psicoterapia F psychotherapy

psicótico ADJ psychotic

psiquiatra MF INV psychiatrist

psiquiatría F psychiatry

psíquico ADJ psychic

psoriasis F psoriasis

púa F (con punta aguda) spike; (de alambre) barb; (de guitarra) pick; (de erizo) quill; (de horca) prong

pubertad F puberty

puaj, puaf INTERJ yuck, ugh

publicación F publication

publicar VT to publish; (revelar) to divulge

publicidad F publicity, advertising; **hacer —** to advertise

público ADJ public; M (la gente) public; (en un espectáculo) audience; **en —** in public

puchero M (vasija) pot; (gesto) pout; **hacer — s** to pout

puck M puck

pudiente ADJ wealthy

pudor M (sexual) modesty; (reserva) reserve

pudrir[5] VI to rot

pueblerino ADJ provincial

pueblo M (población) town; (nación) people, folk

pueril ADJ childish

puente M bridge (también dental, de gafas, de nariz); (fin de semana) long weekend; **— aéreo** (regular) shuttle; (de emergencia) airlift; **— colgante** suspension bridge; **— levadizo** drawbridge

puenting M bungee jumping

puerta F door; (de aeropuerto, de ciudad) gate; (medio de acceso) entrance; **vender de — en —** to sell door-to-door; **dar a alguien con la — en las narices** to slam the door in someone's face; **llamar a la —** to knock on the door; **— trasera** back door; **a — cerrada** behind closed doors

puerto M port (también en informática); **llegar a buen —** to bring to a satisfactory conclusion

puertorriqueño -ña ADJ & MF Puerto Rican

pues CONJ (puesto que) since, for; ADV (entonces) then; **— bien** well then, now

puesta F **— al día** update; **— del sol** sunset, setting of the sun; **— en marcha** (de un proyecto) setting in motion; (de un coche) starting; **— en libertad** freeing

puestero -ra M&F vendor, seller

puesto -ta ADJ (casa) well-appointed; (persona) well made-up; M (posición) place; (de venta) booth, stand; (de trabajo) post, position; **— de socorros** first-aid station; **quedarse con lo —** to be left with only the clothes on one's back; CONJ **— que** since

pugilato M boxing

pugilista M boxer, prizefighter

pugna F struggle; **estar en — con** to be in conflict with

pugnaz ADJ feisty

puja F (del viento) push; (en una subasta) bid

pujanza F vigor

pujar VI (para dar a luz) to push; (en una subasta) to bid; **— por** to strive to

pujo M contraction

pulcritud F neatness

pulcro ADJ neat

pulga F flea; **tener malas —s** to be ill-tempered

pulgada F inch

pulgar M thumb

pulido ADJ polished; M polishing

pulimento M (de modales) refinement; (de metales) buffing; (sustancia) scouring powder

pulir VT (metal, oración) to polish; (madera) to polish

pulla f taunt, dig

pulmón m lung; — **de acero** iron lung

pulmonar adj **capacidad** — lung capacity

pulmonía f pneumonia

pulpa f pulp

púlpito m pulpit

pulpo m octopus

pulque m Méx pulque

pulquería f Méx pulque bar

pulsación f pulse

pulsar vt (una tecla) to hit; (cuerdas de guitarra) to pluck; (la opinión pública) to gauge

pulsera f bracelet; (de reloj) watchband; **reloj de** — wristwatch

pulso m pulse; (firmeza de mano) steadiness; **echar un** — to arm-wrestle; **tomar el** — to take the pulse; **a** — with great effort

pulular vi to swarm, to teem with

pulverizar vt to pulverize

puma f mountain lion, cougar

puna f cold, arid tableland of the Andes

punitivo adj punitive

punk adj & m punk

punkero -ra m punk

punta f (de cuchillo, lengua) point; (de espárrago, lápiz) tip; (de calcetín) toe; — **de lanza** spearhead; **una** — **de** a bunch of; **a** — **de cuchillo** at knifepoint; — **de flecha** arrowhead, **de** — on end; **iba caminando de** —**s** he was tiptoeing; **sacar** — **a un lápiz** to sharpen a pencil; **en la** — **de la lengua** on the tip of the tongue; **me pone los nervios de** — it makes me nervous; m — **pié** kick; adj **puntiagudo** sharp, pointed

puntada f stitch, prick

puntal m (de un edificio) prop; (de la economía) mainstay

puntear vt (una guitarra) to pluck; (un mapa) to make dots on; (una lista) to check off

puntería f aim; **tener buena** — to be a good shot

puntero m pointer

puntilla f point lace; **de** —**s** on tiptoe

punto m (puntuación) period; (de cinturón) notch; (signo) point, dot; (tanteo) tema, lugar); (puntada) stitch; — **álgido** fever pitch; — **de apoyo** foothold; — **de condensación** dewpoint; — **de congelación** freezing point; — **de ebullición** boiling point; — **de partida** point of departure; — **de referencia** point of reference, benchmark; — **de**

vista viewpoint, point of view; — **muerto** (en un negocio) stalemate, deadlock; (en un coche) neutral; — **y coma** semicolon; **al** — at once; **a** — ready; **a** — **de** on the point / verge of; **a punto de** — estar to figure out; **dos** —**s** colon; **el** — **medio** the halfway mark; **en** — on the dot; **hacer** — to knit; **hasta cierto** — to a certain extent; **poner los** —**s sobre las íes** to dot the i's and cross the t's

puntuación f punctuation

puntual adj punctual, prompt; (específico) specific

puntualidad f punctuality

puntualizar vt to point out

puntuar vt to punctuate

punzada f (de dolor) stab; (de remordimiento, hambre) pang, twinge

punzante adj sharp, piercing

punzar vt to pick

punzón m (en papel) hole punch; (en cuero) awl

puñado m handful; **a** —**s** by the handful

puñal m dagger

puñalada f stab; **coser a** —**s** to stab to death

puñetazo m punch, slug; **dar un** — to punch; **dar un** — **en la mesa** to bang on the table

puño m (mano cerrada) fist; (en un mango) cuff; (de espada) handle; **arreglárlo con los** —**s** to duke it out; **de mi** — **y letra** by my own hand

pupila f pupil

pupilo -la mf ward

pupitre m school desk

puré m purée; — **de patatas** mashed potatoes; **hacer** — to smash

pureza f purity

purga f (política) purge; (medicinal) purgative

purgación f atonement

purgante adj & m purgative, laxative

purgar vt (el vientre, a un rival) to purge; (frenos) to bleed; (pecados) to atone for

purgatorio m purgatory

purificar vt to purify

purista adj & mf purist

puritano adj puritanical

puro adj pure; **lo hizo de** — **bueno** he did it out of sheer kindness; **a pura fuerza** by sheer force; **la pura verdad** the plain truth; **son puras mentiras** that's a lot of bull; **de pura sangre** thoroughbred; m cigar

púrpura ADJ & M purple

pus M pus

putrefacto ADJ putrid

putter M putter

Qq

Qatar M Qatar

quasar M quasar

que PRON REL that; (antecedentes no humanos) which; (antecedentes humanos) who, whom; **el / la —** the one that; **lo — complicó la visita** the mother-in-law came, which complicated the visit; **no creo — haya tiempo** I don't think (that) there's time; **estoy — me muero** I feel like I'm about to die; **Carlos es más alto — Luis** Carlos is taller than Luis; **más (menos) —** more (less) than; **déjalo aquí — lo voy a necesitar después** leave it here because I will need it later; **por mucho —** no matter how much; **— gana** I bet he'll win; **— yo sepa** as far as I know

qué ADJ INTERR & PRON what, which; **¿— libro vas a usar?** which book are you going to use? **¿—dices?** what are you saying? **no sé — dijo** I don't know what he said; **¡— bonito!** how beautiful! **¡— de gente!** what a lot of people! **¡y eso —!** so what! **no hay de —** don't mention it; **¿— sé yo?** what do I know? **¿— tal?** how are you? **¡— más da!** what's the difference! **¡a mí —!** so what!

quebrada F ravine

quebradizo ADJ breakable, brittle

quebrado ADJ (roto) broken; (rajado) cracked; (sin dinero) broke; M fraction

quebrantar VT (una casa, la salud) to weaken; (la ley) to violate

quebranto M weakening

quebrar VT (romper) to break; (rajar) to crack; VI (irse a bancarrota) to go bankrupt, to go under; to fail; **—se** break (up); **se quebró la muñeca** he broke his wrist; **—se uno la cabeza** to rack one's brain

queda F curfew

quedar VI (permanecer) to remain; (no haberse terminado) to be left; (estar ubicado) to be located; (sentar bien la ropa) to suit; **queda leche en el vaso** there's milk in the glass; **la iglesia queda en la esquina** the church is located on the corner; **— bien** to come out well; **— en** to agree to; **—se** to remain, to stay; **—se con una cosa** to take (buy) something

quehacer M chore

queja F complaint; (oficial) grievance

quejarse VI to complain; (ruidosamente) to gripe, to squawk; (incesantemente) to whine

quejica ADJ INV whiny, MF inv nag, whiner

quejido M (de sonido grave) moan, groan; (agudo) squawk

quejoso ADJ whiny

quema F burning

quemado -da MF burn victim

quemador M burner

quemadura F (lugar quemado) burn; (enfermedad de plantas) blight

quemar VT to burn; (del sol) to sunburn; **—se** to burn up/down

quemazón F burning sensation

querella F lawsuit

querellante MF plaintiff

querellarse VI to file suit

querer[40] VI/VT (desear) to want; (amar) to love; **como quieras** as you please; **cuando quieras opuando** whenever you want; **no quiso hacerlo** he refused to do it; **quiere llover** it is about to rain; **sin —** unwillingly; **— decir** to mean

querido -da ADJ beloved, dear; MF sweetheart; (como tratamiento) dear, darling

queroseno M kerosene

quesería F dairy, cheese factory

queso M cheese; **— crema / de untar** cream cheese; **— suizo** Swiss cheese

quiche M quiche

quicio M hinge; **sacar a uno de —** to drive someone up the wall

quiebra F bankruptcy (también moral); (de un mercado) crash; (de un comercio) failure

quiebre M break

quien PRON REL who, whom, **Juan, — recién cumplió cuarenta años** Juan, who just turned forty; **— hizo eso** whoever did that; **a — corresponda** to whom it may concern; **—quiera** whoever; **de —** whose; **con —** with whom

quién PRON INTERR & PRON who; **¿— es?** who is it? **no sé — entró** I don't know who came in; **¿a — se lo diste?** who did you give it to? to whom did you give it?

quieto adj still

quietud f stillness

quijada f jaw

quilate m carat

quilla f keel

química f chemistry

químico -ca adj chemical; mf chemist

quimioterapia f chemotherapy

quince num fifteen

quincena f (de cosas) group of 15; (de días) two-week period

quincha f thatch

quinchar vt to thatch

quingombó m okra

quinqué m oil lamp

quinta f (casa) villa; (reclutamiento) draft

quinto adj, adv, & m fifth

quiosco m kiosk, newsstand

quirófano m surgery, operating room

quiquiriquí interj cock-a-doodle-doo

quiropráctico -ca adj chiropractic; mf chiropractor; f chiropractic

quirúrgico adj surgical

quisquilloso adj particular, fussy

quiste m cyst

quitar vt (una mancha) to remove; (una prenda de vestir) to take off; (despojar de) to take away; m sg **quitaesmalte** nail polish remover; **quitanieves** snowplow; **quitamanchas** spot remover; vi **—se** to take off; **—se a alguien de encima** to get rid of someone; **quítate de ahí** move over

quite m **— de** to go to the rescue of

quizá, quizás adv perhaps, maybe

R r

rabadilla f (coxis) tailbone; (de un ave) rump

rábano m radish; **me importa un —** I couldn't care less

rabia f (hidrofobia) rabies; (enojo) rage; **me —** he hates me; **dar —** to anger

rabiar vi to rage; to fume; **guapa a —** drop-dead beautiful

rabieta f tantrum

rabino -na mf rabbi

rabioso adj (hidrofóbico, apasionado) rabid, mad; (enojado) mad, furious

rabo m (cola) tail; (cabo) stem; **mirar con el — del ojo** to look out of the corner of one's eye; **con el — entre las piernas** with his tail between his legs

rabón adj bobtail

racha f (de suerte) streak; (de viento) gust

racial adj racial

racimo m (de plátanos, personas) bunch; (de uvas) cluster

raciocinio m reasoning

ración f ration, allowance; (de comida) portion

racional adj rational (también número)

racionalizar⁹ vt to rationalize

racionamiento m rationing

racionar vt to ration

racismo m racism

racista adj & mf racist

radar m radar

radiación f radiation

radiactivo adj radioactive

radiador m radiator

radial adj radial

radiante adj radiant

radiar vt to radiate; (por radio) to broadcast

radical adj (extremo) radical; (hojas, células) root; m (en ciencias) radical; (en gramática) root

radicalismo m radicalism

radicar⁶ vi to be located; **— en** to lie in; **—se** to take up residence

radio m (hueso) radius; segmento de un círculo) radius; (elemento radiactivo) radium; f (aparato, difusión) radio; (emisora) radio station; **— de acción** sphere of influence

radiodifusión f broadcasting

radiodifusora f radio station

radioescucha mf inv radio listener

radiofónico adj radio

radiografía f x-ray

radiografiar¹⁶ vt to x-ray; (examinar con cuidado) to examine carefully

radiología f radiology

radiotelescopio m radio telescope

radiotransmisor m radio transmitter

radón m radon

raer⁷³ vi/vt to scrape (off); (un artículo de ropa) to wear out

ráfaga f (de viento) gust, blast; (de luz) flash; (de ametralladora) burst

raído adj threadbare

raigón m stump

raíz f root; **— cuadrada** square root; **a — de** due to; **arrancar de —** to uproot; **cortar de —** to nip in the bud; **echar raíces** to take root

raja f (de melón) slice; (de falda) slit; (de leña) stick

rajadura f (en piedra, metal) crack; (en tela) rent, rip

rajar vt (una piedra) to crack; (un tronco) to split; **—se** (partir) to split open; (acobardarse) to chicken out, to blink; to

a rajatabla strictly

ralea f ilk

ralear vi to thin out

ralentización f (de la economía) slump; (de un motor) idle

rallador m grater

rallar vt to grate, to shred

ralo adj sparse, thin

rama f branch, limb; (delgada) twig; **andarse por las —s** to beat around the bush; **algodón en —** raw cotton

ramaje m foliage

ramal m (de soga) strand, (de vía férrea) branch, spur

ramificarse vi to divide into branches, to branch off

ramillete m bouquet, bunch, spray

ramo m (de flores) bouquet; (de una ciencia) branch; **olivo** olive branch; **— de** (una actividad) line; **— de**

rampa f ramp

ramplón adj vulgar

rana f frog

ranchero -ra mf rancher

rancho m (comida para soldados) mess; (finca) ranch; (comida mala) swill; **hacer — aparte** to keep to oneself

rancio adj (alimento) rancid; **de — abolengo** of ancient lineage

rango m (militar) rank; (categoría) standing

ranilla f frog (of a hoof)

ranura f (corte) groove; (para insertar monedas, cartas) slot

rapar vt (pelo) to shave off; (cabeza) to shave

rapaz adj (animal) predatory; (destructivo) rapacious

rape m **cortar al —** to crop

rapé m snuff

rapar vi to rap

rapidez f (de un coche) speed; (de un movimiento) rapidity, quickness

rápido adj (con mucha velocidad) fast; (en poco tiempo) quick; M rapids; adv (con mucha velocidad) fast; (en poco tiempo) quickly

rapiña f pillage

raptar vt to kidnap, to abduct

rapto m (secuestro) abduction, kidnapping; fit

raqueta f racket

raquítico adj feeble, sickly

raramente adv seldom

rareza f (escasez) rarity; (cosa rara) oddity;

raro adj (infrecuente, de gases, tierras) rare; (extraño) strange, funny; **rara vez** seldom

ras LOC ADV **a — de la tierra** low to the ground

rascacielos m sg skyscraper

rascar vt to scratch; **—se** to scratch; **rasgado** adj **ojos —s** slit eyes

rasgadura f tear, rip

rasgar vt to tear, to rip; **—s** in broad strokes

rasgo m (propiedad) trait, feature; **a grandes —s** in broad strokes

rasgón m tear

rasguñar vt to scratch

rasguño m scratch

raso adj (superficie) smooth; (cucharada) level; **al —** in the open air; m satin

raspador m scraper

raspadura f scrape

raspar vt to scrape

raspón m scrape

rastra f harrow, **a —s** dragging, pulling

rastrear vt (a un animal) to trail, to track, to trace; (un terreno) to search

rastreo m sweep, search

rastrero adj (planta) creeping; (persona) contemptible

rastrillar vt to rake

rastrillo m rake

rastro m (huella) track, trail; (olor) scent; (mercado) flea market; **ni —s** no trace

rastrojo m stubble

rasurador -ora mf razor

rasurar vt to shave

rata f rat

ratear vt to pilfer

ratería f petty larceny

ratero -ra mf pickpocket

ratificar vt to ratify

rato m while; **—s perdidos** leisure hours; **a cada —** frequently; **a —** from time to time; **pasar el —** to kill time; **pasar un buen —** (divertirse) to have a pleasant time; (permanecer) to spend a long time; **un largo —** a great while

ratón m mouse; **— almizclero** muskrat

ratonera f mousetrap

raudal LOC ADV **a —es** in great quantities

raudo adj swift

raya f line; (linde) boundary; (lista) stripe; (en el pelo) part; (en un pantalón) crease; (ortografía) dash; (en un zapato) scuff; (pez marino) stingray; **tener a —** to hold in check; **pasarse de la —** to be out of

rayado ADJ (papel) lined; (vestido) striped; **hablaba como disco** — he talked like a broken record

rayar VT (papel) to rule, to make lines on; (discos, espejo) to scratch; (zapatos) to scuff; **— el alba** to dawn; **— en** to border on

rayo M (de luz) ray, beam, streak; (de relámpago) flash of lightning; (de rueda) spoke; (de esperanza) ray, flicker; **—s infrarrojos** infrared rays; **—s X** X-rays

rayón M rayon

raza F (de personas) race; (de animal) breed

razón F (facultad) reason; (proporción) ratio; **— social** company name; **a — de** at the rate of; **¡con —!** no wonder! **entrar en —** to listen to reason; **te doy la —** I admit you're right; **perder la —** to lose one's mind; **tener —** to be right

razonable ADJ reasonable

razonamiento M reasoning

razonar VI (pensar) to reason; (arguir) to argue

reabastecer[13] VT to replenish

reabrir[51] VT to reopen

reacción F reaction; **— en cadena** chain reaction; **— nuclear** nuclear reaction

reaccionar VI to react

reaccionario ADJ & MF reactionary

reacio ADJ averse, reluctant

reacondicionar VT to rebuild

reactivo M reagent

reactor M reactor; **— nuclear** nuclear reactor

readaptación F readjustment

readaptar VT to readjust

reagrupar VT to regroup

reajustar VT to readjust

reajuste M readjustment

real ADJ (verdadero) real, actual; (del rey) royal; M fairground

realce M **dar —** to enhance

realeza F royalty

realidad F reality, actuality; **en —** really, actually; **— virtual** virtual reality

realismo M realism

realista ADJ (auténtico) realistic; (partidario del rey) royalist; MF (no idealista) realist; (partidario del rey) royalist

realización F (de un sueño) realization, fulfillment; (de una tarea) realization; (de una película) production

realizar[47] VT (un sueño) to realize, to fulfill; (película) to produce

realzar[47] VT (mejorar) to enhance; (destacar) to accentuate; (intensificar) to heighten

reanimar VT (devolver fuerzas) to revive; (dar ánimos) to rally

reanudación F renewal

reanudar VT (una amistad) to renew; (una reunión) to resume

reaparecer[13] VI to reappear

reasumir VT to resume

reata F lariat, lasso

reavivar VT to revive

rebaja F markdown, price cut; **de —s** cut-rate

rebajar VT (precios) to cut, to lower; to slash; (una bebida) to water down; (una crítica) to tone down; VI/VT (los cambios) to downshift; **—se** to lower oneself; **—se a** to stoop to

rebanada F slice

rebanar VT to slice

rebaño M flock, fold

rebasar VT (un coche) to overtake; (un límite) to exceed

rebatir VT to refute

rebato M alarm

rebelarse VI to rebel, to revolt

rebelde ADJ rebellious; (pelo) unruly; MF rebel

rebeldía F rebelliousness, defiance; (no comparecencia) default

rebelión F rebellion

rebenque M whip

rebobinar VT to rewind

reborde M edge

rebosante ADJ (de líquido) brimming, overflowing; (de salud) flush, glowing

rebosar VI (líquido) to overflow, to brim over; (de alegría) to bubble over; (de salud) to glow

rebotar VI (botar para atrás) to rebound, to bounce; (chocar) to bounce; (cambiar de dirección una bala) to ricochet; (cambiar de dirección una pelota) to carom

rebote M rebound, bounce; (de bala) ricochet

rebozar[47] VT to cover with batter; **—se** to muffle up

rebozo M shawl, **sin —** frankly

rebullir[19] VI to stir

rebuscado ADJ (estilo) overly elaborate; (persona) affected

rebuscar[30] VT (espigar) to glean, VI **— en** (la memoria) to search through; (un cajón) to rummage in

rebuznar VI to bray

rebuzno M bray, braying

recabar VT to raise (money)

recado M (mensaje) message; (quehacer) errand; **— de escribir** writing materials

recaer[15] VI to relapse; **— sobre** to fall to

recaída F relapse

recalar VI to make a stop at

recalcar⁶ VT to accentuate

recalcitrante ADJ obstinate

recalentar¹ VT (volver a calentar) to warm over; (calentar en exceso) to overheat

recamar VT to embroider

recámara F (de un arma de fuego) chamber; *Méx* bedroom

recapitular VT/VI to recapitulate, to sum up

recargado ADJ busy, fussy

recargar⁷ VT to overload, to burden

recargo M (emocional) burden; (de precio) surcharge, premium

recatado ADJ (cauteloso) cautious; (modesto) modest

recato M (cautela) caution; (modestia) modesty

recaudación F collection, levy; — **de fondos** fund-raising

recaudador -ora MF tax collector

recaudar VT (impuestos) to collect, to levy; (fondos) to raise; — **en bruto** to gross; **lo recaudado** proceeds

recaudo M — **estar a buen** — to be in a safe place

rección F government

recelar VT to suspect; — **de** to be suspicious of

recelo M misgivings

receloso ADJ mistrustful

recepción F reception

receptáculo M receptacle, holder

receptor M receiver

recesión F recession

receta F (de cocina) recipe; (de médico) prescription

recetar VT to prescribe

rechazar⁹ VT to reject; (un ataque) to repel, to repulse; (una oferta) to decline, to turn down, to refuse; (una acusación) to deny; (a un amante) to spurn, to reject

rechazo M (de un amante) rejection; (de un ataque) repulse; (de una oferta) refusal; (de una acusación) denial

rechifla F whistling, booing

rechiflar VT to whistle, to boo

rechinamiento M (de una puerta) creaking, squeaking; (de los dientes) grinding

rechinante ADJ squeaky

rechinar VI (una puerta) to squeak, to creak; VI/VT (los dientes) to grind; **eso me rechina** that grates on my nerves

rechoncho ADJ plump, chubby, roly-poly

recibidor -ora MF receiver; M reception room

recibimiento M reception

recibir VT to receive, to get; (visitas) to receive, to welcome; (una noticia trágica) to take; — **noticias de** to hear from; —**se** to graduate; —**se de médico** to graduate from medical school

recibo M receipt; **de** — acceptable; **al** — **de** upon receipt of; **acusar** — to acknowledge receipt; **acuse** — **de** acknowledgment of receipt

reciclar VT/VI to recycle

recién ADV recently; — **casado** newlywed; — **comprado** brand-new; — **llegado** newly arrived; — **me entero** it's news to me; — **nacido** newborn

reciente ADJ recent

recinto M enclosure

recio ADJ strong, rugged

recipiente M container

recíproco ADJ reciprocal

recitación F recitation

recital M recital

recitar VT to recite, to speak

reclamación F (protesta) protest; (demanda) claim

reclamante MF claimant

reclamar VT (protestar) to protest; (demandar) to claim; VI (aves) to call

reclamo M (reclamación) claim; (voz de animal) call, cry; (dispositivo) bird call; (señuelo) decoy

reclinar VT to lean; —**se** to recline

recluir¹⁸ VT to confine; —**se** to be a recluse

recluso -sa MF inmate

reclusión F (voluntario) recruit; (forzoso) conscript

reclutamiento M (voluntario) recruitment; (forzoso) conscription

reclutar VT (voluntariamente) to recruit; (por la fuerza) to draft, to conscript

recobrar VT to recover, to recuperate; VT to regain

recodo M bend, turn

recoger¹¹ᵇ VT (el cabello) to gather; (un cuarto) to tidy up; (citas en un texto) to collect; (la mesa) to clear; (polvo) to sweep up; (a un desamparado) to shelter; (los frutos del campo) to glean; —**se** (retirarse) to retire, to withdraw, (acumularse) to gather

recogida F (del cabello) gathering; (de un cuarto) tidying up; (de la mesa) clearing; (de un desamparado) sheltering; (meditación) meditation

recogimiento M (aislamiento) seclusion; (meditación) meditation

recolección F (de frutos, datos) collecting, gathering; (de carga) pickup; (cosecha) harvest

recolectar VT to gather, to forage

recomendable ADJ advisable

recomendación F recommendation

recomendar¹ VT to recommend

recompensa F recompense, reward

recompensar VT to recompense; to reward

reconcentrar VT to concentrate intensely; **—se** to concentrate, to become absorbed in thought

reconciliación F reconciliation

reconciliar VT to reconcile

recóndito ADJ remote

reconfortante ADJ heart-warming, comforting

reconfortar VT to comfort

reconocer¹³ VT (identificar) to recognize; (admitir) to admit, to acknowledge; (explorar) to reconnoiter

reconocimiento M (identificación) recognition; (admisión, agradecimiento) acknowledgment; (exploración) scouting; **hacer un —** to reconnoiter

reconsiderar VT to reconsider

reconstrucción F reconstruction

reconstruir³¹ VT to reconstruct, to rebuild

recopilar VT to compile

récord M record

recordar² VT (acordarse) to remember, to recollect, to recall; (hacer acordar) to remind

recordatorio M reminder

recorrer VT (andar una distancia) to cover; (examinar) to go over, to look over

recorrido ADJ jagged

recortado ADJ jagged

recortar VT (pelo, hilos, presupuesto) to cut; (uñas, periódicos) to clip; (una película) to shorten; **—se** to be outlined

recorte M (de pelos, hilos) trimming; (de uñas, periódicos) clipping; (de sueldo) cut; (sobrante) trimming

recostar² VT (sobre) to lay; (contra) to lean; **—se** to recline

recoveco M (en un camino) turn; (rincón) cranny

recreación F recreation

recrear VT to entertain; **—se** to amuse oneself

recreo M recreation, relaxation; (tiempo de descanso) recess; (lugar de juego) playground

reclinar VT to reclinate

recrudecer¹³ VI to flare up

recrudecimiento M flareup

rectángulo M rectangle

rectificar⁶ VT to rectify

rectitud F uprightness, righteousness

recto ADJ (no curvo) straight; (honrado) upright, righteous; (estricto) strict; **todo —** straight ahead; M rectum

rector -ora MF university president, chancellor

recua F herd

recuento M account; **— sanguíneo** blood count

recuerdo M (acción de recordar, cosa recordada) memory, recollection; (objeto que hace recordar) souvenir, token; **—s** regards

recular VI (ir hacia atrás) to move backward; (en un coche) to back up; (ante un desafío) to back down

recuperación F recovery

recuperar VT (una cosa perdida) to recover; (tiempo perdido) to make up; **—se** to recuperate

recurrir VT to appeal; **— a** to resort to, to have recourse to

recurso M (acción de recurrir) recourse; (reclamación) appeal; **—s** resources; **—s naturales** natural resources

recusar VT (a una persona) to reject; (a un juez) to challenge

red F (para pescar) net; (tejido de mallas) mesh; (conjunto de mallas) network; (para engañar) snare; (Internet) World Wide Web, Internet

redacción F (ensayo) composition; (acción de redactar) drafting; (en un periódico) editorial department

redactar VT to draft; (en la escuela) to compose

redactor -ora MF editor

redada F (de peces) catch, haul; (por la policía) raid

redar VT to net

redecilla F hairnet

redención F redemption

redil M sheepfold, sheep pen; **volver al —** to come back into the fold

redimir VT (a un pecador) to redeem; (a un esclavo) to set free

rédito M (de ahorros) interest; (de acciones) yield

redituar¹⁷ VT to yield

redoblar VT to double; VI/VT (un tambor) to roll

redoble M drumroll

redoma F flask

redonda F whole note; **a la —** all around

redondear VT to make round

redondel M ring

redondez F roundness

redondo ADJ round; **en —** all around; **caer —** to collapse; **salir —** to turn out perfect

reducción F reduction, cutback; **hacer — de**

reducir[24] VT to reduce; (un hueso) to set; (actividades) to curtail, to cut down on; — el personal to cut back on personnel; —se to limit oneself; —se a to boil down to

redundante ADJ redundant

reedificar[6] VT to rebuild

reelección F reelection

reelegir[11] VT reject

reembolsar VT to reimburse, to refund

reembolso M reimbursement, refund

reemplazable ADJ replaceable

reemplazar[1] VT to replace

reemplazo M replacement, substitute

reencarnación F reincarnation

reescribir[1] VT to rewrite

reexpedir[1] VT to forward

referencia F reference

referéndum M referendum

referente LOC ADV — a relative to; —se a to refer to

referir[3] VT (narrar) to narrate; —se a to refer to

refinación F refinement

refinado ADJ refined, genteel

refinamiento M refinement

refinar VT to refine

refinería F refinery

reflector M (en una bicicleta) reflector; (en deportes) floodlight; (militar, policial) searchlight

reflejar VT (luz) to reflect; (imagen) to mirror; —se to be reflected

reflejo M (luz) reflection; (movimiento) reflex; —s frosting; ADJ reflex

reflexión F reflection; — sobre to think over

reflexionar VI to reflect; — sobre to think over

reflexivo ADJ (gramatical) reflexive; (pensativo) thoughtful

reflujo M ebb

reforma F (política) reform; (religiosa) reformation

reformador -ora MF reformer

reformar VT (un gobierno, a un delincuente) to reform; (ropa) to make alterations in; —se to mend one's ways

reformatorio M reformatory

reformista MF reformer

reforzar[2,9] VT to reinforce; (las defensas) to bolster, to beef up; (un argumento) to bolster, to buttress

refracción F refraction

refractario ADJ refractory

refrán M proverb, saying

refrenar VT (un caballo) to rein in; (emociones) to restrain, to check

refrendar VT (una sentencia) to uphold; (un documento) to countersign, to endorse

refrendario -ria MF endorser

refrendo M endorsement

refrescante ADJ refreshing

refrescar[6] VT to refresh; (el tiempo) to get cool; —se to cool off

refresco M refreshment

refriega F fray, scuffle

refrigeración F refrigeration

refrigerador ADJ refrigerating; M refrigerator

refrigerante ADJ cooling; M coolant

refrigerar VT to cool, to refrigerate

refrigerio M refreshment

refrito ADJ (comida) refried; M (obra) rerun

refuerzo M (acción de reforzar) reinforcement; (de tela) backing; (de una vacuna) booster

refugiado -da MF refugee

refugiar VT to shelter; —se to take shelter

refugio M refuge, shelter; — antiaéreo bomb shelter; — fiscal tax shelter

refulgente ADJ resplendent

refundir VT to recast

refunfuñar VI to grumble, to mutter

refunfuño M grumbling, muttering

refunfuñón -ona ADJ grouchy, grumpy; MF grouch

refutar VT to refute

regadera F watering can

regadío M (tierra irrigada) irrigated land; (riego) irrigation

regalar VT (dar como presente) to give as a gift; (vender barato, donar) to give away; (agasajar) to regale

regaliz M licorice

regalo M (presente, cosa barata) present, gift; (para los sentidos) treat, delight

regañar VT (un perro) to snarl; VT (a un niño) to scold, to reprimand; VI (constantemente) to nag; a regañadientes reluctantly

regaño M scolding, reprimand

regañón -ona MF scold

regar[1,7] VT (campos) to irrigate; (flores) to water

regatear VI to haggle, to bargain

regateo M bargaining

regazo M lap

regente MF regent; ADJ ruling

reggae M reggae

régimen M (gobierno) regime; (dieta) diet; — de vida lifestyle

regimiento M regiment

regio ADJ regal

región F region

regir[11] VT to govern; VI to be in force; —se por to be guided by

registrar vt (buscar en) to search; (indicar) to record, to register

registro m (de la voz, lingüístico) register; (de nacimientos) record, register; (del equipaje) search; (de un órgano) stop

regla f (norma) rule; (utensilio para medir) ruler; (menstruación) period; **en —** in order; **por — general** as a general rule

reglamento m regulations

regocijar vt to gladden; **—se** to rejoice

regocijo m joy, rejoicing

regodearse vr (en la desgracia propia) to wallow; (en la desgracia ajena) to gloat

regodeo m (en la desgracia propia) wallowing; (en la desgracia ajena) gloating

regresar vi to return

regreso m return; **estar de —** to be back

reguero m trail; **correr como un — de pólvora** to spread like wildfire

regulación f (acción de regular) regulation; (de una máquina) adjustment

regulador m regulator, governor, throttle; **— de voltaje** dimmer

regular vt to regulate; (ajustar una máquina) to adjust; adj regular; adv so-so; **una paliza —** quite a beating

regularizar[1] vt to regulate; (formalizar) to formalize; **—se** to become regular

regurgitar vi/vt to regurgitate

rehabilitador m remedial

rehacer[30] vt to remake; **—se** to recover

rehén mf hostage

rehuir[31] vt to shun; (responsabilidades) to shirk

rehusar vt to refuse; **—se a** to refuse to

reimpresión f reprint

reina f queen

reinado m reign

reinante adj prevailing

reinar vi to reign

reincidencia f relapse

reincidir vi to relapse

reino m (territorio de un rey) kingdom, realm; (período de reinado) reign; (división biológica) kingdom; (ámbito) realm

reintegrar vt to rebate; **—se a** to return to

reintegro m rebate

reír[15] vi to laugh; **—se de** to laugh at

reiterar vt to reiterate

reivindicar[6] vt to vindicate

reja f grate, grating; (pieza de arado) plowshare; **entre —s** behind bars

rejilla f (para equipaje) luggage rack; (de coche) grille

rejuvenecer[13] vt to rejuvenate; vi to become rejuvenated

relación f relation, connection; (interpersonal) relationship; (relato) account, report; (lista) list; **relaciones** (conocidos) connections; (trato) dealings; **relaciones públicas** public relations; **con — a** in relation to

relacionado adj related, germane

relacionar vt to relate, to connect; **—se con** to relate to

relajación f relaxation

relajamiento m relaxation

relajar vt to relax; **—se** to become lax

relajo m (aflojamiento) relaxation; (desorden) mess

relamerse vi to lick one's lips

relámpago m lightning

relampaguear vi to lightning; (los ojos) to flash; cosa reluciente to flash

relampagueo m flash of lightning

relatar vt to relate, to recount

relativo adj relative; **— a** relative to

relato m (informe) account, (cuento) story, tale

relé m relay

relegar[7] vt to relegate

relevar vt to relieve

relevo m (soldado) relief; (carrera) relay

relieve m relief; **de —** (mapa) relief; (persona) prominent, **poner de —** to emphasize; **letras en —** raised letters

religión f religion

religioso -sa adj religious; m monk; f nun

relinchar vi to neigh

relincho m neigh

reliquia f relic

rellenar vt (un vaso) to refill; to replenish; (un tanque de gasolina) to fill, to fill up; (un formulario) to fill out; (un hueco) to fill in; (una almohada) to stuff

relleno adj (un pimiento) stuffed; (el cuerpo) full; m (de comida) stuffing, dressing; (de un colchón) padding

reloj m (de pared) clock; (de muñeca, bolsillo) watch; (de horno) timer; **— de pulsera** wristwatch; **— de sol** sundial; **— despertador** alarm clock; **contra —** against the clock; **como un —** regularly, like clockwork

relojería f (tienda) watch shop; (actividad) clock-making

relojero -ra mf watchmaker

reluciente adj shining

relucir[13b] vi to shine; **sacar a —** to bring

relumbrar vi to glare

relumbre f glare

REM m REM

remachar vt (una victoria, un clavo) to clinch; (un remache) to rivet

remache m (acción de remachar) clinching; (clavo) clinching; (clavija) rivet

remanente m remainder

remar vi/vt to row, to paddle

rematador -ora mf auctioneer

rematar vt (acabar) to finish; (matar) to finish off; (perfeccionar) to give the finishing touches to; (patear un balón) to take a shot; (subastar) to auction

remate m (de una obra) finishing touch; (tiro) shot; (subasta) auction; — **de un chiste** punch line; **loco de —** stark raving mad

remedador -ora mf mimic

remedar vt to mimic, to ape; to mock

remediar vt to remedy

remedio m remedy, cure; **sin —** unavoidable; **no tiene —** it can't be helped; **no tengo más —** I can't help it; **el — es peor que la enfermedad** the remedy is worse than the disease

remedo m mockery

remendar[1] vt to mend, to patch; (calcetines) to darn; (zapatos) to repair

remendón -ona mf cobbler

remero -ra mf rower

remesa f (de mercancías) shipment; (de dinero) remittance

remiendo m (de ropa) patch; (de zapatos) repair

remilgado adj fussy, prim

remilgo m fussiness, primness

reminiscencia f reminiscence

remisión f remission

remitente mf sender

remitir vt (enviar) to remit; (mandar a otra parte) to refer; **—se** to yield; **a las pruebas me remito** the evidence speaks for itself

remo m (pala) oar, paddle; (deporte) rowing

remodelar vt to remodel

remojar vt to soak

remojo m soaking; **poner en —** to soak

remolacha f beet

remolcador m tugboat

remolcar[6] vt to tow

remolino m swirl, whirl; (de viento) whirlwind; (de agua) whirlpool, eddy; (de pelo) cowlick; (juguete) pinwheel; — **de gente** throng, crowd

remolón -ona adj dallying; mf dallier

remolonear vi to dally

remolque m (acción de remolcar) tow; (vehículo remolcado) towed vehicle; (vehículo que remolca) tow truck; (de camión) trailer; **llevar a —** to tow

remontar vt (una cometa) to fly; (una pendiente, un río) to go up; **—se** to rise; **el coche se remonta a los años 20** the car dates from the '20s; **para comprenderlo, debemos remontarnos a su juventud** in order to understand him, we must go back to his youth

remorder[2] vt to gnaw at

remordimiento m remorse

remoto adj remote, distant; **no tiene la más remota idea** he doesn't have the slightest idea

remover[2] vt (un cargo, un obstáculo) to remove; (un asunto problemático) to stir up

remuneración f compensation

remunerado adj gainful

renacer[13] vi to be reborn

renacimiento m revival; (período histórico) Renaissance

renacuajo m tadpole; (hombre esmirriado) shrimp

rencilla f quarrel

rencor m rancor; **guardar —** to bear a grudge

rencoroso adj resentful

rendición f surrender

rendido adj exhausted

rendija f crack

rendimiento m (lo rendido) yield, output; (productividad) performance

rendir[5] vt (someter) to subdue; (producir) to yield; (fatigar) to fatigue; — **homenaje** to pay homage; — **cuentas a** to answer to; vi (obtener buenos resultados) to perform well; **—se** (darse por vencido) to surrender, to give in; (fatigarse) to become fatigued

renegado -da mf renegade

renegar[1,7] vt (negar) to deny insistently; (repudiar) to renounce; — **de** to gripe about

renglón m line; **a — seguido** immediately following

rengo adj lame

renguear vi to limp

renguera f limp

reno m reindeer

renombrado adj renowned

renombre m renown; **de —** of note

renovación F renewal; **— urbana** urban renewal

renovar² vt (un edificio) to renovate; (ataques, temores) to renew

renquear vi to limp

renta F (de una persona) income; (de un gobierno) revenue; (alquiler) rent; **— anual** annuity; **—s internas** internal revenue; **vivir de la —** to live on the interest

rentable adj profitable; (idea) viable

renuencia F reluctance

renuente adj reluctant, loath; **ser — a** to be loath to

renuncia F (dimisión) resignation; (de un derecho) waiver; (de una herencia) renunciation

renunciar vi **— a** (un cargo) to resign; (la ciudadanía) to renounce; (un derecho) to relinquish, to waive

reñido adj contested

reñir⁵,¹⁸ vi (discutir) to quarrel, to bicker, to argue; (pelear) to fight, to scuffle; (rezongar) to scold

reo -a mf defendant, accused

reojo M **mirar de —** to look out of the corner of one's eye

reorganizar⁹ vt to reorganize, to regroup

repantigarse⁷ vi to lounge

reparación F (compensación) reparation, (compostura) repair

reparar vt (arreglar) to repair; (compensar) to redress; **— en** to notice

reparador adj refreshing; M serviceman

reparo M **no tener —s en** to have no qualms about; **sin —s** freely; **hacer —s** to object

repartición F distribution

repartir vt (tierras, un botín) to distribute; (volantes) to hand out; (periódicos) to deliver; (naipes) to deal; (días libres) to space out

reparto M (de tierras) distribution; (entrega de periódicos) delivery; (de naipes) dealing; (ruta de entrega) route; (lista de actores) cast; **— proporcional** apportionment

repasar vt (una lección) to review, to go over again; (en la memoria) to retrace; (leer por encima) to skim

repaso M review

repelente adj repellent

repeler vt to repel, to repulse

repente M **de —** suddenly

repentino adj sudden

repercusión F repercussion

repercutir vi to have repercussions

repertorio M repertoire

repetición F repetition

repetido adj repeated; **repetidas veces** repeatedly

repetir⁵ vt/vi to repeat; vi to belch; (tomar una segunda ración) — to have seconds; **— como loro** to parrot; **—se** to recur

repicar⁶ vt/vi to ring

repique M tinkling, ring

repiquetear vt/vi to ring

repiqueteo M ringing

repisa F shelf

replegar¹,⁷ vt to fold; **—se** to retreat

repleto adj replete

réplica F (contestación) reply, comeback; (copia) replica; (temblor secundario) aftershock

replicar⁶ vt/vi to reply, to rejoin; (una célula) to replicate

repliegue M (pliegue marcado) crease; (retirada) retreat

repollo M cabbage

reponer³⁹ vt (reemplazar) to replace; (restituir) to restore; (replicar) to reply; (una obra de teatro) to revive; (una película) to show again; **—se** to recover one's health

reportaje M feature story

reportar vt (beneficios) to yield; vi (en una jerarquía) to answer to; **—se enfermo** to call in sick

reportero -ra mf reporter

reposado adj quiet, calm

reposar vi to repose, to rest; **dejar —** to let steep; M sg **reposacabezas** headrest

reposición F (reemplazo) replacement; (de una obra de teatro) revival

reposo M (descanso) repose, rest; (sosiego) calm

repostería F (establecimiento) pastry shop; (actividad) baking

repostero -ra mf pastry cook

reprender vt to reprimand, to scold, to rebuke

reprensión F rebuke

represa F (dique) dam; (reservorio de agua) reservoir

represalia F reprisal

represar vt to dam

representación F representation; (delegación) delegation; (de un papel) portrayal; (de una obra de teatro) performance

representante mf representative; (comercial) agent

representar vt to represent, to depict; (una

obra de teatro) to perform; (un personaje) to portray; ... **tiene treinta años, pero no los representa** he's thirty years old, but he doesn't look it; **tu presencia representa mucho para mí** your presence means a lot to me

representativo adj representative

represión f (psicológica) repression; (política) suppression, crackdown

reprimenda f reprimand, rebuke

reprimido adj repressed, pent-up

reprimir vt (impulsos) to repress; (una tendencia) to check; (enemigos políticos) to suppress, to crack down on; (una rebelión) to quell

reprobación f reproof

reprobar[2] vt to reprove; vi/vt (no aprobar un examen) to flunk, to fail

reprochar vt to reproach, to rebuke

reproche m reproach, rebuke

reproducción f reproduction

reproducir[4] vi/vt to reproduce; —se to reproduce, to breed

reproductor -ora adj breeding; mf breeding animal; f (aparato) VCR

reptar vi to crawl

reptil m reptile

república f republic

republicano -na adj & mf republican

repudiar vt (a la sociedad) to repudiate; (a un hijo) to disown; (una herencia) to renounce

repuesto m (pieza de reemplazo) spare part; de — spare

repugnancia f repugnance, disgust; revulsion

repugnante adj repugnant, disgusting, loathsome

repugnar vi to be repugnant; vt to disgust, to cloy

repulir vt to polish up

repulsa f rebuff, repulse

repulsar vt to repulse

repulsivo adj repulsive, creepy

reputar vt to rally

reputación f reputation

reputado adj reputable

requemar vt to burn

requerimiento m request

requerir[3] vt to require

requesón m cottage cheese

requiebros m pl. advances

requisa f requisition

requisar vt to commandeer; to requisition; (registrar) to search

requisito m requirement, requisite

res f animal; — **lanar** sheep; — **vacuna** cow

resabio m (dejillo) aftertaste; (vicio) bad habit

resaca f (de mar) undertow; (malestar físico) hangover

resaltar vi (sobresalir) to stand out; (poner de relieve) to highlight

resarcir[10b] vt to compensate for

resbaladizo adj slippery, slick

resbalar vi (deslizar) to slip; (ser/estar resbaladizo) to be slippery

resbalón m slip; **darse un** — to slip

resbaloso adj slippery; Méx fam sleazy

rescatar vt (a un secuestrado) to ransom; (a una persona en peligro) to rescue

rescate m (para un secuestrado) ransom; (de una persona en peligro) rescue

rescindir vt to rescind

rescoldo m embers

resecar[7] vt to dry; —se to dry out

reseco adj dried-up, parched

resentido adj resentful

resentimiento m resentment, grudge; **guardar** — to hold a grudge

resentirse[3] vi to hurt, to suffer; — **de** to resent

reseña f book review

reseñar vt to review

reserva f (de provisiones, de oro, de jugadores, del eléctrico) reserve; (de localidades, de hotel, de indios) reservation; (de animales) preserve; **sin —s** without reservations, **tener —s** to have reservations

reservación f Am reservation

reservado adj (distante) aloof; (discreto) reserved

reservar vt to reserve; **me reservo mi opinión** I'll spare you my opinion

resfriado m common cold; **estoy —** I've got a cold

resfriarse vi to catch cold

resfrío m cold, head cold

resguardar vt to shelter; —**se de** to seek shelter from

resguardo m (abrigo) shelter; (comprobante) deposit slip

residencia f residence

residencial adj residential; (en las afueras) suburban

residente adj & mf resident

residir vi to reside

residuo m residue

resignación f resignation

resignarse vi to resign oneself

resina f resin

resistencia f resistance; (de la calefacción)

element; (aguante) endurance, stamina

resistente ADJ resistant, tough

resistir VT (una tentación) to resist; (un ataque) to withstand; **—se a un arresto** to resist arrest; VI to resist, to hold (up)

resollar² VI (por enfermedad) to wheeze; (después de un esfuerzo) to pant; (por alivio) to sigh

resolución F (acción de resolver) resolution; (ánimo) determination, resolve

resolver²,⁵¹ VT (decidir) to decide; (solucionar) to solve; **—se a** to resolve to

resonancia F resonance

resonar² VI (sonidos) to resound, to boom; (una polémica) to resonate

resoplar VI (con enfado) to huff and puff; (un caballo) to snort

resoplido M (con enojo) puff; (de caballo) snort

resorte M spring

respaldar VT to back, to stand behind

respaldo M (parte de una silla) back; (apoyo) support, backing

respectivo ADJ respective

respecto LOC ADV **a/de** with respect to, concerning; **a ese —** on that score; **con — a** with regard to, regarding, vis-à-vis

respetable ADJ respectable

respetar VT to respect

respeto M respect, regard; **con todo —** with all due respect; **faltar el/al —** to slight, to disregard

respetuoso ADJ respectful

respingar¹ VI (dar respingos) to buck; (asustarse) to shy away

respingo M (salto) buck; (susto) start

respiración F respiration, breathing; **— boca a boca** mouth-to-mouth resuscitation

respirar VI/VT to breathe; (sentir alivio) to breathe easy; **dejar —** to give a breather

respiro M (acto de respirar) breathing; (descanso) respite

resplandecer¹³ VI (brillar) to glare; (de felicidad) to glow

resplandeciente ADJ resplendent, radiant

resplandor M brilliance, radiance

responder VI (reaccionar) to respond; VT (contestar) to answer; (corresponder) to correspond

respondón ADJ saucy

responsabilidad F (obligación de aceptar consecuencias) responsibility; (obligación de informar) accountability

responsable ADJ (que debe aceptar las consecuencias) responsible; (obligado legalmente) liable for; (que tiene que informar) accountable

resquebrajadura F crack

resquebrajar VI to crack

resquicio M (rendija) crack; (laguna legal) loophole

resta F subtraction

restablecer¹³ VT to reestablish; (una costumbre) to revive; **—se** to recover

restante ADJ remaining

restañar VT to stanch/staunch

restar VT (sustraer) to subtract; (quitar) to take away from; (quedar) to remain; **— importancia a** to make light of

restauración F restoration

restaurante M restaurant

restaurar VT to restore; (muebles) to refurbish

restitución F restitution

restituir³¹ VT to pay back, to give back

resto M (lo demás) rest; (sobrante) rest; **—s** (de un edificio) remains; (de una comida) leftovers; **echar el —** to go all out

restorán M restaurant

restregar¹,⁷ VT to scrub, to scour

restricción F restriction

restringir¹¹ VT to restrict, to curtail

resucitación F resuscitation, revival

resucitar VT to resuscitate, to revive

resuello M (por enfermedad) wheeze; (por fatiga) panting

resuelto ADJ (de carácter decidido) resolute, strong-willed; (de actitud decidida) determined

resulta LOC ADV **de —s** as a result

resultado M result; (de un suceso) outcome; (de un partido) score; **—s científicos** findings; **—s electorales** returns; **como —** as a result; **dar buen —** to pan out; **dar por —** to result in

resultante ADJ resulting, consequent

resultar VI to result; (acabar siendo) to turn out, to prove; **de —** to result from; **resulta que** it turns out that

resumen M summary, abstract; **en —,** in sum, in brief

resumir VT to summarize, to sum up; **—se a** to be condensed to, to boil down to

resurgimiento M revival

resurgir¹¹ VI to arise again

resurrección F resurrection

retablo M altarpiece

retaguardia F rear guard

retal M remnant

retama F broom

retar VT to challenge

retardar VT/VI to retard

retardo M lag

retazo M remnant

retén M (aparato) retainer; (de vigilancia) squad

retención F retention

retener[41] VT (una pelota, la atención) to hold; (salarios, fondos) to garnish, to withhold

retina F retina

retintín M (en los oídos) ringing; (de cascabeles) jingle

retirada F (de tropas) retreat, withdrawal; (de diplomático, producto) recall

retirar VT (apartar) to move away; (dinero) to withdraw, (un producto) to recall; **—se** (para descansar, de un trabajo) to retire; (un ejército) to retreat, to pull back

retiro M (refugio) retreat; (jubilación) retirement; (de fondos) withdrawal

reto M challenge

retocar[6] VT to retouch, to touch up

retoñar VI to sprout

retoño M sprout, shoot, bud

retoque M retouching

retorcer[2,10] VT (una toalla mojada) to wring out; (la muñeca) to wrench, to twist; **—se** (de dolor) to writhe; (de inquietud) to squirm

retorcido ADJ (persona) devious; (rama) gnarled

retorcimiento M (de dolor) writhing; (de inquietud) squirming

retórica F rhetoric

retorno M return; (de una costumbre, moda) revival

retozar[6] VI to frolic, to romp; (en juegos eróticos) to cavort

retozo M frolic, romp

retractarse VI to take back one's words

retraer[45] VT (las garras) to retract; **—se** to withdraw

retraído ADJ shy

retraimiento M shyness

retrasado ADJ (falto de desarrollo) backward; (deficiente mental) retarded

retrasar VT to delay; (un reloj) to set back; **—se** to fall behind

retraso M delay, lag

retratar VT to portray; (pintar un retrato) to paint a portrait

retrato M (pintura) portrait; (descripción) portrayal

retrete M lavatory

retreta F retreat

retroactivo ADJ retroactive

retroalimentación F feedback

retroceder VI to step back; (de horror) to recoil, to shrink back; (en un coche) to back up; (al mecanografiar) to backspace; (dar marcha atrás) to backtrack; (tropas) to retreat, to fall back; (una inundación) to recede

retroceso M (de un arma de fuego) recoil; (económico) recession; (en un teclado) backspace

retrógrado ADJ backward

retroproyector M overhead projector

retrovirus M retrovirus

retrucar[6] VT to counter

retruécano M play on words

retumbar VI to rumble, to roll

retumbo M rumble

reubicar[6] VT to relocate

reuma M rheumatism

reumatismo M rheumatism

reunión F meeting; (informal) get-together; (de ex-alumnos) reunion

reunir VT (juntar) to gather; (hacer que acudan al mismo lugar) to reunite, to bring together; (coleccionar) to collect; (juntar coraje) to muster; (juntar dinero) to raise; **—se** (formal) to meet; (informal) to get together; (en deportes) return game

revancha F (venganza) revenge; (en deportes) return game

revelación F revelation

revelado M film development

revelador ADJ revealing

revelar VT to reveal, (película) to develop; **—se** to show oneself; (un escándalo) to expose; (información) to disclose

revendedor -ora M F (de mercadería) middleman; (de entradas) scalper

revender VT (vender de nuevo) to resell; (billetes) to scalp

reventar[1] VI/VT (estallar) to burst, to bust; (morir) to die; (fastidiar) to annoy

reventón M (acción de reventar) bursting; (de un neumático) blowout

reverberar VI to reverberate

reverdecer[13] VI (ponerse verde de nuevo) to become green again, (renovarse) to gain new strength

reverencia F reverence; (gesto) bow

reverenciar VT to revere

reverendo -da ADJ & MF reverend

reverente ADJ reverent

reverso M reverse

revertir[3] VI to revert; **— en beneficio de** to be of benefit to

revés M (cosa opuesta) reverse; (en tenis)

revés M backhand; (contratiempo) setback; downturn; **al —** (con lo de adelante hacia atrás) backwards; (con lo de arriba hacia abajo) upside down; **dar vuelta al —** to turn inside out

revestimiento M overlay

revestir[6,7] VT (un camino) to surface; (una pared) to cover; (conllevar) to be marked by

revisar VT (examinar) to review, to go over; (un coche) to service

revisión F review; (de una película vieja) revival

revisor -ora MF (en un tren, autobús) conductor

revista F (inspección) inspection; (de tropas) muster; (publicación) magazine, journal, periodical; (espectáculo) revival; **— de historietas** comic book; **— electrónica** e-zine; **pasar —** to pass in review

revivir VT/VI to revive

revocación F revocation; (de una ley) repeal

revocar[6] VT (un fallo) to reverse; (una ley) to repeal; (una pared) to plaster

revolcar[6,4] VT (remover) to knock over; **—se** (cerdos) to wallow; (niños) to roll around

revolear VT to roll

revoltijo M (de cosas) jumble; (de pelo) muss

revoltoso -sa ADJ unruly, disorderly; MF troublemaker

revolución F (cambio radical) revolution; (giro) revolution, turn; **revoluciones por minuto** revolutions per minute

revolucionario -ria ADJ revolutionary, earthshaking; MF revolutionary

revólver M revolver, pistol

revolver[2,51] VT (remover) to stir up; (registrar) to rummage in; (desordenar) to mess up; (huevos) to scramble; (ensalada) to toss; **eso me revuelve el estómago** that makes my stomach turn; **—se** to toss and turn

revuelo M stir, commotion

revuelta F revolt

revuelto ADJ (el mar) rough; (los ánimos) restless; (el pelo) disheveled; **huevos —s** scrambled eggs

rey M king, **los —es Magos** the Wise Men

rezagarse[7] VI to straggle behind, to lag behind

rezar[6,2] VI/VT (a Dios) to pray; (un letrero) to say

rezo M prayer

rezongar[7] VI/VT (murmurar) to grumble;

rezongón -ona ADJ grumpy; MF grouch (quejarse) to gripe

rezumar VT to ooze

riachuelo M brook

riada F flash flood

ribazo M steep bank

ribera F shore, bank; (de río) riverbank

ribereño ADJ on the bank

ribete M (de uniforme) trimming; (de alfombra) binding; (de ropa) piping; (de mosaico) border; **tener —s de** to have hints of

ribetear VT (un uniforme) to trim; (una alfombra) to bind; (un diseño) to border

ricacho ADJ very rich

rico ADJ (persona) rich, wealthy, affluent; (suelo) rich; (piso) exquisite; (manjar) delicious; (niño) cute

ridiculizar[9] VT to ridicule, to deride

ridículo ADJ ridiculous; (medio absurdo) ludicrous; **hacer el —** to act the fool; **poner en —** to ridicule; **ponerse en —** to make a spectacle of oneself

riego M irrigation

riel M rail

rienda F rein; **dar — suelta** to give a free hand

riesgo M risk; **correr un —** to run a risk

rifa F raffle

rifar VT to raffle

rifirrafe M free-for-all

rifle M rifle

rigidez F rigidity

rígido ADJ rigid

rigor M (exactitud) rigor; (del invierno) harshness; **en —** in reality; **de —** indispensable

riguroso ADJ rigorous; (invierno) harsh

rima F rhyme

rimar VI/VT to rhyme

rimbombante ADJ grandiose

rímel M mascara

rin M rim

rincón M corner; (lugar retirado) nook, alcove

rinconera F (mueble) corner cupboard; (mesa) corner table

ring M boxing ring

ringlera F row

rinoceronte M rhinoceros

rinoplastia F (fam) nose job

rinovirus M rhinovirus

riña F (discusión) quarrel; (pelea) scrap, fight, spat

riñón M kidney; (región lumbar) lower back

río M river; **— abajo** downstream

ripio M rubble

riqueza f wealth; **—s** riches

risa f (carcajada) laugh; (acción, sonido de reír) laughter; **reventar / desternillarse de —** to burst with laughter; **morirse de —** to die laughing; **¡qué —!** what a joke!

risco m crag, bluff

risible adj laughable

risita f (burlona) snicker; (ahogada) chuckle

risotada f guffaw, gale of laughter

ristra f string

risueño adj (sonriente) smiling; (alegre) cheerful

rítmico adj rhythmical

ritmo m rhythm; **— cardíaco** heart rate; **— de vida** pace of life

rito m rite

ritual adj & m ritual

rival adj & mf rival

rivalidad f rivalry

rivalizar⁹ vi to rival; **— con** to compete with

rizado adj curly; m curling

rizar⁹ vt (pelo) to curl, to crimp; (agua) to ripple

rizo m (en el pelo) curl, ringlet; (en el agua) ripple, ruffle; (hecho por un avión) loop

robar vt (algo a una persona) to rob; (dinero) to steal

roble m oak tree

robledal m oak grove

robo m (violento) robbery; (furtivo) theft; **— con allanamiento** burglary

robótica f robotics

robusto adj robust; (grueso) stout, stocky; (sólido) sturdy

roca f rock

roce m (acción de rozar) graze; (en una prenda) rub; (conflicto) brush

rociada f (acción de rociar) sprinkling, spraying; (de insultos) volley

rociar¹⁶ vt/vi to spray, to sprinkle; (carne) to baste

rocín m nag

rocío m (del alba) dew; (en aerosol) spray, mist

rocoso adj rocky

rock m rock

rodada f (profunda) rut

rodaja f flat round slice

rodadura f rolling

rodaje m (de un coche) running; (de una película) shoot

rodar² vi (girar) to roll; (caer) to tumble down; (vagar) to roam; (filmar) to shoot

rodear vt (cercar) to surround; (cubrir) to wrap around; (evitar) to go around

rodeo m (desvío) detour; (modo de expresarse) circumlocution; (fiesta) rodeo

rodilla f knee; **de —s** on one's knees; **hincarse de —s** to kneel down

rodillo m (para pintar) roller; (para cocinar) rolling pin; (para caminos) road roller

rododendro m rhododendron

roedor m rodent

roer⁵⁰ vt/vi to gnaw

rogar²,⁷ vt to pray, to beg, to beseech; **hacerse —** to play hard to get; **se ruega no molestar** please do not disturb

rojez f redness

rojizo adj reddish

rojo adj & m red; **al — vivo** red-hot

rollizo adj plump; m log

rollo m (de papel, de película, de grasa) roll; (de árbol) log; (de cuerda) reel; (de tela) bolt; (discurso aburrido) story; (mentira) lie; (lío) mess, hassle; (relación amorosa) affair; (manuscrito) scroll; (de alambre) coil; **dar el —** to hassle

ROM m ROM

romance adj Romance; m (lengua románica) Romance language; (español) Spanish language; (relación amorosa) romance; (composición métrica) ballad; **en buen —** in plain language

románico adj (arte) Romanesque; (lengua) Romance

romano -na adj & mf Roman

romanticismo m (corriente literaria) romanticism; (sentimentalismo) romance

romántico -ca adj & mf romantic

rombo m diamond

romería f pilgrimage

romero -ra mf (persona) pilgrim; m rosemary

romo adj (sin punta) blunt; (sin filo) dull

romper⁵¹ vt/vi to break; **— con** to sever; **— a** to start to; **— con** to break up with; **— el alba** to dawn; **— filas** to break ranks; **rompió las aguas / la fuente** her water broke; **de rompe y rasga** coarse; m sg **rompecabezas** jigsaw puzzle; m sg **rompehuelgas** strikebreaker; **rompeolas** breakwater

rompible adj breakable

rompientes m pl. surf

rompimiento m (con el pasado) break; (de una promesa) breach

rompope m Méx eggnog

ron m rum

roncar⁴ vi to snore

roncha f (de sarampión) spot; (de mosquito) bite

ronco adj hoarse, raspy

ronda f (de policía) patrol, beat; (de niños)

rondar VT (patrullar) to patrol; (acercarse por interés) to hang around; (cantar serenatas) to serenade; **rondaba los cuarenta** she was around forty years old

ronquera F hoarseness

ronquido M snore

ronronear VI to purr

ronroneo M purr

ronzal M halter

roña F (enfermedad de plantas) scab; (sarna) mange; VR (suciedad) scabby; (planta) scabby; (animal) mangy; (persona) stingy

ropa F clothes, clothing; — **blanca** linen; — **vieja** stew made from leftover meat

ropaje M apparel

ropero M (armario) wardrobe; (cuarto) closet

roque M castle

rosa F (flor) rose; (marca) blemish; — **de los vientos** mariner's compass; ADJ (rosado) rose-colored, pink

rosado ADJ (saludable) rosy; (de color de rosa) rose-colored, pink; M rosé wine

rosal M rosebush

rosario M rosary

rosbif M roast beef

rosca F (de tornillo) screw; (pan) ring-shaped roll; **pasarse de** — to go off the deep end

rostro M (cara) face; (morro) nerve

rotación F rotation

rotar VI/VT to rotate

rotativo ADJ (movimiento) rotary; (cultivos) rotating; M *Esp* newspaper

rotatorio ADJ rotary

roto ADJ broken; (cansado) exhausted; (ropa) ragged (voz)

rótor M rotor

rótula F kneecap

rotular VT to label

rótulo M (título) title; (etiqueta) label

rotundo ADJ resounding; **una negativa rotunda** a categorical denial

rotura F break; (de un órgano, tubo) rupture

roturar VT to plow

rozadura F chafing

rozamiento M friction

rozar[9] VT (herir levemente) to graze; (arañar) to scrape; (irritar) to rub, to chafe; (limpiar un terreno) to clear; — **se con alguien** to have dealings with someone; **rozaba en los cuarenta** she was almost forty years old

Ruanda F Rwanda

ruandés -esa ADJ & MF Rwandan

rubí M ruby; (en un reloj) jewel

rubicundo ADJ (permanente) ruddy; (temporal) flush

rublo -a ADJ & MF blond; — **a** ADJ & MF blond

rubor M blush, flush; (de las mejillas) bloom, glow

ruborizarse[9] VI to blush

rúbrica F (trazo) flourish; (título) title

rucio ADJ gray

rudeza F rudeness, coarseness

rudo ADJ rude, coarse; — **golpe** hard blow

rueda F (de coche) wheel; (de personas) circle; (rodaja) slice; — **de prensa** news conference; **ir sobre** —**s** to be smooth

ruedo M ring; (de vestido) hem

ruego M prayer, plea, entreaty

rufián M ruffian

rugby M rugby

rugido M roar

rugir[11] VI to roar; (estómago) to growl

rugoso ADJ rough

ruibarbo M rhubarb

ruido M noise; **mucho** — **y pocas nueces** much ado about nothing

ruidoso ADJ noisy, loud

ruin ADJ (persona, cosa) vile; (animal) puny

ruina F (acción de arruinar) destruction; (edificio, estado de pobreza) ruin; (persona) wreck; (perjuicio) downfall; **en** —**s** in ruins

ruindad F (actitud) vileness; (acto) vile act

ruinoso ADJ ruinous

ruiseñor M nightingale

rulero M RF roller, curler

ruleta F roulette

rulo M roller, curler

Rumania F Romania, Rumania

rumano -na ADJ & MF Romanian, Rumanian

rumba F rumba

rumbear VI to head in a certain direction

rumbo M course, route; — **a** toward

rumiar VI (meditar) to ruminate; VT (reflexionar) to ruminate, to mull over, to brood over

rumor M rumor

runrún M (rumor) rumor; (sonido sordo) humming

ruptura F (de relaciones) break; (de órganos internos) rupture

rural ADJ rural

Rusia F Russia

ruso -sa ADJ & MF (persona) Russian; M (lengua) Russian

rústico ADJ (rural) rustic, rural; (tosco) coarse; **en rústica** paperback

ruta F route; (carretera) highway

rutina F routine

Ss

sábado M Saturday

sábalo M shad

sábana F bed sheet

sabañón M chilblain

saber¹¹ VI/VT to know; **— nadar** to know how to swim; **supo la verdad** he found out the truth; **— a** to taste like; **— a ciencia cierta** to know for sure; **— de biología** to know all about biology; **a —** namely; **hacer —** to let know; **las vacaciones me han sabido a poco** my vacation was too short; **para que sepas** for your information; **sabe bien** it tastes good; **sabérselas todas** to know the ropes; **vaya a —** who knows?

saber² M knowledge, learning; **a mi leal — y entender** as far as I know; **sabelotodo** know-it-all

sabelotodo M & MF wise guy; know-it-all

sabiendas LOC ADV **a —** knowingly

sabiduría F wisdom

sabio -bia ADJ wise, sage; MF (estudioso) scholar; (sabedor) sage, wise person

sable M saber

sabor M taste, flavor

saborear VT to savor, to relish

sabotaje M sabotage

sabotear VT to sabotage

sabroso ADJ (comida) savory, tasty; (cuento) juicy

sabueso M (perro) bloodhound; (detective) sleuth

sacar⁶ VT (cosas de la maleta, a pasear) to take out; (manchas, dinero del banco) to get out; (los zapatos) to take off; (malas notas, carnet de conducir) to get; (una copia) to make; (una foto) to take; (una conclusión) to draw; (la lengua, la cabeza por la ventana) to stick out; (una pelota de tenis) to serve; (una asignatura escolar) Esp to pass; **— ampollas** to blister; **— brillo** to polish up; **— provecho (de)** to benefit (from); **— a bailar** to ask to dance; **— a colación** to broach; **— a luz** to divulge; **— de un apuro** to bail out;

sacarina F saccharine

sacerdocio M priesthood

sacerdote M priest

saciar VT to satiate; **—se** to be satiated

saco M (bolsa) sack; (prenda) blazer, sport coat; (de boxeo) punching bag; **— de dormir** sleeping bag; **— de noche** overnight bag; **echar en — roto** to waste one's effort

sacramento M sacrament

sacrificar⁶ VT to sacrifice; (una mascota) to put to sleep

sacrificio M sacrifice

sacrilegio M sacrilege

sacrílego ADJ sacrilegious

sacristán M sexton

sacristía F sacristy

sacudida F shake, jolt; (de terremoto) tremor; (de la cabeza) toss; (eléctrica) shock

sacudir VT to shake; (las alfombras) to beat; (el polvo) to dust; **ir sacudiéndose** to rattle along, to jolt along; **—se de alguien** to get rid of someone

sádico ADJ sadistic

sadismo M sadism

saeta F arrow

safari M safari

sagaz ADJ shrewd, astute

sagrado ADJ sacred, holy; **Sagrada Escritura** Holy Scripture

sahumar VT to perfume with incense

sahumerio M burning of incense

sainete M one-act farce; **esa familia es un —** that family is a complete mess

sal F (mineral) salt; (gracia) wit; **— gorda** cooking salt; **— yodada** iodized salt; **— de mesa** table salt; **dar —** to spice up; **— y pimienta** life, spark

sala F (de estar) parlor, living room; (grande) large room; **— de justicia** courtroom; **— de clase** classroom; **— de espera** waiting room; **— de directorio** boardroom; **— de lectura** reading room; **— de operaciones** operating room

salado ADJ salty; (gracioso) witty; M (acción) salting

salamandra F salamander

salar vt to salt; **—se** to become salty

salario M pay, wages; **— base** base pay; **— mínimo** minimum wage

salchicha F sausage

saldar vt to settle

saldo M (resultado final) balance; (venta especial) sale

salero M (dispensador) saltcellar, saltshaker; (gracia) charm

salgar⁷ vt to give salt to; M salt lick

saleroso ADJ charming

salida F (partida) departure; (puerta) exit, way out; (de una carrera) start; (militar) sally; (eléctrica, computadora) output; (de una crisis) way out; **este artículo tiene mucha —** this article sells well; **dar la —** to start a race; **— del sol** sunrise; **— de emergencia** emergency exit; **— en falso** false start

saliente ADJ (roca) salient, projecting; (gobierno) outgoing; M salient, projection; overhang

salina F salt mine

salino ADJ saline

salir⁴² vi (del interior al exterior, para divertirse) to go out; (de un país) to depart, to leave; (del trabajo) to quit; (manchas de tinta) to come out; (un anillo del dedo) to come off; (el sol) to rise; (una publicación) to appear; (flores) to sprout; **trabajando no se puede — de pobre** you can't work your way out of poverty; **salió a su madre** she takes after her mother; **— a la luz** to surface; **— adelante** to overcome difficulties; **— bien** to turn out well; **— con** to date; **— ganando** to come out ahead; **— mal** to go wrong; **¿a cuánto sale?** how much is it? **no me sale ser amable con él** I can't bring myself to be nice to him; **—se** (gotear) to leak; (rebosar) to overflow; (proyectarse) to stick out

saliva F saliva

salmón M salmon

salmonela F salmonella

salmuera F brine

salobre ADJ salty

salomonense ADJ & MF Solomon Islander

salón M (de estar) living room, parlor; (de conferencias) hall; **— de belleza** beauty parlor; **— de clase** classroom; **— de exposición y ventas** showroom; **— de exhibición** exhibition hall; **— de té** tearoom

salpicadero M dashboard

salpicadura F spatter, splash, splatter

salpicar⁶ vi/vt to sprinkle, to spatter

salpimentar⁷ vt to salt and pepper

salpicón M meat salad

salsa F sauce; **en su —** in her element; **— tártara** tartar sauce; **— de soya** soy sauce; **— de tomate** ketchup

saltar vt (brincar) to jump, to leap; (cinco metros) (una cerca) to jump over, to vault; (un renglón) to skip; vt (los fusibles) to trip; (una ley) to ignore; **— a la vista** to be obvious; **— sobre** to pounce on; **se saltaron los ojos** his eyes bugged out; **se saltó un botón** one of his buttons popped off; **se me saltaban las lágrimas** it brought tears to my eyes; M sc saltamontes grasshopper

salteador -ora MF bandit

saltear vt to stir-fry

salto M jump, leap; **— de agua** waterfall; **— de mata** from hand to mouth; **— de cama** dressing gown; **dar un —** (saltar) to jump; (el corazón) to skip a beat; **— alto** high jump; **— de esquí** ski jump; **— con pértiga** pole vault; **— de longitud** broad jump; **— mortal** somersault; **— del ángel** swan dive; **— triple** triple jump

saltón ADJ jumping; (ojo) bulging; M grasshopper

salubridad F sanitation

salud F health; **— mental** mental health; **curarse en —** to take precautions; INTERJ cheers!

saludable ADJ healthy, healthful

saludar vt (decir hola) to greet; (recibir bien) to salute, to hail; (en el militar) to salute; (hacer un gesto amistoso con la mano) to wave

saludo M (hola) greeting, salutation; (gesto) wave; (militar) salute; **retirar el — a alguien** to stop speaking to someone; **—s** best wishes, regards

salva F salvo

salvación F salvation

salvado M bran

salvador -ora MF savior; ADJ saving

salvadoreño -ña ADJ & MF Salvador(i)an

salvaguarda F safeguard

salvaguardar vt to safeguard

salvajada F (acción) savage act; (comentario) savage remark

salvaje ADJ (feroz) savage; (no domesticado) wild; MF savage

salvajismo M savagery

salvamento M (de gente) rescue; (de

salvar VT (la vida, el alma) to save; (de un peligro) to rescue; (propiedad) to salvage; (un obstáculo) to clear; (un camino difícil) to negotiate; — el pellejo to save one's skin; — el puente salva el río the bridge spans the river; —se to pull through; —se por poco to have a narrow escape; sálvese quien pueda every man for himself; M SG salvavidas (aparato) life preserver, life jacket; MF (persona) lifeguard

salvia F sage

salvo ADJ safe; a — safe; —conducto safe-conduct; PREP save, except; — en caso de desastre barring a disaster

Samoa F Samoa

samoano -na ADJ & MF Samoan

sanar VI/VT to heal; M sanalotodo cure-all

sanatorio M (para convalecientes) sanitarium; (hospital) hospital

sanción F sanction

sancionar VT to sanction

sandalia F sandal

sándalo M sandal

sandez F (acción) stupidity, foolishness; (dicho) foolish remark

sandía F watermelon

saneamiento M sanitation

sanear VT to drain

sangrar VI/VT to bleed; VT (un árbol) to tap; (en párrafo) to indent

sangre F blood; — fría coolness under pressure; a — fría in cold blood; hacerse mala — to get upset; eso lo llevo en la — that's in my blood; de — caliente warm-blooded; — azul blue blood; sudar — to sweat bullets; de pura — thoroughbred; chupar la — a alguien to be a parasite on someone

sangría F (bebida) wine punch; (acción de sangrar) bleeding; (espacio tipográfico) indentation; (pérdida de recursos) drain

sangriento ADJ (manchado de sangre, que provoca la pérdida de sangre) bloody; (sanguinario) bloodthirsty

sanguijuela F leech

sanguinario ADJ bloody, vicious

sanidad F public health

sanitario ADJ sanitary; M —s bathroom fittings

sanmarinense ADJ & MF San Marinese

samarinés -esa ADJ & MF San Marinese

sano -na ADJ (persona) healthy; (juicio) sound; (dieta) healthful; (vaso) unbroken; — y salvo safe and sound; en su — juicio of sound mind

sánscrito M Sanskrit

sanseacabó INTERJ & te quedas y — you're staying and that's that

santalucense ADJ & MF St. Lucian

santiamén LOC ADV en un — in a jiffy, likety-split

santidad F sanctity, holiness

santificar VT to sanctify

santiguarse VI to cross oneself

santo -ta ADJ saintly, holy; esperar todo el — día to wait the whole blessed day; MF saint; día del — saint's day; quedarse para vestir —s to be a spinster; ¿a — de qué? for what reason? ¡por todos los —s! my goodness!

santotomense ADJ & MF São Tomean

santuario M sanctuary

santurrón -ona ADJ & MF goody-goody

saña F fury

sañudo ADJ furious

sapo M toad (también hombre); echar —s y culebras to swear, to curse; sentirse como un — de otro pozo to feel like a fish out of water

saque M tennis serve; tennis service

saquear VT to sack, to plunder, to pillage

saqueo M sacking, plundering, pillaging

sarampión M measles

sarape M Méx serape

sarcasmo M sarcasm

sarcástico ADJ sarcastic

sarcófago M sarcophagus

sarcoma M sarcoma

sardina F sardine

sardo -da ADJ & MF Sardinian

sardónico ADJ sardonic

sargento -ta MF sergeant; F battle-ax(e)

sarmentoso ADJ gnarled

sarmiento M vine

sarna F mange

sarnoso ADJ mangy

sarpullido M rash

sarro M tartar, plaque

sarta F string

sartén F frying pan, skillet

sastre -tra MF tailor

sastrería F tailor shop

satánico ADJ satanic

satélite M satellite; — artificial man-made satellite

satén M satin

sátira F satire

satírico ADJ satirical

satirizar VT to satirize

satisfacción F satisfaction

satisfacer 30,51 VT to satisfy; (una deuda) to pay; —se to be satisfied

satisfactorio ADJ satisfactory

satisfecho ADJ contented, satisfied

saturar VT to saturate; (un mercado) to glut;

sauce M willow; — **llorón** weeping willow

saudí, saudita ADJ & MF Saudi Arabian

savia F sap

saxofón M saxophone

sazón F season; — **a la** — at that time; **en** —
ripe

sazonar VT (condimentar) to season, to
flavor; (llegar a su sazón) to ripen

scooter M scooter

scout MF scout

se PRON PERS — **coronó a sí mismo** he
crowned himself; — **lavó la cara** he
washed his face; — **besaron** they kissed
each other; — **habla español** Spanish is
spoken; — **lo puede combatir** it can be
fought

sebo M tallow, fat

secador M hair dryer

secadora F clothes dryer

secante ADJ drying

secar[6] VT to dry; (las manos) to dry off; —**se**
(planta) to dry up; (río) to run dry;
(madera) to season

sección F (militar) platoon; (de un almacén)
department

seccionar VT to section

seco ADJ dry; (río) dried-up; (planta) withered;
(respuesta) curt, brief; **en** — on dry land; —
to dry-clean; a secas plain

secreción F secretion

secretar VT to secrete

secretaría F secretariat

secretariado M (profesión) secretarial
profession; (secretaria) secretarial

secretario -ria MF secretary; — **general**
secretary general

secretear VT to whisper

secreto ADJ secret; (de policía sin uniforme)
undercover; M (cosa oculta) secret;
(condición de oculto) secrecy; — **a voces**
open secret; **en** — in secret; — **bancario**
client confidentiality

secta F sect

sector M sector

secuaz M henchman

secuela F consequence; —**s** aftermath

secuenciar VT to sequence

secuencia F sequence

secuestrador -ora MF kidnapper

secuestrar VT (a una persona) to kidnap, to
abduct; (propiedad) to seize; (un avión) to

secuestro M (de una persona) kidnapping;
(de propiedad) seizure; (de un avión)
hijacking

secular ADJ secular

secundar VT to second; (imitar) to imitate;
(seguir) to follow suit

secundaria F secondary school

secundario ADJ secondary

sed F thirst; **tener** — to be thirsty

seda F silk; **como una** — (suave) soft as silk;
(afable) sweet-tempered

sedación F sedation

sedante ADJ & M sedative

sedar VT to sedate

sedativo ADJ & M sedative

sede F (gubernamental) seat; (religiosa) see

sedentario ADJ sedentary

sedería F (conjunto de artículos de seda) silk
goods; (tienda de sedas) silk shop

sedero -ra MF (que vende) silk dealer; (que
fabrica) silk weaver; ADJ **industria
sedera** silk industry

sedición F sedition

sediento ADJ thirsty; **estar** — **de** to thirst for

sedimento M sediment

sedoso ADJ silken, silky

seducción F seduction

seducir[24] VT (corromper) to seduce; (atraer)
to entice; (persuadir con argucias) to lure

seductivo ADJ alluring

seductor -ora ADJ alluring; M seducer; F
seductress

sefardí ADJ Sephardic; MF Sephardic; M
(variedad del español) Sephardi

sefardita ADJ & MF Sephardic

segador -ora MF (persona) mower, reaper; F
(máquina) mower, reaper

segar[7] VT (hierba) to mow, (mies) to reap

seglar ADJ secular; M layman; F laywoman

segmento M segment

segregar[2] VT (separar) to segregate; (producir
una sustancia) to secrete

seguida LOC ADV **en** — at once, immediately

seguido ADJ in a row, **dos horas seguidas**
two hours in a row; straight through;
trabajaron — they worked continuously

seguidor -ora MF follower

seguimiento M (persecución) pursuit;
(atención continuada) follow-up

seguir[5,12] VT to follow; (estudios) to pursue;
(progreso de un avión) to track; **sigue
trabajando** he keeps on working; **sigue
allí** he is still there; **de lo anterior se
sigue que** from the preceding it follows
that; — **los pasos de** to follow in the

footsteps of: —**le la corriente a alguien** to play along with someone; — **el tren** to keep up; — **el hilo de** to keep track of; — **la pista de** to trail

según PREP according to; — **se mire** depending on how you see it; — **pasa el tiempo** as time goes by; — **tus instrucciones** per your instructions; CONJ as; **lo haré — me digas** I will do it as you tell me to

segundero M (de reloj) second hand

segundo -da ADV, ADJ & M second; **segunda intención** ulterior motive; **de** — second-rate; **de segunda mano** secondhand; MF second in command

segundón -ona MF (hijo) second-born child; (persona mediocre) also-ran

seguridad F (contra el delito) security; (contra accidentes) safety; — **en sí mismo** self-confidence; — **social** social security

seguro ADJ (a prueba de delincuencia) secure; (que no ofrece, siente duda) sure, certain; (libre de peligro) safe; (firme) stable; **es — que** it is certain that; **su — servidor** yours truly; — **de sí mismo** self-assured; M (contrato contra riesgos) insurance; (dispositivo) safety device, restraint; — **contra daños a terceros** liability insurance; — **contra incendios** fire insurance; — **médico** comprehensive insurance; — **de vida** life insurance; — **en sí** safety; **sobre** — without risk

seis NUM six

selección F selection, choice; — **natural** natural selection; — **nacional** national team

seleccionar VT to select, to choose

selectivo ADJ select, choice

selecto ADJ select, choice

sellar VT (poner sello) to stamp; (precintar) to seal

sello M (de correo) stamp; (de documento oficial) seal; (instrumento) seal, stamp; (de discos) label; — **de goma** rubber stamp; — **fiscal** revenue stamp

selva F forest; (tropical) jungle; — **virgen** virgin forest

semáforo M traffic light

semana F week; **entre** — during the week

semanal ADJ weekly

semanario M weekly publication

semántica F semantics

semblante M countenance

semblanza F biographical sketch

sembrado M sown ground

sembradora F planting machine

sembrar VT (plantar) to sow, to plant; (esparcir) to scatter; (minas) to lay; (pánico, alegría) to spread

semejante ADJ similar, like; — **afirmación** such a statement; **un tipo** — such a guy; MF fellow human being

semejanza F resemblance, similarity; **a** — **de** in the manner of

semejar VT to resemble

semental ADJ stud; M stud, stallion

semestre M semester

semestral ADJ semester

semicírculo M semicircle

semiconductor M semiconductor

semifinal ADJ & F semifinal

semilla F seed

semillero M seedbed; — **de vicios** hotbed of vice

seminario M (religioso) seminary; (universitario) seminar

semítico ADJ semitic

senado M senate

senador -ora MF senator

sencillez F simplicity

sencillo ADJ (no complicado, de clase humilde) simple; (fácil) easy, simple; (sin adornos) plain; (no afectado) straightforward

senda F (construida) path, pathway; (natural) track, trail

sendero M (construido) path, pathway; (natural) track, trail

sendos ADJ one for each

Senegal M Senegal

senegalés -esa ADJ & MF Senegalese

senil ADJ senile

senilidad F senility

seno M (pecho) breast; (hueco) sinus; (útero) womb; — **de la familia** bosom of the family

sensación F (física) sensation; (mental) feeling, impression; **tengo la — de que** I have the feeling that; **fue la — de la fiesta** she was the life of the party

sensacional ADJ sensational

sensatez F common sense

sensato ADJ sensible, level-headed

sensibilidad F (modo de pensar) sensibility; (percepción) sensitiveness

sensibilizar VT to sensitize

sensible ADJ sensitive; (notable) perceptible; **tengo el brazo muy — por el accidente** my arm is very tender because of the accident; **Juana es muy — en estas ocasiones** Juana is very emotional on these occasions

sensiblería f sentimentality

sensiblero adj sentimental, mushy

sensitivo adj sensitive

sensor m sensor

sensorial adj sensory

sensual adj (carnal) sensual; (de los sentidos) sensuous

sensualidad f sensuality

sentada f sitting; (protesta) sit-in; **de una —** at one sitting

sentado adj seated; **dar por —** to take for granted

sentar vt to seat; — **bien** to agree with; **me sentó muy mal lo que dijo** what he said did not sit well with me; **este peinado no te sienta** this hairdo does not become you; **no te sienta ese traje** that suit does not fit you; — **precedente** to set a precedent; **—se** to sit down

sentencia f maxim; (fallo) ruling; (condena) sentence; (indemnización) award

sentenciar vt (condenar) to sentence; (fallar) to rule

sentido adj heartfelt; m (facultad) sense; (significado) meaning; (dirección) way; — **común** common sense; **aguzar el —** to prick up one's ears; **de un solo —** one-way; **de dos —s** two-way; **dejar sin —** to render unconscious; **en cierto —** in a sense; **perder el —** to faint; **quedar sin —** to have one's feelings hurt; **sin sentido** meaningless; **tener —** to make sense

sentimental adj sentimental

sentimentalismo m sentimentality

sentimiento m feeling, sentiment

sentir vt to feel; (oír) to hear; (lamentar) to regret; **—se** to feel; **—se capaz de** to feel up to; **—se de los pies** to have pains in the feet

seña f (gesto) sign; (rasgo) trait; (marca) mark; **—s** name and address; **por mas —s** as an additional proof; **—s de vida** life signs; **hablar por —s** to use sign language; **hacer —s** to signal

señal f (de tráfico, violencia, vida, de la cruz) sign; (de radio) signal; (pago anticipado) deposit; **en — de** in token of

señalar vt (marcar, señalar) to mark; (mostrar, mencionar) to point out; (fijar) to fix; **—se** to distinguish oneself

señor m (título) mister; (forma de tratamiento) sir; (dueño) lit master, lord; **el Señor** the Lord; **un gran —** a great man

señora f (dama) lady; (forma de tratamiento) madam, ma'am; (título) Mrs., Ms.; (esposa) wife

señorear vi to dominate

señoría f lordship; **su —** your honor

señorial adj lordly

señorío m (dominio) dominion; (dignidad) lordship

señorita f miss

señorito m (joven) master; (dandi) dandy

señuelo m decoy, lure

separación f separation

separado adj (apartado) separate; (estado civil) separated; **por —** separately

separar vt to separate; (clasificar) to sort out; (despedir de un cargo) to remove; **—se** to separate, to part company

separata f offprint, reprint

septiembre, setiembre m September

séptimo adj & m seventh

sepulcro m tomb

sepultar vt to bury, to inter

sepultura f (acción) burial; (lugar) grave, tomb; **dar —** to bury

sepulturero -ra mf gravedigger

sequedad f dryness

séquito m retinue, entourage

ser[43] vi to be; — **de Valencia** to be from Valencia; — **de madera** to be made of wood; **a no — que** unless; **así es que's** right; **érase una vez** once upon a time; **es decir** that is to say; **es de esperar** it is to be expected; **es más** what's more; **la boda es hoy** the wedding takes place today; **son las nueve** it is nine o'clock; **somos cuatro** there are four of us; **v aux** to be; **fue elegido presidente** he was elected president; **un —** (entidad viviente) being; (esencia) essence; (existencia) existence; **—se** (el alma) to become

serenar vt to quiet; **—se** (el alma) to become serene, to calm down; (el tiempo) to clear up

serenata f serenade; **dar —** to serenade

serenidad f serenity

sereno adj (mar, alma, serene; (cielo) clear; **al —** in the night air; m night watchman

serie f series; **en —** serial

seriedad f seriousness, earnestness

serio adj serious; (persona) earnest, serious; **en —** seriously

sermón m (prédica) sermon; (reprimenda) lecture

sermonear vi/vt (predicar) to preach; (reprender) to lecture

serpentear vi to wind, to meander

serpiente f snake

serrado ADJ serrated

serranía F mountainous region

serrano -na M mountain man; F mountain woman; ADJ zona — mountain region

serrín M sawdust

serrucho M handsaw

servicial ADJ helpful

servicio M service; (sirvientes) servants; (para comensal) place setting; (aseo) rest room, facilities; — militar military service; — de entrega delivery service; — a la habitación room service; poner en — to commission, to put into service; estar en — to be in commission; a su — at your service

servidor -ora M F (persona) servant; un — yours truly; su seguro — yours truly; M (ordenador) server

servidumbre F servitude

servil ADJ (personalidad) servile; (trabajo) menial

servilleta F napkin

servir VT to serve; — de to serve as; — para to be used for; para —le at your service; no — para nada to be of no use; ¿en qué le puedo —? how can I help you? —se de to make use of; sírvase usted hacerlo please do it

sésamo M sesame; ¡ábre —! open sesame!

sesenta NUM sixty

sesgado ADJ biased

sesgar VT (una tela) to cut on the bias; (una opinión) to slant; (las estadísticas) to skew

sesgo M (en la tela) bias; (de los ojos, de opinión) slant; al — obliquely

sesión F (reunión, periodo) session; (para fotografías) sitting; (de una película) showing

seso M brain; de poco — foolish; devanarse los —s to rack one's brain

sestear VI to take a nap

sesudo ADJ (persona) brainy; (explicación) intelligent; (testarudo) Méx stubborn

set M set

seta F mushroom

setenta NUM seventy

seto M hedge

setter M setter

seudónimo M pseudonym, pen name

severidad F severity, harshness

severo ADJ severe, stern, harsh

sexar VT to sex

sexismo M sexism

sexo M sex; el — bello the fair sex

sexto ADV, ADJ & M sixth

sexual ADJ sexual

sexualidad F sexuality

sexy ADJ sexy

Seychelles F PL Seychelles

shock M shock

shorts M shorts

si CONJ if; yo voy — tú vas I'm going if you're going; no sé — viene o no I don't know whether she's coming or not; ¡— ya te lo dije! but I already told you! — bien although; por — acaso just in case; — Dios quiere God willing; — no me equivoco unless I'm mistaken

sí ADV yes; ¿—? really? — que fui I did go; creo que — I think so; M consent; me dio el — she said yes; — mismo oneself, itself, themselves; de por — in itself; estar sobre — to be on the alert; volver en — to come to; pagado de — self-satisfied; estar fuera de — to be beside oneself; hablar para — to talk to oneself; de todo de — she gave her all; cada cual para — every man for himself

sicario M hitman

sicomoro M sycamore

SIDA (síndrome de inmunodeficiencia adquirida) M AIDS

siderurgia F steel industry

sidra F cider

siega F (de la hierba) mowing; (de las mieses) reaping

siembra F (acción de sembrar) sowing; (época) sowing time

siempre ADV always; desde — since forever; para — / por — forever; por — jamás forevermore; — que (en cualquier momento) whenever; (con tal que) provided that; — y cuando provided that; — como — as usual; hoy no eres el — mismo de — you're not yourself today

sien F temple

sierpe F lit serpent

sierra F saw; (cordillera) small mountain range; — de cadena chain saw

siesta F siesta, afternoon nap; dormir la — to take an afternoon nap

siete NUM seven

sífilis F syphilis

sifón M (para líquidos) siphon; (tubo) trap

sigilo M stealth

sigla F acronym

siglo M century

signatario -ria M F signer

significación F (sentido) meaning; (importancia) significance

significado M meaning, sense

significar[6] VT to mean, to signify

significativo ADJ significant

signo M sign; **— de admiración**
exclamation point; **— de igual** equal
sign; **— de interrogación** question
mark; **— de más** plus sign; **— de menos**
minus sign; **— de multiplicación**
multiplication sign; **—s vitales** vital signs
siguiente ADJ following; **al día —** the next
day
sílaba F syllable
silbar VI to whistle; (rechiflar) to hiss
silbato M whistle
silbido M whistle
silenciador M (de armas) silencer; (de coche)
muffler
silenciar VT to silence
silencio M silence, quiet; **guardar —** to
keep quiet
silencioso ADJ silent, quiet
silicio M silicon
silla F chair; (de montar) saddle; **— de
ruedas** wheelchair; **— eléctrica** electric
chair; **— plegadiza** folding chair
sillín M saddle, seat
sillón M armchair
silo M silo
silogismo M syllogism
silueta F silhouette
siluro M catfish
silvestre ADJ wild
silvicultura F forestry
sima F chasm
simbiosis F symbiosis
simbólico ADJ symbolic
simbolismo M symbolism
simbolizar VT to symbolize
símbolo M symbol; **— de status** status
symbol; **— sexual** sex symbol
simetría F symmetry
simétrico ADJ symmetrical
simiente F seed
símil M simile
similar ADJ similar
simio M ape
simpatía F friendliness; **no le tengo
mucha —** I don't like him much
simpático ADJ (amistoso) nice, friendly,
congenial; (sistema nervioso) sympathetic
simpatizar⁹ VI (con alguien) to like; (con
una idea) to be sympathetic toward
simple ADJ (no complicado) simple; (mero)
mere; (tonto) simpleminded
simpleza F (sencillez) simplicity; (estupidez)
stupidity
simplicidad F simplicity
simplificar⁹ VT to simplify
simplista ADJ simplistic; (explicación) glib,
simplistic
simplón -ona ADJ simpleminded; MF
simpletón

simposio M symposium
simulacro M **— de batalla** mock battle;
— de incendio fire drill
simular VT to simulate, to feign
simultáneo ADJ simultaneous
sin PREP without; **— aliento** out of breath;
— azúcar sugar-
free; **— amueblar** unfurnished;
— comentarios no comment;
— compromiso without obligation;
— duda without doubt, undoubtedly;
— embargo nevertheless; **— escrúpulos**
unscrupulous; **— falta** without fail; **—
sentido** meaningless
sinagoga F synagogue
sincerarse VI to clear the air
sinceridad F sincerity
sincero ADJ sincere; (opinión) candid;
(agradecimiento) heartfelt, wholehearted
sincronización F timing
sincronizar⁹ VT to synchronize
sindicar⁶ VT to unionize, to syndicate
sindicato M syndicate, trade union, labor
union
síndico -ca MF receiver, trustee
síndrome M syndrome; **— de Down** Down's
syndrome; **— de abstinencia** withdrawal
symptoms
sinfín M **un — de cosas** a lot of things
sinfonía F symphony
Singapur M Singapore
singapurense ADJ & M,F Singaporean
singular ADJ (número) singular;
(excepcional) unique
siniestro ADJ sinister; M disaster
sinnúmero M myriad
sino CONJ but; **no vino — que llamó** she
didn't come, but instead called; **no tengo
dos — tres** I don't have two but three;
no es — madera it's only wood
sinónimo ADJ synonymous; M synonym
sinopsis F synopsis
sinrazón F injustice
sinsabor M trouble
sinsonte M mockingbird
sintaxis F syntax
síntesis F synthesis
sintético ADJ synthetic; (fibras) man-made
sintetizar⁹ VT to synthesize
síntoma M symptom
sintonía F tuning
sintonizador M tuner
sintonizar⁹ VT (una emisora) to tune in; (un
sintonizado) to fine-tune; **los dos
sintonizan bien** the two are on the
same wavelength
sinuoso ADJ (camino) sinuous, winding;

sinvergüenza MF creep (comportamiento) devious

siquiera ADV at least; **dame — unos días** give me a few days at least; **ni —** not even

sirena F (ninfa, bocina) siren; (mitad mujer, mitad pez) mermaid

Siria F Syria

sirio -ria ADJ & MF Syrian

sirviente -ta MF servant

sisar VT to pilfer, to swipe

sisear VI to hiss

siseo M hiss, hissing

sísmico ADJ seismic

sistema M system; **— operativo** operating system; **— binario** binary system; **— mundial de posicionamiento** global positioning system; **— experto** expert system; **— inmune** immune system; **— nervioso central** central nervous system; **— solar** solar system

sistemático ADJ systematic

sistematizar VT/VI to systematize

sistémico ADJ systemic

sitial M seat of honor

sitiar VT to besiege

sitio M (espacio vacío) room; (ubicación) place, site; (asedio) siege; **no hay —** there's no room; **esto no está en su —** this is out of place; **— web** website; **poner a alguien en su —** to put someone in his place

sito ADJ situated

situación F situation; (legal, financiero, social) status

situado ADJ situated, **estar —** to be located

situar[17] VT to locate, to place; **—se** to be located

sketch M sketch, skit

slalom M slalom

smog M smog

smoking M dinner jacket

so PREP **— pena de** under penalty of; **— pretexto de** under the pretext of; INTERJ whoa; ADV **— tonto** you stupid idiot!

sobaco M armpit

sobar VT (la masa) to knead; (a una persona) to fondle; (un traje) to wear out

soberanía F sovereignty

soberano -na ADJ & MF sovereign

soberbia F pride, haughtiness

soberbio ADJ proud, haughty

sobornar VT to bribe

soborno M (acción) bribery; (mordida) bribe

sobra F surplus; **—s** leftovers, leavings; **de —** you know full well; **está de —** it is

sobrante ADJ leftover; M surplus

sobrar VI (dinero, libros) to be left over, to remain; (personas) to be in the way

sobre PREP (encima de) above, over; (en contacto con) on, upon; (acerca de) about; **un préstamo — su coche** a loan on his car; **— todo** above all; **— las 9:30** at about 9:30; **marchar — Madrid** to march toward Madrid; M (para cartas) envelope; (de sopa) packet; **— manila** manila envelope; **irse al —** to hit the sack

sobreactuar[17] VI to ham it up

sobrecarga F overload

sobrecargar[7] VT to overload

sobrecogedor ADJ awesome

sobrecoger[1b] VI/VT to awe; **—se** to be in awe; **—se de pánico** to be panic-stricken

sobrecogimiento M awe

sobredosis F overdose

sobreentenderse VI to be understood

sobreentendido ADJ understood, M assumption

sobreexcitado ADJ overexcited, wired

sobreexcitar VT to overexcite

sobregiro M overdraft

sobregirar VT to overdraw

sobrehumano ADJ superhuman

sobrellevar VT to bear, to endure

sobremanera ADV beyond measure

sobremesa F after-dinner conversation

sobrenadar VI to float

sobrenatural ADJ supernatural

sobrenombre M nickname

sobrepasar VT to exceed

sobreponerse[39] VT to superimpose; VI **— a** (valer más que) to outweigh; (recuperarse) to get over

sobrepeso M overweight

sobreproteger[1b] VT to smother

sobrepujar VT to surpass

sobresaliente ADJ outstanding; MF understudy

sobresalir[42] VI (ser notable) to stand out; (estar en un plano más saliente) to project, to jut out; (ser excelente) to excel

sobresaltar VT to startle, frighten; **—se** to be startled, to start

sobresalto M start, scare

sobrestante M foreman

sobresueldo M extra pay

sobretodo M overcoat

sobrevenir[47] VI to happen unexpectedly

sobrevivencia f survival

sobreviviente mf survivor; adj surviving

sobrevivir vi/vt to survive

sobriedad f sobriety

sobrino -na m nephew; — **nieto** great-nephew; f niece

sobrio adj sober

socarrar vt to singe

socarrón adj sarcastic

socarronería f sarcasm

socavar vt (excavar por debajo) to dig under; (debilitar) to undermine, to undercut

socavón m sinkhole; shaft, tunnel

social adj social

sociable adj sociable, gregarious

socialismo m socialism

socialista adj & mf socialist

socializar⁹ vt to socialize

sociedad f society; (firma) company, corporation; — **anónima** corporation; — **de consumo** consumer society; — **alta** high society

socio -ia mf (de una firma) partner, (de un club) member

socioeconómico adj socioeconomic

sociología f sociology

sociópata mf inv sociopath

socorrer vt to help

socorro interj & m help; **acudir al — de** to go to the rescue of; **pedir —** to cry out for help

soda f soda

sodio m sodium

sodomía f sodomy

soez adj vulgar

sofá m sofa, couch; **--cama** sleeper, sofa bed

sofisma m fallacy

sofisticado adj sophisticated

sofocante adj suffocating, oppressive

sofocar⁶ vt/vr to suffocate; (una rebelión) to quell, to suppress; (un incendio) to put out

sofoco m suffocation

softball m softball

software m software

soga f rope; **estar con la — al cuello** to have a rope around one's neck

soja f (planta) soy; (semilla) soybean

sojuzgar⁷ vt to subjugate, to subdue

sol m sun; **de — a —** from sunrise to sunset; — it is sunny; **tomar el —** to sunbathe; **ella es un —** she's a gem; **arrimarse al — que más calienta** to know which side one's bread is buttered on

solamente adv only

solana f sunny place

solapa f lapel

solapado adj underhanded

solar adj solar; m (terreno) lot; (casa ancestral) manor;

solaz m lit recreation

soldado m soldier; — **raso** private; — **de linea** regular soldier

soldador m soldering iron

soldadura f (acción, con estaño) soldering; (resultado) solder; (acción, sin estaño) welding; (resultado) weld; — **autógena**

soldar² vi/vt (con estaño) to solder; (sin estaño) to weld; **—se** to mend

soleado adj sunny

solear vt to put in the sun; **—se** to sun oneself

soledad f solitude, loneliness

solemne adj solemn; — **disparate** downright foolishness

solemnidad f solemnity

solenoide m solenoid

soler²·⁵⁰ vi **suelo levantarme a las siete** I usually get up at seven; **solía acostarme tarde** I used to go to bed late

solferino adj reddish-purple

solicitante mf applicant

solicitar vt (permiso) to request; (un puesto, una beca) to apply for

solícito adj solicitous

solicitud f (para beca, puesto) application; (de información, permiso) request; **a — de** at the request of

solidaridad f solidarity

solidez f solidity

solidificar⁶ vt to solidify

sólido adj solid; (mueble) sturdy; (argumento) strong; m solid

solista mf soloist

solitario -ria adj solitary; mf (persona) recluse; m (juego de cartas, brillante) solitaire; f tapeworm

sollozar⁹ vi to sob

sollozo m sob

solo adj (desamparado) lonely, lonesome; (no acompañado) alone; — **coche** I only have one car; **a solas** alone; **habla solo** he talks to himself; **ni una sola palabra** not a single word; m solo

sólo adv just, only; — **quiero saber** I just/only want to know

solomillo m sirloin

solsticio m solstice

soltar² vt (a un prisionero) to let go, to release; (el vientre) to loosen; (una carcajada) to let out; (bombas) to drop;

(un disparate) to say; — **amarras** to cast off; — **el hervor** to come to a boil; —**se tacos** to swear; —**se** to loosen up; —**se el pelo** to kick up one's heels

soltero -ra adj single, unmarried; m bachelor; f unmarried woman; **soltero -ona** m old bachelor; f spinster

soltura f ease; **hablar con** — to speak fluently

soluble adj soluble

solución f solution

solucionar vt to solve

solventar vt to settle

solvente adj & m solvent

somalí adj & mf Somalian

Somalia f Somalia

sombra f (de una figura) shadow; (protección del sol) shade; (para ojos) eye shadow; **hacer** — to overshadow; **dar** — to shade; **no hacer ni de su propia** — to be scared of one's own shadow; **a la** — in the shade; **sin** — **de duda** without a shadow of a doubt

sombreado adj (con protección del sol) shady, (oscuro) shadowy

sombrear vt to shade

sombrerería f millinery

sombrerero -ra mf milliner

sombrero m hat; — **de copa** top hat; — **hongo** derby

sombrilla f parasol

sombrío adj (oscuro) dark; (triste) somber, gloomy

somero adj shallow

someter vt (proponer algo) to submit; (poner bajo dominio) to subject; —**se a a** to undergo

sometimiento m (proposición) submission; (dominio) subjección

somnífero m sleeping pill

somnolencia f drowsiness, sleepiness

somnoliento adj drowsy

son loc adv — **de** to the sound of; **venimos en** — **de paz** we come in peace

sonaja f rattle

sonajero m rattle

sonámbulo -la mf sleepwalker

sonar² vt (hacer un sonido) to sound; (mencionarse) to be mentioned; (ser familiar) to sound familiar; — **a** to sound like; vt (bocina) to sound; (tambor) to beat; (campana, timbre) to ring; —**se la nariz/ los mocos** to blow one's nose; **suena que** it is rumored that; m sonar

sonda f (de médico) catheter; (cohete) probe; **tirar una** — to sound

sondear vt (medir la oportunidad) to sound,

to fathom; (investigar la opinión) to sound out

sondeo m survey

soneto m sonnet

sónico adj sound

sonido m sound

sonoro adj sonorous

sonreír¹⁵ vi to smile

sonriente adj smiling

sonrisa f smile

sonrojarse vi to blush

sonrojo m blush, flush

sonrosado adj rosy

sonsacar⁶ vt to extract

soñador -ora mf dreamer

soñar² vt/vi to dream; — **con / en** to dream of; — **despierto** to daydream; — **que** to dream that; **ni** — fat chance

soñoliento adj sleepy

sopa f (líquido) soup; (pan mojado) sop; **estar hecho una** — to be sopping wet; — **crema** cream soup

sopapo m smack

sopera f soup tureen

sopesar vt to weigh

sopetón loc adv **de** — all of a sudden

soplador -ora mf blower

soplar vt/vi to blow; (la sopa) to blow on; (en un examen) to whisper; (un amante) to steal

soplete m blowtorch

soplo m breath, puff; **en un** — in a jiffy; — **cardíaco** heart murmur

soplón -ona mf informer, snitch, stool pigeon

sopor m lethargy

soportar vt (apoyar) to support, to bear; (aguantar) to stand, to endure

soporte m support; (de una bicicleta) kickstand

soprano m (voz) soprano; f (cantante) soprano

sorber vt/vi to sip; —**se los mocos** to sniffle

sorbete m sherbet

sorbo m sip; **de un** — in one gulp

sórdido adj sordid, tawdry, sleazy

sordera f deafness

sordina f mute

sordo -da adj (que no oye) deaf; (dolor) dull; (sonido) dull, muffled; **hacerse el sordo** —s to turn a deaf ear; mf deaf person; **hacerse el** — to pretend not to hear

sordomudo -da adj deaf and dumb; mf deaf-mute

sorna f irony

sorprendente adj surprising, startling

sorprender vt to surprise; —**se** to be surprised

sorpresa F surprise; **—de cumpleaños** party favor, **para mí —** to my surprise; **agarrar por —** to catch by surprise

sortear VT (elegir al azar) to draw lots, to raffle; (esquivar) to dodge

sorteo M drawing, raffle

sortija F (anillo) ring; (de pelo) ringlet

sortilegio M spell, charm

SOS M SOS

sosa F soda

sosegado ADJ composed, sedate

sosegar[1] VT to calm, to quiet; **—se** to quiet down, to compose oneself

sosiego M quiet, calm

soslayo LOC ADV **de —** oblique, slanting; **mirar de —** to look at out of the corner of one's eye

soso ADJ tasteless, insipid; (persona) dull

sospecha F suspicion

sospechar VT to suspect

sospechoso -sa ADJ suspicious; MF suspect

sostén M (apoyo, sustento) support, prop; (persona que sostiene) supporter, provider; (prenda) brassiere; **—de la familia** breadwinner

sostener[11] VT (una nota musical) to hold, to sustain; (una familia) to support; (un peso) to support, to hold; (una opinión) to claim, to uphold

sostenido ADJ sustained; M sharp

soto M thicket

sótano M cellar, basement

soya F (semilla) soybean; (planta) soy

squash M squash

Sr. M Mr.

Sra. F (casada) Mrs.; (sin indicación de estado civil) Ms.

S.R.C. (Se Ruega Contestar) LOC RSVP

status M status

stop M stop sign

su ADJ POS (de él) his; (de ella) her; (de usted, ustedes) your; (de ellos, ellas) their

suave ADJ (pelo, piel) soft; (tiempo, droga) mild; (brisa, persona, animal) gentle; (coñac) smooth; **hablan —** they speak gently

suavidad F (pelo, piel) softness; (coñac) smoothness; (tiempo, droga) mildness; (brisa, persona, animal) gentleness

suavizante M fabric softener

suavizar[9] VT to soften

Suazilandia F Swaziland

suazi ADJ & MF Swazi

subalterno -na ADJ & MF subordinate

subarrendar VI/VT to sublet

subasta F auction

subastador -ora M auctioneer

subastar VT to sell at auction, to auction

subconsciente ADJ subconscious

subcontratar VT to subcontract

subdesarrollado ADJ underdeveloped

súbdito -ta M subject

subdivisión F subdivision

subempleado ADJ underemployed

subestimar VT to underestimate

subida F (de precios, de río) rise; (de montaña) climb; (de drogas) high; (cuesta) slope; **—y bajadas** ups and downs

subido ADJ (color) bright; **—de tono** risqué

subir VI to rise, to go up; (la marea) to surge; (a un tren) to board; (a un autobús, coche) to get into; VT (algo del sótano) to bring up; (una montaña) to climb; (precios) to raise; **—se** to ride up; **el vino se me sube a la cabeza** the wine goes to my head; M **subibaja** seesaw

súbito ADJ sudden

subjetivo ADJ subjective

subjuntivo ADJ & M subjunctive

sublevación F revolt

sublevar VT to incite to rebellion; (indignar) to infuriate; **—se** to revolt

sublime ADJ sublime

submarino ADJ underwater; M submarine

subordinado -da ADJ & MF subordinate

subordinar VT to subordinate

subproducto M by-product

subproletariado M underclass

subrayar VT (con una línea) to underline; (enfatizar) to emphasize

subrepticio ADJ surreptitious

subrutina F subroutine

subsanar VT (una deficiencia) to remedy; (un error) to correct

subsecretario -ia MF undersecretary; **—de Justicia** Solicitor General

subsidiario ADJ subsidiary

subsiguiente ADJ subsequent

subsistencia F survival

subsistir VI to subsist, to survive

subteniente MF second lieutenant

subterfugio M subterfuge

subterráneo ADJ subterranean, underground; M subway

subtítulo M (de un capítulo, película) subtitle; (pie de foto) caption

suburbano -na ADJ of shantytowns; MF shantytown resident

suburbio M shantytown

subvaluar[17] VT to underestimate

subvención F subsidy

subvencionar VT to subsidize

subversivo ADJ subversive

suero m serum; — de leche buttermilk; —
fisiológico saline solution
suerte f (destino) fate; (fortuna) luck; (clase)
kind; de — in luck; dejar a su — to
leave to his own devices; echar —s to
cast lots; mala — (desgracia) bad luck; (lo
siento) too bad, tener — to be lucky;
tentar a la — to court danger; tocarle
en — to be one's lot
suertudo -da adj lucky; MF lucky devil
suéter m sweater
suficiencia f adequacy; tiene una — she's
so arrogant
suficiente adj (adecuado) sufficient,
adequate; (arrogante) smug; f calificación
mínima) lowest passing grade; PRON
enough; ser — to be enough; más que —
ample
sufijo m suffix
sufragar VT to defray; — los gastos to
meet the expenses
sufragio m suffrage
sufrido adj (madre) long-suffering;
(pantalón) durable
sufrimiento m suffering
sufrir VI/VT to suffer; VT to stand; (una
lesión) to sustain; (un cambio) to undergo;
(una pena) to grieve; — de to suffer from;
— de los pies to have foot pains
sugerencia f suggestion
sugerir[1] VT to suggest
sugestión f suggestion
suicida MF suicide
suicidarse VI to commit suicide
suicidio m suicide
suite f suite
Suiza f Switzerland
suizo -za adj & MF Swiss; m sweet roll
sujeción LOC ADV con — a subject to
sujetar VT (fijar) to attach; (unir) to hold;
(someter) to subdue; to hold down; —se
to hold on; m SG sujetalibros bookend;
sujetapapeles paper clip
sujeto m held by; — a subject to; M (de
oración, de experimento) subject;
(individuo) individual
sulfato m sulphate
sulfurarse VI to hit the roof
sulfúrico adj sulfuric
sulfuro m sulfide
suma f (resultado aritmético) sum;
(operación aritmética) addition; (cantidad)
amount, sum; en — in sum
sumadora f adding machine
sumar VT to add, to add up; —se a to join
sumario m brief; adj summary
sumergible adj waterproof

subyacer[49] VI to underlie
subyugar[1] VT (dominar) to subjugate;
(hechizar) to charm
succión f suction
sucedáneo -a MF substitute
suceder VI to happen, to occur; — al trono
to succeed to the throne; VT to succeed
sucesión f succession; (heredero) descendant
sucesivo adj successive; en lo — in the
future
suceso m (evento) event, occurrence;
(incidente) incident
sucesor -ora MF successor
suciedad f (porquería) dirt, filth; (cualidad)
de suciedad filthiness
sucinto adj concise
sucio adj dirty, filthy; (trabajo, chiste) dirty;
(conciencia) guilty; blanco — off-white;
este traje es — this suit gets dirty easily
sucumbir VI to succumb
sucursal f branch, subsidiary
sudadera f sweatshirt
sudado adj sweaty
Sudáfrica f South Africa
sudafricano -na adj & MF South African
Sudamérica f South America
sudamericano -na adj & MF South
American
Sudán m Sudan
sudanés -esa adj & MF Sudanese
sudar VT to sweat; — la gota gorda to
sweat blood
sudeste adj southeast, southeastern; m
southeast
sudoeste adj southwest, southwestern; m
southwest
sudor m sweat
sudoroso adj sweaty
Suecia f Sweden
sueco -ca adj Swedish; m (lengua) Swedish;
MF Swede; hacerse el — to pretend not
to understand
suegro -a m father-in-law, f mother-in-law
suela f (de zapato) sole; (pez) flounder
sueldo m salary
suelo m (tierra) soil, ground; (piso) floor;
arrastrar por el — to drag; por los —s
at rock-bottom
suelto adj (no atado) loose, unattached;
(flojo) loose; (libre) free; m loose change
sueño m (hecho de dormir) sleep; (hecho de
soñar) dream; (ganas de dormir)
sleepiness; en — s dreaming; conciliar el
— to get to sleep; tener — to be sleepy;
ni en — (s) never; perder el — to lose
sleep; profundo sound sleep; estar
en el séptimo — to be deeply asleep

sumergir[11] vt to submerge, to dip; —se to dive; —se en to immerse oneself in

sumidero m (socavón) sinkhole; (desagüe) drain

suministrar vt to furnish, to supply with

suministro m, supplies

sumir vt to immerse

sumiso adj submissive

sumisión f submission

sumún m ultimate; el — de la moda the cat's meow

sumo adj utmost, paramount; a lo — at the most

suntuoso adj sumptuous, luxurious

superar vt (las expectativas) to surpass; (un límite) to exceed; (una dificultad) to overcome, to surmount; (una prueba) to pass; —se to improve oneself

superávit m surplus

supercomputadora f supercomputer

superdirecta f overdrive

superdotado adj gifted

superego m superego

superestrella mf superstar

superficial adj (conocimiento, herida, persona) superficial; (persona) shallow

superficialidad f shallowness

superficie f (parte exterior) surface; (de una figura geométrica) area

superfluo adj superfluous

superintendente mf superintendent

superior adj (mejor) superior; (más alto) higher; (más grande, intenso) greater; mf superior

superioridad f superiority

superlativo adj & m superlative

supermercado m supermarket

superordenador m supercomputer

superponer[39] vt to superimpose

superpotencia f superpower

supersónico adj supersonic

superstición f superstition

supersticioso adj superstitious

supervisar vt to supervise

supervisión f supervision

supervisor -ora mf supervisor

supervivencia f survival; la — del más apto the survival of the fittest

superyó m superego

suplantar vt to supplant

suplementar vt to supplement

suplemento m supplement

suplente adj & mf substitute

súplica f entreaty, plea

suplicar[7] vt to plead, to beseech

suplicio m ordeal

suplir vt (sustituir) to substitute for;

suponer[39] vt (dar por sentado) to suppose, to presume, to surmise; (implicar) to involve

suposición f supposition, surmise

supositorio m suppository

supremacía f supremacy

supremo adj supreme

supresión f (de una idea) suppression; (de una palabra) deletion

suprimir vt (una idea) to suppress; (la esclavitud) to abolish; (una palabra) to delete

supuesto adj supposed; — que supposing that; dar por — to consider certain; por — of course; m supposition

supuración f discharge

supurante adj festering, running

supurar vi to fester, to discharge

sur adj & m south; hacia el — south; rumbo al — southward

surcar[6] vt to plow

surco m (en la tierra) furrow; (en un camino) rut; (en un disco) groove; (en el rostro) wrinkle

surcoreano -na adj & mf South Korean

sureño -ña adj southern; mf southerner

sureste adj southeast, southeastern; m southeast

surfear vi/vt to surf (también en el internet)

surf m surfing; hacer — to surf

surgimiento m rise

surgir[11] vi (situación) to arise; (manantial) to rise; (problema) to emerge; to crop up

surrealismo m surrealism

surtido m stock, assortment; adj assorted

surtidor m (bomba) pump; (chorro, pieza de carburador) jet

surtir vt to provide; — efecto to produce the desired effect; — un pedido to fill an order

susceptible adj susceptible

suscitar vt to stir up

suscribir[51] vt (una opinión) to subscribe to, to endorse; (un seguro) to underwrite; —se a to subscribe to

suscripción f subscription

suscriptor -ora mf subscriber

susodicho adj above-mentioned

suspender vt (colgar) to suspend, to hang; (interrumpir) to suspend, to stop; (cancelar) to cancel; (no dejar trabajar) to

suspend; VI/VT (no aprobar) to fail, to flunk

suspense M suspense

suspensión F suspension

suspenso ADJ hanging; **quedarse —** to freeze; **—** (en un examen) failure; (en una película) suspense; **en —** in suspense

suspensorio M jock (strap)

suspicaz ADJ suspicious

suspirar VI to sigh; **— por** to yearn for

suspiro M sigh; **dame un —** give me a breather

sustancia F substance

sustancial ADJ substantial

sustancioso ADJ substantial

sustantivo M noun; ADJ substantive

sustentar VT to sustain

sustento M (alimento) sustenance; (apoyo) support; **ganarse el —** to earn a living

sustitución F substitution

sustituible ADJ replaceable

sustituir[31] VI/VT to substitute for, to replace; **sustituyó a María** John substituted for Mary; **sustituí la leche por agua** I substituted water for milk

sustituto -ta MF substitute

susto M scare, fright

sustracción F subtraction

sustraer[5] VT to take away; **—se a** to avoid

susurrar VI/VT (una persona, el viento) to whisper; (agua) to murmur, to ripple; (hojas) to rustle

susurro M (de una persona, del viento) whisper; (del agua) murmur; (de las hojas) rustle

sutil ADJ subtle

sutileza F subtlety; (exagerada) nicety, quibble

sutilizar[47] VT to quibble over

sutura F suture

suyo ADJ (de él) his; (de ella) her; (de usted, de ustedes) your; (de ellos, de ellas) their; PRON (de él) his; (de ella) hers; (de usted, de ustedes) yours; (de ellos, de ellas) theirs; **salirse con la suya** to get one's own way; **hacer de las suyas** to be up to one's tricks; **los —s** his/her/your/their family

swing M swing

Tt

tabaco M tobacco

tábano M horsefly

tabaquismo M smoking

taberna F tavern, saloon

tabernero -ra MF bartender

tabicar[6] VT to partition

tabique M partition

tabla F (tablero) board, (teatro) stage; **— de planchar** ironing board; **—s** (escenario) stage; **—s de la ley** the tables of the law; **— de multiplicar** multiplication table; **— periódica** periodic table; **— de contenidos** table of contents; **— de cortar** cutting board; **hacer —s** to tie

tablado M stage

tablero M (para juegos de mesa) board; (de instrumentos) panel, instrument panel; (de coche) dashboard; (pizarra) blackboard; (para noticias) bulletin board; **— de mando** control panel

tableta F (de aspirina) tablet; (de chocolate) bar

tablilla F (de arcilla) tablet; (de cama) slat; (para fracturas) splint

tabloide M tabloid

tablón M plank

tabú M taboo

tabulador M tab

tabular VT to tabulate, to chart

taburete M stool, footstool

TAC (tomografía axial computarizada) F CAT scan

tacañería F stinginess, tightness

tacaño -ña ADJ stingy, miserly; MF miser

tacha F blemish; (al honor) blot

tachar VT (borrar) to cross out, to delete; (atribuir una tacha) to accuse of

tachón M crossing out

tachonar VT to stud

tachuela F tack, thumbtack

tácito ADJ tacit

taciturno ADJ taciturn

taco M (de artillería) wad; (palo de billar) billiard cue; (comida ligera) snack; (palabrota) swear word; (comida mexicana) Mex taco; **soltar —s** Esp to swear

tacómetro M tachometer

tacón M heel

taconear VI to click the heels

taconeo M clicking

táctica F tactics

táctil ADJ tactile

tacto M (acción de tocar) touch; (sentido) sense of touch; (habilidad diplomática) tact

tahúr -ura MF gambler

tailandés -esa ADJ & M(f) Thai, Thailander

Tailandia F Thailand

taimado ADJ sly, devious

Taiwán M Taiwan

taiwanés -esa ADJ & M(f) Taiwanese

tajada F (de pan, carne) slice; (de carne) slab; **sacar —** to take one's cut

tajante ADJ (inequívoco) unequivocal; (cortante) sharp

tajar VT to slice

tajo M (corte) slash, hack; (cañón) gorge; (separación) gap

tal ADJ such; **— cual** just so; **— vez** perhaps; **un — García** a certain García; **a — García** to such an extent; **de — palo astilla** a chip off the old block; **en — caso** in such a case; CONJ **como** like, just as; **con — (de) que** provided that; ADV **¿qué —?** how is it going? PRON **y —** and so on; **como si —** as if nothing had happened

taladrar VT to bore, to drill

taladro M drill

talante M temperament

talar VT (un árbol) to chop down; (un bosque) to lumber

talco M talcum

talento M talent

talentoso ADJ talented, gifted

talismán M charm

talla F (altura) height; (moral, intelectual) stature; (de ropa) size; (de madera) carving

tallado M carving

tallar VT to carve; (madera) to whittle, to carve; (naipes) to deal

tallarín M noodle

talle M (cintura) waist, waistline; **tiene buen —** she has a good figure; **corto de —** short-waisted

taller M (para trabajo manual, para enseñanza artística) workshop; (de artista) studio; (de mecánico) garage

tallo M stalk, stem

talón M (de pie, calcetín) heel; (de cheque) stub; **— de Aquiles** Achilles' heel; **girar sobre los talones** to turn on one's heels; **pisarle los talones a alguien** to be hot on someone's heels

talonario M checkbook

tamal M Méx tamale

tamaño M size; **— mediano** medium-sized; **de — natural** life-sized; ADJ such a big, so big a

tambalearse VI (un borracho) to stagger; (un boxeador) to reel; (un viejo) to dodder

tambaleo M stagger

también ADV also, too, as well

tambor M (instrumento musical, pieza de máquina, músico) drummer; (cilindro) cylinder; **a — batiente** with fanfare

tamborilear VI to drum, to tap

tamborilero -ra MF drummer

tamizar[1] VT to sift

tamiz M sieve

tampoco CONJ either, **no lo hizo —** he did not do it either; **ni yo —** me either

tampón M tampon

tan ADV **es — rica** she is so rich; **— alto como Juan** as tall as Juan; **— pronto como** as soon as, **— es — idiota** he's such an idiot; **vecinos — simpáticos** such nice neighbors

tanda F (de personas) group; (de galletas) batch; (de ejercicios) set

tándem M tandem

tanga F thong

tangente ADJ & F tangent; **salirse por la —** (irse de tema) to go off on a tangent; (evadir) to beat about the bush

tangerina F tangerine

tangible ADJ tangible

tango M tango

tanque M tank

tantán M African drum

tantear VT (calcular) to estimate roughly; (averiguar) to sound out, to feel out; (apuntar) to score; (palpar) to grope

tanteo M (cálculo) estimate; (número de tantos) score; **al —** approximately

tanto ADJ, PRON & ADV so much **— que se le enrojecieron los ojos** he cried so much his eyes got red; **yo tengo — como tú** I have as much as you do; **me quiere —** he loves me so; **no te quiero —** I don't love you that much; **a cada — s pasos** every so many steps; **cuarenta y — s** forty-odd; **— el kilo** at so much per kilo; **— por ciento** percentage; **estar al —** to be in the know; **no es para —** it's not such a big deal; **— da** it's all the same; **— como** as much as; **en la ciudad como en el campo** both in the city and in the country; **entre / mientras —** meanwhile; **mantenerse al —** to stay informed; **otros — s** just so many more; **por lo —** therefore; **a las tantas** until late at night; M (en los juegos) points

Tanzania F Tanzania

tanzano -na ADJ & MF Tanzanian

tañer[18] VI lit (una guitarra) to play; VI (una campana) to ring, to toll

tañido M (de guitarra) twang; (de campanas) toll

tapa F (de botella) cap; (de libro) cover; (de coche) hood; (de olla, bote) lid, top; Esp bar snack

tapadera F (de recipiente) lid; (de un fraude) cover

tapar VT (una olla) to cover; (una salida) to block; (un caño) to plug up, to stop up; (encubrir) to cover up for; M sc

taparrabos M loincloth

tapacubos hubcap; **tapajuntas** flashing;

tapete M runner

tapia F garden wall

tapiar VT to board up

tapicería F (para paredes) tapestry; (para muebles) upholstery; (tienda de textiles de decoración) tapestry shop; (tienda de hacer tapices) tapestry making; (tienda de tapicero) upholstery shop

tapioca F tapioca

tapir M tapir

tapiz M tapestry, wall hanging

tapizar[9] VT to upholster

tapón M stopper; (de lavabo) plug; (de corcho) cork; — **de oídos** earplug

taponazo M pop of a cork

taquigrafía F shorthand

taquígrafo -fa MF stenographer

taquilla F ticket office, box office

tarambana MF INV dork, knucklehead

tarántula F tarantula

tararear VI/VT to hum

tareo M hum, humming

tarascada F (mordedura) snap, bite; (réplica) rude answer

tardanza F lateness

tardar VI to take time; **¿cuánto tarda el trámite de divorcio?** how long does it take to get divorced? — **se** to take a long time; **tu padre se tarda** your father is taking a long time; **a más** — at the latest

tarde F afternoon; (hacia el anochecer) evening; **buenas** —**s** good afternoon; ADV late; **ya es** — it is late; — **o temprano** sooner or later; **más** — later on; **llegar** — to be late

tardío ADJ late

tardo ADJ lit slow

tarea F task, chore; (escolar) homework

tarifa F (impuesto) tariff; (lista de precios) list of prices; (de transporte) fare; (precio estipulado) rate

tarima F platform

tarjeta F card (también dispositivo de computadora) — **comercial** business card; — **postal** postcard; — **de cobro automático/ de débito** debit card; — **de crédito** credit card; — **de Navidad** Christmas card; **marcar** — to punch in

tarro M jar

tarta F tart, pie

tartajear VI to stutter

tartamudear VI to stutter, to stammer, stutter

tartamudez F stuttering

tartamudo -da MF stutterer, stammerer; ADJ stuttering, stammering

tártaro M tartar

tartera F round baking pan

tarugo M (trozo de madera) piece of wood; (tonto) blockhead

tasa F (índice) rate; (impuesto) tax; — **de desempleo** rate of unemployment; — **de interés** interest rate; — **de natalidad** birth rate; — **de mortalidad** death rate; — **prima** prime rate

tasación F valuation, appraisal

tasajo M jerky

tasar VT to appraise, to assess

tatarabuelo -la M great-great-grandfather; F great-great-grandmother

tataranieto -ta M great-great-grandson; F great-great-granddaughter

tatuaje M tattoo

tatuar[17] VT to tattoo

taumaquia F bullfighting

taxi M taxi, taxicab

taxidermia F taxidermy

taxista MF taxi driver, cab driver

taxonomía F taxonomy

Tayikistán M Tajikistan

tayiko -ka ADJ & MF Tajik

taza F (de té, café) cup; (del inodoro) bowl

tazón M (para beber) mug; (de comida) bowl

té M (bebida) tea; (fiesta) tea party

te PRON 2g; **yo** — **amo** I love you; — **digo** I tell you, **mañana** I'll tell you tomorrow; **no te mires en el espejo** don't look at yourself in the mirror

teatral ADJ theatrical

teatro M theater; — **de títeres** puppet show; **no hagas** — don't make such a production

techado M (techo) roof; (acción de techar) roofing

techar VT to roof

techo M (exterior) roof; (interior) ceiling

techumbre F roof

tecla F key; — **para mayúsculas** capital letter key; — **de cambio** shift key; — **de control** control key; — **de función**

function key; — **de retroceso** backspace key; — **de tabulación** tab key; **dar uno en la** — to hit the nail on the head
teclado M keyboard; — **numérico** numeric keypad
teclear VT (pulsar las teclas) to key in; (hacer ruido) to click
tecleo M keying in, clicking
técnica F (método) technique; (tecnología) technology
técnico -ca ADJ technical; MF technician
tecnología F technology
tectónica F tectonics
tedio M boredom
tedioso ADJ tedious
tee M tee
teja F (de cerámica) tile; (de madera u otros materiales) shingle
tejado M roof
tejar VT to cover with tiles
tejedor -ora MF weaver
tejer VT/VI (cesta, tela) to weave; (suéter) to knit; M **tejemanejé** (fraude) hanky-panky; (actividad) goings-on
tejido M (tela) textile, fabric; (de células) tissue; (acción de tejer un suéter) knitting
tejo M disk
tejón M badger
tela F (paño) cloth, fabric; (lienzo para pintar) canvas; (de araña) web; (dinero) money; — **de cebolla** onion skin; — **adhesiva** adhesive tape; (película) film; — **de juicio** to hardbound; **poner en** — **de juicio** to call into question
telar M loom
telaraña F cobweb, spider's web
tele F TV
telebobo -ba MF couch potato
telecomunicaciones F PL telecommunications
teleconferencia F teleconference
teledifusión F telecast
teledirección F remote guidance
teleférico M cable car
telefonazo M buzz, ring
telefonear VT/VI to telephone, to phone
telefónico ADJ; — **llamada telefónica** phone call
teléfono M telephone, phone; (número) telephone number
telefonista MF telephone operator
telefónica telephone call
telegrafiar VT/VI to telegraph, to wire
telegráfico ADJ telegraphic
telégrafo M telegraph
telegrama M telegram
telemarketing M telemarketing
telemercadeo M telemarketing

telémetro M range finder
telenovela F soap opera
teleobjetivo M zoom lens
telepatía F telepathy
telescopio M telescope
telesquí M ski lift
teletipo M Teletype
televidente MF television viewer
televisión F television
televisor M television set; — **a / en color** color television
telón M theater curtain; — **de acero** iron curtain
tema M (de una obra literaria, musical) theme; (de conversación) topic, subject; (de un CD) song
temario M agenda
temático ADJ thematic
temblar VI (la mano, la tierra) to tremble; (la voz) to shake, to quaver; (de frío) to shiver; (de miedo) to shudder; (la luz) to flicker
temblequear VI to dodder
temblón ADJ trembling
temblor M (acción de temblar) trembling; (de tierra) tremor; (de una llama) flicker; (de la voz) tremor; (de frío) shiver; (de miedo) shudder; — **de tierra** earthquake
tembloroso ADJ (mano) shaky; (llama) flickering; (voz) quavering; (de miedo) shuddering; (de frío) shivering
temer VT/VI to fear, to be afraid (of); — **por** to fear for; **mucho me temo que** I fear that
temerario ADJ rash, reckless
temeridad F temerity, recklessness
temeroso ADJ fearful
temible ADJ dreadful, dread
temor M fear
témpano M (bloque de hielo) block of ice; (persona fría) cold fish
temperamento M temperament, disposition
temperancia F temperance
temperatura F temperature
tempestad F tempest, storm; — **en un vaso de agua** a tempest in a teapot
tempestuoso ADJ tempestuous, stormy
templado ADJ (clima) moderate, temperate; (ánimo) serene, (actitud) moderate
templanza F temperance
templar VT (moderar, dar fuerza) to temper; (calentar) to warm up; (una guitarra) to tune
temple M (dureza) temper; (coraje) mettle; **de mal** — in a bad mood
templo M temple
temporada F season; — **baja** off-season; —

de caza hunting season;
temporal ADJ (del tiempo) temporal;
(secular) worldly; (no permanente)
temporary; M storm; **capear el —** to
weather the storm
temprano -ra ADJ early rising, MF early
riser
temprano ADJ & ADV early
tenacidad F tenacity
tenaz ADJ tenacious
tenazas F PL (de cangrejo) pincers; (de
mecánico) pliers; (de dentista) forceps;
(para hielo) tongs
tendedero M clothesline
tendencia F tendency; (orientación)
orientation; (de la moda) trend; **de —
mayoritaria** mainstream; **— a la baja**
downturn; **— al alza** upturn
tender¹ VT (un mantel) to spread out; (la
ropa) to hang out; (la mano) to extend;
(un cable) to lay; (una trampa) to set; VI
— a to tend to; **—se** to stretch out
tendero -ra MF storekeeper; (de comestibles)
grocer
tendido M (de cables) laying; (de ropa
mojada) hanging out; (conjunto de cables)
cables
tendinitis F tendonitis
tendón M tendon, sinew; **— de Aquiles**
Achilles' tendon
tenebroso ADJ (oscuro) dark; (sombrío)
gloomy
tenedor -ora M (utensilio) table fork; MF
holder, payee; **— de libros** bookkeeper
teneduría F **— de libros** bookkeeping
tener⁴⁴ VT to have; **tiene el pelo castaño**
she has brown hair, her hair is brown; **—
en mucho** to esteem highly; **— por** to
consider; **— que** to have to; **— ganas** to
feel like; **tengo escrita la carta** I have
the letter written; **— éxito** to be
successful; **— miedo** to be afraid; **—
sueño** to be sleepy; **— frío** to be cold; **—
hambre** to be hungry; **tiene cinco años**
she is five years old; **—se** to stand straight;
no — más remedio to have no other
choice; **— que ver con** to have to do
with
tenería F tannery
tenia F tapeworm
teniente MF lieutenant
tenis M (juego) tennis; (zapatos) sneakers,
tennis shoes
tenista MF tennis player
tenor M (voz, estilo) tenor; (tono) tone,
tenor; ADJ **saxofón —** tenor saxophone
tensión F tension

tenso ADJ tense; (extendido) taut
tentación F temptation
tentáculo M tentacle
tentador ADJ tempting
tentar¹ VT to tempt; **— a la suerte** to court
danger; **— por todos los medios** to try
everything
tentativa F attempt, try
tentativo ADJ tentative
tentempié M snack
tenue ADJ delicate; (luz) tenuous, dim,
faint; (sonido) feeble
tenuidad F faintness, softness
teñir⁵,¹⁸ VT (de color) to dye; (de tristeza) to
tinge
teología F theology
teórica F theory
teórico ADJ theoretical
tepe M sod
tequila M tequila
terabyte M terabyte
terapeuta MF INV therapist
terapéutico ADJ therapeutic
terapia F therapy
tercero ADJ third, **tercera persona** third
person; **tercera edad** old age; **tercer
mundo** third world; M third party
terciar VI/VT to arbitrate
tercio M third
terciopelo M velvet
terco ADJ obstinate, stubborn
tergiversación F distortion,
misrepresentation
tergiversar VT (palabras) to distort; (datos)
to skew
termal ADJ thermal
terminación F termination, completion; (de
una palabra, cuento) ending; (de un piso)
finish
terminal ADJ terminal; MF (de aeropuerto, de
ómnibus) terminal; M (de computadora,
eléctrico) terminal
terminante ADJ (negativa) flat; (prohibición)
absolute
terminar VI/VT (completar) to finish, to
conclude; VI (tener como final) to end; **—
por** to end up; **no — de** (entender I still can't understand;
terminó con las ratas he got rid of the
rats; **sin —** unfinished
término M (final) end; (período de tiempo)
period; (límite) boundary; (palabra) term;
a — with a deadline; **estar en buenos
—s** to be on good terms; **por — medio**
on average; **— medio** medium; **en
primer —** first of all; **poner — a** to end;
en —s generales in general terms; **en

último — as a last resort

terminología f terminology

termita f termite

termo m thermos

termodinámico adj thermodynamic

termómetro m thermometer

termonuclear adj thermonuclear

termostato m thermostat

ternero -ra m f (animal) calf; f (carne) veal

terno m three-piece suit

terneza f tenderness

ternura f tenderness

terquedad f obstinacy, stubbornness

terraplén m embankment

terrateniente m f landholder

terraza f (terreno) terrace; (de casa) veranda; (delante de un bar) deck; (azotea) flat roof

terremoto m earthquake

terrenal adj earthly

terreno m (campo) piece of land, tract of land, (lote) lot; (formación geológica) terrain; (campo científico) field; todo — with four-wheel drive; ganarle — a alguien to gain on someone; tantear el — to put out feelers; perder — to lose ground

terrestre adj terrestrial, earthly

terrible adj terrible, awful

terrier m terrier

territorial adj territorial

territorio m territory

terrón m (de tierra) clod; (de azúcar) lump

terror m terror, dread

terrorismo m terrorism

terrorista m f inv terrorist

terso adj (liso) smooth; (pulido) polished

tersura f smoothness

tertulia f social gathering

tesis f thesis; — doctoral dissertation

tesón m determination

tesonero adj determined

tesorería f treasury

tesorero -ra m f treasurer

tesoro m treasure; (público) treasury

test m test

testaferro m straw man

testamentaria f (gestiones) execution; (bienes) estate

testamento m testament, will

testarudez f stubbornness

testarudo adj stubborn, headstrong

testículo m testicle

testificar[6] vi to testify

testigo m f witness; — de cargo witness for the prosecution; — ocular eyewitness; m proof

testimoniar vi to give testimony

testimonio m testimony, proof, evidence; levantar falso — to bear false witness; en — de su amor as a testament to his love

testosterona f testosterone

teta f teat

tétanos m tetanus

tetera f teapot, teakettle

tetilla f nipple

tetina f nipple

tetrapléjico -ca adj & m f quadriplegic

tétrico adj gloomy

teutónico adj Teutonic

textil adj & m textile

texto m text; (libro de texto) textbook

textual adj verbatim

textura f texture

tez f complexion

ti pron pers you; para — for you; te lo doy a — I give it to you

tibieza f (poco fervor, afecto) lukewarmness; (calor) warmth

tibio adj (ni caliente ni frío) tepid, lukewarm; (templado) warm

tiburón m shark

tic m twitch, tic

tictac m hacer — to tick

tiempo m (cronológico) time; (climático) weather; (gramatical) tense; (de un partido de cuatro tiempos) quarter; (de un partido de dos tiempos) half; — completo full time; — extra overtime; — y medio time and a half; — libre leisure hours, free time; — pretérito past tense; a — on time; al mismo — at the same time; antes de — ahead of time; a su — in due course; a un — at the same time; con — in advance; de medio — part-time; en aquel — back then; en mis — s in my day; hace buen — the weather is nice; hace mucho — a long time ago; mal — rough weather; motor de dos — s two-stroke motor; perder el — to goof off, to waste time; tener — de sobra to have time to spare; todo el — all the time; tomar el — to clock

tienda f (de venta) store; (de campaña) tent

tientas LOC ADV a — blindly; andar a — to feel one's way

tiento m care; coger el — to get the hang of something

tierno adj (fácil de cortar) tender; (joven) young; (cariñoso) affectionate

tierra f (planeta) earth; (superficie seca) land; (país) country; (suelo) soil; — adentro inland; —s altas highlands; —s bajas lowlands; — de nadie no-man's land; — firme mainland; —s raras rare earths;

bajo — underground; **caer a** — to fall to the ground; **dar en** — **con alguien** to overthrow someone; **echar por** — to knock down, **por** — overland; **tomar** — to land

tieso *adj* stiff; **quedarse** — *fam* to kick the bucket

tiesto *m* flowerpot

tiesura *f* stiffness

tifoideo -a *adj & f* typhoid

tifón *m* typhoon

tifus *m* typhoid fever

tigre *m* tiger

tijeretada *f* snip

tijeretazo *m* snip

tildar *vt* to brand

tilde *f* (en la ñ) tilde; (en las vocales) accent (mark)

tilín *m fam* ding-a-ling

timador *m* confidence man

timbrar *vt* to stamp

timbrazo *m* ring

timbre *m* (aparato) buzzer, doorbell; (cualidad de la voz) timbre; (sello) stamp; (insignia heráldica) crest

timidez *f* timidity, shyness

tímido *adj* timid, shy, bashful

timo *m* confidence game, scam

timón *m* helm, rudder

timonear *vt* to steer

timonel *m* pilot

timorato *adj* timorous, faint-hearted

tímpano *m* eardrum

tina *f* (bañera) tub; (de tintorero) vat

tinaja *f* large earthen jar

tinglado *m* (armazón) shed; (plataforma) platform

tinieblas *f pl* darkness; **en** — in the dark

tino *m* (buen juicio) good judgment; (puntería) marksmanship

tinta *f* ink; **medias** —**s** wishy-washiness

tinte *m* (sustancia) dye, stain; (matiz) tint

tintero *m* inkwell; **eso se me quedó en el** — I never got to that

tintín *m* clink

tintinear *vi* to tinkle, to clink

tinto *adj* red

tintorería *f* dry cleaner

tintorero -ra *mf* dry cleaner

tintura *f* (medicina) tincture; (tinte) dye, tint

tiñoso *adj* scabby

tío -a *m* (hermano de madre o padre) uncle; — **abuelo** great uncle; (tipo) guy; *f* (hermana de madre o padre) aunt; (tipa) woman, gal

tiovivo *m* merry-go-round

típico *adj* typical

tiple *m* treble

tipo -pa *m* (especie, imprenta) type; (tío) *fam* guy, dude; *Am* rate of interest; *Am* — **de cambio** rate of exchange; — **de interés** interest rate; **un buen** — a good-looking fellow, a regular guy; **tiene buen** — he's good looking; *f* (tía) woman, gal

tipografía *f* printing

tipología *f* typology

tira *f* (de papel, tela) strip; (de cuero, zapato) strap; — **cómica** comic strip

tirada *f* (de una pelota) throw; (de una publicación) issue, print run; (distancia) stretch; **de una** — all at once

tirador -ora *mf* (persona que dispara) shooter; *m* (tirachinas) slingshot; (pomo) knob

tiranía *f* tyranny

tiránico *adj* tyrannical

tirano -na *adj* tyrannical; *mf* tyrant

tirante *adj* (cable) taut; (relaciones) strained; *m* (de caballería) trace; (de vestido) strap; —**s** suspenders

tirantez *f* tension, strain

tirar *vt* (pelota) to throw, to toss; to pitch; (derechos, dinero) to throw away; (una bala) to shoot; (una moneda) to flip, to toss; (dados) to cast; (una cuerda) to pull, to tug; — **la cadena** to flush; — **la casa por la ventana** to live it up; — **la chancleta** to kick up one's heels; **no me tira la política** I'm not attracted to politics; **el coche tira a un lado** the car pulls to one side; — **al suelo** to throw down; — **a** to tend toward; — **abajo** to knock over; — **de** to tug, to; **ir tirando** to get along; —**se** to lie down; —**se solo** to go it alone; **tirárselas de** to pretend to be; **trabajar con él es un constante tira y afloja** working with him is a roller-coaster; (espiral) coil; *m sg* tirachinas slingshot

tiritar *vi* (de frío) to shiver; (de miedo) to shudder

tiro *m* (lanzamiento) throw; (disparo) shot; (deporte) shooting, (de cocaína) hit; (de dados) roll; (de caballos) team; (de chimenea) draft; — **al arco** archery; — **al blanco** target practice; — **de penalidad** penalty kick; **errar el** — to miss the mark; **matar a** —**s** to gun down; **ni a** —**s** absolutely not; **pegarle un** — **a alguien** to shoot someone; **me salió el** — **por la**

culata the plan backfired on me

tiroides ADJ & M thyroid

tirón M jerk, tug, pull; (atracción fuerte, lesión de un músculo) pull; **de un —** all at once; **un — de orejas** a slap on the wrist

tironear VI/VT to jerk, to tug at

tirotear VT to shoot; **—se** to exchange shots

tiroteo M shooting, gunfire

tirria F dislike; **tenerle — a una persona** to have a strong dislike for someone

tisana F herbal tea

tísico ADJ consumptive

tisis F consumption

titánico ADJ titanic

titanio M titanium

títere M (marioneta) puppet; (persona) puppet, dupe; **—s** puppet show; **no dejar — sin cabeza** to leave no one standing

titilación F flicker

titilar VI to flicker, to twinkle

titileo M twinkle

titubeante ADJ (vacilar) to hesitate, to waver; (oscilar) to totter, to dodder

titubeo M hesitation

titular VT to entitle; **—se** to graduate; ADJ permanent; M (de periódico) headline; MF (de cargo) incumbent

titularidad F tenure

título M (de una obra, persona, liga) title; (derecho) claim, legal right; (universitario) degree, diploma; **—s de crédito** credits; **— de propiedad** title deed; **a — de** by way of

tiza F chalk

tiznado ADJ sooty

tiznar VT to smear with soot

tizne M soot

tizón M (leña) burning log; (parásito) smut

TNT M TNT

toalla F towel; **tirar la —** to throw in the towel

toallero M towel rack

tobillo M ankle

tobogán M slide

tocado M headdress; ADJ touched

tocador M (mueble) dressing table, vanity table; (habitación) lit boudoir

tocante a PREP concerning

tocar⁴ VT (con los dedos) to touch; (un instrumento musical) to play; (una campana) to ring; (un timbre) to buzz; (a la puerta) to knock; (la bocina) to honk, to blast; (una alarma) to sound, to blast; (mencionar) to touch upon; **—en** to stop over in; **—le a uno** to be one's turn; **— fondo** to hit bottom; M SG **tocadiscos**

record player

tocayo -ya MF namesake

tocino M bacon stump

todavía ADV still, as yet, yet; **— está aquí** she's still here; **¿— no has comido?** have you not eaten yet? **— no ha llegado** she still has not arrived, as yet she has not arrived, **me dio — más** she gave me even more

todo ADJ (cada uno) every, each; **— hombre** every man; **—s los días** every day; **a — correr** at top speed; **a toda costa** at all costs; **a toda marcha** in high gear; **a toda vela** under full sail; **a toda velocidad** at full speed; **a todo volumen** at full blast; **de — corazón** whole-heartedly; **de —s modos** still, anyway, all the same; **del —** entirely; **en — caso** in any case, at any rate, in any event; **es — un personaje** he's quite a character; **por — lados** everywhere; **— el día** all day; **— el tiempo** all the time; **el mundo** everyone; **todas las noches** nightly; **toda la noche** all through the night; **toda clase de** all sorts of; **en / por todas partes** everywhere, far and wide; **con toda el alma** from the bottom of one's heart; **con toda sinceridad** in all earnestness; PRON **de una vez por todas** once and for all; **— se vale** anything goes; **—s** everybody; **—s juntos** all together; **— derecho** straight ahead; **— lo contrario** quite the opposite; **— recto** straight ahead; **— sucio** all dirty; **ante —** first of all; **así y —** in spite of that; **con —** in spite of that; **del —** completely; **sobre —** especially; M whole; **—poderoso** almighty

toga F (de catedrático) gown; (de juez) robe

Togo M Togo

togolés -esa ADJ MF Togolese

toldería F Indian village

toldo M awning, canopy

tolerancia F tolerance

tolerante ADJ tolerant, broad-minded

tolerar VT to tolerate; **no lo puedo —** I can't stand it

tolete M oarlock

toma F (de una ciudad) taking; (cinematográfica) take; (de juramento) administration; (de teléfono) jack; **— de agua** faucet; **— de corriente** electric outlet; **— de poder** takeover; **toma y daca** give and take

tomar VT to take; (un juramento) to administer; (un vestido) to take in; (a un

criado) to hire; (una bebida) to drink; — a
pecho to take to heart; — asiento to
take a seat; — desprevenido to take by
surprise; — el sol to sunbathe; — la
mal to take the wrong way; — el pelo a
to make fun of, to kid, to pull someone's
leg; — medidas to take action; — una
decisión to make a decision; —le las
medidas a alguien to measure someone
for clothes; —se de la mano to hold
hands; —se la molesta to bother to

tomate M tomato

tomillo M thyme

tomo M volume

tomografía F scan; — axial
computarizada CAT scan

ton LOC ADV sin — ni son for no reason

tonada F tune

tonel M (barril) barrel; (persona) pey fatso

tonelada F ton

tóner M toner

Tonga F Tonga

tongano -na ADJ & M Mr Tongan

tongo M setup

tónica F (tono) tone; (agua) tonic (water)

tónico ADJ & M tonic

tono M tone; (tono musical) pitch; (intervalo
musical) step; — de ocupado busy signal;
— menor low M key; bajar el
— to lower the volume; darse — to put
on airs; de buen — in good taste; fuera
de — out of place; subido de — risqué

tontear VI to fool around

tontería F (cualidad de tonto) stupidity;
(hecho o dicho) foolishness, nonsense

tonto -ta ADJ (ingenuo) foolish; (de poca
inteligencia) stupid, dumb; — a tontas y a
locas haphazardly; M (persona ingenua)
fool; (persona de poca inteligencia) fam
dummy, blockhead, dimwit; — de
capirote dunce; hacer(se) el — to play
the fool

topacio M topaz

topar VI to butt; —se con to bump into

tope M (de precios) ceiling, cap; (de tren)
bumper; (de puerta) doorstop; a — a lot;
hasta el — to the maximum; estar
hasta el — to be completely full

topetazo M butt

tópico M (lugar común) cliché (tema) topic;
ADJ topical

topless ADJ topless

topo M mole (también espía)

toque M (con la mano) touch; (de campana)
ringing; (de tambor) beat; (de trompeta)
blare; (de pintura) dab; — de queda
curfew; dar los últimos —s to put the
finishing touches on, dar —s to dab; un
— femenino a woman's touch

toquetear VI/VT to finger

tórax M thorax

torbellino M whirlwind

torcedura F twist, sprain, strain

torcer VT to twist; (una articulación) to
sprain, to strain; (tergiversar) to distort;
—le el pescuezo a alguien to wring
someone's neck; VI (un río) to bend

tordo M thrush

torear VT (lidiar) to fight a bull; (provocar) to
provoke

torero -ra MF bullfighter

tormenta F storm; — de arena sandstorm;
— eléctrica electrical storm

tormento M torment

tormentoso ADJ stormy

tornadizo ADJ changeable

tornado M tornado, twister

tornar VT (regresar) to return; VT (cambiar) to
turn; — a hacer algo to do something
again

tornasolado ADJ iridescent

tornear VT to turn on a lathe

torneo M tournament

tornillo M screw; — de banco vise;
faltarle a uno un — to have a screw
loose

torniquete M (eje giratorio) turnstile; (contra
hemorragia) tourniquet

torno M (para levantar pesos) hoist, winch;
(para cerámicas) lathe, pottery wheel; en
— around

toro M bull; coger/agarrar el — por los
cuernos to take the bull by the horns

toronja F grapefruit

torpe ADJ (poco habilidoso) clumsy,
awkward; (lento) slow, sluggish

torpedear VT to torpedo

torpedero M (barco) torpedo boat; (avión)
torpedo plane

torpedo M torpedo

torpeza F (falta de habilidad) clumsiness;
(lentitud) slowness, sluggishness

torpor M torpor

torrar VT to roast

torre F (de castillo) tower; (de buque de
guerra) turret; (en ajedrez) castle; — de
control control tower; — de marfil
ivory tower; — de perforación oil
derrick; — de vigilancia watch tower

torrencial ADJ torrential

torrente M torrent; — de lágrimas flood of
tears; — sanguíneo bloodstream

torreón m large tower

torreta f turret

tórrido adj torrid

torsión f torsion

torso m torso

torta f (postre) cake; (bofetada) slap

tortícolis f kink

tortilla f (de huevo) omelet; (de harina) Méx tortilla; **se dio vuelta la —** the tables have turned

tórtola f turtledove

tortuga f tortoise, turtle; **— marina** sea turtle; **a paso de —** at a snail's pace

tortuoso adj (camino) tortuous; (carácter) devious

tortura f torture

torturante adj tortuous

torturar vt to torture

torvo adj fierce

tosco adj coarse, crude

toser vi to cough

tosferina f = **ferina** whooping cough

tosquedad f coarseness, crudeness

tostada f toast

tostado adj (café) toasted; m (acción de tostar pan) toasting; (color, bronceado) tan; (acción de tostar café) roasting

tostador -ora mf toaster

tostar[2] vt (el pan) to toast; (la piel) to tan; (el café) to roast

total adj & m total; **en —** altogether; **—, a mí no me importa** anyway, I don't care

totalidad f **la — del dinero** all the money; **en su —** as a whole

totalitario adj totalitarian

totalitarismo m totalitarianism

tour m tour

tóxico adj toxic

toxina f toxin

traba f (estorbo) hindrance; (de caballo) hobble

trabajador -ora adj (esforzado) hard-working; (proletario) working; mf worker

trabajar vi/vt to work; **un taxi** to drive a taxi; vi (una tienda) to be open; **— duro** to work hard

trabajo m work; (acción de trabajo) working; (puesto) job; (informe académico) paper; **da mucho —** it's a lot of work; **sin —** unemployed

trabajoso adj laborious

trabar vt (una puerta) to jam; (un caballo) to hobble; (a un boxeador) to clinch; (una salsa) to thicken; (negociaciones) to impede; **— amistad con alguien** to strike up a friendship with someone; **— batalla** to join battle; **— conversación** to strike up a conversation; m sg

trabalenguas tongue twister

tracción f traction

tractocamión m tractor-trailer

tractor m tractor

tradición f tradition

tradicional adj traditional

traducción f translation

traducir[24] vt/vi to translate

traductor -ora mf translator

traer[45] vt to bring; (llevar puesto) to have on; (contener) to feature; **— a colación** to bring up; **— a mal a alguien** to mistreat someone; **este niño se las trae** this child is something else; **¿qué te traes entre manos?** what are you up to? **—se secretos** to have secrets

tráfago m bustle

traficante mf dealer

traficar[6] vi to traffic, to trade

tráfico m traffic

tragar[7] vi/vt to swallow; (comer) fam to feed one's face; (consumir gasolina) to guzzle; (aguantar) to stand; (hacer desaparecer) to engulf; **—se algo** to swallow; **no me lo trago** (accidentally); I don't buy that; m **tragaluz** skylight; mf sg

tragamonedas/tragaperras slot machine

tragedia f tragedy

trágico adj tragic

trago m swallow; (bebida alcohólica) shot, slug; **a —s** (bebiendo) in sips; (poco a poco) little by little; **echar/tomar un —** to take a drink; **pasar un mal —** to suffer a difficulty

traición f (política) treason; (personal) betrayal; (acto desleal) treachery; **a —** by treachery

traicionar vt to double-cross

traicionero adj treacherous

traidor -ora adj treacherous; mf (político) traitor; (personal) betrayer

tráiler m trailer

tralla f leash

traje m (conjunto) suit; (de fiesta) gown; **— de baño** swimsuit

trajeado adj well-dressed

trajín m hustle and bustle

trajinar vi to rush around

trama f (argumento) plot; (intriga) scheme; (conjunto de hilos) woof

tramador -ora mf plotter

tramar vt (con hilos) to weave; (intrigar) to plot, to scheme

tramitar vt to take steps to obtain

trámite m procedure, paperwork

tramo M (de carretera) stretch; (de puente) span; (de hielo) patch; (de escalera) flight

tramoya MF stagehand

tramoyista MF stagehand

trampa F (de caza) trap, snare; (engaño) trick; **hacer** — to cheat, to trick; **tender una** — to set a trap

trampear VI to cheat

trampilla F trap door

trampolín M (de piscina) springboard; (de circo) trampoline

tramposo -sa ADJ deceitful; MF cheat

tranca F crossbar

trance M (momento difícil) pass, difficult moment; (estado de suspensión) trance; el **último** — the last moment of life; a **todo** — at any cost

tranco M stride; **a** —**s** hurriedly; **en** —**s** in a jiffy

tranquera F wooden fence

tranquilidad F tranquility, calm, quiet

tranquilizante M tranquilizer

tranquilizar VT to quiet, to calm down; —**se** to calm down, to wind down

tranquilo ADJ (no ruidoso) quiet, peaceful; (no excitado) calm, cool; (no preocupado) calm, at ease; (no excitable) sedate; (mar) smooth, tranquil

transacción F transaction; — **comercial** business transaction

transar VI to compromise

transatlántico ADJ transatlantic; M transatlantic liner

transbordador M transfer

transbordar VI to transfer

transbordo M transfer

transcribir[51] VT to transcribe

transcripción F transcript

transcultural ADJ cross-cultural

transcurrir VI to elapse

transcurso M passing, passage; **en el** — **de un año** in the course of a year

transeúnte MF passer-by, transient

transferencia F transfer

transferible ADJ transferable

transferir[3] VT to transfer

transformación F transformation

transformador M transformer

transformar VT to transform

transfusión F transfusion

transgredir[50] VI to transgress

transgresión F transgression

transgresor -ora MF lawbreaker

transición F transition

transigir[31] VI to compromise

transistor M transistor

transitable ADJ passable

transitar VI/VT to travel

transitivo ADJ transitive

transitorio ADJ transitory

transmisible ADJ communicable

transmisión F transmission; — **automática** automatic transmission

transmisor M transmitter; ADJ transmitting

transmitir VI/VT to transmit; (una enfermedad) to communicate; (por radio o televisión) to broadcast

transparencia F transparency

transparente ADJ transparent

transpiración F perspiration

transpirar VI/VT to transpire, to perspire

transportación F transportation, transport

transportar VT (mercancías, gente) to transport; (mercancías) to ship, to haul

transporte M (acción) transport, transportation; (vehículo de transporte) transport (vessel); — **de locura** fit of madness; — **público** mass transit

transportista MF teamster, trucker

transversal ADJ transverse; F transversal

transverso ADJ transverse

tranvía M (transporte urbano) streetcar, trolley; (tren de cercanías) local train

trapacería F racket

trapacero -ra MF racketeer

trapeador M mop

trapear VT Am to mop

trapecio M trapeze

trapezoide ADJ & M trapezoid

trapiche M sugar mill

trapisonda F trick

trapo M rag; —**s** fam duds; **a todo** — at full speed; **tratar a alguien como un** — to treat someone like dirt; —**s sucios** dirty laundry

tráquea F trachea, windpipe

traquear VI (hacer sonido) to rattle, to clatter; (llevar a todos lados) to drag from place to place

traqueteo M rattle, clatter

tras PREP (temporal) after; (espacial) after, behind, in back of; **correr** — to run after; **día** — **día** day after day; **una vez** — **otra** time after time

trascendencia F transcendence

trascendental ADJ transcendental; (importante) momentous

trascendente ADJ transcendental

trascender VI to transcend; (surgir) to emerge; (extender) to extend

trasegar[?] VT (vino) to pour from one container to another; (papeles) to shuffle around; (papeles) to shuffle

trasero ADJ (punto, asiento) rear, back; (pata)

hind, M (de persona) *fam* rear, rear end, bottom

traslación F transfer

trasladar VT (a un empleado) to transfer; (una reunión) to postpone; **—se** to travel

traslado M transfer

traslapo M overlap

trasnochar VI to stay up late

traspapelar VT to mislay, to misplace; **—se** to become mislaid

traspasar VT (pasar por) to transfx; (ir más allá de) to go beyond; (pasar un límite) to transgress; to cross over; (una propiedad) to transfer

traspaso M transfer

traspié M stumble, slip; **dar un —** to stumble

trasplantar VT to transplant

trasplante M transplant

trasponer[39] VT to transpose

trasquilar VT (una oveja) to shear; (a una persona) to fleece

trastabillar VI to stumble

trastazo M bump

traste M (de guitarra) fret; stop; (trasero) buttocks; **dar al — con** to destroy; **irse al —** to go down the drain

trasto M piece of junk; **—s** stuff

trastocar[6] VT to disrupt

trastornar VT (alterar psíquicamente) to disturb; (alterar el funcionamiento) to disrupt; **—se** to go crazy

trastorno M (molestia) trouble; (patología) disorder; **— bipolar** bipolar disorder; **— de personalidad múltiple** multiple personality disorder

trasudar VI/VT to perspire

trata F trade

tratable ADJ (curable) treatable; (amistoso) approachable

tratado M (acuerdo) treaty; (libro) treatise

tratamiento M (acción de tratar) treatment; (fórmula de cortesía) form of address; **— de textos** *Esp* word processing

tratante MF dealer, trader

tratar VT (una enfermedad, a un paciente, un asunto) to treat; VI (intentar) to try; **— como** to treat like; **— con** to have dealings with; **— de** to try to, to attempt; **— sobre** to be about; **lo trató de imbécil** she called him an idiot; **—le a uno de** to address someone as; **— en** to deal in; **—se con** to have to do with; **—se de** to be a question of, to be

trato M (acuerdo) treatment; (acción de tratar) (convenio) deal; (comercio) trade; (modales) manners; ¡—

hecho[1] it's a deal! **tener buen —** to have good manners; **cerrar un —** to strike a bargain

trauma M trauma

traumático ADJ traumatic

traumatismo M trauma

través LOC ADV **a / al — de** through, across; **a — de las declaraciones** throughout the declarations; **de —** across; **mirar de —** to look askance (at)

travesaño M crossbar

travesía F crossing, sea voyage, passage

travesura F mischief, prank; **hacer —s** to play pranks

travieso ADV mischievous, naughty

trayecto M course, route

trayectoria F (de proyectil) trajectory, path; (profesional) career

traza F (huella) trace; (aspecto) appearance; **tiene —s de no acabar nunca** it looks as if it will never end

trazado M (de ciudad) layout; (de edificio) blueprint; (de un plan) outline

trazador M **— gráfico** plotter

trazar[9] VT to trace; to sketch; (un plan) to outline; (un edificio) to blueprint; **— el curso** to plot a course

trébol M clover

trece NUM thirteen

trecho M (distancia) stretch; **a —s** at intervals; **de — en —** at intervals

tregua F (de guerra) truce; (descanso) lull, respite

treinta NUM thirty

tremendo ADJ (extraordinario) tremendous; (terrible) terrible

trementina F turpentine

tremolar VT (bandera) to flutter; (voz) to trill

trémolo M quaver

trémulo ADJ tremulous, trembling

tren M train; **— de aterrizaje** landing gear; **— de carga / de mercancías** freight train; **— de cercanías** local train; **— de vida** lifestyle; **— expreso** express train; **a todo —** at top speed; **perder el —** to miss the boat; **seguir el —** to keep up

trenza F braid

trenzar[9] VT to braid

trepador ADJ (planta) climbing; (ciclista) climber

trepadora F climbing plant

trepar VI to climb

trepidar VI to tremble

tres NUM three

treta F trick, wile

triaje M triage

triangular adj triangular

triángulo m triangle; **— recto** right triangle

tribu f tribe

tribulación f tribulation

tribuna f (de orador) rostrum; (de un público) grandstand

tribunal m (judicial) tribunal, court; (cuerpo de jueces) body of judges

tributar vt to pay tribute with; vi to pay taxes

tributario adj & m tributary

tributo m (pago obligatorio) tribute; (impuesto) tax

tríceps m triceps

triciclo m tricycle

tridimensional adj three-dimensional

trifulca f fight

trigo m wheat

trigueño adj (tez) swarthy; (pelo) dark-blond

trillado adj trite

trilladora f threshing machine

trillar vt to thresh

trillizo -za adj & mf triplet

trilogía f trilogy

trimestral adj quarterly

trimestre m quarter

trinar vi to trill; **está que trina** she is furious

trinchante m carving knife

trinchar vt to carve

trinche m pitchfork

trinchera f trench; (gabardina) trench coat

trinchero m carving table

trineo m sleigh, sled

trinitense adj & mf Trinidadian

trino m trill

trinquete m ratchet

trío m trio

tripas f pl. guts; **hacer de — corazón** to pluck up one's courage

triple adj triple

triplicar⁶ vt to triple, to treble

trípode m tripod

triptongo m triphthong

tripulación f crew

tripular vt to man

triquiñuela f caper

triquitraque m firecracker

triscar⁶ vi to frisk

triste adj sad, sorrowful

tristeza f sadness, sorrow

tristón adj glum

tritón m newt

trituradora f (para desechos) garbage disposal unit; (para papel) paper shredder

triturar vt/vi (documentos) to shred; (granos) to grind

triunfal adj triumphal

triunfante adj triumphant

triunfar vi to triumph

triunfo m triumph

trivial adj trivial, commonplace, trite

trizas f pl. **hacer —** to tear into shreds

trocar².⁶ vt (transformar) to change into; (cambiar una cosa por otra) to exchange

trocear vt to divide into pieces

trocha f trail

trofeo m trophy

trole m trolley

trola f whopper

troje f granary

trolebús m trolley bus

tromba f waterspout; **salir en —** to storm out

trombón m trombone

trompa f (de elefante) trunk; (instrumento musical) horn; **— de Falopio** Fallopian tube

trompada f blow with the fist

trompeta f trumpet

trompetazo m trumpet blast

trompetear vi to trumpet

trompo m spinning top

tronada f thunderstorm

tronar² vi to thunder

tronchar vt to chop off

tronco m (de árbol) trunk, log; (del cuerpo) trunk, torso; **dormir como un —** to sleep like a log

tronera f (de buque) gun port; (de mesa de billar) pocket

trono m throne (también water)

tropa f (grupo) troop; (oficiales) rank and file; **—s de asalto** storm troops; **—s de choque** shock troops

tropel loc adv **en —** in droves

tropezar¹.⁹ vi to stumble, to trip; **—(se) con algún** to meet up with someone; **— con algo** to come across something

tropezón m stumble, trip; **salir a tropezones** to stumble out; **darse un —** to stumble

trópico m tropic

tropical adj tropical

troquel m die

trotar vi to trot

trote m trot; **al —** at a trot; **no estoy para estos —s** I'm too old for this

troza f log

trozar⁹ vt to cut up

trozo m (de roca, madera, torta) piece; (de un texto) section; (de carbón) lump; (de carne) slab

trucha F trout
truco M clever trick
truculento ADJ gruesome
trueno M thunder
trueque M barter
truhán -ana MF scoundrel
truja F cigarette
trust M trust
tú PRON PERS you
tu ADJ POS your
tuba F tuba
tuberculosis F tuberculosis
tubería F (tubo) pipe; (conjunto de tubos) piping
tubo M (cilindro hueco) tube; (de agua, órgano) pipe; (digestivo) tract; — **de ensayo** test tube; — **de escape** tailpipe
tubular ADJ tubular
tuerca F nut
tuerto ADJ one-eyed
tuétano M marrow; **hasta los —s** through and through
tufillo M whiff
tufo M (humo) fumes; (hedor) stench
tugurio M hovel; **—s** slums
tulipán M tulip
tullido -da ADJ crippled; MF *pey* cripple
tullir VT to cripple; **—se** to become crippled
tumba F (panteón) tomb; (sepultura) grave; **soy una —** my lips are sealed
tumbar VT to knock down, to flatten; **—se** to lie down, to stretch out
tumbo M tumble, somersault; **dar —s** (persona) to stagger; (coche) to bump along
tumor M tumor
tumulto M (alboroto) tumult, uproar; (muchedumbre) mob
tumultuoso ADJ tumultuous
tuna F prickly pear; *Esp* minstrel group
tunante -ta MF scamp
tunda F thrashing
túnel M tunnel
tunecino -na ADJ & MF Tunisian
Túnez M Tunisia
tungsteno M tungsten
túnica F tunic; — **de laboratorio** lab gown
tupido ADJ dense, compact
tupir VT (hacer tupido) to compact; (cubrir) to cover; **—se** to stuff oneself
turba F (muchedumbre) mob; (carbón fósil) peat
turbación F confusion
turbante M turban
turbar VT to disturb; **—se** to become disturbed

turbina F turbine
turbio ADJ (pasado, secreto) dark; (agua, materia) murky
turbocompresor M turbocharger
turborreactor M turbojet
turbulento ADJ turbulent
turco -ca ADJ Turkish; MF Turk; M (lengua) Turkish
turcomano -na ADJ & MF Turkmen
turismo M (actividad) tourism; (conjunto de turistas) tourists; **hacer —** to go sightseeing
turista MF tourist
Turkmenistán M Turkmenistan
turnarse VI to take turns
turno M turn; (de trabajo) shift
turquesa F turquoise
Turquía F Turkey
turrón M nougat
tutear VT to address as "tú"
tutela F guardianship
tutelar VT to have charge of
tutor -ora MF (de un menor) guardian; M (de planta) prop
Tuvalu M Tuvalu
tuvaluano -na ADJ & MF Tuvaluan
tuyo PRON POSS yours; **el amigo —** your friend; **esto es —** this is yours
tweed M tweed

Uu

u CONJ or
ubicación F location
ubicar[6] VT (situar) to locate; (identificar) to place; **—se** to be located
ubicuo ADJ ubiquitous
ubre F udder
UCP (unidad central de proceso) F CPU
Ucrania F Ukraine
ucraniano -na ADJ & MF Ukrainian
ufano ADJ proud
ufanarse VI to glory (in), to be proud (of)
Uganda F Uganda
ugandés -esa ADJ & MF Ugandan
ujier M bailiff
úlcera F (lesión superficial) sore; (en el estómago) sore; (en la boca) canker, sore
ulterior ADJ ulterior
ultimamente ADV of late
ultimar VT to finalize
ultimátum M ultimatum
último ADJ last, final; (destino) ultimate;

(más reciente) latest; **estar en las últimas** to be on one's last legs; la **última palabra** the last word; **en los —s tiempos** lately; **a última hora** at the last moment

ultrajante ADJ outrageous

ultrajar VT to outrage

ultraje M outrage, indignity

ultraligero M ultralight

ultramar LOC ADV **de —** overseas

ultramoderno ADJ ultramodern

ultratumba LOC ADV **de —** from beyond the grave

ultravioleta ADJ INV & M ultraviolet

ulular VI to howl, to hoot

ululato M hoot

umbral M threshold, doorstep

umbrío ADJ shady

un, uno, una ART INDEF a, an; **un hombre** a man; **un actor** an actor; **una mujer** a woman; **una manzana** an apple; NUM one; **de a —** one at a time; **es la una** it is one o'clock; **yo tengo —** I have one; PRON one; **por —** one by one; **—s** some; **—s cuantos** some; **— tiene que cuidarse** you've got to take care of yourself; **— tras otro** one after the other; **al lado del otro** side by side; **los —s a los otros/el — al otro** one another/each other

unánime ADJ unanimous

unanimidad F unanimity

uncir [10b] VT to yoke; (a un carro) to hitch

ungimiento M ointment, salve

único ADJ only; (extraordinario) unique

unidad F (indivisibilidad) unity; (ejemplar) unit; (facción militar) unit, outfit; **central de proceso** central processing unit

unificar [6] VT to unify

uniformar VT (estandarizar) to standardize; (dar uniformes) to furnish with uniforms

uniforme ADJ & M uniformity

uniformidad F uniformity

unilateral ADJ unilateral

unión F (acción de unir, cosas unidas) union; (lugar en que se unen dos cosas) junction; (indivisibilidad) unity

unir VT (dos construcciones) to join; (cinta magnética, genes) to splice; (caños) to couple; VI/VT (con lazos) to bind

unisex ADJ unisex

unísono ADJ unison, **al —** in unison

universal ADJ universal

universidad F (de enseñanza e investigación) university; (de enseñanza) college

universitario ADJ university; (relativo a los deportes) collegiate

universo M universe

untar VT (la piel con crema) to oil; (pan con mantequilla) to spread on; (la cara con pintura) to smear; **— la mano a alguien** to grease someone's palm

untuoso ADJ (graso) oily; (zalamero) slick, unctuous

uña F fingernail; (de gato) claw; **— y carne** thick as thieves; **con —s y dientes** tooth and nail

uranio M uranium

urbanidad F refinement, polish

urbanización F development

urbanizar [9] VT to build up

urbano ADJ (relativo a la ciudad) urban; (refinado) suave; **autobús —** city bus

urbe F metropolis

urdimbre F warp

urdir VT (una tela) to weave; (una historia) to concoct, (un plan) to devise, to work out

uretra F urethra

urgencia F (prisa) urgency; (crisis médica) emergency; **con —** urgently; **—s** emergency room

urgente ADJ urgent, pressing

urgir [11] VT to urge; VI to be urgent

úrico ADJ uric

urinario ADJ urinary; M urinal

URL M URL

urna F (para cenizas) urn; (electoral) ballot box; **acudir a las —s** to go to the polls

urólogo -ga MF urologist

urraca F (ave) magpie; (persona acaparadora) packrat

urticaria F hives

Uruguay M Uruguay

uruguayo -ya ADJ & MF Uruguayan

usado ADJ used; (desgastado) worn

usar VT to use; (ropa) to wear; **—se** to be in use; **sin —** unused

uso M (empleo) use; (costumbre) usage, custom; **al — de la época** according to the custom of the time

usted PRON PERS you; **—es** you all, y'all

usual ADJ usual

usuario -ria MF user; (en una biblioteca) borrower

usufructo M enjoyment

usufructuar [17] VT to enjoy the use of

usura F usury

usurero -ra MF usurer, loan shark

usurpar VT to encroach upon, to usurp

utensilio M utensil

útero M uterus, womb

útil adj useful, helpful; m pl. —es utensils
utilidad f usefulness, utility
utilitario adj utilitarian
utilización f use, utilization
utilizar[9] vt to utilize, (explotar) to use
utopía f utopia
uva f grape
úvula f uvula
uvular adj uvular
Uzbekistán m Uzbekistan
uzbeko -ka adj & mf Uzbek

Vv

vaca f cow; — marina sea cow
vacaciones f pl. vacation
vacante adj vacant; f vacancy, opening
vaciar[16] vt to empty; (una naranja) to hollow out; (una estatua) to cast
vacilación f hesitation
vacilante adj vacillating, hesitating
vacilar vi to vacillate, to hesitate, to waver; (tembloroso) shaky
vacío adj empty; (casa) vacant; (comentarios) idle; (expresión) blank; m (condición) (lugar) void; (espacio sin aire) emptiness; — envasado al vacuum-packed; hacer el — to give the cold shoulder
vacuna f vaccine
vacunación f vaccination
vacunar vt/vi to vaccinate
vadear vt to ford
vado m ford, crossing
vagabundear vi to wander idly
vagabundo -da adj vagabond, vagrant; mf (pordiosero) tramp, bum; (trabajador errante) drifter, transient; (en la playa) beachcomber
vagancia f vagrancy
vagar vi to wander, to roam
vagina f vagina
vago -ga adj (idea) vague; (silueta) shadowy; (impresión) faint, vague; (persona) lazy; mf vagrant, tramp
vagón m railway car; — restaurante dining car
vaguedad f faintness
vahído m dizzy spell
vaho m steam
vaina f (de una espada) sheath; (de legumbres) pod, shell; (molestia) nuisance
vainilla f vanilla

vaivén m swaying, swinging; vaivenes ups and downs
vajilla f tableware, dishes; — de barro earthenware; — de porcelana chinaware
vale m voucher
valedero adj valid
valentía f courage, valor, bravery
valentón -ona adj cocky; mf cocky person
valer[46] vt (tener un determinado valor) to be worth; vi (ser válido) to be valid; (estar permitido) to be allowed; (ser de utilidad) to be useful; — la pena to be worthwhile; — más que to outweigh; —se de to avail oneself of; —se por sí mismo to be self-sufficient; ¿cuánto vale? how much is it? hacer — los derechos to assert one's rights; hacerse — to stand up for oneself; le valió una paliza that earned him a beating; más vale sólo que mal acompañado better alone than in poor company; no hay pero que valga no buts about it; no vale ni un comino it's not worth a hoot; no vale que that's not fair; ¡vale! OK; ¡válgame Dios! gracious! todo — anything goes
valeroso adj valorous, brave
valía f worth
validez f validity
válido adj valid; (cheque) good; (argumento) solid
valiente adj valiant, brave, courageous
valija f valise, suitcase; (para el correo) pouch
valioso adj valuable
valla f fence; (en carreras) hurdle
vallar vt to fence
valle m valley, vale
valor m (precio) value, worth; (valentía) valor, mettle; (préstamo) contable book value; —es securities; —es en cartera holdings; — nominal face value; armarse de — to muster up one's courage
valoración f valuation
valorar vt (apreciar el valor) to value; (determinar el valor) to appraise
valorizar[7] vt to make more valuable; —se to become more valuable
vals m waltz
valsar vi to waltz
valuación f valuation, appraisal
valuar[17] vt to appraise
valva f valve
válvula f valve; — reguladora de aceleración throttle
vampiresa f vamp
vampiro m vampire

vanagloria F boastfulness

vanagloriarse VI to boast

vanaglorioso ADJ boastful

vándalo M ADJ vandal

vanguardia F vanguard; **a la —** at the forefront

vanidad F vanity, conceit

vanidoso ADJ vain

vano ADJ vain; **en —** in vain

Vanuatu M Vanuatu

vanuatuense ADJ & MF Vanuatuan

vapor M (de agua) vapor, steam; (buque) steamship; **—es** fumes; **cocer al —** to steam; **echar —** to give off steam

vapulear VT to thrash

vapuleo M thrashing

vaquera F cowshed

vaqueriza F cowshed

vaquería F cowshed

vaquero -ra M cowboy; **—s** blue jeans; F vaquera cowhide

vaquilla F heifer

vara F (rama) stick; (palo) rod

varadero M dry dock

varano M monitor lizard

varar VT to beach, to strand; VI to run aground

varear VT to whip with a stick

variable ADJ variable, changeable; F variable

variación F variation

variado ADJ varied

variante F variant

variar[16] VI/VT to vary

varicela F chicken pox

várices, varices F PL varicose veins

varicoso ADJ varicose

variedad F variety, assortment

varilla F small rod; (para azotar) switch; (de paraguas) rib

vario ADJ varied; **—s** various, several

variopinto ADJ variegated

varita F wand

varón M male (person)

varonil ADJ manly; (hombruno) mannish

vasco -ca ADJ & MF Basque; M (lengua) Basque

vascuence ADJ Basque; M (lengua) Basque

vascular ADJ vascular

vasectomía F vasectomy

vaselina F Vaseline™

vasija F vessel

vaso M (de vidrio) glass; (de papel, plástico) cup; (corto y grueso) tumbler; (sanguíneo) vessel; **— de precipitado** beaker

vástago M (de planta) shoot, sprout; (de persona) offspring; (de motor) rod

vasto ADJ vast

vataje M wattage

vaticinar VT to foretell

vaticinio M prediction

vatio M watt

vecindad F (cercanía) vicinity; (barrio) neighborhood

vecindario M neighborhood

vecino -na MF (de al lado) neighbor; (residente) resident; ADJ neighboring

vedar VT to prohibit

vega F fertile plain

vegano ADJ & MF INV vegan

vegetación F vegetation

vegetal ADJ vegetable; M plant; MF (persona paralizada) vegetable

vegetar VI to vegetate

vegetariano -na ADJ & MF vegetarian

vehemencia F vehemence

vehemente ADJ vehement

vehículo M vehicle

veinte NUM twenty

veintena F (aproximadamente) group of (about) twenty; (exactamente) score

veintiuno NUM twenty-one; M (juego de naipes) blackjack

vejanción -ona M codger; F old woman

vejar VT to humiliate

vejestorio -ria M codger; F old woman

vejete M codger

vejez F old age

vejiga F bladder; (ampolla) blister

vela F (período de vigilancia) vigil, watch; (de cera) candle; (de un navío) sail; **a toda —** under full sail; **en —** without sleep; **hacerse a la —** to set sail

velada F (noche) evening; (fiesta) evening party

velador M nightstand

velar VI (no dormir) to keep vigil, to stay awake; (cubrir con velo) to veil; (exponer a la luz una película fotográfica) to expose; **— por** to look after

velatorio M wake

veleidoso ADJ fickle

velero M sailboat; ADJ swift-sailing

veleta F weathervane; MF INV fickle person

vello M (del cuerpo) body hair; (de frutas) fuzz

vellón M fleece

velloso ADJ fuzzy

velludo ADJ hairy

velo M veil; **— del paladar** soft palate

velocidad F velocity, speed; **a toda —** at full speed

velocímetro M speedometer

velorio M wake

veloz ADJ swift, fast

vena f (vaso sanguíneo, veta) vein; (estado de ánimo) mood; (de locura) streak; estar en — to be in the mood, to be inspired

venado m deer; (macho) stag; (carne de venado) venison

vencedor -ora adj winning; mf winner; victor

vencer [1a] vt (a un enemigo) to conquer, to vanquish; (a un equipo) to defeat, to beat; (obstáculos) to overcome; (en valor, inteligencia) to surpass; vi —se (un plazo) to expire; (el asiento de una silla) to cave in

vencido adj (derrotado) defeated; (a pagar) due, overdue; darse por — to give up, to surrender

vencimiento m (de una deuda) maturity; (de un contrato) expiration

venda f bandage; (sobre los ojos) blindfold

vendaje m bandage

vendar vt (una herida) to bandage; (los ojos) to blindfold

vendaval m gale

vendedor -ora mf vendor, seller, salesperson; — mayorista wholesaler

vender vt/vi to sell; (traicionar) to betray; —se a to go over to; se vende for sale

vendetta f vendetta

vendible adj marketable

vendimia f vintage

veneciana f venetian blind

venenoso -a adj poisonous; (de víboras) venomous

veneno m poison; (de víboras) venom

venerable adj venerable

veneración f veneration, reverence

venerar vt (a una persona) to venerate, to revere; (a Dios) to worship

venéreo adj venereal

venezolano -na adj & mf Venezuelan

Venezuela f Venezuela

vengador -ora adj avenging; mf avenger

venganza f vengeance, revenge

vengar vt to avenge; —se de to retaliate for, to avenge, to take revenge

vengativo adj vindictive, vengeful

venida f coming

venidero adj forthcoming

venir [47] vi to come; — a colación to come up (in conversation); — al caso / a cuento to be relevant; — bien to be convenient; —le a uno bien to be suitable to someone; —se abajo to collapse; ¿a qué viene eso? what is the point of that? el año que viene next year, lo mejor está por — the best is yet to come; no me vengas con excusas no excuses; venga lo que venga come what may

venta f sale; — al por mayor wholesale; — al por menor retail; en — for sale; poner a la — to put up for sale

ventaja f advantage; (en una carrera) head start

ventajoso adj advantageous

ventana f window; tirar por la — to throw out the window

ventanilla f (de coche, avión) window; (de la nariz) nostril

ventarrón m gale, high wind

ventear vi to sniff the wind

ventilación f ventilation; (hueco para el aire) vent

ventilador m (abertura) ventilator; (aparato) electrical fan

ventilar vt to ventilate, to air out; (una cuestión) to air

ventisca f blizzard

ventisquero m (lugar ventoso) place prone to blizzards; (lugar nevado) snowfield

ventolera f gust of wind; darle a uno la — de to take a notion to

ventosear vi to break wind

ventoso adj windy, breezy

ventrículo m ventricle

venturoso adj futuro — bright future

ver [48] vt/vi to see; (televisión, espectáculos) to watch; a — let's see; eso aún está por —se that is still to be seen; no lo puedo — I can't stand him; no — la hora de to be dying for something to happen; no tener nada que — con not to have anything to do with; te veo preocupado you look worried; a mi modo de — in my opinion; —se obligado a to be obliged to; vérselas con algo to confront something; vérselas negras to have a hard time

vera loc adv a la — beside

veracidad f truthfulness

veranear vi to spend the summer

veraneo m summer vacation

veraniego adj summer

verano m summer

veras loc adv de — really

veraz adj truthful

verbal adj verbal

verbena f carnival

verbo m verb

verboso adj verbose, wordy

verborrágico adj long-winded

verdad f truth; ¿—? really? de — indeed; una pistola de — a real pistol; faltar a la — to fib

verdadero ADJ true, real

verde ADJ green (también inmaduro, sin experiencia, ecologista); (chiste) off-color; — **oliva** olive-green; **ponerse** — to stuff oneself; M green; **poner** — **a alguien** to run someone down

verdear VI/VT to turn green

verdín M scum

verdoso ADJ greenish

verdugo M executioner; hangman

verdugón M welt

verdulero -ra MF vegetable vendor

verduras F PL produce

vereda F Am sidewalk; **entrar en** — to toe the line

veredicto M verdict

verga F yard

vergonzoso ADJ (que da vergüenza) shameful, disgraceful; (que siente vergüenza) (tímido) sheepish, bashful

vergüenza F (humillación) shame; (incomodidad) embarrassment; (escándalo) disgrace; **tener** — to be ashamed; **es una** — it's a shame

vericueto M twists and turns

verídico ADJ truthful, true

verificación F verification, cross-check

verificar¹ VT to verify, to check; —**se** to take place

verja F grate

vermut M vermouth

vernáculo ADJ & M vernacular

verruga F wart

versado ADJ versed

versar VI — **sobre** to deal (with), to treat

versátil ADJ versatile

versículo M Bible verse

versión F version; (traducción) translation; (de una canción) rendition; — **original** original (of a film)

verso M line (of poetry): — **suelto / blanco** blank verse; — **libre** free verse;

versus PREP versus

vértebra F vertebra

vertebrado ADJ & N vertebrate

vertebral ADJ spinal

vertedero M dump, landfill

verter¹ VT (echar líquido) to pour; (vaciar) to pour out; (derramar) to spill; — **en** to empty into; —**se** to spill

vertical ADJ vertical; (erguido) upright;

vertiente F (pendiente) slope; (cuenca) watershed; ADJ flowing

vertiginoso ADJ dizzy, giddy

vértigo M (falta de equilibrio) vertigo; (frenesí) hectic pace

vesícula F gall bladder

vestíbulo M (de un edificio) vestibule, lobby; (de una casa) hallway

vestido M dress; — **de noche** evening gown; — **de novia** bridal dress

vestidura F attire

vestigio M vestige, trace, remnant

vestimenta F attire, dress; (estrafalaria) getup

vestir¹ VT to dress, to clothe; —**se** to get dressed; —**se de gala** to dress up

vestuario M wardrobe; (en el teatro) costumes; (lugar para vestirse) changing room

vetar VT to veto

veta F (de minerales) vein, seam; (de madera) grain; (de humor) strain

veteado ADJ veined

vetear VT to vein

veterano -na ADJ & MF veteran

veterinario -ria MF veterinarian; ADJ veterinary; F veterinary medicine

vetusto ADJ ancient

veto M veto

vez F time; **a la** — at the same time; **a su** — in turn; **a veces** sometimes; **cada** — **más** more and more; **cada** — **que** whenever; **de** — **en cuando** from time to time; **de una** — (por entero) all at once; (por fin) once and for all; **de una** — **por todas** once and for all; **en** — **de** instead of; **por primera** — for the first time; **otra** — again; **una** — **(que)** once; **una** — **tras otra** over and over; **una y otra** — over and over again; **raras veces** seldom; **hacer las veces de** to take the place of

vía F (camino) road, (de ferrocarril) track; (medio de acceso) avenue; — **Láctea** Milky Way; — **navegable** waterway; **por** — **de** by means of; **en** —**s de** in the process of; PREP vía

viable ADJ viable

viaducto M tunnel

viajante MF traveler; — **de comercio** traveling salesman / saleswoman

viajar VI to travel, to journey; (por mar) to voyage; (con drogas) to trip

viaje M trip, journey; (por mar) voyage; (en coche, caballo) ride; (por efecto de las drogas) trip; — **de ida y vuelta** round trip; **buen** — have a nice trip; **de** — out of town

viajero -ra MF traveler

viandante MF passer-by

viático M (de viaje) per diem; (religioso) last

rites

víbora f viper; **— de cascabel** rattlesnake

vibración f vibration; **(de la lengua)** trill

vibrador adj vibrating

vibrante adj vibrating

vibrar vi/vt to vibrate

vicegobernador -ora mf lieutenant governor

vicepresidente -ta mf vice-president

vicerrector -ora mf provost

viceversa adv vice versa

viciado adj (aire) stale; (costumbre) stuffy; (corrupto) foul

viciar vt to foul; (corromper) to corrupt

vicio m (mala costumbre) vice, bad habit; **de —** unjustifiably, **quitarse el — de** to wean oneself of

vicioso adj (persona) having bad habits; (gasto) unjustifiable; (gramática) faulty

vicisitud f vicissitude

víctima f victim; (en un accidente) casualty, victim

victimizar⁹ vt to victimize

victoria f victory

victorioso adj victorious

vida f life; **— mía** sweetheart; **— nocturna** night life; **— sentimental** love life; **así es la —** that's life; **de toda la —** life-long; **de — o muerte** life and death; **en la — voy a hacer eso** I would never do that; **esto es —** this is the life; **ganarse la — to** earn a living; **sin —** lifeless

vidente mf seer; adj seeing

vídeo, video m (aparato) VCR; (técnica) video; (cinta) videocassette

videocasete f videocassette

videoconferencia f videoconference

videojuego m video game

vidriado m glaze; adj glazed

vidriar vt to glaze

vidriera f show window

vidriero -ra mf glazier, glassmaker

vidrio m (sustancia) glass; (en una ventana) glass; **— s rotos** to be left holding the bag

vidrioso adj glassy

vieira f scallop

viejo -ja adj old; (chiste) stale; m old man; (padre) father; **— verde** dirty old man; **los — s** the old folks; f old woman; (madre) mother

viento m wind; **hace —** it is windy; **a los cuatro — s** in all directions

vientre m abdomen; (barriga) belly; (de mujer) womb

viernes m Friday

Vietnam m Vietnam

vietnamita adj & mf inv Vietnamese

viga f (de madera) beam, rafter; (de metal) girder

vigencia f **entrar en —** to go into effect; **estar en —** to be in force

vigente adj effective, in force

vigía f lookout, reef; mf inv lookout

vigilancia f vigilance; (en una tienda) surveillance

vigilante adj vigilant; m watchman; f watchwoman

vigilar vt/vi to keep watch (over); vt to keep an eye on; (policía) to stake out

vigilia f vigil, watch

vigor m vigor; **en —** in force; **entrar en —** to become effective

vigorizar⁷ vt to invigorate

vigoroso adj vigorous

VIH (virus de inmunodeficiencia humana) m HIV

vil adj vile, base, low

vileza f villainy, baseness

vilipendiar vt to revile

villa f village

villancico m Christmas carol

villanía f villainy

villano -na adj villainous; mf villain

vilo LOC ADV **en —** (en el aire) suspended; (en ascuas) in suspense

vinagre m vinegar

vincular vt to link; **— se** to link up

vínculo m link, tie

vindicar⁹ vt to vindicate

vinilo m vinyl

vino m wine; **— blanco** white wine; **— espumoso** sparkling wine; **— rosado** rosé wine; **— tinto** red wine

viña f vineyard

viñedo m vineyard

viñatero -ra mf winegrower

viola f viola

violación f violation; (sexual) rape

violado adj violet; m violet

violar vt (una ley) to violate; (una mujer) to rape, to ravish; (una promesa) to break; (una cerradura) to pick; (derechos) to infringe upon; (mandamientos) to trespass against

violencia f violence; **— doméstica** domestic violence

violentar vt (a una persona) to manhandle; (una casa) to break into; **— se** to get mortified

violento adj violent, rough; (marido) abusive; (entrada) forcible; (ataque) vicious

violeta adj inv & m violet

violín M violin; (para música folklórica) fiddle

violinista MF violinist

violoncelo M cello

virada F veer

viraje M swerve

virar VI/VT (vehículo) to swerve, to veer; VI (barco) to tack

virgen ADJ & MF virgin; ADJ (cassette) blank; (selva) undisturbed

virginal ADJ virginal

viril ADJ virile, manly

virilidad F virility, manhood

virreinato M viceroyalty

virrey M viceroy

virtual ADJ virtual

virtud F (moral) virtue; (práctica) asset

virtuoso -sa ADJ (moral) virtuous; ADJ & MF (artístico) virtuoso

viruela F smallpox

virulento ADJ virulent

virus M virus (también de computadoras)

viruta F wood shaving

visa F visa

visado M visa

visar VT to endorse

víscera F viscera

visceral ADJ visceral

viscoso ADJ viscous

visible ADJ visible

visigodo -da ADJ Visigothic; MF Visigoth

visillo M window shade

visión F vision; (persona fea) sight

visionario -ria ADJ & MF visionary

visita F (acción de visitar) visit; (persona) visit; visitor, caller; (a un edificio) tour; — de **médico** house call

visitación F visitation

visitador -ora MF visitor, caller; (inspector) inspector; (vendedor de medicamentos) pharmaceutical sales representative

visitante MF caller, visitor; ADJ visiting

visitar VT to visit; (un médico) to make a house call

vislumbrar VT to make out

viso M slip

visón M mink

víspera F on the eve of; **en —s de** on the eve of

vista F (panorama) view, vista; (visión) eyesight; **a la —** in sight; **a primera —** at first sight; **a simple —** with the naked eye; **bajar la —** to lower one's eyes; **conocer de —** to know by sight; **con —s a** with a view to; **en — de** considering; **hacer la — gorda** to look the other way; **¡hasta la —!** good-bye; **perder de —** to lose sight of; **tener a la —** to have before one's eyes; **tener — a** to look out on

vistazo M a glance, glimpse, look; **dar/echar un — a** to glance over

visto ADJ **bien —** well thought of; **mal —** looked down upon; **— que** whereas; M **bueno** approval; **dar el — bueno** to approve

vistoso ADJ showy

visual ADJ visual

visualizador M display

visualizar VT to visualize; (en pantalla) to display

vital ADJ vital; **fuerzas —es** life force

vitalicio ADJ vital; life; lifetime pension

vitalidad F vitality

vitamina F vitamin

viticultor -ora MF winegrower

vítor M cheer

vitorear VI/VT to cheer

vitral M stained-glass window

vitrina F (ventana) shop window; (armario) showcase

vituperación F vituperation

vituperar VT to revile

vituperio M vituperation

viudo -da M widower; F widow; **viuda negra** black widow spider

vivacidad F vivacity

vivaracho ADJ vivacious

vivaz ADJ vivacious, lively

víveres M PL provisions

vivero M nursery

viveza F (vivacidad) liveliness; (inteligencia) cleverness

vívido ADJ vivid

vivienda F (casa) dwelling; (alojamiento) housing

viviente ADJ living

vivir VI/VT to live; **vive una vida normal** he leads a normal life; **¡viva!** hurrah! **¡viva!** long live!

vivisección F vivisection

vivo ADJ (no muerto) alive, living; (ágil) lively; (vistoso, intenso) vivid; (listo) clever; **en —** before a live audience; **en y en directo** live; **de viva voz** by word of mouth

vocablo M word

vocabulario M vocabulary

vocación F vocation, calling; (religioso) call

vocal ADJ vocal; (no consonántico) vowel; F vowel; MF member

vocálico ADJ vocalic

vocear VI/VT to cry out; (anunciar) to page

vocerío M clamor

vocero -ra MF spokesperson

vociferante ADJ vociferous

vociferar VI to clamor

vodevil M vaudeville

vodka M vodka

volado ADJ (drogado) high; (escrito arriba) superscript

volador ADJ flying

volante M flying, M (en un vestido) ruffle, frill; (en un coche) steering wheel; (en un motor) flywheel; (folleto) leaflet, handbill

volar² VI/VT to fly; — **por su cuenta** to fly solo; **ir volando** to hurry; VT (un puente) to blow up; VI (hojas) to blow; —**se** (hacer explosión) to blow up; (enojarse) to lose one's temper; (irse volando) to fly away

volátil ADJ volatile

volcán M volcano

volcánico ADJ volcanic

volcar².⁶ VT (voltear) to tip over, to knock over; (derramar) to spill; (vaciar) to empty; VI to roll over, —**se** to tip over, to overturn

volea F volley

volear VI/VT to volley

voleibol M volleyball

volición F volition

volquete M dump truck

voltaje M voltage

voltear VT (una lámpara) to knock over, to turn over, (la cara) to turn away

voltereta F somersault, tumble; **dar una —** to somersault, **dar —s** to tumble

voltio M volt

voluble ADJ (malhumorado) moody; (mercado de valores) volatile

volumen M volume

voluminoso ADJ voluminous, bulky

voluntad F will; **a —** at will; **buena —** good will, willingness; **mala —** ill will; **por su propia —** of his own volition

voluntario-ria ADJ (por la propia voluntad) voluntary; MF volunteer

voluntarioso ADJ (bien dispuesto) willing; (testarudo) willful

voluptuoso ADJ voluptuous

voluta F scroll; —**s de humo** spirals of smoke

volver².⁵¹ VI (ir al punto de partida) to return, to come back; (ir de nuevo) to return, to go back, to go again; — **a comer** to eat again; — **del revés** to turn inside out; — **en sí** to regain consciousness; —**se** (regresar) to go back; (ponerse) to become; —**se contra** to turn against; —**se atrás** to turn back; —**se hacia** to go toward; —**se loco** to go crazy; VT (la cara) to turn away; — **las espaldas** to turn one's back

vomitar VI/VT to vomit, to throw up

vómito M vomit

voraz ADJ voracious, ravenous

vórtice M vortex

vosotros -as PRON PERS you, you guys; (sur de EEUU) you all, y'all

votación F vote

votante MF voter

votar VI to vote; VT (elegir) to vote for; (aprobar) to vote into law; — **a/por** to vote for

voto M (opinión) vote; (promesa) vow; — **de confianza** vote of confidence

voz F (sonido, aptitud, voto) voice; (cabeza de entrada) headword; **a — en cuello** at the top of one's lungs; **alzar la —** to raise one's voice; **correr la —** to be rumored; **en — alta** aloud; **a voces** shouting; **dar voces** to shout

vozarrón M loud voice

vudú M voodoo

vuelco M **todo daría un —** everything would change radically; **me dio un — el corazón** my heart skipped a beat; **dar un —**

vuelo M in flight; (de una falda) flare; **al —** on the fly; **de alto —** prestigious; **levantar/alzar el —** to fly away

vuelta F (movimiento circular) turn; (regreso, devolución) return; (carrera ciclista) tour; (en una pista) lap; (curva) twist; (de un collar) loop; (en deportes) round; (dinero) change; — **de tuerca** unforeseen event; **a la — de la esquina** around the corner; **a la — de correo** by return mail; **dar — al revés** to turn upside down; **dar — a una página/ una llave** to turn a page/ a key; **dar —s** to spin; **dar —s en la cama** to toss and turn; **dar — a algo** to turn something upside down; **dar la —** to turn around; **dar una —** to take a walk, to take a spin; **darse —** to roll over; **estar de —** (de regreso) to be back; (descorazonado) to be jaded; **me da —s la cabeza** my head is spinning; **no tiene — de hoja** there are no two ways about it

vuelto M Am change

vuestro ADJ POS — **hermano** your brother; **un amigo —** a friend of yours; PRON **el —** yours

vulgar ADJ (común) ordinary; (tosco) vulgar

vulgo M common people

vulnerable ADJ vulnerable

Ww

waffle M wafle
waffle iron F waflera
water M wáter
Web F World Wide Web
whisky M whisky; **— escocés** scotch
windsurf M windsurfing
wok M wok

Xx

xenofobia F xenophobia
xilófono, xilofón M xylophone

Yy

y CONJ and
ya ADV (desde antes) already; (ahora) now; (pronto) soon; **¡—!** enough! **— era hora** it was about time; **¡—lo creo!** I should say so! **— no** no longer; **— que** since; **— sea que** whether; **— te arreglo** I'll fix you; **— verás** mark my words; **—voy** I am coming
yacer[49] VI to lie
yacimiento M (de minerales) deposit; (de petróleo) field
yanqui ADJ & MF pey American
yarda F yard
yate M yacht
yegua F mare
yelmo M helmet
yema F (de huevo) egg yolk; (de una planta) bud, shoot; **— del dedo** fingertip
Yemen M Yemen
yemení ADJ & MF Yemeni
yen M yen
yermo ADJ (estéril) barren; (desolado) bleak, stark
yerno M son-in-law
yesca F tinder
yeso M (mineral) gypsum; (en construcción, medicina) plaster (of Paris); (escayola) cast
Yibuti M Djibouti
yibutiano -na ADJ & MF Djiboutian
yo PRON PERS I; M (ego) ego
yodo M iodine
yoduro M iodide
yoga M yoga
yogur M yogurt
yo-yo M yo-yo
yuca F (ornamental) yucca; (comestible) manioc
yugo M yoke
Yugoslavia F Yugoslavia
yugoslavo -va ADJ & MF Yugoslavian
yugular ADJ & F jugular
yunque M anvil
yunta F yoke
yuppie MF yuppie
yuxtaponer[39] VT juxtapose

Zz

zafar VT to release; **—se** (soltarse) to slip off; (no cumplir) to cop out; **—se de un aprieto** to squirm out of a difficulty
zafio ADJ boorish
zafiro M sapphire
zafra F (sugar) harvest
zaga LOC ADV **a la —** behind; **ir a la —** to be behind; **quedar a la —** to fall behind
zaguán M vestibule, hall
zaino ADJ chestnut-colored
zalamería F (tacto) smoothness; (lisonja) flattery
zalamero -ra MF flatterer; ADJ (empalagoso) smooth, unctuous; (lisonjero) flattering
Zambia F Zambia
zambiano -na ADJ & MF Zambian
zambo ADJ knock-kneed
zambullida F dive, plunge
zambullir[19] VT to plunge, to dip; **—se** to dive, to plunge
zanahoria F carrot
zanca F leg of a wading bird
zancada F stride; **dar —s** to stride
zancadilla F intentional tripping; **hacer una —** to trip
zanco M stilt
zancudo ADJ long-legged, lanky; M Am mosquito
zángano M drone (también holgazán)
zangolotear VI/VT to jiggle
zangoloteo M jiggle
zanja F ditch, trench
zanjar VT to settle

zapapico M pickax(e)
zapata F brake shoe
zapatear VI to tap the feet in dancing
zapateo M tapping with the feet in dance
zapatería F shoe store
zapatero -ra MF (que fabrica) shoemaker; (que vende) shoe dealer; (que remienda) cobbler
zapatilla F (pantufla) slipper; (de vestir) pump; **— s** sneakers
zapato M shoe
zar M czar
zarandear VT to jiggle; **—se** to flop around
zarandeo M jiggle
zarcillo M (arete) earring; (de planta) tendril
zarigüeya F opossum
zarpa F claw
zarpar VI to sail, to set sail
zarpazo M blow with a claw; **dar —s** to claw
zarza F bramble, briar
zarzamora F blackberry
zepelín M blimp, zeppelin
zigzag M zigzag
zigzaguear VI to zigzag, to weave one's way
Zimbabue M Zimbabwe
zimbabuo -ua ADJ & MF Zimbabwean
zirconio M zirconium
zócalo M baseboard
zodíaco M zodiac
zombi M zombie
zona F (área) zone; (culebrilla) shingles; **— gris** gray area; **— tampón** buffer zone
zonzo ADJ silly, foolish
zoo M zoo
zoología F zoology
zoológico ADJ zoological; M zoo
zoom M zoom lens
zopenco -ca MF dolt, numbskull
zorrillo M skunk
zorro -a MF fox; F (hembra) vixen; ADJ (astuto) foxy, cunning; (promiscuo) loose
zorzal M thrush
zozobra F anxiety, worry
zozobrar VI to founder
zueco M clog
zumbar VI (hacer sonidos los insectos) to buzz, to drone, to hum; (hacer ruidos las máquinas) to whir, to whiz; (tintinear los oídos) to ring; (dar golpe) to sock
zumbido M (sonido de insectos) buzz, drone, hum; (sonido de máquinas) whir, whiz; (sonido en los oídos) ring
zumo M fruit juice
zurcido M (remiendo) darn; (acción de remendar) darning
zurcir VT to darn

zurdo ADJ left-handed, southpaw
zuro M corncob
zurra F whipping
zurrar VT to whip, to thrash
zutano -na M so-and-so, what's-his-name; F what's-her-name

Inglés–Español · English–Spanish

Lista de abreviaturas / List of Abbreviations

adj	adjective	adjetivo
adv	adverb, adverbial	adverbio, adverbial
Am	America	América
art	article	artículo
conj	conjunction	conjunción
def	definite	definido
dem	demonstrative	demostrativo
f	feminine	femenino
fam	familiar	familiar
indef	indefinite	indefinido
interj	interjection	interjección
interr	interrogative	interrogativo
inv	invariable	invariable
lit	literary	literario
loc	locution	locución
m	masculine	masculino
Mex	Mexico	México
n	noun	sustantivo
num	numeral	numeral
pej	pejorative	peyorativo
pl	plural	plural
poss	possessive	posesivo
prep	preposition, prepositional	preposición, preposicional
pron	pronoun	pronombre
rel	relative	relativo
RP	River Plate	Río de la Plata
sg	singular	singular
Sp	Spain, Spanish	España
v aux	auxiliary verb	verbo auxiliar
vi	intransitive verb	verbo intransitivo
vt	transitive verb	verbo transitivo
vulg	vulgar	vulgar

Pronunciación inglesa

I. VOCALES

Símbolo fonético	Ortografía inglesa	Explicación
[i]	see, pea	como la *i* en hilo
[ɪ]	bit	el sonido más aproximado es la *i* en *virtud*, pero la [ɪ] inglesa es más abierta, tirando a *e*
[e]	late, they	equivale aproximadamente a *ei*
[ɛ]	set	semejante a la *e* de *perro*, pero más abierta
[ɝ]	work, bird	como la *u* de *cud* (ver abajo) pero articulada simultáneamente con una *r*
[æ]	sat	sonido intermedio entre *e* y *a*
[ɑ]	hot	como la vocal de *pan*
[ɔ]	saw, laud	sonido intermedio entre *a* y *o*
[o]	low, mode	equivale aproximadamente a *ou*
[ʊ]	book, pull	como la *u* de *turrón*, pero más abierta
[u]	June, moon	como la *u* de *uno*
[ʌ]	cud	una *e* muy relajada
[ə]	adept	una *e* muy relajada y átona
[ɚ]	teacher	una *e* átona relajada articulada simultáneamente con una *r*

II. DIPTONGOS

Símbolo fonético	Ortografía inglesa	Explicación
[aɪ]	pie, aisle	como *ai* en *aire*
[aʊ]	now, foul	como *au* en *causa*
[ɔɪ]	boy	como *oy* en *hoy*
[ju]	use	como *iu* en *ciudad*

III. CONSONANTES

Símbolo fonético	Ortografía inglesa	Explicación
[b]	bat	semejante a la *b* española, pero seguida de aspiración
[d]	day	semejante a la *d* española, pero articulada en los alvéolos y con más tensión
[f]	fun, photo	como la *f* española
[g]	go	como la *g* de *goma,* pero con más tensión

274

[h]	hat	muy suave como la *j* de los dialectos caribeños del español
[j]	year	como la *i* del diptongo de *hielo*
[k]	cat, kill	como la *c* de *carro*, pero seguida de aspiración
[l]	let	como la *l* de *lado*
[ɫ]	ball	como la *l* final catalana
[m]	much	como la *m* española
[n]	no	como la *n* española
[p]	pea	como la *p* española, pero seguida de aspiración
[r]	red	no tiene equivalente en español; se pronuncia con la punta de la lengua enrollada hacia arriba, sin tocar el paladar
[s]	sea	como la *s* hispanoamericana (no la castellana)
[t]	tea	como la *t* española pero articulada en los alvéolos y seguida de aspiración
[v]	very	se articula con los dientes incisivos superiores colocados en el labio inferior
[w]	weed	equivale a la *u* del diptongo de *fui*
[z]	zero, rose	como la *s* de *mismo* cuando se sonoriza, pero aun más sonora
[ɒ]	latter, ladder	como la *r* de *para*
[θ]	thin	como la *z* del español castellano en *zagal*
[ð]	this	como la *d* de *cada*
[ʃ]	sheet, machine, notation	una *s* muy palatal como en francés *chapeau* o italiano *lasciare*
[ʒ]	measure, beige	como la *ll* argentina en *valle*, cuando es sonora
[tʃ]	church	como la *ch* de *charla*
[dʒ]	judge	como la *y* de *inyectar*
[ṇ]	eaten, button	representa la *n* silábica, articulada sin la vocal anterior
[ŋ]	ring	como la *n* española en *mango* y *banco*
[l̩]	able	representa la *l* silábica, articulada sin la vocal anterior
[hw]	where	combinación de los sonidos [h] y [w] arriba descritos

Notas sobre gramática inglesa

El sustantivo

Género. En la gramática inglesa el género solo desempeña un papel importante en el sistema pronominal, p. ej. **he runs** 'él corre', **she runs** 'ella corre', **I see him** 'lo veo', **I see her** 'la veo'. En los sustantivos que designan a personas, se emplean varios métodos para distinguir entre los sexos, v. gr. por el agregado de un sufijo, como en **actor** 'actor', **actress** 'actriz', por el agregado de una palabra, como en **baby boy** 'niño', **baby girl** 'niña', **she-bear** 'osa', **male nurse** 'enfermero', o utilizando palabras completamente distintas, como en **uncle** 'tío', **aunt** 'tía'.

Número. Generalmente se forma el plural añadiendo -s al singular: **paper, papers** 'papel, papeles', **books, books** 'libro, libros', **chief, chiefs** 'jefe, jefes'.

Los sustantivos que terminan en **-ss, -x, -sh, -z**, y **-o** añaden **-es** para formar el plural: **kiss, kisses** 'beso, besos', **box, boxes** 'caja, cajas', **dish, dishes** 'plato, platos', **buzz, buzzes** 'zumbido, zumbidos', **hero, heroes** 'héroe, héroes'. Esto vale también por **-ch** cuando se pronuncia [č], como en **arch, arches** 'arco, arcos', pero no cuando se pronuncia [k], como en **monarch, monarchs** 'monarca, monarcas'.

Los sustantivos que terminan en **-fe**, y ciertos sustantivos que terminan en **-f** cambian estas letras en **v** y añaden **-es** en el plural: **leaf, leaves** 'hoja, hojas', **life lives** 'vida, vidas', **wife, wives** 'esposa, esposas', **knife, knives** 'cuchillo, cuchillos' (pero **reef, reefs** 'arrecife, arrecifes').

Para formar el plural de los sustantivos terminados en **-y** precedida de consonante se cambia la **-y** en **-ies: fly, flies** 'mosca, moscas', **family, families** 'familia, familias'. En cambio, los sustantivos terminados en **-y** precedida de vocal forman el plural añadiendo **-s** al singular: **day, days** 'día, días'.

Ciertos sustantivos forman el plural de una manera irregular: **man, men** 'hombre, hombres', **woman, women** 'mujer, mujeres', **mouse, mice** 'ratón, ratones', **louse lice** 'piojo, piojos', **goose, geese** 'ganso, gansos', **tooth, teeth** 'diente, dientes', **foot feet** 'pie, pies', **ox, oxen** 'buey, bueyes'.

Ciertos sustantivos que terminan en **-is** forman el plural cambiando la **i** de la terminación en **e: axis, axes** 'eje, ejes', **crisis, crises** 'crisis' (sg., pl.).

El adjetivo

El adjetivo inglés es invariable en cuanto a género y número. Normalmente se coloca delante del sustantivo: **an interesting woman** 'una mujer interesante', **a large man** 'un hombre grande', **beautiful birds** 'aves hermosas'.

Los comparativos y superlativos. Aunque no hay una regla general, por lo común los adjetivos monosílabos, los adjetivos acentuados en la última sílaba y algunos bisílabos comunes forman el comparativo de aumento y el superlativo añadiendo **-er** y **-es** (como en **tall**). Los demás adjetivos van precedidos de **more** (para el comparativo) y **most** (para el superlativo) (como en **careful**). Nótese que (1) si la palabra termina en **-e** muda, se añaden **-r** y **-st** en vez de **-er** y **-est** (ver **wise**), (2) los adjetivos terminados en **-y** cambian esta letra en **i** (ver **happy**), (3) los adjetivos terminados en consonante precedida de vocal doblan la consonante (ver **fat**):

Positivo	Comparativo	Superlativo
tall alto	**taller** más alto	**the tallest** el más alto
careful cuidadoso	**more careful** más cuidadoso	**the most careful** el más cuidadoso
wise sabio	**wiser** más sabio	**the wisest** el más sabio
happy feliz	**happier** más feliz	**the happiest** el más feliz
fat gordo	**fatter** más gordo	**the fattest** el más gordo

Los adjetivos siguientes forman el comparativo y el superlativo de una manera irregular:

good	**better**	**best**
bad, ill	**worse**	**worst**
much	**more**	**most**

El adverbio

Muchos adverbios se forman añadiendo **-ly** al adjetivo: **courteous** 'cortés', **courteously** 'cortésmente', **bold** 'atrevido', **boldly** 'atrevidamente'. Existen las irregularidades ortográficas siguientes en la formación de los adverbios que terminan en **-ly:** (1) los adjetivos terminados en **-ble** cambian la **-e** en **-y: possible, possibly,** (2) los terminados en **-ic** añaden **-ally: poetic, poetically,** (3) los terminados en **-ll** añaden sólo **-y: full, fully,** (4) los terminados en **-ue** pierden la **-e** final: **true, truly,** (5) los terminados en **-y** cambian la **-y** en **i: happy, happily.**

La mayor parte de los adverbios forman el comparativo y el superlativo con los adverbios **more** 'más' y **most** 'el/la más'. Asimismo los adverbios monosílabos añaden **-er** y **-est:**

Positivo	*Comparativo*	*Superlativo*
boldly	**more boldly**	**most boldly**
generously	**more generously**	**most generously**
soon	**sooner**	**soonest**
early	**earlier**	**earliest**
late	**later**	**latest**
fast	**faster**	**fastest**

Los adverbios siguientes forman el comparativo y el superlativo de una manera irregular:

well	**better**	**best**
badly	**worse**	**worst**
little	**less**	**least**
far	**farther, further**	**farthest, furthest**

Sufijos comunes del inglés

-dom   a partir de bases nominales, forma sustantivos con los sentidos de dominio, jurisdicción, estado, condición: **kingdom** 'reino' (**king** 'rey'), **martyrdom** 'martirio' (**martyr** 'mártir'), **freedom** 'libertad' (**free** 'libre')

-ee   a partir de verbos, forma sustantivos indicando a la persona que recibe una acción: **addressee** 'destinatario' (**to address** 'dirigir'), **employee** 'empleado' (**to employ** 'emplear').

-eer		a partir de bases diversas, forma sustantivos que denotan oficio u ocupación: **auctioneer** 'subastador' (**to auction** 'subastar'), **puppeteer** 'titiritero' (**puppet** 'títere')
-en	*a.*	forma adjetivos que denotan la substancia de que está hecha una cosa: **golden** 'dorado' (**gold** 'oro'), **wooden** 'de madera' (**wood** 'madera')
	b.	forma verbos a partir de adjetivos: **to whiten** 'blanquear' (**white** 'blanco), **to darken** 'oscurecer' (**dark** 'oscuro')
-er	*a.*	forma sustantivos a partir de verbos para indicar agente **player** 'jugador' (**to play** 'jugar'), **speaker** 'hablante' (**to speak** 'hablar'), **baker** 'panadero' (**to bake** 'hornear')
	b.	forma sustantivos a partir de sustantivos para denominar al residente de un lugar: **New Yorker** 'neoyorkino' (**New York** 'Nueva York'), **islander** 'isleño' (**island** 'isla')
-ess		se usa para formar el género femenino de ciertos sustantivos: **princess** 'princesa' (**prince** 'príncipe'), **countess** 'condesa' (**count** 'conde')
-fold		indica el número de veces que se repite algo: **twofold** 'dos veces' (**two** 'dos'), **hundredfold** 'cien veces' (**hundred** 'cien')
-ful	*a.*	forma adjetivos a partir de sustantivos para indicar la presencia de una cualidad: **hopeful** 'esperanzado' (**hope** 'esperanza'), **careful** 'cuidadoso' (**care** 'cuidado'), **willful** 'voluntarioso' (**will** 'voluntad')
	b.	forma adjetivos a partir de verbos para indicar tendencia: **forgetful** 'olvidadizo' (**to forget** 'olvidar')
	c.	forma sustantivos a partir de sustantivos indicando la capacidad: **handful** 'puñado' (**hand** 'mano'), **spoonful** 'cucharada' (**spoon** 'cuchara')
-hood		forma abstractos a partir de sustantivos concretos: **motherhood** 'maternidad' (**mother** 'madre'), **childhood** 'niñez' (**child** 'niño'), **likelihood** 'probabilidad' (**likely** 'probable')
-ing	*a.*	forma adjetivos a partir de verbos: **running water** 'agua corriente' (**to run** 'correr'), **drinking water** 'agua potable' (**to drink** 'beber'), **waiting room** 'sala de espera' (**to wait** 'esperar'), **washing machine** 'máquina lavadora' (**to wash** 'lavar')
	b.	se usa para formar sustantivos que denominan la acción de un verbo: **understanding** 'entendimiento' (**to understand** 'entender'), **supplying** 'abastecimiento' (**to supply** 'abastar')
	c.	se usa para formar sustantivos que denominan una cosa que desempeña una acción: **clothing** 'ropa' (**to clothe** 'vestir'), **covering** 'cobertura' (**to cover** 'cubrir')

-ish   forma adjetivos a partir de sustantivos indicando semejanza o atenuación: **boyish** 'como un niño' (**boy** 'niño'), **womanish** 'como mujer, mujeril' (**woman** 'mujer'), **whitish** 'blancuzco' (**white** 'blanco')

-less   se agrega a sustantivos para indicar falta de algo: **childless** 'sin hijos' (**child** 'hijo'), **penniless** 'sin dinero' (**penny** 'centavo'), **endless** 'interminable, sin fin' (**end** 'fin')

-like   se añade a sustantivos para indicar semejanza: **lifelike** 'que parece vivo' (**life** 'vida'), **childlike** 'infantil' (**child** 'niño'), **tigerlike** 'como un tigre' (**tiger** 'tigre')

-ly
    a. se añade a adjetivos para formar adverbios: **slowly** 'lentamente' (**slow** 'lento'), **happily** 'felizmente' (**feliz** 'happy')
    b. deriva adjetivos a partir de sustantivos indicando manera: **motherly** 'maternal' (**mother** 'madre'), **gentlemanly** 'caballeroso' (**gentleman** 'caballero'), **friendly** 'amistoso' (**friend** 'amigo')
    c. deriva adjetivos o adverbios de tiempo a partir de sustantivos: **daily** 'diario', 'diariamente' (**day** 'día'), **weekly** 'semanal', 'semanalmente' (**week** 'semana')

-ness   forma sustantivos abstractos a partir de adjetivos: **goodness** 'bondad' (**good** 'bueno'), **darkness** 'oscuridad' (**dark** 'oscuro'), **foolishness** 'tontería' (**fool** 'tonto')

-ship   se emplea para derivar sustantivos a partir de sustantivos y verbos para denotar
    a. cualidades abstractas: **friendship** 'amistad' (**friend** 'amigo')
    b. arte o destreza: **horsemanship** 'equitación' (**horseman** 'jinete')
    c. dignidad, oficio, cargo, o título: **professorship** 'cátedra' (**professor** 'catedrático'), **lordship** 'señoría' (**lord** 'señor')
    d. la duración de una acción: **courtship** 'cortejo' (**to court** 'cortejar')

-some   se añade a verbos para formar adjetivos que expresan tendencia excesiva: **tiresome** 'aburrido' (**to tire** 'aburrir'), **quarrelsome** 'pendenciero' (**to quarrel** 'discutir')

-th   es el sufijo que forma números ordinales a partir de los cardinales: **fifth** 'quinto' (**five** 'cinco'), **tenth** 'décimo' (**ten** 'diez')

-ward   se añade a sustantivos y adverbios para indicar movimiento hacia un lugar: **homeward** 'hacia casa' (**home** 'casa'), **downward** 'hacia abajo' (**down** 'abajo')

-wise, -ways	se añaden a sustantivos para indicar dirección o posición: **edgewise** 'de lado' (**edge** 'borde'), **lengthwise** 'a lo largo' (**length** 'largo'), **sideways** 'de lado' (**side** 'lado')

-y	*a.*	es un sufijo diminutivo: **doggy** 'perrito' (**dog** 'perro'), **Johnny** 'Juanito' (**John** 'Juan')
	b.	se añade a sustantivos para formar adjetivos que indican abundancia: **rocky** 'rocoso' (**rock** 'roca'), **rainy** 'lluvioso' (**rain** 'lluvia'), **hairy** 'peludo' (**hair** 'pelo'), **angry** 'enojado' (**anger** 'enojo')
	c.	se añade a sustantivos para formar adjetivos que expresan semejanza: **rosy** 'rosado' (**rose** 'rosa')

Verbos irregulares de la lengua inglesa

Se denominan verbos irregulares los que no forman el pretérito o el participio pasivo con la adición de **-d** o **-ed** al presente. Obsérvese que en ciertos verbos (aquí señalados con asterisco) coexiste la forma regular al lado de la irregular. Las formas poco usadas aparecen entre paréntesis.

Presente	Pretérito	Participio pasivo
*abide	(abode)	abode
am, is, are	was, were	been
arise	arose	arisen
*awake	awoke	awoke, awoken
bear	bore	borne
beat	beat	beat, beaten
become	became	become
befall	befell	befallen
beget	begat	begotten
begin	began	begun
behold	beheld	beheld
bend	bent	bent
beseech	(besought)	(besought)
beset	beset	beset
bet	bet	bet
bid 'offer'	bid	bid
bid 'command'	bade	bidden
bind	bound	bound
bite	bit	bitten, bit
bleed	bled	bled
blow	blew	blown
break	broke	broken
breed	bred	bred
bring	brought	brought
build	built	built
*burn	burnt	burnt

Verbos irregulares

Presente	Pretérito	Participio pasivo
burst	burst	burst
buy	bought	bought
cast	cast	cast
catch	caught	caught
choose	chose	chosen
cling	clung	clung
*clothe	(clad)	(clad)
come	came	come
cost	cost	cost
creep	crept	crept
*crow	crew	crowed
cut	cut	cut
deal	dealt	dealt
dig	dug	dug
*dive	dove	dived
do	did	done
draw	drew	drawn
*dream	dreamt	dreamt
drink	drank	drunk
drive	drove	driven
*dwell	dwelt	dwelt
eat	ate	eaten
fall	fell	fallen
feed	fed	fed
feel	felt	felt
fight	fought	fought
find	found	found
*fit	fit	fit
flee	fled	fled
fling	flung	flung
fly	flew	flown
forbear	forbore	forborne
forbid	forbade	forbidden
foresee	foresaw	foreseen
foretell	foretold	foretold
forget	forgot	forgotten, forgot
forgive	forgave	forgiven
forsake	forsook	forsaken
freeze	froze	frozen
get	got	got, gotten
*gild	gilt	gilt
*gird	girded	girt
give	gave	given
go	went	gone
grind	ground	ground

Verbos irregulares

Presente	Pretérito	Participio pasivo
grow	grew	grown
hang[1]	hung	hung
have, has	had	had
hear	heard	heard
*hew	hewed	hewn
hide	hid	hidden, hid
hit	hit	hit
hold	held	held
hurt	hurt	hurt
keep	kept	kept
*kneel	knelt	knelt
*knit	knit	knit
know	knew	known
lay	laid	laid
lead	led	led
*lean	lean(t)	lean(t)
*leap	leapt	leapt
*learn	learn(t)	learn(t)
leave	left	left
lend	lent	lent
let	let	let
lie[2]	lay	lain
*light	lit	lit
lose	lost	lost
make	made	made
mean	meant	meant
meet	met	met
mistake	mistook	mistaken
*mow	mowed	mown
pay	paid	paid
*plead	pled	pled
put	put	put
quit	quit	quit
read [rid]	read [red]	read [red]
rend	rent	rent
*rid	rid	rid
ride	rode	ridden
ring	rang	rung
rise	rose	risen
run	ran	run
*saw	sawed	sawn
say	said	said
see	saw	seen
seek	sought	sought

1. Es regular cuando significa 'ahorcar'.
2. Es regular cuando significa 'mentir'.

Presente	Pretérito	Participio pasivo
sell	sold	sold
send	sent	sent
set	set	set
*sew	sewed	sewn
shake	shook	shaken
*shave	shaved	shaven
*shear	sheared	shorn
shed	shed	shed
shine[3]	shone	shone
shoe	shod	shod
shoot	shot	shot
*show	showed	shown
*shred	shred	shred
shrink	shrank (shrunk)	shrunk (shrunken)
shut	shut	shut
sing	sang	sung
sink	sank	sunk
sit	sat	sat
slay	slew	slain
sleep	slept	slept
slide	slid	slid, slidden
sling	slung	slung
slink	slunk	slunk
slit	slit	slit
*smell	(smelt)	(smelt)
smite	smote	smitten
*sneak	snuck	snuck
*sow	sowed	sown
speak	spoke	spoken
*speed	sped	sped
*spell	(spelt)	(spelt)
spend	spent	spent
*spill	spilt	spilt
spin	spun	spun
spit	spat, spit	spat, spit
split	split	split
*spoil	(spoilt)	(spoilt)
spread	spread	spread
spring	sprang, sprung	sprung
stand	stood	stood
*stave	stove	stove
steal	stole	stolen
stick	stuck	stuck
sting	stung	stung
stink	stank	stunk

3. Suele ser regular cuando es transitivo, en el sentido 'pulir', 'dar brillo'.

Verbos irregulares

Presente	Pretérito	Participio pasivo
*strew	strewed	strewn
stride	strode	stridden
strike	struck	struck, stricken
sting	stung	stung
*strive	strove	striven
swear	swore	sworn
*sweat	sweat	sweat
sweep	swept	swept
*swell	swelled	swollen
swim	swam	swum
swing	swung	swung
take	took	taken
teach	taught	taught
tear	tore	torn
tell	told	told
think	thought	thought
throw	threw	thrown
thrust	thrust	thrust
tread	trod	trodden
understand	understood	understood
undertake	undertook	undertaken
undo	undid	undone
uphold	upheld	upheld
upset	upset	upset
*wake	woke	woken
wear	wore	worn
weave	wove	woven
*wed	wed	wed
weep	wept	wept
*wet	wet	wet
win	won	won
wind	wound	wound
withdraw	withdrew	withdrawn
withhold	withheld	withheld
withstand	withstood	withstood
wring	wrung	wrung
write	wrote	written

Aa

a [a, e] INDEF ART un *m*, una *f*; **what — fool!** ¡qué tonto! **such — fool** tan tonto; **I'm — teacher / Catholic** soy maestro / católico

aback [əbǽk] ADV **to be taken —** estar desconcertado

abandon [əbǽndən] VT abandonar; N abandono *m*, desamparo *m*

abandonment [əbǽndənmənt] N abandono *m*, desamparo *m*

abashed [əbǽʃt] ADJ humillado, avergonzado

abate [əbét] VI/VT disminuir, mitigar(se); (storm) calmarse, atenuarse

abbey [ǽbi] N abadía *f*

abbot [ǽbət] N abad *m*

abbreviate [əbríviet] VT abreviar

abbreviation [əbriviéʃən] N (act of abbreviating) abreviación *f*; (short form) abreviatura *f*

abdicate [ǽbdiket] VI/VT abdicar

abdomen [ǽbdəmən] N abdomen *m*, vientre *m*

abdominal [æbdάmənəl] ADJ abdominal

abduct [əbdˈkt] VT secuestrar, raptar

abduction [əbdˈkʃən] N rapto *m*, secuestro *m*

aberration [æbəréʃən] N anomalía *f*, aberración *f*

abet [əbét] VT instigar

abeyance [əbéəns] ADV LOC **in —** pendiente, en suspenso

abhor [əbhˈr] VT aborrecer

abhorrent [əbhˈrənt] ADJ aborrecible

abhorrence [əbhˈrəns] N aborrecimiento *m*

abide [əbáid] VT (tolerate) soportar; VI (dwell) morar, permanecer; **to — by** acatar, atenerse a

ability [əbíləti] N (skill) habilidad *f*; (aptitude) capacidad *f*

abject [ǽbdʒekt] ADJ abyecto, **— in poverty** en extrema miseria

ablaze [əbléz] ADV en llamas

able [ébəl] ADJ hábil, capaz; **—bodied** de cuerpo sano; **to be — to** **be capable of** poder; (have an acquired skill) saber

abnegate [ébniget] VT renunciar

abnormal [æbnˈrməl] ADJ anormal

aboard [əbˈrd] ADV a bordo; **all —!** (train) ¡viajeros al tren! (ship) ¡pasajeros a bordo!

abode [əbˈd] N morada *f*; **place of —**

abolish [əbάliʃ] VT abolir, suprimir

abolition [æbəlíʃən] N abolición *f* domicilio *m*

abominable [əbάmənəbəl] ADJ abominable

abomination [əbάmənéʃən] N (action) abominación *f*; (condition) abominación *f*, hábito *m* horror *m*

aboriginal [æbərídʒənəl] ADJ aborigen

aborigine [æbərídʒəni] N aborigen *mf*; **Australian —** aborigen australiano -na *mf*

abort [əbˈrt] VT (fetus) abortar; VI/VT (mission) suspender

abortion [əbˈrʃən] N aborto *m*

abortionist [əbˈrʃənist] N abortador -ra *mf*, abortero -ra *mf*

abortive [əbˈrtiv] ADJ frustrado

abound [əbάund] VI abundar; **to — with** abundar en

about [əbάut] PREP concerning, acerca de, tocante a; (near, surrounding) alrededor de, por; **to be — one's business** atender a su negocio; ADV más o menos, alrededor de; **at — ten o'clock** a eso de las diez, sobre las diez; **to be — to do something** estar por/para hacer algo, estar a punto de hacer algo

above [əbˈv] PREP **you could see the towers — the buildings** se veían las torres sobre los edificios; **everyone — five years of age** todos los de más de cinco años, **he's — me in the company** es mi superior en la compañía; **to be — suspicion** libre de toda sospecha; **I thought you were — such things** no pensaba que te rebajaras a eso; ADV **the apartment —** el apartamento de arriba; **books of fifty pages and —** libros de cincuenta páginas y más; **the remark quoted —** la observación anteriormente citada; **— all** sobre todo; **—mentioned** susodicho, ya mencionado; **from —** de arriba, del cielo, de Dios

abrasion [əbréʒən] N abrasión *f*

abrasive [əbrésiv] ADJ (material) abrasivo; (person, tone) irritante

abreast [əbrést] ADV al lado; **to keep —** mantenerse al corriente, **four —** de cuatro en fondo

abridge [əbrídʒ] VT abreviar

abroad [əbrˈd] ADV en el extranjero, **to go —** ir al extranjero

abrupt [əbrˈpt] ADJ abrupto

ABS (antilock braking system) [ébis] N SFA *m*

abscess [ǽbses] N absceso *m*

abscond [æbskάnd] VI fugarse

absence [ǽbsəns] N (nonpresence) ausencia *f*; (lack) falta *f*; **in the — of** a falta de

absent [ǽbsənt] ADJ ausente; **—-minded** distraído, despistado; **to be — from school** faltar a la escuela

absentee [æbsəntí] N ausente *mf*

absenteeism [æbsəntíizəm] N ausentismo *m*

absolute [ǽbsəlút] ADJ absoluto; (prohibition) terminante

absolutely [æbsəlútli] ADV **— not** en absoluto; INTERJ **—!** ¡sí, señor!

absolve [æbzálv] VT absolver

absorb [æbzɔ́rb] VT (emission) absorber; (shock) amortiguar; (people, information) asimilar

abstain [æbstén] VI abstenerse; **— from** abstenerse de

abstinence [ǽbstənəns] N abstinencia *f*

abstract [ǽbstrækt] ADJ abstracto; N resumen *m*, extracto *m*; **in the —** en abstracto

abstraction [æbstrǽkʃən] N abstracción *f*

absurd [əbsɝ́d] ADJ absurdo, disparatado

absurdity [əbsɝ́-DIDi] N (quality) absurdo *m*; (action) disparate *m*

abundance [əbʌ́ndəns] N abundancia *f*

abundant [əbʌ́ndənt] ADJ abundante

abuse [əbjús] N (of privileges) abuso *m*; (of authority) desmán *m*; (physical) maltrato *m*; (verbal) injuria *f*; [əbjúz] VT (privileges) abusar de; (physically) maltratar; (verbally) injuriar

abusive [əbjúsɪv] ADJ (physically) violento; (verbally) injurioso

abysmal [əbízməl] ADJ abismal; **— ignorance** ignorancia supina *f*; **— results** resultados desastrosos *m pl*

abyss [əbís] N abismo *m*

A/C (air conditioning) [esí] N aire acondicionado *m*

academic [ækədémɪk] ADJ (university) académico; (school) escolar; N profesor -ra universitario -ria *mf*

academy [əkǽDəmi] N academia *f*

accede [æksíd] VI acceder; **to — to** acceder a

accelerate [æksélərét] VI/VT acelerar

acceleration [ækseləréʃən] N aceleración *f*

accelerator [ækséləreDə-] N acelerador *m*

accent [ǽksent] N (pronunciation) acento *m*; (written) tilde *f*, acento escrito *m*; [æksént] VT (stress, syllable) acentuar

accentuate [æksénʧuet] VT (differences, facts) acentuar, recalcar; (beauty) realzar

accept [æksépt] VT aceptar

acceptable [ækséptəbəl] ADJ aceptable

acceptance [ækséptəns] N (action) aceptación *f*; (approval) aprobación *f*

access [ǽkses] N acceso *m*

accessible [æksésəbəl] ADJ accesible

accessory [æksésəri] ADJ accesorio; N accesorio *m*; (to a crime) cómplice *mf*

accident [ǽksɪdənt] N accidente *m*; (mishap) percance *m*; **by —** por casualidad

accidental [æksɪdéntl] ADJ (injury) accidental; (discovery, meeting) casual, fortuito

acclaim [əklém] VT aclamar; N aclamación *f*, ovación *f*

acclamation [ækləméʃən] N aclamación *f*

acclimate [ǽkləmet] VI/VT (to physical conditions) aclimatar(se); (to an ambiance) acostumbrar(se)

accolade [ǽkəled] N elogio *m*

accommodate [əkámədət] VT (adjust) tener en cuenta; (lodge) hospedar, alojar; (contain) tener capacidad para; VI **to — oneself** adaptarse

accommodation [əkamədéʃən] N (adjustment) acomodación *f*, adaptación *f*; **—s** (lodging) alojamiento *m*; (facilities) comodidades *f pl*

accompaniment [əkʌ́mpənɪmənt] N acompañamiento *m*

accompanist [əkʌ́mpənɪst] N acompañante *mf*

accompany [əkʌ́mpəni] VI/VT acompañar

accomplice [əkámplɪs] N cómplice *mf*

accomplish [əkámplɪʃ] VT (objective) lograr; (mission) completar

accomplished [əkámplɪʃt] ADJ (actor, athlete) consumado; (musician) talentoso

accomplishment [əkámplɪʃmənt] N (achievement) logro *m*; (skill) habilidad *f*; (completion) realización *f*

accord [əkɔ́rd] N acuerdo *m*, convenio *m*; **of one's own —** voluntariamente; VT otorgar, conceder

accordance [əkɔ́rdns] ADV LOC **in — with** de acuerdo con, de conformidad con

according [əkɔ́rdɪŋ] ADV LOC **— to** según

accordingly [əkɔ́rdɪŋli] ADV (therefore) por consiguiente; (correspondingly) como corresponde

accordion [əkɔ́rdiən] N acordeón *m*

accost [əkɔ́st] VT abordar

account [əkáunt] N (bill) cuenta *f*; (story) relato *m*, relación *f*; **to open (close) an — abrir (cerrar) una cuenta; on — of** a causa de, debido a; **on my —** por mí; **on one's own —** por cuenta propia; **on no — de** ninguna manera; **of no —** de ningún valor; **to take into —** tener en cuenta; VI **to — for** dar cuenta de; **how do you — for that?** ¿cómo se explica eso?

accountable [əkáuntəbəł] ADJ responsable

accountant [əkáuntṇt] N *Am* contador -ra *mf; Sp* contable *mf*

accounting [əkáuntɪŋ] N contabilidad *f;* — **firm** empresa de contadores públicos *f;* — **period** ejercicio contable *m*

accredit [əkrédɪt] VT acreditar

acculturate [əkʎ́łtʃəret] VI/VT aculturar(se)

accumulate [əkjúmjəlet] VI/VT acumular(se)

accumulation [əkjumjəléfən] N acumulación *f*

accuracy [ǽkjə-əsi] N precisión *f,* exactitud *f*

accurate [ǽkjə-ɪt] ADJ (measure, instrument) preciso, exacto; (translation) fiel

accursed [əkɜ́-sɪd] ADJ maldito

accusation [ǽkjuzéfən] N acusación *f*

accuse [əkjúz] VT acusar

accused [əkjúzd] ADJ acusado; N acusado -da *mf,* reo -a *mf,* procesado -da *mf*

accuser [əkjúzə-] N acusador -ra *mf*

accustom [əkʌ́stəm] VT acostumbrar, habituar; **to** — **oneself** acostumbrarse, habituarse; **to be** —**ed to** tener la costumbre de, estar acostumbrado a

AC/DC (alternating current / direct current) [ésidísi] ADJ alterna y continua

ace [es] N (cards, athlete, aviator) as *m;* VT sacarse la máxima nota en

acetone [ǽsəton] N acetona *f*

ache [ek] N dolor *m;* —**s and pains** achaques *m pl;* VT doler; **my stomach** —**s** me duele el estómago

achieve [ətʃív] VT (a goal) conseguir, lograr; (a level) alcanzar

achievement [ətʃívmənt] N (attainment) consecución *f;* (success) logro *m,* realización *f*

achy [éki] ADJ dolorido

acid [ǽsɪd] ADJ ácido; N ácido *m;* (hallucinogen) LSD *m;* — **rain** lluvia ácida *f;* — **test** prueba de fuego *f*

acidic [əsídɪk] ADJ ácido

acidity [əsídɪdi] N acidez *f*

acknowledge [əknálɪdʒ] VT (merits) reconocer; (faults) admitir, reconocer; **to** — **receipt** acusar recibo

acknowledgment [əknálɪdʒmənt] N (of merits) reconocimiento *m;* (of merits, faults) reconocimiento *m,* admisión *f;* (gratefulness) agradecimiento *m;* — **of receipt** acuse de recibo *m*

acme [ǽkmi] N súmmum *m*

acne [ǽkni] N acné *m*

acorn [ékɔrn] N bellota *f*

acoustics [əkústɪks] N acústica *f*

acquaint [əkwént] VT informar, familiarizar; **to** — **oneself with** informarse de,

familiarizarse con; **to be** —**ed with** (a person, city, country) conocer; (a piece of news) estar enterado de

acquaintance [əkwéntṇs] N (with facts) conocimiento *m;* (a person) conocido -a *mf*

acquiesce [ǽkwiés] VT asentir, condescender; (unwillingly) consentir

acquiescence [ǽkwiésṇs] N asentimiento *m,* consentimiento *m,* condescendencia *f*

acquire [əkwáɪr] VT (knowledge, skill, purchase) adquirir; (fortune, information) obtener; (disease) contraer

acquisition [ǽkwəzíʃən] N (knowledge, skill, purchase) adquisición *f;* (fortune, information) obtención *f*

acquisitive [əkwízɪDIV] ADJ codicioso

acquit [əkwít] VT absolver

acquittal [əkwídl̩] N absolución *f*

acre [ékə-] N acre (0,405 hectáreas) *m*

acrid [ǽkrɪd] ADJ acre

acrimony [ǽkrəmoni] N acritud *f*

acrobat [ǽkrəbæt] N acróbata *mf*

acrobatic [ǽkrəbǽDɪk] ADJ acrobático; —**s** acrobacia *f*

acronym [ǽkrənɪm] N acrónimo *m,* sigla *f*

acrophobia [ǽkrəfóbiə] N acrofobia *f*

across [əkrɔ́s] PREP **to lay one stick** — **the other** poner dos palos cruzados; **there's a bridge** — **that river** hay un puente sobre ese río; **he came** — **his old love letters** encontró sus viejas cartas de amor; **the library is** — **the street** la biblioteca está al otro lado de la calle; ADV **cut the boards** — corta los tablones a lo ancho; **five hundred miles** — de quinientas millas de ancho; **the meaning doesn't come** — el significado no se entiende; **to come / run** — encontrarse con, tropezar con

acrylic [əkrílɪk] ADJ & N acrílico *m*

act [ækt] N (deed, part of play) acto *m;* (part of show) número *m;* (law) ley *f,* decreto *m;* VI (behave) actuar, comportarse; (take measures) obrar; (play a part, chemical process) actuar; (on someone's behalf) representar; (mechanism) funcionar; **to** — **up** (child) portarse mal; (car) funcionar mal; **to** — **out** (event) representar; (feelings) exteriorizar

acting [ǽktɪŋ] N actuación *f;* (in a drama) representación *f;* ADJ (interim) interino; (substitute) suplente

action [ǽkʃən] N (practical measure, plot of a play) acción *f;* (deed) acto *m;* (mechanism) funcionamiento *m;* **to take** — tomar medidas

activate [ǽktɪvet] vt activar

active [ǽktɪv] adj activo

activism [ǽktɪvɪzəm] n activismo m

activist [ǽktɪvɪst] n activista mf

activity [æktɪ́vɪtɪ] n actividad f

actor [ǽktə-] n actor m

actress [ǽktrɪs] n actriz f

actual [ǽktʃuəl] adj verdadero, real

actually [ǽktʃuəlɪ] adv en realidad

actuary [ǽktʃuɛrɪ] n actuario -ria mf

acuity [əkjúətɪ] n agudeza f

acumen [ǽkjəmən] n perspicacia f, agudeza f

acupuncture [ǽkjupʌŋktʃə-] n acupuntura f

acupuncturist [ǽkjupʌŋktʃə-ɪst] n acupuntor -ra mf

acute [əkjút] adj (pain, illness) agudo; (observation) perspicaz, penetrante

A.D. [edí] adv d.C.

adamant [ǽdəmənt] adj inflexible, firme

adapt [ədǽpt] vt adaptar; vi — to — to adaptarse a, acomodarse a

adaptation [ædəptéʃən] n adaptación f

add [æd] vt añadir, agregar; (sum) sumar; to — to aumentar; to — up (sum) sumar; (make sense) cuadrar; — on — no accesorio m

addict [ǽdɪkt] n adicto -ta mf

addicted [ədíktɪd] adj adicto

addiction [ədíkʃən] n adicción f

addition [ədíʃən] n (of numbers) suma f; (to a collection, staff) adición f, adquisición f; in — (to) además (de)

additional [ədíʃənl] adj adicional

additive [ǽdɪtɪv] n aditivo m

address [ədrés] n (street) dirección f, domicilio m; (speech) discurso m; form of — tratamiento m; vt (write the address) dirigir; (speak to) dirigirse a; (deal with) vérselas con

addressee [ædrɛsí] n destinatario -ria mf

adept [ədépt] adj hábil

adequacy [ǽdɪkwəsɪ] n suficiencia f

adequate [ǽdɪkwɪt] adj (sufficient) suficiente; (acceptable) aceptable

adhere [ædhír] vt adherirse; to — to — adherirse a

adherence [ædhírəns] n adhesión f

adhesion [ædhíʒən] n (thing or tissue that adheres) adherencia f; (act of sticking together) adhesión f

adhesive [ædhísɪv] adj adhesivo; — tape cinta adhesiva f

adjacent [ədʒésənt] adj adyacente

adjective [ǽdʒɪktɪv] adj & n adjetivo m

adjoin [ədʒóin] vt lindar con, colindar con; vi estar contiguo a

adjourn [ədʒə́n] vt & to — the meeting

levantar la sesión; meeting —ed se levantó la sesión

adjournment [ədʒə́-nmənt] n levantamiento de la sesión m

adjudge [ədʒʌ́dʒ] vt (declare) declarar (deem) calificar

adjudicate [ədʒúdɪket] vt arbitrar; vi (declare) calificar

adjunct [ǽdʒʌŋkt] adj adjunto; n agregado -da mf

adjust [ədʒʌ́st] vt (fix) ajustar, graduar; (adapt a machine) regular; vi ajustarse, adaptarse a machine regulación f

adjustment [ədʒʌ́stmənt] n ajuste m; (on a machine) regulación f

ad lib [ædlíb] adv improvisando

administer [ədmínɪstə-] vt (control) administrar, gestionar; (punishment) aplicar; (oath) tomar

administration [ədmɪnɪstréʃən] n administración f; (period in power) gestión f; (of punishment) aplicación f; (of an oath) toma f

administrative [ədmínɪstretɪv] adj administrativo

administrator [ədmínɪstretə-] n administrador -ra mf

admirable [ǽdmə-əbəl] adj admirable

admiral [ǽdmə-əl] n almirante m

admiration [ædmə-éʃən] n admiración f

admire [ədmáɪr] vt admirar

admirer [ədmáɪrə-] n admirador -ra mf; (suitor) pretendiente mf

admissible [ədmísəbəl] adj admisible

admission [ədmíʃən] n (acceptance) admisión f; (access, ticket price) entrada f; (confession) confesión f

admit [ædmít] vt (allow entry) admitir; (to a hospital) internar; (acknowledge) reconocer, admitir

admittance [ædmítns] n entrada f; no — prohibida la entrada

admonish [ædmónɪʃ] vt amonestar; to — for amonestar por

admonition [ædmənɪ́ʃən] n (warning) amonestación f; (reproof) advertencia f

adobe [ədóbɪ] n (mud) adobe m; (house) casa de adobe f

adolescence [ædəlésəns] n adolescencia f

adolescent [ædəlésənt] adj & n adolescente mf

adopt [ədápt] vt (child, custom) adoptar; (suggestion) aprobar

adoption [ədápʃən] n (of a child, custom) adopción f; (of a suggestion) aprobación f

adoptive [ədáptɪv] adj adoptivo

adorable [ədórəbəl] adj adorable, precioso

adoration [ædəréʃən] n adoración f

adore [ədór] vt adorar; I — playing tennis

adviser, advisor [ædˈvaizə] n consejero -ra mf, asesor -ora mf

advocacy [ˈædvəkəsi] n defensa f

advocate [ˈædvəkit] n (promoter) partidario -ria mf; (defender) defensor -ra mf; (lawyer) abogado -da mf; vt [ˈædvəket] (promote) abogar por, defender

aerial [ˈɛriəl] adj aéreo; n antena f

aerobic [ɛˈrobik] adj (exercise) aeróbico; (air-breathing) aerobio; — s aerobic m

aerodynamic [ˌɛrodaiˈnæmik] adj aerodinámico; — s aerodinámica f

aeronautics [ˌɛrəˈnɔtiks] n aeronáutica f

aerosol [ˈɛrəsɑl] n aerosol m

aerospace [ˈɛrospes] n espacio aéreo m; adj aeroespacial

aesthetic [ɛsˈθɛtik] adj estético; — s estética f

affable [ˈæfəbəl] adj afable

affair [əˈfɛr] n (social) acontecimiento social m; (business) asunto m, negocio m; (love) aventura amorosa f, affaire m

affect [əˈfɛkt] vt (have effect on) afectar; (move) conmover; (feign) fingir

affectation [ˌæfɛkˈteʃən] n afectación f, melindre m

affected [əˈfɛktid] adj (moved) afectado; (feigned) fingido, artificioso, melindroso

affection [əˈfɛkʃən] n afecto m, cariño m

affectionate [əˈfɛkʃənit] adj afectuoso, cariñoso

affidavit [ˌæfɪˈdevit] n declaración jurada f

affiliate [əˈfilet] vt afiliar; n afiliarse; filial n

affinity [əˈfinəti] n afinidad f

affirm [əˈfɜrm] vt afirmar

affirmation [ˌæfərˈmeʃən] n afirmación f

affirmative [əˈfɜrmətiv] adj afirmativo; n — **action** discriminación positiva f; **reply in the —** dar una respuesta afirmativa

affix [əˈfiks] vt fijar; **to — one's signature** poner su firma, firmar

afflict [əˈflikt] vt aquejar; **to be —ed with** padecer de, sufrir de

affliction [əˈflikʃən] n (misery) aflicción f; (ailment) achaque m, mal m

affluent [ˈæfluənt] adj (society) opulento; (person) rico

afford [əˈfɔrd] vt I cannot — **a car** no me alcanza el dinero para un coche; **he cannot — to waste time** no se puede dar el lujo de perder tiempo; I cannot — **the risk** no me puedo permitir ese riesgo; **we will — you every opportunity** se te darán todas las oportunidades

me encanta jugar al tenis

adorn [əˈdɔrn] vt adornar, ornar

adornment [əˈdɔrnmənt] n adorno m

adrenal [əˈdrinəl] adj — **gland** glándula suprarrenal f

adrenalin [əˈdrɛnəlɪn] n adrenalina f

adrift [əˈdrift] adj & adv a la deriva

adult [əˈdʌlt] adj & n adulto -ta mf

adulterate [əˈdʌltəret] vt adulterar

adulterer [əˈdʌltərər] n adúltero -ra mf

adultery [əˈdʌltəri] n adulterio m

advance [ædˈvæns] vi (move forward) avanzar; (make progress) avanzar, progresar; (bring forward) adelantar; vt (promote) promover; (propose) proponer; (pay beforehand) adelantar, anticipar; n (movement) avance m; (progress) adelanto m; (loan) adelanto m, anticipo m; — **s** (sexual) requiebros m pl; **in —** por adelantado, con anticipación

advanced [ædˈvænst] adj (idea, stage) avanzado; (country) adelantado

advancement [ædˈvænsmənt] n (movement) avance m; (rank) ascenso m; (knowledge) progreso m

advantage [ædˈvæntidʒ] n ventaja f; **it would be to your —** te convendría; **to take — of** aprovecharse de

advantageous [ˌædvænˈtedʒəs] adj ventajoso, provechoso

advent [ˈædvɛnt] n advenimiento m

adventure [ædˈvɛntʃər] n aventura f

adventurer [ædˈvɛntʃərər] n aventurero -ra mf

adventurous [ædˈvɛntʃərəs] adj (seeking adventure) aventurero, intrépido; (daring) atrevido, audaz

adverb [ˈædvərb] n adverbio m

adversary [ˈædvərsɛri] n adversario -ria mf

adverse [ædˈvɜrs] adj adverso

adversity [ædˈvɜrsɪti] n adversidad f

advertise [ˈædvərtaiz] vt anunciar, hacer publicidad/propaganda para; vi hacer propaganda/publicidad; **to — for a cook** poner un anuncio buscando cocinero

advertisement [ˌædvərˈtaizmənt] n anuncio publicitario m, aviso m

advertiser [ˈædvərtaizər] n anunciante mf

advertising [ˈædvərtaizɪŋ] n publicidad f

advice [ædˈvais] n consejo m; (expert) asesoramiento m

advisable [ədˈvaizəbəl] adj aconsejable, recomendable

advise [ədˈvaiz] vi/vt (counsel) aconsejar; (expert) asesorar; vt (inform) avisar, informar; (expertly) asesorar

affordable [ə'frɔdəbəl] adj asequible

affront [ə'frʌnt] n afrenta f

Afghan, Afghani ['æfgæn/ æf'gɑni] adj & n afgano-na m/f

Afghanistan [æf'gænistæn] n Afganistán m

afire [ə'faɪr] adj & adv en llamas

afloat [ə'floʊt] adj & adv flotando, a flote

afraid [ə'freɪd] adj asustado; **to be — (of)** temer, tener miedo (de)

afresh [ə'frɛʃ] adv de nuevo, desde el principio

Africa ['æfrɪkə] n África f

African ['æfrɪkən] adj & n africano-na m/f

African-American [,æfrɪkənəmɛrɪkən] adj & n afroamericano-na m

after ['æftər] prep (temporal) después de, tras; (spatial) detrás de; **— all** después de todo; adv después

afternoon [,æftər'nun] n tarde f; INTERJ **good —** buenas tardes

aftershave [,æftər'ʃeɪv] n loción para después del afeitado f

aftershock [,æftər'ʃɑk] n réplica f

aftertaste ['æftərteɪst] n (in the mouth) dejo m; (bad memory) resabio m

aftertax [,æftər'tæks] adj **— profit** ganancia neta f

afterthought ['æftərθɔt] n **it was just an —** se nos ocurrió después

afterward, afterwards ['æftərwə(r)d(z)] adv después, luego

again [ə'gɛn] adv otra vez, de nuevo; (on the other hand) por otra parte; **— and —** repetidas veces; **to fall —** volver a caerse

against [ə'gɛnst] prep contra; **— the grain** a contrapelo; **— all odds** a pesar de todo

age [eɪdʒ] n (of a person) edad f; (era) era f, época f; **of —** mayor de edad; **old —** vejez f; **to come of —** llegar a la mayoría de edad; **under —** menor de edad; vi/vt envejecer

aged [eɪdʒd] adj viejo, añejo; **— forty** de cuarenta años; [eɪdʒɪd] adj anciano

ageless ['eɪdʒlɪs] adj (everlasting) eterno; (not showing age) siempre joven; (classic) clásico

agency ['eɪdʒənsi] n agencia f; **through the — of** por mediación de

agenda [ə'dʒɛndə] n temario m, orden del día m

agent ['eɪdʒənt] n agente m/f; (legal) apoderado-da m/f; representante m/f; (commercial)

aggrandize [ə'grændaɪz] vt engrandecer

aggravate ['ægrəveɪt] vt (worsen) exacerbar, agravar; (annoy) irritar, exasperar

aggregate ['ægrɪgeɪt] n conjunto m; (rock) agregado m; adj total, global

aggression [ə'grɛʃən] n agresión f

aggressive [ə'grɛsɪv] adj (violent) agresivo; (dynamic) emprendedor

aggressor [ə'grɛsər] n agresor -ra m/f

aghast [ə'gæst] adj horrorizado

agile ['ædʒəl] adj ágil

agility [ə'dʒɪləti] n agilidad f

agitate ['ædʒɪteɪt] vt (shake) agitar; (perturb) turbar; (campaign) alborotar

agitation [,ædʒɪ'teɪʃən] n agitación f

agitator ['ædʒɪteɪtər] n agitador -ra m/f

agnostic [æg'nɑstɪk] adj & n agnóstico -ca m/f

ago [ə'goʊ] adv **many years —** hace muchos años; **long —** hace mucho tiempo

agonize ['ægənaɪz] vi sufrir angustiosamente; **to — over** atormentarse por

agony ['ægəni] n (pain) dolor m, tormento m; (anguish) angustia f

agoraphobia [,ægərə'foʊbiə] n agorafobia f

agrarian [ə'grɛriən] adj agrario

agree [ə'gri] vi (be in agreement) estar de acuerdo; (in grammar, mathematics) concordar; (color, food) sentarle bien a uno; **they —d to buy the car** quedaron en comprar el coche

agreeable [ə'griəbəl] adj (nice) agradable; (willing) conforme

agreement [ə'grimənt] n (concord, document) acuerdo m, convenio m; (grammatical) concordancia f; **to be in —** estar de acuerdo; **to come to an —** ponerse de acuerdo

agricultural [,ægrɪ'kʌltʃərəl] adj (related to crops) agrícola; (related to crops and cattle) agropecuario

agriculture ['ægrɪkʌltʃər] n agricultura f

aground [ə'graʊnd] adv **to run —** encallar, varar

ahead [ə'hɛd] adv delante; **— of time** adelantado, antes de tiempo; **to go —** ir adelante, adelantarse; **to get —** prosperar; **our team is —** nuestro equipo va primero; **the years —** los años venideros

aid [eɪd] n (help) asistencia f; (assistant) ayudante m/f; vt ayudar; **to — and abet** instigar

AIDS (acquired immune deficiency syndrome) [edz] N SIDA m

ail [eɪl] vi/vt **what —s you?** ¿qué tienes? ¿qué le aflige? **he's —ing** está enfermo

aileron ['eɪlərɑn] n alerón m

ailment ['eɪlmənt] n achaque m, dolencia f

aim [em] n (with a weapon) puntería f; (objective) objetivo m; vt (a weapon) apuntar; (a question, blow) dirigir; — **to please** tratar de agradar

aimless [emlis] adj (purposeless) sin propósito; (directionless) sin rumbo

air [er] n aire m; **up in the** — en el aire, incierto; **in the open** — al aire libre; **to be on the** — estar en el aire, emitirse; **to put on** — **s** presumir, darse ínfulas; **to vanish into thin** — evaporarse; adj aéreo; —**bag** airbag n, bolsa de aire f; —**borne** (troops) aerotransportado, (particles) transportado por el aire; —**brake** freno neumático m; —**conditioned** con aire acondicionado; —**conditioner** acondicionador de aire m; —**conditioning** aire acondicionado, climatización f; —**craft** aeronave f; —**craft carrier** portaaviones m sg; —**field** aeródromo m; —**Force** Fuerza Aérea f; —**head** cabeza de chorlito m/f; —**lift** puente aéreo m; —**line** línea aérea f; —**mail** correo aéreo m; —**plane** avión m; —**port** aeropuerto m; —**power** fuerza aérea f; —**pressure** presión de aire f; —**raid** ataque aéreo m; —**rifle** escopeta de aire comprimido f; —**ship** dirigible m; —**strike** bombardeo aéreo m; —**strip** pista de aterrizaje f; —**tight** hermético; —**to**-— aire-aire; —**traffic control** control del tráfico aéreo m; (an opinion) manifestar; **to** —**lift** aerotransportar; **to** —**out** orear, ventilar

aisle [ail] n pasillo m; (of a church) nave lateral f

ajar [adʒar] adj entornado, entreabierto

akin [əkin] adj (related) emparentado; (similar) semejante

à la mode [alamod] adv con helado

alarm [əlárm] n (warning) alarma f; (worry) inquietud f; —**clock** despertador m; **to sound an** — tocar a rebato; vt (frighten) alarmar, (worry) asustar

Albania [ælbénja] n Albania f

Albanian [ælbénjan] adj & n albanés -esa m/f

albatross [ælbətrɔs] n albatros m

albino [ælbáino] adj albino -na m/f

album [ælbəm] n álbum m

alcohol [ælkəhɔl] n alcohol m

alcoholic [ælkəhɔlik] adj & n alcohólico -ca m

alcoholism [ælkəhɔlizəm] n alcoholismo m

alcove [ælkov] n rincón m

ale [el] n cerveza inglesa f

alert [əlɜrt] adj (vigilant) alerta, (awake) despierto; **to be** — (on guard) estar alerta; (lively) ser despierto; n alerta f; vt alertar, avisar

alfalfa [ælfælfə] n alfalfa f

algae [ældʒi] n algas f pl

algebra [ældʒəbrə] n álgebra f

Algeria [ældʒíriə] n Argelia f

Algerian [ældʒíriən] adj & n argelino -na m/f

algorithm [ælgəriðəm] n algoritmo m

alias [éliəs] n alias m sg; adv del mismo modo

alibi [æləbai] n coartada f

alien [élian] n (visitor from space) extraterrestre m/f; (foreigner) extranjero -ra m/f; adj ajeno

alienate [élianet] vt (people) ofender, ganarse la antipatía de; (property) enajenar

alight [əláit] vi (rider) apearse; (bird, insect) posarse

align [əláin] vi/vt alinear(se)

alignment [əláinmənt] n alineación f

alike [əláik] adj parecido, igual; **to be** — parecerse, ser iguales; adv del mismo modo

alimony [æləmoni] n pensión alimenticia f

alive [əláiv] adj (living) vivo; — **with** lleno de; **the symphony came** — **under his direction** la sinfonía cobró vida bajo su dirección

alkali [ælkəlai] n álcali m

alkaline [ælkəlain] adj alcalino

all [ɔl] adj todo; — **the time** todo el tiempo; n todo m; **he gave his** — dio todo de sí; PRON todo; **is that** — ? ¿eso es todo? adv completamente, todo; — **at once** (sudden) de una vez; (uninterrupted) de un tirón; **it is** — **over** se acabó; **not at** — de ninguna manera; **nothing at** — nada en absoluto; **once (and) for** — de una vez por todas; **she's** — **right** está bien; INTERJ — **right** bueno

allay [əlé] vt (fear, doubt) calmar, disipar; (anger) aplacar

allegation [æligéʃən] n acusación f

allege [əlédʒ] vt afirmar

allegiance [əlídʒəns] n lealtad f, fidelidad f; **to pledge** — **to the flag** jurar la bandera

allegory [æligɔri] n alegoría f

allergic [əlɜrdʒik] adj alérgico

allergist [ælərdʒist] n alergólogo -ga m/f

allergy [ælərdʒi] n alergia f

alleviate [əlíviet] vt (suffering) aliviar; (hunger) paliar

alley [æli] n callejón m; **right up her** — ideal para ella

alliance [əláiəns] n alianza f

allied [álaid, álaid] *adj* aliado

alligator [éligeɾə-] *n* caimán *m*; *Am* lagarto *m*

alliterate [əlítəret] *vt* hacer aliteración

allocate [áləket] *vt* asignar

allot [əlát] *vt* asignar

allow [əláu] *vt* (permit) permitir; (admit) admitir; — **an hour to change trains** date una hora para cambiar de trenes; **to make** — **for** tener en cuenta

allowable [əláuəbəl] *adj* admisible, permisible

allowance [əláuəns] *n* (regular payment) asignación *f*, pensión *f*; (monthly payment) mensualidad *f*; (for a child) paga *f*, mesada *f*; (payment for a particular purpose) pago *m*; (food) ración *f*; **to make** — **for** tener en cuenta

alloy [éloi] *n* aleación *f*; [əlói] *vt* alear

allude [əlúd] *vi* aludir; **to** — **to** aludir a

allure [əlúr] *vt/vi* seducir, atraer; *n* atractivo *m*

alluring [əlúriŋ] *adj* seductivo, atractivo

allusion [əlúʒən] *n* alusión *f*

ally [élai] *n* aliado -da *m*; [əlái] *vt* **to** — **oneself with** aliarse con

almanac [ólmənæk] *n* almanaque *m*

almighty [ɔlmáiti] *adj* todopoderoso

almond [ámənd] *n* almendra *f*; — **tree** almendro *m*

alms [amz] *n* limosna *f*

aloe [élovəl] *n* áloe *m*

alone [əlón] *adj* solo; — **among his contemporaries** único entre sus contemporáneos, *adv* solo, solamente; **she** — **knew that** sólo ella sabía eso; **all** — a solas; **to leave** — no tocar, dejar en paz

along [əlóŋ] *prep* **he was walking** — **the street** andaba por la calle; — **the coast** a lo largo de toda la costa; — **with** junto con; **all** — desde el principio; **to go** — **with** acceder a; **to get** — **with** llevarse bien con

alongside [əlóŋsaid] *prep* al lado de; — **the boat** al lado del bote; *adv* al lado, al costado; **the dog ran** — el perro corría al costado

aloof [əlúf] *adj* reservado, esquivo; *adv* apartado

aloud [əláud] *adv* en voz alta

alphabet [élfəbet] *n* alfabeto *m*, abecedario *m*

alphanumeric [ælfənumérik] *adj* alfanumérico

---

alpine [élpain] *adj* alpino

already [ɔlrédi] *adv* ya

also [ólso] *adv* también, además; — **ran** (horse, candidate) caballo / candidato vencido *m*; (loser) nulidad *f*, segundona *m f*

altar [óltə] *n* altar *m*; — **piece** retablo *m*

alter [óltə] *vt/vi* (change) alterar; (neuter) capar, castrar

alteration [ɔltəréʃən] *n* (change) alteración *f*, cambio *m*; —**s** arreglos *m pl*, reformas *f pl*

altercation [ɔltə-kéʃən] *n* altercado *m*

alternate [óltə-nit] *adj* alternativo, alterno; — **route** ruta alterna *f*, — **spelling** ortografía alterna *f*; **he visits us on** — **Mondays** nos visita un lunes sí y otro no; **n** suplente *m f*; [óltə-net] *vt/vi* alternar n alternativa *f*

alternative [ɔltə-nétiv] *adj* alternativo; *n* alternativa *f*

alternator [óltə-netə-] *n* alternador *m*

although [ɔlðó] *conj* aunque, si bien

altimeter [æltímitə-] *n* altímetro *m*

altitude [éltitjud] *n* altura *f*, altitud *f*; — **sickness** mal de altura *m*

alto [élto] *n* contralto *m f*; *adj* alto

altogether [ɔltəgéðə-] *adv* (completely) completamente; (all included) en total

altruism [éltruizm] *n* altruismo *m*

altruistic [æltruístik] *adj* altruista

aluminum [əlúminəm] *n* aluminio *m*; — **foil** papel de aluminio *m*

always [ólwez] *adv* siempre

a.m. [éem] *adv* de la mañana

amalgamate [əmælgəmet] *vt/vi* (metals) amalgamar(se); (companies) fusionar(se)

amass [əmæs] *vt* acumular, amasar

amateur [émətʃə-] *adj* aficionado -da *m f*

amaze [əméz] *vt* maravillar, asombrar

amazement [əmézmənt] *n* asombro *m*

amazing [əméziŋ] *adj* asombroso, increíble

Amazon [émæzən] *n* (region) Amazonia *f*; (river) Amazonas *m sg*

ambassador [æmbæsədə-] *n* embajador -ra *m f*

amber [émbə-] *n* ámbar *m*; *adj* (quality) ámbar; (material) de ámbar; (color) (de) color ámbar

ambiance [émbiəns] *n* ambiente *m*

ambidextrous [æmbidékstrəs] *adj* ambidiestro

ambient [émbiənt] *adj* ambiental; — **temperature** temperatura ambiente *f*

ambiguity [æmbigjúiti] *n* ambigüedad *f*

ambiguous [æmbígjuəs] *adj* ambiguo

ambition [æmbíʃən] *n* ambición *f*, aspiración *f*

amulet [ǽmjəl] n amuleto *m*
amuse [əmjúz] vt (make laugh) divertir; (help pass time) entretener; **to — oneself** divertirse, entretenerse; recrearse
amusement [əmjúzmənt] n diversión *f*, entretenimiento *m*
amusing [əmjúzɪŋ] adj (entertaining) divertido; (funny) gracioso, chistoso
an [ən, æn] INDEF ART un *m*, una *f*
anachronism [ənǽkrənɪzəm] n anacronismo *m*
anaerobic [ænəróbɪk] adj anaerobio
anal [énəl] adj anal
analgesic [ǽnəldʒízɪk] n & adj analgésico *m*
analog [ǽnəlɔg] adj analógico
analogical [ænəládʒɪkəl] adj analógico
analogous [ənǽləgəs] adj análogo
analogy [ənǽlədʒɪ] n analogía *f*
analysis [ənǽlɪsɪs] n análisis *m*
analytic [ænəlítɪk] adj analítico
analytical [ænəlítɪkəl] adj analítico
analyze [ǽnəlaɪz] vt analizar
anarchist [ǽnərkɪst] n anarquista *mf*
anarchy [ǽnərki] n anarquía *f*
anatomical [ænətámɪkəl] adj anatómico
anatomy [ənǽtəmi] n anatomía *f*
ancestor [ǽnsɛstər] n antepasado -da *mf*; ascendiente *mf*
ancestral [ænsɛstrəl] adj de los antepasados;
ancestry [ǽnsɛstri] n linaje *m*, ascendencia *f*; — **home** casa solariega *f*
anchor [ǽŋkər] n ancla *f* — **man** presentador *m*; — **woman** presentadora *f*; **to drop** — anclar, echar anclas; vt (a boat) andar; (an argument) basar; vi echar anclas, fondear
anchovy [ǽntʃovi] n anchoa *f*
ancient [énʃənt] adj antiguo; *pej* vetusto
and [ænd] CONJ y; (before i, hi) e; — **so forth** etcétera, y así sucesivamente; **more — more** cada vez más
Andalusia [ændəlúʒə] n Andalucía *f*
Andalusian [ændəlúʒən] adj & n andaluz -za *mf*
Andes [ǽndiz] n Andes *m pl*
Andorra [ændɔ́rə] n Andorra *f*
Andorran [ændɔ́rən] adj & n andorrano -na *mf*
androgynous [ændrádʒənəs] adj andrógino
anecdote [ǽnɪkdot] n anécdota *f*
anemia [əními] n anemia *f*
anemic [ənímɪk] adj anémico
anesthesia [ænɪsθíʒə] n anestesia *f*
anesthesiology [ænɪsθizɪáladʒi] n anestesiología *f*

ambitious [æmbíʃəs] adj ambicioso
ambivalent [æmbívələnt] adj ambivalente
amble [ǽmbəl] vi deambular
ambulance [ǽmbjələns] n ambulancia *f*
ambush [ǽmbʊʃ] n emboscada *f*, celada *f*; **to lie in** — acechar; vt emboscar
ameliorate [əmíljəret] vi/vt mejorar
amen [émɛn] INTERJ amén
amenable [əmínəbəl] adj bien dispuesto
amend [əmɛnd] vt enmendar; **to make — s (for)** compensar (por)
amendment [əmɛndmənt] n enmienda *f*
amenities [əmínɪtiz] n pl, comodidades *f pl*
America [əmɛ́rɪkə] n América *f*
American [əmɛ́rɪkən] adj & n (continental) americano -na *mf*; (USA) americano -na *mf*, norteamericano -na *mf*, estadounidense *mf*
amethyst [ǽmɪθɪst] n amatista *f*
amiable [émiəbəl] adj amable
amicable [ǽmɪkəbəl] adj amistoso
amid [əmíd] PREP en medio de
amino acid [əmíno ǽsɪd] n aminoácido *m*
amiss [əmís] ADV **something is** — algo anda mal
ammonia [əmónjə] n amoníaco *m*
ammunition [æmjəníʃən] n munición *f*
amnesia [æmníʒə] n amnesia *f*
amnesty [ǽmnɪsti] n amnistía *f*
amniocentesis [æmnioṣɛntísɪs] n amniocentesis *f*
amoeba [əmíbə] n ameba *f*
among [əmʌ́ŋ] PREP entre
amoral [emɔ́rəl] adj amoral
amorous [ǽmərəs] adj (sexually aroused) excitado; (loving) amoroso
amorphous [əmɔ́rfəs] adj amorfo
amortize [ǽmɔrtaɪz] vt amortizar
amount [əmáʊnt] n cantidad *f* (of money) suma *f*; importe *m*; vi ascender (a); **that — s to stealing** eso equivale a robar
ampere [ǽmpɪr] n amperio *m*
amphetamine [æmfɛ́təmin] n anfetamina *f*
amphibian [æmfíbiən] n anfibio *m*
amphibious [æmfíbiəs] adj anfibio
amphitheater [ǽmfəθiətər] n anfiteatro *m*
ampicillin [æmpɪsílɪn] n ampicilina *f*
ample [ǽmpəl] adj (in quantity) suficiente; (in size) amplio
amplifier [ǽmpləfaɪər] n amplificador *m*
amplify [ǽmpləfaɪ] vt (an explanation) ampliar; (a sound) amplificar
amplitude [ǽmplɪtud] n amplitud *f*
amputate [ǽmpjətet] vt amputar
amuck, amok [əmʌ́k] adv — **to run** — (kill people) perpetrar un ataque homicida; (go crazy) volverse loco

anaesthetic [ænɪsθétɪk] adj anestésico; n (substance) anestesia f

aneurysm [ǽnjərɪzəm] n aneurisma m

anew [ənjú] adv otra vez

angel [éndʒəl] n ángel m

angelic [ændʒélɪk] adj angélico, angelical

anger [ǽngɚ] n enojo m, enfado m; vt enojar, enfadar

angina [ændʒáɪnə] n — pectoris angina de pecho f

angioplasty [ǽndʒiəplæstɪ] n angioplastia f

angle [ǽngəl] n (geometrical) ángulo m; (point of view) punto de vista m, perspectiva f; vi pescar

Anglo-Saxon [ǽngloʊsǽksən] adj & n anglosajón -na m/f

Angola [ængóʊlə] n Angola f

Angolan [ængóʊlən] adj angolano -na m/f, angoleño -ña m/f

angry [ǽngrɪ] adj enojado, enfadado; —na m/f

angular [ǽngjələ-] adj angular; (face) anguloso

anguish [ǽngwɪl] n angustia f, ansia f, congoja f

angst [ɑŋkst] n angustia f

animal [ǽnɪməl] adj & n animal m; — rights derechos de los animales m pl

animate [ǽnɪmət] adj animado; [ǽnɪmeɪt] vt (enliven) animar; (encourage) alentar; —d

animation [ænəméɪʃən] n animación f

animosity [ænəmɑ́sɪtɪ] n animosidad f, ojeriza f, encono m

anise [ǽnɪs] n anís m

ankle [ǽŋkəl] n tobillo m

annals [ǽnɪlz] n anales m pl

annex [ǽneks] n anexo m; [ənéks] vt anexar

annexation [ænekséɪʃən] n anexión f

annihilate [ənáɪəleɪt] vt aniquilar

anniversary [ænɚvə́rsari] n aniversario m

annotate [ǽnəteɪt] vt anotar

annotation [ænətéɪʃən] n (action, result) anotación f; (result) nota f

announce [ənáʊns] vt anunciar; (an engagement, birth) participar

announcement [ənáʊnsmənt] n anuncio m; (of an engagement, birth) participación f

announcer [ənáʊnsɚ] n anunciador -ra m/f; (on radio) locutor -ra m/f

annoy [ənɔ́ɪ] vt/vi fastidiar, contrariar

annoyance [ənɔ́ɪəns] n fastidio m, contrariedad f

annual [ǽnjuəl] adj anual; n (book) anuario m; (plant) planta anual f

annuity [ənjúɪtɪ] n anualidad f, renta anual f

annul [ənʌ́l] vt anular

annulment [ənʌ́lmənt] n anulación f

anomalous [ənɑ́məlɪs] adj anómalo

anomaly [ənɑ́məlɪ] n anomalía f

anonymous [ənɑ́nɪməs] adj anónimo

anorak [ǽnəræk] n anorak m

anorexia [ænərɛ́ksɪə] n anorexia f

anorexic [ænərɛ́ksɪk] adj anoréxico

another [ənʌ́ðə] adj otro; — day otro día; one — el uno al otro, los unos a los otros

answer [ǽnsɚ] n (to a question) respuesta f; (to a problem) solución f; vi contestar, responder; to — for ser responsable de/ por; vt contestar

answering [ǽnsərɪŋ] adj — machine contestador automático m; — service servicio telefónico contratado m

ant [ænt] n hormiga f; — eater oso hormiguero m; — hill hormiguero m

antacid [æntǽsɪd] n & adj antiácido m

antagonism [æntǽgənɪzəm] n antagonismo m

antagonist [æntǽgənɪst] n antagonista m/f

antagonize [æntǽgənaɪz] vt antagonizar

antarctic [æntɑ́rktɪk] adj antártico

Antarctica [æntɑ́rktɪkə] n Antártida f

antecedent [æntɪsídɪnt] adj & n antecedente m

antelope [ǽntəloʊp] n antílope m

antenna [ænténə] n antena f

anterior [æntírɪə-] adj anterior

anthem [ǽnθəm] n himno m

anthology [ænθɑ́lədʒɪ] n antología f

anthracite [ǽnθrəsaɪt] n antracita f

anthrax [ǽnθræks] n ántrax m

anthropologist [ænθrəpɑ́lədʒɪst] n antropólogo -ga m/f

anthropology [ænθrəpɑ́lədʒɪ] n antropología f

anthropomorphize [ænθrəpəmɔ́rfaɪz] vi/vt antropomorfizar

antiabortion [æntiəbɔ́rʃən] adj antiaborto inv

antiaircraft [æntɪérkræft] adj antiaéreo

antibacterial [æntɪbæktírɪəl] adj antibacteriano

antiballistic [æntɪbəlístɪk] adj antibalístico m

antibiotic [æntɪbaɪɑ́tɪk] n & adj antibiótico m

antibody [ǽntɪbɑdɪ] n anticuerpo m

anticipate [æntísəpeɪt] vt/vi prever, calcular

anticipation [æntɪsəpéɪʃən] n previsión f; with great — con gran expectación f

anticlimactic [æntɪklaɪmǽktɪk] adj decepcionante

antics [ǽntɪks] n payasadas f pl, monerías f pl, monadas f pl

antidepressant [æntɪdɪprésənt] ADJ & N antidepresivo *m*

antidote [æntɪdot] N antídoto *m*

antifreeze [æntɪfriz] N anticongelante *m*

Antigua and Barbuda [æntígəæ̃ndbɑrbúdə] N Antigua y Barbuda *f*

Antiguan [æntígən] ADJ & N antiguano -ana *mf*

antihistamine [æntɪhístəmin] N antihistamínico *m*

anti-inflammatory [æntiɪnflǽmətɔri] ADJ & N antiinflamatorio *m*

antilock [æntɪlak] ADJ antibloqueo

antimony [æntəmoni] N antimonio *m*

antioxidant [æntiáksɪdənt] N antioxidante *m*

antipathy [æntípəθi] N antipatía *f*

antiperspirant [æntipɔ́ɾspəənt] N antitranspirante *m*

antiquated [æntɪkweɪd] ADJ anticuado; (words) desusado

antique [æntík] ADJ antiguo; N antigüedad *f*

antiquity [æntíkwɪdi] N antigüedad *f*

anti-Semitism [æntisémɪtɪzəm] N antisemitismo *m*

antiseptic [æntɪséptɪk] ADJ & N antiséptico *m*

antisocial [æntisófel] ADJ antisocial

antithesis [æntíθəsɪs] N antítesis *f*

antitrust [æntɪtrást] ADJ antimonopolio, antitrust

antler [æntlə] N asta *f*, cuerno *m*

antonym [æntənɪm] N antónimo *m*

antsy [æntsi] ADJ (impatient) impaciente; (anxious) ansioso

anvil [ǽnvəl] N yunque *m*

anxiety [æŋzáɪɪdi] N ansiedad *f*, angustia *f*

anxious [ǽŋkʃəs] ADJ (worried) ansioso, preocupado; (desirous) ansioso, deseoso

any [éni] ADJ & PRON cualquier(a), cualesquiera(a); — **woman** cualquier mujer, una mujer cualquiera; — **man** cualquier hombre, un hombre cualquiera; — **houses** unas casas cualesquiera; *lit* cualesquiera casas; **in** — **case** en todo caso; **do you have** — **money?** ¿tienes dinero?; **I don't have** — no tengo

anybody [énibɑdi] PRON alguien, cualquiera; — **could do that** cualquiera podría hacer eso; **is** — **here?** ¿hay alguien aquí? **he does not know** — no conoce a nadie

anyhow [énihau] ADV de todos modos

anymore [énimɔr] ADV **he doesn't work** — ya no trabaja, no trabaja más

anyone [éniwan] PRON alguien, cualquiera; — **could do that** cualquiera podría hacer eso; **is** — **here?** ¿hay alguien aquí? **he does not know** — no conoce a nadie

anyplace [éniples] ADV en cualquier parte/ lugar; **you can buy it** — se puede comprar en cualquier lugar; **he's not going** — no va a ninguna parte

anything [éniθɪŋ] PRON cualquier cosa, algo; — **is fine** cualquier cosa me viene bien; — **you wish** todo lo que quieras; **do you have** — **for a cough?** ¿tienes algo para la tos? **I don't know** — no sé nada

anytime [énitaɪm] ADV en cualquier momento

anyway [éniwe] ADV de todos modos, de cualquier manera

anywhere [énihwer] ADV en cualquier parte/ lugar; **you can buy it** — se puede comprar en cualquier lugar; **he's not going** — no va a ninguna parte

aorta [eɔ́rdə] N aorta *f*

apart [əpárt] ADV **they are three miles** — están a tres millas de distancia; **they kept him** — **from the group** lo apartaron del grupo; **each factor viewed** — cada factor visto por separado; **to take** — desarmar, desmontar; **to tear** — despedazar, hacer pedazos; **to tell** — distinguir

apartment [əpártmənt] N apartamento *m*; *Sp* piso *m*

apathetic [æpəθédɪk] ADJ apático

apathy [ǽpəθi] N apatía *f*, abulia *f*

ape [ep] N simio *m*; VT remedar

aperture [æpə·tʃə·] N abertura *f*; (of a pipe) luz *f*

apex [épeks] N (of tongue) ápice *m*; (of a mountain) cumbre *f*

aphasia [əféʒə] N afasia *f*

apiece [əpís] ADV cada uno

apnea [ǽpniə] N apnea *f*

apocalypse [əpákəlɪps] N apocalipsis *m*

apogee [ǽpədʒi] N apogeo *m*

apologetic [əpɑlədʒédɪk] ADJ lleno de disculpas

apologize [əpálədʒaɪz] VI disculparse

apology [əpálədʒi] N disculpa(s) *f (pl)*; (justification) apología *f*

apostle [əpásəl] N apóstol *m*

apostrophe [əpástrəfi] N (punctuation) apóstrofo *m*; (invocation) apóstrofe *m*

appall [əpɔ́l] VT horrorizar

appalling [əpálɪŋ] ADJ horroroso

apparatus [æpəræðəs] N (single) aparato *m*; (group) maquinaria *f*

apparel [əpǽrəl] N indumentaria *f*, ropa *f*; (fine) ropaje *m*

apparent [əpǽrənt] ADJ (visible) visible; (clear) obvio, evidente; (seeming) aparente

apparition [æpəríʃən] N aparición *f*,

fantasma *m*

appeal [əpíɫ] N (legal) apelación *f*, recurso *m*; (request) ruego *m*, llamamiento *m*; (attraction) atractivo *m*; VT apelar, recurrir (contra); VI **to — to** atraer

appear [əpír] VI (show up) aparecer(se); (seem) parecer, aparentar; (a publication) salir; (before a judge) comparecer

appearance [əpírəns] N (looks) apariencia *f*, traza *f*, estampa *f*; (act of appearing) aparición *f*

appease [əpíz] VT aplacar, apaciguar

appeasement [əpízmənt] N aplacamiento *m*, apaciguamiento *m*

appellate [əpélɪt] N **— court** tribunal de apelaciones *m*

append [əpénd] VT adjuntar

appendage [əpéndɪdʒ] N apéndice *m*

appendectomy [æpɪndéktəmi] N apendicectomía *f*

appendicitis [əpendəsáɪdɪs] N apendicitis *f*

appendix [əpéndɪks] N apéndice *m*

appetite [ǽpɪtaɪt] N apetito *m*

appetizer [ǽpɪtaɪzɚ] N aperitivo *m*

appetizing [ǽpɪtaɪzɪŋ] ADJ apetecible, apetitoso

applaud [əplɔ́d] VI/VT aplaudir

applause [əplɔ́z] N aplauso(s) *m (pl)*

apple [ǽpəɫ] N manzana *f*; **— grove** manzanar *m*; **— of my eye** niña de mis ojos *f*; **—sauce** compota de manzana *f*; **— tree** manzano *m*; **Adam's —** nuez de Adán *f*

appliance [əpláɪəns] N aparato *m*; (electric) (aparato) electrodoméstico *m*

applicable [ǽplɪkəbəɫ] ADJ aplicable

applicant [ǽplɪkənt] N aspirante *mf*, solicitante *mf*

application [æplɪkéʃən] N (act of applying) aplicación *f*; (form) solicitud *f*, formulario *f*

apply [əpláɪ] VT aplicar; **to — for** solicitar, pedir; **are you —ing for the scholarship?** ¿te presentas para la beca? ¿estás solicitando la beca? **to — oneself** aplicarse, dedicarse

appoint [əpɔ́ɪnt] VT (designate) nombrar, designar; (furnish) amueblar, equipar; **a well —ed house** una casa bien amueblada

appointee [əpɔɪntí] N persona nombrada *f*

appointment [əpɔ́ɪntmənt] N (designation) nombramiento *m*, designación *f*; (engagement) cita *f*; **doctor's —** cita / hora con el médico *f*; **—s** mobiliario *m sg*, accesorios *m pl*

apportion [əpɔ́rʃən] VT repartir proporcionalmente

apportionment [əpɔ́rʃənmənt] N reparto proporcional *m*

appraisal [əprézəɫ] N tasación *f*, valuación *f*

appraise [əpréz] VT avaluar, valorar, tasar

appreciable [əpríʃəbəɫ] ADJ apreciable

appreciate [əpríʃiet] VT (value) apreciar, estimar; (recognize) darse cuenta, percibir; (thank) agradecer; **to — in value** apreciarse

appreciation [əpriʃiéʃən] N (esteem) aprecio *m*; (thanks) agradecimiento *m*; (monetary value) apreciación *f*, alza *f*

apprehend [æprɪhénd] VT (arrest) aprehender; (understand) comprender

apprehension [æprɪhénʃən] N (arrest) aprehensión *f*; (worry) aprensión *f*

apprehensive [æprɪhénsɪv] ADJ aprensivo

apprentice [əpréntɪs] N aprendiz -iza *mf*; VT poner de aprendiz

apprenticeship [əpréntɪʃɪp] N aprendizaje *m*

apprise [əpráɪz] VT informar

approach [əprótʃ] N (act of approaching) aproximación *f*; (method) enfoque *m*, aproximación *f*, acercamiento *m*; (means of access) acceso *m*, entrada *f*; VI acercarse, aproximarse; VT (a problem) abordar, enfocar; **to — someone about a problem** plantearle a alguien un problema

approachable [əprótʃəbəɫ] ADJ tratable

approbation [æprəbéʃən] N aprobación *f*

appropriate [əprópriɪt] ADJ apropiado, adecuado; [əprópriet] VT apropiarse; (funds) asignar

appropriation [əpropriéʃən] N (act of appropriation) apropiación *f*; (assignment of funds) asignación *f*; (assigned funds) partida *f*

approval [əprúvəɫ] N aprobación *f*

approve [əprúv] VI/VT aprobar

approximate [əpráksəmɪt] ADJ aproximado; [əpráksəmet] VT aproximarse a

apricot [ǽprɪkat] N albaricoque *m*; *Am* damasco *m*; *Mex* chabacano *m*

April [épréɫ] N abril *m*

apron [épɾən] N (for a cook) delantal *m*; (for a workman) mandil *m*

apropos [ǽprəpó] ADV a propósito; ADJ oportuno, pertinente; **— of** a propósito de

apt [ǽpt] ADJ (prone, able) capaz; (suited) pertinente; **is he — to be at home?** ¿estará en casa?

aptitude [ǽptɪtud] N aptitud *f*, capacidad *f*

aquamarine [ǽkwəmərín] N aguamarina *f*

aquarium [əkwériəm] N (tank) acuario *m*, pecera *f*; (building) acuario *m*

aquatic [əkwɑtik] adj acuático
aqueduct [ækwɪdʌkt] n acueducto m
Arab [ærəb] adj & n árabe mf
Arabic [ærəbik] adj árabe, arábigo; n (language) árabe m
Aragonese [ærəgəniz] adj & n aragonés -esa mf
arbiter [ɑrbitə-] n árbitro -ra mf
arbitrary [ɑrbitreri] adj arbitrario
arbitrate [ɑrbitret] vi/vt (mediate) arbitrar (en), terciar (en); (submit to mediation) someter al arbitraje
arbitration [ɑrbitrejən] n arbitraje m
arbitrator [ɑrbitretə-] n árbitro mf
arbor [ɑrbə-] n pérgola f, glorieta f
arboreal [ɑrbɔriəl] adj arbóreo
arc [ɑrk] n arco m
arcade [ɑrked] n (series of arcs) arcada f; (shops) galería f; (of video games) sala de juegos electrónicos
arcane [ɑrken] adj arcano
arch [ɑrtʃ] n arco m; (curved roof) bóveda f; —way arcada f; vi/vt arquear(se)
archaeology [ɑrkiɑlədʒi] n arqueología f
archaic [ɑrkejik] adj arcaico
archaism [ɑrkeizəm] n arcaísmo m
archbishop [ɑrtʃbiʃəp] n arzobispo m
archenemy [ɑrtʃenəmi] n archienemigo -ga mf
archetype [ɑrkitaip] n arquetipo m
archery [ɑrtʃəri] n tiro al arco m
architect [ɑrkitekt] n arquitecto -ta mf; (creator) artífice mf
architectural [ɑrkitektʃə-əl] adj arquitectónico
architecture [ɑrkitektʃə-] n arquitectura f
archive [ɑrkaiv] n archivo m
arctic [ɑrktik] adj ártico
ardent [ɑrdnt] adj ardiente
ardor [ɑrdə-] n ardor m, fervor m
arduous [ɑrdʒuəs] adj arduo
area [ɛriə] n área f, (region) zona f; (of a geometric figure) superficie f, área f
arena [ərinə] n estadio m; (in circus) pista f
Argentina [ɑrdʒəntinə] n Argentina f
Argentinian [ɑrdʒəntiniən] adj & n argentino -na mf
argon [ɑrgɑn] n argón m
argue [ɑrgju] vt (reason) argüir, argumentar; vi (bicker) discutir, reñir
argument [ɑrgjumənt] n (reason) argumento m; (altercation) disputa f, discusión f
arid [ærid] adj árido
arise [əraiz] vi (get up) levantarse; (appear) surgir; (result) provenir, resultar
aristocracy [ærɪstɑkrəsi] n aristocracia f

aristocrat [ærɪstəkræt] n aristócrata mf
aristocratic [ərɪstəkrætik] adj aristocrático
arithmetic [əriθmətik] n aritmética f; adj aritmético
ark [ɑrk] n arca f; **Noah's —** arca de Noé f
arm [ɑrm] n brazo m; **—chair** sillón m, butaca f; **—pit** sobaco m, axila f; **—rest** (in a car) apoyabrazos m sg; (on a sofa) brazo m; **—in —** del brazo; **at —'s length** a distancia; **with open —s** con los brazos abiertos; **—s** armas f pl
armada [ɑrmɑdə] n armada f, flota f
armament [ɑrməmənt] n armamento m
Armenia [ɑrminiə] n Armenia f
Armenian [ɑrminiən] adj & n armenio -nia mf
armful [ɑrmful] n brazada f
armistice [ɑrmistis] n armisticio m
armoire [ɑrmwɑr] n armario m
armor [ɑrmə-] n (of a knight) armadura f; (on a vehicle) blindaje m; (on insects) coraza f; vt (a car) blindar; (a tank) acorazar
armored [ɑrmə-d] adj (van) blindado; (tank) acorazado
armory [ɑrmə-i] n armería f
army [ɑrmi] n ejército m; (multitude) muchedumbre f
aroma [əromə] n aroma m
aromatic [ærəmætik] adj aromático
around [əraund] adv **there were books all —** había libros por todos lados; **there is a supermarket — here** hay un supermercado por aquí; **it was the only farm for miles —** era la única granja en millas a la redonda; **the tree is forty centimeters —** el árbol tiene cuarenta centímetros de circunferencia; **we drove — the block** dimos vuelta a la manzana; **I'll show you —** te enseño el lugar; **the wheels turned —** las ruedas giraban; **turn —** date la vuelta; **she finally came —** al final la convencimos; **he hasn't been —** no ha estado por aquí; **a town with mountains —** es un pueblo rodeado de montañas; **we walked — town** dimos una vuelta por el pueblo; **five o'clock** a eso de las cinco; PREP **a ribbon — her wrist** una cinta alrededor de su muñeca; **tie a string — your finger** átate un hilo al dedo; **stay — the house** quédate cerca de la casa; **he wandered — the park** deambuló por el parque; **the church — the corner** la iglesia a la vuelta de la esquina; **motion — its axis** movimiento en torno a su eje; **—the-clock** veinticuatro horas al día

arouse [ərávz] vt despertar; vr (suspicion) despertar; (sexual response) excitar

arraign [ərén] vt hacer comparecer ante un juez

arrange [əréndʒ] vt arreglar

arrangement [əréndʒmənt] n arreglo m; (of objects) disposición f; (agreement) acuerdo m; **to make —s (for)** hacer arreglos (para)

array [əré] n (arrangement) abanico m, selección f; (of troops) orden m; (attire) gala f; vt (troops) formar; (attire) ataviar

arrears [əríz] adv LOC **in —** atrasado

arrest [ərést] n arresto m, detención f; vt/vi arrestar, detener

arrhythmia [əríθmiə] n arritmia f

arrival [əráivəl] n llegada f; lit arribo m; **the new —s** los recién llegados

arrive [əráiv] vi llegar; lit arribar

arrogance [ǽrəgəns] n arrogancia f

arrogant [ǽrəgənt] adj arrogante

arrow [ǽro] n flecha f; lit saeta f; **—head** punta de flecha f

arsenal [ársənl] n arsenal m

arsenic [ársnɪk] n arsénico m

arson [árson] n incendio doloso m

art [art] n arte m (sg) f (pl); (works) obras f pl; **—s fine —s** bellas artes f pl; (skill) destreza f; **master of —s** maestría en humanidades f

art deco n arte déco m

arteriosclerosis [artíriosklərósɪs] n arteriosclerosis f

artery [ártəri] n arteria f

artful [ártfl] adj (esthetic) artístico; (deceitful) artero, ladino

arthritis [arθráitɪs] n artritis f

arthroscopic [arθrəskápɪk] adj artroscópico

arthroscope [árθrəskop] n artroscopio m

artichoke [ártɪtʃok] n alcachofa f

article [ártɪkl] n artículo m; **— of clothing** prenda de vestir f

articulate [artíkjəlɪt] adj (clear) claro; (eloquent) elocuente; **he's very —** se expresa muy bien; [artíkjəlet] vt/vr (pronounce, join) articular; (express) enunciar

articulation [artíkjəléʃən] n articulación f

artifact [ártəfækt] n artefacto m, ingenio m

artifice [ártɪfɪs] n artificio m

artificial [ártəfíʃəl] adj artificial; (affected) afectado; **— insemination** inseminación artificial f; **— intelligence** inteligencia artificial f

artisan [ártɪzən] n artesano-na mf, artífice mf

artillery [artíləri] n artillería f

artist [ártɪst] n artista mf; (performer) intérprete mf

artistic [artístɪk] adj artístico

Aruba [ərúbə] n Aruba f

as [æz] CONJ **— for me** en lo que a mí respecta; **— if** como si; **— it were** por decirlo así; **— large —** tan grande como; **— long — you wish** todo el tiempo que quieras; **— much —** tanto como; **— of** a partir de; **— per** según; **— the same —** lo mismo que; **— yet** hasta ahora, todavía; **— I was using it** se rompió cuando lo usaba; **she knitted — we talked** tejía mientras conversábamos; **he played — never before** jugó como nunca; **— a child, I always felt loved** de niño, siempre me sentí querido; **— a teacher, I must be tough** como maestro, tengo que ser estricto; ADV tan; **it's not — important** no es tan importante

asbestos [æzbéstəs] n asbesto m, amianto m

ascend [əsénd] vt ascender

ascent [əsént] n ascenso m

ascertain [æsərtén] vt averiguar, establecer

ascetic [əsétɪk] adj ascético; n asceta mf

ascorbic [əskórbɪk] adj ascórbico

ascribe [əskráib] vt atribuir, imputar

asexual [eksékʃuəl] adj asexual

ash [æʃ] n (residue, remains) ceniza f; (species of tree) fresno m; **—tray** cenicero m; **— Wednesday** miércoles de ceniza m

ashamed [əʃémd] adj avergonzado; **to be —** tener vergüenza, avergonzarse

ashen [ǽʃən] adj ceniciento

ashore [əʃór] adj (movement) a tierra; (location) en tierra; **to go —** desembarcar

Asia [éʒə] n Asia f

Asian [éʒən] adj & n asiático -ca mf

aside [əsáid] adv bromas aparte; **his father took him —** su padre lo llamó aparte; **he threw his coat —** tiró su saco a un lado; PREP **— from** aparte de, además; n (theater) aparte m

asinine [ǽsənain] adj necio

ask [æsk] vt (inquire) preguntar; (request) pedir; **to — a question** hacer una pregunta; **to — about** preguntar por; **to — for** pedir; **to — for someone** preguntar por alguien; **to — out** invitar a salir; **what's your —ing price?** ¿cuánto pides? **you —ed for it** lo has buscado

askance [əskǽns] adv (obliquely) mirar de soslayo/través; (suspiciously) mirar con recelo

askew [əskjú] adj ladeado

asleep [əslíp] ADJ dormido; **to fall —** dormirse; **my arm is —** se me ha dormido/entumecido el brazo

asparagus [əspárəgəs] N espárrago *m*

aspect [áspekt] N aspecto *m*

aspen [áspən] N álamo temblón *m*

asphalt [ásfɑlt] N asfalto *m*

aspiration [æspəréʃən] N aspiración *f*

aspire [əspáir] VI aspirar

aspirin [áspɹɪn] N aspirina *f*

ass [æs] N (animal) asno *m*, burro *m*, borrico *m*

assail [əsél] VT (physically) asaltar, atacar; (verbally) atacar

assailant [əsélənt] N atacante *mf*, agresor -ra *m*

assassin [əsǽsɪn] N asesino -na *mf*

assassinate [əsǽsənet] VT asesinar

assassination [əsæsənéʃən] N asesinato *m*

assault [əsɑ́lt] N asalto *m*, agresión *f*; **— rifle** rifle de asalto *m*; **— and battery** agresión con lesiones *f*; VT asaltar, agredir; (sexually) violar

assay [əsé] VT (situation) examinar, analizar; (metal) ensayar; [áse] N ensayo *m*

assemble [əsémbəl] VI/VT (call together) reunir(se), congregar(se); VT (put together) armar, montar

assembly [əsémbli] N (meeting) asamblea *f*, reunión *f*; (putting together) montaje *m*, armado *m*; **— language** lenguaje ensamblador *m*; **— line** cadena de producción *f*, línea de montaje *f*

assent [əsént] N asentimiento *m*; VI asentir

assert [əsɚ́t] VT (declare) aseverar; **to — one's rights** hacer valer los derechos de uno; **to — oneself** obrar con firmeza

assertion [əsɚ́ʃən] N (declaration) aseveración *f*, afirmación *f*, aserto *m*; **an — of ownership** una afirmación de los derechos de propiedad

assess [əsés] VT (evaluate for tax purposes) tasar; (impose tax) gravar, imponer

assessment [əsésmənt] N (estimate) avalúo *m*, tasación *f*; (tax) imposición *f*, gravamen *m*; (testing) evaluación *f*

asset [áset] N (useful thing) ventaja *f*; (useful quality) virtud *f*; **—s** activo *m*, bienes *m pl*; (on balance sheet) haber *m*, activo *m*; **personal —s** bienes muebles *m pl*; **real —s** bienes inmuebles *m pl*

assiduous [əsíʤuəs] ADJ (constant) asiduo; (industrious) diligente

assign [əsáin] VT (give out) asignar; (appoint, designate) designar; (transfer property) ceder

assignment [əsáinmənt] N (act of assigning) asignación *f*; (task) encargo *m*; (mission) misión *f*; (transfer of property) cesión (de bienes) *f*; (homework) tarea *f*; (lesson) lección *f*

assimilate [əsíməlet] VI/VT asimilar(se)

assist [əsíst] VI/VT ayudar, asistir

assistance [əsístəns] N ayuda *f*, asistencia *f*

assistant [əsístənt] N ayudante *mf*, asistente *mf*; ADJ auxiliar

assistantship [əsístəntʃip] N ayudantía *f*

associate [əsóʃiɪt] ADJ asociado; N (acquaintance) compañero -ra *mf*; (co-worker) colega *mf*; (employee) empleado -da *mf*; [əsóʃiet] VI/VT asociar(se)

association [əsosiéʃən] N asociación *f*

assonance [ásənəns] N asonancia *f*

assorted [əsɔ́rDɪd] ADJ variado, surtido

assortment [əsɔ́rtmənt] N (act of assorting) clasificación *f*; (of wares) surtido *m*; (of tools, etc.) colección *f*

assume [əsúm] VT (responsibility, role) asumir; (right) arrogarse; (suppose) dar por sentado, suponer

assumption [əsʌ́mpʃən] N (premise) suposición *f*; (unstated belief) sobreentendido *m*; (seizure) toma *f*

assurance [əʃúrəns] N (promise) promesa *f*, palabra *f*; (reassurance) palabras de apoyo *f pl*; (certainty) certeza *f*; (confidence) confianza *f*

assure [əʃúr] VT asegurar; (encourage) infundir confianza

assuredly [əʃúrɪdli] ADV seguramente, sin duda

asterisk [ástɚɪsk] N asterisco *m*

asteroid [ástɚɔɪd] N asteroide *m*

asthma [ázmə] N asma *f*

asthmatic [æzmǽDɪk] ADJ asmático

astigmatism [əstígmətɪzəm] N astigmatismo *m*

astonish [əstánɪʃ] VT asombrar, pasmar

astonishing [əstánɪʃɪŋ] ADJ asombroso, pasmoso

astonishment [əstánɪʃmənt] M asombro *m*, pasmo *m*

astound [əstáund] VT pasmar, asombrar

astraddle [əstrǽdl] ADV a horcajadas

astray [əstré] ADV **to go —** perderse, extraviarse; **to lead —** (seduce) llevar por mal camino, seducir; (perplex) confundir

astride [əstráid] ADV a horcajadas

astringent [əstrínʤənt] ADJ & N astringente *m*

astrology [əstráləʤi] N astrología *f*

astronaut [ástrənɔt] M astronauta *mf*

astronautics [æstrənɔ́Dɪks] N astronáutica *f*

astronomer [əstránəmɚ] N astrónomo

-ma *mf*

astronomy [əstrónəmi] N astronomía *f*

astrophysics [æstrofíziks] N astrofísica *f*

Asturian [æstúriən] ADJ & N asturiano -na *mf*

Asturias [æstúrias] N Asturias *f sg*

astute [əstút] ADJ astuto, sagaz

asylum [əsáiləm] N asilo *m*

asymmetric [esimétrik] ADJ asimétrico

at [æt] PREP — **the end of the story** al final de la historia; — **five o'clock** a las cinco; — **high altitude** a grandes alturas; — **the table** a / en la mesa; — **five dollars a kilo** a cinco dólares el kilo; — **Easter** en Pascua; — **home** en casa; — **war** en guerra; **wait** — **the door** espera en la puerta; **he is** — **peace with himself** está en paz consigo mismo; **the children are** — **play** los niños están jugando; **look** — **that** mira eso; **amazed** — pasmado por; **he laughed** — **me** se rió de mí; — **last** por fin, al fin

atheism [éθiizəm] N ateísmo *m*

atheist [éθiist] N ateo -a *mf*

athlete [æθlit] N deportista *mf*; (track and field) atleta *mf*; —**'s foot** pie de atleta *m*

athletic [æθlédik] ADJ deportivo; (concerning track and field; well-built) atlético

athletics [æθlédiks] N deporte *m*; (track and field) atletismo *m*

Atlantic [ætléntik] ADJ atlántico; N — **Ocean** Océano Atlántico *m*

atlas [ǽtləs] N atlas *m*

atmosphere [ǽtməsfir] N (air) atmósfera *f*; (mood) ambiente *m*

atmospheric [ætməsfírik] ADJ atmosférico

atom [ǽdəm] N átomo *m*; — **bomb** bomba atómica *f*

atomic [ətámik] ADJ atómico; — **age** era atómica *f*; — **energy** energía atómica *f*; — **number** número atómico *m*; — **weight** peso atómico *m*

atomize [ǽdəmaiz] VT atomizar

atone [ətón] VI **to** — **for** expiar, purgar

atonement [ətónmənt] N expiación *f*, purgación *f*

atrium [étriəm] N (of office building, hotel) vestíbulo *m*, patio central *m*; (of church) atrio *m*

atrocious [ətróʃəs] ADJ atroz

atrocity [ətrásidi] N atrocidad *f*, barbaridad *f*

atrophy [ǽtrəfi] N atrofia *f*; VI/VT atrofiar(se)

attach [ətǽtʃ] VI/VT (pipe, cable) unir(se), juntar; (paper) sujetar; (wages) retener; (significance) atribuir; **to be —ed to someone** estar apegado a alguien

attaché [ætæʃé] N agregado -da *mf*

attachment [ətǽtʃmənt] N (act of attaching)

unión *f*; (pipe, cable) conexión *f*; (affection) apego *m*, cariño *m*; (of wages) retención *f*; (significance) atribución *f*; (accessory) accesorio *m*

attack [ətǽk] N ataque *m*, acometida *f*; VI/VT atacar, acometer

attain [ətén] VT alcanzar; VI llegar a

attainment [əténmənt] N (act) alcance *m*; (accomplishment) logro *m*, consecución *f*

attempt [ətémpt] N tentativa *f*, intento *m*; (murder) atentado *m*; VT tratar (de), intentar

attend [əténd] VT (meeting) asistir a, acudir a; VI **to** — (to a sick person) atender, cuidar; (a speaker) prestar atención

attendance [əténdəns] N asistencia *f*

attendant [əténdənt] N (at a gas station) encargado -da *mf*; (servant) sirviente -ta *mf*; ADJ concomitante

attention [əténʃən] N atención *f*; (courtesy) atenciones *f pl*; **to pay** — prestar atención; **to pay** — **to** atender a; **to call** — llamar la atención; INTERJ —! ¡firmes!

attentive [əténtiv] ADJ (focused) atento; (courteous) cortés

attenuate [əténjuet] VT atenuar

attest [ətést] VT (bear witness to) atestiguar; (manifest) demostrar; VI certificar, dar fe, atestar

attic [ǽdik] N desván *m*, altillo *m*

attire [ətáir] N atavío *m*, vestidura *f*; VT ataviar

attitude [ǽditud] N (mental) actitud *f*; (physical) postura *f*; (insolence) insolencia *f*, descaro *m*

attorney [ətś-ni] N abogado -da *mf*; — **General** Ministro -tra de Justicia *mf*

attract [ətrǽkt] VT atraer; **to** — **attention** llamar la atención

attraction [ətrǽkʃən] N (act, power) atracción *f*; (charm) atractivo *m*

attractive [ətrǽktiv] ADJ atractivo; (beautiful) atractivo, agraciado

attractiveness [ətrǽktivnis] N atractivo *m*

attribute [ǽtrəbjut] N atributo *m*; [ətríbjut] VT atribuir

attribution [ætrəbjúʃən] N atribución *f*

attrition [ətríʃən] N (wearing out) desgaste *m*; (casualties) bajas *f pl*; **war of** — guerra de agotamiento *f*

auburn [ɔ́bə-n] N & ADJ castaño rojizo *m*

auction [ɔ́kʃən] N subasta *f*, remate *m*; VI/VT subastar, rematar

auctioneer [ɔkʃənír] N subastador -ra *mf*, rematador -ra *mf*

audacious [ɔdéʃəs] ADJ audaz, atrevido

audacity [ɔdǽsidi] N desfachatez *f*,

audible [ˈɔːdəbəl] adj audible

audience [ˈɔːdɪəns] n público m, auditorio m; (TV, radio) audiencia f

audio [ˈɔːdɪəʊ] adj de audio; **— book** audiolibro m; **— frequency** audiofrecuencia f; **—visual** adj audiovisual; **—visuals** n pl audiovisuales m; n audio m

audiology [ɔːdɪˈɒlədʒɪ] n audiología f

audit [ˈɔːdɪt] v/t v/i (class) asistir de oyente; (accounts) auditar; (s13)...

auditor [ˈɔːdɪtə-] n (of accounts) auditor -ra m/f; censor -ora m/f; (of a class) oyente m/f

auditorium [ɔːdɪˈtɔːrɪəm] n auditorio m, paraninfo m

auditory [ˈɔːdɪtərɪ] adj auditivo

augment [ɔːɡˈment] v/t incrementar, aumentar

August [ˈɔːɡəst] n agosto m

aunt [ɑːnt] n tía f

aura [ˈɔːrə] n aura f

aural [ˈɔːrəl] adj auditivo

aurora [əˈrɔːrə] n aurora f; **— borealis** boreal

auspices [ˈɔːspɪsɪz] n auspicios m pl

auspicious [ɔːˈspɪʃəs] adj propicio

austere [ɒsˈtɪə] adj austero

austerity [ɒsˈterɪtɪ] n austeridad f

Australia [ɒsˈtreɪlɪə] n Australia f

Australian [ɒsˈtreɪlɪən] adj & n australiano -na m/f

Austria [ˈɒstrɪə] n Austria f

Austrian [ˈɒstrɪən] adj & n austríaco -ca m/f

authentic [ɔːˈθentɪk] adj auténtico

authenticate [ɔːˈθentɪkeɪt] v/t autenticar

author [ˈɔːθə-] n (professional) escritor -ra m/f; (creator) autor -ra m/f

authoritarian [ɔːθɒrɪˈteərɪən] adj autoritario

authoritative [ɔːˈθɒrɪtətɪv] adj (official) autorizado; (dictatorial) autoritario

authority [ɔːˈθɒrɪtɪ] n autoridad f; (permission) autorización f; **to have on good —** saber de buena fuente; **it's not within your —** no está dentro de tus facultades

authorize [ˈɔːθəraɪz] v/t autorizar, habilitar

authorization [ɔːθəraɪˈzeɪʃən] n autorización f

autism [ˈɔːtɪzəm] n autismo m

autobiography [ɔːtəbaɪˈɒɡrəfɪ] n autobiografía f

autocrat [ˈɔːtəkræt] n autócrata m/f

autograph [ˈɔːtəɡrɑːf] n autógrafo m

autoimmune [ɔːtəʊɪˈmjuːn] adj autoinmune

automated [ˈɔːtəmeɪtɪd] adj automatizado

automatic [ɔːtəˈmætɪk] adj automático; **— pilot** piloto automático m; **— (response)** (respuesta) maquinal; **— transmission** transmisión automática f

automation [ɔːtəˈmeɪʃən] n automatización f

automobile [ˈɔːtəməbiːl] n automóvil m

automotive [ɔːtəˈməʊtɪv] adj (sport) automovilístico; (industry) automotor -ra, automotriz

autonomy [ɔːˈtɒnəmɪ] n autonomía f

autopilot [ˈɔːtəpaɪlət] n piloto automático m

autopsy [ˈɔːtɒpsɪ] n autopsia f

autumn [ˈɔːtəm] n otoño m

autumnal [ɔːˈtʌmnəl] adj otoñal

auxiliary [ɔːɡˈzɪlɪərɪ] adj & n auxiliar m/f

avail [əˈveɪl] v/t v/i servir; **to — oneself of** aprovechar; **of no —** de ninguna utilidad; **to no —** en vano

available [əˈveɪləbəl] adj disponible, asequible

avalanche [ˈævəlɑːnʃ] n avalancha f, alud m

avarice [ˈævərɪs] n avaricia f

avaricious [ævəˈrɪʃəs] adj avaro, avariento

avenge [əˈvendʒ] v/t vengar

avenger [əˈvendʒə-] n vengador -ra m/f

avenue [ˈævənuː] n avenida f; (means of access) vía f

aver [əˈvɜː-] v/t afirmar

average [ˈævrɪdʒ] n promedio m; **on —** de promedio, adj medio, mediano; **just —** (person) del montón; (thing) nada del otro mundo; v/t promediar; **he —s 20 miles an hour** hace un promedio de 20 millas por hora

averse [əˈvɜːs] adj reacio; **he's not — to a glass of wine** no se opone a una copa de vino

aversion [əˈvɜːʒən] n aversión f

avert [əˈvɜːt] v/t (eyes) desviar; (danger) evitar

aviation [eɪvɪˈeɪʃən] n aviación f

aviator [ˈeɪvɪeɪtə-] n aviador -ra m/f

avid [ˈævɪd] adj ávido

avocado [ævəˈkɑːdəʊ] n aguacate m; RP palta f

avocation [ævəˈkeɪʃən] n pasatiempo m

avoid [əˈvɔɪd] v/t v/i (stay away from) evitar; (dodge) esquivar

avow [əˈvaʊ] v/t confesar

avowal [əˈvaʊəl] n confesión f

avuncular [əˈvʌŋkjələ-] adj propio de un tío; **— attitude** actitud paternal y amistosa

await [əˈweɪt] v/t aguardar

awake [əˈweɪk] adj despierto; v/i/v/t despertar(se)

awaken [əˈweɪkən] v/i/v/t despertar(se)

award [əˈwɔːd] n premio m, galardón m; (judicial) adjudicación f; v/t otorgar

aware [əˈweə-] adj consciente, enterado; **I'm — of that** eso me consta

away [əˈweɪ] adv **far —** lejos; **— from his family** lejos de su familia; **she looked —** apartó la vista; **she's —** no está; **he's been painting — all day** se ha pasado todo el día pintando; **right** — ahora mismo, ahorita; **ten miles** — a diez millas de distancia; **to give** — regalar; **to go** — irse; **to take** — quitar; **to blow** — (hacer) volar

awe [ɔ] N sobrecogimiento *m*; **to be in** — sobrecogerse; VT sobrecoger

awesome [ɔ́səm] ADJ (awe-inspiring) sobrecogedor; (impressive) fabuloso

awestruck [ɔ́strʌk] ADJ pasmado

awful [ɔ́fəl] ADJ terrible, horroroso; ADV espantoso; **it's** — **hot here** hace un calor horrible

awhile [əhwáɪl] ADV un rato

awkward [ɔ́kwəd] ADJ (clumsy) torpe, desmañado; (embarrassing) embarazoso; (unwieldy) incómodo

awl [ɔl] N punzón *m*

awning [ɔ́nɪŋ] N toldo *m*

awry [ərái] ADJ (clothes) mal puesto; (hat) ladeado; **my plans went** — mis planes fracasaron rotundamente

ax, axe [æks] N hacha *f*; VT eliminar

axis [æksɪs] N eje *m*

axle [æksəl] N eje *m*

Azerbaijan [æzəbaɪʤán] N Azerbaiyán *m*

Azerbaijani, Azerbaijanian [æzəbaɪʤáni(ən)] ADJ & N azerbaijano -na *mf*, azerbaiyano -na *mf*

azure [ǽʒə] ADJ (azul) celeste; N azul celeste *m*

Bb

babble [bǽbəl] N (baby talk) balbuceo *m*; (chatter) parloteo *m*; (murmur) murmullo *m*; VI (to talk like a baby) balbucear; (to chatter) parlotear; (to murmur) murmurar

baboon [bæbún] N babuino *m*

baby [bébi] N bebé *mf*; **who's the** — **in your family?** ¿quién es el menor / benjamín en tu familia? — **blue** celeste *m*; — **boomer** persona nacida entre 1946 y 1965 *f*; — **carriage** cochecito de bebé *m*; — **food** comida para bebés *f*; — **girl** nena *f*; — **sister** hermanita *f*; — **sitter** niñera *f*; — **talk** habla infantil *f*; — **tooth** diente de leche *m*; **to —sit** cuidar niños; **she had a** — dio a luz; VT mimar

baccalaureate [bækəlɔ́riət] N bachillerato *m*

bachelor [bǽtʃələ] N soltero *m*; —**'s degree** licenciatura *f*; — **of Arts** (degree) licenciatura en filosofía y letras *f*; (person) licenciado -da en filosofía y letras *mf*

bacillus [bəsíləs] N bacilo *m*

back [bæk] N (human body part) espalda *f*; (animal body part) lomo *m*; (opposite side) dorso *m*; (of chair) respaldo *m*, espaldar *m*; —**ache** dolor de espalda *m*; —**bone** columna vertebral *f*, espinazo *m*; —**pack** mochila *f*; **behind one's** — a espaldas de uno; **he has no** —**bone** no tiene carácter; **in** — **of** detrás de, tras; **in the** — **of the house** atrás de la casa; **to fall on one's** — caer de espaldas; **to turn one's** — volver las espaldas; ADJ — **door** puerta trasera *f*; — **issues** números atrasados *m pl*; **on the** — **burner** en suspenso; VT respaldar, apoyar; VI dar marcha atrás; **to** — **down** echarse (para) atrás, recular, cejar; ADV (look) atrás / para atrás; (fall) de espaldas; — **and forth** de aquí para allá; —**-and-forth movement** movimiento de vaivén *m*; **he ran** — **to the house** volvió corriendo a la casa; **he's** — **from work** está de vuelta del trabajo

backbite [bǽkbaɪt] VI/VT difamar

backer [bǽkə] N (financial) fiador -ra *mf*; (political) partidario -ria *mf*

backfire [bǽkfaɪr] VI (automobile) petardear, hacer detonaciones; (plan) ser contraproducente; N petardeo *m*

backgammon [bǽkgæmən] N backgammon *m*

background [bǽkgraʊnd] N (of a picture) fondo *m*; (experience) antecedentes *m pl*; **I have a** — **in computers** tengo conocimientos de informática; **I know what goes on in the** — sé lo que pasa entre bastidores; **a humble** — orígenes humildes *m pl*

backhand [bǽkhænd] N revés *m*

backing [bǽkɪŋ] N respaldo *m*, apoyo *m*; (fabric) refuerzo *m*

backlash [bǽklæʃ] N reacción violenta *f*

backlog [bǽklɑg] N atraso *m*

backseat [bǽksít] N asiento trasero *m*

backslide [bǽkslaɪd] VI volver a las andadas, reincidir

backspace [bǽkspes] N retroceso *m*; VI retroceder

backstage [bǽkstéʤ] ADV entre bastidores

backtrack [bǽktræk] VI retroceder, dar marcha atrás

backup [bǽkʌp] N (support) respaldo *m*; (software) copia de seguridad *f*

backward [bǽkwəd] ADV hacia atrás, para atrás; **to go** — recular; ADJ (underdeveloped) atrasado; (reactionary)

backwardness [bǽkwǝdnis] n retrógrado; (underdevelopment) atraso m; (conservativism) retrogradismo m; (timidity) timidez f

backyard [bǽkjɑrd] n patio trasero m

bacon [béikǝn] n tocino m, Sp beicon m

bacteria [bæktíriǝ] n bacteria(s) f (pl)

bacteriology [bæktiriálǝdʒi] n bacteriología f

bad [bæd] adj malo; (man) perverso; (teeth) feo; (drug) dañoso; (flood) grave; (fruit) podrido; — **blood** enemistad f; to go **from — to worse** ir de mal en peor; he **has a — heart** está enfermo del corazón; to — **mouth** difamar (a); **to look** — tener mal aspecto; fam quedar mal; adv mal; **not** — no está nada mal; **too** — ¡qué pena!

badge [bǽdʒ] n insignia f, chapa f

badger [bǽdʒǝ] n tejón m; vt acosar

baffle [bǽfǝl] vt (confuse) confundir; (frustrate) desconcertar; n deflector m

bag [bæg] n bolsa f, bolso m; (baggage) maleta f; — **lady** vagabunda f; — **pipe** gaita f; vt empacar, embolsar; (hunting) cazar

baggage [bǽgidʒ] n (suitcases) equipaje m; (impediments) bagaje m; — **car** vagón de equipajes m; — **check** contraseña de equipaje f; — **tag** etiqueta f

baggy [bǽgi] adj flojo, holgado

Bahamas [bǝhámǝz] n Bahamas f pl

Bahamian [bǝhémiǝn] adj & n bahameño -ña m f

Bahrain [bɑrén] n Bahréin m

Bahraini [bɑréni] adj & n bahreiní m f

bail [béil] n fianza f; **to let out on** — poner en libertad bajo fianza; vt pagar la fianza a alguien; **to — someone out** — **someone out of a predicament** sacar a alguien de un apuro; **to — out water** achicar, vaciar; vi **to — out** (of a plane) tirarse con paracaídas de un avión; (of a situation) abandonar

bailiff [béilif] n ujier m

bait [béit] n cebo m; vt (prepare hook) cebar; (attract customers) seducir; (harass) acosar

bake [béik] vi/vt hornear; (sun) calcinar, abrasar; **I'm baking in this heat** me estoy asando, me muero de calor

baker [béikǝ] n panadero -ra m f; —'s **dozen** la docena del fraile f

bakery [béikǝri] n panadería f

baking [béikiŋ] n (act of baking) horneado m; (activity) repostería f; — **powder**

balance [bǽlǝns] n (instrument) balanza f; (equilibrium) equilibrio m; (debit, credit) saldo m, balance m; — **of payments** balanza de pagos f; — **of trade** balanza comercial f; — **sheet** balance m; **to lose one's** — perder el equilibrio; vt equilibrar, hacer equilibrio con; **to — the risks with the benefits** sopesar los riesgos y los beneficios; vi cuadrar

balcony [bǽlkǝni] n balcón m; (in a theater) palco m, entresuelo m

bald [bɔld] adj (person) calvo, pelón; (mountain) pelón; (tire) liso; — **eagle** águila americana de cabeza blanca f; —**headed** calvo; — **spot** calva f; **he went** — se quedó calvo

bale [béil] n paca f, fardo m; vt empacar, enfardar

balk [bɔk] vi oponerse, rehusarse a

ball [bɔl] n (tennis, baseball, golf) pelota f; (basketball, football, soccer) balón m; (of string, thread) ovillo m; (cannon) bala de cañón) f; (dance) baile m; — **and chain** grillete m; — **bearing** cojinete de bolas m; — **game** juego de pelota (baseball) partido de beisbol m; vt (string) ovillar

ballad [bǽlǝd] n balada f (historical) romance m

ballast [bǽlǝst] n lastre m; (railroad) balasto m; vt lastrar

ballerina [bælǝrínǝ] n bailarina de ballet f

ballet [bælé] n ballet m

ballistic [bǝlístik] adj balístico; — **missile** misil balístico m; —**s** n balística f

balloon [bǝlún] n globo m; vi (travel in a balloon) pasar en globo; vi/vt (grow) inflar(se)

ballot [bǽlǝt] n (system of voting) votación f; (paper) papeleta f, Mex boleta f; — **box** urna f

balm [bɑm] n bálsamo m

balmy [bámi] adj templado

baloney [bǝlóni] n paparruchas f pl, pamplinas f pl

balsa [bǽlsǝ] n (wood) madera balsa f; (raft) balsa f

balsam [bɔlsǝm] n (resin) bálsamo m; (tree) especie de abeto m

bamboo [bæmbú] n bambú m

ban [bæn] n prohibición f; (church) excomunión f; vt prohibir

banal [bǝnál] adj banal

banana [bǝnǽnǝ] n [banana] n plátano m, banana f; — **grove** platanar m; — **split** banana split m; — **tree** plátano m, banano m

band [bænd] n (group) banda f, pandilla f; (musicians) banda f, conjunto m; (cloth) banda f; (ribbon) cinta f; (feather) tira f; **to join the —wagon** subirse al carro/ tren; **—width** amplitud de banda f vi/vt **to — together** unirse, juntarse

bandage [bǽndiʤ] n venda f, vendaje m; vt vendar

bandit [bǽndit] n bandido m, bandolero -ra m/f, salteador -ora m/f

bang [bæŋ] n (blow) golpe m, golpazo m; (sound) estampido m, estallido m; **—s** fleco m, flequillo m; **I get a — out of seeing my grandkids** me emociona ver a mis nietos; vi/vt (hit) golpear; (make noise) hacer estrépito

Bangladesh [bæŋgládeʃ] n Bangladesh m

Bangladeshi [bæŋgládeʃi] adj & n bangladeshí m/f

banish [bǽniʃ] vt desterrar

banishment [bǽniʃmənt] n destierro m, proscripción f

banister [bǽnistər] n baranda m, barandal m, pasamanos m; balaustrada f

banjo [bǽnʤo] n banjo m

bank [bæŋk] n (financial institution) banco m; (in gambling) banca f; (of a body of water) orilla f, ribera f, margen m; (slope) escarpa f; **—statement** estado de cuenta m; **—vault** cámara f, adj bancario, de banco; vt (money) depositar en un banco; vi (snow, sand) amontonar; (airplane) ladear; **to —on** contar con; **to —roll** financiar

banker [bǽŋkə-] n (bank owner) banquero -ra m/f; (bank employee) bancario -ria m/f

banking [bǽŋkiŋ] n (activity) actividad bancaria f; (industry) banca f; adj bancario, de banco

banknote [bǽŋknot] n billete m

bankrupt [bǽŋkrʌpt] adj en bancarrota; vt arruinar, quebrar

bankruptcy [bǽŋkrʌptsi] n bancarrota f, quiebra f; **to go into —** declararse en quiebra

banner [bǽnə] n estandarte m, pendón m; adj sobresaliente

banquet [bǽŋkwit] n banquete m, gala f

baptism [bǽptizəm] n (sacrament) bautismo m; (action) bautizo m

baptize [bǽptaiz] vt bautizar

bar [bɑr] n (of iron, sand, of a tavern) barra f; (of chocolate) barra f, tableta f; (vertical rod) barrote m; (obstacle) barrera f; (in music) compás m; vt (obstacle) impedir; (saloon) bar m; **—bell** barra para pesas f; **—code** código de barras m; **—graph** gráfica de barras f; **—keeper** tabernero -ra m/f; **—room** bar m, cantinero -ra m/f; **—room brawl** pelea de borrachos f; **—tender** tabernero -ra m/f, cantinero -ra m/f

barb [bɑrb] n púa f; **—ed wire** alambre de púas m, Sp alambre de espino m

Barbadian [bɑrbédiən] adj & n barbadense m/f

Barbados [bɑrbédos] n Barbados m

barbarian [bɑrbériən] adj & n bárbaro -ra m/f

barbaric [bɑrbérik] adj bárbaro

barbarous [bɑrbərəs] adj bárbaro

barbecue [bɑrbikju] n (meat dish) barbacoa f, asado m, parrillada f; **—sauce** adobo de barbacoa m; vt asar con adobo

barber [bɑrbə] n peluquero m, barbero m; **—shop** peluquería f, barbería f

barbiturate [bɑrbiʧərit] n barbitúrico m

bard [bɑrd] n bardo m

bare [bɛr] adj (legs, walls) desnudo; (cabinet) vacío; **—back** a pelo; **—faced** descarado; **—foot** descalzo; **the — necessities** lo imprescindible; **—headed** con la cabeza descubierta; **—legged** con las piernas descubiertas; **—majority** escasa mayoría f; **to lay —** poner al descubierto; **to — his hands** con las propias manos

barely [bɛrli] adv apenas

bargain [bɑrgin] n (agreement) trato m; (inexpensive purchase) ganga f, ocasión f; **—basement** sección de ofertas f; **into the —** por añadidura; **to strike a —** cerrar un trato; vi (haggle) regatear; (expect) contar con

barge [bɑrʤ] n barcaza f; vi **to — in** interrumpir; **to — into** irrumpir en

baritone [bǽriton] n & adj barítono m

barium [bɛriəm] n bario m

bark [bɑrk] n (of a dog) ladrido m; (on a tree) corteza f; vi/vt ladrar; **to — out an order** gritar una orden

barley [bɑrli] n cebada f

barn [bɑrn] n (for animals) establo m; (for grain) granero m; **—owl** lechuza f; **—yard** corral m

barnacle [bɑrnəkəl] n percebe m

barometer [bərɑmitər] n barómetro m

baron [bǽrən] n barón m

baroque [bərɑk] adj & n barroco m

barracks [bǽrəks] n cuartel m

barracuda [bærəkúdə] n barracuda f

barrage [barɑʒ] n (of artillery fire) barrera de fuego f; (of questions) lluvia f, aluvión m

barrel [bǽrəl] n barril m, tonel m; (gun) cañón m, caño m; **he's a — of laughs** es un payaso; **he is scraping the bottom of the —** está desesperado; **to — along** ir disparado

barren [bǽrən] adj (land) árido, yermo; (female) estéril

barrette [bərɛt] n broche m

barricade [bǽrəked] n barricada f; vt cerrar con barricadas; vi atrincherarse

barrier [bǽriə] n barrera f; **— reef** barrera de coral f

barrio [bário] n barrio hispano m

barter [bártər] vi hacer trueque; vt trocar; n trueque m

basal cell carcinoma [bésətkàrsinóma] n carcinoma de célula basal m

basalt [bəsɔlt] n basalto m

base [bes] n base f; **— pay** salario base m; **— ball** béisbol m; **— board** zócalo m; adj bajo, vil; (metal) de baja ley; vi/vt basar, fundar; **to be —d on** fundamentarse en; **the general is —d in Berlin** el general está estacionado en Berlín

baseless [béslis] adj sin fundamento

basement [bésmənt] n sótano m

baseness [bésnis] n bajeza f, vileza f

bash [bæʃ] vt golpear

bashful [bǽʃfəl] adj tímido, vergonzoso

bashfulness [bǽʃfəlnis] n timidez f

basic [bésɪk] adj básico

basin [bésɪn] n (bowl) palangana f, jofaina f; (of a fountain) pilón m; (geographical formation) cuenca f; (pond) estanque m

basis [bésɪs] n fundamento m, base f; **on the — of** en base a, con base en; **on a regular —** regularmente

bask [bæsk] vi (in the sun) asolearse; (in praise) deleitarse

basket [bǽskɪt] n canasta f, cesta f; cesto m; **— ball** baloncesto m, básquetbol m

basketful [bǽskɪtful] n (contents of a basket) canasto m; (large amount) montón m

basketry [bǽskɪtri] n cestería f

Basque [bæsk] adj & n (person) vasco -ca mf; (language) vascuence m, vasco m

bass [bes] n (voice, bass guitar) bajo m; (double bass) contrabajo m; **— clef** clave de fa f; **— drum** bombo m; **— horn tuba** f; [bæs] (marine fish) lubina f; (freshwater fish) perca f

bassoon [bæsún] n fagot m

bastard [bæstərd] n & adj (illegitimate) bastardo -da mf

baste [best] vt (fabric) hilvanar; (meat) rociar

bat [bæt] n (baseball, cricket) bate m; (animal) murciélago m; vt golpear; **not to — an eye** no pestañear; vi (baseball)

batch [bætʃ] n (of cookies) hornada f; (of cement) tanda f; (of data) colección f

bath [bæθ] n baño m; **— robe** bata (de baño) f; Sp albornoz m; **— room** (in a house) cuarto de baño m; (public) Sp aseo m; Am servicio m, baño m; **— tub** bañera f

bathe [beð] vi/vt bañar(se); **bathing beauty** muchacha en traje de baño f

bather [béðər] n bañista mf

bathing suit traje de baño m

baton [bətán] n batuta f

battalion [bətǽljən] n batallón m

batter [bǽtər] n pasta f, masa f; (baseball) bateador m; vt golpear

battery [bǽtəri] n (car, artillery) batería f; (of electronic devices) pila f; (of tests) serie f; (assault) asalto m

battle [bǽtəl] n batalla f; **— axe** (weapon) hacha de guerra f; (woman) sargenta f; **— cry** grito de guerra m; **— field** campo de batalla m; **— ship** acorazado m; vi batallar; **to — cancer** luchar contra el cáncer

bawl [bɔl] vi berrear; **to — somebody out** echarle bronca a uno; **to — out orders** bramar órdenes

bay [be] n (body of water) bahía f; (howl) aullido m; **— leaf** hoja de laurel f; **— window** ventana saliente f; **to hold at —** tener a raya; adj bayo; vi aullar

bayonet [béənɛt] n bayoneta f

bazaar [bəzár] n (market place) bazar m; (benefit) kermés f

bazooka [bəzúkə] n bazuca f

be [bi] vi **I am from Uruguay** soy de Uruguay; **there were four of us** éramos cuatro; **he is a doctor** es médico; **it's her** es ella; **sugar is sweet** el azúcar es dulce; **London is in England** Londres está en Inglaterra; **this water is cold** esta agua está fría; **the windows were open** las ventanas estaban abiertas; **there is a problem** hay un problema; **to — cold — warm — hungry — right — in a hurry** tener frío/ calor/ hambre/ razón/ prisa; **it is cold/ hot/ windy** hace frío/ calor/ viento

beach [bitʃ] n playa f; **— comber** vagabundo -da mf; **— head** cabeza de playa f; vt varar, encallar

beacon [bíkən] n faro m

bead [bid] n cuenta f; (of sweat) gota f; perla f; **to get a — on somebody** apuntarle a

beagle [bigəl] n beagle m

beak [bik] n pico m

beaker [bikɚ] n vaso de precipitados m

beam [bim] n (of light) rayo m, haz m; (in a building) viga f; (of a ship) manga f; (of a scale) brazo m; **broad in the —** ancho de caderas; vi/vt (light, radio) emitir; (smile) estar radiante

bean [bin] n judía f, habichuela f; Sp alubia f; Am frijol m, Am poroto m; **Lima —** haba f; **— stalk** tallo de habas/frijol m; **Jack and the — stalk** Juanito y las habichuelas; **I don't know — s about that** no sé ni papa/jota de eso

bear [bɛr] n oso m; **— hug** abrazo fuerte m; **— market** mercado bajista m; vt (hold up, tolerate) soportar, aguantar; (suffer) sobrellevar; (have a child) dar a luz; (produce young) parir; (produce fruit) producir; **— down** (mash) apretar; (push) pujar; **to — a grudge** guardar rencor; **to — in mind** tener en cuenta; **to — oneself with dignity** portarse con dignidad; **to — out** confirmar; **to — interest** devengar interés; **to — gifts** traer regalos; **to — testimony** dar testimonio; **to — a resemblance to — the cost of something** asumir el costo de algo; **it doesn't — repeating** no merece repetirse

bearable [bɛrəbəl] adj llevadero

beard [bird] n (on a man) barba f; (of wheat) arista f pl

bearded [bɪrdɪd] adj barbado, barbudo

bearer [bɛrɚ] n portador -ra m

bearing [bɛrɪŋ] n porte m; **to lose one's — s** perder el rumbo, desorientarse; **it has no — on our situation** no tiene relación con nuestra situación

bearish [bɛrɪʃ] adj (of bears) osuno; (of stock market) bajista

beast [bist] n bestia f

beat [bit] vt (wings, eggs) batir; (a person) golpear; (a drum) tocar; (an opponent) vencer; (tempo) marcar; vi (heart) latir; (drum) sonar; **to — around the bush** andarse por las ramas; **to — off** rechazar; **to — up** dar una paliza; **— ni idea! to — it! ¡ni me!** n (blow) golpe m; (drum) toque m; (heart) latido m; (tempo) compás m; (policeman's territory) ronda f

beaten [bitn] adj (mixed) batido; (defeated) vencido; (tired) fatigado; **— path** camino trillado m

beautiful [bjutəfəl] adj hermoso; **— people** jet set mf

beautify [bjutəfaɪ] vt embellecer, hermosear

beauty [bjudi] n belleza f, hermosura f; (woman) beldad f; **— contest** concurso/certamen de belleza m; **— pageant** certamen de belleza m; **— parlor** salón de belleza m

beaver [bivɚ] n castor m

because [bɪkʌz] conj porque; **— of** por, a causa de

beckon [bɛkən] vt llamar por señas

become [bɪkʌm] vi (through effort) hacerse; **he became rich** se hizo rico; (emotional or physical condition) ponerse; **she became ill** se puso enferma; (long process) llegar a ser; **he became a doctor** llegó a ser médico; (turn into) convertirse en; **the water became ice** el agua se convirtió en hielo; (drastic change) volverse; **he became crazy** se volvió loco; (suit) sentar bien; **to — angry** enojarse; **to — frightened** asustarse; **to — old** envejecer(se); **what has — of him?** ¿qué ha sido de él?

becoming [bɪkʌmɪŋ] adj (appropriate) propio; **that dress is — to you** te sienta bien ese vestido

bed [bɛd] n (furniture) cama f; (lit lecho m; of a river) cauce m; (of the sea) fondo m; (in a garden) cuadro m; **— bug** chinche mf; **— clothes** ropa de cama f; **— pan** cuña f, chata f; **— ridden** postrado en cama; **— rest** reposo m; **— rock** lecho de roca m; **— room** alcoba f, dormitorio m; Mex recámara f; **at the — side** al lado de la cama; **— side table** mesita de noche f; **— side manner** manera agradable de tratar a los pacientes f; **— sore** llaga f; **— spread** colcha f; **— spring** resorte del colchón m; **— time** hora de dormir f; **— wetting** enuresis nocturna f; **to go to —** acostarse; **to put to —** acostar

bedding [bɛdɪŋ] n ropa de cama f

bee [bi] n (insect) abeja f; (social gathering) tertulia f; **to have a — in one's bonnet** tener una idea metida en la cabeza; **— hive** colmena f; **— sting** picadura de abeja f

beech [bitʃ] n haya f; **— nut** hayuco m

beef [bif] n (meat) carne de vaca/res f; (complaint) queja f; **— jerky** cecina f; **— steak** bistec m; vi quejarse; **to — up**

being [bíiŋ] n ser m; **for the time —** por ahora

Belarus [belarús] n Bielorrusia f

belated [biléidid] adj atrasado

belch [beltʃ] vi eructar, repetir; **to — from** salir de; n eructo m

belfry [bélfri] n campanario m

Belgian [béldʒən] adj & n belga mf

Belgium [béldʒəm] n Bélgica f

belief [bilíf] n creencia f (strong opinion) convicción f

believable [bilívəbəl] adj creíble

believe [bilív] vi/vt creer

believer [bilívə] n creyente mf; (proponent) partidario -ria mf

belittle [bilídl] vt (a person) menospreciar, disminuir; (a situation) minimizar

Belize [bəlíz] n Belice m

Belizean [bəlízən] adj & n beliceño -ña mf

bell [bel] n campana f (small) campanilla f; **— flower** campánula f; **— boy** botones m sg; **— hop** botones m sg; **— pepper** pimiento m, morrón m; **— tower** campanario m; **—s and whistles** con todos los accesorios

bellicose [bélikos] adj belicoso

belligerent [bəlídʒə-ənt] adj & n beligerante mf

bellow [bélo] vi/vt bramar, berrear; n bramido m; **—s** fuelle m

belly [béli] n barriga f, vientre m; **—ache** dolor de barriga m; **— button** ombligo m; **— dance** danza del vientre f; **— laugh** carcajada f

belong [bilóŋ] vi (ownership) pertenecer; **this car —s to me** este coche me pertenece; (correspondence) corresponder; **this key —s to this door** esta llave corresponde a esta puerta; (placement) ir; **this —s on the shelf** esto va en el estante

belongings [bilóŋiŋz] n pertenencias f pl

beloved [bilávid] adj querido; n amado -da mf

below [bilo] adv abajo; **— (zero)** cinco bajo cero; prep bajo, debajo de, abajo de

belt [belt] n (for the waist) cinturón m, cinto m; (for a machine) correa f; (region) zona f **— line** cintura f; vt pegar; **to — out a song** cantar una canción a voz en cuello

bemoan [bimón] vt lamentarse de, quejarse de

bench [bentʃ] n banco m; (without a back) banqueta f (in sports) banquillo m; (in court) estrado m; **— mark** (upper limit) cota f; (parameter) punto de referencia m;

reforzar

beep [bip] n pitazo m; vi/vt **the alarm is —ing** la alarma está sonando; **he —ed his horn** tocó el claxón

beeper [bípə] n buscapersonas m sg

beer [bir] n cerveza f

beet [bit] n remolacha f

beetle [bídl] n escarabajo m

befall [bifɔl] vt acontecerle a

befit [bifít] vt convenir

before [bifɔr] adv (temporal) antes; (spatial) delante; prep (temporal) antes de; (spatial) delante de; lit ante; conj antes (de) que; **— beginning** antes de comenzar

beforehand [bifɔrhænd] adv de antemano

befriend [bifrénd] vt hacerse amigo de

beg [beg] vt **to — for mercy** implorar misericordia; **she —ged me to do it** me rogó que lo hiciera; **to — the question** dar por sentado lo mismo que se arguye; vi mendigar, pedir limosna

beget [biget] vt engendrar; **money —s money** la plata llama a la plata

beggar [bégə] n mendigo -ga mf

begin [bigín] vi/vt comenzar, empezar; **the ten dollars won't — to cover the expense** los diez dólares ni siquiera cubren los gastos

beginner [bigínə] n principiante mf

beginning [bigíniŋ] n principio m; (temporal) comienzo m; **— with** comenzando con/por; **at —** al/por al principio

begrudge [bigrádʒ] vt aceptar de mala gana

behalf [bihǽf] prep LOC **in — of — on — of** (in place of), por, en nombre de; (in favor of) a favor de

behave [bihév] vi/vt portarse, comportarse; **— yourself** ¡pórtate bien!

behavior [bihévjə] n comportamiento m, conducta f

behead [bihéd] vt decapitar, descabezar

behind [biháind] adv detrás; (in payments) **behind schedule** atrasado; **he fell — his competitors** quedó a la zaga de sus competidores; **an hour —** una hora de retraso; **from —** desde atrás; **to fall —** atrasarse; **to leave something —** dejar atrás algo; prep detrás de; tras; **we're all — you** todos te apoyamos; **who's — this evil plot?** ¿quién está detrás de este plan macabro? **— one's back** a espaldas de uno

behold [bihóld] vt contemplar; **— the future king!** ¡he aquí el futuro rey!

behoove [bihúv] vt corresponderle a uno

beige [beʒ] adj & n beige m

opinion of the — opinión del tribunal f

bend [bend] vi/vt (make curved) doblar(se); (force) someter; **to — over** inclinarse; **to — over backward** desvivirse; **to — the rules** hacer una excepción n (road) curva f, recodo m; **—s** enfermedad de los buzos f

beneath [biniθ] adv abajo; prep debajo de, bajo; (in rank) inferior a; **— contempt** totalmente despreciable; **that's — me** no es digno de mí

benediction [benidikʃan] n bendición f

benefactor [benafækta] n benefactor -ra mf; lit bienhechor -ra m

beneficial [benafiʃal] adj beneficioso

beneficiary [benafiʃjeri] n beneficiario -ria m

benefit [benafit] n beneficio m; **performance** función de beneficencia f; vi/vt beneficiar(se), sacar provecho; **he —ed by the medicine** le hizo bien la medicina

benevolence [banévalans] n benevolencia f

benevolent [banévalant] adj benévolo

Benin [benin] n Benín m

benign [binain] adj benigno

Beninese [beninIz] adj & n beninés -esa mf

bent [bent] n inclinación f; **to be — on** estar resuelto a

benzine [benzin] n bencina f

bequeath [bikwiθ] vt legar, heredar

bequest [bikwést] n legado m

berate [biréit] vt reprender

bereaved [birívd] adj de luto

beret [baréi] n boina f

berry [béri] n baya f

berserk [bɜrzɜrk] adj fuera de sí; **he went —** se puso hecho una fiera, se enfureció

berth [bɜrθ] n litera f; **to give a wide — to** mantener una distancia prudencial de

beseech [bisIt] vt suplicar, rogar

beset [bisét] vt (attack) acosar (surround) rodear

beside [bisaid] prep al lado de; **to be — oneself** me siéntate a mi lado; **that is — the point** eso no viene al caso; adv al lado

besides [bisaidz] adv además; **they have a table but not much —** tienen una mesa pero poca cosa más; prep además de, aparte de

besiege [bisidʒ] vt (lay siege) sitiar, cercar; (importune) importunar, asediar

best [best] adj mejor; **—case scenario** la mejor situación; **— man** padrino de boda m; **— seller** bestseller m; **she's the —** m: ella es la mejor; adv mejor; **at —** a lo más, en el mejor de los casos, n **is still to come** lo mejor está por venir; **to do one's —** hacer lo mejor posible; **to get the — of a person** ganarle a una persona; **to make the — of** sacar el mejor partido de

bestial [bestfal] adj bestial

bestow [bistó] vt conferir; **to — gifts upon** dar regalos a

bet [bet] n apuesta f; vi/vt apostar; **to — on** apostar por

betray [bitréi] vt (a person) traicionar; (a secret) revelar; (a feeling) traslucir, delatar; **to — one's ignorance** hacer patente su ignorancia

betrayal [bitréial] n traición f

betrayer [bitréia] n traidor -ra mf

better [béta] adj mejor; **— half** media naranja f; **the — part of a year** la mayor parte de un año; adv mejor; **he lives — than a mile away** vive a más de una milla; **so much the —** tanto mejor; **—off** en mejor posición económica; **to be — off** estar mejor así; **to change for the —** cambiar para bien; **to get —** mejorar(se), aliviarse; vt **to get —** mejorar; **to — oneself** mejorarse, mejorar de situación; n **the — of the two** el/la mejor de los dos; **don't — contradict your —** no contradigas a tus superiores

between [bitwin] prep entre; adv en medio

bevel [béval] n bisel m; vt biselar

beverage [bévridʒ] n bebida f

bevy [bévi] n (of birds, people) bandada f; (of deer) manada f

beware [biwér] vi cuidarse (de); **— of the dog** cuidado con el perro

bewilder [biwilda] vt dejar perplejo, ofuscar, aturdir; **to be —ed** estar perplejo

bewilderment [biwilda·mant] n aturdimiento m

bewitch [biwitʃ] vt hechizar, embrujar

beyond [bijánd] adv más allá; prep más allá de; **— my reach** fuera de mi alcance; n **the great —** el más allá

Bhutan [butan] n Bután m

Bhutanese [butniz] adj & n butanés -esa mf

bias [baias] n (prejudice) prejuicio m; (in fabric) sesgo m; adj sesgado, oblicuo; vt predisponer

bib [bib] n babero m; (of an apron) pechera f

Bible [baibal] n Biblia f

biblical [biblikal] adj bíblico

bibliography [bibliágrafi] n bibliografía f

bicarbonate [baikárbanit] n bicarbonato m

biceps, biceps [báiseps] n biceps(s) sg

bicker [bikə] vi reñir

bicycle [baisikəl] n bicicleta f; vi andar en bicicleta

bid [bid] n (in an auction, contest) licitación f, puja f; (in card games) apuesta f; (attempt) tentativa f; vi/vt (offer) ofrecer; (command) mandar; (invite) rogar; (enter a bid in cards) apostar; **to — up** pujar el precio

bidding [bidiŋ] n (in auction) puja f; despedírse; **to — good-bye** someone's **—** por orden de alguien; **to do someone's —** cumplir con los deseos de alguien

bide [baid] vi/vt **to — one's time** esperar una oportunidad

biennium [baieniəm] n bienio m

bifurcate [baifərket] vi/vt bifurcar(se)

big [big] adj grande; **— Bang theory** teoría del Big Bang m; **— brother** hermano mayor f; **— bucks** mucha plata f — **business** el gran capital; **— deal** asunto importante m; **— deal!** ¡no es para tanto! **— Dipper** Osa Mayor f; **—headed** cabezón, cabezudo; **—hearted** magnánimo; **— house** (fam gayola f; — **name** personalidad prominente f; — **picture** panorama general m; — **shot** pez gordo m; — **sister** hermana mayor f; — **ticket** caro, — **wig** pez gordo m — **with child** embarazada; **jazz was — in the 1920s** el jazz era popular en los años veinte; **she's a — deal** es una persona importante; **— problem** un gran problema; adv — **time** un montón; **she wants to go — time** se muere por ir; **to talk —** jactarse; fam lucirse; **to go over — tener éxito; to be —** on ser entusiasta de

bigamy [bigami] n bigamia f

bigot [bigət] n intolerante mf

bigotry [bigətri] n intolerancia f

bike [baik] n bici f

biker [baikə] n motociclista mf

bikini [bikini] n bikini m

bilateral [bailætərə+] adj bilateral

bile [bail] n (secretion) bilis f; (ill temper) mal genio m; **— duct** conducto biliar m

bilingual [bailiŋgwə+] adj & n bilingüe mf

bilingualism [bailiŋgwalizəm] n bilingüismo m

bill [bil] n (statement) factura f (in a restaurant) cuenta f; (poster) cartel m; (bank note) billete m; (for movies, theater) programa m; (of a bird) pico m; (legislative) proyecto de ley m; **—board** cartelera f, billetera f; **—fold** cartera f, billetera f — **of exchange** letra de cambio f; **— of**

lading conocimiento de embarque m; **— of rights** declaración de derechos f; **— of sale** escritura de venta f; **—s payable** efectos a pagar m pl, vt cobrar, mandar la factura a

billable [biləbəl] adj facturable

billiards [biljədz] n billar m

billing [biliŋ] n (theater) orden de importancia en espectáculos m; (business) facturación f

bin [bin] n (for clothes, food) cajón m, recipiente m; (on an airplane) portaequipajes m sg; (for coal) carbonera f; (for grain) granero m

binary [bainəri] adj binario; **— star** estrella binaria f

bind [baind] vi/vt (unite) unir; (connect) ligar; (tie) atar; (put a cover on a book) encuadernar; (press tightly) apretar; (oblige by contract) obligar

binding [baindiŋ] n (of a book) encuadernación f; (on a rug) ribete m; adj obligatorio

binge [bindʒ] n (alcoholic) juerga f, parranda f; (food) comilona f; vi (on alcohol) emborracharse; (on food) atiborrarse

bingo [biŋgo] n bingo m

binoculars [bənäkjələ-z] n gemelos m pl, prismáticos m pl

binomial [bainomiəl] n binomio m; adj binomial

biochemistry [baiokemistri] n bioquímica f

biodegradable [baiodigrédəbəl] adj biodegradable

bioengineering [baioendʒəniriŋ] n bioingeniería f

biofeedback [baiofidbæk] n biofeedback m, retroalimentación biológica f

biography [baiägrəfi] n biografía f

biology [baiälədʒi] n biología f

biopsy [baiapsi] n biopsia f

biorhythm [baiorðəm] n biorritmo m

biotechnology [baioteknäldʒi] n biotecnología f

bipartisan [baipartizən] adj bipartidista

bipolar [baipolər] adj bipolar; **— disorder** trastorno bipolar m

birch [bə-tʃ] n abedul m

bird [bə-d] n ave f; (small) pájaro m; **— of prey** ave de rapiña f; **— seed** alpiste m; **odd —** persona peculiar f

birth [bə-θ] n (act of being born) nacimiento m; (act of giving birth) parto m; (lineage) linaje m; (origin) origen m; **— certificate**

certificado de nacimiento *m*, fe / acta de nacimiento *f*; **— control** (policy) control de la natalidad *m*; (devices) anticonceptivos *m pl*; **—day** cumpleaños *m sg*; **in his / her —day** suit como Dios lo / la trajo al mundo; **—mark** antojo *m*; **—place** lugar de nacimiento *m*; **—rate** tasa de natalidad *f*; **—right** derechos de nacimiento *m pl*; (of oldest child) primogenitura *f*; **to give —** dar a luz, parir, alumbrar; **by —** de nacimiento

biscuit [bískət] N panecillo *m*

bisect [báisɛkt] VT bisecar

bishop [bíʃəp] N obispo *m*; (in chess) alfil *m*

bison [báisən] N bisonte *m*, búfalo *m*

bit [bɪt] N (small piece) pedacito *m*, trocito *m*; (some) poquito *m*; (of a bridle) bocado *m*, freno *m*; (of a drill) broca *f*, barrena *f*; (computer) bit *m*; **I don't care a —** no me importa en absoluto

bitch [bɪtʃ] N perra *f*

bite [baɪt] VI/VT morder; (be duped) dejarse engañar; (insect, fish, snake) picar; **to — off** arrancar de un mordisco; N (act, wound) mordedura *f*, dentellada *f*; (morsel, small meal) bocado *m*, bocadito *m*; (of an insect) picadura *f*, roncha *f*

bitter [bíɾə-] ADJ (taste) amargo; (cold) glacial; (enemy) acérrimo; **—sweet** dulceamargo, agridulce; **to fight to the — end** luchar hasta morir; N **—s** cerveza amarga *f*

bitterness [bíɾə-nɪs] N (taste) amargor *m*; (feelings) amargura *f*; (anger) rencor *m*, resentimiento *m*

bizarre [bɪzár] ADJ (event) extraño; (appearance) estrafalario

blab [blæb] VI parlotear; VT descubrir el pastel

black [blæk] ADJ (color, ethnicity) negro; (night) oscuro; **—and-blue** lleno de moretones, amoratado; **— bean** frijol negro *m*; **—berry** zarzamora *f*, mora *f*; **—bird** mirlo *m*; **—board** pizarrón *m*, pizarra *f*; **— death** peste negra *f*; **— eye** ojo amoratado / morado *m*; **—head** espinilla *f*; **— hole** agujero negro *m*; **—jack** (weapon) cachiporra *f*; (card game) black-jack *m*, veintiuno *m*; **— magic** magia negra *f*; **—mail** chantaje *m*; **— mark** mancha *f*; **—out** apagón *m*; **— market** mercado negro *m*; **— pepper** pimienta negra *f*; **— pudding** morcilla *f*; **— sheep** oveja negra *f*; **—smith** herrero *m*; **—smith's shop** herrería *f*, forja *f*; **—top** asfalto *m*; **— widow spider** viuda negra *f*; N negro -a *mf*; **to put down in — and white** poner por escrito; VT to

—mail chantajear; VI **to — out** desmayarse

blacken [blǽkən] VT ennegrecer, negrear; VI (sky) oscurecerse

blackness [blǽknɪs] N negrura *f*

bladder [blǽɾə-] N vejiga *f*

blade [bled] N (of a knife) hoja *f*; (of grass) brizna *f*; (of a sword) espada *f*; (of an oar) pala *f*, paleta *f*; (of a propeller) aspa *f*

blame [blem] VT culpar, echar la culpa a, achacar la culpa a; **to be to —** tener la culpa; N (responsibility) culpa *f*; (reproof) reproche *m*

blameless [blémlɪs] ADJ intachable

blanch [blæntʃ] VI palidecer; VT (whiten) blanquear; (scald) escaldar

bland [blænd] ADJ insulso

blank [blæŋk] ADJ (not written on) en blanco; (not recorded on) virgen; (unadorned, expressionless) vacío; (confused) desconcertado; **— cartridge** cartucho de fogueo *m*; **— check** cheque en blanco *m*; **— verse** verso libre *m*; N (place to be filled in on a form) espacio (en blanco) *m*; (gap) vacío *m*; VI **to — out** quedarse en blanco

blanket [blǽŋkɪt] N manta *f*, frazada *f*; *Am* cobija *f*; ADJ global; VT cubrir

blare [bler] VI hacer un ruido estruendoso; N estruendo *m*; (of a trumpet) toque *m*

blaspheme [blæsfím] VI/VT blasfemar (contra)

blasphemy [blǽsfəmi] N blasfemia *f*

blast [blæst] N (of wind) ráfaga *f*; (of criticism) lluvia *f*; (of a trumpet) trompetazo *m*; (explosive charge) carga *f*; (explosion) explosión *f*; **— furnace** alto horno *m*; **—off** despegue *m*; **we had a —** lo pasamos bomba; **at full —** a todo volumen; VI/VT (blow horn) pitar, tocar; (shatter) volar; (criticize) criticar duramente; (blow hard) azotar; **to — off** despegar

blatant [blétn̩t] ADJ descarado

blaze [blez] N (flame) llamarada *f*; (fire) incendio *m*; (glow) resplandor *m*; (mark) señal *f*; **— of anger** arranque de ira *m*; VI (burn) arder; (shine) resplandecer; **to — a trail** marcar una senda

blazer [blézə-] N blazer *m*, saco *m*

bleach [blitʃ] VI/VT (intentional) blanquear(se); (accidental) desteñir(se); N blanqueador *m*; *Sp* lejía *f*

bleachers [blítʃə-z] N gradas *f pl*

bleak [blik] ADJ (terrain) yermo, desolado; (winter) crudo; (wind) helado; (future) negro

bleary [blíri] ADJ nublado

bleat [blit] n balido m; vi balar

bleed [blid] vi (lose blood) sangrar; (run, as in colors) correrse, desteñir(se) m/; **my heart —s for the poor** los pobres me dan lástima; vt (let blood) desangrar; (extort) extorsionar; (clean brakes) purgar

blemish [blɛmɪʃ] n mancha f, tacha f; vt manchar

blend [blɛnd] vi/vt (intermix) mezclar, entremezclar; (have no separation) fundirse; (harmonize voices) armonizar; n mezcla f

blender [blɛndər] n licuadora f

bless [blɛs] vt bendecir; INTERJ **—you!** ¡salud! ¡Jesús!

blessed [blɛsɪd] adj (beatified) beato; (happy) bienaventurado, feliz; **—event** feliz acontecimiento m; **the whole— day** todo el santo día; **not a —drop of rain** ni una bendita gota de agua; [blest]**— with** dotado de

blessing [blɛsɪŋ] n bendición f; **to say the—** dar gracias

blight [blaɪt] n (plant disease) quemadura f, añublo m; (scourge) lacra f; vt (cause to wither) marchitar; (ruin) arruinar

blimp [blɪmp] n zepelín

blind [blaɪnd] adj ciego; **—alley** callejón sin salida m; **—date** cita a ciegas f; **—fold** venda para los ojos f; **to —fold** vendar los ojos a; **—man's bluff** juego de la gallina ciega m; **—spot** ángulo muerto m; **to fly—** volar a ciegas; **to go—** quedarse ciego; n (shade) persiana f; (hunter's hiding place) escondite m; vt (make blind) cegar; (darken) oscurecer

blinder [blaɪndər] n anteojera f

blindly [blaɪndli] adv a ciegas

blindness [blaɪndnɪs] n ceguera f

blink [blɪŋk] vi/vt (move eyelids) pestañear, parpadear; (go on and off, as of a light) parpadear; (ignore) pasar por alto; (flee a challenge) rajarse; n parpadeo m, pestañeo m; **on the—** averiado

blip [blɪp] n (on radar) punto m; (of a movie) interrupción f; (moment) bache m

bliss [blɪs] n dicha f, felicidad absoluta f

blister [blɪstər] n ampolla f, vejiga f; (small) ampolla f; vt sacar ampollas; vi ampollarse

blitz [blɪts] n ataque relámpago m

blizzard [blɪzəd] n ventisca f

bloat [bloʊt] vt hinchar(se), abotagar(se)

blob [blɑb] n pedazo de algo sin forma

block [blɑk] n (piece of stone, cement) bloque m; (piece of wood) trozo de madera m; (toy) cubo m; (sports play) bloqueo m; (length from one street to the next) cuadra f; (square block) manzana f;

blood [blʌd] n sangre f; **—bank** banco de sangre m; **—bath** carnicería f, baño de sangre m; **—count** recuento sanguíneo m; **—group** grupo sanguíneo m; **—hound** sabueso m; **—plasma** plasma sanguíneo m; **—poisoning** septicemia f; **—pressure** presión arterial f; **—relative** pariente consanguíneo m/f; **—shed** derramamiento de sangre m; **—vessel** vaso sanguíneo m; **in cold—** a sangre fría; adj **—shot** inyectado de sangre; **—thirsty** sanguinario, sangriento

bloody [blʌdi] adj (violent) sangriento; (smeared) ensangrentado

bloom [blum] n (flower) flor f; (flowering) floración f; (youthfulness) lozanía f (flush) rubor m; **in—** en flor; vi florecer

blooming [blumɪŋ] adj (flowering) floreciente; (thriving) floreciente; lozano

blooper [blupər] n perla f

blossom [blɑsəm] n (flower) flor f; (flowering) floración f; vi florecer

blot [blɑt] n (on paper) mancha f, borrón m (on honor) tacha f; vi/vt mancha(rse), emborronar(se); **to —out** (obscure) borrar, tachar; (obliterate) destruir

blotch [blɑtʃ] n (on skin) mancha, cubrir con manchas, n manchas f, borrón m

blouse [blaʊs] n blusa f

blow [bloʊ] vi (wind) soplar; (leaf) volar; (siren) sonar; (horse) resoplar; vt (play a horn) sonar; **to —a fuse** quemar un fusible; **to —away** dejar atónito; **to —down** tirar abajo; **to —dry** secar con secador; **to —one's nose** sonarse las narices/la nariz; **to —on the soup** soplar la sopa; **to —one's brains out** levantarse la tapa de los sesos; **to —out** reventar(se); **to —over** (knock down) derribar; (dissipate) disiparse; **to —up** (a balloon) inflar, hinchar; (a bridge) volar, n (stroke, shock) golpe m; (wind) tempestad f (breath) soplo m; **—out** (tire failure) reventón m; (party) fiestón m; **—pipe** cerbatana f; **—torch** soplete m; **—up** (fight) pelea f, riña f; (photo) ampliación f

blower [bloʊər] n (artisan) soplador m; **to come —s** irse a las manos

blue [blu] adj azul; (sad) triste, melancólico; (from cold) amoratado; —**bell** campanilla (from cold); —**bird** pájaro azul n; —**blood** sangre azul; f; —**book** lista de precios de mercado; f; —**chip** de primera línea; —**collar** de clase obrera; —**jay** arrendajo m; —**jeans** vaqueros m pl; (of a building) cianotipo m; (of a project) plan trazado m; —**ribbon** distinguido; —**whale** ballena azul f — n azul m; light—(azul) celeste n the —**s** (sadness) melancolía f, murria f; (genre of music) blues m pl; vi yo ponerse azul, azulear; vt azular, teñir de azul; to **print** trazar

bluff [blʌf] n (cliff) acantilado m, risco m; (false boast) bluff m; (in poker) farol m; vt hacer un bluff, to **call a —** poner en evidencia

bluffer [blʌfə] n bluff m

blunder [blʌndə] n disparate m, patochada f; vi meter la pata, to **— upon/into** tropezar con

blunt [blʌnt] adj (not sharp) romo; (frank) directo, franco; vt despuntar

blur [blɜ] vt (to obscure) emborronar, desvanecer; (to make vision blurry) nublar; vi empañarse, nublarse; n (indistinct sight) mancha f; **it's a — in my mind** sólo tengo un recuerdo vago de eso

blurry [blɜi] adj borroso

blurt [blɜt] vt to **— (out)** espetar

blush [blʌʃ] vi sonrojarse, ponerse colorado, ruborizarse; n (act of blushing) sonrojo m; (effect of blushing) rubor m; **at first —** a primera vista

bluster [blʌstə] vi (blow hard) soplar fuerte, rugir; (boast) fanfarronear; n (noise) ventarrón m; (attitude) fanfarronería f

blustering [blʌstəriŋ] adj fanfarrón, jactancioso; —**wind** ventarrón m

boa constrictor [boəkənstrɪktə] n boa f

boar [bɔr] n jabalí m

board [bɔrd] n (wood) tabla f, listón m; (game) tablero m; (meals) pensión f (of directors) directorio m, mesa f; (for bulletins) cartelera f; —**ing school** internado m, pensionado m; —**inghouse** pensión f —**of trustees** patronato m; —**room** sala de directorio m; —**on** — a bordo; **to go by the —** irse por la borda; vi (lodge) alojarse; **to — up** tapiar, cerrar con tablas; vt (boat, plane, train) abordar; (provide lodging) alojar

boarder [bɔrdə] n pensionista mf

boast [bost] n alarde m; vi jactarse, vanagloriarse, blasonar; vt **the town —s two new schools** el pueblo ostenta dos escuelas nuevas

boastful [bostfəl] adj jactancioso, vanaglorioso

boastfulness [bostfəlnɪs] n jactancia f, vanagloria f

boat [bot] n (any water vessel) embarcación f; (open and small) bote m, lancha f; (closed, larger) barco m; —**house** cobertizo para botes m; —**man** barquero m, botero m

boating [botɪŋ] n navegación f; **to go —** navegar

bob [bab] n (of horsetail) cola cortada f; (of the head) sacudida f; (haircut) melena corta f; (of a pendulum) pesa f, plomada f; —**tail** rabón m; vi sacudirse; (a ship) cabecear; vt **to — one's hair** cortarse el pelo en melena

bobbin [babɪn] n carrete m, bobina f

bobcat [babkæt] n lince rojo m

bode [bod] vi **that doesn't — well** eso no augura nada bueno

bodice [badɪs] n corpiño m

bodily [badɪli] adj corporal; —**harm** daño físico m

body [badi] n (of a person, animal, wine, fabric) cuerpo m; (torso) tronco m; (corpse) cadáver m; (of a text, army, etc.) parte principal f; (of water) masa f (of a car) carrocería f; (of an airplane) fuselaje m; —**bag** bolsa para cadáveres f; —**count** número de muertos m; —**guard** guardaespaldas m sg; —**language** lenguaje corporal m; —**temperature** temperatura f; —**shop** taller de carrocería m

bog [bag] n pantano m; vi hundir(se); **to get —ged down** atascarse

bogeyman [bogimæn] n coco m; RP cuco m

bogus [bogəs] adj falso

Bohemian [bohimiən] adj & n bohemio -a mf

boil [bɔil] vi/vt hervir; (eggs) cocer; (ocean) bullir; (angry person) echar chispas; **to — down to** reducirse a; **to — over** derramarse; —**ing point** punto de ebullición m; n (inflammation) forúnculo m, divieso m; (act of boiling) hervor m; **to come to a —** soltar/romper el hervor

boiler [bɔilə] n caldera f

boisterous [bɔistərəs] adj bullicioso

bold [bold] adj (not fearful) atrevido, osado; (unconventional) audaz; (visually striking) llamativo; **—faced** descarado; **—face type** negrita f

boldness [boldnɪs] N (courage) atrevimiento m, osadía f, arrojo m; (unconventional attitude) audacia f

Bolivia [bəlɪviə] N Bolivia f

Bolivian [bəlɪviən] ADJ & N boliviano -na m/f

bolster [bolstɚ] N cojín cilíndrico m; VT reforzar; **to — someone's courage** alentar a alguien

bolt [bolt] N (door lock) pestillo m, cerrojo m; (crossbar) aldaba f; (pin) perno m, tornillo grande m; (of cloth) rollo m; **it came as a — from the blue** cayó como bomba; VT (fasten) atornillar; (lock door) cerrar con tranca, atrancar; (devour) engullir; (break with) romper con; vi echarse a correr

bomb [bam] N bomba f; **—shell** bomba f; **shelter** refugio antiaéreo m; VT (attack with bombs) bombardear; (fail) fracasar

bombard [bambɑrd] VT bombardear

bombardier [bambərdɪr] N bombardero -ra m/f

bombardment [bambɑrdmənt] N bombardeo m

bombastic [bambæstɪk] ADJ grandilocuente, ampuloso

bomber [bamɚ] N bombardero m, avión de bombardeo m

bona fide [bonəfaɪd] ADJ genuino; **— offer** oferta seria f

bonbon [bɑnbɑn] N caramelo m; (chocolate) bombón m

bond [band] N (tie) lazo m; (fetter) cadenas f pl; (financial instrument) bono m, obligación f; (adhesion) adherencia f; (chemical) enlace m; VT/VI (stick to) adherirse; (connect) establecer vínculos

bonding [bɑndɪŋ] N (mother-child) lazos afectivos m pl; (male) compenetración f

bondage [bɑndɪdʒ] N servidumbre f, esclavitud f

bondsman [bɑndzmən] N fiador -ra m/f

bone [bon] N hueso m; (of fish) espina f; **— china** porcelana fina f; **— head** fam estúpido -da m/f; **—yard** cementerio m; **— of contention** manzana de discordia f; **to make no —s about it** no andarse con rodeos; VT deshuesar; (fish) quitar las espinas; **to — up on something** estudiar algo

bonfire [bɑnfaɪr] N hoguera f, fogata f

bonnet [bɑnɪt] N gorro m

bonus [bonəs] N (extra salary) gratificación f, prima f; (at Christmas) aguinaldo m

bony [boni] ADJ (with large bones) huesudo;

boo [bu] vi/vt abuchear, rechiflar; INTERJ ¡bu! (made of bones) óseo

boo-boo [bubu] N lastimadura f; Sp fam pupa f, rechilla f; abucheo m

booby [bubi] N (fool) bobo -a m/f; (bird) bobo m; **— hatch** fam loquería f; **— prize** premio al peor competidor m; **— trap** trampa explosiva f

book [buk] N libro m; **— binding** encuadernación f; **— case** estante m, estantería f, biblioteca f; **—end** sujetalibros m sg; **— keeper** tenedor -ra de libros m/f; Sp contable m/f; **—keeping** teneduría de libros f, contabilidad f; **—mark** marcador de libros m; **—mobile** biblioteca móvil f; **— review** reseña f; **—seller** librero -ra m/f; **—shelf** estante m; **—store** librería f; **—value** valor contable m; **by the —s** según las reglas; **on the —s** registrado en los libros; **to keep the —s** llevar los libros; VT (reserve) reservar; (hire) contratar; (record charges against) fichar

bookish [bukɪʃ] ADJ (person) estudioso; (allusion) libresco

booklet [buklɪt] N cartilla f

boom [bum] VI (resound) resonar; (prosper) prosperar; N (noise) explosión f; (increase) auge m

boon [bun] N (blessing) bendición f; (favor) favor m

boondocks [bundaks] ADV LOC (out) **in the —** fam en los quintos infiernos, en el quinto pino

boondoggle [bundagəl] N despilfarro m

boor [bur] N patán -ana m/f

boorish [burɪʃ] ADJ grosero, zafio

boost [bust] VT (to shove) empujar (desde abajo o detrás); (to promote) estimular, impulsar; N (shove) empujón (desde abajo) m; (aid) estímulo m, impulso m; **— in prices** alza de precios f

booster [bustɚ] N (person) animador -ra m/f; (rocket) acelerador m; (electronic device) amplificador m; (vaccination) refuerzo m

boot [but] N (shoe) bota f; (trunk of a car) cajuela f; (clamp for cars) cepo m; **—black** limpiabotas m sg; **—legger** contrabandista de licores m; **to —** por añadidura; **to give the —** poner de patitas en la calle; VT dar una patada a; **to — (out)** echar a patadas

booth [buθ] N (telephone) cabina f; (stand) puesto m; (ticket) taquilla f

booty [buti] N botín m

booze [buz] N fam beberaje m, bebida alcohólica f

borax [bɔ́ræks] n bórax m

border [bɔ́rdɚ] n (line between countries) frontera f; (edge, brink) borde m; (bed of flowers) arieté m; (design) ribete m; —line (on a border) fronterizo; (not up to standards) dudoso; vi/vt (make a design) ribetear; to — on colindar con; it —s on **madness** raya en la locura

bordering [bɔ́rɪŋ] adj limítrofe

bore [bɔr] n (hole) agujero m; (of a gun, cylinder) calibre m; (uninteresting person) aburrido -da mf; pesado -da mf; (uninteresting thing) lata f; vt (make a hole) taladrar, horadar; (fail to interest) aburrir; to — a hole hacer un agujero

bored [bɔrd] adj aburrido; I'm — estoy aburrido

boredom [bɔ́rdəm] n aburrimiento m, tedio m

boric acid [bɔ́rɪk ǽsɪd] n ácido bórico m

boring [bɔ́rɪŋ] adj aburrido; he's — es aburrido

born [bɔrn] adj nacido; he's a — dancer es un bailarín nato; she's a — liar es una mentirosa de nacimiento; to be — nacer

boron [bɔ́ran] n boro m

borrow [bɔ́ro] vt pedir prestado; I —ed money from Fred le pedí dinero prestado a Fred; may I — your car? ¿me prestas tu coche? I —ed these books from the library saqué estos libros de la biblioteca

borrower [bɔ́roɚ] n (money) prestatario -ria mf; (books) usuario -ria mf

Bosnia and Herzegovina [bázniændhɚtsəgəvínə] n Bosnia-Herzegovina f

Bosnian [bázniən] adj & n bosnio -nia mf

boss [bɔs] n jefe -fa mf; (on a plantation) mayoral, capataz m; (political) dirigente m; (maña) capo m; vt to — around mandonear

bossy [bɔ́si] adj mandón

botanical [bətǽnɪkəl] adj botánico

botany [bɔ́təni] n botánica f

botch [bɔtʃ] vt chapucear, estropear; n chapucería f, chapuza f

both [boθ] adj & pron ambos, los dos

bother [bɔ́ðɚ] vt molestar, fastidiar; vi molestarse; tomarse la molestia; n molestia f

bothersome [bɔ́ðɚsəm] adj molesto, enojoso; (person) enfadoso, molesto

Botswana [batswánə] n Botsuana f

bottle [bɔ́dl] n botella f; (for medicine, perfume) frasco m; —neck atascadero m, embotellamiento m; — top chapa de botella f; vt embotellar; to — up atascar, embotellar

bottom [bɔ́dəm] n (of a hole) fondo m; (of a hall, pile, page, bed) pie m; (lower part) base f; parte de abajo f; (buttocks) trasero m; to be at the — of the class ser el último de la clase; to hit — tocar fondo; to — out tocar fondo; who is at the — of all this? ¿quién está detrás de todo esto? adj de abajo; — line (business) balance final m; (essential element) lo esencial

bottomless [bɔ́dəmlɪs] adj sin fondo; — supply recursos ilimitados m pl; — accusation acusación infundada f; he's a — pit es un barril sin fondo

boudoir [búdwar] n tocador m

bough [baʊ] n rama f

bouillon [búljɑn] n caldo m

boulder [bóldɚ] n peña f, pedrusco m

boulevard [búləvard] n bulevar m

bounce [baʊns] n (of a ball) bote m, rebote m; (vitality) vitalidad f; vt echar, botar; to — a check rebotar un cheque; vi rebotar; to — back recuperarse

bouncer [báʊnsɚ] n gorila m

bound [baʊnd] n (jump) salto m; —s límite m, confín m; adj (tied up) atado; (confined) confinado; (obliged) obligado; (as a book) encuadernado; to be — for ir rumbo a; to be — up in one's work estar absorto en su trabajo; it is — to happen es seguro que pasará; I am — to do it estoy resuelto a hacerlo; vi (jump) saltar; (be contiguous) lindar

boundary [báʊndɚi] n (of a country, city) límite m, término m; (of a property) linde mf, lindero m

boundless [báʊndlɪs] adj ilimitado, sin límites

bountiful [báʊntɪfəl] adj abundante

bounty [báʊnti] n (abundance) abundancia f; (reward) recompensa f

bouquet [buké] n (flowers) ramo m; (small) ramillete m; (of wine) aroma m, bouquet m

bourgeois [bʊɹʒwá] adj & n burgués -sa mf

bout [baʊt] n encuentro m; a — of flu una gripe

boutique [butík] n boutique f

bow [baʊ] n (gesture) reverencia f; (prow) proa f; vi (bend at the waist) hacer una reverencia; (yield) someterse; to — out

bow [bou] vt inclinar; retractarse; vr (curve) curva f; (violin) arco m; (for arrows, decoration) moño m; lazada f; —**knot** n lazada f; —**legged** adj patizambo; —**string** n cuerda de arco f; vi/vr (bend) arquear(se); (play with a bow) tocar con arco

bowel [bauəl] n intestino m; pl; —**s of the earth** entrañas de la tierra f pl; —**movement** evacuación del vientre f

bower [bauər] n enramada f

bowl [boul] n (container) bol m; tazón m; (dish) plato hondo m; (depression) cuenco m; (of a toilet) taza f; (of a pipe) cazoleta f; vr **to —over** apabullar, deslumbrar

bowling [boulɪŋ] n boliche m, bowling m; **let's go —** vamos al boliche; —**alley** n boliche m, bolera f

box [baks] n caja f; (for jewelry) estuche m; (in the theater) palco de teatro m; (for the jury) tribuna f; (on a page) cuadro m; **car** vagón de carga m; —**office** taquilla f; —**seat** asiento de palco m; vr (put in a box) meter en una caja; (hit) abofetear; (engage in sport) boxear

boxer [baksər] n boxeador -ra m/f, pugilista m/f; (breed of dog) bóxer m; —**shorts** calzoncillo m

boxing [baksɪŋ] n boxeo m, pugilato m; —**glove** guante de boxeo m; —**ring** n cuadrilátero m

boy [bɔɪ] n (baby) niño m; (young man) muchacho m, chico m; —**scout** boy scout m; —**friend** novio m

boycott [bɔɪkat] vt boicotear; n boicoteo m, boicot m

boyhood [bɔɪhud] n niñez f, juventud f

boyish [bɔɪʃ] adj de muchacho

brace [breɪs] n (in construction) tirante m; (pair) par m; (printed character) corchete m; (of a carpenter) berbiquí m; —**s** (for teeth) aparato ortodóntico m; (for a leg) aparato ortopédico m; vr (against a shock) agarrarse; (support) asegurar; (with alcohol) animarse

bracelet [breslɪt] n brazalete m, pulsera f

bracket [brækɪt] n (support) soporte m; (typographic sign) paréntesis m; (write in brackets) colocar entre paréntesis rectos; (associate) agrupar

brag [bræg] vi jactarse (de), hacer alarde (de); **braggart** [brægərt] adj & n fanfarrón -na m/f

braid [breid] n trenza f; vr trenzar

brain [brein] n cerebro m; (food) seso m; **she blew out his —s** le levantó la tapa de los sesos; **he's short on —s** es corto de

intelligencia; **he is the —s in this operation** él es el cerebro en esta operación; **to rack one's —s** devanarse los sesos, romperse la cabeza; —**drain** fuga de cerebros f; —**storming** n lluvia de ideas f; —**trust** grupo de expertos m; vr **to —someone** romperle la crisma a alguien; **to —wash** lavarle el cerebro a; —**dead** clínicamente muerto, en estado vegetativo

brainy [breɪni] adj sesudo

brake [breik] n (drum) tambor del freno m; —**fluid** líquido para frenos m; vr/vi frenar; **to apply the —s** frenar f

bramble [bræmbəl] n zarza f

bran [bræn] n salvado m; (for birds) afrecho m

branch [bræntʃ] n (of a plant, of a family) rama f; (of a train) ramal m; (of antlers) brazo m; (of a science) ramo m; (of a business) sucursal f; (of the armed forces) arma f; (in a computer program) bifurcación f; (of a river) tributario m; vi/vr ramificar(se)

brand [brænd] n (make, mark) marca f; (of humor, etc) tipo m; (mark of disgrace) estigma m; —**name** marca f; —**new** flamante, recién comprado; vr (burn) herrar, marcar; (stigmatize) estigmatizar; **to —as** tildar de, tachar de

brandish [brændɪʃ] vt blandir, esgrimir

brandy [brændi] n (fine) brandy m; (cheap) aguardiente m

brash [bræʃ] adj (impudent) descarado; (impetuous) impetuoso

brass [bræs] n (metal) latón m; (high-ranking officers) la plana mayor; —**instrument** instrumento de metal m; **to get down to —tacks** ir al grano, adj de latón

brassiere [brəzɪr] n sostén m

brat [bræt] n mocoso -sa m/f

bravado [brəvado] n alarde m

brave [breɪv] adj valiente, gallardo; n guerrero indio m; vr desafiar

bravery [breɪvəri] n valentía f, gallardía f

brawl [brɔl] n reyerta f, riña f, pelotera f; vi reñir

bray [brei] n rebuzno m; vi rebuznar

brazen [breɪzən] adj (impudent) descarado; (made of brass) de latón

brazier [breɪʒər] n brasero m

Brazil [brəzɪl] n Brasil m

Brazilian [brəzɪljən] adj & n brasileño -ña m/f, brasileiro -ra m/f

breach [britʃ] n (opening) brecha f;

(infraction) infracción f; (severance) ruptura f; — of contract incumplimiento de contrato m; — of faith abuso de confianza m; vt abrir una brecha; (violate a law) violar, infringir

bread [brɛd] n pan m; — basket panera f; —box panera f; —winner sostén de la familia m; —and-butter adj básico; vt empanar

breadth [brɛdθ] n anchura f, ancho m; (size) extensión f; (perspective) amplitud f

break [brek] vt (fracture) romperse; (pause) parar; vt (a record) batir; (a code) descifrar; (a law) violar; (news) dar; divulgar; (a bone) fracturar; (a horse) domar, desbravar; (a habit) quitar(se) (una costumbre); (one's spirit) quebrar; (a pledge) (cause to go bankrupt) arruinar; to — a promise romper una promesa, faltar a la palabra; to — a ten-dollar bill conseguir cambio para un billete de diez dólares; to — away escaparse; to — down (a person) descomponerse; (a car) averiarse; (resistance) vencer; (continuity) interrumpir; to — even quedar a mano; to — into violentar; to — loose liberarse; to — out (war) estallar; (one's face) brotarse; (from prison) escaparse; to — up (into pieces) quebrarse; (a relationship) romper con; —in n hurto con escalo m; —down (analysis) análisis m; (automotive) avería f; —through (military) penetración f; — adelanto m; —water rompeolas m sg; n (weather) cambio m; (from work) descanso m; (with tradition) quiebre m, rompimiento m; (of a bone) fractura f; (from prison) fuga f; — (opportunity) oportunidad f; —lucky golpe de suerte m

breakable [brékabl] adj quebradizo, rompible

breaker [brékæ] n rompiente f

breakfast [brέkfast] n desayuno m; vi desayunar

breast [brɛst] n seno m, pecho m; fam teta f; (bird) pechuga f; — cancer cáncer de mama m; —stroke (estilo) pecho m; vi/vt to —feed amamantar, dar de mamar

breath [brɛθ] n aliento m, hálito m; (current of air) soplo m; —taking impresionante; in the same — al mismo tiempo; out of — sin aliento; to catch one's — recobrar el aliento, to hold one's — aguantar la respiración; to take a — inhalar; to take a deep — respirar hondo; under one's — entre dientes, por lo bajo

breathe [brið] vi/vt respirar; to — in inspirar, aspirar; to — into infundir; to — out exhalar, espirar; he did not — a word no dijo palabra

breathing [bríðiŋ] n respiración f

breathless [brέθlis] adj sin aliento

breed [brid] vt (mate) criar; (bring up) educar; (give rise to) engendrar; vi reproducirse, multiplicarse; n (species) raza f; (type) clase f

breeder [bríðæ] n (person who breeds) criador -ra m/f; (animal used for breeding)

breeding [bríðiŋ] n (of animals) cría f; (people) educación f; modales m pl

breeze [briz] n brisa f

breezy [brízi] adj (windy) ventoso; (jaunty) ameno

brevity [brέviɾi] n brevedad f

brew [bru] vt (coffee) hacer; (mischief) fomentar, tramar; (beer) fabricar; vi (storm) amenazar una tormenta; let the tea — deja reposar el té; n (mixture) mezcla f; (beer) cerveza f

brewery [brúæri] n cervecería f, fábrica de cerveza

briar [bráiæ] = zarza f

bribe [braib] n soborno m, cohecho m; Mex mordida f; vt sobornar

bribery [bráibæri] n soborno m

brick [brik] n ladrillo m; —bat (piece of brick) pedazo de ladrillo m; (insult) insulto m; —layer n albañil m; —laying albañilería f; vt (adorn with bricks) revestir de ladrillo; (pave with bricks) enladrillar

bridal [bráidl] adj nupcial; — dress vestido de novia m

bride [braid] n novia f; —groom n novio m; —smaid n dama de honor f

bridge [brɪʤ] n puente m (of the nose) caballete m; (card game) bridge m; vt tender un puente sobre; to — a gap llenar un vacío, salvar un obstáculo

bridle [bráidl] n (harness) brida f (restraint) freno m; vt (put on a bridle) embridar; (restrain) frenar; vi (be insulted) ofenderse

brief [brif] adj (short) breve, escueto; (concise) conciso, escueto; (curt) seco; n sumario m, resumen m; (report) —case portafolio(s) m sg, maletín m; —s calzoncillos m pl; in — en suma; vt informar

briefing [brífiŋ] n reunión para dar instrucciones f

brigade [brigéd] n brigada f

bright [brait] adj (shining) brillante; (full

with light) iluminado; (smart) inteligente; (future) venturoso, prometedor; (smile) radiante; (color) subido

brighten [bríṭn] vt (a room) iluminar; vi to — **up** (become cheerful) animar(se); (sky) despejarse

brilliance [bríljəns] n (of hair, of a historical period) brillantez f; (intelligence) genio m

brilliant [bríljənt] adj shining brillante; (intelligent) genial; (splendid) espléndido; N brillante m, diamante m

brim [brɪm] n borde m; (hat) ala f; **to fill to the —** llenar hasta el borde; **to be filled to the —** estar de bote en bote; to be —**ming with** estar rebosante de; vi to — **over** rebosar

brine [braɪn] n salmuera f

bring [brɪŋ] vt traer; (cause) ocasionar, causar; to — **about** producir, ocasionar; to — **down** (kill) bajar; (depress) deprimir; to — **forth** (give birth) dar a luz; (produce) producir; to — **to a stop** parar; to — **together** reunir, juntar; — **oneself to do something** poder hacer algo; to — **a good price** redituar una buena ganancia; to — **up** (raise children) criar, educar; (mention) mencionar

brink [brɪŋk] n borde m; **on the — of** al borde de

brisk [brɪsk] adj (walk) rápido; (weather) fresco; (trading) activo

bristle [brísəl] n cerda f; vi erizar(se); to — **with** (bristles) erizado de

bristly [brísli] adj (with bristles) erizado, cerdoso; (irascible) irascible

Britain [brítņ] n Gran Bretaña f

British [brítiʃ] adj británico

brittle [brítļ] adj quebradizo, frágil

brittleness [brítļnəs] n fragilidad f

broach [broʧ] vt sacar a colación

broad [brɔd] adj (wide) ancho; (vast) vasto; (ample) amplio; —**cast** emisión f; —**cast station** emisora f; —**casting** (radio) radiodifusión f; (TV) transmisión por televisión f; to —**cast** (communicate electronically) transmitir, emitir; — **hint** insinuación clara f; — **jump** salto de longitud m; —**-minded** tolerante; —**side** andanada f; — **in — daylight** en pleno día; m pej tipa f

brocade [brokéd] n brocado m

broccoli [brókəli] n brócoli m, brócol m

brochure [broʃúr] n folleto m

broil [broɪl] vi/vt asar(se) (a la parrilla)

broiler [brílə] n (oven) parrilla f; (chicken) pollo (para asar) m

broke [brok] adj **to be —** estar limpio, estar pelado; **to go —** irse a la quiebra

broken [brókən] adj (fragmented) roto, quebrado; (tamed) domado; (not functioning) descompuesto; (not continuous) interrumpido; —**down** averiado, descompuesto; — **English** inglés chapurrado/chapurreado m; —**-hearted** deshecho, con el corazón destrozado

broker [brókə] n (intermediary) agente mf; (stock salesman) corredor -ra de bolsa mf

brokerage [brókərɪʤ] n agencia de corredores de bolsa

bromide [brómaɪd] n bromuro m

bromine [brómin] n bromo m

bronchial [bróŋkɪəl] adj bronquial; — **tube** bronquio m

bronchitis [braŋkáɪtɪs] n bronquitis f

bronco [bróŋko] n caballo no domado m

bronze [brɑnz] n bronce m; vt broncear

brooch [broʧ] n broche m, prendedor m

brood [brud] n pollada f, nidada f; vi/vt empollar; to — **over** rumiar

brook [brʊk] n riachuelo m, cañada f; vt tolerar

broom [brum] n (tool) escoba f; (plant) retama f; —**stick** palo de escoba m

broth [brɔθ] n caldo m

brothel [bróθəl] n burdel m

brother [bráðə] n hermano m; —**-in-law** cuñado m; **Oh —!** ¡caray!

brotherhood [bráðəhʊd] n hermandad f

brotherly [bráðəli] adj fraternal

brow [braʊ] n (ridge of eye) arco superciliar m; (eyebrow) ceja f; (forehead) frente f

brown [braʊn] adj (skin) moreno; (eyes, shoes, clothes) café, marrón; (hair) castaño, (dun) pardo; (tanned) bronceado; vi/vt dorar(se); N (color) café m, castaño m, moreno m, pardo m; — **bear** oso pardo m; — **rice** arroz integral m; — **sugar** azúcar moreno -na mf

brownie [bráʊni] n bizcocho de chocolate m

browse [braʊz] vt (leaf through) hojear; vi (graze) pacer, pastar; (surf the web) Sp navegar (la web); Am navegar (en la red)

browser [bráʊzə] n navegador m

bruise [bruz] n (skin) moretón m, cardenal m; (fruit) magulladura f; vi/vt magullar(se), machucar(se)

brunch [brʌnʧ] n brunch m, desayuno tardío m

Brunei [brʊnáɪ] n Brunéi m

Bruneian [brunáiən] ADJ & N bruneano -na
mf

brunet, brunette [brunét] ADJ & N moreno
-na mf, morocho -cha mf; *Cuba* trigueño
-ña mf

brunt [brʌnt] N impacto m

brush [brʌʃ] N (tooth, clothes) cepillo m;
(paint, shaving) brocha f; (artist's) pincel
m; (vegetation) maleza f; (contact) roce m;
—off despedida brusca f; **—wood** (dead)
broza f; (live) maleza f; VT (clean with a
brush) cepillar; (touch lightly) rozar; **to —
aside** echar a un lado; **to — up** on
repasar; **to — off** (clean) quitar con
cepillo; (reject) despedir bruscamente a
alguien

brusque [brʌsk] ADJ brusco

Brussels sprouts [brásəlsprauts] N coles de
Bruselas f pl, repollitos de Bruselas m pl

brutal [brúdl̩] ADJ brutal

brutality [brutǽlɪɾi] N brutalidad f

brute [brut] N (animal) bestia f; (person)
bruto -ta mf; ADJ bruto

bubble [bábəl] N burbuja f; (in soap) pompa
f; (in boiling water) borbollón m; (illusion)
encanto m; **— bath** baño de burbujas m;
—gum chicle de globo m; VI (make
bubbles) borbotar, borbollar; (boil) bullir,
hervir; **to — over with joy** rebosar de
alegría

bubonic plague [bubánɪkplég] N plaga
bubónica f

buck [bʌk] N (goat) macho cabrío m; (deer)
gamo m; (male of other animals) macho
m; (leap of horse) respingo m; **— private**
soldado raso m; **—shot** posta f, perdigón
m; **—skin** gamuza f; **—toothed** de
dientes salidos; **—wheat** trigo sarraceno
m; **to pass the —** echarle el muerto a
uno; VI (horse) respingar, corcovear; **to —
a trend** oponerse; **to — up** cobrar ánimo

bucket [bákɪt] N cubo m, balde m; (of a
loader) cuchara f; **— seat** asiento
delantero individual m

buckle [bákəl] N (clasp) hebilla f; (kink in a
board) torcedura f; VT (to clasp)
abrocharse; (to bend) torcerse, pandearse;
to — down esforzarse; **to — up**
abrocharse

bud [bʌd] N botón m, retoño m; VI (make
buds) echar retoños

buddy [bádi] N camarada mf

budge [bʌdʒ] VI moverse

budget [bádʒɪt] N presupuesto m; VT (money)
presupuestar; (time, personal resources)
administrar

buff [bʌf] N (leather) gamuza f; (tan color)

color beige m; (wheel for polishing)
pulidor m; (devotee) aficionado m; **in the
—** en cueros; ADJ (beige) de color beige;
(muscular) musculoso; VT pulir

buffalo [báfəlo] N bisonte m, búfalo m; **—
wings** alitas f pl

buffer [báfə] N (in a computer) memoria
intermedia f; (shock absorber)
amortiguador m; (polishing device)
pulidor -ra mf; **— zone** zona tampón f

buffet [báfɪt] N (blow) golpe m, puñetazo m;
(shock) azote m; VT (hit) golpear; (hit
repeatedly) azotar; [bəfé] N (cabinet)
aparador m; (meal) buffet m

buffoon [bəfún] N payaso -a mf, bufón -ona
mf

bug [bʌg] N bicho m; (disease-causing)
microbio m, virus m; (for eavesdropping)
micrófono oculto m; (in a computer
program) fallo m, bicho m; VT (bother)
molestar; (install microphones) colocar
micrófonos ocultos; **his eyes —ged out**
se le saltaron los ojos

buggy [bági] N (cart) calesa f; (baby carriage)
cochecillo m

bugle [bjúgəl] N clarín m; VI tocar el clarín

build [bɪld] VT (construct) construir, edificar;
(manufacture) fabricar; **to — into**
incorporar; **to — up** (make stronger)
fortalecer; (accumulate) acumular;
(enhance) desarrollar; (urbanize)
urbanizar; **—up** (of military forces)
concentración f; (of substance)
acumulación f; (of anticipation) aumento
m; N (of human body) complexión f

builder [bɪldə] N contratista mf

building [bɪldɪŋ] N (thing built) edificio m,
construcción f, edificación f; (act of
building) construcción f, edificación f;
(unit in a housing complex) bloque m; **—
block** (solid mass) bloque (de
construcción) m; (toy) cubo m; (essential
element) elemento fundamental m

built [bɪlt] ADJ **—in** (furniture appliance)
empotrado; (feature) incorporado; **—up**
urbanizado

bulb [bʌlb] N (plant) bulbo m; (light)
bombilla f; *Am* foco m

bulbous [bálbəs] ADJ bulboso

Bulgaria [bʌlgériə] N Bulgaria f

Bulgarian [bʌlgériən] ADJ & N búlgaro -ra mf

bulge [bʌldʒ] N bulto m, protuberancia f; VI
abultar, hincharse

bulgy [báldʒi] ADJ abultado

bulk [bʌlk] N (mass) cantidad f, volumen m;
(greater part) mayor parte f; **in — a**
granel; VI **to — up** echar músculos

bulky [bʌlki] adj voluminoso

bull [bul] n toro m; **—dog** n bulldog m; **—dozer** bulldozer n topadora f; **—fight** n corrida de toros f; **—fighter** n torero m; **—fighting** n tauromaquia f; **—frog** n rana grande f

to hit the —'s-eye dar en el blanco; market mercado alcista m; **—'s eye** diana f

bullet [bulit] n bala f; **—proof** adj antibalas inv

bulletin [bulitin] n boletín m; **— board** n tablero m, cartelera f

bullion [buljan] n oro en lingotes m

bully [buli] n matón-ona m/f, bravucón -ona m; vt intimidar

bulwark [bulwɑːk] n baluarte m

bum [bʌm] n (lazy person) holgazán-ana m/f; (hobo) vagabundo-da m; (sports fan) fanático -ca m/f; adj falso; vi holgazanear; vt gorronear

bumblebee [bʌmblbi] n abejorro m, abejón m

bump [bʌmp] vt chocar; **to — along** ir dando tumbos; **to — off** despachar; **to — into** toparse con; n (blow) choque m, trastazo m; (lump) protuberancia f; (lump on a person) chichón m

bumper [bʌmpɚ] n parachoques m sg, tope m; **— car** coche de choque m; **—to-— traffic** caravana de autos f; **—crop** cosecha abundante f; **— sticker** autoadhesivo m

bumpy [bʌmpi] adj bacheado, lleno de baches

bun [bʌn] n (bread) bollo m; (in hair) moño m

bunch [bʌntʃ] n (group of things) manojo m; (group of people) montón m, grupo m; (of grapes, bananas) racimo m; (of flowers) ramillete m; vi/vt juntar(se), agrupar(se)

bundle [bʌndl] n paquete m, fardo m; (of clothes) lío m, atado m; (of firewood) haz m; vt (tie together) liar, atar; **to — up** abrigarse; **to — off** despachar

bungalow [bʌŋgəlo] n bungaló m

bungee jumping [bʌndʒidʒʌmpiŋ] n bungee m, puénting m

bungle [bʌŋgl] vt estropear; vi chapucear

bunion [bʌnjən] n juanete m

bunk [bʌŋk] n (place to sleep) litera f; (nonsense) contreras f; **— bed** litera f; vi dormir en una litera

bunker [bʌŋkɚ] n búnker m

bunny [bʌni] n conejito m

buoy [bui] n boya f; vt boyar; **to — up**

buoyant [bɔiənt] adj (floating) boyante, flotante; (mood) optimista

bur [bɚ] n abrojo m

burden [bɚdn] n (load) carga f; (responsibility) peso m; **— of proof** carga de la prueba f; vt (heavily) recargar; (oppressively) agobiar

burdensome [bɚdnsəm] adj agobiante, gravoso

bureau [bjuro] n (government department) oficina f, agencia f; (chest of drawers) cómoda f

bureaucracy [bjurɑːkrəsi] n burocracia f

bureaucrat [bjurɑːkræt] n burócrata m/f

burglar [bɚglɚ] n ladrón-ona m/f; **— alarm** alarma antirrobo f; **— proof** a prueba de robos

burglary [bɚgləri] n robo con allanamiento m

burial [bɛriəl] n entierro m; **— place** lugar de sepultura m

Burkina Faso [bɚkinɑːfɑːso] n Burkina Faso

burlap [bɚlæp] n arpillera f

burlesque [bɚlɛsk] adj burlesco; n espectáculo de variedades m

burly [bɚli] adj corpulento

Burma [bɚmɑ] n Birmania f

Burmese [bɚmiz] adj & n birmano-na m/f

burn [bɚn] n quemadura f; **—out** n surmenage m; vi/vt quemar(se), abrasar(se); (a house) incendiar(se); (food) quemar(se), requemar(se); **he got — ed in the transaction** lo estafaron en el negocio; **the bulb is still —ing** la casa se está quemando; **the iodine —ed his skin** el yodo le quemó la piel; **to — a hole** hacer un agujero con algo; vi (by heat, passion) arder, abrasar; **my skin —s** me arde la piel; **he's —ing with desire** arde en deseos; **to —down** incendiarse; **to — off** (fog) disiparse; **to —out** (to fuel) fundirse; (to be exhausted) agotarse; **to — up** quemarse completamente

burner [bɚnɚ] n (person or thing that burns something) quemador -ra m/f; (on stove) hornilla f; **— Bunsen** n mechero Bunsen m

burning [bɚnɪŋ] adj (desire) ardiente; (question) urgente

burnish [bɚnɪʃ] vt bruñir

burp [bɚp] n eructo m; vi eructar, repetir

burrow [bɚo] n madriguera f; vi (dig) hacer madrigueras; (live) vivir en una madriguera

burst [bɚst] vi reventar(se); **to — into**

Burundi [burúndi] n burundi m

Burundian [burúndian] adj & n burundés
-esa mf

bury [béri] vt enterrar; (in sand) hundir;
(corpse only) sepultar; **to be buried in**
thought estar absorto/ meditabundo

bus [bas] n autobús m, ómnibus m; Mex
camión m; RF colectivo m; Chile micro m;
Cuba guagua f; (in a computer) bus m; vt
transportar en autobús

bush [buʃ] n (plant) arbusto m, mata f;
(region) matorral m; **to beat around the**
bush andarse por las ramas

bushed [buʃt] adj fatigado

bushel [búʃəl] n fanega f

bushing [búʃiŋ] n buje m, cojinete m

bushy [búʃi] adj (whiskers) espeso; (plants)
poblado de arbustos

business [bíznis] n (trade, store) negocio m;
(occupation) ocupación f; (commercial
activity) comercio m; **card** tarjeta
comercial f; **day** día hábil m; **hours**
horas hábiles f pl, horario de atención al
público m; **is booming** el negocio
florece; **man** hombre de negocios m,
negociante m; **suit** traje m;
transaction negocio m, transacción
f; **woman** mujer de negocios f,
negociante f; **I'm tired of the whole**
business este asunto me tiene harto; **I mean**
business hablo en serio; **to do with** comerciar
con; **he has no doing it** no tiene
derecho a hacerlo; **it's none of your**
business no es asunto tuyo; **mind your own**
business no te metas en lo que no te importa

businesslike [bíznislaik] adj (efficient)
eficiente; (cold) impersonal

bust [bast] n (statue, body part) busto m; vi/
vt (burst, hit, break) reventar; (force into
bankruptcy) hacer quebrar; (lower in rank)
degradar

bustle [básəl] n (noise) bullicio m;
(movement) ajetreo m, tráfago m; vi
(move busily) ajetrear(se); (be crowded)
bullir

busy [bízi] adj ocupado, atareado;
(overdecorated) recargado; **body**
entrometido -da mf; **signal** señal de
ocupado f; vi **to oneself** ocuparse

but [bat] conj (on the contrary) pero;
(excepting) sino; prep menos; **any day**
today cualquier día menos hoy; **he's**
nothing trouble sólo da problemas;
adv **for you** si no fuera por ti

butane [bjútein] n butano m

butch [butʃ] adj machote

butcher [bútʃər] n carnicero -ra mf; **'s shop**
carnicería f; vt (cattle) matar; (people)
masacrar; (performance) estropear

butchery [bútʃəri] n carnicería f

butler [bátlər] n mayordomo m

butt [bat] n (rifle part) culata f; (of a
cigarette) colilla f; (blow with head)
topetazo m; cabezada f; cabezazo m; **the**
of ridicule el blanco de las burlas; vt
embestir, topar; **to in** entrometerse; **to**
into a conversation meter baza; Am
meter la cuchara

butter [bátər] n mantequilla f; vt (bread)
untar con mantequilla; (a cakepan)
enmantecar; **cup** botón de oro m;
dish mantequera f; **fingers** manos de
mantequilla mf sg; **milk** suero de leche
m; **scotch** dulce de azúcar y
mantequilla m

butterfly [bátərflai] n mariposa f; **stroke**
estilo mariposa m

buttery [bátəri] adj mantecoso

buttocks [bátəks] n nalgas f pl, asentaderas f
pl, cachas f pl

button [bátn] n botón m; ojal m; vi/
vt abotonar(se); **to hole** hacer ojales;
to hole someone detener a alguien

buttress [bátris] n (of a
building) contrafuerte m; vt apoyar,
reforzar

buxom [báksəm] adj (full-bosomed)
pechugona; (fat and cheerful) frescachona

buy [bai] vt comprar; **to into** dejarse
convencer; **I don't that** no me lo
trago; **to on credit** comprar a crédito;
to off sobornar; **to in**
installments comprar a plazos; **to**
out comprar la parte de; **to up**
acaparar; n (purchase) compra f; (bargain)
ganga f

buyer [báiər] n comprador -ra mf

buzz [baz] n zumbido m; (feeling of
intoxication) borrachera f; (phone call)
telefonazo m; **to give someone a**
buzz/ echarle un telefonazo a alguien;
saw sierra circular f; vi zumbar; (group)
murmurar; **to the**
bell tocar el timbre; **to off** largarse

buzzard [bázərd] n buitre m

buzzer [bázər] n timbre m, chicharra f

by [bai] prep por, **we drove the church**

pasamos por la iglesia; **a 4 — 3 room** un cuarto de 4 por 3; **multiply 2 — 2** multiplica 2 por 2; **— the liter** por litro; **we live — the church** vivimos al lado de la iglesia; **she had a son — him** tuvo un hijo con él; **— and —** a la larga; **dint of** a fuerza de; **— far** con mucho; **— night** de noche; **— the way** a propósito; **— chance** por casualidad; **piece — piece** pedazo a / por pedazo; **— this time tomorrow** mañana a esta hora; **— two o'clock** para las dos; ADV **the factory is close —** la fábrica está cerca; **the bus drove —** pasó el autobús

bye-bye [báibái] INTERJ ¡adiós! ¡chaucito!

bygones [báigɔnz] N **let — be —** lo pasado pisado

bylaw [báilɔ] N estatuto m

by-line [báilain] N pie de autor m

bypass [báipæs] VT evitar; N desvío m; **— operation** bypass m

by-product [báiprɑdəkt] N subproducto m; (chemical) derivado m

bystander [báistændə˞] N persona presente f

byte [bait] N byte m, octeto m

Cc

cab [kæb] N (taxi) taxi m; (of a truck) cabina f; **— driver** taxista mf

cabaret [kæbəré] N cabaret m

cabbage [kæbidʒ] N col f, repollo m, berza f

cabin [kæbin] N (hut) cabaña f; (in an airplane) cabina f; (in a ship) camarote m

cabinet [kæbnit] N (for dishes) armario m; (for medicines) botiquín m; (for display) vitrina f; (department heads) gabinete m; **—maker** ebanista mf

cable [kébəl] N cable m; (on ships) amarra f; (telegram) telegrama m; **— car** funicular m, teleférico m; **— television** televisión por cable f, cablevisión f; VI/VT telegrafiar

caboose [kəbús] N furgón de cola m

cache [kæʃ] N (of weapons) alijo m; (in a computer) caché m

cachet [kæʃé] N caché m

cackle [kækəl] VI cacarear; (talk) parlotear; N cacareo m; (talk) parloteo m

cacophony [kəkáfəni] N cacofonía f

cactus [kæktəs] N cacto m, cactus m

cad [kæd] N pej canalla m

cadaver [kədævə˞] N cadáver m

caddie [kædi] N caddy m, caddie m

cadence [kédŋs] N cadencia f

cadet [kədét] N cadete mf

cadmium [kædmiəm] N cadmio m

Caesarian section [sizériənsékʃən] N cesárea f

café [kæfé] N (coffee only) café m; (coffee and food) cafetería f

cafeteria [kæfitíriə] N cafetería f; (in school, factory) cantina f

caffeine [kæfín] N cafeína f

cage [kedʒ] N jaula f; VT enjaular

cahoots [kəhúts] ADV LOC IN — arreglados

cajole [kədʒól] VI/VT engatusar, persuadir con halagos

cake [kek] N pastel m, torta f; (sponge) bizcocho m; (soap) pastilla f; **a piece of —** pan comido; **to take the —** ser el colmo; VI/VT apelmazar(se)

calamine [kæləmain] N calamina f

calamity [kəlæmidi] N calamidad f

calcium [kælsiəm] N calcio m

calculate [kælkjəlet] VI/VT calcular; **his actions were —d to fool us** con sus acciones trataba de engañarnos

calculating [kælkjələdiŋ] ADJ calculador

calculation [kælkjəléʃən] N cálculo m

calculator [kælkjəlédə˞] N calculadora f

calculus [kælkjələs] N cálculo m

calendar [kælində˞] N calendario m, almanaque m; **— year** año civil m

calf [kæf] N (animal) ternero -ra mf, becerro -rra mf; (of leg) pantorrilla f, canilla f; **— skin** piel de becerro f

caliber [kæləbə˞] N calibre m

calibrate [kæləbret] VT calibrar, graduar

calico [kæliko] N calicó m

caliper [kæləpə˞] N (on brakes) calibrador m; (for measuring) calibre m

call [kɔl] N (bird call, device for calling birds) reclamo m; (telephone call) llamada f; (summons) llamamiento m; (to the ministry) vocación f; **there's no — for panic** no hay motivo de alarma; **it's your —** tú decides; **within —** al alcance de la voz; VT (summon, by telephone, a name, a strike) llamar; (cry out) gritar; (a meeting) convocar; **she —ed me a liar** me llamó mentiroso; **— me back** llámame tú; **to — a meeting to order** abrir la sesión; VI/VT (birds) reclamar; **to — roll** pasar lista; VI (call out) gritar; **to — at a port** hacer escala en un puerto; **to — for** pedir; **to — off** cancelar; **to — on** (visit) visitar; (depend on) acudir a; **to — together** convocar; **to — up** llamar por teléfono

caller [kólə˞] N visita f, visitante mf; (by

telephone persona que llama f — **ID** identificador de llamadas m

calligraphy [kălĭgrăfĭ] n caligrafía f

calling [kĭlĭŋ] n vocación f

callous [kĕləs] adj (having calluses) calloso; (insensitive) insensible

callus [kĕləs] n callo m

calm [käm] adj tranquilo, reposado, calmo; n calma f, tranquilidad f, sosiego m; vt calmar, tranquilizar, sosegar; **to — down** calmar(se)

calmness [kämnĭs] n calma f, tranquilidad f

calorie [kăl'ərĭ] n caloría f

calumny [kăl'əmnĭ] n calumnia f

calve [kăm] n leva f

Cambodia [kămbōdĭə] n Camboya f

Cambodian [kămbōdĭən] adj & n camboyano -na mf

camel [kămĕl] n camello m; **—** camello m

camera [kăm'ərə] n cámara fotográfica f; **appearance** estación especial f; **—man** cámara m, camarógrafo m; **—woman** cámara f, camarógrafa f

Cameroon [kămĕrūn] n Camerún m

Cameroonian [kămĕrūnĭən] adj & n camerunés -esa mf

camouflage [kăm'əflăzh] n camuflaje m; vt camuflar

camp [kămp] n (campsite) campamento m; (faction) bando m; **—fire** fogata f; **—ground** campamento m; **—site** campamento m; **the Republican —** el campo republicano; vi/vt acampar

campaign [kămpān] n campaña f; vi hacer campaña

camper [kămpər] n acampante mf, campista mf

camphor [kămfər] n alcanfor m

camping [kămpĭŋ] n camping m, acampada f; **let's go —** vamos de camping/acampada

campus [kămpəs] n campus m

can [kăn] n lata f, bote m; **— of worms** caja de Pandora f; **— opener** abrelatas m sg; vt enlatar; v aux **— you come tomorrow?** ¿puedes venir mañana? **— you see me?** ¿me ves? **I — ride a bicycle** sé andar en bicicleta; a **—do attitude** un espíritu emprendedor

Canada [kănədə] n Canadá m

Canadian [kănədĭən] adj & n canadiense mf

canal [kənăl] n canal m

canary [kənɛrĭ] n canario m

Canary Islands [kənɛrĭ īləndz] n Islas Canarias f pl

cancel [kănsəl] vt cancelar; (a stamp) matasellar; (an order) anular; (writing) tachar

cancellation [kănsəlāshən] n cancelación f; (of an order) anulación f

cancer [kănsər] n cáncer m; **— patient** canceroso -sa mf; adj **causing —** cancerígeno

candelabrum, candelabra [kăndəlābrəm] n candelabro m

candid [kăndĭd] adj franco, sincero

candidacy [kăndĭdəsĭ] n candidatura f

candidate [kăndĭdāt] n (for office) candidato -ta mf; (for a job) aspirante mf, postulante mf

candle [kăndl] n vela f, candela f; (on the altar) cirio m; **—stick** candelero m

candor [kăndər] n franqueza f

candy [kăndĭ] n dulce m, caramelo m; (with chocolate) bombón m; **— store** bombonería f; vt confitar, acaramelar; (nuts) garapiñar; vi (syrup) cristalizarse

cane [kān] n (sugar) caña f; (walking) bastón m; **— chair** silla de mimbre f; **to beat with a —** bastonear, apalear

canine [kănĭn] adj canino, perruno; n (canid) can m; (tooth) colmillo m

canister [kănĭstər] n lata f

canker [kăŋkər] n úlcera f

cannery [kănərĭ] n fábrica de conservas f

cannibal [kănĭbəl] n caníbal m

cannon [kănən] n cañón m; **— fodder** carne de cañón f

canny [kănĭ] adj sagaz, astuto

canoe [kănū] n canoa f

canon [kănən] n (rule, melody) canon m; (priest) canónigo m

canopy [kănəpĭ] n (of a bed) dosel m; (of a building) toldo m

cantaloupe [kăntəlōp] n melón m

canteen [kăntīn] n (snack bar) cantina f; (container) cantimplora f

canvas [kănvəs] n (fabric) lona f; (for painting) lienzo m

canvass [kănvəs] vi/vt (poll) encuestar; (solicit votes) solicitar votos en; (solicit sales) buscar pedidos comerciales en; n solicitud f

canyon [kănjən] n cañón m

cap [kăp] n (head covering without visor) gorro m; (head covering with visor) gorra f; (of a bottle) tapa f; (of a pen) capucha f; contera f; (limit) tope m; (for capgun) fulminante m, pistón m; vt (to cover, put a cap on) tapar; (to complete) rematar; (to limit) limitar

capability [keɪpəˈbɪlɪ] n capacidad f

capable [ˈkeɪpəbl] adj capaz

capacious [kəˈpeɪʃəs] adj amplio

capacity [kəˈpæsɪtɪ] n capacidad f

cape [keɪp] n (clothing) capa f; (promontory) cabo m

caper [ˈkeɪpə] n (skipping) cabriola f; (prank) travesura f; (crime) delito m; (food) alcaparra f; vi retozar

capillary [ˈkæpɪlərɪ] adj & n (vaso) capilar m

capital [ˈkæpɪtl] n (city) capital f; (wealth) capital m; (of a column) capitel m; (letter) mayúscula f; to make — of sacar partido de, aprovecharse de; adj (financial) de capital; — gains ganancias en bienes de capital f pl; — investment inversión de capital f; — punishment pena de muerte f

capitalism [ˈkæpɪtlɪzəm] n capitalismo m

capitalist [ˈkæpɪtlɪst] n capitalista mf; adj capitalista

capitalistic [ˌkæpɪtlˈɪstɪk] adj capitalista

capitalization [ˌkæpɪtlɪˈzeɪʃən] n capitalización f

capitalize [ˈkæpɪtlaɪz] vt (finance) capitalizar, (write) escribir con mayúscula; to — on sacar provecho de

capitulate [kəˈpɪtjəleɪt] vi capitular

capo [ˈkeɪpəʊ] n capotillo m

cappuccino [ˌkæpʊˈtʃiːnəʊ] n capuchino m

caprice [kəˈpriːs] n capricho m

capricious [kəˈprɪʃəs] adj caprichoso

capsize [ˈkæpsaɪz] vi/vt volcar(se)

capsule [ˈkæpsjuːl] n cápsula f

captain [ˈkæptɪn] n capitán m; vt capitanear

caption [ˈkæpʃən] n (with illustration) pie m; (subtitle) subtítulo m

captivate [ˈkæptɪveɪt] vt cautivar

captive [ˈkæptɪv] adj & n cautivo -va mf; — animals animales en cautiverio m pl

captivity [kæpˈtɪvɪtɪ] n cautiverio m

captor [ˈkæptə] n captor -ra mf

capture [ˈkæptʃə] vt (apprehend, record data) capturar, (attract) cautivar; (conquer) tomar; n captura f

car [kɑr] n (automobile) coche m, automóvil m, Am carro m, auto m; (railroad) vagón m, coche m; (elevator) cabina f; Am elevador m; — bomb coche bomba m; — fare pasaje m; — jacking secuestro de vehículo m; — load carga de un coche f; — port cochera f; — sick mareado; he got — sick se mareó en el coche; — wash túnel de lavado m

caramel [ˈkærəmel] n caramelo m

caravan [ˈkærəvæn] n caravana f

carat [ˈkærət] n quilate m

carbohydrate [ˌkɑrbəˈhaɪdreɪt] n carbohidrato m, hidrato de carbono m

carbon [ˈkɑrbən] n carbono m; — copy copia en papel carbón f; — dioxide dióxido de carbono m; — monoxide monóxido de carbono m; — paper papel carbón m

carburetor [ˈkɑrbəreɪtə] n carburador m

carcass [ˈkɑrkəs] n (of an animal) cuerpo muerto m; (human) cadáver m; (of a ship) casco m

carcinogen [kɑrˈsɪnədʒən] n cancerígeno m, carcinógeno m

carcinoma [ˌkɑrsɪˈnəʊmə] n carcinoma m

card [kɑrd] n (piece of stiff paper) tarjeta f; (playing) naipe m, carta f; (for boxing events) programa m; (for textiles) carda f; (witty person) gracioso -sa mf; (in a computer) tarjeta f, placa f; — board (thick) cartón m, (thin) cartulina f; — sharp fullero -ra mf; — s pack of — s baraja f; to play — s jugar a la baraja, jugar a los naipes; he's holding all the — s tiene todas las ventajas; vt (comb) cardar; (ask for identification) pedir identificación

cardiac [ˈkɑrdiæk] adj cardiaco, cardíaco

cardinal [ˈkɑrdɪnl] adj (number, main) cardinal; (colored red) rojo, bermellón; n (bishop, bird) cardenal m

cardiology [ˌkɑrdiˈɒlədʒɪ] n cardiología f

cardiovascular [ˌkɑrdiəʊˈvæskjələ] adj cardiovascular

care [keər] n (worry) preocupación f; (attention) cuidado m, atención f; tiento m; (extreme attention) esmero m, primor m; — free despreocupado; — giver cuidador -ra mf; to take — of cuidar de, atender; (of a house) casero -ra mf; vi (be concerned, object) importarle a uno; to — about interesarle a uno, importarle a uno; to — for (look after) cuidar de; (love) tenerle cariño a; to — to tener ganas de; I couldn't — less me importa un rábano; what does he — ? ¿a él qué le importa? would you — for a drink? ¿te puedo ofrecer algo?

career [kəˈrɪr] n carrera f, trayectoria f; vi ladearse a toda velocidad

careful [ˈkeərfəl] adj (cautious) cuidadoso, cauteloso; (painstaking) esmerado; to be — tener cuidado

carefulness [ˈkeərfəlnɪs] n cuidado m

careless [ˈkeərlɪs] adj descuidado

caress [kəˈres] n caricia f; vt acariciar

cargo [ˈkɑrɡəʊ] n cargamento m

Caribbean [ˌkærɪˈbiːən] n Caribe m; adj caribeño

caribeño

caricature [kǽrəkætʃə] n caricatura f; vt caricaturizar

caries [kériz] n caries f

carnage [kárnidʒ] n carnicería f

carnal [kárnl] adj carnal

carnation [karnéʃən] n (flower) clavel m; (color) rosado m

carnival [kárnəvl] n carnaval m; (traveling) feria f

carnivorous [karnívə-əs] adj carnívoro, carnicero

carol [kérəl] n villancico m; vi cantar villancicos

carom [kérəm] n carambola f; vi rebotar

carotid artery [kərátid-árteri] n (artery) carótida f

carouse [kəráuz] vi andar de parranda

carp [karp] n carpa f; vi (complain) quejarse

carpenter [kárpintə] n carpintero -ra mf

carpentry [kárpintri] n carpintería f

carpet [kárpit] n alfombra f; **—bagger** político -ca oportunista mf; vt alfombrar

carriage [kǽridʒ] n (wheeled vehicle) carruaje m, coche m; (posture) porte m; (one who carries) portador -ra mf; (postal worker) cartero -ra mf

carrier [kǽria] n (one who carries) portador -ra mf; (transport company) mensajería f

carrion [kǽrjən] n carroña f

carrot [kǽrət] n zanahoria f

carry [kǽri] vt llevar; **do you — Italian wine?** ¿venden vino italiano? **the bill carried** se aprobó el proyecto de ley; **you — yourself well** te comportas bien; **he can't — a tune** no puede seguir una tonada; **this suitcase carries a lot** esta maleta es espaciosa; **to — away** llevarse; **he got carried away** se le fue la mano; **to — on** continuar; **to — out** (complete) llevar a cabo, ejecutar; (take out) sacar; **— on** de mano

cart [kart] n carro m; vt acarrear

cartilage [kártidʒ] n cartílago m

carton [kártn] n caja de cartón f

cartoon [kartún] n (drawing) caricatura f; (strip) tira cómica f; (film) dibujo animado m

cartoonist [kártunist] n caricaturista mf

cartridge [kártridʒ] n cartucho m; **— belt** cartuchera f, canana f

carve [karv] vt/i (piece of wood) tallar; (a career) labrarse; (turkey) trinchar; **carving** [kárviŋ] n (action) tallado m; (figure) talla f; **— knife** trinchante m

cascade [kæskéd] n cascada f

case [kes] n caso m; (box) caja f; (of a pillow) funda f; **in — (that)** en caso de que; **in**

— **it rains** por si llueve; **in any** — en todo caso; **just in** — por si acaso; **get off my —!** ¡déjame en paz!

cash [kæʃ] n efectivo m; **— advance** anticipo en efectivo m; **— and carry** al contado y sin entrega a domicilio; **— flow** corriente en efectivo n; **— on delivery** entrega contra reembolso f; **— payment** pago en efectivo m; **— register** caja registradora f; **to pay —** pagar al contado; vt cobrar

cashew [kæʃu] n marañón m, castaña de cajú f, Sp anacardo m

cashier [kæʃír] n cajero -ra mf; **—'s check** cheque de caja m

casino [kəsíno] n casino m

cask [kæsk] n tonel grande m

casket [kæskit] n ataúd m

casserole [kæsəról] n (container) cazuela f; (food) guiso m

cassette [kəsét] n casete mf, casete mf

cast [kæst] vt (throw) tirar, echar; (adapt) adaptar; (form an object) moldear, vaciar; (give out dramatic roles) repartir papeles; **to — a ballot** votar; **to — about** buscar; **to — a glance** echar un vistazo; **to — aside** desechar; **to — doubt** poner en duda; **to — light on** aclarar; **to — off** (a ship) soltar amarras; (something rejected) deshacerse de; **to — out** exiliar; **to be — down** estar abatido; n (form) molde m; (in theater) reparto m, elenco m; **— iron** hierro fundido m

castanet [kæstənét] n castañuela f

caste [kæst] n casta f

castigate [kæstəgét] vt (criticize) criticar, reprender; (punish) castigar

Castile [kæstíl] n Castilla f

Castilian [kæstíljən] n & adj castellano -na mf

casting [kæstiŋ] n (throwing) tiro m; (piece of metal) pieza fundida f; (selection of actors) casting m

castle [kæsəl] n castillo m; (chess piece) torre f; r roque m

castor oil [kæstə-ɔíl] n aceite de ricino m

castrate [kæstret] vt castrar; (animals) capar

casual [kæʒuəl] adj (informal) informal; (offhand) al pasar

casualty [kæʒuəlti] n (of war) baja f; (in an accident) víctima f

cat [kæt] n (domestic) gato -ta mf; (others) felino m; **—'s meow** summum m; **— fish** siluro m

Catalan [kætələn] adj & n catalán -ana mf; (language) catalán m

catalog, catalogue [kætəlɔg] n catálogo m;

vr catalogar

Catalonia [kæd|onia] n Cataluña f

Catalonian [kæd|ohian] adj catalán

catalyst [kædlɪst] n catalizador m

cataract [kædərækt] n catarata f

catastrophe [kətæstrəfi] n catástrofe f

catch [kætʃ] vt (criminal, ball) atrapar, Sp, Cuba coger; (a fish) pescar, capturar; (someone in an act) pillar; (a bus) agarrar; (what someone said) comprender, agarrar; — **a glimpse of** vislumbrar; **to** — **on** (understand) caer en cuenta; **to** — **cold** resfriarse; **to** — **fire** prenderse fuego; (become popular) ponerse de moda; **to** — **oneself** contenerse; **to** — **one's eye** llamarle a uno la atención; **to** — **sight of** avistar; **to** — **unawares** sorprender; — **up** (with a person) alcanzar; (on work) ponerse al día; vi (get entangled) enredarse; (snap into place) agarrar; n (act of catching prey, quantity caught) captura f, redada f, pesca f; (prey) presa f; (device) pestillo m; (act of catching a ball) atrapada f; — **phrase** eslogan m; **he is a good** — es un buen partido; **to play** — jugar a la pelota; **what's the** —? ¿cuál es la treta?

catchy [kædʒi] adj contagioso

catching [kædʒiɲ] adj pegadizo

catechism [kædkizəm] n catecismo m

category [kædɪgɔri] n categoría f

cater [kedə] vi/vt abastecer de alimentos (banquetes, fiestas, etc.); **to** — **to** atender a

caterpillar [kædərpilə] n (insect) oruga f; (tractor) tractor oruga m, caterpillar m

cathedral [kəθidrəl] n catedral f

catheter [kædɪtə] n catéter m, sonda f

cathode [kæθod] n cátodo m; — **rays** rayos catódicos m pl

Catholic [kædlik] n & adj católico -ca m f

Catholicism [kəθdlisizm] n catolicismo m

CAT scan [kætskæn] n TAC f, tomografía axial computadorizada

catsup [kædʒəp] n catsup m, ketchup m

cattle [kædl] n ganado (vacuno) m; — **man** ganadero m

catty [kædi] adj hiriente

cauliflower [kdlflauə] n coliflor f

cause [kɔz] n causa f; — **for celebration** motivo de celebración; **the democratic** — la causa democrática; **without** — sin motivo; vt causar, ocasionar; (involving volition) motivar; **to** — **to flee** hacer huir; **the heat** —**d her to faint** el calor la hizo desmayar

caustic [kɔstik] adj cáustico

cauterize [kɔtəraɪz] vt cauterizar

caution [kɔʃən] n (prudence) cautela f, recato m; (warning) advertencia f; —! ¡cuidado! ¡atención! vt advertir; **to** — **against** desaconsejar

cautious [kɔʃəs] adj cauto, cauteloso, precavido

cavalier [kævəliɐ] n caballero m, galán m; adj (disdainful) desdeñoso; (overly casual) displicente

cavalry [kævəlri] n caballería f

cave [kev] n cueva f, caverna f; — **man** hombre de las cavernas m; vi **to** — **in** ceder, derrumbarse, desplomarse

cavern [kevən] n caverna f, gruta f

cavity [kævɪti] n cavidad f; (in a tooth) caries f; (nasal) fosa f

cavort [kəvɔrt] vi escholar, retozar

caw [kɔ] n graznido m; vi graznar

CD (compact disc) [sidi] n CD m, disco compacto m; — **player** reproductor de discos compactos m; —**ROM** CD-ROM m

cease [sis] vi cesar; vt interrumpir; —**fire** alto el fuego m; Am cese el fuego m

ceaseless [sislis] adj incesante

cedar [sidə] n cedro m

cede [sid] vt ceder

ceiling [siliɲ] n techo m, cielo raso m; (cap) tope m; (sky) altura máxima f

celebrate [sɛlɪbret] vi/vt celebrar, festejar

celebrated [sɛlɪbretid] adj célebre

celebration [sɛlɪbreʃən] n (action) celebración f, festejo m; (festivities) fiesta f

celebrity [sɛlɪbriti] n celebridad f

celery [sɛləri] n apio m

celestial [səlɛstʃəl] adj celeste (heavenly)

celibate [sɛlɪbɪt] adj célibe

cell [sɛl] n (room) celda f, (structural) célula f

cellar [sɛlə] n sótano m; (for wine) bodega f

cello [tʃɛlo] n violonchelo m

cellophane [sɛləfen] n celofán m

cellular [sɛljələ] adj celular; — **phone** celular m; Sp móvil m

cellulite [sɛljəlaɪt] n celulitis f

celluloid [sɛljəlɔɪd] n celuloide m

cellulose [sɛljəlos] n celulosa f

cement [sɪmɛnt] n cemento m; (glue) adhesivo m; — **mixer** hormigonera f; vt cementar

cemetery [sɛmɪtɛri] n cementerio m

censor [sɛnsə] n censor -ora m f; vt censurar

censorship [sɛnsəʃɪp] n censura f

censure [sɛnʃə] n censura f; vt censurar

census [sɛnsəs] n censo m; **to take a** — censar

cent [sɛnt] n centavo m, céntimo m

centennial [sɛnténiəɫ] ADJ & N centenario *m*

center [séntə˞] N centro *m*; **— of gravity** centro de gravedad *m*; VI/VT centrar(se)

centigrade [séntɪgred] ADJ centígrado

centimeter [séntəmidə˞] N centímetro *m*

centipede [séntəpid] N ciempiés *m*

central [séntrəɫ] ADJ central; (downtown) céntrico; N central de teléfonos *f*; **— heating** calefacción central *f*; **— nervous system** sistema nervioso central *m*; **— processing unit** unidad central de proceso *f*

Central [séntrəɫ] ADJ **— African Republic** República Centroafricana *f*; **— America** Centroamérica *f*

centralize [séntrəlaɪz] VI/VT centralizar(se)

centrifugal [sɛntrífəgəɫ] ADJ centrífugo

centripetal [sɛntrípɪdɫ] ADJ centrípeto

century [séntʃəri] N siglo *m*

ceramic [sə˞æmɪk] ADJ cerámico; N **—s** cerámica *f*

cereal [síriəɫ] N (breakfast food) cereal *m*; (the grain itself) grano *m*; ADJ cereal

cerebral [sə˞íbrəɫ] ADJ cerebral; **— cortex** corteza cerebral *f*

ceremonial [sɛrəmóniəɫ] ADJ & M ceremonial

ceremonious [sɛrəmóniəs] ADJ ceremonioso

ceremony [sérəmoni] N ceremonia *f*

certain [sɚtn] ADJ seguro; **— rules are inviolable** ciertas reglas son inviolables; **death are taxes are** — lo único seguro son los impuestos y la muerte; **he's — to come** seguro que viene; **it is — that it rained** es cierto que llovió

certainly [sɚtnli] ADV (without doubt) sin duda; **she — gets her way** no cabe duda de que se sale con la suya; INTERJ ¡cómo no!

certainty [sɚtnti] N certeza *f*, certidumbre *f*

certificate [sə˞tífɪkɪt] N certificado *m*; **— of baptism** fe de bautismo *f*; **— of deposit** certificado de depósito *m*

certification [sɚtəfɪkéʃən] N certificación *f*

certify [sɚdəfaɪ] VT certificar; **certified check** cheque certificado *m*; **certified mail** correo certificado *m*; **certified public accountant** contador -ora público -ca *mf*

cervix [sɚvɪks] N (neck) cerviz *f*; (uterine) cérvix *m*, cuello uterino *m*

cessation [seséʃən] N cese *m*

cesspool [séspuɫ] N pozo séptico *m*, fosa séptica *f*

Chad [tʃæd] N Chad *m*

Chadian [tʃǽdiən] ADJ & N chadiano -na *mf*

chafe [tʃef] VI/VT rozar(se); N rozadura *f*

chaff [tʃæf] N ahechaduras *f pl*

chagrin [ʃəgrín] N mortificación *f*; VT mortificar

chain [tʃen] N cadena *f*; **— reaction** reacción en cadena *f*; **— saw** sierra *f*; **— smoker** persona que fuma como una chimenea *f*; **— store** tienda de cadena *f*; VI/VT encadenar(se)

chair [tʃer] N silla *f*; (academic) cátedra *f*; (of a meeting) presidente -ta *mf*; (of a department) jefe -fa *mf*; **—man** presidente *m*, director *m*, jefe *m*; **—manship** dirección *f*; **—person** presidente -ta *mf*, jefe -fa *mf*; **—woman** presidenta *f*, jefa *f*

chalk [tʃɔk] N (substance) caliza *f*; (piece) tiza *f*; **—board** pizarra *f*, pizarra *f*; VT marcar con tiza; **to — up** (attribute) atribuir; (score) marcar

chalky [tʃɔki] ADJ de/con/como tiza

challenge [tʃǽlɪndʒ] N desafío *m*, reto *m*; (of a jury) recusación *f*; VT (defy) desafiar, retar; (take exception) cuestionar, disputar; (recuse) recusar; **to be vertically —d** ser muy bajito

chamber [tʃémbə˞] N (legislative) cámara *f*; (in a palace) aposento *m*; (of a cannon) recámara *f*; **—maid** camarera *f*, mucama *f*; **— music** música de cámara *f*; **— of commerce** cámara de comercio *f*; **— pot** orinal *m*; **—s** (of a judge) despacho *m*

chameleon [kəmíljən] N camaleón *m*

chamois [ʃǽmi] N gamuza *f*

champagne [ʃæmpén] N champán *m*, champaña *f*

champion [tʃǽmpiən] N campeón -ona *mf*; (of a cause) defensor -ra *mf*, paladín *m*; VT defender

championship [tʃǽmpiənʃɪp] N campeonato *m*

chance [tʃæns] N (opportunity) oportunidad *f*; (probability) probabilidad *f*; (unpredictable element) casualidad *f*, azar *m*; **by —** por casualidad; **game of —** juego de azar *m*; **to take a —** correr riesgo, arriesgarse; ADJ casual; VI arriesgarse; **we —d to meet him at the bar** nos encontramos con él en el bar por casualidad

chancellor [tʃǽnsələ˞] N (chief minister) canciller *m*; (of a university) rector -ora de universidad *mf*

chandelier [ʃændəlír] N araña de luces *f*

change [tʃendʒ] VT cambiar; **to — clothes** cambiarse de ropa; **to — into** transformar; **to — trains** cambiar de tren; N cambio *m*; (money returned) vuelta *f*; *Am* vuelto *m*; (fresh clothes) muda de ropa *f*; **— of heart** cambio de opinión *m*

changeable [tʃéindʒəbəl] *adj* (variable) cambiante, variable; (fickle) inconstante, tornadizo; **— silk** seda tornasolada *f*

channel [tʃénəl] *n* canal *m*; (bed of stream) cauce *m*; *vt* canalizar, encauzar

chant [tʃænt] *n* (plain song) canto llano *m*; (hymn) cántico *m*; (repeated slogan) cantinela *f*; *vi/vt* (sing) cantar; (repeat a slogan) corear

chaos [kéas] *n* caos *m*

chaotic [keátik] *adj* caótico

chap [tʃæp] *vi/vt* cuartear(se), agrietar(se); *n* tipo *m*

chapel [tʃæpəl] *n* capilla *f*

chaperon, chaperone [tʃæpəron] *n* chaperón -ona *f*; *vt* ir de chaperón-ona

chaplain [tʃæplɪn] *n* capellán *m*

chapter [tʃæptər] *n* capítulo *m*

char [tʃar] *vi/vt* (reduce to ashes) carbonizar(se); (scorch) chamuscar(se)

character [kérɪktə-] *n* carácter *m*; (of a novel) personaje *m*; **— actor** actor de carácter *m*; **Chinese —s** caracteres chinos *m pl*; **he's quite a —** es todo un personaje; **that's out of — for him** eso no es característico de él

characteristic [kærɪktərístɪk] *adj* característico; *n* característica *f*; (genetic) carácter *m*

characterize [kérɪktəraɪz] *vt* (describe) caracterizar; (attribute) calificar

charade [ʃəréd] *n* farsa *f*; **—s** charada *f*

charcoal [tʃárkol] *n* carbón de leña *m*; **— drawing** dibujo a carbón *m*

charge [tʃardʒ] *vt* (ask price) cobrar; (attack) embestir; **to — off a loss** restar una pérdida; **to — with a task** encargarle a alguien una tarea; **to — with murder** acusar de homicidio; *n* (mission) misión *f*, encargo *m*; (accusation) cargo *m*, acusación *f*; (charge in account) cargo *m*, débito *m*; (explosives, electricity) carga *f*; **there will be a — for delivery** se cobra entrega a domicilio; **to be in — of** estar a cargo de; **under my —** a mi cargo

charger [tʃárdʒə-] *n* (for a battery) cargador *m*; (horse) corcel *m*

chariot [tʃériət] *n* carro de guerra *m*

charisma [kərízmə] *n* carisma *m*

charismatic [kærɪzmætɪk] *adj* carismático

charitable [tʃérətəbəl] *adj* caritativo

charity [tʃérɪni] *n* (virtue) caridad *f*; (to the poor) caridad *f*; (institution) institución benéfica *f*; institución de beneficencia *f*; **to give to**

charlatán [ʃárlətæn] *n* charlatán-ana *m/f*

charm [tʃarm] *n* (attractiveness) encanto *m*, salero *m*; (trinket) dije *m*; (spell) sortilegio *m*, hechizo *m*; (amulet) talismán *m*, amuleto *m*; *vt* (delight) encantar, (influence) hechizar, subyugar

charming [tʃármɪŋ] *adj* encantador, salero; *Sp* majo

chart [tʃart] *n* (table) tabla *f*; (graph) gráfica *f*; (marine map) carta *f*; (of musical hits) lista de éxitos *n*; (in a table) tabular; (in a graph) graficar; (a region) cartografiar; **to — a course** trazar una ruta

charter [tʃúrə-] *n* (of a city) fuero *m*; (of an organization) estatuto *m*; (document granting rights) constitución *f*, carta *f*; **— flight** (vuelo) chárter *m*; **— member** socio fundador *m*; *vt* (a corporation) aprobar los estatutos; (a flight) fletar

chase [tʃes] *vt* (hunt) cazar; (follow rapidly) perseguir; **to — after** correr tras; **to — away** ahuyentar; *n* caza *f*, persecución *f*

chasm [kézəm] *n* sima *f*

chassis [tʃésɪ] *n* chasis *m*, bastidor *m*

chaste [tʃest] *adj* casto, honesto

chasten [tʃésən] *vt* (punish) castigar; (criticize) criticar

chastisement [tʃéstaɪzmənt] *n* (punishment) castigo *m*; (criticism) crítica *f*

chastity [tʃéstɪti] *n* castidad *f*, honestidad *f*

chat [tʃæt] *n vi* charlar; *Mex* plática *f*; **— room** chat *m*; *vi* charlar, *Mex* platicar

chattel [tʃédl] *n* (movable property) bien mueble *m*; (slave) esclavo -va *m*

chatter [tʃédə-] *n* (jabber) cotorrear, parlotear; (click rapidly) castañetear, (of speech) cotorreo *m*, parloteo *m*; (of teeth) castañeteo *m*; **—box** charlatán-ana *m/f*, cotorra *f*

chauffeur [ʃófə-] *n* chófer *m*

chauvinism [ʃóvənɪzəm] *n* (sexist) machismo *m*; (nationalist) chovinismo *m*

cheap [tʃip] *adj* (costs little) barato; (stingy) avaro; **life is — there** la vida no vale nada allí; **talk is —** hablar no cuesta nada; **to feel —** sentirse despreciable; **— shot** golpe bajo *m*; **—skate** tacaño -ña *m/f*

cheapen [tʃípən] *vi/vt* (lower in price) abaratar(se); *vt* (lower in esteem) desvalorizar

cheapness [tʃípnəs] *n* (low price) baratura *f*; (stinginess) avaricia *f*

cheat [tʃit] *n* tramposo-sa *m/f*, fullero -ra *m/f*; *vt* engañar; **to — at cards** hacer trampa en/a las cartas, trampear; **to — on a test** copiar; **to — on one's spouse** engañar a la pareja de uno

check [tʃɛk] VT (stop) refrenar; (restrain) reprimir; (hand over luggage) facturar; (hand over coat) dejar; (verify) verificar; *Am* chequear; (in chess) dar jaque; **to — against** cotejar con; **to — in into a hotel** registrarse; **to — into something** averiguar algo; **to — off** puntear; **to — out a book** sacar (prestado) un libro; **to — up on** controlar; **—-up** examen/control médico *m*; **—out counter** caja *f*; **—point** control *m*; **—room** guardarropa *m*; **that —s out** lo hemos comprobado; N (bank) cheque *m*; (means of restraint) control *m*; (ticket) ficha *f*; (mark) marca *f*; (in a restaurant) cuenta *f*; (in fabric) cuadro *m*; (checked fabric) tela a cuadros *f*; (examination) comprobación *f*; (in chess) jaque *m*; **—book** chequera *f*, talonario *m*; **—ing account** cuenta corriente *f*; **—list** lista de control *f*; **—mate** jaque mate *m*; **— stub** talón *m*

checker [tʃɛkɚ] N (on a fabric) cuadro *m*; (on a checkerboard) casilla *f*; (game piece) ficha *f*; (cashier) cajero -ra *mf*; (person who checks) verificador -ra *mf*; **— board** tablero *m*; **—s** juego de damas *m*; VT cuadricular; **—ed cloth** tela a cuadros *f*; **—ed past** pasado oscuro *m*

cheek [tʃik] N (on face) mejilla *f*; *Am* cachete *m*; (impudence) descaro *m*; (of buttocks) nalga *f*; **—bone** pómulo *m*

cheer [tʃɪr] N (shout) viva *m*, vítor *m*; (applause) aplausos *m pl*; (encouragement) ánimo *m*; (joy) alegría *f*; **—leader** animador -ra *mf*; *Am* porrista *mf*; INTERJ **—s!** ¡salud! VI/VT vitorear; **to — on** dar ánimo; **to — up** animar(se)

cheerful [tʃɪrfəl] ADJ (person) risueño, alegre; (room, etc.) alegre

cheerfulness [tʃɪrfəlnɪs] N alegría *f*

cheerless [tʃɪrlɪs] ADJ triste, sombrío

cheese [tʃiz] N queso *m*; **—burger** hamburguesa con queso *f*; **—cake** tarta de queso *f*

cheesy [tʃizi] ADJ (of cheese) de queso; (cheap) barato; (uncool) *Sp* hortera

cheetah [tʃidə] N guepardo *m*

chef [ʃɛf] N chef *mf*

chemical [kɛmɪkəl] ADJ químico; **— engineering** ingeniería química *f*; **— warfare** guerra química *f*; N producto químico *m*

chemist [kɛmɪst] N químico -ca *f*

chemistry [kɛmɪstri] N química *f*

chemotheraphy [kimoθɛrəpi] N quimioterapia *f*

cherish [tʃɛrɪʃ] VT apreciar; **I — the memory of him** tengo muy buenos recuerdos de él

cherry [tʃɛri] N cereza *f*; **— tree** cerezo *m*

chess [tʃɛs] N ajedrez *m*; **—board** tablero de ajedrez *m*

chest [tʃɛst] N (box) arca *f*; (body part) pecho *m*; **— of drawers** cómoda *f*

chestnut [tʃɛsnʌt] N castaña *f*; **— tree** castaño *m*; ADJ castaño; (horse) zaino

chew [tʃu] VT (food) masticar; (non-food) mascar; **—ing gum** goma de mascar *f*; *Am* chicle *m*; **to — a hole** hacer un agujero a mordiscones; **to — out** reprender; **to — over** meditar sobre; **to — up** romper a mordiscones; N mascada *f*, bocado *m*

chewy [tʃui] ADJ correoso

chic [ʃik] ADJ & N chic *m*

chick [tʃik] N (young chicken) pollito *m*; (young bird) pichón *m*; (young woman) *fam* chavala *f*; **—pea** garbanzo *m*

chicken [tʃikɪn] N gallina *f*; (flesh) pollo *m*; **— coop** gallinero *m*; **—-hearted** cobarde; **— pox** varicela *f*

chicory [tʃikɑri] N achicoria *f*

chide [tʃaɪd] VT regañar

chief [tʃif] N jefe *m*; (of a tribe) cacique *m*; ADJ principal; **— justice** presidente de la Suprema Corte de los Estados Unidos *m*; **— of staff** (military) jefe del estado mayor *m*; (of a division) secretario -ria general *mf*

chieftain [tʃiftən] N cacique *m*

chiffon [ʃɪfɑn] N chifón *m*

chigger [tʃɪgɚ] N nigua *f*

chilblain [tʃɪlblen] N sabañón *m*

child [tʃaɪld] N (young person) niño -ña *mf*; (offspring) hijo -ja *mf*; **—bearing** en edad de procrear; **—birth** parto *m*, alumbramiento *m*; **—like** infantil, aniñado; **—proof** a prueba de niños; **—'s play** cosa de niños *f*; **to be with —** estar embarazada

childhood [tʃaɪldhʊd] N niñez *f*, infancia *f*

childish [tʃaɪldɪʃ] ADJ infantil, pueril

childless [tʃaɪldlɪs] ADJ sin hijos

Chile [tʃili] N Chile *m*

Chilean [tʃilian] ADJ & N chileno -na *mf*

chili, chile [tʃili] N (pepper) chile *m*, ají *m*; (meat dish) chile con carne *m*

chill [tʃɪl] N (coldness) frío *m*; (fear, cold with shivering) escalofrío *m*; **it had a —ing effect on the group** le cayó al grupo como un baldazo de agua fría; VI/VT

chilly [tʃɪli] adj muy frío

chime [tʃaɪm] n (sound) repique m; (instrument) carillón m, carillón n; vi repicar; vt tañer; **to — in** intervenir (en una conversación)

chimney [tʃɪmni] n chimenea f

chimpanzee [tʃɪmpænzi] n chimpancé m

chin [tʃɪn] n barbilla f, mentón m

china [tʃaɪnə] n (material) porcelana f, china f; (dishes) vajilla de porcelana f; china **—ware** vajilla de porcelana f

China [tʃaɪnə] n China f

Chinese [tʃaɪniz] adj chino; n (inhabitant of China) chino -na m/f; (language) chino m

chink [tʃɪŋk] n grieta f

chip [tʃɪp] n (of wood) astilla f; (in glass) desportilladura f; (in gambling) ficha f; (in computers) chip m; **he's a — off the old block** de tal palo, tal astilla, **he has a — on his shoulder** guarda resentimientos; vt/vr (wood) astillar(se); (glass, plaster) desportillarse, desconchar(se); (paint) descascarar(se); **to — in** contribuir; **to — a tooth** romperse un diente

chipmunk [tʃɪpmʌŋk] n ardilla listada f

chiropractic [kaɪrəpræktɪk] adj quiropráctico; n quiropráctica f

chiropractor [kaɪrəpræktɚ] n quiropráctico -a m/f

chirp [tʃɚp] n gorjeo m; vi/vr piar, gorjear

chisel [tʃɪzl] n escoplo n; (for stone) cincel m; (for wood) formón m; vt cincelar; **chiseler** [tʃɪzlɚ] n estafador -ra m/f (swindle) estafar

chit-chat [tʃɪttʃæt] n palique m; vi charlar

chivalrous [ʃɪvəlrəs] adj (of knights) caballeresco; (courteous to women) caballeroso

chivalry [ʃɪvəlri] n caballerosidad f

chloride [klɔraɪd] n cloruro m

chlorine [klɔrin] n cloro m

chloroform [klɔrəfɔrm] n cloroformo m

chlorophyll, chlorophyl [klɔrəfɪl] n clorofila f

chocolate [tʃɑklɪt] n chocolate m; (piece) chocolatina f; **— pot** chocolatera f

choice [tʃɔɪs] n (act of selecting, thing selected) selección f; (alternative) opción f; **to have no other —** no tener más remedio; adj selecto

choir [kwaɪr] n coro m

choke [tʃok] n (suffocate) ahogar(se); (strangle) estrangular(se); (on food) atragantarse, atorarse; (obstruct) tapar(se); vi (in sports) bloquearse; **I'm all —d up** estoy muy conmovido; **to — back / — down** contener; n (act of choking on something) atragantamiento m; (act of choking someone) estrangulación f; (device in cars) obturador m; (in sports) bloqueo m

cholera [kɑlərə] n cólera m

cholesterol [kəlɛstərɑl] n colesterol m

choose [tʃuz] vi/vr elegir, seleccionar, escoger; **to — to** optar por

choosy [tʃuzi] adj quisquilloso

chop [tʃɑp] n vt/vr cortar; **to — down** talar; **to — off** mochar, tronchar; **to — up** picar; n (act of chopping) golpe m; (cut of meat) chuleta f; **— s** morro m; **—stick** palillo m

choppy [tʃɑpi] adj picado, agitado

choral [kɔrəl] adj coral

chord [kɔrd] n (mathematical) cuerda f (musical) acorde m; **it struck a — in me** me conmovió

chore [tʃɔr] n tarea f, faena f, quehacer m; **it's such a —** es un trabajo asqueroso

choreography [kɔriɑgrəfi] n coreografía f

chorus [kɔrəs] n coro m

chosen [tʃozn] adj **— profession** la profesión de mi preferencia; **the — one** el elegido, la elegida

christen [krɪsn] vt bautizar

Christendom [krɪsndəm] n cristianismo m

christening [krɪsnɪŋ] n bautizo m, bautismo m

Christian [krɪstʃən] adj & n cristiano -na m/f; **— name** nombre de pila m

Christianity [krɪstʃiænɪti] n cristianismo m

Christmas [krɪsmɪs] n Navidad f, Pascua de Navidad f; adj navideño; **— card** tarjeta de Navidad f; **— Eve** Nochebuena f; **— tree** árbol de Navidad

chrome [krom] n cromo m; adj cromado

chromium [kromiəm] n cromo m

chromosome [kromoʊsoʊm] n cromosoma m

chronic [krɑnɪk] adj crónico

chronicle [krɑnɪkl] n crónica f; vt registrar

chronological [krɑnəlɑdʒɪkl] adj cronológico

chronometer [krɑnɑmɪtɚ] n cronómetro m

chronology [krɑnɑlədʒi] n cronología f

chrysalis [krɪsəlɪs] n crisálida f

chrysanthemum [krɪsænθəməm] n crisantemo m

chubby [tʃʌbi] adj rechoncho, gordito

chuck [tʃʌk] n (cut of meat) paletilla f; vt (to throw) lanzar; (to discard) tirar, botar

chuckle [tʃʌkl] n risita f; vi reírse levemente

chum [tʃʌm] n compinche m/f

chunk [tʃʌŋk] n trozo m, pedazo m; **a — of**

cash un montón de plata

church [tʃɜ-rʃ] n iglesia f; **—man** clérigo m

churn [tʃɜ-n] n mantequera f; vt/vi (make butter) batir; (agitate) agitar, revolver

CIA (Central Intelligence Agency) [siæ] n CIA f

cicada [sɪkéɪdə] n chicharra f

cider [sáɪdə-] n (alcoholic) sidra f; (non-alcoholic) Am jugo de manzana m; Sp zumo de manzana m

cigar [sɪgár] n puro m, habano m; **— store** tabaquería f; **close, but no —** bien, pero te quedaste corto

cigarette [sɪgærét] n cigarrillo m; Sp pitillo m; Am cigarro m; **— case** cigarrera f; Sp pitillera f; **— holder** boquilla f **— lighter** encendedor m

cinch [sɪntʃ] n (for a saddle) cincha f; (something easy) pan comido m, (favorite) favorito -ta m/f; vt cinchar

cinder [sɪndə-] n ceniza f, rescoldo m

cinema [sɪnəmə] n cine m

cinnamon [sɪnəmən] n canela f; **— tree** canelo m

cipher [sáɪfə] n cifra f, guarismo m; vt/vi cifrar(se)

circle [sɜ-kəl] n círculo m; (literary) ámbito m, círculo m; vt (draw a circle) encerrar en un círculo; (go around) dar una vuelta around, poner en circulación

circuit [sɜ-kɪt] n circuito m; **— board** circuito impreso m; **— breaker** cortacircuitos m

circuitry [sɜ-kɪtri] n circuitería f

circular [sɜ-kjələ] adj circular; **— saw** sierra circular f

circulate [sɜ-kjəleɪt] vi circular; vt (to pass around) poner en circulación

circulation [sɜ-kjəleɪʃən] n circulación f

circulatory system [sɜ-kjələtɔri sɪstəm] n aparato circulatorio m

circumcise [sɜ-kəmsaɪz] vt circuncidar

circumference [sə-kʌmfrəns] n circunferencia f

circumlocution [sɜ-kəmloʊkjuʃən] n circunloquio f, rodeo m

circumscribe [sɜ-kəmskraɪb] vt circunscribir

circumspect [sɜ-kəmspɛkt] adj circunspecto

circumstance [sɜ-kəmstæns] n circunstancia f; **—s** condiciones financieras f pl

circumstantial [sɜ-kəmstænʃəl] adj circunstancial; **— evidence** pruebas circunstanciales f pl

circumvent [sɜ-kəmvɛnt] vt evitar, obviar

circus [sɜ-kəs] n circo m

cirrhosis [sɪróʊsɪs] n cirrosis f

cirrus [sɪrəs] n cirro m

cistern [sɪstə-n] n cisterna f, aljibe m

citadel [sɪtədəl] n ciudadela f

citation [saɪtéɪʃən] n (summons) citación f; (quote, quotation) cita f; (commendation for bravery) mención f

cite [saɪt] vt (quote, summon) citar; (comment on) mencionar

citizen [sɪtɪzən] n (of a nation) ciudadano -na m/f; (of a city or region) habitante m/f

citizenship [sɪtɪzənʃɪp] n ciudadanía f

citrus [sɪtrəs] adj & n cítrico m

city [sɪti] n ciudad f; adj municipal, urbano; **— council** concejo m; **— hall** ayuntamiento m; **— planning** urbanismo m

civic [sɪvɪk] adj cívico; **—s** educación cívica f

civil [sɪvəl] adj (civilian) civil; (polite) cortés; **— disobedience** desobediencia civil f; **— engineer** ingeniero -ra civil m/f; **— rights** derechos civiles m pl; **— service** administración pública f; **— war** guerra civil f

civilian [sɪvɪljən] adj & n civil m/f

civility [sɪvɪlɪti] n civilidad f, cortesía f

civilization [sɪvɪlɪzéɪʃən] n civilización f

civilize [sɪvəlaɪz] vt civilizar

clad [klæd] adj vestido

claim [kleɪm] vt (demand) reclamar, reivindicar; (assert) sostener, pretender; (notify of the existence of) denunciar; **to to be** pretender ser; n (demand) reclamación f, reclamo m; (assertion) afirmación f; (right) derecho m; título m; (on insurance) demanda f, denuncia f

claimant [kléɪmənt] n demandante m/f, reclamante m/f; (to the throne) pretendiente m/f

clairvoyant [klɛrvɔ́ɪənt] adj & n clarividente m/f

clam [klæm] n almeja f; vi **to — up** callarse

clamber [klæmbə-] v/i (climb with effort) trepar con dificultad; (climb on all fours) subir gateando

clammy [klæmi] adj frío y húmedo

clamor [klæmə-] n clamor m, vocerío m; vi clamar, vociferar

clamorous [klæmə-əs] adj clamoroso

clamp [klæmp] n (support) grapa f; (vice grip) tornillo m (wrap-around) abrazadera f; vt sujetar; **to — down on** reprimir

clan [klæn] n clan m

clandestine [klændɛstín] adj clandestino

clang [klæŋ] vi sonar; n sonido metálico m

clap [klæp] n (tap) palmada f; (blow) golpe seco m; **— of thunder** trueno m; vt (on the back) palmear, (in approval) aplaudir; (a book) cerrar de golpe; **to — in jail**

cleanse [klenz] vt limpiar

cleanser [klénza] n limpiador m

clear [klir] adj claro (skin, conscience) limpio; (sky) despejado; (path) libre; (mind, confusion, voice) aclarar(se); (a road, one's reputation, voice screen) limpiar; (of criminal charges) absolver; (of suspicion) eximir; (liquid) clarificar; (a legislative bill, plan) aprobar, obtener autorización para; (land for farming) desmontar; (a hurdle) salvar; (a net gain) sacar; **to — the air** sincerarse; **to — the table** levantar la mesa; **to — up** (a mystery) aclarar(se); (the sky) despejar(se)

clearance [klírans] n (space) espacio libre m; (vertical) margen de altura m; (permission) autorización f; **— sale** liquidación f

clearing [klírin] n (terrain) claro m; (of checks) clearing m; **— house** banco de compensación m

cleavage [klívidʒ] n (cut) hendidura f; (in dress) escote m

cleave [kliv] vt hender(se); **to — to** adherirse a

cleaver [klíva] n cuchilla f

clef [klef] n clave f

cleft [kleft] n hendidura f; adj hendido, partido; **— palate** paladar hendido m

clemency [klémansi] n clemencia f

clench [klentʃ] vt agarrar, asir; (teeth, fist) apretar

clergy [klɜdʒi] n clero m, clerecía f; **—man** n pastor m; **—woman** pastora f

clerical [klérikal] adj (of the clergy) clerical, eclesiástico; (of office personnel) de oficina; **— error** error de copia m; **— work** trabajo de escritorio m

clerk [klɜk] n (sales) dependiente -ta mf; (office) empleado -da de oficina mf; (court) escribiente mf, actuario -ria mf; vi trabajar como actuario -ria

clever [klíva] adj (ingenious) ingenioso; (smart) listo, vivo; (dexterous) habilidoso

cleverness [klɜvr-nis] n (intelligence) inteligencia f, viveza f; (ingenuity) ingenio m; (dexterity) habilidad f

cliché [kliʃé] n cliché m, muletilla f; Sp tópico m

click [klik] n clic m, chasquido m; (sound of heels) taconeo m; vi chascar; (on a computer) hacer clic; (heels) taconear; vt

clapper [klǽpa] n badajo m

clarification [klærafəkéʃən] n aclaración f

clarify [klǽrəfaɪ] vt aclarar, dilucidar

clarinet [klǽrənɛt] n clarinete m

clarity [klǽrɪti] n claridad f

clash [klæʃ] n (noise) estruendo metálico m; (collision) choque m; (conflict) conflicto m, enfrentamiento m; vi/vt (collide) chocar; (oppose, fight) enfrentarse a; (not go with) no combinar, no pegar

clasp [klæsp] n (fastener) broche m, cierre m; (grip) apretón m; vt (fasten) abrochar; (grip) apretar; (embrace) abrazar, prender

class [klæs] n clase f; (graduation class) promoción f, graduación f; **in a — by itself** único; **—mate** compañero -ra de clase mf; condiscípulo -la mf; **—room** salón de clase m, aula f; **—struggle** lucha de clases f, vi/vt clasificar(se)

classic [klǽsɪk] adj & n clásico -ca mf

classical [klǽsɪkal] adj clásico

classicism [klǽsɪsɪzm] n clasicismo m

classification [klæsəfəkéʃən] n clasificación f

classify [klǽsəfaɪ] vt clasificar, catalogar

classified [klǽsəfaɪd] adj clasificado; **— ad** anuncio clasificado m

clatter [klǽtɚ] n (noise) estrépito m; (movement) traqueteo m; vi (make noise) causar estrépito; (move) traquetear

clause [klɔz] n cláusula f

claustrophobia [klɔstrəfóbiə] n claustrofobia f

claustrophobic [klɔstrəfóbɪk] adj claustrofóbico

claw [klɔ] n (of a bear) garra f, zarpa f; (of a cat) uña f; (of a crab) pinza f; (of a hammer) orejas f pl; vi/vt arañar; **they —ed their way through** se abrieron paso con las uñas

clay [kleɪ] n arcilla f; (for ceramics) greda f

clean [klin] adj limpio; (free from impurities, not ornate) puro; (honorable) decente; **—cut** (person) aclarado; (concept) bien definido; **—shaven** afeitado; **—up** limpieza f; **he has a —record** no tiene antecedentes; **you'd better come —** deberías confesar; vi/vt limpiar; **he —ed me out** me limpió, me desvalijó; **to — up — out something** vaciar algo; **to — up** (a room) limpiar, asear; (a document) pasar en limpio; (get rich) forrarse

cleaner [klína] n limpiador -ra mf; **—s** tintorería f

cleanliness [klénlɪnɪs] n limpieza f; (personal) aseo m

client [klaɪənt] n (of professional or store) cliente -ta mf; (of social service) beneficiario -ria mf

cliff [klɪf] n precipicio m, despeñadero m; (by the sea) acantilado m

climate [klaɪmɪt] n clima m

climax [klaɪmæks] n clímax m; vi culminar, alcanzar el clímax

climb [klaɪm] n (ascent) subida f; (in alpinism) escalada f; vi/vt (ascend) subir; (ascend with effort) trepar(se) (a), encaramarse (a); (a mountain, wall) escalar; **to — down** bajar

climber [klaɪmə-] n (in alpinism) escalador -ora mf; (plant) trepadora f

clinch [klɪntʃ] vt (resolve) rematar; (hammer down) remachar; (hug, in boxing) tabar; (secure) sujetar; (finalize) cerrar; n (nail) remache m; (embrace) abrazo m; (in boxing) clinch m

cling [klɪŋ] vi (to stick to) pegarse; (to hold onto) aferrarse

clinic [klɪnɪk] n clínica f; (workshop) taller m

clink [klɪŋk] n tintín m; vi/vt tintinear

clip [klɪp] vt (cut) cortar; (trim) recortar; (shear) esquilar; (shorten) acortar; (hit) tocar; (fasten) abrochar; (attach paper) sujetar con un clip; n (fastener) gancho m; (for paper) clip m; (of cartridge) cargador m; (brooch) broche m

clipper [klɪpə-] n (shearer) esquilador -ra mf; **—s** (scissors) tijeras f pl; (hair trimmer) maquinilla f

clipping [klɪpɪŋ] n recorte m

clique [klik] n (political) camarilla f; (in school) pandilla f

cloak [klok] n capa f; (military) capote m; **—room** guardarropa m; vt (put a cloak on) vestirse con una capa; (hide) encubrir

clock [klak] n reloj; **—making** relojería f; **— radio** radio reloj f; **—work** con maquinaria de reloj f; **like —work** con precisión, sin falta; vt **you swim and I'll — you** tú nadas y yo te tomo el tiempo; **the police —ed him at 90 mph** la policía lo pescó haciendo noventa millas por hora

clockwise [klakwaɪz] adv en el sentido de las manecillas de reloj

clod [klad] n (piece of dirt) terrón m, pelotón m; (dolt) tonto -ta mf, necio -cia mf

clog [klag] vi/vt obstruir(se), tapar(se); n (shoe) zueco m; **— dance** baile zapateado m

cloister [klɔɪstə-] n claustro m; (monastery) monasterio m; vt enclaustrar

clone [klon] n clon m; vt clonar

cloning [klonɪŋ] n clonaje m, clonación f

close [kloz] vi/vt cerrar(se); vt (a hole) tapar; **to — an account** cerrar una cuenta; **to — a meeting** levantar una sesión; **to — in upon** (oppress) oprimir; (approach) cercar a uno; **to — out** liquidar; n fin m; (act of closing) cierre m; **—out** saldo m; [klos] adj (near) cercano; (dense) tupido; (intimate) íntimo; **—attention** mucha atención; **—fought** reñido; **—knit** muy unido; **—questioning** interrogatorio minucioso m; **—translation** traducción fiel f; **—up** primer plano m; **at — range** de cerca; **that was a — call** nos salvamos por poco; adv cerca

closed [klozd] adj cerrado; **—circuit** circuito cerrado; **—minded** cerrado, de mente cerrada; **—mindedness** cerrazón f

closeness [klosnɪs] n cercanía f (friendship) intimidad f (correctness) fidelidad f

closet [klazɪt] n ropero m, armario m; vt enclaustrarse; adj a escondidas

closure [kloʒə-] n (conclusion) cierre m; (sense of completeness) clausura f

clot [klat] n (blood) coágulo m; vi/vt coagular(se); n coágulo m, cuajarón m

cloth [kloθ] n tela f, tejido m; (wool) paño m; **— bound** encuadernado en tela; **man of the —** clérigo m

clothe [kloð] vt vestir; n **—s** ropa f; **—sline** tendedero m; **—spin** pinza f

clothier [kloθjə-] n comerciante en ropa o paño mf

clothing [kloðɪŋ] n ropa f

cloud [klaud] n nube f; **—burst** chaparrón m, aguacero m; vt nublar, anublar; (make indistinct, place under suspicion) enturbiar; **to — up** nublarse, anublarse; **to be on — nine** estar en el séptimo cielo; **under a —** bajo sospecha

cloudless [klaudlɪs] adj despejado

cloudy [klaudi] adj nublado; Sp nuboso; (gloomy) sombrío

clout [klaut] n clavo m; **— of garlic** diente de ajo m

cloven [klovan] adj hendido; **—hoofed** patihendido

clover [klovə-] n trébol m; **—leaf** trébol m; **to be in —** vivir en el lujo

clown [klaun] n payaso m; vi payasear, bufonear

cloy [klɔɪ] vi/vt (to satiate) hastiar; (to be too sweet for) repugnar

club [klʌb] n (society, nightclub) club m; (stick) porra f, garrote m; (suit of cards) basto m; — **house** casa de club f; vt aporrear

cluck [klʌk] vi cloquear; n cloqueo m

clue [klu] n pista f, indicio m; **to have no —** no tener ni noción

clueless [ˈklulɪs] adj (absent-minded) despistado; (uninformed) en ayunas

clump [klʌmp] n (of bushes) matorral m; (of trees) arboleda f; vi/vt apiñar(se)

clumsiness [ˈklʌmzinɪs] n torpeza f

clumsy [ˈklʌmzi] adj torpe, desmañado; Sp patoso

clunker [ˈklʌŋkər] n cacharro m; Sp chambón

cluster [ˈklʌstər] n grupo m; (of grapes) racimo m; vi/vt agrupar(se); arracimar(se)

clutch [klʌtʃ] n (in a car) embrague m; **pedal** pedal del embrague m; **to step on the —** pisar el embrague; **—es** garras f pl; vt (seize) asir; (hold) apretar

clutter [ˈklʌtər] n **ed her desk** tenía libros desparramados por todo el escritorio; n desparramo m, desorden m, confusión m

coach [kotʃ] n (carriage) coche m, carruaje m; (bus) autobús m; (trainer) entrenador -ra mf; (in air travel) clase turista f; (tutor) profesor -ra particular mf; —**man** cochero m; vi/vt entrenar

coagulate [koˈægjəlet] vi/vt coagular(se)

coal [kol] n carbón m; — **bin** carbonera f —

coalition [koəˈliʃən] n coalición f; tar alquitrán m

coarse [kors] adj (fabric) burdo, basto; (sand) grueso; (manners, language) grosero, tosco, rudo

coarseness [ˈkorsnɪs] n (fabric) basteza f; (language, manners) tosquedad f, rudeza f (of a joke) chocarrería f

coast [kost] n costa f — **Guard** Guardia Costera f; —**line** costa f; —**to —** de costa a costa; vi (on a sled) deslizar(se); (in a car, on a bike) tirarse por una bajada; **he —ed through medical school** la Facultad de Medicina le resultó muy fácil

coastal [ˈkostəl] adj costero

coat [kot] n abrigo m; (of paint) capa f, mano f (on animals) pelaje m; — **of arms** escudo de armas, blasón m; — **rack** perchero m, percha m; —**tail** faldón m; vt cubrir; (with paint) dar una mano a; (with grease) engrasar; (with soap) enjabonar; (with sugar) bañar

coax [koks] vt persuadir con halagos, engatusar

cob [kab] n mazorca f, panoja f; —**web** n telaraña f

cobalt [ˈkobɔlt] n cobalto m

cobbler [ˈkablər] n (person who repairs shoes) zapatero -ra m; remendón -ona mf; (dessert) budín de bizcocho y fruta m

cobblestone [ˈkablston] n adoquín m

cobra [ˈkobrə] n cobra f

cocaine [koˈken] n cocaína f

cock [kak] n (rooster) gallo m; (male bird) macho de ave m; (faucet) llave f; (gun part) martillo m; —**fight** riña de gallos —**pit** (for cockfights) gallera f; (in an airplane) cabina f; —**scomb** cresta de gallo f; —**sure** gallito; vt (a gun) amartillar; (one's head) ladear

cock-a-doodle-doo [ˌkakədudlˈdu] INTERJ quiquiriquí

cockatoo [ˈkakətu] n cacatúa f

cocker spaniel [ˌkakərˈspænjəl] n cócker m

cockroach [ˈkakrotʃ] n cucaracha f

cocktail [ˈkakˌtel] n cóctel m; — **party** cóctel m

cocky [ˈkaki] adj gallito, valentón

cocoa [ˈkoko] n (powder) cacao m; (drink) chocolate m

coconut [ˈkokənʌt] n coco m

cocoon [kəˈkun] n capullo m

cod [kad] n Sp abadejo m; Am bacalao m; —**liver oil** aceite de hígado de bacalao m

coddle [ˈkadl] vt mimar

code [kod] n código m; — **switching** alternancia de códigos f

codeine [ˈkodin] n codeína f

codger [ˈkadʒər] n vejete m, vejancón m

codify [ˈkadəfai] vt codificar

coed [ˈkoɛd] adj mixto; n alumna universitaria f

coefficient [ˌkoəˈfiʃənt] n coeficiente m

coerce [koˈərs] vt forzar, obligar

coercion [koˈərʒən] n coacción f

coexistence [ˌkoɪɡˈzistəns] n coexistencia f

coffee [ˈkɔfi] n café m; — **bean** grano de café m; — **break** descanso para tomar el café m; — **bush** cafeto m; — **maker** máquina de café f; etcétera f; —**pot** cafetera f; —**shop** (for coffee) café m; (for coffee and light meals) cafetería f; — **table** mesa baja f

coffer [ˈkɔfər] n cofre m

coffin [ˈkɔfɪn] n ataúd m, féretro m

cog [kag] n diente m; —**wheel** rueda dentada f

cogent [ˈkodʒənt] adj convincente

cognac [ˈkanjæk] n coñac m

cognate [ˈkagnet] adj & n cognado m

cognitive [ˈkagnɪtɪv] adj cognitivo

cohabitate [koˈhæbɪtet] vi cohabitar

coherent [kohírant] adj coherente; (sticking together) cohesivo

cohesion [kohíʒan] n cohesión f

coiffure [kwáfjur] n peinado m

coil [kɔil] vi/vr arrollar(se), enrollar(se); (snake) enroscarse; n (roll) rollo m; (spiral) tirabuzón m; (electric) bobina f

coin [kɔin] n moneda f; **—operated** de monedas; vr acuñar (also words)

coinage [kɔinidʒ] n acuñación f (also of words)

coincide [koinsáid] vi coincidir

coincidence [koínsidans] n coincidencia f; casualidad f

coitus [kɔitas] n coito m

coke [kok] n (coal) cok m, coque m; (cocaine) fam coca f

cola [kóla] n gaseosa f

colander [kálandar] n colador m

cold [kold] adj frío; **—cream** n cold cream m; **—cuts** fiambres m pl; **—fish** fam témpano m; **—snap** ola de frío f; **—sore** herpes m sg; **—war** guerra fría f; **to be — today** hace frío hoy; **to be out —** quedar seco; **it is — ** tener frío; **to get — feet** se acobardó; n frío m; (illness) restrío m, resfriado m, catarro m, **to catch a —** resfriarse

coldness [kóuldnis] n frialdad f

colic [kálik] n cólico m

coliseum [kalísiam] n coliseo m

collaborate [kalébaret] vi colaborar

collaboration [kalébareʃan] n colaboración f

collaborator [kalébaretar] n colaborador -ora mf

collage [kaláʒ] n collage m

collagen [káladʒan] n colágeno m

collapse [kaléps] vi (fold into sections) plegarse; (cave in) hundirse, derrumbarse; (fall) fracasar; (faint) desmayarse; (empty of air, decline in value) colpasar(se); n (breakdown) colapso m; desplome m; (falling in) derrumbe m, derrumbamiento m

collar [kála] n (for restraining dogs, marking an animal, necklace) collar m (of a shirt) cuello m; **—bone** clavícula f; vr acollarar; (grab by the neck) agarrar por el cuello; **I was —ed by the boss** el jefe me agarró de charla

collate [kólet] vr (put in order) colacionar, (compare) cotejar

collateral [kaléterəl] adj (on the side) colateral; (auxiliary) subsidiario; n garantía subsidiaria f

colleague [kálíg] n colega mf

collect [kalékt] vr (gather) recoger; (make a collection) coleccionar; (receive taxes) recaudar; vi/vr (receive payment) cobrar, percibir; (assemble) reunir(se); (accumulate) acumular(se); **to — oneself** calmarse; **— on delivery** pago contra reembolso m; **— call** llamada de cobro revertido f; llamada por/a cobrar f

collection [kalékʃan] n (set of collectibles) colección f; (for charity) colecta f; clothes colección f; (of data, fruit) recolección f; (of taxes) recaudación f, cobranza f, cobro m

collective [kaléktiv] n & su colectivo m; **— bargaining** convenio colectivo m

collector [kaléktar] n (of taxes) recaudador -ra mf; (of collectibles) coleccionista mf; (of other things) colector -ora mf

college [kálidʒ] n (institution) universidad f; (division) facultad f; (association) colegio m; **let's give it the old — try** vamos a hacer un esfuerzo supremo

collegial [kalídʒal] adj cooperador

collegiate [kalídʒit] adj universitario

collide [kaláid] vi/vr chocar

collie [kɔli] n collie m

collision [kalíʒan] n colisión f, choque m

colloid [kálɔid] n coloide m

colloquial [kalókwial] adj coloquial; **— expression** frase familiar f

colloquium [kalókwiam] n coloquio m, jornada f

collusion [kalúʒan] n confabulación f

cologne [kalón] n colonia f

Colombia [kalámbia] n Colombia f

Colombian [kalámbian] adj & n colombiano -na mf

colon [kólan] n (punctuation) dos puntos m pl; (bowels) colon m; [kólon] (currency of El Salvador and Costa Rica) colón m

colonel [kɜ́rnəl] n coronel m

colonial [kalóuniəl] adj colonial

colonist [kálanist] n (settler) colono m; (colonizer)

colonization [kalanizéʃan] n colonización f

colonize [kálanaiz] vr colonizar

colony [kálani] n colonia f

color [kála] n color m; (colorfulness) colorido m; **the —s** la bandera; **he showed his true —s** se mostró tal cual era; **persons of —** gente de color f; **a — TV** un televisor en/a color; adj **—blind** daltónico; **—fast** de colores firmes; vr (give color) colorear; (make colorful) dar colorido; (taint) teñir; (blush) ruborizarse

colored [kálad] adj coloreado; (biased) sesgado

colorful [kálə·fəl] ADJ (full of color) colorido; (eccentric) pintoresco

coloring [kálə·ɪŋ] N (tone) colorido *m*; (action) coloración *f*; (substance) colorante *m*

colorless [kálə·lɪs] ADJ (without color) incoloro; (bleached) descolorido

colossal [kəlásəl] ADJ colosal

colt [kołt] N potro *m*

column [káləm] N columna *f*

columnist [káləmnɪst] N columnista *mf*

coma [kómə] N coma *m*

comatose [kámətos] ADJ comatoso

comb [kom] N (for hair) peine *m*; (of a rooster) cresta *f*; (for wool) carda *f*; (for horses) almohaza *f*; (of honey) panal *m*; VT (hair) peinar; (wool) cardar; (search an area) peinar, batir; **to — one's hair** peinarse

combat [kámbæt] VI/VT combatir; N combate *m*

combatant [kəmbǽtn̩t] ADJ & N combatiente *mf*

combative [kəmbǽDɪv] ADJ combativo

combination [kɑmbənéʃən] N combinación *f*; **— lock** cerradura de combinación *f*

combine [kəmbáɪn] VI/VT combinar(se); [kámbaɪn] N cosechadora *f*

combo [kámbo] N combo *m*

combustible [kəmbástəbəl] ADJ & N combustible *m*

combustion [kəmbástʃən] N combustión *f*

come [kʌm] VI venir; **an idea came to me** se me ocurrió una idea; **Christmas is coming** llega la Navidad; **milk —s from cows** la leche se saca de las vacas; **no harm will — to you** no te va a pasar nada; **the dress —s to her knees** el vestido le llega a las rodillas; **to — about** suceder; **to — across** (find) encontrar; (make an impression) parecer; **to — along** (accompany) acompañar; (appear) surgir; **how's your paper coming along?** ¿cómo va tu trabajo? **to — again** volver, volver a venir; **to — at** venirse encima; **to — back** volver; **to make a —back** resurgir; (in sports) recuperarse; **to — down with a cold** cogerse un resfriado; **to — downstairs** bajar; **to — from** ser de; **to — in** entrar; **to — off** salir(se); **to — out** salir; **to — over** venir para acá; **to — to** volver en sí; **to — together** (meet) juntarse, unirse; (reach agreement) ponerse de acuerdo; **to — up** subir; **your name came up** tu nombre vino a colación; N **—back** (reply) réplica *f*; (in sports) recuperación *f*

comedian [kəmíDiən] N cómico -ca *mf*, comediante *mf*

comedy [kámədi] N (genre) comedia *f*; (profession) humorismo *m*

comet [kámɪt] N cometa *m*

comfort [kámfə·t] VT reconfortar; N (feeling of ease) comodidad *f*, confort *m*, holgura *f*; (solace) consuelo *m*

comfortable [kámfə·Dəbəl] ADJ cómodo, confortable; **— income** buen pasar *m*; **— life** vida holgada / desahogada *f*

comforter [kámfə·Də·] N edredón *m*

comic [kámɪk] ADJ cómico, chistoso, gracioso; **— book** revista de historietas *f*, comic *m*; **—s** tiras cómicas *f pl*, historietas *f pl*; **— strip** tira cómica *f*

comical [kámɪkəl] ADJ cómico, gracioso

coming [kámɪŋ] N venida *f*; **— of Christ** advenimiento de Cristo *m*; **—s and goings** idas y venidas *f pl*; ADJ que viene, próximo

comma [kámə] N coma *f*

command [kəmǽnd] VT (order) mandar; (have authority over) comandar; **to — respect** inspirar respeto, imponerse; N (order) mandato *m*, orden *f*; (post) comandancia *f*; (dominance) dominio *m*; (on a computer) comando *m*; **he has a good — of English** domina bien el inglés; **to be in — of** estar al mando de; **to be under the — of** estar al mando de; **at your —** a sus órdenes

commandeer [kɑməndír] VT apoderarse de; (for the military) requisar

commander [kəmǽndə·] N (leader) jefe -fa *mf*; (army officer) comandante *mf*; (navy officer) capitán de fragata *m*; **— in chief** comandante en jefe *mf*

commandment [kəmǽndmənt] N mandamiento *m*

commemorate [kəmémə·et] VT conmemorar

commence [kəméns] VI/VT comenzar, principiar

commencement [kəménsmənt] N (beginning) comienzo *m*; (graduation) graduación *f*, colación *f*

commend [kəménd] VT (praise) alabar; (entrust) encomendar

commendation [kɑməndéʃən] N (praise) alabanza *f*; (mention) mención de honor *f*

commensurate [kəménsə·ɪt] ADJ proporcional, acorde

comment [kámɛnt] N comentario *m*; **no —** sin comentarios; VI/VT comentar

commentary [kámənteri] N comentario *m*

commentator [kámənteDə·] N (person who describes) comentador -ra *mf*; (on radio, etc.) comentarista *mf*

commerce [kámɚs] N comercio *m*

commercial [kəmɚ́ʃəl] ADJ comercial; N (on radio or television) anuncio *m*

commercialize [kəmɚ́ʃəlaɪz] VT comercializar

commiserate [kəmízəret] VI/VT compadecerse de

commiseration [kəmɪzəréʃən] N conmiseración *f*

commissary [kámɪseri] N economato *m*

commission [kəmíʃən] N (act, committee, payment) comisión *f*; (of a broker) corretaje *m*; (charge) encargo *m*; (mission) misión *f*; (title) nombramiento *m*; **to be in —** estar en servicio; **to be out of —** estar fuera de servicio; **to put out of —** (object) inutilizar; (person) retirar de servicio; VT (authorize) comisionar; (order) encargar; (appoint) nombrar; (get ready) poner en servicio; **—ed officer** oficial *m*

commissioner [kəmíʃənɚ] N comisario -ria *mf*

commit [kəmít] VT (perpetrate) cometer; (entrust) encargar; (direct) destinar; **to — to an asylum** internar; **to — to memory** aprender de memoria; **to — to paper** poner por escrito; **to — to prison** encarcelar

commitment [kəmítmənt] N compromiso *m*

committee [kəmídi] N comité *m*, comisión *f*

commode [kəmód] N wáter *m*, inodoro *m*

commodity [kəmádɪdi] N (product) mercancía *f*, artículo *m*, producto *m*; (raw material) materia prima *f*

common [kámən] ADJ (shared, frequent) común; (general) general; (vulgar) ordinario; (unremarkable) simple; **— cold** resfriado *m*; **— denominator** denominador común *m*; **— law** derecho consuetudinario *m*; **—place** trivial; **— sense** sentido común *m*, sensatez *f*; **— soldier** soldado raso *m*; **— stock** acciones ordinarias *f pl*; **—wealth** (state) estado *m*; (republic) república *f*; N **—s** (land) ejido *m*

commotion [kəmóʃən] N conmoción *f*, revuelo *m*

commune [kəmjún] VI (communicate) comunicarse, departir; (take communion) comulgar; [kámjun] N comuna *f*

communicable [kəmjúnɪkəbəl] ADJ comunicable; (disease) transmisible

communicate [kəmjúnɪket] VI/VT comunicar(se); (disease) transmitir(se)

communication [kəmjunɪkéʃən] N comunicación *f*

communicative [kəmjúnɪkədɪv] ADJ comunicativo

communion [kəmjúnjən] N comunión *f*

communism [kámjənɪzəm] N comunismo *m*

communist [kámjənɪst] N & ADJ comunista *mf*

community [kəmjúnɪdi] N comunidad *f*

commute [kəmjút] VT (reduce a sentence) conmutar; VI viajar diariamente al trabajo

commuter [kəmjúdɚ] N persona que viaja diariamente al trabajo *f*

Comoros [káməroz] N Comoras *f pl*

compact [kəmpǽkt] ADJ compacto; (dense) tupido, apretado; (concise) conciso; **— disk** disco compacto *m*; VT compactar; (make denser) tupir; [kámpækt] N (agreement) pacto *m*; (case for powder) polvera *f*

compactness [kəmpǽktnɪs] N densidad *f*; (conciseness) concisión *f*

companion [kəmpǽnjən] N (comrade, partner) compañero -ra *mf*; (caregiver) acompañante *mf*

companionship [kəmpǽnjənʃɪp] N compañía *f*

company [kámpəni] N compañía *f*; **to keep — with** codearse con, frecuentar

comparable [kámpɚəbəl] ADJ comparable

comparative [kəmpǽrədɪv] ADJ comparativo

compare [kəmpér] VI/VT comparar(se); **beyond —** incomparable, sin parangón

comparison [kəmpǽrɪsən] N comparación *f*; **in — with** comparado con

compartment [kəmpártmənt] N compartimiento *m*

compass [kámpəs] N (for drawing) compás *m*; (for directions) brújula *f*

compassion [kəmpǽʃən] N compasión *f*

compassionate [kəmpǽʃənɪt] ADJ compasivo

compatible [kəmpǽdəbəl] ADJ compatible (also computer term)

compatriot [kəmpétriət] N compatriota *mf*

compel [kəmpél] VT (force) obligar; (demand) exigir

compelling [kəmpélɪŋ] ADJ (argument) convincente; (story) emocionante

compensate [kámpənset] VT (make up for) compensar, resarcir; (pay) remunerar

compensation [kampənséʃən] N (making up for) compensación *f*; (remuneration) remuneración *f*

compete [kəmpít] VI/VT competir

competence [kámpɪdəns] N competencia *f*

competent [kámpɪdənt] ADJ competente

competition [kampɪtíʃən] N competencia *f*; (sports match) competición *f*, contienda *f*

competitive [kəmpédɪdɪv] ADJ competitivo; **— examination** *Sp* oposición *f*; *Am* concurso *m*; **— sports** deportes de competición *m pl*

competitor [kəmpÉDIDə] N competidor -ra *mf*

compile [kəmpáɨɫ] VT recopilar, compilar

compiler [kəmpáɨlə] N compilador *m*

complacency [kəmplésənsi] N confianza infundada *f*

complacent [kəmplésənt] ADJ confiado

complain [kəmplén] VI quejarse

complaint [kəmplént] N queja *f*; (civil charge) demanda *f*; (ailment) dolencia *f*

complement [kámpləmənt] N complemento *m*; (of staff) dotación *f*; [kámpləmənt] VT complementar

complete [kəmplít] ADJ completo, pleno; **a — stranger** un perfecto desconocido; VT completar

completion [kəmplíʃən] N finalización *f*, terminación *f*; **she brought the project to —** completó el proyecto

complex [kəmpléks] ADJ complejo; [kámplɛks] N complejo *m*

complexion [kəmplékʃən] N (skin) cutis *m*; (color) tez *f*; (perspective) cariz *m*

complexity [kəmpléksɪDi] N complejidad *f*

compliance [kəmpláɪəns] N (obedience) conformidad *f*, acatamiento *m*; (meek agreement) pleitesía *f*; **in — with** en conformidad con

complicate [kámplɪket] VT complicar

complicated [kámplɪkeɪDɪd] ADJ complicado

complication [kamplɪkéʃən] N complicación *f*

complicity [kəmplísɪDi] N complicidad *f*

compliment [kámplɪmənt] N cumplido *m*; (on looks) piropo *m*; (from a suitor) galantería *f*; **to pay someone a —** hacerle un cumplido a alguien; **to send one's —s** enviar saludos; [kámpləmənt] VI/VT elogiar

comply [kəmpláɪ] VI obedecer; **to — with** cumplir con, acatar

component [kəmpónənt] ADJ & N componente *m*

compose [kəmpóz] VI/VT componer; **to — oneself** sosegarse

composed [kəmpózd] ADJ sosegado; **to be — of** estar compuesto de, componerse de, constar de

composer [kəmpózə] N compositor -ra *mf*

composite [kəmpázɪt] ADJ compuesto; N amalgama *f*

composition [kampəzíʃən] N (make-up, musical piece) composición *f*; (aggregate material) compuesto *m*; (school essay) composición *f*, redacción *f*

composure [kəmpóʒə] N compostura *f*

compound [kámpaund] ADJ & N compuesto *m*; **— fracture** fractura expuesta *f*; **— interest** interés compuesto *m*; [kampáund] VT (combine) combinar; (worsen) empeorar

comprehend [kamprɪhénd] VT comprender

comprehensible [kamprɪhénsəbɫ] ADJ comprensible

comprehension [kamprɪhénʃən] N comprensión *f*

comprehensive [kamprɪhénsɪv] ADJ exhaustivo; **— insurance** seguro contra todo riesgo *m*

compress [kəmprés] VT comprimir; [kámprɛs] N compresa *f*

compression [kəmpréʃən] N compresión *f*

comprise [kəmpráɪz] VT comprender, incluir; **to be —d of** comprender, incluir

compromise [kámprəmaɪz] N (arrangement) arreglo por concesiones mutuas *m*, compromiso *m*; (intermediate thing) cruce *m*, término medio *m*; VI/VT (make agreement) transigir; *Am* transar; (jeopardize) comprometer

comptroller [kəntrólə] N controlador -ra *mf*; *Am* contralor -ora *mf*

compulsion [kəmpáɫʃən] N (impulse) compulsión *f*, coacción *f*; (coercion) coerción *f*

compulsive [kəmpáɫsɪv] ADJ compulsivo

compulsory [kəmpáɫsəri] ADJ obligatorio

computation [kampjutéʃən] N cómputo *m*, cálculo *m*

compute [kəmpjút] VI/VT computar, calcular

computer [kəmpjúɾə] N *Am* computadora *f*; *Sp* ordenador *m*; **— graphics** gráficos por computadora/ordenador *m pl*; **— science** informática *f*; **— virus** virus de computadora/ordenador *m*

computerize [kəmpjúɾəraɪz] VI/VT informatizar, computarizar

comrade [kámræd] N camarada *mf*

concave [kánkev] ADJ cóncavo

conceal [kənsíɫ] VT encubrir, ocultar, disimular

concealment [kənsíɫmənt] N encubrimiento *m*, disimulo *m*

concede [kənsíd] VI/VT (recognize) conceder; (yield) otorgar

conceit [kənsít] N (vanity) vanidad *f*; (literary device) concepto *m*

conceited [kənsíɾɪd] ADJ engreído, presumido

conceivable [kənsívəbəɫ] ADJ imaginable, concebible

conceive [kənsív] VI/VT concebir; (a plan) concebir, idear

concentrate [kánsəntreit] vi/vt
concentrar(se)
concentration [kansəntréiʃən] N
concentración f; — **camp** campo de
concentración m
concept [kánsept] N concepto m
conception [kənsépʃən] N concepción f
concern [kəns'rn] N (interest) interés m;
(affair) asunto m; (worry) preocupación f;
to be of no — no
(company) compañía f; (be of interest)
tener consecuencia; vt (be of interest)
concernir, atañer; (worry) preocupar; **to —
oneself with** ocuparse de; **to whom it
may** — a quien corresponda
concerned [kəns'nd] adj (involved)
involucrado; (anxious) preocupado; **as far
as I am** — en lo que a mí respecta; **to be
— about** preocuparse por
concerning [kəns'-niŋ] prep tocante a,
respecto a
concert [kánsə-t] N concierto m; [kəns'-t] vt
concertar
conciliate [kənsíliet] vi/vt (make
concession [kənséʃən] N concesión f
compatible) conciliar; (appease) aplacar
concise [kənsáis] adj conciso, sucinto
conciseness [kənsáisnis] N concisión f
conclude [kənklúd] vi/vt concluir, terminar;
(deduce) deducir
conclusion [kənklúʒən] N conclusión f
conclusive [kənklúsiv] adj concluyente
concoct [kankákt] vt (contrive) fabricar,
urdir; (prepare by cooking) preparar
concoction [kankákʃən] N menjunje m
concord [kánkɔrd] N (peace) concordia f;
(agreement) convenio m, acuerdo m
concrete [kánkrit] adj concreto; (made of
concrete) de hormigón; [kánkrit] N
concreto de hormigón m
concubine [kánkjubain] N concubina f
concur [kənk'r-] vi estar de acuerdo
concussion [kənkáʃən] N (brain injury)
conmoción cerebral f; (shock) concusión f
condemn [kəndém] vt condenar; (acquire
public ownership) expropiar; (declare
unsafe) declarar ruinoso
condemnation [kandəmnéiʃən] N
condena f
condensation [kandenséiʃən] N
condensación f; (of a book) compendio m
condense [kəndéns] vi/vt condensar(se)
condescend [kandisénd] vi condescender a
condescension [kandisénʃən] N
condescendencia f
condiment [kándəmənt] N condimento m,
aliño m
condition [kəndíʃən] N condición f; **he's
got a heart** — sufre del corazón, tiene
una afección cardíaca; **he's in good
physical** — está en buen estado físico;
the patient is in critical — el paciente
está en estado crítico; **on** — **that** a
condición de que; vt (restrict) on a
condition, establish a conditioned
response) condicionar; (accustom oneself)
acostumbrarse
conditional [kəndíʃənəl] adj & N
condicional m
conditioning [kəndíʃəniŋ] N
condicionamiento m
condolences [kəndóulənsiz] N pésame m,
condolencias f; **to express one's** — dar
las condolencias
condominium [kandəmíniəm] N
condominio m
condone [kəndóun] vt tolerar
conduct [kándʌkt] N conducta f;
[kəndʌkt] vi/vt (behave) conducirse,
comportarse; (carry out) llevar a cabo;
(direct, lead) dirigir; (serve as channel for)
conducir
conductor [kəndʌktə] N (substance that
conducts) conductor m; (of an orchestra)
director -ra mf; (of a train) revisor -ra mf
conduit [kánduit] N conducto m;
(container) cucurucho m
cone [koun] N cono m; (container) cucurucho
m
confection [kənfékʃən] N (of clothes)
confección f; (of candy) confitura f
confectionery [kənfékʃənri] N confitería f;
(shop) dulcería f; (candies) dulces m pl
confederacy [kənfédərəsi] N confederación f
confederate [kənfédərit] adj & N
confederado -da mf; [kənfédəret] vi/vt
confederar(se)
confederation [kənfédəréiʃən] N
confederación f
confer [kənf'r-] vt (grant) conferir; (consult)
consultar; (negotiate) conferenciar
conference [kánfərəns] N (consultation)
consulta f; (professional meeting) congreso
m; (legislative) asamblea general f; (sports
league) liga f; — **call** llamada en
conferencia f
confess [kənfés] vi/vt confesar(se)
confession [kənféʃən] N confesión f
confessional [kənféʃənəl] N confesionario m
confessor [kənfésə] N confesor m
confidant [kánfidant] N confidente mf
confide [kənfáid] vi/vt (entrust) confiar; vt
(tell secrets to) hacer confidencias a
confidence [kánfidəns] N confianza f;
(certainty) seguridad f; (secret)

communication confidencia f; **— game** timo m; **— man** timador m, embaucador m; **in —** en confianza

confident [kánfidənt] adj seguro; **he's a — person** tiene mucha confianza

confidential [kanfidénʃəl] adj confidencial; (secretary, etc.) de confianza

configuration [kənfìgjəréʃən] n configuración f (also computer term)

confine [kənfáin] vt confinar, recluir; **to — oneself to** limitarse a; [kánfain] n confín m

confinement [kənfáinmənt] n confinamiento m

confirm [kənfə́rm] vt confirmar

confirmation [kanfərméʃən] n confirmación f

confiscate [kánfiskeit] vt confiscar

conflict [kánflikt] n conflicto m, contienda f; **— of interest** conflicto de intereses m; [kənflíkt] vi oponerse

confluence [kánfluəns] n confluencia f

conform [kənfɔ́rm] vi/vt conformar(se)

conformity [kənfɔ́rmili] n (agreement) conformidad f; (passive acquiescence) conformismo m

confound [kənfáund] vt (bewilder) desconcertar; (mix) confundir; **— it!** fam ¡caramba!

confront [kənfrʌ́nt] vt (set face to face, fight) confrontar; (face up to) enfrentarse a

confuse [kənfjúz] vt confundir

confused [kənfjúzd] adj (person) confundido; (situation) confuso; **to become —** confundirse

confusing [kənfjúziŋ] adj confuso

confusion [kənfjúʒən] n confusión f

congeal [kəndʒíl] vi/vt cuajar(se)

congenial [kəndʒínjəl] adj agradable, simpático; **to be — with** congeniar con

congenital [kəndʒénidl] adj congénito

congestion [kəndʒéstʃən] n congestión f

conglomeration [kənglaməréʃən] n (unit) conglomeración f; (mass) conglomerado m

Congo [kángo] n Congo m

Congolese [kangəlíz] adj & n congoleño -ña mf

congratulate [kəngrǽtʃəleit] vi/vt felicitar(se)

congratulation [kəngrǽtʃəleiʃən] n felicitación f, parabién m; **—s!** ¡enhorabuena! ¡albricias!

congregate [kángrəget] vi/vt congregar(se)

congregation [kangrəgéʃən] n (worshippers) feles m pl, feligreses m pl; (act of

congregating, committee of cardinals) congregación f

congress [kángrɪs] n (professional) congreso m; (political) asamblea legislativa f (US) congreso m

congressional [kəngréʃənəl] adj congresual

congressman [kángrɪsmən] n representante mf; (US) congresista m

congresswoman [kángrɪswumən] n representante f; (US) congresista f

congruence [kángruəns] n congruencia f

conifer [kánəfər] n conífera f

conjecture [kəndʒéktʃər] n conjetura f; vi conjeturar

conjugal [kándʒəgəl] adj conyugal

conjugate [kándʒəget] vi/vt conjugar(se)

conjugation [kandʒəgéʃən] n conjugación f

conjunction [kəndʒʌ́ŋkʃən] n conjunción f

conjunctivitis [kəndʒʌ́ŋktəváidɪs] n conjuntivitis f

conjure [kándʒə-] vt invocar; **to — up** evocar; vi hacer hechizos

connect [kənékt] vi/vt (join) conectar(se); (buildings, callers) enlazar(se)

connection [kənékʃən] n (act of connecting, electrical device) conexión f; (of concepts) relación f; (supplier) contacto m; (of pipes) acople m; (telephone communication) enganche m; **— ing rod** biela f

connive [kənáiv] vi conspirar; **—s** contactos m pl, enchufe m

connoisseur [kanəsɜ́-] n conocedor -ra mf

connotation [kanəté-] n connotación f

conquer [kánkə-] vt (win) conquistar; (overcome) vencer

conqueror [kánkərər] n conquistador -ra mf; (one who overcomes) vencedor -ra mf

conquest [kánkwest] n conquista f

conscience [kánʃəns] n conciencia f

conscientious [kanʃiénʃəs] adj concienzudo

conscious [kánʃəs] adj consciente

consciousness [kánʃəsnəs] n conciencia f; **to lose —** perder el conocimiento

conscript [kánskrɪpt] vt reclutar; [kánskrɪpt] n recluta mf

conscription [kənskrɪpʃən] n reclutamiento m

consecrate [kánsɪkret] vt consagrar

consecration [kansɪkréʃən] n consagración f

consecutive [kənsékjədɪv] adj consecutivo

consensus [kənsénsəs] n consenso m

consent [kənsént] n consentimiento m; vi consentir

consequence [kánsɪkwens] n consecuencia f; (negative) secuela f consequent [kánsɪkwənt] adj consiguiente, resultante; n (in mathematics) consecuente m; (in logic) consiguiente m

consequently [kánsɪkwəntli] adv por consiguiente, en consecuencia

conservation [kɑnsə-véɪʃən] n conservación f, preservación f

conservatism [kɑnsə-vátɪzəm] n conservadurismo m

conservative [kɑnsə-vátɪv] adj & n conservador -ora m/f

conservatory [kɑnsə-vátɔri] n conservatorio m

conserve [kənsə́-v] vt conservar, preservar; n (sweet) dulce m

consider [kənsídə-] vt considerar

considerable [kənsídə-əbəl] adj considerable

considerate [kənsídə-ɪt] adj considerado

consideration [kənsídərˈeɪʃən] n consideración f; (tolerance) miramiento m; (payment) remuneración f

considering [kənsídərɪŋ] prep en vista de, teniendo en cuenta; **she cooks well, —** para ser ella, cocina bien

consign [kənsáɪn] vt consignar

consignee [kansaɪní] n consignatario -ria m/f

consignment [kənsáɪnmənt] n consignación f; **on —** a consignación

consist [kənsíst] vi consistir (en)

consistency [kənsístənsi] n (adherence to principles) coherencia, consecuencia f; (density) consistencia f

consistent [kənsístənt] adj (adherent to principles) consecuente, coherente; consistente

consolation [kansəléɪʃən] n consuelo m, (covering) consolación f

console [kánsoʊl] vt consolar; [kánsoʊl] n consola f

consolidate [kənsɑ́lɪdeɪt] vi/vt consolidar(se)

consonant [kánsənənt] n consonante f; adj consonante, conforme

consort [kánsɔrt] n consorte m/f; [kənsɔ́rt] vi **to — with** asociarse con

consortium [kənsɔ́rʃiəm] n consorcio m

conspicuous [kənspíkjuəs] adj evidente

conspiracy [kənspírəsi] n conspiración f, conjura f

conspirator [kənspírədə-] n conspirador -ora m/f, conjurado -da m/f

conspire [kənspáɪr] vi conspirar, conjurar

constable [kánstəbəl] n oficial de policía m/f; (keeper of fortress) condestable m

constancy [kánstənsi] n constancia f

constant [kánstənt] adj & n constante f

constellation [kanstəléɪʃən] n constelación f

consternation [kansta-néɪʃən] n consternación f

consternation f

constipate [kánstɪpeɪt] vt estreñir

constipated [kánstəperɪd] adj estreñido

constipation [kanstɪpéɪʃən] n estreñimiento m

constituent [kənstítʃuənt] adj componente, constitutivo, n (component) componente m; (voter) votante m/f; (part of a sentence) constituyente m

constitute [kánstɪtut] vt constituir

constitution [kanstɪtúʃən] n constitución f

constitutional [kanstɪtúʃənəl] adj constitucional; n caminata f

constrain [kənstréɪn] vt constreñir

constraint [kənstréɪnt] n constreñimiento m

constrict [kənstríkt] vt constreñir

constriction [kənstríkʃən] n (action) constricción f; (place) estrechamiento m

construct [kənstrʌ́kt] vt construir; [kánstrʌkt] n invención f

constructive [kənstrʌ́ktɪv] adj constructivo

construction [kənstrʌ́kʃən] n construcción f

construe [kənstrú] vt interpretar

consul [kánsəl] n cónsul m/f

consulate [kánsəlɪt] n consulado m

consult [kənsʌ́lt] vt/vi consultar; vi (serve as a consultant) asesorar

consultant [kənstʌ́ltənt] n asesor -ra m/f

consultation [kanstəltéɪʃən] n consulta f

consulting [kənsʌ́ltɪŋ] n asesoramiento m,

consume [kənsúm] vt/vi consumir

consumer [kənsúmə-] n consumidor -ra m/f

consumerism [kənsúmərɪzm] n consumismo m

consuming [kənsúmɪŋ] adj **a — need** una necesidad imperiosa, **a — drive** un deseo abrasador

consummate [kánsəmeɪt] vt consumar; [kánsəmɪt] adj consumado

consumption [kənsʌ́mpʃən] n (using up) consumo m; (wasting of the body) consunción f; (tuberculosis) tisis f

consumptive [kənsʌ́mptɪv] adj tísico

contact [kántækt] n contacto m; **— lens** lente de contacto m/f; vi/vt (touch) tocar; (communicate with) contactar

contagion [kəntéɪdʒən] n (spread) contagio m; (disease spread) enfermedad contagiosa

contagious [kəntéɪdʒəs] adj contagioso

contain [kəntéɪn] vt/vr contener

container [kəntéɪnə-] n recipiente m; (on a ship) contenedor m; **— ship** buque portacontenedores m

contaminate [kəntǽmɪneɪt] vt contaminar

contamination [kəntæmənéɪʃən] n

contamination f

contemplate [kántəmplet] vt (observe) contemplar; (consider) considerar

contemplation [kantəmpléʃən] n (observation) contemplación f; (consideration) consideración f

contemporary [kəntémpəreri] adj contemporáneo

contempt [kəntémpt] n desprecio m, menosprecio m; — **of court** desacato al tribunal m

contemptible [kəntémptəbəl] adj despreciable, rastrero

contemptuous [kəntémptʃuəs] adj desdeñoso

contend [kənténd] vi (struggle) contender; (argue) disputar; vt afirmar

content [kántent] n contenido m

content [kəntént] adj (happy) contento; (resigned) conforme; — **to one's heart's** — a discreción

contented [kənténtɪd] adj contento, satisfecho

contention [kənténʃən] n (opinion) opinión f; — **in** (disputed) en discusión; (with possibilities) con posibilidades

content, contents [kántent(s)] n contenido m

contest [kántest] n (competition) concurso m, certamen m; (struggle) contienda f; [kəntést] vt (compete) contender; (dispute) disputar; (challenge) impugnar

contestant [kəntéstənt] n concursante mf, participante mf

context [kántekst] n contexto m

contiguous [kəntígjuəs] adj contiguo

continent [kántɪnənt] n continente m; adj (sexually) continente; (of bodily functions) capaz de controlar los esfínteres

continental [kantɪnéntl] adj continental

contingency [kəntíndʒənsi] n contingencia f

contingent [kəntíndʒənt] adj & n contingente m

continual [kəntínjuəl] adj continuo

continuance [kəntínjuəns] n continuación f; (delay) aplazamiento m

continuation [kəntínjuéʃən] n continuación f

continue [kəntínju] vi/vt continuar

continuity [kantɪnjúɪti] n continuidad f

continuous [kəntínjuəs] adj (uninterrupted in time) continuo; (uninterrupted in space) ininterrumpido

contortion [kəntɔrʃən] n contorsión f

contour [kántʊr] n contorno m

contraband [kántrəbænd] n contrabando m

contraception [kantrəsépʃən] n anticoncepción f

contraceptive [kantrəséptɪv] adj & n anticonceptivo m

---

contract [kántrækt] n contrato m; — **killer** n asesino -na a sueldo mf; [kəntrǽkt] vi/vt contraer(se); (assign by contact) contratar

contraction [kəntrǽkʃən] n contracción f; (in childbirth) contracción f

contractor [kántræktər] n contratista mf

contractual [kəntrǽktʃuəl] adj contractual

contradict [kantrədíkt] vi/vt contradecir

contradiction [kantrədíkʃən] n contradicción f

contradictory [kantrədíktəri] adj contradictorio

contraption [kəntrǽpʃən] n chisme m, coso m

contrary [kántreri] adj contrario, opuesto; (obstinate) testarudo; **on the** — al contrario

contrast [kántræst] n contraste m; [kəntrǽst] vi/vt contrastar

contravene [kantrəvín] vt contravenir

contribute [kəntríbjut] vi contribuir; (to a newspaper) colaborar; vt contribuir con, aportar

contribution [kantrɪbjúʃən] n (donation, article) contribución f; (scientific) aporte m, aportación f

contributor [kəntríbjətər] n colaborador -ra mf

contrite [kántraɪt] adj contrito

contrivance [kəntráɪvəns] n artefacto m

contrive [kəntráɪv] vi/vt ingeniar; **he —d to get their money** se las ingenió para sacarles el dinero

contrived [kəntráɪvd] adj artificioso

control [kəntról] vt/vi controlar; n control m; (of a machine) mando m; **who's in** — ? ¿quién manda? **under** — bajo control; — **freak** mandón -ona mf; — **key** tecla de control/ mando f; — **tower** torre de control f

controller [kəntrólər] n (comptroller) contralor -ora mf; Am contralor -ora mf; (device) regulador m

controversy [kántrəvɜrsi] n controversia f, polémica f

conundrum [kənándrəm] n (riddle) adivinanza f, acertijo m; (mystery) enigma m

convalesce [kanvəlés] vi convalecer

convection [kənvékʃən] n convección f

convene [kənvín] vt convocar; vi reunirse

convenience [kənvínjəns] n (practicality) conveniencia f; (appliance) comodidad f; — **store** autoservicio m; **at your** —

convenient [kənˈvinjənt] *adj* conveniente, oportuno; (at hand) accesible

convent [ˈkanvənt] *n* convento *m*

convention [kənˈvɛnʃən] *n* (political assembly) convención *f*; (professional assembly) congreso *m*; (pact) convenio *m*; **conventional** [kənˈvɛnʃənəl] *adj* (not original) convencional; (traditional) clásico

conventioneer [kənvɛnʃəˈnɪr] *n* congresista *mf*

converge [kənˈvɝdʒ] *vi* converger

conversant [ˈkanvɝsənt] *adj* — **with** versado en

conversation [kanvɝˈseʃən] *n* conversación *f*; — **piece** tema de conversación *m*

converse [kənˈvɝs] *vi* conversar

conversion [kənˈvɝʒən] *n* conversión *f*; **convert** [ˈkanvɝt] *vt/vi* convertir(se); [kənˈvɝt] *n* converso -sa *m*

converter [kənˈvɝdə] *n* convertidor *m*

convertible [kənˈvɝtəbəl] *adj* convertible; (car) descapotable; *n* descapotable *m*

convex [kanˈvɛks] *adj* convexo

convey [kənˈveɪ] *vt* (carry) llevar; (transfer a title) transferir; (transmit) transmitir; (communicate) comunicar; **to — thanks** expresar agradecimiento

conveyance [kənˈveɪəns] *n* (vehicle) vehículo *m*; (transfer of property) transferencia *f*; (document) escritura de traspaso *f*

conveyer, conveyor [kənˈveɪə] *n* transmisor -ra *m*; — **belt** cinta transportadora *f*

convict [kənˈvɪkt] *n* convicto -ta *mf*; [kənˈvɪkt] *vt/vi* declarar culpable

conviction [kənˈvɪkʃən] *n* (belief) convicción *f*; (act of convicting) convencimiento *m*; (act of convicting) declaración de culpabilidad *f*; (on one's record) condena *f*

convince [kənˈvɪns] *vt* convencer

convincing [kənˈvɪnsɪŋ] *adj* convincente

convocation [kanvəˈkeʃən] *n* (act) convocación *f*; (group of people) asamblea *f*

convoke [kənˈvoʊk] *vt* convocar

convoluted [ˈkanvəlutɪd] *adj* retorcido

convoy [ˈkanvɔɪ] *n* convoy *m*; *vt* convoyar

convulse [kənˈvʌls] *vt/vi* convulsionar(se)

convulsion [kənˈvʌlʃən] *n* convulsión *f*

coo [ku] *vi* arrullar; *n* arrullo *m*

cook [kʊk] *n* cocinero -ra *m*; *vt* cocinar, guisar; —**book** libro de cocina *m*; — **up a plan** urdir un plan

cookery [ˈkʊkəri] *n* cocina *f*

cookie [ˈkʊki] *n* galletita dulce *f*

cool [kul] *adj* (not hot) fresco; (indifferent) frío, indiferente; (calm) tranquilo; (good) excelente; *Caribbean* chévere; *RP* macanudo; *Sp* guay; **that's not** — eso no se hace; *n* (cold) fresco *m*; (composure) tranquilidad *f*; *vt* (make cooler) enfriar; (air condition) refrigerar; **to** — **off** (get cold) enfriarse; (get cooler) refrescar(se); —**ing-off period** (calm down) calmarse; tregua *f*

coolant [ˈkulənt] *n* refrigerante *m*

cooler [ˈkulə] *n* (room) cámara frigorífica *f*; (container) nevera portátil *f*

coolness [ˈkulnɪs] *n* (cold weather) fresco *m*, frescor *m*; (indifference) frialdad *f*

coon [kun] *n* (raccoon) mapache *m*; **a —'s age** una eternidad *f*

co-op [ˈkoʊap] *n* cooperativa *f*

coop [kup] *n* jaula *f* (for chickens) gallinero *m*; *vt* enjaular; **to — up** encerrar

cooperate [koʊˈapəreɪt] *vi* cooperar

cooperation [koʊapəˈreʃən] *n* cooperación *f*

cooperative [koʊˈapərətɪv] *adj* cooperativo; *n* cooperativa *f*

coordinate [koʊˈɔrdɪnət] *adj* coordinado; *n* coordenada *f*; —**s** *n* conjunto *m*; [koʊˈɔrdɪneɪt] *vt/vi* coordinar

coordination [koʊɔrdɪˈneʃən] *n* coordinación *f*

cop [kap] *n* *fam* poli *mf*; policía *mf*; *vt* **to — out** zafarse

cope [kop] *vi* **to — with** arreglárselas con; **I cannot — with this** no puedo con esto

copious [ˈkoʊpiəs] *adj* copioso

copper [ˈkapə] *n* cobre *m*; (cop) *fam* poli *mf*; *adj* de cobre

copulate [ˈkapjəleɪt] *vi* copular

copy [ˈkapi] *n* (reproduction) copia *f*; (specimen, example) ejemplar *m*; (news story) texto *m*; —**cat** copión -ona *m* — **machine** copiadora *f*; —**right** copyright *m*; —**righted** *adj* de autor *m pl*; **this material is —righted** reservados todos los derechos; *vt* copiar; **to —right** registrar los derechos

coquette [koˈkɛt] *n* coqueta *f*

coral [ˈkɔrəl] *n* coral *m*; *adj* (related to coral) coralino; (made of coral) de coral; — **reef** arrecife de coral *m*

cord [kɔrd] *n* (thread) cuerda *f*; (for shoes) cordón *m*; (firewood measure) medida de leña *f*; — **s** pantalones de pana *m pl*

cordial [ˈkɔrdʒəl] *adj* cordial; *n* licor *m*

cordless [ˈkɔrdlɪs] *adj* inalámbrico

corduroy [ˈkɔrdərɔɪ] *n* pana *f*; — **s** pantalones de pana *m pl*

core [kor] n (of fruit) corazón m; (of a problem) meollo m; (of a magnet, reactor) núcleo m; vr despepitar

cork [kork] n (woody material) corcho m; (stopper, buoy) tapón m; **—screw** sacacorchos m sg, tirabuzón m; **—tree** alcornoque m; vr tapar con un corcho

corn [korn] n (plant) maíz m; (painful growth) callo m; **—bread** pan de maíz m; **—on the cob** mazorca f; Sp zuro m; **—cob** choclo m; Mex elote m; **—ed beef** corned beef m; **—field** maizal m; Mex milpa f; **—flakes** copos de maíz m pl; **—meal** harina de maíz f; **—starch** maicena f

corner [korna] n (angle) ángulo m; (of a room, or a country) rincón m; (of two streets) esquina f; (monopoly) monopolio m; **—stone** piedra angular f; **—table** mesa rinconera f; (trap) arrinconar, acorralar; (monopolize) monopolizar; vi doblar; Sp girar

cornered [korna-d] adj (animal) acorralado; (person) arrinconado

cornet [kornɛt] n corneta f

cornice [kornis] n cornisa f

corny [korni] adj sensiblero; (joke) viejo

corollary [korɛlari] n corolario m

coronation [koranejan] n coronación f

coroner [korana] n médico -ca forense mf

corporal [korpa-al] adj corporal; n (rank) cabo m

corporation [korpa-rejan] n sociedad anónima f

corps [kor] n cuerpo m

corpse [korps] n cadáver m

corpulent [korpjalant] adj corpulento

corpus [korpas] n corpus m

corpuscle [korpasal] n corpúsculo m; (of blood) glóbulo m

corral [karæl] n corral m; vr acorralar

correct [karɛkt] vr corregir; adj correcto; **that is —** es cierto

correction [karɛkjan] n corrección f; (for glasses) graduación f

correctness [karɛktnis] n corrección f

corrector [karɛkta-] n corrector -ra mf

correlate [karəlet] vi/vr correlacionar; n correlato m

correspond [karɛspand] vi (be in agreement) corresponder; responder; (exchange letters) cartearse, escribirse

correspondence [karɛspandəns] n correspondencia f

correspondent [karɛspandənt] adj correspondiente; n correspondencia f

correspondent [karɛspandənt] n (writer of letters) correspondiente; n (news gatherer) mf

corresponding [korɪspandɪŋ] adj correspondiente; n encargado de la correspondencia corresponsal mf; enviado -da mf

corridor [korɪdɔr] n corredor m, pasillo m de la correspondencia

corroborate [karabaret] vr corroborar

corrode [karod] vi/vr corroer(se)

corrosion [karoʒan] n corrosión f

corrupt [karʌpt] adj (dishonest) corrupto; (rotten) corrompido; **to become —** corromperse; vr corromper, viciar

corruption [karʌpjan] n corrupción f

corset [korsɪt] n corsé m

cortex [kortɛks] n córtex m, corteza cerebral f

cortisone [kortizon] n cortisona f

cosign [kosajn] vr cosignar

cosigner [kosana-] n cosignatario -ria mf

cosmetic [kazmɛtik] adj & n cosmético m

cosmic [kazmik] adj cósmico

cosmology [kazmaladʒi] n cosmología f

cosmonaut [kazmanat] n cosmonauta mf

cosmopolitan [kazmapalitn] adj cosmopolita

cosmos [kazmos] n cosmos m

cost [kɔst] n costo m; Sp coste m; **—s** (court costs) costas f pl; **at all —s** a toda costa; **— effective** económico; **— of living** costo/coste de vida m; **to sell at —** vender al costo/al coste; vr costar; **how much does this —?** ¿cuánto vale/cuesta esto?

co-star [kostar] n coprotagonista mf

Costa Rica [kostarika] n Costa Rica f

Costa Rican [kostarikan] adj & n costarricense mf

costly [kɔstli] adj costoso, caro

costume [kastum] n (style of clothing) vestimenta f; (in the theater) vestuario m; (disguise) disfraz m; **— jewelry** bisutería f

cot [kat] n catre m

cottage [katidʒ] n (small house) casita f; (vacation house) cabaña f, chalé m; **— cheese** requesón m

cotter pin [kata-pɪn] n chaveta f

cotton [katn] n algodón m; **— candy** algodón de azúcar m; **— gin** desmontadora de algodón f; **— seed** semilla de algodón f; **— wood** álamo (de Virginia) m; **— wool** algodón en rama m

couch [kautʃ] n sofá m; (psychiatrist's) diván m; **— potato** telebobo -ba mf; vr expresar

cougar [kuga-] n puma f

cough [kɔf] vi toser; **to — up** (spit) expectorar; (hand over) soltar, largar; n tos f; **— drop** pastilla para la tos f; **— syrup** jarabe para la tos m

could [kʊd] v aux **I — do it if I wanted** podría hacerlo si quisiera. **— you arrive**

early? ¿podrías llegar temprano? — **I leave early?** ¿puedo salir temprano? **you be right** quizá tengas razón

council [káunsəl] N (religious) concilio m; (advisory) consejo m, junta f; (provincial) diputación f; (municipal) concejo m; —**man** concejal m; —**woman** concejala f

councilor [káunsələ] N concejal m f

counsel [káunsəl] N (advice) consejo m; (lawyer) abogado -da m f; VI/VT (give) advice aconsejar

counselor [káunsələ] N consejero -ra m f; (lawyer) abogado -da m f

count [kaunt] VI/VT contar; **to** — **in** incluir; **to** — **on** contar con; **to** — **oneself lucky** considerarse dichoso; **to** — **out** excluir; —**down** cuenta regresiva f; N (reckoning) cuenta f; (charge) cargo m; (noble) conde m

countenance [káuntinəns] N (expression) semblante m; (face) cara f; VT (tolerate) tolerar; (approve) aprobar

counter [káuntə] N (in a kitchen) Sp encimera f; Am mostrador m; (in a store) mostrador m; (in a bar) barra f; (in board games) tablero m; (counting device) contador m; (in a shoe) contrafuerte m; **over the** — sin receta; ADJ contrario, opuesto; ADV — **to** contra; **to run** — **to** ser contrario a; VI (an argument) rebatir; (a blow) devolver; VI/VT replicar

counteract [kauntər-ǽkt] VT contrarrestar

counterattack [káuntər-ətæk] N contraataque m; VI/VT contraatacar

counterbalance [káuntə-bæləns] VI/VT contrapesar; [káuntə-bæləns] N contrapeso m

counterculture [káuntə-kʌltʃə-] N contracultura f

counterespionage [kauntə-éspianɑʒ] N contraespionaje m

counterexample [káuntə-igzǽmpəl] N contraejemplo m

counterfeit [káuntə-fit] N falsificación f; ADJ falso; — **money** moneda falsa f; VT falsificar

countermand [káuntə-mænd] VT contramandar; [káuntə-mænd] N contraorden f

counteroffer [káuntə-ɔfə-] N contraoferta f

counterpart [káuntə-part] N homólogo -ga m f

counterproductive [kauntə-prədʌktɪv] ADJ contraproducente

counterrevolution [kauntə-revəlúʃən] N contrarrevolución f

---

countersign [káuntə-sain] N contraseña f; VT refrendar

countess [káuntis] N condesa f

countless [káuntlis] ADJ innumerables, incontables

country [kántri] N (nation) país m; (territory) territorio m; (homeland) patria f; (rural area) campo m; ADJ (of the countryside) rural; (uncouth) rústico; — **club** club campestre m; —**man** compatriota m; **music** música country f; —**side** campo m; (scenery) paisaje m; —**woman** compatriota f

county [káunti] N condado m; — **fair** feria (de ganado) f; — **seat** capital de condado f

coup [ku] N (success) golpe maestro m; (putsch) golpe de estado m; —**d'état** golpe de estado m

coupe [kup] N cupé m

couple [kápəl] N (of times, of forces, of people) par m; (romantic) pareja f; VI/VT (pair up) formar parejas; VT (connect) acoplar; VI (copulate) copular

couplet [káplit] N pareado m

coupling [káplɪŋ] N (action) acoplamiento m, (device) acople m, enganche m

coupon [kjúpan] N cupón m

courage [kə́-idʒ] N valentía f, valor m, coraje m

courageous [kərédʒəs] ADJ valiente

courier [kúria-] N mensajero -ra m f

course [kɔrs] N (of a river, of study, of a disease) curso m; (of a road, route) trayecto m; (of a ship, plane) derrotero m; (progression of time) marcha f; (dish) plato m; — **of action** línea de conducta f; **in the** — **of a year** en el transcurso de un año; **in due** — a la larga; INTERJ **of** — claro, por supuesto, naturalmente; VI correr, fluir

court [kɔrt] N (courtyard) patio m; (atrium) patio interior m; (in sports) cancha, pista f; (in a city) plazuela f, plazoleta f; (tribunal) juzgado m, tribunal m; (session) audiencia f; (royal residence, retinue) corte f; —**martial** consejo de guerra m; — **of law** tribunal de justicia m; — **reporter** estenotipista m f; — **yard** patio m; **to settle out of** — llegar a un arreglo extrajudicial; **to pay** — **to** cortejar, galantear; **to** — **danger** tentar a la suerte; **to** —**martial** someter a consejo de guerra; VI estar de novios

courteous [kə́-tiəs] ADJ cortés

courtesy [kə́-tisi] N (attitude) cortesía f (act)

courtier [kórtiar] n (member of the court) cortesano -na nm/f; (sycophant) adulador -ra nm/f

courtship [kórtʃip] n cortejo m

cousin [kázen] n primo -ma nm; **first —** primo -ma hermano -na nm/f

counterclockwise [káunta-klákwaiz] adv en el sentido opuesto al de las manecillas del reloj

cove [kóuv] n ensenada f

covenant [kávenant] n pacto m; (religious) alianza f

cover [kávar] vt/vi cubrir; (with lid, screen) tapar; (replace) sustituir; (include, deal with) comprender; (traverse) recorrer; (sing) hacer una versión; **to — up** (wrap up) tapar bien; (hide) ocultar; **—all** mono m; **—up** n encubrimiento m ◊ N (lid) tapa f; (book) cubierta f, tapa f; (blanket) manta f; (for appliances, furniture) funda f (front for activity) tapadera f; pantalla f (shelter) resguardo m, abrigo m; **— charge** n entrada **under separate —** enviar por separado; **to take —** resguardarse; **under —** de incógnito; **under — of dark** bajo el manto de la noche

coverage [kávaridʒ] n cobertura f (of a cell phone) alcance m

covering [kávarin] n cubierta f

covet [kávit] vt (desire wrongfully) codiciar; (want) ansiar

covetous [kávitas] adj codicioso

cow [káu] n (bovine female) vaca f (female of other animals) hembra f; **—bell** n cencerro m, esquila f; **—boy** vaquero m; **—hide** cuero de vaca m, vaqueta f; **—lick** remolino m; **—shed** vaquería f, vaqueriza f; **to have a —** tener una pataleta; vt intimidar

coward [káuard] n cobarde nm/f

cowardice [káua-dis] n cobardía f

cowardly [káua-dli] adj cobarde

cower [káua] vi achicarse

cowl [kául] n capucha f

coy [kói] adj (coquettish) remilgado; (evasive) esquivo

coyote [kaióti, kaiót] n coyote m

cozy [kózi] adj (warm) acogedor; (benevolent) conveniente; **to — up to** adular

CPU (central processing unit) [sipiú] n UCP f

crab [kráb] n cangrejo m; (mechanism) carro corredizo m; (grouch) cascarrabias nmf; **— apple** manzana silvestre f; **—s** ladillas f pl.

crack [krák] vi (single fissure) rajarse; (multiple fissure) resquebrajarse; agrietarse; (psychological breakdown) sufrir un ataque de nervios; (of voice) quebrarse; (knuckles) hacer un chasquido con, chasquear; (nuts) cascar; (jokes) contar; (a prisoner) quebrar; (a case) resolver; (a code) descifrar; (a door) entreabrir; **to — down on** reprimir; **that —s me up** esto me hace desternillar de risa; N (fissure) rajadura f, grieta f, resquebrajadura f; (sound) chasquido m; (joke) pulla f, chanza f; **— cocaine** crack m; **— down** n represión f; **—house** fumadero m; **—pot** excéntrico -ca m **at the — of dawn** al romper el alba; **I'd like a — at the championship** me gustaría poder participar en el campeonato

cracked [krákt] adj rajado, quebrado; (crazy) chiflado; **it's not all it's — up to be** no es para tanto

cracker [krákə] n galleta f

crackle [krákəl] n (of paper) crujido m; (of fire) crepitación f; vi crujir, crepitar

cradle [krédl] n cuna f

craft [kráft] n (skill) destreza f; (cunning) astucia f; (occupation) arte m, oficio m; **—sman** artesano m; (boat) embarcación f; **—swoman** artesana f; vt fabricar

crafty [kráfti] adj astuto, taimado

crag [kræg] n risco m, peñasco m, peñón m; **—gy** [krǽgi] adj peñascoso

cram [krém] vt (pack in) embutir; vi (study intensely) empollar; Sp memorizar; **the bar was —med with people** el bar estaba atestado

cramp [krémp] n (spasm) calambre m; (staple) grapa f; vt/vi (to suffer a spasm) acalambrar(se); vt (to staple) engrapar; **you're —ing my style** me estorbas

cranberry [krénbəri] n arándano agrio m

crane [kréin] n (bird) grulla f; (machine) grúa f; vt **to — one's neck** estirar el cuello

cranium [kréniam] n cráneo m

crank [krénk] n (mechanism) manivela f; (grouch) cascarrabias m y f; (overzealous advocate) fanático -ca nmf; **—case** cárter m; **—shaft** cigüeñal m; vt/vi arrancar con manivela

cranky [krénki] adj (irritable) irritable; (eccentric) excéntrico

cranny [krǽni] n (crevice) rendija f (corner) recoveco m

crash [kráʃ] vi (collide) estrellarse; (market) quebrar; (overnight with someone) quedarse a dormir; (hang up, as with a computer) colgarse; (sleep) dormir; vt **to — a car** chocar un coche; vi **to — a party** colarse en una fiesta; n (noise) estallido m; (collision) choque m; (financial) quiebra f; **— landing** aterrizaje forzoso m

crass [kræs] adj craso

crate [kreɪt] n cajón m, guacal m; vt poner en cajones

crater [kreɪdə-] n cráter m

crave [kreɪv] vt anhelar; **I — chocolate** me muero por un chocolate

craving [kreɪvɪŋ] n antojo m

crawl [krɔl] vi (on hands and knees) gatear; (on the belly) arrastrarse; reptar; (proceed slowly) avanzar a paso de tortuga; **to be —ing with** hormiguear de; n (swimming stroke) crol m; vi, **traffic is going at a —** el tráfico va a paso de tortuga

crayon [kreɪɑn] n lápiz de color m, crayola^m f

craze [kreɪz] n (vogue) moda f; vi, vt enloquecer(se)

craziness [kreɪzɪnəs] n locura f, chifladura f

crazy [kreɪzi] adj & n loco -ca m f; **I'm — about you** estoy loco por ti; **that's —!** ¡qué locura! **to go —** volverse loco, enloquecerse

creak [krik] n (of wooden floor) crujido m; (of a hinge) rechinamiento m; vi (a wooden floor) crujir; (a hinge) rechinar

cream [krim] n (milk product) crema f Sp nata f; (medicament) crema f — **cheese** queso de untar m; — **of the — of tomato soup** sopa crema de tomate f; **the — of the crop** la flor y nata; vt (decream) descremar, (butter, sugar) batir; (vegetables) preparar con salsa blanca; (defeat) aplastar

creamy [krimi] adj cremoso

crease [kris] n (in trousers) raya f, repliegue m; (wrinkle) arruga f vt (trousers) planchar la raya; (wrinkle) arrugar

create [kriet] vi/vt crear

creation [krieʃən] n creación f

creationism [krieʃanizəm] n creacionismo m

creative [krietɪv] adj creativo

creator [krietə-] n creador -ra m f

creature [kritʃə-] n (being) ser m; (animal) animal m; **a — of your imagination** un producto de tu imaginación

credence [kridns] n crédito m

credentials [kridenʃəlz] n credenciales f pl

credible [krɛdəbəl] adj creíble

credit [krɛdɪt] n crédito m; (commendation) reconocimiento m; — **card** tarjeta de crédito f; — **line** línea de crédito f; —**s** créditos m pl — **underwriters** aseguradores de crédito m pl; — **union** banco cooperativo m; —**worthy** solvente; **on —** a crédito; **to give — to** creer; (enter as credit) acreditar; (attribute) atribuir

creditor [krɛdɪdə-] n acreedor -ra m f

credulous [krɛdʒələs] adj crédulo

creed [krid] n credo m

creek [krik] n arroyo m

creep [krip] vi (crawl on belly) arrastrarse; (crawl on all fours) gatear; (grow upward) trepar; (go slowly) andar a paso de tortuga; **to — up on** acercarse furtivamente a; n (obnoxious person) pej repulsivo -va m, sinvergüenza m f; **that gives me the —s** eso me da asco; Sp eso me da grima

creeper [krip] n enredadera f, planta trepadora f

creepy [kripi] adj repulsivo

cremate [krimet] vt cremar

Creole [kriol] adj & n criollo -lla m f

creosote [kriasot] n creosota f

crepe [krep] n (fabric) crespón m; (band of fabric) crespón negro m

crescent [krɛsnt] n media luna f adj creciente

crest [krɛst] n (of a wave, rooster) cresta f; (of feathers) penacho m, copete m; (of mountain) cima f, cumbre f; (of heraldic arms) timbre m; —**fallen** alicaído, cabizbajo; vi **the river —ed at two meters above flood-level** el río creció hasta dos metros por encima de lo normal

crevice [krɛvɪs] n grieta f

crew [kru] n (for ships, etc.) tripulación f; (of workers) cuadrilla f

crib [krɪb] n (bed) cuna f; (manger) pesebre m; (bin for grain) granero m; (cheat notes) hoja para copiar f; vi copiar

cricket [krɪkɪt] n (insect) grillo m; (game) criquet m

crime [kraɪm] n (illegal act) delito m; (act of violence against people) crimen m; (criminal activity) delincuencia f,

criminal [krɪmɪnəl] adj & n delincuente m f, malhechor -ora m f; (violent crimes) criminal m f

criminality n criminalidad f

crimp [krɪmp] vt rizar; n rizo m

crimson [krɪmzən] adj & n carmesí m; carmín m

cringe [krɪndʒ] vi **he makes me —** me da asco

cripple [krɪpəl] N offensive tullido -da m f; (in the legs) offensive cojo -ja m f; (in the arms) *offensive* manco -ca *mf*; VT tullir

crisis [kráɪsɪs] N crisis *f*

crisp [krɪsp] ADJ (apple, bacon, etc.) crocante, crujiente; (weather) fresco y despejado; (hair) crespo; VI/VT volver crujiente

crispy [kríspi] ADJ crocante, crujiente

criterion [kraɪtíriən] N criterio *m*

critic [krídɪk] N crítico -ca *mf*

critical [krídɪkəɫ] ADJ crítico

criticism [krídɪsɪzəm] N crítica *f*

criticize [krídɪsaɪz] VT criticar

croak [krok] VI (make the sound of a frog) croar; (make the sound of a crow) graznar; (die) *fam* espichar; N (sound made by frogs) canto de ranas *m*; (sound made by crows) graznido *m*

Croatia [kroéʃə] N Croacia *f*

Croatian [kroéʃən] ADJ & N croata *mf*

crochet [kroʃé] N ganchillo *m*, croché *m*, crochet *m*; — **hook** aguja de croché *f*; VI hacer ganchillo, hacer croché

crock [krɑk] N (pot) vasija *f*; (lies) pamplinas *f pl*

crockery [krákəri] N loza *f*

crocodile [krákədaɪɫ] N cocodrilo *m*

croissant [krəsánt] N cruasán *m*, croissant *m*

crony [króni] N compinche *mf*, compadre *m*, comadre *f*

crook [krʊk] N (criminal) delincuente *mf*; (curve) curva *f*; (hook) gancho *m*; (staff) cayado *m*

crooked [krʊ́kɪd] ADJ (bent) torcido; *Am* chueco; (dishonest) deshonesto

crop [krɑp] N (harvest) cosecha *f*; (group of contemporaries) promoción *f*; (of a bird) buche *m*; (horse whip) fusta *f*; — **rotation** rotación de cultivos *f*; VT (graze) pastar, pacer; (trim) recortar; **to — up** surgir

croquet [kroké] N cróquet *m*

cross [krɔs] N (symbol) cruz *f*; (street intersection) cruce *m*; (act of mixing) cruzamiento *m*; (in boxing) cruzado *m*; —**bar** (soccer) travesaño *m*; (gymnastics) barra *f*; (high jump) listón *m*; (of a door) tranca *f*; —**-check** verificación *f*; —**piece** cruceta *f*; **to bear one's** — cargar la cruz; VI/VT (intersect, form a cross, breed, meet) cruzar(se); (make sign of the cross) santiguarse; VT (betray) traicionar; (pass) cruzar, franquear; **to** — **out** tachar; **to** — **over** (change allegiance) cambiar de bando; (go to the other side) traspasar; **you've** —**ed the line** se te fue la mano; **to** —**-check** verificar; ADJ (transverse) transversal; (angry) enojado; —**-country** a campo traviesa; —**-cultural**

transcultural; **to** — **examine** interrogar; —**-eyed** bizco; **to be** —**-eyed** bizquear; —**-fertilization** fecundación cruzada *f*; —**-reference** referencia cruzada *f*; **to** —**-reference** hacer una referencia cruzada; —**-road** encrucijada *f*; — **section** corte transversal *m*; —**-walk** cruce peatonal *m*, cebra *f*; —**-word puzzle** crucigrama *m*

crossing [krɔ́sɪŋ] N (street or railroad intersection, pedestrian path) cruce *m*; (hybridization, act of mixing) cruzamiento *m*; (of ocean) travesía *f*; (of a border) paso *m*; (of a river) vado *m*

crotch [krɑtʃ] N entrepierna *f*

crotchety [krátʃɪdi] ADJ cascarrabias

crouch [kraʊtʃ] VI (stoop) agacharse; (prepare to spring) agazaparse

croup [krup] N tos *f*, croup *m*

crow [kro] N (bird) cuervo *m*; (sound of rooster) canto del gallo *m*; —**bar** alzaprima *f*; —**'s-foot** pata de gallo *f*; **to eat** — comerse sus propias palabras; VI cantar; (gloat, brag) jactarse

crowd [kraʊd] N (group of people) muchedumbre *f*, gentío *m*, aglomeración *f*; (at a performance) público *m*; (clique) pandilla *f*; VI (push forward) agolparse; VI/VT (gather in large numbers) apiñar(se), amontonar(se), aglomerar(se); (gather in a confined space) hacinar(se)

crowded [kráʊdɪd] ADJ **it is** — **in here** hay demasiada gente aquí; **the restaurant is** — el restaurante está lleno

crown [kraʊn] N corona *f*; (of head) coronilla *f*, crisma *f*; (of a hat) copa *f*; — **jewels** joyas de la corona *f pl*; VT coronar; (hit on head) dar un coscorrón

crucial [krúʃəɫ] ADJ (element) fundamental; (moment) crucial

crucible [krúsəbəɫ] N crisol *m*

crucifix [krúsəfɪks] N crucifijo *m*

crucify [krúsəfaɪ] VT crucificar

crud [krʌd] N (filth) mugre *f*; (worthless thing, sickness, despicable person) *fam* porquería *f*

crude [krud] ADJ (vulgar, unpolished) basto, tosco; — **oil** petróleo crudo *m*; — **sugar** azúcar sin refinar *mf*

cruel [krúəɫ] ADJ cruel

cruelty [krúəɫti] N crueldad *f*

cruise [kruz] VI (take a cruise) tomar un crucero; (patrol) patrullar; — **missile** misil crucero *m*; **cruising speed** velocidad de crucero *f*; N crucero *m*; — **control** control de crucero *m*

cruiser [krúzɚ] N crucero *m*

crumb [krʌm] n (small) miga f, migaja f; (large) mendrugo m; vt (break into crumbs) desmigajar; (remove crumbs) sacar las migas

crumble [krʌmbl] vi/vt (bread) desmigajar(se); (clods of dirt) desmenuzar(se); (house) desmoronar(se)

crummy [krʌmi] adj (place) fam de mala muerte; (object) fam de pacotilla; (show) flojo

crumple [krʌmpl] vi/vt (crush) arrugar(se); vi (collapse) aplastarse

crunch [krʌntʃ] vi/vt (eat noisily) mascar; n (sound) crujido m; (shortage) crisis f; —es abdominales m pl

crunchy [krʌntʃi] adj crocante, crujiente

crusade [krused] n cruzada f; vi (engage in a campaign) hacer una campaña

crusader [krusedə] n cruzado -da m/f; a — for human rights un paladín de los derechos humanos

crush [krʌʃ] vt/vt (stone) machacar; (act of crushing) aplastamiento m; (crowd) tumulto m; (infatuation) enamoramiento m

crust [krʌst] n (of bread, earth) corteza f; (of pie) tapa f

crusty [krʌsti] adj (with a crust) costroso; (grouchy) irascible

crutch [krʌtʃ] n muleta f

cry [krai] n (shout) grito m; (weeping) llanto m; (call of an animal) reclamo m; a far from — muy distante de, muy lejos de; vi (shout) gritar; (weep) llorar; —baby llorón -ona m/f; to — over spilt milk hacer como la lechera; to — for attention reclamar atención; to — for help pedir socorro; to — out vocear

crystal [kristl] n cristal m; —ball bola de cristal f; — clear cristalino

crystalline [kristlin] adj cristalino

crystallize [kristlaiz] vi/vt cristalizar(se)

cub [kʌb] n (lion) cachorro m; (bear) osezno m; (whale) ballenato m; (wolf) lobato m, — reporter reportero -ra m/f

Cuba [kjubə] n Cuba f

Cuban [kjubən] adj & n cubano -na m/f

cubbyhole [kʌbihol] n casilla f

cube [kjub] n cubo m; — root raíz cúbica f; vt (cut) cortar en cubos; (raise to the third power) elevar al cubo

cubic [kjubik] adj cúbico

cubicle [kjubikl] n cubículo m

cuckold [kʌkold] n cornudo m, cabrón m; vt poner los cuernos a

cuckoo [kuku] n cuco m, cuclillo m; — clock reloj de cucú m; adj & n chiflado -da m/f; interj cucú

cucumber [kjukʌmbə] n pepino m

cud [kʌd] n to chew the — rumiar

cuddle [kʌdl] vi/vt hacer(se) mimos; n mimo m

cuddly [kʌdli] adj mimoso

cudgel [kʌdʒl] n porra f; vt aporrear

cue [kju] n (in theater) pie m; (stimulus) estímulo m; — ball bola blanca f; — stick taco de billar m; vt dar pie, dar la señal

cuff [kʌf] n (of sleeve, glove) puño m; (of pants) bajo m; (handcuffs) esposa f pl; (blow) bofetada f; vt (pants) hacer los bajos; (handcuffs) esposar; (hit) abofetear

cuisine [kwizin] n cocina f

cul-de-sac [kʌldəsæk] n callejón sin salida m

culinary [kjulinəri] adj culinario

cull [kʌl] vt (choose) seleccionar, entresacar; (collect) recoger

culminate [kʌlmənet] vi/vt culminar

culprit [kʌlprit] n culpable m/f

cult [kʌlt] n (sect) secta religiosa f; (worship) culto m

cultivate [kʌltəvet] vt cultivar

cultivated [kʌltəvetəd] adj (land) cultivado; (plant) de cultivo; (educated) culto

cultivation [kʌltəveʃən] n (tillage) cultivo m; (education) cultura f

cultivator [kʌltəvetə] n (person) cultivador -ra m/f; (implement) cultivadora f

cultural [kʌltʃərəl] adj cultural

culture [kʌltʃə] n cultura f; (microorganisms) cultivo m; — shock choque cultural m; vt (microorganisms) cultivar

cultured [kʌltʃəd] adj (person) culto; (pearl) cultivado, de cultivo

cumbersome [kʌmbəsʌm] adj (bulky) voluminoso; (unwieldy) incómodo

cumulative [kjumjələtiv] adj acumulativo

cumulus [kjumjələs] n cúmulo m

cunning [kʌnɪŋ] adj (sly) astuto, zorro; n astucia f, maña f

cup [kʌp] n (with handle) taza f, pocillo m; (without handle) vaso m; (measure) taza f; (trophy, brassiere part) copa f; —**board**

cupboard [kʌbəd] n armario m; aparador m

cur [kʌr] n (dog) perro m; (villain) pej villano -na m/f

curable [kjurəbl] adj curable

curator [kjuretə] n conservador -ra m/f

curb [kɜrb] n (of a street) Sp bordillo m; Mex borde m; RP cordón m; (of a well) brocal *m*; (restraint) freno *m*, restricción *f*; VT (emotions) refrenar; (spending) limitar

curd [kɝd] N cuajada *f*; VI/VT cuajar(se), coagular(se)

curdle [kɝdl] VI/VT cuajar(se), coagular(se); **my blood —d** se me heló la sangre

cure [kjur] N (healing, preserving meat) cura *f*, curación *f*; (method) tratamiento *m*; VI/VT curar(se); **—all** sanalotodo *m*

curfew [kɝfju] N toque de queda *m*, queda *f*

curio [kjúrio] N curiosidad *f*

curiosity [kjuriásɪdi] N curiosidad *f*

curious [kjúriəs] ADJ curioso

curl [kɝl] VI/VT (form ringlets) rizar(se), ensortijar(se); (coil) enroscar(se); (smoke) alzarse en espirales; **to — up** ovillar(se); N (of hair) rizo *m*, bucle *m*; (of smoke) espiral *f*

curler [kɝlɚ] N *Sp* rulo *m*; *Mex* tubo *m*; *RP* rulero *m*

curly [kɝli] ADJ rizado

currant [kɝənt] N (fruit) grosella *f*; (tree) grosellero *m*

currency [kɝənsi] N (money) moneda *f*, divisa *f*; (acceptance) aceptación *f*

current [kɝənt] ADJ (commonly used) corriente; (prevalent) actual; **the — issue of a magazine** el último número de una revista; **the — month** el corriente mes; N corriente *f*

curriculum [kəríkjələm] N plan de estudios *m*

curry [kɝri] N curry *m*

curse [kɝs] N (ill wish) maldición *f*; (swear word) palabrota *f*; VI/VT (wish ill) maldecir; (swear) decir palabrotas

cursive [kɝsɪv] ADJ cursivo; N cursiva *f*

cursor [kɝsɚ] N cursor *m*

curt [kɝt] ADJ (abrupt) seco, brusco; (brief) breve

curtail [kɚtél] VT restringir, cercenar

curtain [kɝtn] N cortina *f*; (theater) telón *m*; VT ponerle cortinas a

curvature [kɝvətʃʊr] N curvatura *f*; (of the spine) desviación *f*

curve [kɝv] N curva *f*; **he threw me a —** me agarró desprevenido; VI/VT encorvar(se); (road) torcer(se), desviar(se); VI **the ball —s** la pelota tiene efecto

curved [kɝvd] ADJ curvo

cushion [kúʃən] N (pad) almohadilla *f*; (emergency resources, pad of air) colchón *m*; (pillow) almohadón *m*; (decorative pillow) cojín *m*; VT (put pads) poner almohadones; (soften a blow) amortiguar

cuss [kʌs] VI decir palabrotas; N **—word** *fam* palabrota *f*; **strange old —** *fam* bicho

raro *m*

custard [kʌstɚd] N flan *m*, natillas *f pl*

custodian [kʌstódiən] N (caretaker) cuidador -ra *mf*; (guardian) custodio -dia *mf*

custody [kʌstədi] N custodia *f*; **to take into — detener**

custom [kʌstəm] N costumbre *f*, uso *m*; **—-built** construido por encargo; **—-made** hecho a medida; **—s** (government department) aduana *f*; (taxes) derechos de aduana *m pl*; **—(s)house** aduana *f*

customary [kʌstəmeri] ADJ acostumbrado

customer [kʌstəmɚ] N cliente -ta *mf*

customize [kʌstəmaɪz] VT adaptar por encargo

cut [kʌt] VI/VT cortar; (shorten) acortar; (trees) talar; (prices) rebajar; **—!** ¡corte(n)! **to — a deal** llegar a un arreglo; **to — across** (take a shortcut) cortar por; (transcend) trascender; **to — back** reducir; **to — class** faltar a clase; **to — down on** reducir; **to — in** (interrupt) interrumpir; (in traffic) atravesarse; **may I — in?** ¿me permite? **to — off** (interrupt) interrumpir; (intercept) interceptar; **to — out** omitir; **to be — out for** estar hecho para; **to — up** (divide) trozar; (misbehave) portarse mal; **—-and-dried** predeterminado; **—back** reducción *f*; **— glass** cristal labrado *m*; **—off date** fecha límite *f*; **—-rate** de rebajas; **—throat** despiadado; N corte *m*; (in salary) recorte *m*; (of prices) rebaja *f*; (of a suit) hechura *f*, corte *m*; (insult) desaire *f*

cute [kjut] ADJ mono, rico; **to act —** ser afectado, ser melindroso

cuticle [kjúdɪkəl] N cutícula *f*

cutlery [kʌtləri] N (knives, knife store) cuchillería *f*; (eating utensils) cubiertos *m pl*

cutlet [kʌtlɪt] N filete *m*

cutter [kʌdɚ] N (person) cortador -ra *mf*; (device) cortadora *f*; (sleigh) trineo *m*; **Coast Guard —** guardacostas *m sg*

cutting [kʌdɪŋ] ADJ (sharp) cortante; (cold) penetrante; (sarcastic) mordaz, sarcástico; **— board** tabla de cortar *f*; **— edge** filo *m*

cyanide [sáɪənaɪd] N cianuro *m*

cybernetics [saɪbɚnédɪks] N cibernética *f*

cyberpunk [sáɪbɚpʌŋk] N ciberpunk *m*

cyberspace [sáɪbɚspes] N ciberespacio *m*

cyborg [sáɪbɔrg] N cyborg *m*

cycle [sáɪkəl] N ciclo *m*

cyclical [síklɪkəl] ADJ cíclico

cyclone [sáɪklon] N ciclón *m*

cyclotron [sáɪklətrɑn] N ciclotrón *m*

cylinder [silinda] n cilindro m; (of a gun)
tambor m; — head n culata f
cylindrical [silindrikl] adj cilíndrico
cymbal [simbl] n címbalo m, platillo m
cynic [sinik] n cínico -ca mf
cynical [sinikl] adj cínico
cynicism [sinisizm] n cinismo m
cypress [saipris] n ciprés m
Cypriot, Cypriote [sipriat] adj & n chipriota
mf
Cyprus [saipras] n Chipre m
cyst [sist] n quiste m
czar [zar] n zar m
Czech [tʃek] adj & n checo -ca mf
Czech Republic [tʃekripʌblik] n República
Checa f

Dd

dab [dæb] vt (pat) dar toques; (apply) aplicar
con golpecitos; n toque m
dabble [dæbl] vi (splash) chapotear; (be
interested superficially) ser aficionado a
dachshund [dækshund] n perro salchicha m
dad [dæd] n papá m
daddy [dædi] n papaíto m, papito m,
papaíto m
daffodil [dæfədil] n narciso m
dagger [dægə] n daga f, puñal m; to look
—s at traspasar con la mirada
dahlia [dæljə] n dalia f
daily [deili] adj diario; — wage jornal m,
salario m; n diario m
dainty [denti] adj (delicate) delicado,
exquisito; (finicky) remilgado
dairy [deri] n (milk) lechería f; (cheese)
quesería f; adj (industry) lechero;
(product) lácteo
daisy [dezi] n margarita f; to be pushing
up daisies fam estar criando malvas
dale [del] n valle m
dally [dæli] vi (risk danger) jugar con fuego;
(waste time) remolonear
dam [dæm] n presa f, represa f; vt represar
damage [dæmidʒ] n daño m, destrozo m; —s
daños y perjuicios m pl; to pay —s
indemnizar m; vt/vi dañar(se)
damaging [dæmidʒiŋ] adj perjudicial
dame [dem] n (noblewoman) dama f;
(woman) pej tipa f
damn [dæm] vt condenar; it's not worth a
— no vale un comino
damnation [dæmneʃən] n condenación f.

damp [dæmp] adj húmedo; n humedad f; vt
(wet) humedecer; (deaden) amortiguar;
(extinguish) apagar
dampen [dæmpən] vt (wet) humedecer;
(depress) deprimir; (deaden) amortiguar
dampness [dæmpnis] n humedad f
damsel [dæmzəl] n damisela f
dance [dæns] n (act of dancing, party,
activity) baile m; (artistic activity, animal
courtship movements) danza f; — music
música bailable f; vi/vt (at a party) bailar;
(in ballet, of animals) danzar; she — d
her way to stardom llegó al estrellato
bailando
dancer [dænsə] n bailarín -ina mf, danzante
mf
dancercise [dænsəsaiz] n baile aeróbico m
dandelion [dændilaiən] n diente de león m
dandruff [dændrʌf] n caspa f
dandy [dændi] n (affected man) dandi m,
señorito m; adj estupendo
Dane [den] n danés -esa mf
danger [dendʒə] n peligro m
dangerous [dendʒərəs] adj peligroso
dangle [dæŋgl] vi/vt (hang) colgar; (sway)
bambolear(se); (tempt) tentar con; her
legs were dangling off the bench sus
piernas pendían del banco
Danish [deniʃ] adj danés; n danés m
dapple, dappled [dæpl(d)] adj pinto,
moteado
dare [der] vt/vi (be brave) atreverse (a), osar;
(challenge) desafiar; how — you? ¿cómo
te atreves? n desafío m; — devil temerario
-ria mf
daring [deriŋ] n atrevimiento m, osadía f; adj
atrevido, osado, arriesgado
dark [dark] adj (in color) oscuro; (of hair)
moreno, morocho, trigueño; (gloomy)
sombrío, tenebroso; (evil, ignorant)
oscuro; (hidden) turbio; — Ages (Alta)
Edad Media f; — room n cuarto oscuro m;
—skinned moreno; n oscuridad f; after
— después de que oscurece
darken [darkən] vt/vi oscurecer(se)
darkness [darknis] n (complete) oscuridad f;
(partial) penumbra f
darling [darliŋ] adj & n amado -da mf,
querido -da mf; my — vida mía, amor
mío
darn [darn] vt zurcir, remendar; —ing
needle aguja de zurcir f; n zurcido m; it
is not worth a — no vale un comino;
interj ¡caramba! ¡caracoles!
dart [dart] n (missile) dardo m; (tuck) pinza
f; (swift movement) movimiento rápido

dash [dæʃ] vi/vt (of waves) estrellar(se); vt (plans) frustrar; vi (hopes) desplomarse; to — by pasar corriendo; to — off no salir corriendo; to — off a letter escribir de prisa una carta; n (line) raya f; (run) corrida f; (race) carrera f; (small amount) pizca f; (splash) salpicadura f; the one-hundred-meter — la carrera de los cien metros llanos/planos; —board tablero m, salpicadero m

data [ˈdeɪtə, ˈdætə] n datos m pl; — base f base de datos; —bank banco de datos m; — processing m procesamiento de datos m

date [deɪt] n (time) fecha f; (appointment) cita f; (person) acompañante m/f; (fruit) dátil m; out of — anticuado; to — hasta ahora; up to — al día; vt (be dated) estar fechado; (go out socially) salir; vt (write the date) fechar; (show to be old-fashioned) delatar la edad; to — from datar de, remontarse a

dated [ˈdeɪdɪd] adj (having a date) fechado; (old-fashioned) anticuado

daub [dɔb] vt (smear) embarrar, embadurnar; (apply unskillfully) pintarrajear

daughter [ˈdɔdər] n hija f; —-in-law n nuera f

daunt [dɔnt] vt (intimidate) intimidar; (dishearten) desanimar

dauntless [ˈdɔntlɪs] adj intrépido

davenport [ˈdævənpɔrt] n sofá grande m

dawn [dɔn] n (daybreak) alba f, amanecer m, aurora f; the — of civilization los albores de la civilización; vi amanecer, aclarar; it just —ed on me that caí en (la) cuenta de que

day [deɪ] n día m; — after tomorrow —o— pasado mañana m; — before yesterday anteayer m; —break al amanecer; —care guardería f; —dream fantasía f; to —dream soñar despierto; — laborer jornalero ra m/f; —light luz del día f; —time día m; —time activity actividad diurna f; by the — de día, por día; eight-hour — jornada de ocho horas f; in my — en mis tiempos; in the old —s antaño; make my — dame el gusto; New Year's — Año Nuevo m; adv diurno

daze [deɪz] vt aturdir; n to be in a — estar aturdido

dazzle [ˈdæzəl] vt/vi deslumbrar

deacon [ˈdikən] n diácono m

---

dead [dɛd] adj muerto; — air aire viciado m; —beat moroso -sa m/f; —bolt pestillo m; he's a — duck está muerto; — end callejón sin salida m; —-end adj sin perspectivas m; — letter letra muerta f; —line fecha límite f; —lock punto muerto m; to —lock trancarse; —pan palo; — ringer fiel retrato m; — sure completamente seguro; — tired muerto de cansancio; —wood (person) persona inútil f; (thing) cosa inútil f; the — los muertos; in the — of the night en el silencio de la noche; in the — of winter en pleno invierno

deaden [dɛdn] vt amortiguar

deadly [ˈdɛdli] adj (enemy) mortal; (poison) letal; (weapon) mortífero; adv mortalmente; — dull sumamente aburrido

deaf [dɛf] adj sordo; —-mute sordomudo -da m/f

deafen [dɛfən] vt (make deaf) ensordecer; (deaden) amortiguar

deafening [ˈdɛfənɪŋ] adj ensordecedor, atronador

deafness [ˈdɛfnɪs] n sordera f

deal [dil] vt (cards) dar, repartir; (drugs) vender; (a blow) dar, asestar; to — in comerciar en; to — with —s with the study of life la biología se ocupa del estudio de la vida; n trato m; negocio m; todo tipo de gente; n (business transaction) trato m, negocio m; (shady transaction) componenda f; (act of dealing) reparto m; a great — of una gran cantidad de; it's a — ¡trato hecho! I got a raw — me clavaron

dealer [ˈdilər] n (in cars, antiques) comerciante m/f; (in drugs, arms) traficante m/f; (of cards) el que reparte m/f

dealings [ˈdilɪŋz] n trato m, relaciones f pl; (business) negocios m pl

dean [din] n (of university, professional group) decano -na m/f; (in church) deán m

dear [dɪr] adj (beloved) querido; (cherished) apreciado; (expensive) caro; adv fervientemente; he's such a — ¡es un amor! my — querido mío m/querida mía f; — me! ¡Dios mío! oh — ¡Dios mío! that cost me — eso me costó caro,

dearth [dɑθ] n escasez f

death [dɛθ] n muerte f; —bed lecho de muerte m; — certificate partida de

death n muerte f, defunción f; — penalty pena de muerte f; — rate tasa de mortalidad f; — row pabellón de los condenados a muerte m; — squad escuadrón de la muerte m; — toll mortandad f; —trap trampa mortal f; —wish instinto suicida m; to put to — ejecutar; we have discussed this — hemos discutido esto hasta el hartazgo; I'm sick to — of this job estoy harto de este trabajo

debacle [dibákəl] n debacle f

debase [dibés] vt degradar, envilecer

debatable [dibéitəbəl] adj discutible

debate [dibét] n debate m; vi/vt (discuss) debatir, discutir; (weigh a decision) considerar

debilitate [dibílitèt] vt debilitar

debit [débit] n débito m, adeudo m; (column in an account) debe m; (total sum owed) pasivo m; — card tarjeta de cobro automático f; vt adeudar, cargar a la cuenta

debriefing [dibrífiŋ] n informe m

debris [dəbrí] n (ruins) escombros m pl; (detritus) detritus m (pl)

debt [dɛt] n deuda f; — **bad** — cuenta incobrable f; **to get into** — endeudarse

debtor [débtə] n deudor -ra m/f

debug [dibʌg] vt depurar

debugging [dibʌgiŋ] n depuración f

debunk [dibʌŋk] vt (ideas, beliefs) desacreditar; (myths) desmitificar

debut [debjú] n (of a play or film) estreno m; (in society) presentación en sociedad f; **to make a** — (an actor) debutar; (in society) presentarse en sociedad; vi/vt (a film) estrenar(se); (a product) lanzar(se) al mercado

decade [dékəd] n década f, decenio m

decadence [dékəns] n decadencia f

decadent [dékədənt] adj decadente

decaffeinated [dikáfinetid] adj descafeinado

decal [díkəl] n calcomanía f, autoadhesivo m

decanter [dikántə] n garrafa f

decapitate [dikápitèt] vt decapitar

decathlon [dikáθlən] n decatlón m

decay [diké] n (biological matter) descomposición f; (of biological matter) descomposición f; (of morals) decadencia f; (tooth) desintegración f; vi/vt (teeth) cariar(se); vt descomponer(se); (health) deteriorarse; (radioactive matter) desintegrarse; (nuclear) desintegrarse

decease [disís] n muerte f, fallecimiento m; vi morir, fallecer

deceased [disíst] adj & n difunto -ta m/f

deceit [disít] n engaño m, trampa f

deceitful [disítfəl] adj tramposo, engañoso

deceive [disív] vi/vt engañar

December [disémbər] n diciembre m

decelerate [disélərèt] vi desacelerar

decency [dísənsi] n decencia f

decent [dísənt] adj decente

deception [disépʃən] n engaño m

decibel [désəbəl] n decibelio m

decide [disáid] vt (make a decision) decidir; (award victory) fallar; **what** —**d you to come?** ¿qué te motivó a venir?

decided [disáidid] adj (resolute) decidido; (clear) claro

deciduous [disíduəs] adj deciduo, caduco; — **tooth** diente de la primera dentición m

decimal [désəməl] adj decimal

decimate [désəmet] vt diezmar

decipher [disáifər] vt descifrar

decision [disíʒən] n decisión f; (in court) fallo m

decisive [disáisiv] adj decisivo

deck [dɛk] n (of a boat) cubierta f; (of a house) terraza f; (of playing cards) baraja f; vt (knock down) tumbar, (decorate) decorar; **to** — **oneself out** emperifollarse; **hit the** —**!** ¡cuerpo a tierra!

declaration [dɛkləréʃən] n declaración f

declare [diklér] vi/vt declarar, afirmar

decline [dikláin] n (deterioration) decadencia f; (slope) declive m; (reduction in prices) baja f; vi/vt declinar; (an offer) rechazar; **to** — **to do something** negarse a hacer algo

decode [dikód] vt descodificar

decompose [dikəmpóz] vi/vt descomponer(se)

decongestant [dikəndʒéstənt] n descongestionante

decorate [dékəret] vt decorar; (award medals) condecorar

decoration [dɛkəréʃən] n (embellishment) adorno m; (interior decorating) decoración f; (medal of honor) condecoración f

decorative [dékə-əriv] adj decorativo

decorous [dék-ə-əs] adj decoroso

decorum [dikórəm] n decoro m

decoy [díkɔi] n (artifact) señuelo m, reclamo m; (live animal or person) cimbel m; vt atraer con señuelo/cimbel

decrease [díkris] n disminución f, merma f; [dikrís] vi/vt disminuir, mermar

decree [dikrí] n decreto m; vi/vt decretar

decrepit [dikrépit] adj decrépito

decry [dikrái] vt condenar

dedicate [dédikèt] vi/vt dedicar(se); vt (mark opening of a highway, etc.) inaugurar

dedication [dédikéʃən] n (act of dedicating)

dedication f; (in a book) dedicatoria f; (of a highway, etc.) inauguración f

deduce [dɪdus] vt deducir

deduct [dɪdʌkt] vt deducir

deductible [dɪdʌktəbəl] adj deducible, desgravable; (in sports) deducible m

deduction [dɪdʌkʃən] n deducción f

deed [did] n (action) acción f; (exploit) hazaña f; (certificate of ownership) escritura f

deem [dim] vt considerar

deep [dip] adj (extending down) hondo, profundo; (dark) oscuro; (of a voice) grave; — freeze congelador m; — in debt cargado de deudas; — in thought absorto; — sea de altura; he's got the — end with his hobby se le fue la mano con el pasatiempo; ten meters — de diez metros de profundidad; to — six hacer desaparecer; the — el piélago, el abismo; adv to dive — bucear en las profundidades

deepen [dipən] vi/vt ahondar, profundizar

deer [dɪr] n ciervo m, venado m; —skin gamuza f

deface [dɪfes] vt (disfigure) desfigurar; (smear with paint) pintarrajear; (mutilate) mutilar

defame [dɪfem] vt difamar

default [dɪfɔlt] n (negligence) negligencia f; (failure to appear in court) rebeldía f; (computer setting) opción por defecto f; in — en mora; by — en ausencia de alternativa; (in sports) por abandono de los contrincantes; vi (on a loan) no pagar; (in a sports match) no comparecer

defeat [dɪfit] vt vencer, derrotar; n derrota f

defecate [dɛfəket] vi/vt defecar

defect [difɛkt] n defecto m; [dɪfɛkt] vi desertar

defection [dɪfɛkʃən] n defección f

defective [dɪfɛktɪv] adj defectuoso

defend [dɪfɛnd] vi/vt defender

defendant [dɪfɛndənt] n (criminal) acusado-da m, reo -a m; (civil) demandado-da m

defender [dɪfɛndə] n defensor -ora m

defense [dɪfɛns] n defensa f

defenseless [dɪfɛnsləs] adj indefenso

defensible [dɪfɛnsəbəl] adj defendible

defensive [dɪfɛnsɪv] adj defensivo; on the — a la defensiva

defer [dɪfɜr] vt (a meeting) diferir, posponer; (a payment) prorrogar; (an appointment) dilatar; (from military service) eximir; to — to another's opinion remitirse a la opinión de otro

deference [dɛfərəns] n deferencia f

defiance [dɪfaɪəns] n (challenge) desafío m; (resistance to authority) rebeldía f; in — of en abierta oposición a

defibrillate [dɪfɪbrəlet] vt desfibrilar

deficiency [dɪfɪʃənsi] n deficiencia f

deficient [dɪfɪʃənt] adj deficiente

deficit [dɛfɪsɪt] n déficit m; — spending gastos deficitarios m pl

defile [dɪfaɪl] vt (violate) mancillar; (desecrate) profanar; (to make dirty) ensuciar

define [dɪfaɪn] vi/vt definir

defining [dɪfaɪnɪŋ] adj decisivo

definite [dɛfɪnɪt] adj (clearly defined) definido; (certain) seguro; she was — in her demands ella fue terminante en sus exigencias; — article artículo definido m

definitely [dɛfɪnɪtli] adv sin duda

definition [dɛfɪnɪʃən] n definición f

definitive [dɪfɪnɪtɪv] adj (final) definitivo; (authoritative) de mayor autoridad

deflate [dɪflet] vi/vt desinflar(se)

deflation [dɪfleʃən] n deflación f

deflect [dɪflɛkt] vi/vt desviar(se)

deforestation [dɪfɔrɪsteʃən] n deforestación f

deform [dɪfɔrm] vi/vt deformar(se)

deformed [dɪfɔrmd] adj deforme

deformity [dɪfɔrmɪti] n (body part) deformidad f; (act or result of deforming) deformación f

defraud [dɪfrɔd] vt defraudar

defray [dɪfre] vt sufragar, costear

defrost [dɪfrɔst] vi/vt descongelar(se)

deft [dɛft] adj diestro, habilidoso

defunct [dɪfʌŋkt] adj caduco; the Whig party is now — el partido de los whigs se disolvió

defuse [dɪfjuz] vt (bomb) desactivar; (situation) distender

defy [dɪfaɪ] vt (challenge) desafiar; (resist) resistir

degenerate [dɪdʒɛnəret] adj & n degenerado-da adj; [dɪdʒɛnəret] vi degenerar(se)

degradation [dɛgrədeʃən] n degradación f

degrade [dɪgred] vi/vt degradar(se)

degree [dɪgri] n (stage) grado m; (academic) título m; by —s gradualmente; to a — hasta cierto punto; to get a — graduarse

dehumanize [dɪhjumənaɪz] vi/vt deshumanizar

dehydrate [dɪhaɪdret] vi/vt deshidratar(se)

deign [den] vi dignarse

deity [dɪɪti] n deidad f

déjà vu [deʒavu] n déjà vu m

dejected [dɪdʒɛktɪd] adj abatido, desconsolado

dejection [dɪdʒekʃən] n abatimiento m, desconsuelo m

delay [dɪle] n demora f, retraso m; vt demorar, retrasar; vi demorarse, retrasarse

delectable [dɪlektabəl] adj delicioso; n delicia f

delegate [dɪligɪt] n delegado -da m/f; [dɪliget] vt delegar

delegation [delɪgeʃən] n delegación f, representación f

delete [dɪlit] vt (omit) suprimir; (cross out) tachar

deletion [dɪliʃən] n supresión f

deliberate [dɪlibərit] adj (intentional) deliberado; (careful) cuidadoso; [dɪlibəret] vi/vt deliberar

deliberation [dɪlibəreʃən] n deliberación f

delicacy [delɪkəsi] n (fineness) precision, sensitivity) delicadeza f; (food) manjar m, delicatessen f pl, golfería f; (breakability) fragilidad f

delicate [delɪkɪt] adj delicado, tenue; (breakable) frágil; (acute) fino

delicatessen [delɪkətesən] n (store) tienda de fiambres f, charcutería f; RP rotisería f

delicious [dɪlɪʃəs] adj delicioso, rico (foods) delicatessen f pl

delight [dɪlaɪt] n (pleasure) deleite m, regalo m; (source of pleasure) delicia f; vi/vt deleitar(se)

delighted [dɪlaɪtɪd] adj encantado; **to be — to** alegrarse de; **I'm — to meet you** me alegro de conocerla; **I'd be — to dance with you** me encantaría bailar contigo

delightful [dɪlaɪtfəl] adj encantador

delimit [dɪlɪmɪt] vt delimitar

delineate [dɪlɪniet] vt delinear

delinquent [dɪlɪŋkwənt] adj & n (debtor) moroso -sa m/f; (wrong-doer) delincuente m/f; (juvenile) delincuente juvenil m/f

delirious [dɪlɪriəs] adj delirante; (happy) contentísimo; **to be —** delirar

delirium [dɪlɪriəm] n delirio m

deliver [dɪlɪvər] vt (hand over) entregar; (hand out) repartir; (liberate) liberar; (pronounce a speech) pronunciar; (administer a blow) dar; (have a baby) dar a luz; (assist at birth) atender en un parto; **— the goods** cumplir

deliverance [dɪlɪvərəns] n liberación f

delivery [dɪlɪvəri] n (handing out) entrega f, expedición f; (things to be delivered) pedido m; (birth) parto m; (speaking) ejecución f, expresión oral f; **— service** servicio de entrega m; **— truck** camión de reparto m

dell [del] n hondonada f

deluge [deljudʒ] n diluvio m; vt abrumar

delusion [dɪluʒən] n (act of deluding, state of being deluded) engaño m; **—s of grandeur** delirios de grandeza m pl

deluxe [dɪlʌks] adj de lujo

demagogue, demagog [deməgɑg] n demagogo -ga m/f

demand [dɪmænd] vt (ask for) exigir; (require) requerir, exigir; n demanda f, exigencia f; **on —** por demanda

demanding [dɪmændɪŋ] adj exigente

demarcate [dɪmɑrket] vt demarcar

demean [dɪmin] vt menospreciar

demeanor [dɪminər] n conducta f, comportamiento m

demented [dɪmentɪd] adj demente

demijohn [demɪdʒɑn] n damajuana f

demise [dɪmaɪz] n (death) fallecimiento m, desaparición f

demobilize [dimobəlaɪz] vt desmovilizar

democracy [dɪmɑkrəsi] n democracia f

democrat [deməkræt] n demócrata m/f

democratic [deməkrætɪk] adj democrático

demographics [deməgræfɪks] n demografía f

demolish [dɪmɑlɪʃ] vt demoler, derrumbar

demon [dimən] n demonio m

demonstrate [demənstret] vt (prove) demostrar; (show a product) hacer una demostración; vi manifestar

demonstration [demənstreʃən] n (proof, exhibition) demostración f; (protest) manifestación f, concentración f

demonstrative [dɪmɑnstrətɪv] adj demostrativo

demoralize [dɪmɔrəlaɪz] vt desmoralizar

demote [dɪmot] vt degradar, bajar de categoría

den [den] n (of an animal) guarida f; (room in a house) cuarto de estar m; (cave) cueva f; **— of iniquity** antro de perdición m

denial [dɪnaɪəl] n (refusal to recognize) negación f; (act of denying) negativa f, rechazo m; (assertion that an allegation is false) desmentido m; **he is in —** no lo quiere aceptar

denigrate [denɪgret] vt denigrar

denim [denɪm] n tela de vaquero f

Denmark [denmɑrk] n Dinamarca f

denomination [dɪnɑmɪneʃən] n (name, monetary value) denominación f; (sect) secta religiosa f

denotation [dinoteʃən] n denotación f

denote [dɪnot] vt denotar

denounce [dɪnaʊns] vt denunciar

dense [dens] adj (compacted) denso, tupido, espeso; (stupid) cerrado; fam burro, duro de

density [dénsiti] n densidad f

dent [dent] vt abolladura f; **to make a — in a task** hacer mella en una tarea; vi/vt abollar(se)

dental [déntl] adj dental; **— floss** hilo dental m; **— hygienist** higienista dental mf

dentifrice [déntifris] n dentífrico m, pasta dental f

dentist [déntist] n dentista mf

dentistry [déntistri] n odontología f

dentures [déntfa-z] n dientes postizos m pl

denunciation [dinʌnsiéfan] n denuncia f, acusación f

deny [dinái] vt (state that something is false) negar, desmentir; (refuse to approve) rechazar; **to — oneself** abstenerse

deodorant [diówda-ant] n desodorante m

deodorize [diówda-áiz] vt desodorizar

depart [dipárt] vi (leave) salir, partir; (deviate) desviarse, apartarse; (die) dejar de existir

departed [dipártid] adj & n difunto -ta mf

department [dipártmant] n (of company, school, country) departamento m; (of government ministry) ministerio m; (of a store) sección f; (of knowledge, expertise) especialidad f; **— store** gran almacén m

departure [dipártfa-] n (scheduled) salida f; (not scheduled) partida f; (deviation) desviación f

depend [dipénd] vi depender; **to — on** (be conditioned by) depender de; (rely on) contar con

dependable [dipéndabal] adj confiable, fiable

dependence [dipéndans] n dependencia f

dependency [dipéndansi] n dependencia f

dependent [dipéndant] adj dependiente; **success is — on perseverance** el éxito depende de la perseverancia; n familiar a cargo mf

depict [dipíkt] vt (verbally) describir; (visually) representar

depilate [dépalet] vt depilar(se)

depilatory [dipílatori] adj & n depilatorio m

deplane [diplén] vi desembarcar

deplete [diplít] vt agotar

depletion [diplífan] n agotamiento m

deplorable [diplórabal] adj deplorable

deplore [diplór] vt deplorar

deploy [diplói] vt desplegar

deport [dipórt] vt deportar; vi comportarse

deportment [dipórtmant] n comportamiento m, conducta f

depose [dipóz] vt (overthrow) deponer, derrocar; (testify) declarar; (take testimony) tomar declaración

deposit [dipázit] vt (add to an account) depositar; Sp ingresar; (place) colocar; n (amount added to an account) depósito m; Sp ingreso m; (of a mineral) yacimiento m; (earnest money) señal f, anticipo m

deposition [depazífan] n (removal from office) deposición f; (testimony) declaración f

depositor [dipázita-] n depositante mf

depot [dípo] n (of trains) estación f; (of buses) terminal mf; (for storage) almacén m, depósito m; (for military training) cuartel m

depraved [diprévd] adj depravado

deprecate [dépraket] vt despreciar

depreciate [diprífiet] vt (currency) depreciar(se); (goods) desvalorizar(se), amortizar(se)

depress [diprés] vt deprimir

depressed [diprést] adj deprimido

depressing [diprésiŋ] adj deprimente

depression [dipréfan] n depresión f

deprive [dipráiv] vt privar

depth [dépθ] n (of hole, feeling) profundidad f, hondura f; (of the voice) gravedad f; **in —** a fondo; **the —s** en las profundidades; **in — the — of that bookshelf?** ¿cuánto miden estos estantes de fondo? **he has sunk to such —s** ha caído muy bajo; **in the — of the night** bien entrada la noche; **in the — of winter** en lo más crudo del invierno

deputation [depjatéfan] n delegación f

deputy [dépjati] n (elected official) diputado -da mf; (substitute) suplente mf

derail [dirél] vi/vt descarrilar(se)

deranged [diréndʒd] adj trastornado, demente

derby [dá-bi] n (hat) sombrero hongo m; (race) derby m

deregulate [dirégjalet] vt desregular

derelict [déralikt] adj (deserted) abandonado; (negligent) negligente; n (ship) buque abandonado m; (person) vagabundo -da mf

deride [diráid] vt escarnecer, ridiculizar

derision [dirífan] n escarnio m

derivation [derevéfan] n derivación f

derivative [dirívativ] adj & n derivado m

derive [diráiv] vi/vt derivar(se); **to — pleasure from** disfrutar de

dermatology [da-matáladʒi] n dermatología f

derogatory [dirágatori] adj despectivo

derrick [dérik] n torre de perforación f

descend [disénd] vi/vt descender; **to — upon** caer sobre

descendant [dɪsˈɛndənt] adj & n descendiente mf

descent [dɪsˈɛnt] n (act of descending, decline) descenso m; (slope) bajada f; (lineage) descendencia f

describe [dɪsˈkraɪb] vt describir

description [dɪsˈkrɪpʃən] n descripción f; of all **—s** de todas clases

descriptive [dɪsˈkrɪptɪv] adj descriptivo

desecrate [ˈdɛsɪkreɪt] vt profanar

desecration [dɛsɪˈkreɪʃən] n profanación f

desegregate [disˈɛɡrɪɡeɪt] vi/vt eliminar la segregación racial

desensitize [disˈɛnsɪtaɪz] vt insensibilizar

desert [ˈdɛzɜrt] adj (barren, empty) desierto; (of the desert) desértico; n desierto m

desert [dɪˈzɜrt] vt/vi (a person, place) abandonar; (military service) desertar

deserter [dɪˈzɜrt-ə] n desertor -ra mf

desertion [dɪˈzɜrʃən] n (of a person or place) abandono m; (from the military) deserción f

deserve [dɪˈzɜrv] vt merecer

deserving [dɪˈzɜrvɪŋ] adj merecedor

design [dɪˈzaɪn] vi/vt (prepare a sketch of) diseñar, trazar; (plan) planear, idear; n (model, pattern) diseño m; (sketch) esbozo m; **he has — s on her** le ha echado el ojo

designate [ˈdɛzɪɡneɪt] vt designar, denominar

designation [dɛzɪɡˈneɪʃən] n denominación f, designación f

designer [dɪˈzaɪn-ə] n diseñador -ra mf; **drugs —** drogas de diseño f pl

desirable [dɪˈzaɪrəbəl] adj deseable, conveniencia f

desirability [dɪzaɪrəˈbɪlɪtɪ] n deseabilidad f, conveniencia f

desire [dɪˈzaɪr] vt desear; **I — your cooperation** requiero tu cooperación; n deseo m

desirous [dɪˈzaɪrəs] adj deseoso

desist [dɪˈsɪst] vi desistir

desk [dɛsk] n escritorio m; (school) pupitre m; **—top publishing** edición de sobremesa f

desolate [ˈdɛsəlɪt] adj (barren) desolado; [ˈdɛsəleɪt] vt desolar, asolar

desolation [dɛsəˈleɪʃən] n desolación f, aislamiento m

despair [dɪsˈpɛr] n desesperanza f; vi desesperarse, perder la esperanza

desparing [dɪsˈpɛrɪŋ] adj de desesperación

desperate [ˈdɛspərɪt] adj desesperado; — **illness** enfermedad gravísima

desperation [dɛspəˈreɪʃən] n desesperación f

despicable [dɪsˈpɪkəbəl] adj despreciable, desdeñable

despise [dɪsˈpaɪz] vt despreciar, menospreciar

despite [dɪsˈpaɪt] n despecho m; prep a pesar de

despoil [dɪsˈpɔɪl] vt despojar de

despondency [dɪsˈpɑndənsɪ] n abatimiento m, desaliento m

despondent [dɪsˈpɑndənt] adj abatido, desalentado

despot [ˈdɛspət] n déspota mf

despotic [dɪsˈpɑtɪk] adj despótico

despotism [ˈdɛspətɪzəm] n despotismo m

dessert [dɪˈzɜrt] n postre m

destabilize [disˈteɪbəlaɪz] vt desestabilizar

destination [dɛstəˈneɪʃən] n destino m

destine [ˈdɛstɪn] vt destinar; **she's — d for**

destiny [ˈdɛstɪnɪ] n destino m; **greatness** promete grandes cosas

destitute [ˈdɛstɪtut] adj menesteroso, indigente; **— of** falto de, desprovisto de

destroy [dɪsˈtrɔɪ] vt (demolish) destruir, deshacer; (kill) sacrificar; (ruin a reputation) arruinar

destroyer [dɪsˈtrɔɪ-ə] n (person who destroys) destructor -ra mf; (ship) destructor m

destructible [dɪsˈtrʌktəbəl] adj destructible

destruction [dɪsˈtrʌkʃən] n (act of demolishing) destrucción f; (act of killing) matanza f; (act of ruining a reputation) ruina f

destructive [dɪsˈtrʌktɪv] adj destructivo, destructor

detach [dɪˈtætʃ] vt separar, desprender; (troops) destacar

detachment [dɪˈtætʃmənt] n (physical) separación f; (emotional) desapego m; (of troops) destacamento m; (of the retina) desprendimiento m

detail [ˈditeɪl] n detalle m, pormenor m; **to go into —** detallar, pormenorizar; [diteɪl] vt detallar, pormenorizar; (assign duties) destacar

detain [dɪˈteɪn] vt detener

detect [dɪˈtɛkt] vt detectar

detective [dɪˈtɛktɪv] n detective mf

detector [dɪˈtɛktə] n detector m

detention [dɪˈtɛnʃən] n detención f

deter [dɪˈtɜr] vt (dissuade) disuadir; (prevent) prevenir

detergent [dɪˈtɜrdʒənt] n detergente m

deteriorate [dɪˈtɪriəreɪt] vt deteriorar(se)

deterioration [dɪtɪriəˈreɪʃən] n deterioro m

determination [dɪtɜrməˈneɪʃən] n (resolution) resolución f; (persistence) tesón m, perseverancia f

determine [dɪˈtɜrmɪn] vt determinar; **to do something** decidirse a hacer algo

determined [dɪˈtɜrmɪnd] adj decidido, resuelto; (persistent) tesonero

detest [dɪˈtɛst] vt detestar, abominar de

detestable [dɪˈtestəbl] adj detestable

dethrone [dɪˈθrəʊn] vt/vr destronar

detonate [ˈdetəneɪt] vi/vr detonar

detonation [detəˈneɪʃən] n detonación f

detour [ˈdiːtʊr] n desvío m; vi/vr desviar(se)

detox [ˈdiːtɒks] n

detoxification [diːtɒksɪfɪˈkeɪʃən] n desintoxicación

detract [dɪˈtrækt] vt distraer; vi **to — from** disminuir

detrimental [detrɪˈmentl] adj perjudicial

devaluation [diːvæljʊˈeɪʃən] n devaluación f

develop [dɪˈveləp] vt/vr (mature, elaborate) desarrollar(se); (build houses on), construir, edificar; (treat film) revelar; **she —ed an allergy** le vino una alergia; **—ing countries** países en desarrollo m pl

development [dɪˈveləpmənt] n (evolution) desarrollo m; (of a photograph) revelado m; (buildings) urbanización f, desarrollo m

device [dɪˈvaɪs] n (gadget) artefacto m; (literary convention) recurso m; (emblem) divisa f; **they left me to my own —s** me dejaron que me las arreglara sola

devil [ˈdevəl] n diablo m; **lucky —!** ¡qué suerte! **—'s advocate** abogado del diablo m; **what the — are you saying?** ¡qué diablos dices?

devilish [ˈdevɪlɪʃ] adj (evil) diabólico; (large, extreme) endiablado, endemoniado

deviltry [ˈdevɪltri] n (mischief) diablura f; (witchcraft) brujería f

devious [ˈdiːviəs] adj (roundabout) sinuoso, tortuoso; (crafty) taimado, retorcido

devise [dɪˈvaɪz] vt idear, urdir

devoid [dɪˈvɔɪd] adj **— of** falto de, desprovisto de

devote [dɪˈvəʊt] vt dedicar; (consecrate) consagrar

devoted [dɪˈvəʊtɪd] adj (friend) leal; (parent) dedicado; (worshipper) devoto

devotion [dɪˈvəʊʃən] n devoción f

devour [dɪˈvaʊr] vt devorar

devout [dɪˈvaʊt] adj devoto

dew [djuː] n rocío m; **—drop** gota de rocío f; **—point** punto de condensación m

dexterity [dekˈsterɪti] n destreza f

dextrose [ˈdekstrəʊs] n dextrosa f

diabetes [daɪəˈbiːtiz] n diabetes f

diabolic [daɪəˈbɒlɪk] adj diabólico

diacritic [daɪəˈkrɪtɪk] adj & n diacrítico m

diagonal [daɪˈæɡənəl] adj & n diagonal f

diagram [ˈdaɪəɡræm] n diagrama m

dial [ˈdaɪəl] n (of a watch, clock) esfera f; (of radio) dial m; vi/vr (telephone number) Sp marcar; Am discar; **— tone** Sp señal de marcar f; Am tono de discar m

dialect [ˈdaɪəlekt] n dialecto m

dialectic [daɪəˈlektɪk] adj dialéctico; n dialéctica f

dialectology [daɪəlektˈɒlədʒi] n dialectología f

dialog, dialogue [ˈdaɪəlɒɡ] n diálogo m; vi dialogar

dialysis [daɪˈælɪsɪs] n diálisis f

diameter [daɪˈæmɪtər] n diámetro m

diamond [ˈdaɪəmənd] n (stone) diamante m; (shape) rombo m

diaper [ˈdaɪpər] n pañal m; vt poner pañales

diaphragm [ˈdaɪəfræm] n diafragma m

diarrhea [daɪəˈrɪə] n diarrea f

diary [ˈdaɪəri] n diario m

diatribe [ˈdaɪətraɪb] n diatriba f

dice [daɪs] n pl, dados m pl; vt cortar en cubos; vi jugar a los dados; **no —!** (impossibility) no hay forma; Mex ¡ni modo! (refusal) de ninguna manera

dichotomy [daɪˈkɒtəmi] n dicotomía f

dicker [ˈdɪkər] vi regatear

dictate [dɪkˈteɪt] vt/vr dictar; n dictado m, precepto m

dictation [dɪkˈteɪʃən] n dictado m; **to take —** escribir al dictado

dictator [dɪkˈteɪtər] n dictador -ra mf

dictatorship [dɪkˈteɪtərʃɪp] n dictadura f

diction [ˈdɪkʃən] n dicción f

dictionary [ˈdɪkʃənri] n diccionario m

didactic [daɪˈdæktɪk] adj didáctico

die [daɪ] vi morir(se); **—hard** adj intransigente mf; **to — down / away** disminuir; **to — off** irse muriendo; **to — out** morirse, extinguirse; **my car —d** se me murió el coche; n (game piece) dado m; (press) molde m; (stamp) cuño m; troquel m

diesel [ˈdiːzəl] n diesel m; **— engine** motor diesel m

diet [ˈdaɪət] n (food) dieta f; (controlled intake of food) dieta f; régimen m; **to be/ go on a —** estar a dieta/ régimen; **to put on a —** poner a dieta; vi estar a dieta

differ [ˈdɪfər] vi diferir; **to — with** disentir, no estar de acuerdo con; **to — from** ser diferente

difference [ˈdɪfərəns] n diferencia f; **it makes no —** no importa, da igual

different [ˈdɪfərənt] adj diferente, distinto

differential [dɪfəˈrenʃəl] adj & n (difference, car part) diferencial m; **— equation**

differentiate [dɪfəˈrenʃieɪt] vi/vr diferenciar(se), distinguir(se)

difficult [ˈdɪfɪkəlt] adj difícil

difficulty [dífikʌti] n dificultad f

diffident [dífidənt] adj tímido

diffuse [difúz] vi/vt difundir; [difjús] adj difuso

diffusion [difjúʒən] n difusión f

dig [dig] vi/vt cavar; (by machine) excavar; escarbar en los archivos; **to — under** socavar; **to — up** desenterrar; **he dug his heels into the ground** clavó los talones en el suelo; **I — your new shoes** están muy buenos tus zapatos nuevos; n (archaeological site) excavación f; (sarcastic remark) pulla f; **a — in the ribs** un codazo

digest [dáiʤest] vt/vi digerir; [dáiʤest] n (summary) compendio m; (legal) digesto m

digestible [daiʤéstabl] adj digerible

digestion [daiʤéstʃən] n digestión f

digestive [daiʤéstiv] adj digestivo

digit [díʤit] n dígito m

digital [díʤidl] adj digital

dignified [dígnifaid] adj digno

dignitary [dígnitəri] n dignatario -ria m/f

dignity [dígniti] n dignidad f

digress [dáigres] vi divagar

digression [dáigreʃən] n digresión f

dike [daik] n dique m

dilapidated [dilǽpideid] adj (machine) destartalado; (furniture) desvencijado; (house) derruido, venido abajo

dilate [dáilet] vi/vt dilatar(se)

dilemma [diléma] n dilema m

dilettante [dílitant] n diletante m/f

diligence [dílidʒəns] n diligencia f

diligent [dílidʒənt] adj diligente, hacendoso

dill [dil] n eneldo m; **— pickle** pepinillo en vinagre con eneldo m

dilute [dáilut] vi/vt diluir(se); adj diluido

dim [dim] adj (light) tenue; (outline) difuso; (room) oscuro, en penumbras; (person) tonto, fam de pocas luces; **—wit** fam tonto, bobo; vi/vt (make less bright) atenuar; vt (switch to low beam) bajar

dime [daim] n moneda de diez centavos f; **English teachers are a — a dozen** sobran los profesores de inglés

dimension [diménʃən] n dimensión f

diminish [diminiʃ] vi/vt disminuir, menguar; **the law of —ing returns** la ley de los rendimientos decrecientes

diminution [diminjuʃən] n disminución f, mengua f

diminutive [diminjutiv] adj (small) diminuto; n diminutivo m

dimmer [dímər] n regulador de voltaje m

dimness [dímnəs] n oscuridad f, penumbra f

dimple [dímpəl] n hoyuelo m; vt formar hoyuelos

din [din] n estruendo m, estrépito m

diner [dáinər] n (restaurant) cafetería f; (on a train) coche-comedor m; (person) comensal m/f

ding-a-ling [díŋəliŋ] n (silly person) ganso -sa m/f; (eccentric person) excéntrico -ca m/f; (sound) tilín m

dingy [dínʤi] adj deslucido

dining [dáiniŋ] adj **— car** coche-comedor m; **— room** comedor m

dinner [dínər] n (main meal) comida f; (at midday) almuerzo m; (in the evening) cena f; **— jacket** smoking m; **—time** hora de la comida

dinosaur [dáinəsɔr] n dinosaurio m

dint [dint] adv loc **by — of** a fuerza de

dip [dip] vt (make wet) mojar; (scoop) sacar; (immerse) sumergir; (in insecticide) bañar; (in sauce) pringar, mojar; vi (sun) hundirse; (stocks) bajar; (road) hacer una bajada; (airplane) descender súbitamente; n (act of wetting) mojada f; (of ice-cream) bola f, cucharada f; (sauce) mojo m; (decrease) bajada f; (in a road) declive m; (in the land) hondonada f; (swim) baño m; (at travel) descenso rápido m; (irritating person) pej pesado -da m/f

diphtheria [difθíriə] n difteria f

diphthong [dífθɔŋ] n diptongo m

diploma [diplómə] n diploma m

diplomacy [diplómasi] n diplomacia f

diplomat [díplomæt] n diplomático -ca m/f

diplomatic [diploˈmætik] adj diplomático

dipper [dípə] n cucharón m, cazo m

dire [dair] adj terrible, espantoso; **— need** necesidad acuciante f; **— predictions** predicciones funestas f pl; **— situation** situación extrema f

direct [dáirekt] adj directo; **— current** corriente continua f; **— object** complemento directo m; **— quotation** cita textual f; adv directo, directamente; vt/vi dirigir; **he —ed me to leave me** mandó irme

direction [dáirekʃən] n dirección f; **—s** indicaciones f pl; **I'm thinking in that —** me inclino por eso

directly [dáirektli] adv directivo; n directiva f

director [dáirektər] n director -ra m/f

directory [dáirektəri] n directorio m (also computer term)

dirigible [dɪrɪdʒəbəl] adj & n dirigible *m*
dirt [dərt] n (filth) suciedad *f*; (foul substance) mugre *f*; (earth) tierra *f*; —**bag** n offensive porquería *f*; —**cheap** baratísimo; —**poor** pobrísimo; **I've got some — on him** le conozco los trapos sucios
dirty [dərti] adj sucio, mugriento; —**joke** chiste verde *m*; —**look** mirada asesina *f*; —**money** dinero sucio *m*; —**shame** pena horrible *f*; —**trick** trampa *f*; —**word** palabrota *f*; *Sp* taco *m*; —**work** trabajo sucio *m*; vi/vt ensuciar; adv **to talk —** decir cosas obscenas
disability [dɪsəbɪləti] n incapacidad *f*
disable [dɪsebəl] vt (person) incapacitar; (device) desactivar
disabled [dɪsebəld] adj minusválido
disabuse [dɪsəbjuz] vt desengañar
disadvantage [dɪsədvæntɪdʒ] n desventaja *f*; **to be at a —** estar en desventaja
disadvantaged [dɪsədvæntɪdʒd] adj carenciado
disagree [dɪsəgri] vi (differ) diferir; (differ in opinion) disentir, no estar de acuerdo; **pizza —s with me** no me cae bien la pizza
disagreeable [dɪsəgriəbəl] adj desagradable
disagreement [dɪsəgrimənt] n (lack of agreement) discrepancia; (argument) desacuerdo *m*; —
disallow [dɪsəlaʊ] vt desaprobar; (in sports) anular
disappear [dɪsəpir] vi desaparecer
disappearance [dɪsəpirəns] n desaparición *f*
disappoint [dɪsəpɔint] vt/vi decepcionar, desilusionar; **to be —ed** estar desilusionado
disappointing [dɪsəpɔintiŋ] adj decepcionante
disappointment [dɪsəpɔintmənt] n decepción *f*, desilusión *f*
disapproval [dɪsəpruvəl] n desaprobación *f*
disapprove [dɪsəpruv] vi/vt desaprobar
disarm [dɪsɑrm] vi/vt desarmar(se)
disarmament [dɪsɑrməmənt] n desarme *m*
disarray [dɪsəre] vt desordenar; n confusión *f*, desorden *m*; **in —** en desorden
disaster [dɪzæstər] n desastre *m*
disastrous [dɪzæstrəs] adj desastroso
disavow [dɪsəvaʊ] vt negar
disband [dɪsbænd] vt disolver; vi desbandarse
disbelief [dɪsbɪlif] n incredulidad *f*
disbelieve [dɪsbɪliv] vi/vt descreer de
disburse [dɪsbɜrs] vt desembolsar
disbursement [dɪsbɜrsmənt] n desembolso *m*
discard [dɪskɑrd] vt (a card) descartar,

(garbage) desechar; [dɪskɑrd] n (card) descarte *m*; (garbage) desecho *m*
discern [dɪsɜrn] vt (distinguish mentally) discernir; (perceive) percibir
discernment [dɪsɜrnmənt] n discernimiento *m*
discharge [dɪstʃɑrdʒ] vi/vt (battery, load, firearm) descargar(se); (obligation) cumplir; (prisoner) poner en libertad, soltar; (odor) despedir; (soldier) dar de baja; (patient) dar de alta; (a debt) pagar; (pus) supurar; [dɪstʃɑrdʒ] n (of a battery, load, firearm) descarga *f*; (of an obligation) cumplimiento *m*; (from a job) despido *m*; (of a soldier) baja *f*; (of a patient) alta *f*; (of a debt) pago *m*; (of an odor) emisión *f*; (of a prisoner) puesta en libertad *f*; (of oil) pérdida *f*; (of pus) supuración *f*; (uterine, vaginal) flujo *m*
disciple [dɪsaɪpəl] n discípulo -la *mf*
discipline [dɪsəplɪn] n disciplina *f*; vt disciplinar
disclaimer [dɪsklemər] n descargo de responsabilidad *m*
disclose [dɪskloz] vt revelar
disco [dɪsko] n discoteca *f*
discolor [dɪskʌlə] vi/vt descolorar(se)
discomfort [dɪskʌmfərt] n malestar *m*
disconcert [dɪskənsɜrt] vt desconcertar
disconnect [dɪskənɛkt] vi/vt desconectar; n desconexión *f*
disconnected [dɪskənɛktɪd] adj (broken) desconectado; (incoherent) inconexo
disconsolate [dɪskɑnsəlɪt] adj desconsolado
discontent [dɪskəntɛnt] n descontento *m*
discontinue [dɪskəntɪnju] vt suspender, interrumpir; vi abandonar
discontinuous [dɪskəntɪnjuəs] adj discontinuo
discord [dɪskɔrd] n (lack of concord) discordia *f*; (dissonance) desavenencia *f*
discotheque [dɪskotɛk] n discoteca *f*
discount [dɪskaʊnt] vt (deduct from a charge) descontar; (sell at a reduced price) rebajar; (take into account in advance) descontar; [dɪskaʊnt] n descuento *m*
discourage [dɪskɜrɪdʒ] vt desanimar, desalentar; **to — from** disuadir de, desalentar; n desánimo *m*, desaliento *m*
discouragement [dɪskɜrɪdʒmənt] n desaliento *m*, desánimo *m*
discourse [dɪskɔrs] n (conversation, talk) discurso *m*; (treatise) disertación *f*; [dɪskɔrs] vi (talk) discurrir; (treat a subject) disertar
discourteous [dɪskɜrtiəs] adj descortés
discourtesy [dɪskɜrtəsi] n descortesía *f*
discover [dɪskʌvər] vt descubrir

discoverer [dɪskʌvərə] n descubridor -ra mf

discovery [dɪskʌvəri] n descubrimiento m

discredit [dɪskredɪt] vt (injure the reputation of) desacreditar; (give no credence to) no creer; n descrédito m

discreet [dɪskrit] adj discreto

discrepancy [dɪskrepənsi] n discrepancia f

discrete [dɪskrit] adj discreto

discretion [dɪskreʃən] n discreción f; **at your own —** a discreción; **at the judge's —** al arbitrio del juez

discriminate [dɪskrɪmənet] vi/vt distinguir; **to — against** discriminar a

discuss [dɪskʌs] vt discutir

discussion [dɪskʌʃən] n discusión f

disdain [dɪsden] n desdén m; desprecio m; vt (treat with contempt) desdeñar; (think unworthy of a response) no dignarse a

disdainful [dɪsdenfəl] adj desdeñoso

diseased [dɪzizd] adj enfermo

disembark [dɪsɪmbark] vi/vt desembarcar

disenfranchise [dɪsɪnfrænʧaɪz] vt (politician) proscribir; (minorities) privar de derechos, desheredar

disengage [dɪsɪngeʤ] vi/vt (a clutch) soltar(se); (from a situation) distanciar(se)

disentangle [dɪsɪntæŋgəl] vt desenredar, desenmarañar

disfavor [dɪsfevə] n — **to fall into —** (a person) caer en desgracia; (a fashion) caer en desuso; vt mirar con malos ojos

disfigure [dɪsfɪgə] vt desfigurar

disgrace [dɪsgres] n (dishonor) deshonra f; (shame) vergüenza f; **to fall into —** caer en desgracia, vt deshonrar

disgraceful [dɪsgresfəl] adj vergonzoso

disgruntled [dɪsgrʌntəld] adj descontento, resentido

disguise [dɪsgaɪz] vt disfrazar(se); n disfraz m

disgust [dɪsgʌst] vt (repel) asquear, repugnar; (displease) disgustar; n asco m, repugnancia f

disgusted [dɪsgʌstɪd] adj asqueado, repugnado

disgusting [dɪsgʌstɪŋ] adj asqueroso, repugnante

dish [dɪʃ] n (plate, food, quantity) plato m; (serving container) fuente f; (attractive person) fam bombón m; **— es** vajilla f; **—cloth / towel** paño de cocina m; repasador m; **— washer** lavaplatos m sg, lavavajillas m sg, **— water** agua de fregar f; vi/vt (serve food) servir; **to — out** repartir

dishearten [dɪshartən] vt desanimar, descorazonar, desalentar

disheartening [dɪshartənɪŋ] adj desalentador

dishevel [dɪʃevəl] vt desgreñar

disheveled [dɪʃevəld] adj (hair) desgreñado, revuelto; (clothes) desaliñado

dishonest [dɪsanɪst] adj deshonesto

dishonesty [dɪsanɪsti] n deshonestidad f

dishonor [dɪsanə] n deshonra f; vt deshonrar; (a check) no pagar

dishonorable [dɪsanərəbəl] adj deshonroso

disillusion [dɪsɪluʒən] vt desilusionar, desencantar; n desilusión f

disinfect [dɪsɪnfekt] vt desinfectar

disinfectant [dɪsɪnfektənt] n desinfectante m

disinformation [dɪsɪnfəmeʃən] n desinformación f

disinherit [dɪsɪnherɪt] vt desheredar

disintegrate [dɪsɪntɪgret] vi/vt desintegrar(se)

disintegration [dɪsɪntɪgreʃən] n desintegración f

disinterested [dɪsɪntrɪstɪd] adj desinteresado

disjointed [dɪsʤɔɪntɪd] adj desarticulado

disk, disc [dɪsk] n disco m; (in certain games) tejo m; (in a computer) disco m; **— brake** freno de disco m; **— drive** disquetera f; **— jockey** pinchadiscos mf sg

diskette [dɪsket] n disquete m

dislike [dɪslaɪk] n aversión f, tirria f; **I — parties** no me gustan las fiestas

dislocate [dɪslokét] vt dislocar, descoyuntar

dislodge [dɪslaʤ] vt (force out) desatascar; (displace) desprender

disloyal [dɪslɔɪəl] adj desleal

dismal [dɪzməl] adj pésimo; **a — failure** un fracaso rotundo

dismantle [dɪsmæntəl] vt (a factory) desmantelar; (a car, watch, etc.) desmontar

dismay [dɪsme] vt (disappoint) consternar; (daunt) desalentar; (alarm) alarmar; n (disappointment) consternación f; (loss of courage) desaliento m; (alarm) alarma f

dismember [dɪsmembə] vt desmembrar

dismiss [dɪsmɪs] vt (fire a private employee) despedir; (fire a public employee) destituir; cesar; (reject a possibility) desechar; descartar; (discharge from military service) dar de baja; (reject a claim) desestimar; **class — ed!** ¡pueden retirarse!

dismissal [dɪsmɪsəl] n (firing) destitución f, despido m; (of a possibility) rechazo m; (from military service) baja f; (of a claim) desestimación f

dismount [dɪsmaʊnt] vi (get off a horse) desmontarse, apearse; (take apart) desarmar; n bajada f

dispossess [dispǝzés] vt desposeer

disproportionate [disprǝpɔrʃǝnit] adj desproporcionado

disprove [disprúv] vt refutar

dispute [dispjút] n disputa f; vi/vt disputar; vt discutir, impugnar

disqualify [diskwɑlifai] vt (deprive of rights) inhabilitar; (exclude from a team event) descalificar

disregard [disrigárd] vt hacer caso omiso de, ignorar; n (neglect) descuido m

disrepair [disrepér] n mal estado m; **to fall into —** caer en ruina

disreputable [disrépjutǝbǝl] adj (of bad reputation) de mala reputación; (shabby) de mala muerte

disrespect [disrispékt] n desacato m, falta de respeto f; vt faltar el respeto

disrespectful [disrispéktfǝl] adj irrespetuoso

disrobe [disrǝub] vi/vt desvestir(se)

disrupt [disrápt] vt (cause disorder) trastornar, trastocar; (interrupt) interrumpir

dissatisfied [dissǽtisfaid] adj insatisfecho, disconforme

dissatisfy [dissǽtisfai] vt no satisfacer

dissect [daisékt] vt (cut apart) disecar; (analyze argument) analizar

dissemble [disémbǝl] vi/vt (hide) disimular; (feign) fingir

disseminate [disémaneit] vt (spread out) diseminar; (publicize) divulgar

dissemination [disseminéiʃǝn] n diseminación f

dissension [disénʃǝn] n disensión f, disenso m

dissent [disént] vi disentir; n disenso m, disidencia f

dissertation [disǝtéiʃǝn] n (formal discourse) disertación f; (doctoral treatise) tesis de doctorado f

dissident [disǝdǝnt] n disidente mf

dissimilar [dissímilǝr] adj diferente

dissimulation [dissimjǝléiʃǝn] n disimulo m

dissipate [dispeit] vi/vt disipar(se)

dissipation [dispeiʃǝn] n disipación f

dissolute [dispǝlut] adj disoluto

dissolution [disǝluʃǝn] n disolución f

dissolve [dizɑlv] vi/vt disolver(se)

dissuade [diswéd] vt disuadir

distance [distǝns] n distancia f, recorrido m; **— learning** educación a distancia f; **in the —** a lo lejos, en la lejanía; vt distanciarse de, distanciar

distant [distǝnt] adj (far away, aloof) distante; (remote) lejano, remoto; **to be**

disobedience [disǝbidiǝns] n desobediencia f

disobedient [disǝbidiǝnt] adj desobediente

disobey [disǝbei] vi/vt desobedecer

disorder [disɔrdǝr] n (confusion) desorden m; (public disturbance) desorden público m; (illness) trastorno m; desarreglo m

disorderly [disɔrdǝrli] adj (untidy) desordenado; (unruly) revoltoso; **— conduct** alteración del orden público f

disorganization [disɔrgǝnizeiʃǝn] n desorganización f

disorganized [disɔrgǝnaizd] adj desorganizado

disown [disǝun] vt repudiar

disparage [dispǽridʒ] vt denigrar

disparate [dispǝrit] adj dispar

dispassionate [dispǽʃǝnit] adj desapasionado

dispatch [dispǽtʃ] vt despachar; n (sending off) envío m; (putting to death) ejecución f; (news story, official communication)

dispel [dispel] vt disipar

dispensable [dispensǝbl] adj prescindible

dispensary [dispensǝri] n dispensario m

dispensation [dispenseiʃǝn] n (relaxation of law) dispensa f; (act of handing out) dispensación f

dispense [dispens] vt (goods) dispensar; (justice) administrar; **to — from an obligation** eximir de una obligación; **to — with** prescindir de

dispersal [dispǝsǝl] n dispersión f

disperse [dispǝs] vi/vt dispersar(se)

displace [displeis] vt (evict) desalojar; (take up space, remove from office) desplazar; **—d person** expatriado-da mf

display [displei] vt (exhibit) exhibir, exponer; (unfold, flaunt) desplegar, ostentar; (show on a computer screen) visualizar; n (of wares, etc.) exhibición f, despliegue m; (advertisement) cartel m; (flaunting) ostentación f; (computer) visualizador m, display m

displease [displiz] vt contrariar, desagradar, descontentar; vi molestar

displeasure [displéʒǝr] n disgusto m

disposal [dispǝuzǝl] n (arrangement) desagrado m

dispose [dispǝuz] vt (give inclination) predisponer; (set in order, make ready) disponer; **to — of** descartar, eliminar

disposition [dispǝziʃǝn] n (inclination) inclinación; disposición [disposiʃǝn] n (attitude) temperamento m; (inclination) inclinación f; tendencia f; (arrangement, disposal) disposición f

— **from** distar de

distaste [dɪsˈteɪst] n aversión f

distasteful [dɪsˈteɪstfʊl] adj desagradable

distemper [dɪsˈtempə] n moquillo m

distend [dɪsˈtend] vi/vt estirar(se)

distil [dɪsˈtɪl] vi/vt destilar(se)

distillery [dɪsˈtɪlərɪ] n destilería f

distillation [dɪsteˈleɪʃən] n destilación f

distinct [dɪsˈtɪŋkt] adj (different) distinto; (clear) bien delineado, neto

distinction [dɪsˈtɪŋkʃən] n distinción f; **passed with** — aprobó con sobresaliente

distinctive [dɪsˈtɪŋktɪv] adj distintivo

distinguish [dɪsˈtɪŋgwɪʃ] vt/vi distinguir

distinguished [dɪsˈtɪŋgwɪʃt] adj distinguido

distinguishing [dɪsˈtɪŋgwɪʃɪŋ] adj distintivo

distort [dɪsˈtɔːt] vt (an object) deformar; (reports, sound) distorsionar

distortion [dɪsˈtɔːʃən] n (object) deformación f; (image, sound) distorsión f (of a statement) tergiversación f

distract [dɪsˈtrækt] vt distraer, entretener

distraction [dɪstrækʃən] n distracción f; to **drive to** — volver loco

distraught [dɪsˈtrɔːt] adj angustiado

distress [dɪstres] n (anxiety) angustia f; (pain) dolor m, congoja f; to **be in** — (a person) estar en apuros; (a ship, plane) estar en peligro; vt (cause anxiety) angustiar, atribular; (cause pain) acongojar, afligir

distribute [dɪsˈtrɪbjuːt] vt distribuir, repartir

distribution [dɪstrɪbjuːʃən] n distribución f; reparto m

distributor [dɪsˈtrɪbjuːtə] n distribuidor m

district [dɪstrɪkt] n distrito m, comarca f; — **attorney** fiscal de distrito m; — **of Columbia** Distrito de Columbia m

District of Columbia [dɪstrɪktəvkəlʌmbɪə] n Distrito de Columbia m

distrust [dɪstrʌst] n desconfianza f; vt desconfiar de

distrustful [dɪstrʌstfʊl] adj desconfiado

disturb [dɪsˈtɜːb] vt (interrupt, interfere, perplex) perturbar; (trouble) turbar; (alter mentally) trastornar; (mess up) desarreglar; **do not** — se ruega no molestar

disturbance [dɪstɜːbəns] n disturbio m; (weather) perturbación f

disuse [dɪsˈjuːs] n desuso m; to **fall into** — caer en desuso

ditch [dɪtʃ] n (trench) zanja f; (roadside) cuneta f; (for irrigation) acequia f; vt (make ditches) abrir zanjas; (get rid of) deshacerse de; (crash-land an airplane on water) hacer un amarizaje; to — **someone** dejar a alguien

dither [dɪðə] vi (hesitate) titubear; n f; **threw her into a** — se puso muy

ditsy [dɪtsɪ] adj atolondrado, cabeza de chorlito; nerviosa

ditto [dɪtoʊ] pron & adv ídem m

diuretic [daɪəˈretɪk] adj & n diurético m

diurnal [daɪˈɜːnəl] adj diurno

divan [dɪˈvæn] n diván m, canapé m

dive [daɪv] vi (into water) zambullirse, chapuzar; (into an activity) zambullirse; (with scuba equipment) bucear; (airplane) bajar en picada; (submarine) sumergirse; (of a person) zambullida f, chapuz m; (of an airplane) picada f; (cheap bar) antro m

diver [daɪvə] n salvador -ra m f; (high-dive) clavadista m f; (scuba) buzo m f

diverge [dɪˈvɜːdʒ] vi (branch off, differ in opinion) divergir; vi/vt (deviate) desviar

divergence [dɪˈvɜːdʒəns] n (separation, difference in opinion) divergencia f; (deviation) desviación f

diverse [dɪˈvɜːs] adj (of various kinds) diverso; (different) diferente

diversify [dɪˈvɜːsɪfaɪ] vi/vt diversificar(se)

diversion [dɪˈvɜːʒən] n (entertainment) entretenimiento m; (distraction) distracción f; (military) diversión f; (turning aside) desvío m, desviación f

diversity [dɪˈvɜːsɪtɪ] n diversidad f

divert [dɪˈvɜːt] vi/vt (turn aside) desviar, distraer; (distract) entretener

divest [dɪˈvest] vt (strip) despojar; (get rid of) deshacerse de

divide [dɪˈvaɪd] vi/vt dividir(se); (classify) clasificar(se); n línea divisoria f

dividend [dɪvɪdend] n dividendo m

divine [dɪˈvaɪn] adj divino; vi/vt adivinar

divinity [dɪˈvɪnɪtɪ] n divinidad f; (theology) teología f

division [dɪˈvɪʒən] n división f

divorce [dɪˈvɔːs] n divorcio m; vi/vt divorciar(se)

divulge [dɪˈvʌldʒ] vt divulgar, publicar

dizziness [dɪzɪnəs] n mareo m

dizzy [dɪzɪ] adj (person) mareado; (height) vertiginoso; (speed) vertiginoso; — **spell** vahído m

DJ (disc jockey) [dɪdʒeɪ] n pinchadiscos m f sg

Djibouti [dʒɪbuːtɪ] n Yibuti m

Djiboutian [dʒɪbuːtɪən] adj & n yibutiano -na m f

DNA (deoxyribonucleic acid) [diːenˈeɪ] n ADN m

do [duː] vi/vt hacer; to — **away with** eliminar; to — **one's hair** arreglarse el pelo; to — **the dishes** lavar los platos; to — **drugs** tomar drogas, to — **in** matar; to — **time** cumplir una condena; we were **—ing 100 kph** íbamos a cien kph; **to — well** prosperar; **to — without** prescindir de; **to have nothing to — with** no tener nada que ver con; **that will —** basta; **that won't —** eso no sirve; **I'm —ing well** estoy bien; **this will have to —** habrá que conformarse con esto; **—-it-yourself** hágalo usted mismo; v AUX **I feel as you —** pienso igual que tú; **how — you —?** ¿cómo estás? **— you hear me?** ¿me oyes? **yes, I — sí; — come again** vuelve por favor; N (hairstyle) peinado m; (party) fiesta f

DOA (dead on arrival) [dióɛ́] ADJ muerto -ta antes de ingresar al hospital mf

docile [dásəl] ADJ dócil

dock [dɑk] N (pier) muelle m; (for landing) desembarcadero m, atracadero m; (water between piers) dique m, dársena f; **dry —** dique seco m; VI/VT (a boat) atracar; (a space ship) acoplar(se); (wages) descontar

doctor [dɑ́ktə] N (physician) médico -ca mf; (Ph.D., scholar) doctor -ra mf; (expert) especialista mf; VT (treat) atender; (cure) curar; (restore) restaurar; (counterfeit) alterar; **I —ed up this recipe** le hice unos retoques a esta receta

doctorate [dɑ́ktəɹɪt] N doctorado m

doctrine [dɑ́ktrɪn] N doctrina f

document [dɑ́kjəmənt] N documento m; [dɑ́kjəmɛnt] VT documentar

documentary [dɑkjəmɛ́ntəri] N documental m

dodder [dɑ́də] VI (stumble along) tambalearse, titubear; (shake) temblequear

dodge [dɑdʒ] VT esquivar, sortear; (be evasive) dar rodeos; (move sideways) apartarse, echarse a un lado; N evasiva f

doe [do] N cierva f; (female of various animals) hembra f

dog [dɔg] N perro -rra mf; **—catcher** perrero -ra mf; **— collar** collar de perro m; **—-eared** sobado, muy gastado; **—fight** (dogs) pelea f de perros; (aircraft) combate aéreo m; (people) reyerta f; **—gone** maldito -ta mf; **—house** casilla de perro f; Sp caseta f; **to be in the —house** haber caído en desgracia, estar en capilla; **— paddle** nado estilo perrito m; **to —-paddle** nadar estilo perrito m; **—sled** trineo para perros m; **— tag** placa de identificación f; **—wood** cornejo m; **to go to the —s** venirse abajo; VT (follow) seguir la pista de; (harass) hostigar

doggy [dɔ́gi] N perrito -ta mf; **— bag** bolsa para las sobras f

dogma [dɔ́gmə] N dogma m

dogmatic [dɔgmǽdɪk] ADJ dogmático

doily [dɔ́ili] N mantelito m

doings [dúɪŋz] N acciones f pl

dole [dol] N (alms) limosna f; **to be on the —** estar cobrando el seguro de desempleo / paro; **to — out** repartir

doleful [dólfəl] ADJ apesadumbrado, triste

doll [dɑl] N (toy) muñeco -ca mf; (attractive female) muñeca f; **—house** casa de muñecas f; VI **to get —ed up** emperifollarse, empaquetarse

dollar [dɑ́lə] N dólar m; **— diplomacy** diplomacia del dólar f; **— sign** signo del dólar m

dolly [dɑ́li] N (doll) muñeca f; (cart) carretilla f

dolphin [dɑ́lfɪn] N (mammal) delfín m; (fish) dorado m

dolt [dolt] N zopenco -ca mf

domain [domén] N dominio m

dome [dom] N (roof) cúpula f, domo m; (head) coco m, pelada f; **the — of the sky** la bóveda celeste

domestic [dəmɛ́stɪk] ADJ (appliance, pet, chore) doméstico; (devoted to homemaking) hogareño; (home-loving) casero; (of a country) interno, nacional; **— violence** violencia doméstica f; N doméstico -ca mf

domesticate [dəmɛ́stɪket] VI/VT (animals) domesticar; (plants) aclimatar

domicile [dɑ́məsaɪl] N domicilio m

dominant [dɑ́mənənt] ADJ dominante

dominate [dɑ́mənet] VI/VT dominar; VI señorear

domination [dɑmənéʃən] N (act of dominating) dominación f; (rule) dominio m

domineer [dɑmənír] VI/VT dominar, mandonear

domineering [dɑmənírɪŋ] ADJ tiránico, mandón

Dominica [dəmínɪkə] N Dominica f

Dominican [dəmínɪkən] ADJ & N (of Dominica) dominiqués -esa mf; (of the Dominican Republic) dominicano -na mf

Dominican Republic [dəmínɪkənrɪpáblɪk] N República Dominicana f

dominion [dəmínjən] N dominio m, señorío m

domino [dɑ́məno] N (game, costume) dominó m; (piece) ficha f

don [dɑn] N (title, form of address, mafia boss) don m; (lecturer) profesor -ra universitario -ria mf; VT ponerse, vestirse

donate [dónet] VI/VT donar

donation [donéʃən] N donación f

done [dʌn] adj terminado, acabado; **when you are —** cuando termines; **to be all — in** estar muerto de cansancio; **the meat is well —** está bien asada la carne; **that sort of thing just isn't —** eso no se hace

donkey [dáŋki] n burro m, asno m, borrico m

donor [dóna] n donante m, donador -ora mf

doodad [dúdæd] n (trinket) chuchería f; (device) chisme m, coso m

doohickey [dúhiki] n chisme m, coso m

doom [dum] n perdición f; **—sday** día del juicio final m; to v condenar; **to be —ed to failure** estar condenado al fracaso

door [dɔr] n puerta f; **—to—** de puerta a puerta; **—bell** timbre m; **—keeper** portero m; **—knob** pomo m; **—man** portero -ra mf; **—mat** felpudo m; **—step** umbral m; **—way** puerta f, portal m; **I showed him the —** lo eché

dope [dop] n (narcotic) droga f; (stimulant) estimulante m; (information) chismes m pl; **he is a —** fam es un zopenco; vt dopar; **to — oneself up** medicarse en exceso

dork [dɔrk] n fam idiota mf, tarambana mf

dorky [dɔrki] adj **that's a — dress** fam parece una túnica con ese vestido

dormant [dɔrmənt] adj latente

dormitory [dɔrmitɔri] n residencia estudiantil f

DOS (Disk Operating System) [das] n DOS m

dose [dos] n dosis f; vt dosificar

dossier [dɔsie] n expediente m

dot [dɑt] n punto m; (on a tie) n pinta f; **—com** punto com; **—matrix printer** impresora de matriz de puntos f; **—ted eighth note** corchea con puntillo f; **on the —** en punto; vr marcar con puntos

dotage [dótidʒ] n chochez f; **to be in one's —** chochear, estar chocho

dote [dot] vi **to — on** estar chocho con

double [dábəl] adj doble; **— agent** mf agente m; **—barreled** de doble cañó; **—bass** contrabajo m; **—bed** cama doble f; **—bind** dilema m; **—boiler** baño de María m; **—breasted** cruzado; **—chin** papada f; **—click** hacer doble clic; **—cross** traición f; **to —cross** traicionar; **to —date** salir dos parejas juntas; **—dealing** duplicidad f; **—entry** entrada por partida doble; **—sided** de dos caras; **—shift** turno doble m; **—standard** trato discriminatorio m; **—vision** doble visión f; **to do a — take** quedar atónito

doubt [daʊt] vi/vt dudar; (not trust) desconfiar; n duda f; **beyond a —** indudablemente; **in —** en duda; **no —!** ¡sin duda!

doubtful [dáʊtfəl] adj dudoso

doubtless [dáʊtlis] adv (certainly) sin duda; (probably) probablemente

dough [do] n pasta f, masa f; (money) pasta f, mosca f; **—nut** rosquilla f, Mex dona f, Sp donut m

douse [daʊs] vi/vt empapar; (a flame) apagar (con agua)

dove [lʌv] n paloma f

dowdy [dáʊdi] adj (article of clothing) pasado de moda; (person) sin gracia

dowel [dáʊəl] n clavija f

down [daʊn] adv abajo; **two blocks —** dos calles más abajo; **to turn — the volume** bajar el volumen; **to water — a drink** rebajar una bebida con agua; **to get — to work** aplicarse al trabajo; **to fall —** caerse; **to go / come —** bajar; **to come — with a cold** caer con gripe; Sp cogerse un resfriado; **to lie —** tumbarse; adv enfermo; **write —** anotar; **to put — someone** denigrar a alguien; **slow —!** ¡anda más despacio! **the wind died —** amainó el viento; prep **— the street** calle abajo; adj (depressed) abatido; **one — and two to go** hicimos dos de por hacer; **prices are —** han bajado los precios; **they're — on me** están mal conmigo; (turn for the worse) revés m; (feathers) plumón m; vt (knock down, shoot down) derribar; (drink quickly) despachar de un solo trago; (defeat) vencer

down-and-dirty [dáʊnndɜrdi] adj sucio

down-and-out [dáʊnændaʊt] adj tirado

downcast [dáʊnkæst] adj abatido, cabizbajo

downfall [dáʊnfɔl] n ruina f

downgrade [dáʊngred] n declive m, pendiente f; vt quitarle importancia a

downhill [dáʊnhɪl] adv cuesta abajo; **his health is going —** su salud se deteriora; [dáʊnhɪl] adj **a — slope** una pendiente; n bajada contra-reloj f

download [dáʊnlod] vt descargar

down payment [dáʊnpeɪmənt] n entrega

inicial f, entrada f

downplay [dáunple] vt quitar la importancia a

downpour [dáunpɔr] n aguacero m

downright [dáunrait] adj absoluto; — **foolishness** reverenda tontería f; **he was** — **angry** echaba chispas

downshift [dáunʃift] vi rebajar (el cambio)

downside [dáunsaid] n inconveniente m

downsize [dáunsaiz] vt (cut back) hacer reducción de personal; vr (make smaller) reducir el tamaño de; **he got** —**d** perdió el trabajo cuando hicieron reducción de personal

downstairs [dáunsterz] adv abajo; (in the apartment one floor lower) en el piso de abajo; [dáunsterz] adj de abajo; n planta baja f

downstream [dáunstrim] adv río abajo

downtime [dáuntaim] n (of a machine) tiempo de inactividad m; (of a person) horas de ocio f pl

down-to-earth [dáuntə-ɜrθ] adj sensato, práctico

downtown [dáuntaun] adv (toward) al centro; (in) en el centro; adj del centro, céntrico; n centro m

downturn [dáuntɜrn] n tendencia a la baja f

down under [dáunʌndər] adv en/a Australia

downward [dáunwəd] adj descendente; — **mobility** descenso social m; —s hacia abajo

downwind [dáunwaind] adv en la dirección del viento

downy [dáuni] adj sedoso, suave

dowry [dáuri] n dote f

doze [doz] vi dormitar; n siesta f

dozen [dázn] n docena f

drab [dræb] adj triste; n pardo m

draft [dræft] n (of air) corriente f; (drink) trago m; (bank) giro m; (outline) esbozo m; (military) conscripción f, quinta f; (of a ship) calado m; — **beer** cerveza de barril f; — **horse** caballo de tiro m; —**sman** dibujante m; vt (to sketch) esbozar; (to compose) redactar; (to select for military service) reclutar

drag [dræg] vi/vt (haul slowly) arrastrar(se); (search a body of water) rastrear(se); — **me into this** no me metas en esto; to — **on and on** eternizarse; to — **out** estirar; **don't** — **me into this** no me metas en esto; n (dredge) draga f; (boring person) pesado -da m; (hassle) lata f; (counterforce) resistencia f; (on a cigarette) pitada f; — **race** carrera de dragsters f; — **strip** pista de dragsters f

dragon [drǽgən] n dragón m; —**fly** libélula f

drain [dren] n (channel) desagüe m, sumidero m; (depletion of resources) sangría f, fuga f; — **pipe** desaguadero m, desagüe m; **to go down the** — irse por la borda; vi/vt (empty a sink) desaguar(se), (exhaust) agotar(se); vt (wetlands) drenar, sanear; vi (a battery) descargarse

drainage [drénidʒ] n (act of draining) desagüe m, drenaje m; (system) drenaje m; — **pipe** tubo de desagüe m

drake [drek] n pato (macho) m

drama [drámə] n drama m

dramatic [drəmǽdik] adj dramático

dramatist [drámətist] n dramaturgo -ga mf

dramatize [drámətaiz] vi/vt dramatizar

drape [drep] vt (hang in folds) colgar, drapear; vt (cover) cubrir; n cortina f

drapery [drépəri] n (curtain) colgadura f

drastic [drǽstik] adj drástico

draw [drɔ] vt (a picture) dibujar; (lines, shapes) trazar; (a cart) tirar de; (a curtain) correr; (cards, blood, water, conclusion, strength) sacar; (a crowd) atraer; (withdraw money) retirar, sacar; (receive money) cobrar; (comparison, distinction) hacer; (sword) desenvainar; vi (of a boat) tener calado; (of a fireplace) tirar; (in sports, have the same score) empatar; to — **aside** apartar(se); to — **a breath** aspirar, tomar aliento; to — **a blank** quedarse en blanco; to — **in** involucrar; to — **lots/straws** echar a la suerte, sortear; to — **near** acercarse; to — **off** irse, retirarse; to — **on** (be based on) basarse en; (have recourse to) recurrir a; to — **out** (remove) sacar; (prolong) alargar, prolongar; to — **up** (approach) acercar(se); (write) redactar; (shrink) encoger; n (tie) empate m; (lot) número m escoger; n (attraction) atracción f; — **back** inconveniente m; — **bridge** puente levadizo m

drawer [drɔr] n (small) cajón m; (small) gaveta f; —s calzones m pl

drawing [drɔiŋ] n (picture) dibujo m; (raffle) sorteo m; — **room** sala de recibo f

drawn [drɔn] adj demacrado; —**out** interminable

dread [dred] n pavor m, terror m, espanto m; vt **I** — **going to the dentist** me aterra ir al dentista

dreadful [drédfəl] adj horrendo, espantoso, temible

dream [drim] n (dim) sueño m (also aspiration); (revery) ensueño m, ensoñación f; (fancy)

ejercicios *m pl*; (procedure) procedimiento *m*; (rehearsal) simulacro *m*; (cloth) dril *m*; *vi/vt* (make a hole) taladrar, perforar, barrenar; (train) entrenar(se), adiestrar(se); *vi* (train) hacer ejercicios; (practice) practicar

drink [drɪŋk] *vi/vt* (person) beber; (animal) abrevar; (absorb, take in) absorber; **to — up** apurar el trago; **to — to someone's health** brindar por alguien; N bebida *f* (also alcoholic); (a measure of beverage) trago *m*

drinkable [ˈdrɪŋkəbl] *adj* potable

drip [drɪp] N goteo *m*; (a bore) plasta *mf*; *vi* gotear; *vt* dejar caer gotas

drive [draɪv] *vi/vt* (a car) conducir, manejar; *vi* (go in a vehicle) ir en coche; *vt* (move forth) impulsar, impeler; (an animal) arrear; (convey) llevar (en coche); (force labor) forzar a trabajar; (a nail) clavar; (a ball) tirar, golpear; **to — a hard bargain** regatear mucho; **to — away** ahuyentar; **to — someone mad** volver loco a alguien; **what are you driving at?** ¿qué quieres decir con eso? **—by shooting** tiroteo desde un coche *m*; **—in** drive-in *m*; establecimiento en que el cliente es atendido en el coche *m*; **—in movie theater** autocine *m*; **—way** camino de entrada *m*, entrada de coches *f*; N (ride) paseo (en coche) *m*; (of an animal) arreo *m*; (urge) impulso *m*; (military offensive) ofensiva *f*; (road) carretera *f*; (driveway) camino *m*; (campaign) campaña *f*; (energy) empuje *m*; (propulsion system) propulsión *f*; (of a ball) tiro *m*; (in tennis and golf) drive *m*; **front wheel —** tracción delantera *f*

drivel [ˈdrɪvəl] N (saliva) baba *f*; (idiocy) tontería *f*; *vi* babearse

driveling [ˈdrɪvəlɪŋ] *adj* baboso; **he's a — idiot** es un oligofrénico

driver [ˈdraɪvər] N (chauffeur) chofer *mf*, conductor -ra *mf*; (of animals) arriero -ra *mf*; (golf club) palo *m*

drizzle [ˈdrɪzəl] *vi* lloviznar; N llovizna *f*

drone [droʊn] N (male bee; idler) zángano *m*; (remote-controlled vehicle) nave teledirigida *f*; (drudge) esclavo *m*; (sound) zumbido *m*; *vi/vt* (make a sound) zumbar; (talk) hablar monótonamente

drool [druːl] N baba *f*; *vi* babearse

droop [druːp] *vi* doblarse; (sag) colgarse; (flag) languidecer; (wither) marchitarse; **his shoulders —** tiene los hombros caídos; **—ing ears** orejas gachas *f pl*

drop [drɑp] N (liquid quantity) gota *f*;

drill [drɪl] N (tool) taladro *m*; (training)

ilusión *f*; **—land** tierra del ensueño *f*; *vi/vt* soñar; **to — of** soñar con; **I wouldn't — of stealing** no se me ocurriría robar; **to — that** soñar que; **to — up** imaginar; **a — holiday** unas vacaciones perfectas; **— team** equipo *m*; **—world** mundo de ensueño *m*

dreamer [ˈdrimər] N (impractical person) soñador -ora *mf*; (visionary) visionario -ria *mf*

dreary [ˈdrɪri] *adj* sombrío, deprimente

dredge [drɛdʒ] N draga *f*; *vt* dragar

dregs [drɛgz] N heces *f pl*, poso *m*; **— of society** escoria de la sociedad *f*

drench [drɛntʃ] *vt* empapar, calar; **—ed in blood** bañado en sangre

dress [drɛs] N (article of clothing for women) vestido *m*; (attire) ropa *f*; (formal) traje de etiqueta *m*, ropa de etiqueta *f*; (costume) vestimenta *f*; **—maker** modista *mf*; **—rehearsal** ensayo general *m*; **—shirt** camisa para traje *f*; *vi/vt* vestir(se); *vt* (store window) arreglar; (slaughtered animals) limpiar; (salad) aderezar; (adobe, a wound) vendar; **to — down** (scold) regañar; (wear casual clothes) ponerse ropa informal; **to — up** (wear fine clothes) vestirse de gala; (make more appealing) embellecer

dresser [ˈdrɛsər] N cómoda *f*; **she is a good —** se viste con elegancia

dressing [ˈdrɛsɪŋ] N (act, result) vestirse *m*; (for salad) aderezo *m*; (for fowl) relleno *m*; (for wounds) gasa *f*, vendaje *m*; **—down** — regaño *m*; **—gown** bata *f*; **— room** (in a theater) camerino *m*; (in a store) probador *m*; **— table** tocador *m*

dribble [ˈdrɪbəl] *vi* (trickle) gotear; (sliver) babear; *vt* (a ball) driblar; (liquid) rociar; N (trickle) goteo *m*; (small quantity) chorrito *m*; (of a ball) dribbling *m*

dried [draɪd] *adj* seco; **— fig** higo paso / seco *m*; **—up** (without water) seco; (wizened) arrugado

drift [drɪft] N (direction) deriva *f*; (current) corriente *f*; (meaning) sentido *m*, tenor *m*; (pile) montón *m*, acumulación *f*; *vi* (float) flotar; (be adrift) ir a la deriva; (wander) errar; **he —ed off** se durmió; *vi/vt* (deviate) desviar(se); (accumulate) amontonar(se), acumular(se); **—wood** madera flotante *f*

drifter [ˈdrɪftər] N (wanderer) vagabundo -da *mf*; (of a worker) itinerante *mf*

(descent) caída f; (incline) declive m; (in value) baja f; (lozenge) pastilla f; (of mail, etc) buzón m, punto de recolección m; (of supplies) lanzamiento m; vi caer; (let fall) dejar caer, descargar; **to — a line** mandar unas líneas; **to — from sight** desaparecer; **to — in** (sports) retirarse; **to — out** (sports) retirarse; (school) abandonar; **—out** (student) estudiante que abandona m; (marginalized person) marginado -da mf; **to — the curtain** bajar el telón; **why don't you — by?** ¿por qué no pasas por aquí? **— dead beautiful** hermosísima

dropper n gotero m

dropsy [drʌpsi] n hidropesía f

drought [draut] n sequía f

drove [drov] n tropel m

drown [draun] vi/vr ahogar(se)

drowse [drauz] vr (be half-asleep) dormitar; (feel drowsy) estar amodorrado

drowsiness [drauzinis] n modorra f

drowsy [drauzi] adj amodorrado, somnoliento; **to become —** amodorrarse, somnolencia f

drudge [drʌdʒ] n esclavo del trabajo m, fregona f; vi trabajar como un esclavo

drug [drʌg] n (chemical substance, narcotic) droga f; (medicine) medicamento m; **to be a — on the market** ser invendible; **— addict** drogadicto -a mf; **— store** farmacia f; (non-drug items) droguería f, perfumería f; vr (stupefy with drugs) drogar; (mix with a drug) adulterar con droga

druggist [drʌgist] n farmacéutico -ca mf, droguero -ra mf

drum [drʌm] n (musical instrument) tambor m; (eardrum) tímpano m; (receptacle for storing liquids) barril m; **—head** parche m; **—stick** (music) palillo de tambor m; (fowl) pata f; vi (play a drum) tocar el tambor; (beat rhythmically) tamborilear; **to — out** expulsar; **to — up** fomentar; **I'm trying to — this idea into his head** le estoy repitiendo esta idea con insistencia

drummer [drʌmə] n (classical) tambor m; (folk) tamborilero -ra mf; (rock & roll) baterista mf; (sales person) viajante de comercio m

drunk [drʌŋk] adj & n borracho -cha mf, mamado -da mf; **to get —** emborracharse

drunkard [drʌŋkəd] n borracho -cha mf, borrachín -ina mf

drunken [drʌŋkən] adj borracho, embriagado

drunkenness [drʌŋkənnis] n borrachera f

dry [drai] adj seco; (sober) sobrio; (topic, book) árido, aburrido; **— land** tierra firme f; **— cleaner** (business) tintorería f (owner of business) tintorero -ra mf; **— cleaning** limpieza en seco f; **— country** condado seco m; **— wit** humor agudo m; **— ice** hielo seco m; **— dock** dique seco m; **— measure** medida para áridos f; **— run** prueba f; **— goods** géneros m pl; vr (clothes) secar(se); (wet clothes) secadero m; vi/vr (leather) resecar(se); **to — up** secarse, resecarse; **to — out** desintoxicar(se)

dryer [draiə] n (hair) secador m; (clothes) secadora f

dryness [drainis] n (skin, etc) sequedad f; secadora f

dual [duəl] adj (function) doble; (ownership) compartido

dub [dʌb] vr doblar

dubious [dubiəs] adj dudoso

duchess [dʌtʃis] n duquesa f

duck [dʌk] n (species) pato m; (downward dodge) agachada f; vi/vr (plunge under water) hundir(se); (bend down) agachar(se); vr (avoid) esquivar

duckling [dʌklɪŋ] n patito m

duct [dʌkt] n conducto m; **— tape** cinta aislante f

ductile [dʌktl] adj dúctil

dud [dʌd] n (disappointing thing) chasco m; (unexploded bomb) bomba que no estalla f; **—s** (clothes) ropa f, fam trapos m pl; (belongings) pertenencias f pl

dude [dud] n (dandy) chulo m; (fellow) tipo m

due [du] adj (payable) pagadero; (immediately owed) vencido; (fitting, rightful) debido; (adequate) suficiente; **in — time / course** a su debido tiempo; **the train is — at two o'clock** se supone que el tren llega a las dos; adv **— east** hacia el este; n (punishment) merecido m; **give Mary her —; she's honest** tienes que reconocer que María es honrada; **—s** cuota f

duel [duəl] n duelo m; vi/vr batirse en/a duelo (con alguien)

duet [duet] n (played) dúo m; (sung) dueto m

dugout [dʌgaut] n (canoe) piragua f; (underground refuge) trinchera f

DUI (driving under the influence) [dijui] n conducir en estado de ebriedad m

duke [duk] n duque m; **to put one's —s** levantar los puños, fam arreglarlo con los puños

dukedom [dukdəm] n ducado m

dull [dʌl] ADJ (lackluster) opaco; (listless, muted) apagado; (boring) aburrido, soso, desanimado; (blunt) romo, desafilado; (sluggish, stupid) lento; (pain) sordo; VI/VT (a knife) desafilar(se); (color) opacar(se); (sound, impact) amortiguar(se); (pain) aliviar(se); (senses) embotar(se), entorpecer(se)

duly [dúli] ADV debidamente

dumb [dʌm] ADJ (mute) mudo; (dull) tonto; **—bell** (handweight) mancuerna f; (stupid person) bobo -ba mf; **—founded** patitieso, atónito; VT **to — down** simplificar demasiado

dumbness [dʌ́mnɪs] N (muteness) mudez f; (foolishness) estupidez f

dummy [dʌ́mi] N (figure) muñeco m; (fool) tonto -ta mf; offensive pendejo -ja mf; (front) hombre de paja m; ADJ (fake) falso; **a — president** un títere

dump [dʌmp] VT (unload) descargar; (empty) botar; (dismiss) echar, despedir; (discard) tirar la basura, descargar desechos; (flood a market) hacer dumping; (abandon) plantar; **to — on** (criticize) criticar; (unload problems) descargarse; N (place for waste) vertedero m, basural m, basurero m; (of weapons) depósito m; (act of discarding) vertido m; **—truck** camión volteador m, volquete m; **to be in the —s** estar deprimido, estar depre

dunce [dʌns] N burro -rra mf, tonto -ta de capirote mf

dune [dun] N duna f, médano m

dung [dʌŋ] N boñiga f, bosta f; **—hill** estercolero m

dungeon [dʌ́ndʒən] N mazmorra f

dupe [dup] N (gullible person) ingenuo -nua mf, inocente mf; Sp primo -ma mf; (manipulated person) títere m; VT embaucar

duplex [dúplɛks] N & ADJ dúplex m

duplicate [dúplɪkɪt] ADJ & N duplicado m; **in — ** por duplicado; [dúplɪket] VT duplicar(se)

duplicity [duplísɪɾi] N duplicidad f

durability [dʊrəbílɪɾi] N durabilidad f

durable [dúrəbəl] ADJ (long-lasting) duradero; (serviceable) sufrido

duration [dʊréʃən] N duración f

duress [dʊrɛ́s] N coacción f

during [dúrɪŋ] PREP durante

dusk [dʌsk] N atardecer m, anochecer m; **at — ** al atardecer

dusky [dʌ́ski] ADJ (dark) oscuro; (gloomy) sombrío

dust [dʌst] N polvo m; **—pan** pala f; **to bite the — ** (die) fam espichar; (lose) morder el polvo de la derrota; **cloud of — ** polvareda f; VI/VT (remove dust) quitar/sacudir el polvo (a); VT (sprinkle with powder) espolvorear; VI (become dusty) empolvarse; **to — off** desempolvar

duster [dʌ́stə] N plumero m

dusty [dʌ́sti] ADJ polvoriento

Dutch [dʌtʃ] ADJ & N holandés -esa mf; **to — ** pagar a escote

Dutchman [dʌ́tʃmən] N holandés m

duty [dúɾi] N deber m, obligación f; (tax on imports) derechos aduaneros m pl; (any tax) impuesto m; **to be on — ** estar de guardia; **to be off — ** no estar de guardia; **—free** libre de impuestos

DVD (digital versatile disc) [dívidí] N DVD m

dwarf [dwɔrf] ADJ & N enano -na mf; VT hacer parecer pequeño

dwell [dwɛl] VI morar, habitar; **to — on a subject** dilatarse en un asunto

dweller [dwɛ́lə] N habitante mf, morador -ra mf

dwelling [dwɛ́lɪŋ] N vivienda f, domicilio m

DWI (driving while intoxicated) [didʌbəljuái] N conducir en estado de ebriedad m

dwindle [dwíndl] VI/VT menguar, mermar

dye [daɪ] N tinte m, tintura f; VT teñir

dying [dáɪɪŋ] ADJ moribundo

dynamic [daɪnǽmɪk] ADJ dinámico; N **—s** dinámica f

dynamite [dáɪnəmaɪt] N dinamita f; VT dinamitar; ADJ fabuloso

dynamo [dáɪnəmo] N dínamo m

dynasty [dáɪnəsti] N dinastía f

dysentery [dísntɛri] N disentería f

dysfunction [dɪsfʌ́ŋkʃən] N disfunción f

Ee

each [itʃ] ADJ cada; **— person** cada persona; PRON cada uno; **— receives a prize** cada uno recibe un premio; **they looked at — other** se miraron el uno al otro

eager [ígə] ADJ (enthusiastic) ansioso; (avid) ávido

eagerness [ígənɪs] N (enthusiasm) ansia f, afán m; (strong desire) avidez f

eagle [ígəl] N águila f; **—eye** ojo de lince m

eaglet [íglɪt] N aguilucho m

ear [ir] N (outer organ) oreja f; (inner organ, sense of hearing, musical aptitude) oído

m; (of corn) mazorca *f*; *Am* elote *m*;
—**ache** dolor de oídos *m*; —**drops** gotas
para los oídos *f pl*; —**drum** tímpano *m*;
—**lobe** lóbulo de la oreja *m*; — **muff**
orejera *f*; — **of wheat** espiga *f*; — **phone**
audífono *m*; —**ring** pendiente *m*, zarcillo
m; **by** — de oído; **within** —**shot** al
alcance del oído; **he has the** — **of the
governor** el gobernador le presta mucha
atención

earful [írful] N **I got an** — (scolding) me
echó un rapapolvo; (gossip) me dio la lata

early [ɜ́-li] ADJ temprano; — **detection**
diagnóstico precoz *m*; — **man** hombre
primitivo *m*; — **reply** respuesta rápida *f*;
— **riser / bird** madrugador -ra *mf*,
mañanero -ra *mf*; **the** — **bird gets the
worm** al que madruga, Dios lo ayuda

earn [ɜ-n] VI/VT (money, admiration, etc.)
ganar; (salary) cobrar, ganar; (interest)
devengar; N **to** — **a living** ganarse la vida

earnest [ɜ́-nɪst] ADJ (sincere) serio, formal;
(grave) grave; **in** — en serio; — **money**
señal *f*; *Mex* enganche *m*

earnestness [ɜ́-nɪstnɪs] N (sincerity) seriedad
f, formalidad *f*; (gravity) gravedad *f*; **in all**
— con toda sinceridad

earnings [ɜ́-nɪŋz] N (of a person) ingresos *m
pl*, haberes *m pl*; (of a business) ganancias
f pl

earth [ɜ-θ] N tierra *f*; —**mover** excavadora *f*;
—**quake** terremoto *m*, temblor de tierra
m; —**shaking** revolucionario *m*; —**worm**
lombriz *f*; **the** — la Tierra

earthen [ɜ́-θən] ADJ (wall) de tierra; (pot) de
barro; —**ware** vajilla de barro *f*, cerámica
f

earthly [ɜ́-θli] ADJ terrenal; — **possessions**
bienes terrenales *m pl*; **to be of no** — **use**
no servir para nada

earthy [ɜ́-θi] ADJ natural; (person)
campechano; (sense of humor, joke) basto;
— **smell** olor a tierra *m*

ease [iz] N (facility) facilidad *f*;
(unaffectedness) soltura *f*, desparpajo *m*;
(comfort) comodidad *f*; (lack of worry)
tranquilidad *f*; (fullness of a garment)
holgura *f*; **at** — (military) en descanso;
(comfortable) tranquilo, a gusto; **a life of**
— una vida desahogada; **ill at** —
incómodo; VT (make easier) facilitar; VI/VT
(relieve pain) aliviar(se); (release from
tension) aflojar(se); (relieve anxiety)
tranquilizar(se); **to** — **up** aflojar

easel [ízəl] N caballete *m*

east [ist] N este *m*, oriente *m*; ADJ del este,
oriental; ADV — **of here** al este (de aquí);

to go — ir al / hacia el este; **back** — en el
este

Easter [ístɚ] N Pascua *f*; — **egg** huevo de
Pascua *m*; — **Sunday** Domingo de Pascua
m

eastern [ístɚn] ADJ oriental, del este

eastward [ístwɚd] ADV & ADJ hacia el este

easy [ízi] ADJ (simple) fácil, sencillo;
(compliant) fácil; (comfortable) cómodo;
(informal) desenvuelto; (unworried)
tranquilo; — **chair** poltrona *f*; —**going**
calmoso; — **terms** facilidades de pago *f
pl*; **at an** — **pace** a paso moderado;
within — **reach** al alcance de la mano;
go — **on me** sea bueno; **he's on** —
street vive en la abundancia

eat [it] VI/VT comer(se); VT (costs) absorber; **to**
— **away** corroer, comer; **to** — **breakfast**
desayunar(se); **to** — **dinner** (midday)
comer; (evening) cenar; **to** — **lunch**
comer, almorzar; **to** — **one's heart out**
morirse de envidia; **to** — **one's words**
tragarse las palabras; **to** — **supper** cenar;
to — **up** comerse todo; **what's** —**ing
you?** ¿qué bicho te picó?

eating [ídɪŋ] N (act) comer *m*; (food) comida
f; — **utensils** cubiertos *m pl*; — **apples**
manzanas para comer *f pl*

eaves [ivz] N PL alero *m*

eavesdrop [ívzdrap] VI escuchar sin ser visto

ebb [ɛb] N (flowing back) reflujo *m*; (decay)
decadencia *f*; — **tide** reflujo *m*; **to be at
a low** — estar en un punto bajo; VI (tide)
bajar; (energy) decaer

ebony [ɛ́bəni] N ébano *m*

eccentric [ɛksɛ́ntrɪk] ADJ & N excéntrico -ca
mf

ecclesiastic [ɪkliziǽstɪk] ADJ & N eclesiástico
m

echelon [ɛ́ʃəlan] N (military formation)
escalón *m*; (rank) nivel *m*, estrato *m*

echo [ɛ́ko] N eco *m*; VI hacer eco; **the gym
—ed with laughter** el gimnasio resonó
de risas; VT repetir

eclectic [ɪklɛ́ktɪk] ADJ eclético

eclipse [ɪklíps] N eclipse *m*; VT eclipsar

ecology [ɪkɑ́lədʒi] N ecología *f*

e-commerce [íkamɚs] N comercio
electrónico *m*

economic [ɛkənɑ́mɪk] ADJ económico; —**s**
economía *f*

economical [ɛkənɑ́mɪkəl] ADJ económico

economist [ɪkɑ́nəmɪst] N economista *mf*

economize [ɪkɑ́nəmaɪz] VI economizar

economy [ɪkɑ́nəmi] N economía *f* (also
thrift); ADJ — **car** coche económico *m*; —
class clase turista *f*

ecosystem [íkosistəm] n ecosistema m

ecstasy [ékstəsi] n éxtasis m (also drug)

Ecuador [ékwadɔr] n Ecuador m

Ecuadorian [ekwadɔriən] adj & n ecuatoriano-na mf

ecumenical [ekjuménɪkəl] adj ecuménico

eczema [égzəma] n eccema m

eddy [édi] n remolino m; vi arremolinarse

edge [edʒ] n (of a cube) arista f; (of a knife) filo m; (of a table) borde m, canto m; (sharpen) afilar; (move sideways) meterse de costado; vt — una ventaja sobre la competencia; **to have an — on** tiene la voz penetrante; **a competitive —** estar nervioso; **her voice has an — to it**

edgy [édʒi] adj nervioso

edible [izəbəl] adj & n comestible m

edict [ídikt] n edicto m, bando m

edifice [édəfis] n edificio m

edify [édəfai] vt edificar

edit [édit] vt (revise, correct) corregir; (serve as editor) editar; (film) montar; **to — out** eliminar; n corrección f

editor [éditər] n (director of a publication) redactor -ra mf; (compiler, radio or film worker) editor -ra mf; (proofreader) corrector -ra mf

editorial [editɔriəl] adj editorial; n editorial f

editorialize [editɔriəlaiz] vi editorializar

educate [édʒəket] vt educar

education [edʒəkéʃən] n educación f; (academic subject) pedagogía f; enseñanza f

educational [edʒəkéʃənəl] adj educativo

educator [édʒəketər] n educador -ra mf

eel [il] n anguila f

eerie [íri] adj misterioso

effect [ifékt] n efecto m; **—s** efectos m pl; **to go into —** entrar en vigencia, ponerse en operación; **I wrote a letter to that —** le escribí una carta en ese sentido; vt efectuar

effective [iféktiv] adj efectivo, eficaz; (a law) vigente; **— date** fecha de vigencia f

effectively [iféktivli] adv (well) eficazmente; (in fact) de hecho, en efecto

effectual [iféktʃuəl] adj eficaz

effeminate [ifémənət] adj afeminado

efficacy [éfikəsi] n eficacia f

efficiency [ifíʃənsi] n eficiencia f

efficient [ifíʃənt] adj eficiente; (motor) económico

effigy [éfidʒi] n efigie f; **to burn in —** quemar en efigie

effort [éfət] n (exertion) esfuerzo m; (work of art) obra f; (campaign) campaña f

effrontery [ifrántəri] n descaro m

effusive [ifjúsiv] adj efusivo

egg [eg] n huevo m; (female gamete) óvulo m; (fellow) tipo m; **— beater** batidor de huevos m; **— head** empollón -na mf; **— nog** rompope m, rompón m mf; **— plant** berenjena f; **— shell** (of a hen) cáscara de huevo f; **to have — on one's face** estar avergonzado, quedar mal; **to lay an —** (of a hen) poner un huevo; (fail) fracasar; **to walk on — shells** ir pisando huevos; vt **to — on** incitar

ego [ígo] n (self) yo m, ego m; (vanity) ego m; (self-esteem) amor propio m; **winning the prize was an — trip for him** ganar el premio le acetó el ego

egocentric [igoséntrik] adj egocéntrico n egotismo m

egotism [ígətizəm] n egotismo m

Egypt [ídʒipt] n Egipto m

Egyptian [idʒípʃən] adj & n egipcio -cia mf

eight [et] num ocho

eighteen [etín] num dieciocho

eighth [etθ] adj, n & adv octavo m; **— note** corchea f

eighty [éti] num ochenta

either [íðər] adj & pron **— will do** cualquiera de los dos está bien; **— suit** elige uno de los dos trajes; **choose —** elige uno (u otro) de los dos; **there were flowers on — side of the road** había flores a ambos lados de la carretera; adv **if you don't, I won't —** si tú ni lo haces, yo tampoco; **I'll — go by bus or by car** voy (o) en autobús o en auto

ejaculate [idʒækjəlet] vi/vt eyacular; (exclaim) exclamar

eject [idʒékt] vt (throw out) echar, expulsar; vi/vt (from a plane) eyectar(se)

elaborate [ilæbərət] adj (ornate) elaborado; (detailed) detallado; [ilæbəret] vi/vt (create) elaborar; (develop) desarrollar

elapse [ilæps] vi transcurrir, pasar

elastic [ilæstik] adj elástico, n elástico m; (rubber band) goma elástica f

elasticity [ilæstísiti] n elasticidad f

elated [iletid] adj encantado

elbow [élbo] n codo m; **to be within — reach** estar a la mano; vi/vt codear, dar codazos; **to — one's way through** abrirse paso a codazos

elder [éldə] adj (older) mayor; n (older person) mayor mf; (old person) anciano -na mf; (in a church) miembro del consejo

elderly [ɛldali] adj anciano
mayores m pl
elect [ɪlɛkt] adj (elected) electo; (chosen by
God) elegido -da m/f; vi/vt elegir
election [ɪlɛkʃən] n elección f
electoral [ɪlɛktarəl] adj electoral
electric [ɪlɛktrɪk] adj eléctrico; (exciting)
electrizante; (excited) electrizado; — **chair**
silla eléctrica f; — **eel** anguila eléctrica f;
— **eye** célula fotoeléctrica f; — **meter**
contador eléctrico m; — **storm** tormenta
eléctrica f
electrical [ɪlɛktrɪkəl] adj eléctrico;
electrician [ɪlɛktrɪʃən] n electricista m/f
electricity [ɪlɛktrɪsɪti] n electricidad f
electrify [ɪlɛktrɪfaɪ] vt (apply electricity)
electrificar; (thrill) electrizar
electrocardiogram [ɪlɛktrokardiəgræm] n
electrocardiograma m
electrocute [ɪlɛktrəkjut] vt electrocutar
electrode [ɪlɛktrod] n electrodo m
electroencephalogram [ɪlɛktroɛnsɛfələgræm]
n electroencefalograma m
electrolysis [ɪlɛktrɑləsɪs] n electrólisis f
electromagnet [ɪlɛktromægnɪt] n
electroimán m
electromagnetic [ɪlɛktromægnɛtɪk] adj
electromagnético
electron [ɪlɛktran] n electrón m; —
microscope microscopio electrónico m
electronic [ɪlɛktrɑnɪk] adj electrónico; —
banking banca electrónica f; — **mail**
correo electrónico m; — **s** electrónica f
signature firma electrónica f
elegance [ɛligəns] n elegancia f, gallardía f
elegant [ɛligənt] adj elegante, gallardo; (gift)
de lujo
element [ɛləmənt] n elemento m;
(component part) componente m, pieza f;
(for heating) resistencia f; **the — s** los
elementos
elemental [ɛləmɛntl] adj elemental; —
forces fuerzas de la naturaleza f pl
elementary [ɛləmɛntri] adj elemental; —
school escuela primaria f
elephant [ɛləfənt] n elefante -ta m/f
elevate [ɛləvet] vt elevar
elevation [ɛləveʃən] n elevación f; (altitude)
altura f
elevator [ɛləvetər] n ascensor m; Am
elevador m; (for grain) elevador m
eleven [ɪlɛvən] num once

elf [ɛlf] n elfo m; (child) pillo -lla m/f
elicit [ɪlɪsɪt] vt provocar; **to — admiration**
despertar admiración; **to — applause**
suscitar un aplauso
eligible [ɛlɪdʒəbəl] adj elegible; **an —
bachelor** un buen partido; **you are —
for a scholarship** tienes derecho a
solicitar una beca
eliminate [ɪlɪmɪnet] vt eliminar
elimination [ɪlɪmɪneʃən] n eliminación f
elite [ɪlit] n elite f, élite f
elitist [ɪlitɪst] adj & n elitista m/f
elk [ɛlk] n alce m
elliptical [ɪlɪptɪkəl] adj elíptico
elm [ɛlm] n olmo m
elongate [ɪlɔŋget] vi/vt alargar(se)
elope [ɪlop] vi fugarse para casarse a
escondidas
eloquence [ɛləkwəns] n elocuencia f
eloquent [ɛləkwənt] adj elocuente
El Salvador [ɛlsælvədɔr] n El Salvador m
else [ɛls] adj & adv **who — was there?**
¿quién más estaba? **someone — s** son el
hijo de otro; **somebody —** (algún) otro;
or — si no; **leave town or —** vete del
pueblo o sufre las consecuencias/o verás
lo que es bueno; **nobody —** nadie más;
nothing — nada más; **how —?** ¿de qué
otra forma? adv — **where** (location) en
otra parte/en otro lado; (movement) a
otra parte/a otro sitio
elucidate [ɪlusɪdet] vi/vt dilucidar, esclarecer
elucidation [ɪlusɪdeʃən] n elucidación f
elude [ɪlud] vt eludir
elusive [ɪlusɪv] adj (slippery) escurridizo;
(evasive) esquivo; (difficult to understand)
difícil de entender
emaciated [ɪmeʃieɪd] adj escuálido,
descarnado
e-mail, E-mail [imel] n correo electrónico m
emanate [ɛmənet] vi/vt emanar
emanation [ɛməneʃən] n emanación f
emancipate [ɪmænsɪpet] vt emancipar
emancipation [ɪmænsɪpeʃən] n
emancipación f
emasculate [ɪmæskjəlet] vt castrar; (remove
testicles) castrar, emascular
embalm [ɪmbɑm] vt embalsamar
embankment [ɪmbæŋkmənt] n terraplén m
embargo [ɪmbɑrgo] n embargo m; vt
imponer un embargo
embark [ɪmbɑrk] vi/vt embarcar(se)
embarrass [ɪmbɛrəs] vt (shame) hacerle
pasar vergüenza a; (discomfit, financial
difficulties) poner en aprietos; vt
avergonzarse
embarrassing [ɪmbɛrəsɪŋ] adj (shameful)

embarrassment [ɪmbǽrəsmənt] n (shame) vergüenza f, bochorno m; (act of embarrassing) vergüenza f; (financial difficulty) aprieto m; **he's an — to the company** siempre deja mal a la compañía; **we have an — of riches** nadamos en la abundancia

embassy [ɛmbəsi] n embajada f

embattled [ɪmbǽdld] adj hostigado, agobiado

embed [ɪmbɛd] vt incrustar

embedded [ɪmbɛdɪd] adj incrustado

embellish [ɪmbɛlɪʃ] vt adornar, ornamentar

ember [ɛmbə-] n ascua f, brasa f

embezzle [ɪmbɛzəl] vt desfalcar, malversar

embezzlement [ɪmbɛzəlmənt] n desfalco m, peculado m

embitter [ɪmbɪtə-] vt amargar

emblem [ɛmbləm] n emblema m, divisa f

embody [ɪmbɑdi] vt (personify) personificar; (to provide with a body) encarnar

embolism [ɛmbəlɪzəm] n embolia f

embrace [ɪmbrɛs] vi/vt (hug, adopt) abrazar(se); (include) abarcar; n abrazo m

embroider [ɪmbrɔɪdɚ] vt/vi bordar, recamar

embroidery [ɪmbrɔɪdəri] n bordado m

embroil [ɪmbrɔɪl] vt (involve in a conflict) meterse en un lío; (throw into confusion) embrollar

embryo [ɛmbrio] n embrión m

emerald [ɛmə-ld] n esmeralda f

emerge [ɪmɝdʒ] vi (come into view) emerger; (arise, as a question, problem) surgir

emergency [ɪmɝdʒənsi] n emergencia f; **brake** freno de emergencia m; **— exit** salida de emergencia f **— room** urgencias f pl

emigrant [ɛmɪgrənt] adj & n emigrante mf

emigrate [ɛmɪgret] vi emigrar

emigration [ɛmɪgreʃən] n emigración f

eminence [ɛmənəns] n eminencia f

eminent [ɛmənənt] adj eminente

emissary [ɛmɪsɛri] n emisario -ria mf

emission [ɪmɪʃən] n emisión f

emit [ɪmɪt] vt (light, sound, etc.) emitir; (smells) despedir; (sparks) echar

emotion [ɪmoʃən] n emoción f

emotional [ɪmoʃənəl] adj (of the emotions) emocional; (arousing or expressing emotions) emotivo; (easily moved) sensible

empathy [ɛmpəθi] n empatía f

emperor [ɛmpərə-] n emperador m; **— penguin** pingüino emperador m

emphasis [ɛmfəsɪs] n énfasis m, hincapié m

emphasize [ɛmfəsaɪz] vt enfatizar, hacer hincapié en, subrayar

emphatic [ɪmfǽtɪk] adj enfático

empire [ɛmpaɪr] n imperio m

empirical [ɛmpɪrɪkəl] adj empírico

employ [ɪmplɔɪ] vt emplear; (hire) emplear, ocupar; n empleo m; **to be in someone's —** trabaja a las órdenes de alguien

employee [ɪmplɔɪi] n empleado -da mf

employer [ɪmplɔɪə-] n patrón -na mf

employment [ɪmplɔɪmənt] n empleo m; (occupation) ocupación f; **— opportunities** oportunidades laborales f

empower [ɪmpaʊr] vt (authorize) autorizar; (give strength) dar poder

empress [ɛmprɪs] n emperatriz f

emptiness [ɛmptinɪs] n vacío m

empty [ɛmpti] adj vacío; (devoid of activity) desocupado; vi/vt vaciar(se); (debouch) desembocar; **—handed** con las manos vacías; **to run on —** (of a car, person) quedarse sin combustible

emulate [ɛmjəlet] vt emular (also computer term)

enable [ɪnɛbəl] vt permitir

enact [ɪnǽkt] vt (a law) promulgar; (a role) desempeñar

enamel [ɪnǽməl] n esmalte m; vt esmaltar

enamor [ɪnǽmər] vt enamorar; **to be —ed of** estar enamorado de

encamp [ɪnkǽmp] vi acampar

encampment [ɪnkǽmpmənt] n campamento m

enchant [ɪntʃǽnt] vt (bewitch) hechizar; (delight) encantar

enchanting [ɪntʃǽntɪŋ] adj encantador

enchantment [ɪntʃǽntmənt] n encantamiento m, encanto m; hechicería f

encircle [ɪnsɝkəl] vt cercar, ceñir

enclave [ɑnklev] n enclave m

enclose [ɪnkloz] vt (confine someone or something) encerrar; (fence in) cercar; (put in the same envelope) adjuntar, anexar

enclosure [ɪnkloʒɚ] n (wall or fence) cerca f; (enclosed area) cercado m, recinto m; (act of enclosing) encierro m; (enclosed document) documento adjunto m

encompass [ɪnkʌmpəs] vt (include) abarcar, englobar; (surround) circundar

encore [ɑnkɔr] n bis m; interj ¡otra!

encounter [ɪnkaʊntər] vi/vt encontrar(se); **they —ed the enemy army** se enfrentaron con el ejército enemigo; n (meeting) encuentro m (also sports); (battle) enfrentamiento m

encourage [ɪnkɝɪdʒ] vt (inspire with confidence) alentar, animar; (promote) fomentar, estimular

encouragement [ɪnˈkɝɪɡmənt] n aliento m; (inspiration) ánimo m; (promotion) estímulo m, fomento m

encourage [ɪnˈkɝɪɡ] vt to — **upon** (liberties) cercenar; (territory) usurpar; (time) quitar

encrypt [ɪnˈkrɪpt] vt codificar

encumber [ɪnˈkʌmbɚ] vt (block) impedir; (burden) agobiar

encyclopedia [ɪnsaɪkləˈpidiə] n enciclopedia f

end [ɛnd] n (temporal) fin m, término m; (limit, boundary) final m, extremo m; (tip) cabo m; (aim) fin m; — **to** — uno tras otro; — **table** mesa pequeña f; **at the** — **of the movie** al final de la película; **the** — **of town** al fin y al cabo; **on** — de punta; **for days on** — día tras día; **to put an** — **to** poner fin a; vi/vt terminar; **he** —**ed his life** (a street) morir; a su vida; **a prayer** —**s the class** la clase termina con una oración; **a war to** — **all wars** una guerra que supera a todas las anteriores

endanger [ɪnˈdeɪndʒɚ] vt poner en peligro; —**ed species** especie en peligro de extinción f

endear [ɪnˈdɪr] vt **to** — **oneself** congraciarse; **his humor** —**ed him to her** se ganó la simpatía de ella gracias a su humor

endeavor [ɪnˈdɛvɚ] vi (try) tratar de, intentar, procurar; vi (strive) esforzarse por, n esfuerzo m

endemic [ɪnˈdɛmɪk] adj endémico

ending [ˈɛndɪŋ] n final m, (derivational, inflectional) terminación f; (inflectional) desinencia f

endless [ˈɛndlɪs] adj interminable; (continuous) sin fin; (infinite) eterno

endocrine [ˈɛndəkrɪn] adj endocrino

endorphin [ɪnˈdɔrfɪn] n endorfina f

endorse [ɪnˈdɔrs] vt (sign a check) endosar; (support) respaldar; (authorize a document) refrendar, visar

endorsement [ɪnˈdɔrsmənt] n (signature) endoso m; (backing) respaldo m; (authorization) refrendo m

endorser [ɪnˈdɔrsɚ] n (check signer) endosante m/f; (supporter) partidario -ria m/f; (authorizer) refrendario -ria m/f

endow [ɪnˈdaʊ] vt (grant funds) hacer un legado; (furnish powers) dotar

endowment [ɪnˈdaʊmənt] n (funds granted) legado m, dotación f; (power) dote f; — **fund** annuity anualidad dotal f; — **fund** fondo de un legado m

endurance [ɪnˈdjʊrəns] n (stamina) resistencia f

endure [ɪnˈdʊr] vt (undergo) sobrellevar, soportar, pasar; vi (live on) durar; (bear up) aguantar; n (power of bearing pain) f, fondo m; aguante m

enema [ˈɛnəmə] n enema m, lavativa f

enemy [ˈɛnəmi] n enemigo -ga m/f

energetic [ɛnɚˈdʒɛtɪk] adj enérgico

energy [ˈɛnɚdʒi] n energía f; — **policy** política energética f

enervate [ˈɛnɚveɪt] vt enervar, debilitar

enforce [ɪnˈfɔrs] vt hacer cumplir

enforcement [ɪnˈfɔrsmənt] n **law** — authorities f pl; **the sheriff is responsible for the** — **of the law** aguacil es responsable de hacer cumplir la ley

engage [ɪnˈɡeɪdʒ] vt (hire) contratar; (attract) captar, atraer; (interlock) engranar; **to** — **the brake** poner el freno; **to** — **someone in conversation** trabar conversación con alguien; **to** — **in battle** trabar batalla; **to be** —**d in something** estar ocupado en algo; **to be** —**d to be married** estar prometido (para casarse)

engagement [ɪnˈɡeɪdʒmənt] n (commitment) compromiso m; (betrothal) compromiso m, noviazgo m; (employment) empleo m; (battle) batalla f; (gear interlocking) engranaje m

engender [ɪnˈdʒɛndɚ] vt engendrar

engine [ˈɛndʒɪn] n (machine) máquina f; (in a vehicle) motor m; (locomotive) locomotora f; — **block** bloque del motor m

engineer [ɛndʒɪˈnɪr] n ingeniero -ra m/f; (of locomotive) maquinista m/f; vt (create) idear; (plot) maquinar

engineering [ɛndʒɪˈnɪrɪŋ] n ingeniería f

English [ˈɪŋɡlɪʃ] adj inglés; (spin) efecto m; — los ingleses; — **man**, — **woman** inglés -esa m/f

engrave [ɪnˈɡreɪv] vt/vi grabar

engraver [ɪnˈɡreɪvɚ] n grabador -ora m/f

engraving [ɪnˈɡreɪvɪŋ] n grabado m

engross [ɪnˈɡroʊs] vt absorber

engrossed [ɪnˈɡroʊst] adj absorto

engulf [ɪnˈɡʌlf] vt (swallow) tragar; (overwhelm) abrumar

enhance [ɪnˈhæns] vt (intensify) realzar; (improve) mejorar

enigma [ɪˈnɪɡmə] n enigma m

enjoin [ɪnˈdʒɔɪn] vt (instar); **to** — **from** prohibir

enjoy [ɪnˈdʒɔɪ] vt/vi (take pleasure in) disfrutar (de), gozar (de); (benefit from) gozar (de);

—I ¡Que lo disfrutes! **to — oneself** divertirse; **to — the use of** usufructuar

enjoyable [inˈdʒɔiabl] adj (pleasant) agradable, gozoso; (fun) ameno

enjoyment [inˈdʒɔimant] n (act of enjoying) goce m, disfrute m; (right of use) usufructo m; (pleasure) placer m, gozo m

enlarge [inˈlɑːdʒ] vi/vt agrandar(se); vt (blow up a photo) ampliar; **to — upon** explayarse sobre, extenderse sobre

enlargement [inˈlɑːdʒmant] n (photo, building) ampliación f; (act of enlarging) agrandamiento m; (temporary swelling) dilatación f

enlighten [inˈlaitn] vt (morally) iluminar; (intellectually) explicar, ilustrar

enlightenment [inˈlaitnmant] n (moral) iluminación f; (intellectual) explicación f; **The —** La Ilustración

enlist [inˈlist] vi/vt (for the army) alistar(se); (for a campaign) conseguir el apoyo

enlistment [inˈlistmant] n alistamiento m

enliven [inˈlaivan] vt animar, avivar

enmity [enmiti] n enemistad f

ennoble [inˈnəubl] vt ennoblecer

enormous [inˈɔːmas] adj enorme; **enormously** [inˈɔːmas] adv enormemente; descomunal

enough [inʌf] adj suficiente; adv **he's tall —** tiene altura suficiente; n lo suficiente; **we have — to live comfortably** tenemos lo suficiente como para vivir cómodamente; **that is —** con eso basta, bastante; INTERJ ¡basta! **more than —** bastante;

enrage [inˈreidʒ] vt enfurecer

enrapture [inˈræptʃə] vt embelesar

enrich [inˈritʃ] vt enriquecer

enroll [inˈrəul] vi/vt matricular(se), inscribir(se); (in army) alistar(se)

enrollment [inˈrəulmant] n matrícula f, matriculación f; **— what is your —?** ¿Cuántos alumnos tienes matriculados?

ensemble [ansəmbl] n conjunto m

ensign [ensin] n (naval rank) alférez de fragata mf; (flag) enseña f; (badge) insignia

enslave [inˈsleiv] vt esclavizar

ensnare [insneir] vt atrapar, coger en una trampa

ensue [insu] vi (follow) ocurrir después, suceder; (result from) resultar; **the ensuing events** los sucesos subsiguientes

ensure [inˈʃuə] vt asegurar

entail [inteil] vt implicar, traer aparejado; (an inheritance) vincular

entangle [inˈtæŋgl] vt enredar

enter [entə] vt entrar en/a; (join) ingresar en/a; (write) escribir; (put data in a computer) dar entrada a; (put data in account books) asentar; vi/vt (register for a competition) inscribir(se); **to — into** (make an agreement) concretar; (form part of) figurar; vi salir/entrar a escena

enterprise [entə-praiz] n empresa f

enterprising [entə-praizin] adj emprendedor

entertain [entə-tein] vi/vt (amuse) divertir, recrear; (host) invitar; **we — a lot** tenemos invitados muy a menudo; (consider) contemplar; (harbor) abrigar

entertainer [entə-teinə] n artista mf

entertaining [entə-teinin] adj (fun) divertido; (serving as pastime) entretenido; (pleasant) ameno

entertainment [entə-teinmant] n (source of fun) diversión f; (pastime) entretenimiento m; (of guests) agasajo m

enthrall [inˈθrɔːl] vt (captivate) cautivar, hechizar; (make a slave of) esclavizar

enthusiasm [inˈθuːziæzm] n entusiasmo m

enthusiast [inˈθuːziæst] n entusiasta mf

enthusiastic [inθuːziˈæstik] adj entusiasta inv; **I'm very — about the trip** estoy muy entusiasmado con el viaje

entice [inˈtais] vi/vt (attract) atraer, (lure) tentar; (seduce) seducir

entire [inˈtaiə] adj (unbroken) entero; (complete) completo; **the — crew** toda la tripulación, la tripulación entera

entirety [inˈtaiəti] n totalidad f

entitle [inˈtaitl] vt (give a title) titular, intitular; (give a right) dar derecho

entitlement [inˈtaitlmant] n derecho m

entity [entiti] n (institution) entidad f; (being) ente m, ser m

entomology [entəˈmɒlədʒi] n entomología f

entourage [ˈɒntʊrɑːʒ] n séquito m, cortejo m pl

entrails [entreilz] n entrañas f pl

entrance [entrəns] n (act, point of entering) entrada f; (permission to enter) ingreso m; **— examination** examen de ingreso m; [inˈtrɑːns] vt embelesar

entrant [entrant] n participante mf; **—s in the law profession** abogados recién recibidos m pl

entrap [inˈtræp] vt (ensnare) coger con una trampa; (deceive) embaucar

entreat [inˈtriːt] vt suplicar

entreaty [inˈtriːti] n súplica f, ruego m

entrench [inˈtrentʃ] vt (establish) afianzar(se); (dig trenches) atrincherar; **a deeply —ed habit** un hábito muy arraigado

entrepreneur [ɒntrəprəˈnɜː] n empresario m mf

entropy [entrəpi] n entropía f

entrust [inˈtrʌst] vt confiar, encomendar

entry [entri] n (act, point of entry) entrada f;

(permission to enter) ingreso *m*; (record) anotación *f*; (contestant) participante *mf*; (dictionary definition) entrada *f*, artículo *m*; (computer) entrada *f*; (in bookkeeping) asiento *m*; **double** — contabilidad por partida doble *f*

enumerate [ɪnúmərɛt] VT enumerar

enunciate [ɪnÁnsiet] VI/VT articular; (state a theory) enunciar; (proclaim) proclamar

envelop [ɪnvɛ́ləp] VT envolver

envelope [ɛ́nvəlop] N sobre *m*

enviable [ɛ́nviəbəl] ADJ envidiable

envious [ɛ́nviəs] ADJ envidioso

environment [ɪnváɪə‑nmənt] N ambiente *m*, medio ambiente *m*; (biological) medio ambiente *m*, ecología *f*; ADJ ambiental; (biological) medioambiental, ecológico

environmental [ɪnvaɪə‑nmɛ́nt] ADJ ambiental; (biological) medioambiental, ecológico

environmentalist [ɪnvaɪə‑nmɛ́ntɪst] N ecologista *mf*

envisage [ɪnvɪ́zɪʤ] VT anticipar, prever

envision [ɪnvɪ́ʒən] VT imaginar

envoy [ɑ́nvɔɪ] N enviado -da *mf*

envy [ɛ́nvi] N envidia *f*; VI/VT envidiar

enzyme [ɛ́nzaɪm] N enzima *f*

ephemeral [ɪfɛ́məⱥl] ADJ efímero

epic [ɛ́pɪk] N (poem) epopeya *f*; (genre) épica *f*; ADJ épico

epicenter [ɛ́pɪsɛntⱥ] N epicentro *m*

epidemic [ɛpɪdɛ́mɪk] ADJ epidémico; N epidemia *f*

epidermis [ɛpɪdɝ́-mɪs] N epidermis *f*

epilepsy [ɛ́pələpsi] N epilepsia *f*

epilog, epilogue [ɛ́pəlɔg] N epílogo *m*

epiphany [ɪpɪ́fəni] N epifanía *f*

episode [ɛ́pɪsod] N episodio *m*

episodic [ɛpɪsÁdɪk] ADJ (sporadic) episódico; (serial) en episodios

epitaph [ɛ́pɪtæf] N epitafio *m*

epitome [ɪpɪ́təmi] N epítome *m*

epoch [ɛ́pək] N época *f*; —‑making trascendental

equal [íkwəl] ADJ igual; — **rights** igualdad de derechos *f*; **an** — **contest** una competición pareja; **to be** — **to a task** capaz de cumplir una tarea; N igual *m*; — **sign** signo de igual *m*; VT igualar

equality [ɪkwÁlɪti] N igualdad *f*

equalize [íkwəlaɪz] VT igualar; (electronically) ecualizar

equate [ɪkwét] VT equiparar

equation [ɪkwéʒən] N ecuación *f*

equator [ɪkwédⱥ] N ecuador *m*

Equatorial Guinea [ɛkwətɔ́riəlɡíni] N Guinea Ecuatorial *f*

equidistant [ikwɪdɪ́stənt] ADJ equidistante

equilibrium [ikwəlíbriəm] N equilibrio *m*

equine [íkwaɪn] ADJ & N equino *m*

equinox [íkwənaks] N equinoccio *m*

equip [ɪkwíp] VT equipar

equipment [ɪkwípmənt] N (supplies) equipo *m*; (act of equipping) equipamiento *m*

equitable [ɛ́kwɪdəbəl] ADJ equitativo, justo

equity [ɛ́kwɪdi] N equidad *f*, valor libre de hipoteca de una propiedad *m*; **equities** acciones *f pl*

equivalent [ɪkwívələnt] ADJ & N equivalente *m*

equivocal [ɪkwívəkəl] ADJ equívoco

era [írə] N era *f*

eradicate [ɪrǽdɪkɛt] VT (extirpate) erradicar; (pull up by roots) arrancar

erase [ɪrés] VI/VT borrar(se)

eraser [ɪrésⱥ] N (pencil) goma de borrar *f*; (blackboard) borrador *m*

erasure [ɪréʃⱥ] N (act of erasing) borrado *m*; (smudge) borrón *m*

erect [ɪrɛ́kt] ADJ erecto; (posture) erguido; VT erigir

Eritrea [ɛrɪtríə] N Eritrea *f*

Eritrean [ɛrɪtríən] ADJ & N eritreo -a *mf*

ermine [ɝ́-mɪn] N armiño *m*

erode [ɪród] VI/VT erosionar(se)

erogenous [ɪrÁʤənəs] ADJ erógeno

erosion [ɪróʒən] N erosión *f*

erotic [ɪrÁdɪk] ADJ erótico

err [ɛr] VI errar

errand [ɛ́rənd] N mandado *m*, recado *m*; — **boy** mandadero *m*

errant [ɛ́rənt] ADJ errante

erratic [ɪrǽdɪk] ADJ (unpredictable) irregular, errático; (eccentric) excéntrico; (wandering) errante

erroneous [ɪrónias] ADJ erróneo, errado

error [ɛ́rⱥ] N error *m*; **to be in** — estar errado

erudite [ɛ́rjədaɪt] ADJ erudito

erupt [ɪrÁpt] VI (volcano) hacer erupción; (anger) estallar; (pimples) salir

eruption [ɪrÁpʃən] N erupción *f*

escalate [ɛ́skəlet] VI (prices) aumentar; (violence) intensificarse, aumentar

escalator [ɛ́skəledⱥ] N escalera mecánica *f*

escapade [ɛ́skəped] N (adventure) aventura *f*; (prank) travesura *f*

escape [ɪskép] N (of gas) escape *m* (also computer term); (from reality) escape *m*, evasión *f*; (of prisoners) fuga *f*, evasión *f*; (means of escaping) escapatoria *f*; VI escapar(se), evadirse; VT (elude) eludir; **his name** —**s me** no me acuerdo de su nombre

escort [ɛskɔrt] n (people who accompany)
escolta mf; (male companion)
acompañante m; (paid female companion)
señorita de compañía f; [ɪskɔrt] vt
(protect) escoltar; (accompany) acompañar

escrow [ɛskro] adv loc in — en custodia

escudo [ɪskúdo] n escudo m

Eskimo [ɛskɪmo] n esquimal mf

esophagus [ɪsófəgəs] n esófago m

esoteric [ɛsətérɪk] adj esotérico

especial [ɪspéʃəl] adj especial

espionage [ɛspɪənɑʒ] n espionaje m

espouse [ɪspáuz] vt defender, abrazar

essay [ɛse] n ensayo m; [ɛsé] vt ensayar

essence [ɛsəns] n esencia f; time is of the
essence — el tiempo apremia

establish [ɪstǽblɪʃ] vt establecer; (a
university) fundar

establishment [ɪstǽblɪʃmənt] n
establecimiento m; (authority)
establishment

estate [ɪstét] n (piece of land) hacienda f;
(possessions) bienes m pl; (property)
propiedades f pl; (of a dead person)
testamentaría f — tax impuesto de
sucesión m

esteem [ɪstím] vt (regard highly) estimar;
(consider) considerar; n estima f

estimate [ɛstəmet] vt estimar, evaluar, vt
hacer una estimación; [ɛstəmɪt] n
(calculation) estimación f; (approximate
charge) presupuesto m

estimation [ɛstəméʃən] n (opinion) juicio m;
(esteem) estima f; (estimate) estimación f;
in my — a mi juicio

Estonia [ɛstónia] n Estonia f

Estonian [ɛstóniən] adj & n estonio -nia mf

estrange [ɪstrénʤ] vt (alienate) enajenar, to
become —d separarse

estrogen [ɛstrəʤən] n estrógeno m

etcétera [ɛtsétera] adv etcétera

etch [ɛtʃ] vi/vt (engrave) grabar; (outline)
perfilar(se)

etching [ɛtʃɪŋ] n grabado m

eternal [ɪtɜrnəl] adj eterno

eternity [ɪtɜrnɪti] n eternidad f

ether [íθə] n éter m

ethical [ɛθɪkəl] adj ético

ethics [ɛθɪks] n ética f

Ethiopia [íθiópia] n Etiopía f

Ethiopian [íθiópian] adj & n etíope mf

ethnic [ɛθnɪk] adj étnico; (dances, clothes)
tradicional; — Chinese de ascendencia
china; — cleansing limpieza étnica f

ethnicity [ɛθnisiti] n etnicidad f (group)

ethnography [ɛθnɑgrəf] n etnografía f

ethnology [ɛθnɑləʤi] n etnología f

ethyl alcohol [éθəlǽlkəhɔl] n alcohol etílico
m

etiquette [ɛtɪkɪt] n etiqueta f

etymology [ɛtɪmɑləʤi] n etimología f

eucalyptus [jukəlɪptəs] n eucalipto m

eulogy [júləʤi] n (praise) elogio m; (at a
funeral) panegírico m

eunuch [júnək] n eunuco m

euphemism [júfəmɪzəm] n eufemismo m

euphoria [jufɔriə] n euforia f

euro [júro] n euro m

Europe [júrəp] n Europa f

European [júrəpiən] adj & n europeo -a mf

euthanasia [juθənéʒə] n eutanasia f

evacuate [ɪvǽkjuet] vi/vt (remove due to
danger, defecate) evacuar; (empty a
building) desalojar

evade [ɪvéd] vt (taxes, responsibilities) evadir,
eludir; (questions) eludir, burlar

evaluate [ɪvǽljuet] vt (assess) evaluar;
(appraise) avaluar, tasar

evangelical [ivænʤélɪkəl] adj evangélico

evaporate [ɪvǽpəret] vi/vt evaporar(se); vi
(vanish) esfumarse

evaporation [ɪvæpəréʃən] n evaporación f

evasion [ɪvéʒən] n (escape) evasión f;
(subterfuge) evasiva f

evasive [ɪvésɪv] adj evasivo

eve [ɪv] n (day before) víspera f; (evening)
atardecer m; on the — of en vísperas de

even [ívən] adj (flat) plano, llano; (smooth)
liso; (parallel) paralelo; (equal) igual;
(without fluctuation) parejo; (equal) igual;
by two) par; (placid) tranquilo; —handed
imparcial; —tempered apacible; an —
dozen una docena exacta; to be — with
someone estar a mano con alguien; to
get — with someone desquitarse de
alguien; adv (still, yet) aun; (for extreme
case) hasta, inclusive, incluso; — if/
though aun cuando; — my mother
went hasta mi madre fue; — so aun así;
it's — more expensive es aun más caro;
not — ni siquiera; vi/vt (make a surface
even) nivelar(se); (make accounts even)
emparejar

evening [ívnɪŋ] n tarde f, velada f; (dusk)
atardecer m; — gown vestido de fiesta m,
vestido de noche m; — party velada f; —
star lucero de la tarde m; good —!
¡buenas noches!

event [ɪvént] n (happening) hecho m, evento
m; (of importance) acontecimiento m,
suceso m; in any — en todo caso; in the

— **of** en caso de

eventful [ɪvɛntfəl] adj agitado, movido

eventual [ɪvɛntʃuəl] adj (later) posterior;
(final)

eventually [ɪvɛntʃuəli] adv a la larga

eventuality [ɪvɛntʃuˈælɪti] n eventualidad f
(final)

ever [ɛvər] adv alguna vez; — **green** (planta
de hoja perenne f; — **lasting** eterno;
— **more** para siempre; — **since** desde
entonces; **have you — studied French?**
¿alguna vez has estudiado francés? **how
did you — do this?** ¿cómo pudiste hacer
esto? **for —** por/para siempre

every [ɛvri] adj (each) cada; — **child is
different** cada niño es diferente; (all)
todo(s); **we go — Friday** vamos todos los
viernes; — **body** todos —das inf pl, todo el
mundo m; — **day** todos los días; — **day**
(of clothes) de diario, de todos los días; (of
occurrences) cotidiano; — **once in a
while** de vez en cuando; — **one** todos —
das inf pl, todo el mundo m; — **other
day** cada dos días, un día sí y otro no;
— **thing** todo; **you are — thing to me**
eres todo para mí; — **where** (location)
por/en todas partes, (direction) a todas
partes

evict [ɪvɪkt] vt desalojar

evidence [ɛvɪdəns] n evidencia f; (data in
court) prueba f; **to be in —** ser evidente;
vi/vt evidenciar(se), demostrar(se)

evident [ɛvɪdənt] adj evidente

evil [ivəl] adj (wicked) malo, malvado;
(harmful) maligno; — **doer** malhechor
-ora m/f; — **eye** mal de ojo m; n (force of
nature) mal m; (wickedness) maldad f; **the
lesser of two —s** el mal menor

evoke [ɪvok] vt (call up) evocar; (elicit)
provocar

evolution [ɛvəluʃən] n evolución f

evolve [ɪvɑlv] vi/vt desarrollar(se); vi
evolucionar

ewe [ju] n oveja f

ex [ɛks] n ex m/f

exacerbate [ɪgzæsərbet] vi/vt exacerbar

exact [ɪgzækt] adj exacto; vt exigir

exacting [ɪgzæktɪŋ] adj exigente

exaggerate [ɪgzædʒəret] vt exagerar

exalt [ɪgzɔlt] vt exaltar

exam [ɪgzæm] n examen m

examination [ɪgzæməneʃən] n examen m
(also medical)

examine [ɪgzæmɪn] vt (inspect) examinar,
(analyze) analizar

example [ɪgzæmpəl] n ejemplo m

exasperate [ɪgzæspəret] vt exasperar

excavate [ɛkskəvet] vt excavar

excavator [ɛkskəvetər] n (person) excavador
-ora m/f; (machine) excavadora f

exceed [ɪksid] vt (go beyond) exceder,
rebasar; (be superior) superar, sobrepasar

exceedingly [ɪksidɪŋli] adv sumamente,
extremadamente

excel [ɪksɛl] vt sobresalir, lucirse, descollar

excellence [ɛksələns] n excelencia f

excellent [ɛksələnt] adj excelente

except [ɪksɛpt] prep excepto, menos; **all the
students — Pam** todos los estudiantes
menos Pam; (conj excepto, salvo; **the cars
are identical — that one is older** los
coches son idénticos salvo que uno es más
viejo; — **we would go to the beach,
for the inclement weather** íbamos a
la playa si no fuera por el mal tiempo; vt
exceptuar

excepting [ɪksɛptɪŋ] prep exceptuando

exception [ɪksɛpʃən] n excepción f; **to take
the —** de con/a excepción de; **to take
—** (object) objetar; (resent) ofenderse

exceptional [ɪksɛpʃənəl] adj (unusual)
excepcional; (gifted) superdotado;
(handicapped) con necesidades especiales

excerpt [ɛksərpt] n fragmento m; vt
seleccionar fragmentos

excess [ɛksɛs] n exceso m, hartazgo m; —
baggage n exceso de equipaje m;
profits tax impuesto sobre ganancias
excesivas m; — **weight** exceso de peso m;
in — of twenty pounds más de veinte
libras; **to drink to —** beber en exceso

excessive [ɪksɛsɪv] adj excesivo, desmedido

exchange [ɪkstʃendʒ] vt (replace with
something similar) cambiar; (give
mutually) intercambiar; (trade political
prisoners, books, CDs) canjear; (barter)
permutar; **to — greetings** saludarse; n
(replacement) cambio m; (interchange)
intercambio m; (barter) permuta f; (of
prisoners, books, etc.) canje m; (for stock
trading) bolsa f; (for commodity trading)
lonja f; (telephone) central de teléfonos f;
— **student** estudiante de intercambio m/f;
— **rate of —** tipo de cambio m

excise [ɛksaɪz] n impuesto sobre bienes de
consumo m

excite [ɪksaɪt] vt excitar, alborotar; (enthuse)
entusiasmar

excited [ɪksaɪtɪd] adj (agitated, aroused)
excitado; (enthusiastic) entusiasmado; **to**

exhale — see **get**

get — (enthused) enthusiasmarse; (aroused) excitarse

excitement [ɪksáɪtmənt] n (arousal) excitación f; (enthusiasm) entusiasmo m

exciting [ɪksáɪtɪŋ] adj (stimulating) excitante; (thrilling) emocionante

excited [ɪksáɪtɪd] adj excitado; vt excitar

exclamation [ɛ̀kskləméɪʃən] n exclamación f; — **point** signo de admiración m

exclaim [ɪksléɪm] vi/vt exclamar

exclude [ɪksklúd] vt excluir

exclusion [ɪksklúʒən] n exclusión f

exclusive [ɪksklúsɪv] adj exclusivo; — **of** sin incluir

excommunicate [ɛ̀kskəmjúnɪket] vt excomulgar

excrement [ɛ́kskrəmənt] n excremento m

excrete [ɪkskrít] vi/vt excretar

excruciating [ɪkskrúʃiɛɪɪŋ] adj insoportable, atroz

excursion [ɪkskɜ́rʒən] n excursión f

excusable [ɪkskjúzəbəl] adj excusable, disculpable

excuse [ɪkskjúz] vt (release from a duty, seek exemption) excusar, eximir; (forgive) disculpar, perdonar; — **me!** (forgive me) [ɪkskjús] n excusa f, disculpa f; **it's a poor — for a car** no merece llamarse un coche

execute [ɛ́ksɪkjut] vt ejecutar (also computer term); (by firing squad) fusilar

execution [ɛ̀ksɪkjúʃən] n ejecución f; — **wall** paredón m

executioner [ɛ̀ksɪkjúʃənə] n verdugo m

executive [ɪgzɛ́kjətɪv] adj ejecutivo; n (person) ejecutivo -va m; (branch of government) poder ejecutivo m

executor [ɪgzɛ́kjətə-] n albacea mf

exemplary [ɪgzɛ́mpləri] adj ejemplar

exemplify [ɪgzɛ́mpləfaɪ] vt ejemplificar

exempt [ɪgzɛ́mpt] vt eximir, dispensar; adj exento, libre

exemption [ɪgzɛ́mpʃən] n exención f, franquicia f

exercise [ɛ́ksə-saɪz] n ejercicio m; — **s** ceremonia f; vt ejercer; vi hacer ejercicio; **to be —d about something** estar disgustado por algo

exert [ɪgzɜ́rt] vt ejercer; **to — oneself** esforzarse, empeñarse

exertion [ɪgzɜ́rʃən] n (use of powers, faculties) ejercicio m; (vigorous action) esfuerzo m, empeño m

exhale [ɛkshéɪl] vt exhalar; vi espirar

exhaust [ɪgzɔ́st] vt agotar, desmadejar; (a topic) tratar exhaustivamente n (from a car) escape m

exhausted [ɪgzɔ́stɪd] adj rendido, agotado

exhaustion [ɪgzɔ́sʧən] n (act or process of exhausting) agotamiento m; (weakness, tiredness) fatiga f

exhaustive [ɪgzɔ́stɪv] adj exhaustivo

exhibit [ɪgzíbɪt] vi/vt (manifest) exhibir; (put on view) exponer; n exposición f

exhibition [ɛ̀ksəbíʃən] n (manifestation, show of skills) exhibición f; (public display of objects) exposición f

exhilarated [ɪgzíləretɪd] adj exultante

exhort [ɪgzɔ́rt] vt exhortar

exile [ɛ́gzaɪl] n exilio m, destierro m; (person) exiliado -da mf, desterrado -da mf; vt exiliar

exist [ɪgzíst] vi existir

existence [ɪgzístəns] n existencia f

exit [ɛ́gzɪt] n salida f; vi/vt salir (de); (theater) hacer mutis; **he —ed the building** salió del edificio

exodus [ɛ́ksədəs] n éxodo m

exonerate [ɪgzɑ́nəret] vt exonerar

exorbitant [ɪgzɔ́rbɪtənt] adj exorbitante

exorcise [ɛ́ksɔrsaɪz] vt exorcisar

exorcism [ɛ́ksɔrsɪzəm] n exorcismo m

exotic [ɪgzɑ́tɪk] adj exótico

expand [ɪkspǽnd] vi/vt expandir(se), ampliar(se); (an equation, an idea) desarrollar(se); (through heat) dilatar(se)

expanse [ɪkspǽns] n extensión f

expansion [ɪkspǽnʃən] n expansión f; (of an equation, of an idea) desarrollo m; (through heat) dilatación f

expansive [ɪkspǽnsɪv] adj expansivo

expatriate [ɛkspéɪtriet] vi/vt expatriar(se); [ɛkspéɪtriət] n expatriado -da mf

expect [ɪkspɛ́kt] vt esperar; **we — guests** esperamos visita(s); **I — you to be on time** cuento con que vengas puntualmente; **I'm —ed to work fifty hours a week** tengo que trabajar cincuenta horas por semana; **you're —** tired estarás cansado; **she's —ing** embarazada/encinta

expectation [ɛ̀kspɛktéɪʃən] n (anticipation) expectación f; (expected thing) expectativa f; **he has great —s** tiene grandes expectativas

expectorate [ɪkspɛ́ktəret] vi/vt expectorar

expedient [ɪkspídiənt] adj conveniente, expeditivo

expedite [ɛ́kspədaɪt] vt (speed up) acelerar; (deal with promptly) despachar

expedition [ɛ̀kspədíʃən] n expedición f

expeditionary [ɛ̀kspədíʃəneri] adj expedicionario

expel [ɪkspɛ́l] vt (discharge) expeler; (throw out) expulsar

expend [ɪkspénd] vt gastar, agotar

expenditure [ɪkspéndɪʧ[ə]-] n gasto m

expense [ɪkspéns] n gasto m; — **account** cuenta de gastos m; **they had fun at my** — se divirtieron a mi costa

expensive [ɪkspénsɪv] adj caro

experience [ɪkspíːrɪəns] n experiencia f vt experimentar; —**d** experimentado

experiment [ɪkspérɪmənt] n experimento m; vi experimentar

experimental [ɪkspèrɪméntl] adj experimental

expert [ɛkspɜrt] n experto -ta m/f; adj experto, idóneo, perito; — **system** sistema experto m

expertise [ɛkspɜrtíːz] n pericia f

expiration [ɛkspəréʃən] n (of a contract) vencimiento m, caducidad f; (breathing out) espiración f

expire [ɪkspáɪr] vi (die, terminate) expirar; (breathe out) espirar; (lapse) vencer, caducar

explain [ɪkspléɪn] vt explicar; **he tried to** — **away his absence** trató de justificar su ausencia

explainable [ɪkspléɪnəbəl] adj explicable

explanation [ɛksplənéʃən] n explicación f

explanatory [ɪksplǽnətɔri] adj explicativo

expletive [ɛksplíːtɪv] n palabrota f

explicable [ɛksplíːkəbəl] adj explicable

explicit [ɪksplísɪt] adj explícito

explode [ɪksplóʊd] vi/vt estallar, hacer explosión, explotar; vt (a theory) hacer añicos, vi (population) dispararse

exploit [ɛksplɔit] n hazaña f, proeza f; [ɪksplɔit] vt explotar

exploitation [ɛksplɔitéʃən] n explotación f

exploration [ɛksplɔréʃən] n exploración f

explore [ɛksplɔr] vi/vt explorar; (a topic) hurgar

explorer [ɛksplɔr-] n explorador -ra m/f

explosion [ɪksplóʊʒən] n explosión f, estallido m

explosive [ɪksplóʊsɪv] adj & n explosivo m

export [ɛkspɔrt] vi/vt exportar; [ɛkspɔrt] n exportación f

exporter n exportador m, exponente m

exportation [ɛkspɔrtéʃən] n exportación f

expose [ɪkspóʊz] vt (to lay open to danger, exhibit, subject to light) exponer; (to make known) revelar; (to unmask) desenmascarar

exposition [ɛkspəzíʃən] n exposición f

exposure [ɪkspóʊʒə-] n (to danger, to light, act of exposing) exposición f (disclosure) revelación f; **to die of** — morir de frío

expound [ɪkspáʊnd] vi/vt exponer, explicar

express [ɪksprés] vt expresar; (send by mail) enviar por correo expreso; (squeeze out) exprimir; adj (clearly indicated) expreso; — **train** tren expreso m; adv por expreso; n expreso m

expression [ɪkspréʃən] n expresión f

expressive [ɪksprésɪv] adj expresivo

expropriate [ɛkspróʊprɪeɪt] vt expropiar

expulsion [ɪkspʌ́lʃən] n expulsión f

exquisite [ɛkskwízɪt] adj exquisito, primoroso; (pain) penetrante

extant [ɛkstǽnt] adj existente

extemporaneous [ɪkstèmpəréɪnɪəs] adj improvisado

extend [ɪksténd] vt/vi extender(se); (a street) ampliar(se); **he** —**ed his hand to her** le tendió la mano

extended [ɪksténdɪd] adj (extensive) extenso; (prolonged) prolongado; (folded out) extendido

extension [ɪksténʃən] n extensión f; (of a deadline) prórroga f; (phone line) extensión f; (addition) anexo m, ampliación f; — **cord** extensión f

extensive [ɪksténsɪv] adj extenso; (agriculture) extensivo

extent [ɪkstént] n extensión f; **to a great** — en alto grado; **to such an** — **that** a tal grado que; **to the** — **that you are able** en la medida en que seas capaz; **up to a certain** — hasta cierto punto

extenuate [ɪksténjueɪt] vt atenuar

exterior [ɪkstíːrɪə-] adj exterior; n exterior m

exterminate [ɪkstɜ́rmɪneɪt] vt exterminar

extermination [ɪkstɜ̀rmɪnéɪʃən] n exterminio m, exterminación f

external [ɪkstɜ́rnəl] adj externo; (concerned with foreign countries) exterior; n exterior m

extinct [ɪkstíŋkt] adj extinto

extinguish [ɪkstíŋgwɪʃ] vt apagar, extinguir

extol [ɪkstóʊl] vt ensalzar, enaltecer

extort [ɪkstɔrt] vt extorsionar

extortion [ɪkstɔ́rʃən] n extorsión f

extra [ɛ́kstrə] adj de más, adicional; **some** — **cakes** haz unos pasteles de más/ adicionales/extras; adv extra; n extra m (including newspaper, actor); — **marital** extramarital; — **ordinary** extraordinario; — **sensory** extrasensorial

extract [ɛ́kstrækt] n (something extracted) extracto m; (passage from a book) fragmento m; [ɪkstrǽkt] vt extraer; (a secret) sonsacar

extradite [ɛ́kstrədaɪt] vt extraditar

extraneous [ɪkstréɪnɪəs] adj superfluo

extrapolate [ɪkstrǽpəleɪt] vt/vi extrapolar

extravagance [ɪkstrǽvəgəns] n (unnecessary)

expense despilfarro m, derroche m; (excess) exceso m; (oddity) extravagancia f

extravagant [ikstrǽvəgənt] ADJ (shopper) gastador, derrochador; (price) exorbitante; (praise, demand) excesivo

extreme [ikstrím] ADJ extremo, N extremo m; **to go to —s** exagerar, llegar a extremos; **to the —** sumamente, extremadamente

extremity [ikstrémɪti] N (ability) extremidad f

extricate [ékstrɪkeit] VT sacar, VI **to — oneself from** conseguir salir de

extrovert [ékstrəvɜrt] N extrovertido -da m/f

extroverted [ékstrəvɜrdid] ADJ extrovertido

exuberant [igzúbərənt] ADJ exuberante

exude [igzúd] VI/VT (liquid) exudar; (cheerfulness, confidence) emanar

exult [igzʌ́lt] VI exultar

eye [ai] N ojo m (also of hurricane, needle, tools); (look) mirada f; — **ball** globo ocular m; — **brow** ceja f; — **dropper** cuentagotas m sg; — **glass** (of a telescope, microscope) ocular m; — **glasses** anteojos m pl, lentes m pl; — **lash** pestaña f; — **lid** párpado m; — **liner** delineador m; — **opener** revelación f; — **piece** ocular m; — **sight** vista f; — **sore** monstruosidad f; — **shadow** sombra para ojos f; — **socket** órbita f; — **tooth** colmillo m; — **witness** testigo ocular m/f; **my —s are bad** tengo mala vista; **in the twinkling of an —** en un abrir y cerrar de ojos; **her dress caught his —** su vestido le llamó la atención; **to keep an — on** cuidar, vigilar; **to see — to —** estar de acuerdo; **to be the — of the law** ante la ley; **to give someone the —** hacerle ojito a alguien; **to have —s for someone** estar prendado de alguien; **to keep one's —s open** tener cuidado, VT mirar

eyeful [áiful] N — **we got an —** vimos más que suficiente

e-zine [ízin] N revista electrónica f

Ff

fable [féibəl] N fábula f

fabric [fǽbrik] N tela f, tejido m; (of society) estructura f; — **softener** m; (wool) paño suavizante m

fabricate [fǽbrikeit] VT (goods) fabricar; (a story) inventar

fabulous [fǽbjələs] ADJ fabuloso

facade, façade [fəsád] N fachada f

face [feis] N (front part of head, coin, cube, facial expression) cara f; (of a building) fachada f; (of a watch) esfera f; (of the Earth) faz f; — **cloth** toalla para la cara f; — **lift** — **to —** cara a cara, — **value** valor nominal m; **in the — of** ante, frente a; **on the — of** aparentemente; **she put on a brave —** se comportó con entereza; **to make —s** hacer muecas; **to lose —** quedar mal; **to save —** quedar bien; **to show one's —** aparecerse; VT (stand opposite to) encarar; VI (meet defiantly) enfrentar, enfrentarse con, afrontar; (look forward) mirar a / hacia; (to have the front toward) dar a / hacia; (to put on facing) ribetear; **to — left** — ¡a la izquierda! — ¡media vuelta! — **to — down** intimidar; **to — the music** dar la cara; **to — with marble** revestir de mármol

faceless [féisləs] ADJ (anonymous) anónimo; (without a face) sin cara

facet [fǽsit] N faceta f

facetious [fəsíʃəs] ADJ gracioso

facial [féiʃəl] ADJ facial; N limpieza de cutis f

facilitate [fəsíliteit] VT facilitar

facility [fəsíliti] N (skill) facilidad f; **facilities** (of a building) instalación f; (restroom) aseo m, servicio m

fact [fækt] N hecho m; — **s** datos concretos m pl; **is that a —!** ¡no me digas! **as a matter of —** de hecho; **in fact** de hecho, **it's a — of life** así son las cosas

faction [fǽkʃən] N facción f

factor [fǽktə] N factor m; VT descomponer en factores; VI **to — in** tener en cuenta

factory [fǽktəri] N fábrica f

factual [fǽktʃuəl] ADJ (of facts) fáctico, (based on facts) objetivo

faculty [fǽkəlti] N (ability) facultad f; (in a college) profesorado m, cuerpo docente m, claustro m

fad [fæd] N moda pasajera f

fade [feid] VI/VT (cloth) decolorar(se), desteñir(se); (color) deslavar(se); VI (strength) disminuir; (lights) apagarse; (feelings, colors) desvanecerse

faggot [fǽgət] N (bundle) haz m

fail [feil] VI (faculties, organs, machinery, structure) fallar; (experiment, plan) fracasar, frustrarse; (health) decaer; (business) quebrar, hacer bancarrota; VI/VT (exam, student) suspender, reprobar; **he — ed to remember their anniversary** no se acordó de su aniversario; **don't — to come** no dejes de venir; **without —**

sin falta

failure [féljə•] N (of a plan, a person) fracaso *m*; (of organs) insuficiencia *f*; (of faculties) deterioro *m*; (of machinery) falla *f*; *Sp* fallo *m*; (of business) quiebra *f*, bancarrota *f*; (in an exam) suspenso *m*; **her — to respond puzzled me** su falta de respuesta me confundió

faint [fent] ADJ (sound) débil; (light) tenue; (image) vago; **to feel** — sentirse mareado; **—-hearted** timorato, cobarde; N desmayo *m*, desfallecimiento *m*; VI desmayarse, desfallecer

faintness [féntnis] N (of sound) debilidad *f*; (of light) tenuidad *f*; (of an image) vaguedad *f*

fair [fer] ADJ (just) justo; (by the rules) limpio; (large) considerable; (of weather) bueno; (of sky) despejado; (of wind) propicio; (of complexion) blanco; — **play** juego limpio *m*; — **chance of success** buena probabilidad de éxito *f*; **the — sex** el sexo bello; **that's not —!** ¡no vale! ¡no es justo! ADV **to play** — jugar limpio; N feria *f*; **—ground** real de la feria *m*; **—way** calle *f*, fairway *m*

fairly [férli] ADV (justly) justamente; (moderately) medianamente; — **difficult** bastante difícil

fairness [férnis] N (justice) justicia *f*; (whiteness) blancura *f*

fairy [féri] N hada *f*; — **godmother** hada madrina *f*; **—land** país de las hadas *m*; — **tale** cuento de hadas *m*

faith [feθ] N fe *f*; (fidelity) fidelidad *f*; — **healing** cura por la fe *f*; **in good** — de buena fe; **to have — in someone** tener confianza en alguien; **to keep** — cumplir con la palabra

faithful [féθfəl] ADJ fiel

faithfulness [féθfəlnis] N fidelidad *f*

faithless [féθlis] ADJ (disloyal) desleal, falso; (lacking in faith, fidelity) infiel

fake [fek] N (object) objeto falso *m*; (person who fakes) farsante *mf*; ADJ falso; — **pearls** perlas de fantasía *f pl*; VT (render false, counterfeit) falsificar; VI/VT (feign) fingir

falcon [fǽłkən] N halcón *m*

Falkland Islands [fɔ́kləndáiləndz] N Islas Malvinas *f pl*

fall [fɔł] VI (drop) caer(se); (light upon) detenerse; (slope downward) bajar; (be assigned to) tocar a, recaer sobre; **—ing out** desavenencia *f*, pique *m*; **—ing star** estrella fugaz *f*; **to — asleep** dormirse; **to — back** retroceder; **to — back on**

recurrir a; **to — behind** atrasarse, retrasarse; **to — down** (drop) caerse; (fail) fallar; **to — in love** enamorarse; **to — off** disminuir; **he —s for blondes** se enamora de las rubias; **to — out with** reñir con; **to — through** quedar en la nada; **you — for it** te dejas engañar; N (drop) caída *f*; (of a terrain) declive *m*; (season) otoño *m*; — **guy** cabeza de turco *mf*; **—s** catarata *f*, salto de agua *m*

fallacious [fəléʃəs] ADJ falaz

fallacy [fǽləsi] N (false notion) falacia *f*; (false argument) sofisma *m*

fallible [fǽləbəl] ADJ falible

fallout [fɔ́laut] N (particle-settling) precipitación radiactiva *f*; (consequences) repercusiones *f pl*

fallow [fǽlo] ADJ baldío, en barbecho; N barbecho *m*; VT dejar en barbecho

false [fɔłs] ADJ falso; **to bear — witness** jurar en falso; — **alarm** falsa alarma *f*; — **arrest** detención ilegal *f*; — **pretense** estafa *f*; — **start** salida en falso *f*; — **step** paso en falso *m*; — **teeth** postizo *m*

falsehood [fɔ́łshud] N falsedad *f*, mentira *f*

falseness [fɔ́łsnis] N falsedad *f*

falsify [fɔ́łsəfai] VT falsificar, falsear

falter [fɔ́łtə•] VI (hesitate) vacilar, entrecortarse; (stutter) titubear

fame [fem] N fama *f*

famed [femd] ADJ afamado

familiar [fəmíljə•] ADJ (generally known) familiar, conocido; (informal) familiar; (too friendly) confianzudo; (closely personal) íntimo; **to be — with a subject** conocer bien un tema

familiarity [fəmiljérɪɾi] N familiaridad *f*

family [fǽmli] N familia *f*; — **doctor** médico general *m*; — **man** hombre de familia *m*; — **name** apellido *m*; — **planning** planificación familiar *f*; — **room** cuarto de estar *m*; — **tree** árbol genealógico *m*; — **values** valores tradicionales *m pl*

famine [fǽmin] N (lack of food) hambruna *f*, hambre *f*; (scarcity) escasez *f*

famished [fǽmiʃt] ADJ hambriento, muerto de hambre; **to be** — morirse de hambre

famous [fémes] ADJ famoso

fan [fæn] N (handheld) abanico *m*; (electrical) ventilador *m*; (for cleaning grain) aventadora *f*; (of sports) aficionado -da *mf*; (of a person) admirador -ra *mf*; VT (blow air) abanicar; (enliven) avivar; **to — out** abrirse en abanico; — **belt** correa del ventilador *f*; — **mail** correo de admiradores *m*

fanatic [fənǽɖik] ADJ & N fanático -ca *mf*

fanaticism [fənǽdɪsɪzəm] N fanatismo m

fanciful [fǽnsɪfəɫ] ADJ (whimsical) caprichoso; (imaginary) imaginario; (led by fancy) fantasioso

fancy [fǽnsɪ] N fantasía f; (whim) capricho m; **to strike one's —** gustarle a alguien; **to take a — to** aficionarse a; **he took a — to his teacher** se enamoró de su maestra; ADJ (luxurious) de lujo; (elaborate) elaborado; (strange) estrafalario; **— free** despreocupado; **— work** bordado fino m; VT imaginar(se); **he fancies himself an artist** se cree artista; **just — the idea!** ¡figúrate!

fanfare [fǽnfer] N fanfarria f; **with great —** con bombo y platillo

fang [fæŋ] N colmillo m

fantasize [fǽntəsaɪz] VI fantasear

fantastic [fæntǽstɪk] ADJ fantástico

fantasy [fǽntəsɪ] N fantasía f

far [fɑr] ADV lejos; **— and away** sin duda; **— and wide** por todas partes; **— away / off** lejos, lejano; **—-fetched** (implausible) inverosímil, peregrino; (forced) traído por los cabellos; **—-flung** remoto; **—-off** distante; **—-out** radical, poco convencional; **—-reaching** de gran alcance; **—-sighted** (with defective vision) présbita, hipermétrope; (seeing the future) con visión de futuro; **be it from me to complain** no es mi intención quejarme; **— more money** mucho más dinero; **— off we could see land** a lo lejos divisábamos tierra; **as — as I know** que yo sepa; **as — as I'm concerned** en lo que a mí respecta; **by —** con mucho; **how — do I need to walk?** ¿cuanto tengo que caminar? **how — is the church?** ¿a cuánto queda la iglesia? **so —** hasta ahora; **we talked — into the night** hablamos hasta entrada la noche; **we traveled as — as Chicago** viajamos hasta Chicago; ADJ lejano; **the — corner** la esquina de más allá; **it is a — cry from what you said** dista mucho de lo que dijiste

farce [fɑrs] N farsa f

fare [fer] N (ticket) billete m; (price of transport) tarifa f; (food) comida f; VI **I —d well in the course** me fue bien en el curso; **—well** despedida f; **to bid —well** despedirse de; **—well!** ¡adiós!

farm [fɑrm] N (large) hacienda f; (small) granja f; **—hand** peón m; **—house** alquería f, caserío m; **— produce** productos agrícolas m pl; **—yard** (enclosed) corral m; (open) patio m; VI/VT cultivar; **to — out** (lease) dar en arriendo; (distribute) repartir; (subcontract) subcontratar; (exhaust) agotar

farmer [fɑrmɚ] N agricultor -ra mf; (small) granjero -ra mf; (large) hacendado -da mf

farming [fɑrmɪŋ] N agricultura f; ADJ agrícola mf

farther [fɑrðɚ] ADV más lejos; **it's an even — distance** es una distancia mayor todavía; **the concept was extended —** el concepto se extendió más; **— on** más adelante; ADJ más lejano

farthest [fɑrðɪst] ADJ el más lejano; ADV lo más lejos

fascinate [fǽsənet] VI/VT fascinar, alucinar

fascination [fæsənéʃən] N fascinación f

fascism [fǽʃɪzəm] N fascismo m

fascist [fǽʃɪst] N fascista mf

fashion [fǽʃən] N (style) moda f; (way) manera f, modo m; **— plate** figurín m; **after a —** más o menos; **to be in —** estar de moda; VT hacer; (metal) forjar; (character) formar; (putty, clay) moldear

fashionable [fǽʃənəbəɫ] ADJ de moda

fast [fæst] ADJ (quick) rápido, veloz; (ahead, of a watch) adelantado; (firm, permanent) firme; (closed) atrancado; (loyal) fiel; (dissolute) disipado; **— food** comida rápida f; **to —-forward** avanzar; **life in the — lane** vida loca f; **— money** dinero mal habido m; ADV (quickly) rápido; (firmly) firmemente; **— asleep** profundamente dormido; N ayuno m; VI ayunar

fasten [fǽsən] VT (with buckles, buttons, hooks) abrochar(se), prender; (with ribbon, thread) atar; (door) atrancar

fastener [fǽsənɚ] N cierre m

fastidious [fæstídɪəs] ADJ (hard to please) maníatico; (painstaking) minucioso

fat [fæt] ADJ gordo; **— cat** pez gordo m; **— cell** célula adiposa f; **— chance** ¡ni soñar! **—head** idiota mf; **— job** trabajo lucrativo m; **— profits** pingües ganancias f pl; **to get —** engordar; N (oily substance) grasa f; (animal tissue) gordura f, sebo m; **the — of the land** la abundancia de la tierra

fatal [fédl] ADJ fatal

fatality [fətǽlɪdɪ] N víctima fatal f

fate [fet] N (lot) destino m, fatalidad f, hado m; (outcome) suerte f; VT destinar

father [fɑðɚ] N padre m; **— figure** figura paterna f; **—-in-law** suegro m; **—land** patria f

fatherhood [fɑðɚhʊd] N paternidad f

fatherly [fɑðɚli] ADV paternal

fathom [fǽðəm] N braza f; VT (measure)

fatigue [fə'tig] n fatiga f; **~s** ropa de faena f; vt/vi fatigar(se), rendir(se)

fatness ['fætnɪs] n gordura f

fatso ['fætso] n pej gordinflón m, tonel m

fatten ['fætn] vt engordar, cebar

fatty ['fætɪ] adj adiposo; (insult for fat people) pej gordito -ta mf

fault [fɔlt] n (defect, misdeed) falta f; (responsibility) culpa f; (geological) falla f; **—finder** critición -ona mf; **to a —** demasiado cuidadoso; **to be at —** ser culpable; **to find — with** criticar a

faultless ['fɔltlɪs] adj perfecto

faulty ['fɔltɪ] adj defectuoso; (grammar) vicioso

faux pas [foʊ'pɑ] n gaffe f, metedura de pata f

favor ['feɪvə-] n (kind act, goodwill) favor m, gracia f; (popularity) popularidad f; (party gift) sorpresa f; vt (give help, show preference) favorecer; (foster) propiciar; (approve of) estar a favor de; **they are —ed to win** son los favoritos; **she —s her mother** se parece a su madre

favorite ['feɪv-ɪt] adj & n preferido -da mf, favorito -ta mf, predilecto -ta mf

favoritism [feɪvə-ɪtɪzm] n favoritismo m

fawn [fɔn] n cervatillo m; vi **to — (over)** adular

fax [fæks] n fax m, facsímil m; vt faxear

FBI [Federal Bureau of Investigation] FBI m [ɛfbiaɪ] n FBI m

fear [fɪr] n miedo m, temor m; **— of God** temor de Dios m; vt/vi (be afraid of) temer, tenerle miedo a; (suspect) temerse; **to — for** temer por

fearful ['fɪrfəl] adj (causing fear) terrible, espantoso; (showing fear) temeroso, miedoso, medroso

fearless ['fɪrlɪs] adj intrépido

fearlessness ['fɪrlɪsnɪs] n intrepidez f

feasible ['fizəbl] adj factible

feast [fist] n (party, religious celebration) fiesta f; (abundant meal) festín m, banquete m; vi **to — on** darse un festín de; **to — one's eyes on** deleitarse la vista con

feat [fit] n (heroic act) hazaña f; (trick) logro m

feather ['fɛðə-] n pluma f; **a — in one's cap** un triunfo personal; **—weight** peso pluma m; **birds of a — flock together** Dios los cría y ellos se juntan; vt/vi (grow feathers, cover with feathers) emplumar; (change blade angle) poner horizontal

feature [fija] n (characteristic) aspecto m, característica f; (newspaper article) reportaje m; (facial) facción f, fisonomía f; rasgo m; **— film** largometraje m; vt (give prominence to) destacar; (depict) mostrar; **this film —s John Smith** esta película cuenta con la actuación de John Smith; **— that!** ¡imagínate! vi figurar

February ['fɛbjuerɪ] n febrero m

federal ['fɛdə-əl] adj federal

federation [fɛdə'reɪʃən] n federación f

fee [fi] n (professional) honorarios m pl; (artist) cachet m; (admission) derecho de admisión m; **—s** (university) matrícula f

feeble ['fibəl] adj (person) débil, endeble; (sound, light) tenue; **—-minded** (retarded) pej retrasado; (stupid) tonto

feed [fid] vt/vi (supply with food, materials) alimentar(se); (prompt lines) apuntar; (broadcast) transmitir; he **—s sugar cubes to his horse** le da terrones de azúcar a su caballo; **I fed him a lie** le dije una mentira; **to be fed up** estar harto, estar hasta la coronilla; vi **to — into** desembocar en; **—back** retroalimentación f; (response) respuesta f, reacción f; **—ing frenzy** (of the press) escándalo periodístico m; (of sharks, etc.) carnicería f n (fodder) pienso m, cebo m; (transmission) transmisión f

feel [fil] vt/vi (perceive) experimentar, sentir(se); (examine with the hands) palpar, manosear; (suffer) sufrir; (have an opinion) creer; (grope, check out) tantear el camino, andar a tientas; **I — for you** te compadezco; **it —s soft** está suave al tacto; **I — like a coffee** tengo ganas de tomar un café; **to — up to something** sentirse capaz de algo; n (feeling, sensation) sensación f (sense) tacto m; (ability) don m; (groping) manoseo m, toqueteo m

feeler [fija] n (of insects) antena f (of snails) cuerno m; (person who feels) persona emotiva f; **to put out —s** tantear el terreno

feeling [filɪŋ] n (sense of touch) tacto m; (instance of physical perception) sensación (emotion) sentimiento m; (opinion) opinión f; (compassion) compasión f; **a — of sadness** un sentimiento de tristeza; **with —** con sentimiento; **to hurt someone's —s** herir los sentimientos a alguien; adj sensible

feign [feɪn] vt/vi fingir, simular, aparentar

feisty [fáisti] adj (aggressive) pugnaz, belicoso; (energetic) vivaz

feline [fílain] adj felino

fell [fel] vt (an animal) derribar; (a tree) talar; n (pelt) piel de animal f; **in one — swoop** de un golpe

fellow [félo] n (member) miembro m; (scholar) becario -ria mf; (man or boy) tipo m; — **citizen** conciudadano -na mf; — **man** prójimo m; — **student** compañero -ra de clase mf

fellowship [félojip] n (friendly relations) amistad f; (community of interest) confraternidad f; (scholarship) beca f

felony [féloni] n delito grave m

felt [felt] n fieltro m; adj de fieltro

female [fímel] n (animal) hembra f; (person) mujer f; adj (animal, fastener) hembra; (person) femenino

feminine [féminin] adj femenino

femininity [femininiti] n feminidad f

feminism [féminizam] n feminismo m

feminist [féminist] adj & n feminista mf

femur [fímur] n fémur m

fence [fens] n (barrier) cerca f, cerco m, valla f; (person who deals in stolen goods) vendedor -ra de artículos robados mf; (store for stolen goods) tienda de artículos robados f; **to be sitting on the —** estar indeciso; vt (enclose) cercar, vallar; **to — in** cercar; **to — off** dividir con una cerca; vi (sport) practicar esgrima

fencing [fénsiŋ] n (barrier) cerca f; (sport) esgrima f

fender [fénda] n guardabarros(s) m, guardafango m; — **bender** choquecito m

ferment [fárment] n fermento m; [farmént] vi/vt fermentar(se)

fermentation [farméntejan] n fermentación f

fern [farn] n helecho m

ferocious [farójas] adj feroz, fiero

ferocity [farásiti] n ferocidad f, fiereza f

ferret [féret] n hurón m; vi **to — out** huronear

Ferris wheel [férishwil] n rueda gigante f

ferry [féri] n ferry m; — **boat** ferry m; vt transportar de una orilla a otra; vi viajar en ferry

fertile [fǝ́rdil] adj fértil, fecundo

fertility [fǝrtíliti] n fertilidad f

fertilize [fǝrdláiz] vt fertilizar; (female, egg) fecundar; (land) abonar

fertilizer [fǝrdláiza] n fertilizante m, abono m

fervent [fǝ́rvant] adj ferviente

fervor [fǝ́rva] n fervor m

fester [fésta] vi (form pus) supurar; (rankle) enconarse

festival [féstaval] n festival m

festive [féstiv] adj festivo

festivity [festíviti] n festividad f

fetal [fídl] adj fetal; — **position** posición fetal f

fetch [fetʃ] vt Sp ir a por, Am ir a buscar; **the ring —ed a fancy price** nos dieron una buena suma por el anillo; vi/vt (dog) buscar

fetish [fétiʃ] n fetiche m

fetter [féta] n grillete m; vt engrillar

fetus [fídas] n feto m

feud [fjud] n enemistad hereditaria f; vi pelear

feudal [fjúdl] adj feudal

fever [fíva] n fiebre f, calentura f; — **pitch** punto álgido m

feverish [fívariʃ] adj (related to fever) febril; (having a fever) afiebrado, destemplado

few [fju] adj & pron pocos; **a —** unos pocos, algunos; **the —** una minoría

fiancé [fiansé] n novio m, prometido m; —**e** novia f, prometida f

fiasco [fiásko] n fiasco m

fib [fib] n mentirilla f; vi decir mentirillas

fiber [fáiba] n (textile) fibra f; (animal, vegetable) hebra f; —**optic** de fibra óptica; —**glass** fibra de vidrio f

fibrous [fáibras] adj fibroso

fickle [fíkal] adj veleidoso, mudable

fiction [fíkʃan] n ficción f

fictional [fíkʃanal] adj novelesco

fictitious [fiktíʃas] adj ficticio

fiddle [fídl] n violín m; vi (play the violin) tocar el violín; **to — around** perder el tiempo; **to — with** juguetear con; **stop fiddling with the computer** deja de juguetear con la computadora

fidelity [fidélidi] n fidelidad f; **high —** alta fidelidad f

fidget [fídʒit] vi estar inquieto; **stop —ing!** ¡deja de moverte!

fiduciary [fidúʃieri] adj & n fiduciario -ria mf

field [fild] n (land) campo m (also in computers, heraldry, optics); (in sports) campo m; Am cancha f; (of oil) yacimiento m; (group of competitors) participantes mf pl; (of knowledge) campo m, terreno m; — **artillery** artillería de campaña f; — **day** (day for outdoor activity) día de campo m; (for military maneuvers) día de maniobras m; (unrestrained enjoyment) festín m; — **glasses** binoculares m pl; — **mouse** ratón de campo m; — **trip** (in school) paseo escolar m; (in science) viaje de estudio m

—work trabajo de campo *m*; VT (catch) atrapar; (answer) contestar

fiend [find] N (devil) demonio *m*, diablo *m*; (fanatic) fanático *-ca mf*

fierce [firs] ADJ (animals) feroz, fiero; (illness) espantoso; (storms, etc.) furioso, espantoso; (competition, debate) intenso, encarnizado; (a look) torvo

fierceness [fírsnis] N ferocidad *f*, bravura *f*

fiery [fáiəri] ADJ (passionate) fogoso; (hot, causing burning sensation) ardiente

fife [faif] N pífano *m*

fifteen [fiftín] NUM quince

fifth [fifθ] ADJ & N quinto *m*; (measure of liquor) tres cuartos de un litro *m pl*

fifty [fífti] NUM cincuenta; **to go —— on something; a —— chance** un cincuenta por ciento de probabilidades

fig [fig] N higo *m*; **— leaf** hoja de higuera *f*; **— tree** higuera *f*; **it's not worth a —** no vale ni un pepino / pito

fight [fait] N (combat) lucha *f*, pelea *f*; **the — against AIDS** la lucha contra el SIDA; (argument) pelea *f*, riña *f*; VI/VT (combat) luchar (con), pelear (con); VI (argue) pelear, reñir; **— a duel** batirse a duelo; **to — back** (to hold back) contener; (resist) resistir; **to — it out** arreglarlo a los golpes; **to — off** rechazar; **to — one's way through** abrirse camino a la fuerza

fighter [fáidɚ] N (boxer) boxeador *-ra mf*; (someone who fights) luchador *-ra mf*; (dog, cock) animal de pelea / riña *m*; **— airplane** avión caza *m*

fighting [fáidiŋ] N (fight) lucha *f*; ADJ combativo; **— chance** posibilidad remota *f*; **— words** palabras incendiarias *f pl*

figurative [fígjə-ədiv] ADJ (art) figurativo; (language) figurado

figure [fígjɚ] N (number, amount) cifra *f*; (form, bodily shape, representation, dance move, syllogism) figura *f*; (character) personaje *m*; **—head** figurón de proa *m*; **— of speech** figura retórica *f*; **—s** (written symbols) números *m pl*; **— skating** patinaje artístico *m*; **to be good at —s** ser bueno con los números; **to cut a poor —** dar una mala impresión; VI (appear) figurar; VI/VT (think) imaginar(se), figurar(se); **to — in** tener en cuenta; **to — on** contar con; **to — out** (solve) resolver; (calculate) calcular; **it —s!** no me extraña, era de esperar; VT calcular

Fijian [fídʒiən] N fijiano *-na mf*

Fiji Islands [fídʒiáiləndz] N Islas Fiji *f pl*

filament [fíləmənt] N filamento *m*

file [fail] N (documents) archivo *m*; (for computers) archivo *m*, fichero *m*; (official report) expediente *m*, legajo *m*; (line) fila *f*; (tool) lima *f*; **—name** nombre de archivo *m*; **— server** servidor *m*; **filing cabinet** fichero *m*, archivador *m*; VT (papers) archivar; (news story) entregar; (tax return, claim, etc.) presentar; **to — a suit** entablar una demanda, querellarse; VI (for a job) presentarse; (walk in a line) desfilar; VI/VT (smooth) limar

filial [fíliəl] ADJ filial

filibuster [fíləbʌstɚ] VI/VT practicar obstrucción parlamentaria; N filibusterismo *m*, obstrucción *f*

filigree [fíligri] N filigrana *f*

fill [fil] VI/VT (glass, container) llenar(se); (a hole, a pastry, land) rellenar; **the smell —ed the room** la habitación se llenó del olor; **the airline —ed the position** la compañía aérea llenó el cargo; **the new employee —ed the vacancy** el nuevo empleado ocupó el cargo vacante; VT (a tooth) empastar; (prescription, order) despachar; (a need) satisfacer; VI (sails) hinchar; **to — out** llenar; **to — in** (inform) informar; (fill out) llenar; (replace) sustituir; **to — up** llenarse hasta el tope

fillet [filé] N filete *m*; VT filetear; [fílit] N cinta *f*; (on a book) filete *m*

filling [filiŋ] N (act) rellenado *m*; (filler) relleno *m*; (of a tooth) empaste *m*; **— station** estación de servicio *f*, gasolinera *f*

filly [fíli] N potranca *f*

film [film] N película *f* (also thin coating); (material) película *f*, cinta *f*; **— industry** industria cinematográfica *f*; VI/VT filmar, cinematografiar

filter [fíltɚ] N filtro *m*; VI/VT filtrar(se)

filth [filθ] N (dirt, despicable person) mugre *f*, suciedad *f*; (moral impurity) porquería *f*; (vulgar material) obscenidades *f pl*

filthiness [fílθinis] N suciedad *f*

filthy [fílθi] ADJ (dirty) cochino, mugriento; (obscene, vile) puerco, cochino; *Sp* guarro; **— rich** riquísimo

filtration [filtréʃən] N filtración *f*

fin [fin] N aleta *f*

final [fáinəl] ADJ (result, conclusion) final; (last) último; (conclusive) definitivo; N (in sports) final *f*; (exam) examen final *m*

finalist [fáinəlist] N finalista *mf*

finalize [fáinəlaiz] VT completar, ultimar

finance [fáinæns] N finanza *f*; **—s** finanzas *f pl*; VI/VT (to fund) financiar; (to purchase on credit) comprar financiado

financial [finǽnʃəl] ADJ financiero

financier [fɪnænsír] N financiero -ra *mf*

financing [fáɪnænsɪŋ] N financiamiento *m*; *Am* financiación *f*

find [faɪnd] VT hallar, encontrar; (discover) descubrir; (determine innocence or guilt) declarar; VI (determine officially) fallar; **to — fault with** criticar a, censurar a; **to — out** (discover) descubrir; (verify) averiguar; N hallazgo *m*

finding [fáɪndɪŋ] N fallo *m*; **—s** resultados *m pl*

fine [faɪn] ADJ (wine, sand, hair, precious metal) fino; (thread) delgado; (cloth) delicado; (artist, athlete) consumado; (manners) refinado; (good-looking) atractivo, guapo; (weather) bueno; (distinction) sutil; **— arts** bellas artes *f pl*; **— print** letra pequeña *f*, letra chica *f*; **to —-tune** (a receiver) sintonizar; (an engine) ajustar; (a plan) afinar; **I'm —** estoy bien; **to feel —** sentirse muy bien de salud; **to have a — time** pasarlo bien; N multa *f*; VT multar

finery [fáɪnəri] N galas *f pl*

finesse [fɪnés] N (subtlety) sutileza *f*; (tact) diplomacia *f*; VI usar artimañas; VT conseguir por artimañas

finger [fɪ́ŋɡɚ] N dedo *m*; **—food** canapé *m*, aperitivo *m*; **—nail** uña *f*; **—print** huella dactilar / digital *f*; **—tip** punta del dedo *f*; **at one's —tips** al alcance de la mano; **little —** dedo meñique *m*; **middle —** dedo del corazón *m*; VI/VT toquetear, manosear; VT (guitar) tañer; (squeal on) delatar; **to give someone the —** hacerle un gesto obsceno a alguien; **I'll keep my —s crossed** cruzo los dedos; **to wrap someone around one's —** meterse a alguien en el bolsillo; **I can't put my — on it** no se me ocurre una solución

finicky [fíniki] ADJ melindroso, dengoso

finish [fíniʃ] VI/VT (end) terminar(se), finalizar(se); VT (polish) pulir; (varnish) barnizar; (kill) liquidar; **— line** meta *f*; **to — off** acabar con, rematar; **to — up** terminar; N (ending) final *m*; (decisive end) fin *m*; (polish, treatment) acabado *m*; (varnish) barniz *m*; (coat of paint) última mano *f*; **with a rough —** sin pulir

finished [fíniʃt] ADJ (doomed) acabado; (polished) pulido

finite [fáɪnaɪt] ADJ finito

Finland [fínlənd] N Finlandia *f*

Finn [fɪn] N finlandés -esa *mf*, finés -esa *mf*

Finnish [fíniʃ] ADJ finlandés, finés

fir [fɜ˞] N abeto *m*

fire [faɪr] N (flame) fuego *m*; (conflagration) incendio *m*; (passion) ardor *m*; (for cigarettes, hearths) lumbre *f*; **— alarm** alarma contra incendios *f*; **—cracker** triquitraque *m*; **— drill** simulacro de incendio *m*; **— department** cuerpo de bomberos *m*; **— engine** coche de bomberos *m*, autobomba *f*; **— escape** escalera de incendios *f*; **— extinguisher** extinguidor (de incendios) *m*, extintor *m*; **—fly** luciérnaga *f*; **— hydrant** boca de incendio *f*; **— insurance** seguro contra incendios *m*; **—man** (who extinguishes) bombero *m*; (stoker) fogonero *m*; **—place** hogar *m*, chimenea *f*; **—proof** ininflamable, a prueba de incendio; **to —proof** hacer incombustible, ignifugar; **—side** hogar *m*; **— station** estación de bomberos *f*; **— trap** edificio sin medios de escape en caso de incendio *m*; **—wood** leña *f*; **—works** fuegos artificiales *m pl*; **when he finds out, there will be —works** cuando se entere, se va a armar la gorda; **to be on —** estar quemándose; **to catch —** incendiarse, prenderse fuego; **to set — to** prender fuego a, incendiar; **under —** bajo fuego; **to play with —** jugar con fuego; **firing pin** percutor *m*; **firing squad** pelotón de fusilamiento *m*; VT (pottery) cocer; (an employee) despedir; (a projectile) lanzar; VI/VT (a gun) disparar; VI **to — up** entusiasmar; **to — off** (gun) disparar; (letter) despachar

firm [fɜ˞m] ADJ (solid, unwavering) firme; (fixed) fijo; (not fluctuating, as prices) estable; VI/VT **to — up** (finalize) concretar; (harden) endurecer; N firma *f*

firmness [fɜ˞mnɪs] N firmeza *f*

first [fɜ˞st] ADJ primero; **— aid** primeros auxilios *m pl*; **— base** primera base *f*; **to get to — base** comenzar con éxito; **—born** primogénito -ta *mf*; **— chapter** capítulo primero *m*, primer capítulo *m*; **— class** primera clase *f*; **—-class** de primera clase; **— cousin** primo hermano *m*; **—-degree** (burn) de primer grado; (murder) en primer grado; **— floor** (ground floor) planta baja *f*; **for the — time** por primera vez; **—-hand** de primera mano *f*; **— lady** primera dama *f*; **— name** nombre de pila *m*; **— person** primera persona *f*; **—-rate** de primera clase; ADV (before anything else) primero; **I'd die —** antes la muerte; **at —** al principio; **— off** al principio; N (first in series) primero -ra *mf*; (low gear) primera *f*

fiscal [fískəɬ] ADJ fiscal; **— period** año fiscal *m*

fish [fɪʃ] N (in water) pez *m*; (out of water) pescado *m*; **—hook** anzuelo *m*; **— market** pescadería *f*; **— story** patraña *f*; **like a — out of water** como sapo de otro pozo; **neither — nor fowl** ni chicha ni limonada; **I have other — to fry** tengo otras cosas mejores que hacer; VI/VT pescar; **to — out** sacar, rebuscar; **to — for compliments** buscar cumplidos; **to —tail** colear

fisherman [fíʃ⟋mən] N pescador *m*

fishery [fíʃəri] N (for breeding) piscifactoría *f*; (for fishing) pesquería *f*; (industry) industria pesquera *f*

fishing [fíʃɪŋ] N pesca *f*; **— pole / rod** caña de pescar *f*; **— tackle** aparejos de pescar *m* pl; **to go —** ir de pesca

fishy [fíʃi] ADJ (of smell, taste) a pescado; (suspicious) sospechoso

fissure [fíʃ⟋] N fisura *f*

fist [fɪst] N puño *m*; **—fight** pelea a puñetazos *f*

fit [fɪt] ADJ (suited) apto; (healthy) en buen estado físico; **are you — for driving?** ¿estás en condiciones de manejar? **he was — to be tied** estaba que trinaba; **he didn't see — to greet her** no se le antojó saludarla; N (process of fitting) prueba *f*; (mechanical union) encaje *m*; (attack of a disease) ataque *m*; (sudden outburst) rapto *m*; (of anger, coughing) acceso *m*; **to throw a —** tener una pataleta; **by —s and starts** a trompicones; **that suit is a good —** ese traje le queda bien; VT (be suitable for) adecuarse a; (be in agreement with) cuadrar con, ajustarse a; (measure for clothes) tomarle las medidas a; (make suitable) capacitar, preparar; **to — in with** acomodarse a; **I tried to — you in** traté de incluirte; VI (conform to contours of a person) quedarle bien a alguien; (conform to the contours of a mechanism) encajar

fitness [fítnɪs] N (suitability) aptitud *f*; (health) buen estado físico *m*

fitting [fídɪŋ] ADJ apropiado; N ajuste *m*; (trying on) prueba *f*

five [faɪv] NUM cinco

fix [fɪks] VT (repair, arrange) arreglar, aviar; **he —ed his eyes on me** me miró fijamente; (place permanently, determine) fijar; (prepare food) preparar; **to — up** arreglar, aviar; **to get an animal —ed** castrar a un animal; **I was —ing to call** estaba a punto de llamar; **I'll — you!** ¡ya te arreglo! N (predicament) apuro *m*, aprieto

m; (temporary repair) arreglo provisorio *m*; (narcotic injection) chute *m*; **to get a — on** localizar

fixed [fɪkst] ADJ (stationary) fijo; (arranged in advance) arreglado

fixture [fíkstʃ⟋] N (thing) artefacto *m*; **she's a permanent — in this office** está siempre en la oficina

fizzle [fízəl] VI (fail) fracasar; **to — (out)** (make a noise) apagarse chisporroteando

flabby [flǽbi] ADJ flácido

flag [flæg] N bandera *f*; **—pole** mástil *m*; **—staff** mástil *m*; **—stone** losa *f*, baldosa *f*; VT (adorn with flags) embanderar; (mark) marcar con banderas; **to — (down)** hacer parar; VI (diminish) menguar

flagrant [flégrənt] ADV flagrante

flair [fler] N (aptitude) aptitud *f*, facilidad *f*; (style) estilo *m*

flak [flæk] N (anti-artillery fire) fuego antiaéreo *m*; (criticism) crítica *f*

flake [flek] N (snow) copo *m*; (small thin piece) escama *f*; (eccentric person) chiflado -da *mf*; VI descascararse

flamboyant [flæmbɔ́ɪənt] ADJ (clothes) llamativo; (behavior) extravagante

flame [flem] N llama *f*; **— thrower** lanzallamas *m sg*; **old — viejo** amor *m*; VI llamear, flamear, encenderse

flaming [flémɪŋ] ADJ (emitting flames) llameante; (like a flame) flamígero; (ardent) ardiente; **— red** rojo encendido

flammable [flǽməbəl] ADJ inflamable

flank [flæŋk] N (of a bastion or army) flanco *m*; (of an animal) ijar *m*; VT flanquear

flannel [flǽnəl] N franela *f*, lanilla *f*

flap [flæp] VI (wings) aletear; (flag) flamear; VT (wings) batir; (arms) sacudir; N (of a jacket, pocket) cartera *f*; (of a saddle, table) hoja *f*; (of an airplane) alerón *m*; (action of flapping) aleteo *m*

flare [fler] VI (burn unsteadily) llamear; (skirt) ensancharse; **to — up** (fire) avivarse; (activity) recrudecer; **the illness —d up** recrudeció la enfermedad; VT (a skirt) levantar; (a flame) avivar; (a pipe) abocinar; (signal by flare) señalar con bengala; (flaring light, burst of flame) llamarada *f*; (signal light) bengala *f*; (sudden emotional outburst) arranque *m*; (outward curvature) vuelo *m*; **—up** recrudecimiento *m*

flash [flæʃ] N (of light) destello *m*, ráfaga *f*; (of explosion) fogonazo *m*; (news, camera, vision) flash *m*; **— of hope** rayo de esperanza *m*; **— of lightning**

flash N relámpago m, rayo m; **in a —** en un instante; vi/vt (shine) destellar (sobre); (expose) exhibir(se); vi (gleam) relucir, fulgurar, relampaguear; (appear) aparecer, vt (display) ostentar; **—back** flashback m, escena retrospectiva; **—bulb** flash m; **—flood** riada f; **—light** linterna f; **to —by** pasar como un relámpago

flashing [flǽʃɪŋ] ADJ destellante

flashy [flǽʃi] ADJ (colorful) llamativo; (ostentatious) ostentoso; (tasteless) charro

flask [flǽsk] N (glass container) frasco m; (in a laboratory) matraz m, redoma f; (for alcoholic beverages) petaca f

flat [flǽt] ADJ (of surfaces) plano; (of land) llano; (smooth) liso; (horizontal) horizontal, acostado; (flattened) arrasado, aplastado; (of shoes, nose) chato; (deflated) desinflado, pinchado; (dull of color) apagado; (without effervescence) sin gas; (lifeless) soso; (without gloss) mate; (absolute) terminante; (of a photo) sin contraste; (of a painting) demasiado uniforme; (too low in pitch) desentonado; (of a musical note) bemol; **—footed** con pie plano; **— rate** tarifa fija f; **trading was —** hubo poco movimiento económico; **to be — broke** estar completamente pelado; **to fall —** (of a body) caer de plano/ redondo; (of a joke) caer mal; (of a plan) fracasar; N (shoe) zapato sin tacón m; (flat tire) desinflado m, pinchadura f, pinchazo m; (wooden box) caja para plantas f; (musical note) bemol m; **—iron** plancha f; ADV **—out** (directly) absolutamente; (at full speed) a toda velocidad; **in two minutes —** en dos minutos exactos

flatten [flǽtn] vi/vt (make flat) achatar(se), aplanar(se); vt (knock down) tumbar, aplanar(se)

flatter [flǽɾə] vi/vt lisonjear, adular, halagar; **this picture —s you** esta foto te favorece; **I was —ed by his attentions** me halagaron sus atenciones

flatterer [flǽɾərə] N lisonjero -ra m/f, adulador -ora m/f

flattering [flǽɾərɪŋ] ADJ (comment) lisonjero, halagüeño; (person) adulón halagüeño

flattery [flǽɾəri] N lisonja f, adulación f, halago m

flatulence [flǽtʃələns] N flatulencia f

flaunt [flɔnt] vi/vt ostentar, lucir(se)

flavor [flévə] N (taste, quality) sabor m; (flavoring) condimento m; vt sazonar

flavorless [flévə-lis] ADJ insípido

flaw [flɔ] N (in character, in construction) defecto m; (in an argument) falla f

flawless [flɔlis] ADJ (logic) impecable; (behavior) intachable, irreprochable; (appearance) perfecto

flax [flǽks] N lino m

flea [fli] N pulga f; **— collar** collar antipulgas m; **— market** Sp rastro m; Am mercado de (las) pulgas m

flee [fli] vi huir; vt huir de

fleece [flis] N vellón m; vt trasquilar, esquilar; (defraud) estafar; (in card games) pelar, desplumar

fleet [flit] N (of boats, buses) flota f; (of cars) parque m; ADJ veloz

fleeting [flitɪŋ] ADJ fugaz, efímero, pasajero

Flemish [flɛmɪʃ] ADJ & N flamenco -ca m/f

flesh [flɛʃ] N carne f; (of a fruit) pulpa f; **— and blood** carne y hueso; **of my own — and blood** de mi propia sangre; **in the —** en persona; vi/vt **to — out** (a character) dar cuerpo a; (an argument) desarrollar

fleshy [flɛʃi] ADJ (succulent) carnoso; (fat) metido en carnes

flexibility [flɛksəbɪlɪti] N flexibilidad f

flexible [flɛksəbəl] ADJ flexible

flicker [flɪkə] vi (stars) titilar; (candle) parpadear; (of wings, etc.) temblar; N (of light) parpadeo m, titilación f; (of hope) rayo m

flier [flaɪə] N (one who flies) volador -ra m/f; (aviator) aviador -ra m/f; (leaflet) volante m

flight [flaɪt] N (act of flying, trip) vuelo m; (trajectory) trayectoria f; (flock of birds) bandada f; (group of military aircraft) escuadrilla f; (escape) fuga f, huida f; **— attendant** azafato -ta m/f; **— plan** plan de vuelo m; **— school** escuela de aviación f; **to take —** darse a la fuga, ponerse en fuga; **— of stairs** tramo de escalera m; **to put to —** poner en fuga

flimsy [flɪmzi] ADJ (structure, argument) endeble; (excuse) flojo, pobre

flinch [flɪntʃ] vi pestañear

fling [flɪŋ] vt arrojar, lanzar; **she flung herself at the attacker** se le tiró arriba al atacante; **he flung himself into his work** se dedicó de lleno a su trabajo; **he flung open the door** abrió la puerta de golpe; N (act of flinging) lanzamiento m; (sexual affair) aventura f; **he had a — at selling cars** intentó vender coches

flint [flɪnt] N pedernal m

flip [flɪp] vt (a coin) tirar; (a switch) (up) levantar, (down) bajar; (a pancake) dar vuelta; vi (head over heels) dar una voltereta; (get excited, go crazy) volverse loco; **to — through** hojear; **—flop** (reversal of opinion) giro de 180 grados *m*; (backward somersault) voltereta para atrás *f*; (slipper) chancleta *f*; **— side** la otra cara de la moneda

flippant [flípant] ADJ (frivolous) frívolo, displicente; (impudent) impertinente

flipper [flípɚ] N aleta *f*

flirt [flɚt] VI coquetear; N coqueto -ta *mf*

flirtation [flɚtéʃən] N coquetería *f*, coqueteo *m*

flit [flɪt] VI revolotear; **a smile —s across her face** una sonrisa le cruza la cara

float [flot] VI (rest on water, air, etc., fluctuate freely) flotar; (in soup) sobrenadar; (drift) errar, ir a la deriva; **she —ed down the stairs** se deslizó por la escalera; VT (set afloat) poner a flote; (start a company, scheme) lanzar; (emit shares) emitir; (let fluctuate) dejar flotar; (try out an idea) proponer; N (thing that floats) flotador *m*; (on a line) corcho *m*, boya *f*; (in a parade) carro alegórico *m*, carroza *f*; (with soda) gaseosa con helado *f*

flock [flɑk] N (birds, children) bandada *f*; (sheep) rebaño *m*; (worshipers) grey *f*; (people) muchedumbre *f*; VI acudir en masa, afluir; **to — around someone** rodear a alguien; **to — together** andar juntos

flog [flɑg] VT azotar

flood [flʌd] N inundación *f*; **— of tears** torrente de lágrimas *m*; **the —** El Diluvio Universal; (of tides) creciente *f*; **—gate** (of a dam) compuerta *f*; (of a canal lock) esclusa *f*; **—light** reflector *m*; VI/VT inundar(se), anegar(se); (car) ahogar(se), emborrachar(se)

floor [flɔr] N (surface of a room, vehicle) suelo *m*, piso *m*; (story) piso *m*; (of sea) fondo *m*; (dance) pista *f*; (minimum level) mínimo *m*; **to have the —** tener la palabra; VT (topple over) tumbar, derribar; (stun, surprise) asombrar; **— it!** ¡acelera! *Sp* ¡mete caña!

flop [flɑp] VI (flail) zarandearse; (fish) dar coletazos; (drop) dejarse caer; (fail) fracasar; **to — down** dejarse caer, desplomarse; **to — over** voltear(se) flojamente; N (failure) fracaso *m*; (sound) ruido sordo *m*

floppy [flɑpi] ADJ caído; **— disk** disquete *m*, floppy *m*

florist [flɔrɪst] N florista *mf*; **—'s** (shop) florería *f*

floss [flɔs] N (silk) seda floja *f*; (for embroidery) hilo de seda *m*; (dental) hilo

dental *m*; VI/VT pasar hilo dental (por)

flounder [fláʊndɚ] VI (in mud, etc.) andar / moverse con dificultades; (for an answer) quedarse sin saber qué decir, perder pie; N platija *f*

flour [flaʊr] N harina *f*

flourish [flɚɪʃ] VI (prosper) florecer, prosperar; VT (brandish) blandir; N (ornament, florid language, brandishing) floreo *m*; (of music) floritura *f*; (of a signature) rúbrica *f*; **in full —** en plena eclosión

flow [flo] VI (run) fluir, correr; (issue forth) surgir, brotar; (come and go) circular; (fall loosely) caer; (abound) abundar; (rise) crecer; **to — into** desembocar en, afluir a; N (liquid) flujo *m*; (electricity) corriente *f*; (of traffic, blood, air) circulación *f*; **—chart** diagrama de flujo *m*; **— of words** torrente de palabras *m*

flower [fláʊɚ] N flor *f*; (paragon) flor y nata *f*; **in —** en flor; **— bed** *Mex*, *Sp* arriate *m*; *RP* cantero *m*; **—pot** maceta *f*, tiesto *m*; **— vase** florero *m*; VI florecer

flowery [fláʊəri] ADJ (of a garden, language) florido; (of a pattern) floreado; (of a fragrance) floral

flowing [flóɪŋ] ADJ (liquid) fluyente; (clothing) suelto

flu [flu] N gripe *f*

fluctuate [flʌktʃuet] VI fluctuar

fluctuation [flʌktʃuéʃən] N fluctuación *f*

fluency [flúənsi] N fluidez *f*

fluent [flúənt] ADJ fluido; **he is — in French** habla francés con fluidez / soltura

fluff [flʌf] VT mullir; (blunder) pifiar; N pelusa *f*; (blunder) pifia *f*; **this book is pure —** este libro es insustancial

fluffy [flʌfi] ADJ (airy) mullido; (covered with fluff) peludo

fluid [flúɪd] ADJ & N fluido *m*; **— ounce** onza líquida (29,42 mililitros) *f*

fluke [fluk] N (of whale) aleta *f*; (chance) chiripa *f*; **by a —** por chiripa

flunk [flʌŋk] VI/VT reprobar, suspender; VI **to — out** abandonar

flunky [flʌŋki] N (lackey, servant) lacayo *m*; (yes-man) adulón *m*

fluorescent [flɔrésənt] ADJ fluorescente; **— light** tubo fluorescente *m*

fluoride [flɔraid] N (chemical) fluoruro *m*; (dental aid) flúor *m*

fluorine [flɔrin] N flúor *m*

flurry [flɚi] N (of snow) nevisca *f*; (of activity) frenesí *m*

flush [flʌʃ] N (rosy glow, heat) rubor *m*; (of anger) arranque *m*; (of youth, color) resplandor m; (of embarrassment) sonrojo m; (in poker) color m; **did you hear the — or the toilet?** ¿oíste el sonido de la cisterna? ADJ (well supplied, rich) forrado; (ruddy, reddish) rubicundo; (full) rebosante; **— with** ADJ ras de; **— against** pegado a; vi/vt (make or turn red) sonrojar(se); ruborizar(se); (activate toilet) tirar la cadena; (rinse) baldear; vt **to — out** levantar

fluster [flʌstə] vi/vt agitar(se), poner(se) nervioso

flute [flut] N (musical instrument) flauta f; (of a column) estría f; vt estriar

flutter [flʌdə] vi (wings) aletear; (butterfly) revolotear; (flag) tremolar; (heart) palpitar; vt (agitate) agitar; N (of wings) aleteo m; (of excitement) agitación f; (of a fly) temblor m; (of the heart) palpitación f

flux [flʌks] N flujo m; **in a state of —** un estado de cambio continuo

fly [flaɪ] vi (through air) volar; (from danger) huir; (flag) ondear; (kite) remontar; vt (aircraft) pilotar; (air cargo) transportar en avión; **to — at** abalanzarse sobre; **to — away** volatizarse; **to — into a rage** montar en cólera; **to — off the handle** perder los estribos; **to — open (shut)** abrise (cerrarse) de un golpe; **to — out of a room** salir disparado de un cuarto; **that idea won't —** esa idea no va a ser aceptada; **he flew the coop** se escapó; N (insect) mosca f; (over a zipper) bragueta f; **—catcher** papamoscas m sg; **—leaf** (leaf) solapa f; **—swatter** matamoscas m sg; **—wheel** volante m; **on the —** al vuelo

flying [flaɪɪŋ] ADJ (passing through the air) volador; (fluttering) ondeante; **with — colors** con distinción; **— saucer** platillo volador m; **I hate —** no me gusta viajar en avión

foam [fom] N (suds, padding) espuma f; **— rubber** goma espuma f; vi hacer espuma; **to — at the mouth** echar espuma por la boca

focus [fokəs] N foco m; vi/vt (bring into or be in focus) enfocar(se); (concentrate) centrarse; **to — on** fijarse en

fodder [fɑdə] N forraje m

foe [fo] N enemigo -ga m

fog [fɑg] N niebla f; **to be in a —** estar confundido; **—horn** sirena de niebla f; vi/vt (confuse) ofuscar; (spray with insecticide) fumigar; (film) velar(se); **to — up** (window) empañar(se); (one's sight) nublar(se); **the airport was —ged in** el aeropuerto estaba cerrado por niebla

foggy [fɑgi] ADJ (weather) brumoso, nebuloso; (window) empañado; (confused) confuso; (blurred, as a photograph) velado

foil [fɔɪl] N (any metal) hoja de metal f; (aluminum) papel de aluminio m; (on mirrors) azogue m; (rapier) florete m; (thing contrasted) contraste m; vt frustrar

fold [fold] vi/vt (sheets) doblar(se); (paper, wings) plegar(se); (wings, flag) replegar(se); (in cards) abandonar; (close a business) cerrar(se); (performance) bajar de cartel; **to — in** (in cooking) incorporar; **to — one's arms** cruzarse de brazos; N (pleat, hollow) pliegue m; (crease) doblez m; (enclosure) redil m, aprisco m; (sheep) rebaño m; (congregation) grey f; **— three** ADJ — **the —** tres veces al redil; vt to refold

folder [foldə] N (file) carpeta f; (instrument for folding) plegadera f

folding [foldɪŋ] ADJ plegadizo, plegable; **— chair** silla plegadiza f; **— screen** biombo m

foliage [folɪdʒ] N follaje m, fronda f, ramaje m

folic acid [folɪksɪd] N ácido fólico m

folio [folɪo] N (page) folio m; (book) libro en folio m

folk [fok] N (people) gente f; (nation) pueblo m; ADJ popular; **— dance** baile folclórico m; **—lore** folclore m; (traditional stories) leyendas tradicionales f pl; **— medicine** medicina tradicional f; **— music** música folclórica f; **old —s** los viejos; **—s** m pl, viejos m pl; (parents) padres m pl, (relatives) parientes m pl; **— song** canción tradicional f

follow [folo] vi/vt seguir; vi (be a consequence) seguirse; (come next) ir a continuación; **to — suit** seguir el ejemplo, secundar; **to — through** llevar a cabo; **—through** continuación del movimiento; **to — up (on)** (pursue) desarrollar; **—up** (develop) obtener más detalles sobre; **—up** seguimiento m

follower [folo] N seguidor -ra m

following [folɪŋ] (idiom) seguidores -ras m pl; **the —** lo siguiente; ADJ siguiente

foment [foment] vt fomentar

fond [fond] ADJ **I'm — of strolls** soy amigo de los paseos, soy gustoso de los paseos; **I'm — of Chinese food** me gusta la comida china; **I'm — of John** le tengo cariño a Juan; **— hopes** ilusión f; **to become — of** encariñarse de

fondle [fondl] vi/vt (touch affectionately) acariciar; (grope) manosear, sobar

fondness [fondnis] N (affection) cariño m

fondness n (liking or weakness) afición f, afecto m;

font [fant] n (of water) pila f; (of characters) fuente f

food [fud] n comida f, alimento m; — **chain** cadena alimenticia f; — **poisoning** intoxicación por alimentos f; —**stuff** producto alimenticio m — **for thought** algo para reflexionar

fool [ful] n (foolish person) tonto -ta mf, bobo -ba mf, necio -cia mf; (jester) bufón m; **to make a — of someone** hacer quedar como un tonto; **to play the —** hacer el tonto; **I'm a card-playing —** soy loco por los naipes; vi bromear; **to — around** tontear; vt engañar; —**proof** adj (plan) infalible; (device) a prueba de tontos

foolish [fuliʃ] adj tonto, necio; **foolishness** [fuliʃnəs] n tontería f, bobería f, sandez f

foot [fut] n pie m; (of an animal) pata f; **on —** a pie, **to go on one's —** in it meter la pata; —**-and-mouth disease** fiebre aftosa f; —**ball** (American) fútbol americano m; (soccer) fútbol m; (ball) balón m, pelota (de fútbol) f; —**hill** pie de la montaña m; —**hold** punto de apoyo m; **he has a —hold in the computer business** ha logrado establecerse en el negocio de la informática; —**lights** candilejas f pl; —**man** lacayo m; —**note** nota al pie de página f, llamada f; —**path** senda f; —**print** huella f, pisada f; —**race** carrera a pie f; —**soldier** soldado de infantería m; —**step** pisada f, paso m; (footprint) huella f, pisada f; **to follow in the —steps of** seguir los pasos de; —**stool** taburete m; —**wear** calzado m; —**work** (in sports) juego de piernas m; **it'll take some pretty fancy —work to get out of this** va a ser difícil zafar de esto; vi **to — it** andar a pie; vt **to — the bill** pagar la cuenta

footing [futiŋ] n (basis) base f; (foothold) punto de apoyo m; **to be on a friendly — with** tener relaciones amistosas con; **to lose one's —** perder pie

for [fɔr] prep para; **this gift is — John** este regalo es para John, **we're headed — the beach** vamos para la playa; **this is a — device — sorting letters** este es un aparato para clasificar cartas; **they gave me enough food — three people** me dieron comida (como) para tres personas; **she's studying — the bar** está estudiando para el examen de abogacía; **the party is planned — Saturday** la

forage [fɔrɪdʒ] n (feed) forraje m; (searching) recolección f; vt (gather food) forrajear; vt (feed) dar forraje a; (collect) recolectar

foray [fɔre] n incursión f, correría f; vi (explore) incursionar; (maraud) saquear

forbear [fɔrbɛr] vt abstenerse de; vi contenerse; [fɔrbɛr] n antepasado -da mf

forbid [fərbɪd] vt prohibir

forbidden [fərbɪdn] adj prohibido

forbidding [fərbɪdɪŋ] adj (strict) severo; (daunting) imponente

force [fɔrs] n fuerza f; **in —** (effective) en vigor, vigente; (in large numbers) en masa; **armed —s** fuerzas armadas f pl; vt (oblige, compel) obligar; (rape, break open) forzar; **she —d a laugh** soltó una risa forzada; **to — upon** imponer; **to — one's way** abrirse paso a la fuerza; **to — out** echar a la fuerza

forced [fɔrst] adj forzado; (of a landing) forzoso

forceful [fɔrsfəl] adj (of personality) fuerte; (of arguments) convincente; (of behavior) enérgico

forceps [fɔrsɛps] n (in obstetrics) fórceps m;

(in dentistry) tenazas *f pl*, gatillo *m*

forcible [fɔ́rsəbəl] ADJ (done by force) forzoso; (effective) convincente; (by force) violento; **— entry** allanamiento de morada *m*

ford [fɔrd] N vado *m*; VT vadear

fore [fɔr] ADJ delantero; (of a ship) de proa; N frente *m*; **to come to the —** ponerse en evidencia; INTERJ ¡cuidado!

forearm [fɔ́rɑrm] N antebrazo *m*

forebode [fɔrbód] VT (foretell) presagiar; (have a presentiment) presentir

foreboding [fɔrbódiŋ] N (omen) presagio *m*; (presentiment) presentimiento *m*

forecast [fɔ́rkæst] N pronóstico *m*; VI/VT pronosticar

foreclose [fɔrklóz] VI ejecutar una hipoteca

foreclosure [fɔrklóʒɚ] N ejecución *f*

forefather [fɔ́rfɑðɚ] N antepasado *m*

forefront [fɔ́rfrʌnt] ADV LOC **at the —** a la cabeza, a la vanguardia

forego [fɔrgó] VT abstenerse de

foregone [fɔ́rgɔn] ADJ **it's a — conclusion** eso es de cajón

foreground [fɔ́rgraund] N primer plano *m*

forehead [fɔ́rɪd] N frente *f*

foreign [fɔ́rɪn] ADJ extranjero; (not local) foráneo; (alien) ajeno; **— affairs** relaciones exteriores *f pl*; **— aid** ayuda exterior *f*; **—born** nacido en el extranjero; **— currency** divisa *f*; **— debt** deuda exterior *f*; **— exchange** cambio de divisas *m*; **— matter** materia extraña *f*; **— policy** política exterior *f*; **— trade** comercio exterior *m*

foreigner [fɔ́rənɚ] N extranjero -ra *mf*

foreman [fɔ́rmən] N (in a factory) capataz *m*, sobrestante *m*; (of a jury) presidente *m*

foremost [fɔ́rmost] ADJ principal, preeminente

forensic [fərénzik] ADJ forense

forerunner [fɔ́rrʌnɚ] N (precursor) precursor -ora *mf*; (omen) presagio *m*; (harbinger) mensajero -ra *mf*

foresee [fɔrsí] VT prever, prevenir

foresight [fɔ́rsait] N previsión *f*

foreskin [fɔ́rskɪn] N prepucio *m*

forest [fɔ́rɪst] N (temperate) bosque *m*; (tropical) selva *f*; **— fire** incendio forestal *m*; **— ranger** guardabosques *m sg*

forestall [fɔrstɔ́l] VT bloquear

forester [fɔ́rɪstɚ] N (forest ranger) guardabosques *m sg*; (forest animal) animal silvícola *m*

forestry [fɔ́rɪstri] N silvicultura *f*

foretell [fɔrtél] VT predecir, vaticinar

forever [fɔrévɚ] ADV para siempre; **I'm —**

having to pick up after him siempre tengo que estar juntando sus cosas; **we can't go on like this —** no podemos seguir así por toda la vida

foreword [fɔ́rwɚd] N prólogo *m*

forfeit [fɔ́rfɪt] VT perder; N (fine) multa *f*; (loss) pérdida *f*

forge [fɔrdʒ] N fragua *f*, forja *f*; VT (plans) fraguar; (metal, agreement) forjar; VI/VT (signature, legal document) falsificar; **to — ahead** abrirse paso

forgery [fɔ́rdʒəri] N falsificación *f*

forget [fɚgét] VI/VT olvidar, olvidarse de; **I forgot my keys** se me olvidaron las llaves; **to — oneself** meter la pata; N **—-me-not** nomeolvides *mf*

forgetful [fɚgétfəl] ADJ olvidadizo; **— of** negligente de

forgetfulness [fɚgétfəlnɪs] N falta de memoria *f*

forgive [fɚgív] VI/VT perdonar (also a debt), disculpar

forgiveness [fɚgívnɪs] N perdón *m*

forgiving [fɚgívɪŋ] ADJ clemente

fork [fɔrk] N (for eating) tenedor *m*; (for hay) horca *f*, trinche *m*; (for tuning) diapasón *m*; (in a road) bifurcación *f*; **—lift** montacargas de horquilla *m sg*; VI bifurcarse; **to — over** soltar

forlorn [fɔrlórn] ADJ desamparado, abandonado

form [fɔrm] N forma *f*; (physical condition) condiciones físicas *f pl*; (document to be filled in) formulario *m*; VI/VT formar(se)

formal [fɔ́rməl] ADJ formal; **— attire** ropa de etiqueta *f*; **— dance** baile de etiqueta *m*

formality [fɔrmǽlɪɾi] N (conventionality) formalidad *f*; (rigidity) formalismo *m*; (legal step) trámite *m*

format [fɔ́rmæt] N formato *m*; VT formatear

formation [fɔrméʃən] N formación *f*

formative [fɔ́rməɾɪv] ADJ formativo

formatting [fɔ́rmæɾɪŋ] N formateo *m*

former [fɔ́rmɚ] ADJ **the — capital** la antigua capital; **my — husband** mi ex-marido; **the — president** el ex-presidente; **in — times** antiguamente; PRON aquel (aquella, etc.), ese (esa, etc.)

formidable [fɔ́rmɪɾəbəl] ADJ formidable

formula [fɔ́rmjələ] N fórmula *f*; (for babies) preparado para biberón *m*

formulate [fɔ́rmjəlet] VT formular

fornicate [fɔ́rnɪket] VI fornicar

forsake [fɔrsék] VT abandonar, desamparar

fort [fɔrt] N fuerte *m*, fortaleza *f*; **to hold (down) the —** quedarse cuidando

forth [forθ] adv (time) en adelante; (space) hacia adelante; **to go —** irse; **and so —** etcétera, y así sucesivamente

forthcoming ['forθ'kʌmɪŋ] adj (approaching) venidero, próximo; (available) disponible; **help wasn't —** no había ayuda disponible; (frank, friendly) abierto; (soon to be published) de próxima aparición

forthright ['forθraɪt] adj directo

forthwith ['forθwɪθ] adv en seguida, al punto

fortification [ˌfortɪfɪˈkeɪʃən] n fortificación f

fortify ['fortɪfaɪ] vt (building, body) fortalecer; (food) enriquecer; (hair, mind) fortificar; (argument) reforzar

fortitude ['for(tɪtud)] n fortaleza f, entereza f

fortress ['fortrɪs] n fortaleza f

fortuitous [for'tuɪtəs] adj (coincidental) fortuito; (lucky) afortunado

fortunate ['fortʃənɪt] adj afortunado

fortune ['fortʃən] n fortuna f; **— teller** adivino -na mf; **it cost me a —** me costó un dineral; **to tell someone's —** decirle la buenaventura a alguien

forty ['fortɪ] num cuarenta

forward ['forwə-d] adj (toward the front) hacia adelante; (leading, in the front) delantero; (pushy) descarado; adv adelante, en adelante; **to bring —** presentar; vt reexpedir; n delantero -ra mf

fossil ['fosɪl] n fósil m; (old fogey) carcamal m, carca mf; **— fuel** combustible fósil m

foster ['fostə] vt (promote) fomentar, promover; (bring up) criar; adj adoptivo

foul [faul] adj (dirty, illicit) sucio; (disgusting) asqueroso; (of a smell) fétido, (of weather) inclemente; (of winds) adverso; (morally offensive) vil; (of air) viciado; **— mouthed** mal hablado; **the police suspect — play** la policía sospecha que fue un crimen, n falta f, foul m; **— up** desastre m; vt (make dirty) ensuciar; (pollute) viciar; (tarnish) manchar; vi cometer una falta; **to — up** estropear

found [faund] vt (establish) fundar; (build) construir

foundation [faunˈdeɪʃən] n (establishment, institution) fundación f; (of a building) cimiento m; (cosmetic) base f

founder ['faundə-] n (establisher) fundador -ra mf; (smith) fundidor -ra mf; vi (sink) zozobrar, irse a pique; (fail) fracasar

foundry ['faundrɪ] n fundición f

fountain ['fauntɪn] n fuente f — **pen** pluma fuente f

four [for] num cuatro; **—eyes** fam cuatro ojos m sg; **—letter word** palabrota f; **—score** ochenta; **—some** grupo de cuatro m

fourteen ['fortin] num catorce

fourth [forθ] adj cuarto; n cuarta parte f; **the Fourth of July** el cuatro de julio

fowl [faul] n (domestic) ave de corral m; (wild) ave m

fox [faks] n zorro -rra mf; (crafty person) persona astuta f; (attractive person) bombón -na mf; **—hole** madriguera f; (military) trinchera f

foxy ['faksɪ] adj (crafty) zorro; (attractive) sexy

foyer ['fɔɪə-] n vestíbulo m

fraction ['frækʃən] n fracción f; (a bit) quebrado m

fracture ['fræktʃə-] n fractura f; vi/vt fracturar(se)

fragile ['frædʒəl] adj frágil

fragment ['frægmənt] n fragmento m; [frægˈmɛnt] vi/vt fragmentar(se)

fragrance ['freɪgrəns] n fragancia f

fragrant ['freɪgrənt] adj fragante

frail [freɪl] adj frágil, débil

frailty ['freɪltɪ] n fragilidad f, debilidad f

frame [freɪm] n (of a building, airplane, furniture) armazón m; (of eyeglasses) montura f; (of a car) chasis m; (of a picture, door) marco m; (for embroidery) bastidor m; (on a strip of film) imagen f; (of a person's body) estatura f; (of a house, structure) armazón m; **— of mind** disposición f; **— work** (of a reference) marco m, esquema m; vt (a document) forjar; (a question, plan) formular; (a picture) enmarcar; (a person) tenderle una trampa

franc [fræŋk] n franco m

France [fræns] n Francia f

franchise ['fræntʃaɪz] n (license) concesión f, franquicia f; (voting privilege) derecho al voto m; vt conceder en franquicia, dar la concesión

frank [fræŋk] adj franco, abierto; vt franquear; n salchicha alemana f

frankfurter ['fræŋkfɜ-tə-] n salchicha alemana f

frankness ['fræŋknɪs] n franqueza f

frantic ['fræntɪk] adj (wild) frenético; (desperate) desesperado

fraternal [frə'tɜ-nəl] adj fraternal, fraterno

fraternity [frə'tɜ-nɪtɪ] n (relationship) hermandad f, confraternidad f; (student association) asociación estudiantil f

fraternize ['frætɜ-naɪz] vt confraternizar, fraternizar

fraud [frɔd] n (deceit) fraude m; (impostor) farsante m/f, impostor -ra m/f

fraudulent [frɔdʒələnt] adj (of a business, etc.) fraudulento; (of a person) engañoso

freak [frik] n (anomaly) anomalía f; (monster) monstruo m, anormal m/f; (enthusiast) fanático -ca m/f; (pervert) pervertido -da m/f; adj (unusual) insólito; vi chiflar, flipar; to — **out** chiflar(se), vr chiflar, flipar

freakish [frikɪʃ] adj insólito

freckle [frɛkəl] n peca f; vi/vr cubrir(se) de pecas

freckled [frɛkəld] adj pecoso

free [fri] adj (having liberty, unrestricted, loose, unconfined) libre; (independent) libre; (unobstructed) libre; (unoccupied) libre, despejado; (without charge) gratis, gratuito; (generous) generoso, (unstinted) sin límites, descontrolado; (frank) franco, abierto; — **and easy** despreocupado; — **enterprise** empresa libre f; — **fall** caída libre f; —**for-all** rifirrafe m; —**lance** freelance m; — **lunch** algo gratis m; — **market** mercado libre m; — **radical** radical libre m; — **speech** libertad de expresión f; — **spirit** espíritu fuerte m; —**style** estilo libre m; — **thinker** libre pensador -ra m/f; — **trade** libre cambio m; —**verse** verso libre m; —**way** autopista f, autovía f; — **will** libre albedrío m; to **give someone a — hand** dar rienda suelta a alguien; to **set —** poner en libertad; **for —** gratis; **sugar-—** sin azúcar; adv libremente; — **lance** por cuenta propia; vt (liberate) liberar; (deliver, rid) librar; (untie a knot) desenredar; (drain) desatascar; to —**load** gorronear; to — **up** (time) dejar libre

freedom [fridəm] n libertad f; — **of speech** libertad de expresión f; **we all want — from fear** todos queremos vivir libres de miedo; **I want — from having to go to work every day** no quiero tener que ir a trabajar todos los días

freeze [friz] vi/vr (of food, water) congelar(se) (of accounts) bloquear(se), congelar(se); **he froze to death** murió congelado; **my computer froze up** se me colgó la computadora/el ordenador; vi (of temperature) helar; n (action or state of being frozen) congelación f; (cold snap) helada f

freezer [friza] n congelador m

freezing [frizɪŋ] adj helado; — **cold** frío glacial m; — **point** punto de congelación m

freight [fret] n (load) carga f; (charge) flete m; porte m; — **train** tren de carga m, tren de mercancías m; **by —** por carga

French [frɛntʃ] adj francés; — **dressing** salsa francesa f; — **fries** Am papas fritas f pl, Sp patatas fritas f pl; — **horn** corno francés m; —**man** francés m; —**woman** francesa f; N **the —** los franceses

frenzy [frɛnzi] n frenesí m; **he worked himself into a —** se puso histérico

frequency [frikwənsi] n frecuencia f

frequent [frikwənt] adj frecuente f; vt frecuentar

fresh [frɛʃ] adj (pure, cool, not stale, not frozen, not tired) fresco; (new, novel) nuevo; (bold) impertinente, atrevido; (healthy) lozano; — **out of school** recién salido de la escuela; — **paint** pintura fresca f; — **water** agua dulce f; **we're — out of ideas** se nos acabaron las ideas

freshen [frɛʃən] vi/vr refrescar(se); to — **up** arreglarse, lavarse

freshman [frɛʃmən] n (student) estudiante de primer año m/f; (novice) novato -ta m/f

freshness [frɛʃnəs] n (of food, of temperature) frescura f; (of skin, flowers, youth) lozanía f; (of an idea) originalidad f

fret [frɛt] vi/vr (worry) preocupar(se); n (impudence) descaro m

fretful [frɛtfəl] adj preocupado

friar [fraɪə] n fraile m

friction [frɪkʃən] n fricción f, rozamiento m

Friday [fraɪde] n viernes m

fried [fraɪd] adj frito

friend [frɛnd] n amigo -ga m/f

friendliness [frɛndlinəs] n afabilidad f, simpatía f

friendly [frɛndli] adj amistoso, simpático, amigable; — **advice** consejo de amigo m; **user-—** fácil de usar

friendship [frɛndʃɪp] n amistad f

frigate [frɪgət] n fragata f

fright [fraɪt] n (fear) espanto m, susto m; (grotesque thing or person) espantajo m; esperpento m; to **take a —** asustarse

frighten [fraɪtn] vi/vr espantar(se), asustar(se); to — **away** ahuyentar; to **get —ed** espantarse

frightened [fraɪtnd] adj asustado, espantado

frightful [fraɪtfəl] adj espantoso, pavoroso; **we had a — time** lo pasamos horrible; **he's a — flatterer** es un adulón espantoso

frigid [fríʤɪd] ADJ (of weather) gélido; (of personal relations) frío

frill [frɪl] N (trimming) volante *m*; (something superfluous) adorno *m*; **with no —s** sin lujos, sencillo

fringe [frɪnʤ] N (of a rug, etc.) fleco *m*, orla *f*; (of a city) periferia *f*; (of a political party) extremo *m*; (of society) margen *m*; **— benefits** prestaciones *f pl*, complementos *m pl*; VT orlar, poner un fleco

frisk [frɪsk] VI/VT (frolic) retozar, triscar; (search) cachear

frisky [fríski] ADJ retozón

fritter [fríɾɚ] VI/VT desmenuzar(se); VT **to — away** malgastar; **to — away** ir gastando de poco a poco; N buñuelo *m*, churro *m*

frivolity [frɪváluɾi] N frivolidad *f*

frivolous [frívələs] ADJ frívolo

fro [fro] ADV **to and —** de aquí para allá

frock [frɑk] N (dress) vestido *m*; (habit) hábito *m*

frog [frɑg] N (animal) rana *f*; (fastener) alamar *m*; (of a hoof) ranilla *f*; (French person) *pej* franchute -ta *mf*; **to have a — in one's throat** tener gallos en la garganta; **—man** hombre rana *m*

frolic [frálɪk] N retozo *m*; VI retozar

from [frʌm] PREP desde; **— here to there** desde aquí hasta allá; **— two to four** de las dos a las cuatro; **— what I can tell** por lo que yo veo; **four hours — now** de aquí a cuatro horas, dentro de cuatro horas; **different — the other one** diferente del otro; **to come — Minnesota** ser de Minnesota; **death — starvation** muerte por inanición *f*

front [frʌnt] N frente *m*; (cover for illegal activity) pantalla *f*; **in — of** en frente de, delante de; **—-runner** favorito -ta *mf*; **—-wheel drive** tracción delantera *f*; ADJ delantero; VI/VT (face) dar a; (cover up) servir de pantalla

frontier [frʌntír] N frontera *f*; ADJ fronterizo; **— spirit** espíritu pionero *m*; **— town** pueblo fronterizo *m*

frost [frɔst] N helada *f*, escarcha *f*; VI/VT helar, escarchar; VT (a cake) bañar; (glass) esmerilar; (hair) hacer rayitos / reflejos; **—bite** necrosis por congelación *f*

frosting [frɔ́stɪŋ] N (of a cake) baño *m*; (for glass) esmerilado *m*; (of hair) rayos *m pl*, reflejos *m pl*

frosty [frɔ́sti] ADJ (cold, unfriendly) helado; (covered with frost) escarchado

froth [frɔθ] N espuma *f*; VI echar espuma; VT

batir

frown [fraun] VI fruncir el ceño; **to — on** desaprobar; N ceño *m*

frozen [frózən] ADJ congelado

fructose [frúktos] N fructosa *f*

frugal [frúgəl] ADJ (economical) económico, ahorrativo; (meager) frugal

fruit [frut] N (food) fruta *f*; (plant part, product of labor) fruto *m*; **—cake** (food) torta de frutas secas *f*; (crazy person) *fam* chiflado -da *mf*

fruitful [frútfəl] ADJ fructífero

fruitless [frútlɪs] ADJ infructuoso

frumpy [frʌ́mpi] ADJ matrona

frustrate [frʌ́stret] VT frustrar; **to get —d** frustrar(se)

frustration [frʌstréʃən] N frustración *f*

fry [fraɪ] VI/VT (cook, also execute by electrocution) freír(se); **—ing pan** sartén *f*; N (fried potato) papa / patata frita *f*; (gathering with fried food) fiesta con comida frita *f*; (young fish) alevín *m*; **small —** gente menuda *f*

fudge [fʌʤ] N turrón blando de chocolate *m*; VI (cheat) hacer trampa; (avoid an issue) dar rodeos

fuel [fjúəl] N (combustible) combustible *m*; (topic) tema *m*; **— injection** inyección *f*; **— oil** fuel-oil *m*; VT (a vehicle) llenar el tanque, cargar de combustible; (fire, debate) avivar

fugitive [fjúʤɪɾɪv] ADJ (fleeing) fugitivo; (transitory) fugaz; N fugitivo -va *mf*, prófugo -ga *mf*

fulfill [fʊlfíl] VT (promise, order) cumplir; (need) satisfacer; **she doesn't feel —ed** no se siente realizada

fulfillment [fʊlfílmənt] N (of a promise, order) cumplimiento *m*; (of a need) satisfacción *f*; (of a person) realización *f*

full [fʊl] ADJ (completely filled) lleno; (complete) completo; (a dress) amplio; (a person's figure) relleno; (sated) harto; **—-blooded** de raza; **—-blown** (of disease) declarado; (complete) auténtico; **—-bodied** con cuerpo; **—-fledged** verdadero; **—-grown** adulto; **— house** full *m*; **—-length** (movie) de largometraje; (mirror) de cuerpo entero; **— moon** luna llena *f*; **—-scale** (model, etc.) de tamaño natural; (war) total; (investigation) exhaustivo; **—-service** de servicio completo; **—-size** (bed) de matrimonio; (model, etc.) de tamaño natural; **— time** tiempo completo *m*, de tiempo completo; **to pay in —** pagar el total de la deuda; ADV **you know — well**

sabes perfectamente; **it hit him** ─ **in the chest** le pegó en pleno pecho

fully [fʊli] adv (entirely) completamente; (at least) al menos

fumble [fʌmbl] vi (search for) buscar a tientas; (move clumsily) andar a tientas; (blunder) meter la pata; **he** ─**d his way into the living room** entró a tientas a la sala

fume [fjum] vi (be angry) rabiar; (emit vapors, smoke) emitir humo; n ─**s** gases m pl, vapores m pl, tufo m

fumigate [fjumɨget] vt fumigar

fun [fʌn] n diversión f; **for** ─ por gusto; **to make** ─ **of** burlarse de; **to have** ─ divertirse; adj divertido

function [fʌŋkʃən] n (systems, computers, etc.) función f; vi (work) funcionar; (serve) oficiar

fund [fʌnd] n (of money) fondo m; (of knowledge) acervo m; ─**raising** recaudación de fondos f; vt financiar

fundamental [fʌndəmɛntl] adj fundamental; n fundamento m

fundamentalism [fʌndəmɛntəlɪzəm] n fundamentalismo m

funding [fʌndɪŋ] n financiamiento m, financiación f

funeral [fjunərəl] n funeral m, entierro m, exequias f pl; ─ **director** director -ora de pompas fúnebres mf; ─ **home** casa de pompas fúnebres f; ─ **service** funeral m, honras f; **it's your** ─ te estás cavando tu propia tumba; adj (march, procession) fúnebre; (pyre) funerario; (expenses) de entierro

fungus [fʌŋgəs] n hongo m

funky [fʌŋki] adj (of music) funky; (strange) estrafalario, raro; (smelly) hediondo

funnel [fʌnl] n (for liquids) embudo m; (in a chimney) humero m; vt canalizar, encauzar

funny [fʌni] adj (amusing) cómico, chistoso, gracioso; (strange) raro; ─ **farm** fam loquero m, loquería f; **that's not** ─ eso no tiene gracia; **don't get** ─ **with me** no te pases de listo; n **funnies** historietas f pl, tiras cómicas f pl; adv raro

fur [fɜ] n (hair) pelo m; (coat) pelaje m; (hide) piel f; ─ **store** peletería f; vt forrar de piel

furious [fjʊriəs] adj (angry) furioso, rabioso; (fight, storm) feroz; (activity) febril

furlough [fɜlo] n licencia f, permiso m; vt dar licencia

furnace [fɜnɪs] n (for heating) caldera f; (in industry) horno m

furnish [fɜnɪʃ] vt (put in furniture) amueblar; (equip) equipar; (provide) proporcionar, suministrar, facilitar; mobiliario m; ─ **store** mueblería f

furrow [fɜo] n surco m; vt (soil) arar; (face) fruncir

furry [fɜi] adj peludo

further [fɜðɚ] adv **we want to go** ─ queremos ir más lejos; **I refuse to discuss this** ─ me niego a seguir discutiendo esto; (furthermore) (lo que es más); adj (more distant) más lejano; (additional) adicional; vt (promote) promover; adv ─**more** además

furthest [fɜðɪst] adj (el) más lejano, (el) más remoto; adv más lejos

furtive [fɜtɪv] adj furtivo; (shifty) sospechoso

fury [fjʊri] n furia f, furor m; saña f

fuse [fjuz] n (in an explosive) mecha f; (in a circuit) fusible m; **he has a short** ─ tiene pocas pulgas; **he blew a** ─ estalló; vt (to join metals); (to blend metals) fusionar(se); vi/vt (to merge) fundir(se)

fuselage [fjuslɑʒ] n fuselaje m

fusion [fjuʒən] n fusión f

fuss [fʌs] n (bustle) alboroto m, bulla f; (uproar) escándalo m, alharaca f; vi (worry about trifles) preocuparse por naderías; (complain) quejarse

fussy [fʌsi] adj (particular) quisquilloso, (whiny) quejica, cargoso

fussiness [fʌsinɪs] n remilgo m, hoñería f; (overdecorated) recargado; remilgado

futile [fjudl] adj inútil

futility [fjutɪlɪti] n inutilidad f

future [fjutʃɚ] n futuro m, porvenir m; ─**s** futuros m pl; adj futuro

fuzz [fʌz] n (fluff) pelusa f; (fine hair) vello fino m; (on the lip) bozo m

fuzzy [fʌzi] adj (fluffy) cubierto de pelusa; (hairy) velloso; (blurred) borroso; (muddled) confuso

G g

gab [gæb] vi parlotear, charlar; n parloteo m, charla f; **gift of** ─ labia f, facundia f

gable [gebəl] n hastial m; ─ **roof** tejado de dos aguas m; ─ **window** buhardilla f

Gabon, Gabún [gəbón] n Gabón m

Gabonese [gæbəníz] adj & n gabonés -esa mf

gad [gæd] vi to — about callejear

gadget [gædʒit] n artilugio m

gaffe [gæf] n gáffe f, metedura de pata f

gag [gæg] vt (stop up mouth, silence) amordazar, (cause to choke) dar arcadas; vi tener arcadas; n (thing stuffed into mouth) mordaza f; (joke) gag m, burla f; — order orden de supresión de la libertad de expresión f

gaiety [géiti] n alegría f, **gaieties** festejos m pl

gain [gen] vt ganar; vi to — on irse acercando a; vi/vt (watch) adelantar; n (profit, act of gaining) ganancia f; (in weight) aumento m

gainful [génfəl] adj remunerado

gait [get] n marcha f, paso m

galaxy [gæləksi] n galaxia f

gale [gel] n ventarrón m, vendaval m; — force winds vientos huracanados m pl; — of laughter risotada f

Galicia [gəlíʃə] n Galicia f

Galician [gəlíʃən] adj & n gallego -ga mf

gall [gɔl] n (bile, bitterness) hiel f; (impudence) morro m; (of a plant) agalla f; — bladder vesícula (biliar) f; — stone cálculo biliar m; vt (irritate) irritar

gallant [gælənt] adj (brave) valiente; (attentive to women) galante; [gəlánt] n galán m

gallantry [gæləntri] n (courage) valentía f, (chivalrous attention) galantería f

gallery [gæləri] n (art, theater) galería f; (theater) paraíso m, gallinero m; (golf) público m

galley [gæli] n (kitchen) cocina f; (boat) galera f; — proof galerada f

gallium [gæliəm] n galio m

gallon [gælən] n galón (3.7853 liters) m

gallop [gæləp] vi galopar, n galope m

gallows [gæloz] n horca f, cadalso m

galore [gəlór] adv en abundancia

galoshes [gəlóʃiz] n chanclos m pl

galvanize [gælvənaiz] vt (metals) galvanizar; (a crowd) electrizar

Gambia [gæmbiə] n Gambia f

Gambian [gæmbiən] adj & n gambiano -na mf

gamble [gæmbəl] vi jugar; vr jugarse; I'll — my whole fortune on this venture voy a jugarme todo en este negocio; to — away perder en el juego; n (risk) riesgo m; (bet) apuesta f

gambler [gæmblə] n apostador -ora mf, tahúr m

game [gem] n juego m; (match of chess, etc.) partida f; (sports match) partido m; (wild animals and their meat) caza f; — show programa concurso m; — to be fair — ser blanco legítimo; adj I'm — for some tennis me apunto para jugar al tenis; he has a — knee from years of rugby tiene la rodilla lisiada después de años de jugar al rugby

gamut [gæmət] n gama f

gander [gændə] n ganso (macho) m; to take a — at echarle un vistazo a

gang [gæŋ] n (of youths, thieves, etc.) pandilla f, gavilla f; banda f (group of friends) grupo m; —plank pasarela f; —way (passage way) pasillo m; (on a ship) pasamano m; —way! ¡abran cancha! vi to — up on conspirar contra, conspirar en masa

gangrene [gæŋgrin] n gangrena f; vi/vt gangrenar(se)

gangster [gæŋstə-] n gángster m, maleante m

gap [gæp] n (breach) brecha f, hueco m; (of memory) laguna f; (of time) intervalo m; she has a — between her teeth tiene los dientes separados; vt espaciar (correctamente)

gape [gep] vi mirar boquiabierto

garage [gəráʒ] n (for parking) garaje m; (for repairing) taller mecánico m; — sale venta de garaje f; vt estacionar en un garaje

garb [gɑrb] n vestimenta f, atavío m; vt vestir, ataviar

garbage [gárbidʒ] n basura f; — can bote de basura m; — disposal unit trituradora f; —man basurero m; — truck camión de la basura m; — what a lot of —! ¡qué montón de mentiras!

garden [gárdn] n jardín m; — of Eden jardín del Edén m; vi cultivar un jardín

gardener [gárdnə] n jardinero -ra mf

gargle [gárgəl] vi hacer gárgaras; vt hacer gárgaras con; n (liquid) gargarismo m; (sound) gárgara f

garland [gárlənd] n guirnalda f

garlic [gárlik] n ajo m

garment [gármənt] n prenda f

garner [gárnə] vt cosechar

garnet [gárnit] n granate m

garnish [gárniʃ] vt (decorate) decorar; (decorate food) aderezar, guarnecer; (withhold wages) retener; n (decoration) adorno m, decoración f

garret [gærit] n desván m, buhardilla f

garrison [ˈgærisən] n guarnición f; vr guarnecer

garrulous [ˈgærələs] adj locuaz, gárrulo

garter [ˈgɑrt̬ər] n liga f; — **belt** liguero m, portaligas m sg; — **snake** culebra de jarretas f; vt sujetar con ligas

gas [gæs] n (vapor) gas m; (fuel) gasolina f; (flatulence) gases m pl; — **chamber** cámara de gas f; — **mask** máscara de gas f; — **pedal** acelerador m; — **station** gasolinera f; **we had a** — lo pasamos bomba; vt asfixiar con gas, matar en la cámara de gas; **to step on the** — acelerar; **to** — **up** llenar el tanque

gaseous [ˈgæʃəs] adj gaseoso

gash [gæʃ] n tajo m; vt hacer un tajo en

gasket [ˈgæskit] n junta (de culata) f

gasoline [ˈgæsəlin] n gasolina f, nafta f

gasp [gæsp] n (cry) grito sofocado m; (pant) jadeo m, boqueada f; vi (cry out) dar un grito sofocado; (in surprise) quedar boquiabierto; (for breath) jadear, boquear

gastric [ˈgæstrik] adj gástrico; — **ulcer** úlcera gástrica f

gastritis [gæsˈtraitis] n gastritis f

gastroenteritis [ˈgæstroɛntəˈraitis] n gastroenteritis f

gastrointestinal [ˈgæstroinˈtɛstinəl] adj gastrointestinal

gastronomy [gæsˈtrɑnəmi] n gastronomía f

gate [get] n (to a garden) portón m; (to a city) puerta f; (at an airport) puerta de embarque f; (entrance, access) puerta (de entrada) f; (in computers) portal m

gather [ˈgæðər] vt (bring together) reunir, allegar; (pick) recolectar; (pick up, sort out) juntar; (deduce) deducir, colegir; (sew) fruncir; vi (come together) reunirse; (collect) juntarse; (contract into folds) fruncirse; **to** — **dust** juntar polvo/tierra; **to** — **speed** acelerar; n frunce m

gathering [ˈgæðər-iŋ] n (meeting) asamblea f; (social) tertulia f; (assemblage of people) concurrencia f, reunión f; (act of gathering fruit, etc.) recolección f

gaudy [ˈgɑdi] adj (of bright color) chillón, (ostentatious) llamativo

gauge [geʤ] vt (measure) medir; (estimate) estimar; (calibrate) calibrar; n (measurement standard) medida f; (measuring device) calibre m; (measuring device) medidor m; (track width) entrevía f

gaunt [gɑnt] adj demacrado

gauntlet [ˈgɑntlit] n (glove) guante m; (mailed glove) guantelete m; **to throw down the** — retar, desafiar; **to run the**

gauze [gɑz] n gasa f

gavel [ˈgævəl] n martillo m

gawk [gɑk] vi mirar boquiabierto

gawky [ˈgɑki] adj torpe, desgarbado

gay [ge] adj (happy) alegre, festivo; (homosexual) homosexual; n fam homosexual m

gaze [gez] vi mirar fijamente, contemplar; n mirada fija

gazelle [gəˈzɛl] n gacela f

gazette [gəˈzɛt] n gaceta f

gear [gir] n (equipment) equipo m; (cog) rueda dentada f; (assembly of cogs) engranaje m; (speed) marcha f; (personal property) pertenencias f pl; —**box** caja de cambios f; —**shift lever** palanca de cambios f; **to be in** — estar engranado; **to change** —**s** cambiar de marcha, poner el cambio; **to put into** — engranar; **to put out of** — desengranar; **to** — **up** prepararse

gearing [ˈgiriŋ] n engranaje m

gecko [ˈgɛko] n geco m

Geiger counter [ˈgaigəˈkaunt̬ər] n contador Geiger m

gel [ʤɛl] vi/vt cuajar(se)

gelatin [ˈʤɛlətin] n gelatina f

gem [ʤɛm] n (precious stone) gema f; (valuable person) joya f; —**stone** piedra preciosa f

gender [ˈʤɛndər] n género m; — **gap** diferencias entre los sexos f pl; —-**specific** propio de un solo sexo

gene [ʤin] n gen m; — **marker** marcador genético m; — **pool** conjunto de genes de una población m; — **splicing** empalme genético m; — **therapy** terapia genética f

genealogy [ʤinˈiləʤi] n genealogía f

general [ˈʤɛnərəl] adj & n general mf; **in** — por lo general; — **practitioner** médico de cabecera mf

generality [ˈʤɛnərˈælit̬i] n generalidad f

generalize [ˈʤɛnərəˌlaiz] vi/vt generalizar

generate [ˈʤɛnəret] vt generar

generation [ʤɛnəˈreʃən] n generación f; — **gap** brecha generacional f, abismo generacional m

generator [ˈʤɛnəret̬ər] n generador m

generosity [ʤɛnəˈrɑsit̬i] n generosidad f, largueza f

generic [ʤəˈnɛrik] adj genérico

generous [ˈʤɛnərəs] adj generoso

genetic [ʤəˈnɛtik] adj genético; — **code** código genético m; — **engineering** ingeniería genética f; — **fingerprinting** identificación genética f; — **marker**

marcador genético m; **—s** genética f

genial [ʤíːnjəl] ADJ afable, de buen genio

genius [ʤíːnjəs] N genio m

genocide [ʤénəsaid] N genocidio m

genome [ʤíːnom] N genoma m

genre [ʒánrə] N género m

genteel [ʤentíːl] ADJ refinado

gentile [ʤéntail] ADJ & N gentil mf

gentle [ʤéntl] ADJ (kindly) amable; (mild, slow, gradual) suave; (tame) manso

gentleman [ʤéntlmən] N caballero m

gentlemanly [ʤéntlmənli] ADJ caballeroso

gentleness [ʤéntlnis] N (kindness) amabilidad f; (mildness) suavidad f; (tameness) mansedumbre f

genuine [ʤénjuɪn] ADJ genuino

genus [ʤíːnəs] N género m

geocentric [ʤiosɛ́ntrɪk] ADJ geocéntrico

geographical [ʤiəgrǽfɪkəl] ADJ geográfico

geography [ʤiágrəfi] N geografía f

geological [ʤiəládʒɪkəl] ADJ geológico

geology [ʤiáləʤi] N geología f

geometric [ʤiəmétrɪk] ADJ geométrico

geometry [ʤiámɪtri] N geometría f

geophysics [ʤiofíziks] N geofísica f

Georgia [ʤɔ́rʤə] N Georgia f

Georgian [ʤɔ́rʤən] ADJ & N georgiano -na mf

geostationary [ʤiostéʃənɛri] ADJ geoestacionario

geothermal [ʤioθɝ́məl] ADJ geotérmico

geranium [ʤəréniəm] N geranio m

geriatric [ʤeriǽtrɪk] ADJ geriátrico

germ [ʤɝm] N (microorganism) microbio m, germen m; (bud, embryo, rudiment) germen m; **— warfare** guerra biológica f

German [ʤɝ́mən] ADJ & N alemán -na mf; **— measles** rubeola, rubéola f; **— shepherd** pastor alemán m

germane [ʤɝmén] ADJ pertinente, relacionado

Germany [ʤɝ́məni] N Alemania f

germinate [ʤɝ́mənet] VI germinar; VT hacer germinar

gerund [ʤérənd] N gerundio m

gestate [ʤéstet] VI/VT gestar(se)

gestation [ʤestéʃən] N gestación f

gesticulate [ʤestíkjəlet] VI gesticular

gesture [ʤéstʃɚ] N gesto m, ademán m; (token) muestra f; VI gesticular

gesundheit [gəzúnthait] INTERJ ¡salud! Sp ¡Jesús!

get [get] VT (receive, earn) recibir; (obtain) obtener; (reach by phone, etc.) comunicarse con; (hear, understand) entender; (seize) agarrar; Sp coger; (prevail) conseguir, lograr; (affect) afectar; (strike)

pegar, dar; (catch disease) pescar; Sp coger; **to — across** comunicar; **to — ahead** prosperar; **to — along (with)** llevarse bien (con); **to — angry** enojarse; **to —around** (skirt) esquivar, evitar; (go out) salir mucho; **to — away** escapar(se); **to — away with** quedar impune; **—away** (escape) escape m; (vacation) escapada f; **to — back** (return) volver; (recover) recuperar; **to — back at** vengarse de; **to be —ting on in years** ponerse viejo; **to — by** (go past) pasar; (survive) ir tirando; **to — down** (lower oneself) bajar; (depress) deprimir; (swallow) tragar; **to — down to business/brass tacks** ir al grano; **from the —-go** desde el principio; **to — going** ponerse en marcha; **to — in** (enter) entrar; (arrive) llegar; (a vehicle) subir a; **to — it** captar, entender; **to — married** casarse; **to — nowhere** no llegar a ningún lado; **to — off** (dismount, get down) bajar; (not receive punishment) salir impune; (leave work) salir; **to — off on enloquecerse por; **to — off someone's back** dejar de fastidiar; **to — old** envejecer; **to — on** montarse a; **to — out** (take out) sacar; (exit) salir; **to — over** (recuperate) recuperarse, sobreponerse a; (forgive) olvidar; **to — ready** preparar(se); **to — rich** enriquecerse; **to — rid of** deshacerse de; **to — sick** enfermarse; **to — somewhere** tener resultado; **to — through** (survive an ordeal) sobrevivir; (reach by phone, be understood) comunicarse; (complete) lograr terminar; **to — to someone** afectar a alguien; **to — together** reunirse; **—-together** reunión f; **to — up** (arise) levantarse; (prepare) montar; **—up** disfraz m, atuendo m; **I got him to do it** conseguí/logré que lo hiciera; **I have got to do it** tengo que hacerlo; **we got our house painted** pintamos la casa; **he got a year in jail** le dieron un año de cárcel; **we — to stay up late in summer** en el verano nos dejan quedarnos despiertos hasta tarde; **that —s my goat** eso me fastidia

geyser [gáizɚ] N géiser m

Ghana [gánə] N Ghana f

Ghanaian [gánəjən] ADJ & N ghanés -esa mf

ghastly [gǽstli] ADJ (horrible) horrendo, espantoso; (cadaverous) cadavérico

ghetto [gédo] N gueto m

ghost [gost] N fantasma m; **not a — of a chance** ni la menor posibilidad; **— town** pueblo fantasma m; **—writer** colaborador

-ora anónimo -ma *mf*

ghostly [góstli] ADJ fantasmagórico

ghoul [guɫ] N fantasma *m*

giant [ʤáiənt] N & ADJ gigante -ta *mf*

gibberish [ʤíbəɪʃ] N jerigonza *f*

gibbon [gíbən] N gibón *m*

Gibraltar [ʤibrɔ́ɫtə] N Gibraltar *m*

Gibraltarian [ʤibrɔɫtériən] ADJ & N gibraltareño -ña *mf*

giddy [gídi] ADJ (dizzy) mareado; (of heights) vertigoso; (of speed) vertiginoso

gift [gíft] N (thing given, act of giving) regalo *m*, presente *m*; (special ability) don *m*; **— certificate** vale por un regalo *m*; **—-wrap** envolver para regalo; VT regalar

gifted [gíftɪd] ADJ (artist) talentoso; (child) superdotado

gigabyte [gígəbaɪt] N gigabyte *m*

gigantic [ʤaɪgǽntɪk] ADJ gigantesco, gigante

giggle [gígəɫ] VI reír tontamente; N risita tonta *f*

gild [gíɫd] VT dorar

gill [gíɫ] N agalla *f*

gilt [gíɫt] ADJ & N dorado *m*

gimmick [gímɪk] N treta *f*, estratagema *f*

gin [ʤin] N (liquor) ginebra *f*; **— rummy** gin rummy *m*

ginger [ʤínʤə] N jengibre *m*; **— ale** ginger ale *m*; **—bread** pan de jengibre *m*

gingham [gíŋəm] N guingán *m*

gingivitis [ʤɪnʤəváɪdɪs] N gingivitis *f*

giraffe [ʤəɪǽf] N jirafa *f*

gird [gɜd] VT ceñir; **to — oneself** prepararse

girder [gɜ́də] N viga *f*

girdle [gɜ́dɫ] N faja *f*; VT rodear

girl [gɜɫ] N (female child) niña *f*; (young female) muchacha *f*, joven *f*, chica *f*; (servant) muchacha *f*, chacha *f*; **—friend** novia *f*

girlhood [gɜ́ɫhʊd] N niñez *f*

girlish [gɜ́ɫɪʃ] ADJ de niña

girth [gɜθ] N (of things) circunferencia *f*; (of persons) contorno *m*; (of horses) cincha *f*; VT cinchar

gist [ʤɪst] N esencia *f*, lo esencial

give [giv] VT dar; (present as a gift) regalar; (organize a party) organizar; (assign a name) poner; (donate) donar; **I don't — a hoot** me importa un comino; VI dar; (yield) ceder; (break) romperse; **to — away** (a gift) regalar, donar; (the bride) entregar; (the truth) revelar; **to — back** devolver; **to — in** (acknowledge defeat) rendirse; (hand in) entregar; **to — off** emitir, despedir, desprender; **to — out** (announce) anunciar; (distribute) repartir; (become exhausted) rendirse; (run out)

acabarse; **to — over** entregar; **to — up** (surrender) darse por vencido; (stop) dejar (de); **we'll work on this two years, — or take a month** vamos a trabajar en esto dos años, un mes más, un mes menos; N elasticidad *f*; **— and take** toma y daca *m*

given [gívən] ADJ (stated, fixed) dado; (bestowed) regalado; **— name** nombre de pila *m*; **— that she's not here** dado que ella no está; **— to** propenso a; N premisa *f*

giver [gívə] N dador -ora *mf*, donador -ora *mf*

gizmo [gízmo] N coso *m*, chisme *m*

glacial [gléʃəɫ] ADJ glacial

glacier [gléʃə] N glaciar *m*

glad [glæd] ADJ contento; **I'm — to see you** me alegro de verte; **I'd be — to help** sería un placer ayudarte

gladden [glædn] VT alegrar, regocijar, alborozar

gladiator [glǽdieɪdə] N gladiador *m*

glamorous [glǽmərəs] ADJ glamoroso, encantador

glamour [glǽmə] N (charm) glamour *f*, encanto *m*; (excitement) atractivo *m*

glance [glæns] VI echar un vistazo; **to — off** rebotar con efecto; N (look) vistazo *m*; (bounce) rebote oblicuo *m*

gland [glænd] N glándula *f*

glandular [glǽnʤələ] ADJ glandular

glare [gler] N (bright light) relumbre *m*; (stare) mirada furiosa *f*; VI (shine) relumbrar; (stare fiercely) lanzar una mirada hostil

glaring [glérɪŋ] ADJ (blinding) deslumbrante; (obvious) evidente; (hostile) hostil

glass [glæs] N (substance) vidrio *m*; (window pane) vidrio *m*, cristal *m*; (tumbler) vaso (de vidrio) *m*; (mirror) espejo *m*; (glassware) cristalería *f*; (magnifier) lupa *f*; **—blowing** soplado de vidrio *m*; **—cutter** cortavidrio *m*; **—es** anteojos *m pl*, lentes *m pl*, gafas *f pl*; **—eye** ojo de vidrio *m*; **—maker** vidriero -ra *mf*; **—ware** cristalería *f*

glassy [glǽsi] ADJ vidrioso

glaucoma [glɔkómə] N glaucoma *m*

glaze [glez] VT (a window) poner vidrios a; (ceramic) vidriar; (food) glasear; (varnish) barnizar; VI vidriarse; N (pottery) vidriado *m*, barniz *m*; (food) glaseado *m*

glazier [gléʒə] N vidriero -ra *mf*

gleam [glim] N reflejo *m*, brillo *m*; **a — of hope** un rayo de esperanza; VI brillar, relucir

glean [glin] VT (grain) espigar; (information) extraer, deducir

glee [gli] n regocijo, júbilo m; — **club** coro m

glib [glɪb] adj (fluent) de mucha labia; (superficial) simplista, superficial

glide [glaɪd] vi (slide) deslizarse; (fly) planear; n (sliding movement) deslizamiento m; (flight) planeo m

glider [glaɪdər] n planeador m

glimmer [glɪmər] n luz trémula f; **a — of hope** un destello de esperanza; **the — of an idea** el atisbo de una idea; vi guiñar, emitir una luz trémula

glimpse [glɪmps] n (look) ojeada f, vistazo m; (hint) atisbo m; vr ojear

glint [glɪnt] n destello m; vi destellar

glisten [glɪsən] vi brillar, relucir

glitch [glɪtʃ] n problema técnico m

glitter [glɪtər] vi destellar; n (light) destello m; (showiness) brillo m; (sparkling powder) brillantina f

gloat [glot] vi regodearse; n regodeo m

glob [glab] n pegote m

global [globəl] adj global, mundial; — **positioning system** sistema mundial de posicionamiento m; — **warming** calentamiento global m

globe [glob] n globo m; (map of the Earth) globo terráqueo m

globule [glabjul] n glóbulo m

gloom [glum] n (darkness) oscuridad f; (melancholy) melancolía f, tristeza f

gloomy [glumi] adj (dark, depressing) sombrío, lúgubre, tenebroso; (melancholic) melancólico, deprimido

glorify [glɔrəfai] vt glorificar

glorious [glɔriəs] adj (wonderful) magnífico, excelente; (related to glory) glorioso

glory [glɔri] n gloria f; vi **to — in** regocijarse con

gloss [glɑs] n (shine) brillo m (also cosmetics); (marginal note) glosa f; (in a dictionary) acepción f; vt (polish) lustrar, dar brillo a; (explain) glosar; **to — over** disfrazar, encubrir

glossary [glɔsəri] n glosario m

glossy [glɔsi] adj lustroso; (paper) glaseado

glove [glʌv] n guante m; — **compartment** guantera f

glow [glo] n incandescencia f (of cheeks) rubor m; (of emotion) calor m; vi resplandecer; (of metal) estar al rojo vivo, (of cheeks) ruborizarse; — **with health** estar rebosante de salud; —**worm** luciérnaga f

glowing [gloiŋ] adj (with light) incandescente; (colors) vivo; (with health) rebosante; (report, etc.) favorable

glucose [glukos] n glucosa f

glue [glu] n cola f, pegamento m; vt (put glue on) engomar; (stick together) pegar; (stick wood together) encolar

glum [glʌm] adj triste, mustio

glut [glʌt] vt/vr (with food) hartar(se); vr (with products) saturar; n exceso m

glutton [glʌtn] n glotón -ona mf

gluttonous [glʌtnəs] adj glotón

gluttony [glʌtni] n glotonería f, gula f

glycerin [glisərin] n glicerina f

gnarled [narld] adj (knotty) nudoso, sarmentoso; (twisted) retorcido

gnash [næʃ] vt/vr rechinar

gnat [næt] n jején m

gnaw [nɔ] vt/vr (bite, corrode) roer; (torment) remorder; **to — a hole** hacer un agujero a mordiscos

GNP [dʒienpi] n (gross national product) PNB m

gnu [nu] n ñu m

go [go] vi (move) ir; (function) andar, funcionar; **to — against** oponerse a; **to — ahead** seguir adelante; —**ahead** bueno m; **to — all out** dar todo de sí; **to — along** estar de acuerdo; **to — around** (circumvent) dar la vuelta a; (circulate) circular; (be sufficient) alcanzar; **to — away** andar con; **to — back** volver; **to — back on one's word** faltar a la palabra; **to — between** intermediario -ria mf; **to — beyond** traspasar; **to — by** (pass) pasar; (be guided by) guiarse por; **to — by another name** usar otro nombre; **to — crazy** enloquecerse; — **cart** kart m; **to — down** (descend) bajar; (fall) caer; estrellarse; (lose) perder; (be accepted) gustar; **to — for** (attack) atacar; **pizza to —** pizza para llevar; **to — in with** participar, **to — it alone** tirarse solo; **to — off** (explode) estallar; (happen) suceder; (leave) irse; **to — on** (happen) pasar; (continue) seguir; **to — out** (extinguish) apagarse; (socialize) salir; **to — over** (review) repasar, revisar; (be accepted) gustar; (read) leer; (cross) cruzar; **to — through** (suffer) sufrir; (examine) examinar; (be approved) ser aprobado; (spend) gastar; **to — through with** llevar a cabo; **to — to sleep** dormirse; **to — under** (go bankrupt) quebrar; (sink) hundirse; **to — up** (building) levantarse; (prices) subir; **to — to let —** soltar(se); **the car went for a good price** el coche se vendió a un buen precio; **he's smart, as dogs —** para ser perro, es inteligente;

that old couch has got to — hay que deshacernos de ese sofá viejo; **cows —** **"moo"** las vacas hacen "mu"; **she went** **straight for the pizza** se fue derechito a la pizza; **she's —ing to buy a house** va a comprar una casa; **anything —es** todo vale; **what I say —es** lo que yo digo, vale; **don't — to any trouble** no te molestes; **— figure!** ¡vaya a saber uno! **I've got to — (to the bathroom)** tengo que ir al baño; **he —ing** N (energy) energía f; (attempt) intento m; **in one —** de una vez; **on the —** a las corridas; **at the first** **—** de primera; **they made a — of it** tuvieron éxito; **it's a —** ¡trato hecho! **from the word —** desde el vamos

goad [god] N aguijada f; VT aguijonear

goal [goɫ] N (objective) meta f; (score) gol m; **—keeper** portero -ra mf

goalie [góli] N guardameta mf

goat [got] N cabra f; **—herd** cabrero -ra mf; **he gets my —** me saca de quicio

goatee [gotí] N perilla f

gobble [gábəɫ] VI/VT (devour) engullir; VI (turkey) gluglutear; **to — up** engullir

gobbledygook [gábəɫdiguk] N jerigonza f

gobbler [gáblə-] N pavo m

goblet [gáblɪt] N copa f

goblin [gáblɪn] N duende m

god, God [gad] N dios m, Dios m; **God bless** **you!** ¡que Dios te bendiga! (after a sneeze) ¡salud! ¡Jesús! **—child** ahijado -da mf; **—father** padrino m; **—forsaken** de mala muerte; **—given** divino; **—mother** madrina f; **—send** bendición f; **God** **willing** si Dios quiere; **by God** por Dios; **my God!** ¡Dios mío!

goddess [gádɪs] N diosa f

godless [gádlɪs] ADJ impío

godly [gádli] ADJ piadoso

goggles [gágəɫz] N gafas protectoras f pl, antiparras f pl

going [góɪŋ] ADJ que marcha bien; **—s-on** tejemaneje m

gold [goɫd] N oro m; **a heart of —** un corazón de oro; **— digger** mujer cazafortunas f; **—finch** jilguero m; **—fish** pez dorado m; **— medal** medalla de oro f; **—smith** orebre m

golden [góɫdən] ADJ (made of gold) de oro, áureo; (of gold color) dorado; **— eagle** águila dorada f; **— retriever** golden retriever m; **— rule** regla de oro f

golf [gaɫf] N golf m; **— ball** pelota de golf f; **— club** (stick) palo de golf m; (place) club de golf m; **— course** campo de golf m

gondola [gándələ] N (boat, basket under a

balloon) góndola f; (cable car) cabina f

gone [gɔn] ADJ **my computer is —** desapareció mi computadora; **the candy** **is all —** se acabaron los dulces

gong [gaŋ] N batintín m, gong m

gonorrhea [ganəríə] N gonorrea f

good [gʊd] ADJ bueno; (valid) válido; **—-for-** **nothing** inútil, zanguango; **—-looking** guapo, apuesto; **—-natured** apacible, bonachón; **for —** para siempre; **a —** **hour** una hora larga; **a — many** muchos; **to have a — time** divertirse; **to** **make —** cumplir; **to smell —** oler bien; N (moral act, benefit) bien m; **— for two** **burritos** vale por dos burritos; **—s** mercancías f pl; **—s and services** bienes y servicios m pl; **for your own —** por tu propio bien; **to deliver the —s** cumplir lo prometido; INTERJ ¡bien! **— afternoon** buenas tardes; **—-bye** adiós; **— day** buenos días; **— evening** buenas noches; **— morning** buenos días; **— night** buenas noches

goodly [gʊ́dli] ADJ (considerable) considerable; (of fine appearance) de buen aspecto

goodness [gʊ́dnɪs] N bondad f; (of food) calidad f; INTERJ ¡Dios mío!

goody [gʊ́di] N golosina f; **—-—** santurrón -ona mf; INTERJ ¡qué bien!

goof [guf] VI pifiar; **to — off** perder el tiempo; **to — up** pifiarla; N pifia f

goofy [gʊ́fi] ADJ (person) bobalicón; (idea) tonto

goose [gus] N ganso -sa mf (also fool); VT sorprender a alguien tocándole entre las nalgas; **—berry** (berry) grosella espinosa f; (bush) grosellero m; **—bumps** carne de gallina f; **— egg** cero m

GOP (Grand Old Party) [ʤiopí] N Partido Republicano m

gopher [gófə-] N ardilla de tierra f

gore [gɔr] N sangre derramada f; VT cornear

gorge [gɔrʤ] N (body part) garganta f; (ravine) garganta f, tajo m; VI **to — one's** **self (on)** atracarse (de), darse un atracón (de)

gorgeous [gɔ́rʤəs] ADJ (woman, outfit) precioso; (weather) espléndido

gorilla [gəríla] N gorila mf; (thug) matón m

gory [góri] ADJ (of a battle) sangriento; (of a surface) ensangrentado

gospel [gáspəɫ] N evangelio m; (music) gospel m; **— truth** pura verdad f

gossip [gásəp] N (rumor) chismorreo m, murmuración f, habladurías f pl; (person) chismoso -sa mf; (woman) comadre f; **a**

piece of — us chisme; vi chismear, murmurar

gossipy [gásəpi] adj chismoso, lenguaraz

Gothic [gáθɪk] adj gótico (also literature); n (language) gótico m; (style) estilo gótico m

gouge [gaʊdʒ] n gubia f; vt (scoop) sacar con gubia; (overcharge) cobrar de más; **to — someone's eyes out** arrancarle los ojos a alguien

gourd [gʊrd] n calabaza f

gourmet [gʊrmé] n & adj gourmet m/f; — **cheese** queso fino m

gout [gaʊt] n gota f

govern [gʌ́və-n] vi/vr gobernar, regir; vr (in grammar) regir

governess [gʌ́və-nɪs] n institutriz f

government [gʌ́və-nmənt] n gobierno m; (in grammar) rección f

governmental [gʌ̀və-nméntl] adj gubernamental, gubernativo

governor [gʌ́və-nə] n (leader) gobernador -ora m/f; (of an engine) regulador m

gown [gaʊn] n (woman's dress) vestido m; (for sleeping) camisón m; (in hospital) bata f; (for graduation) toga f

grab [grӕb] vt agarrar, prender; **how does that idea — you?** ¿qué te parece esa idea? vi **to — at** tratar de agarrar, n agarrón m; **up for —s** a la rebatiña

grace [gres] n gracia f; (of movement) garbo m; (of expression) donaire m; **to say —** decir la oración; **to be in the good —s of someone** gozar del favor de alguien, disfrutar de la gracia de alguien; vr (adorn) adornar; (honor) honrar, agraciar

graceful [grésfəl] adj (of movement) ágil, garboso; (of behavior) donoso, garboso

gracefulness [grésfəlnɪs] n gracia f, donaire m

gracious [gréʃəs] adj (kind) gentil, cortés; (elegant) elegante; (merciful) misericordioso; —! ¡válgame Dios!

graciousness [gréʃəsnɪs] n gentileza f

gradation [gredéjən] n gradación f

grade [gred] n (degree) grado m; (category) calidad f; (year in school) año n, curso m; (marks) nota f, calificación f; (slope) declive m; **to make the —** alcanzar el nivel deseado; — **point average** promedio de notas m; vr (classify) clasificar; (assign grades) calificar, corregir; (level) nivelar

gradual [grǽdʒual] adj gradual

graduate [grǽdʒuɪt] n (advanced student) graduado de posgrado m/f; (degree-holder) estudiante de posgrado m/f; adj/ adj de posgrado; — **school** programa de posgrado;

posgrado m; [grǽdʒuet] vt (graduarse, titularse) vr (confer a degree) dar un diploma a; (mark a scale) graduar

graduation [grædʒuéjən] n graduación f

graffiti [grəfídi] n grafiti m

graft [grӕft] n (of plant, tissue) injerto m; (corruption) concusión f, corrupción f; vi/ vr injertar(se)

grain [gren] n (cereal, seed) grano m, mies f; (photographic texture) grano m; (of gold) pepita f; (of wood, meat, stone) veta f, (texture) textura f; (small amount) pizca f; **against the —** a/ al redopelo, a contrapelo

gram [grӕm] n gramo m

grammar [grǽmə] n gramática f

grammatical [grəmǽtɪkəl] adj gramatical

granary [grǽnəri] n granero m, troje m

grand [grӕnd] adj (splendid) grandioso, espléndido; (lofty) elevado; (impressive) impresionante; —**child** n nieto -ta m/f; —**children** n pl; —**daughter** n nieta f; —**father** n abuelo m; —**jury** n jurado de acusación m; —**mother** n abuela f; —**ma** abuelita f; —**pa** abuelito m; —**parent** abuelo m; —**parents** abuelos m pl; —**piano** piano de cola m; —**son** nieto m; —**stand** tribuna f; **a — old man** un gran señor; **the — total** n el total

grandeur [grǽndʒə-] n grandiosidad f

grandiose [grǽndɪos] adj (complex) complejo; (of speech) grandilocuente, rimbombante; (imposing) grandioso

granite [grǽnɪt] n granito m

grant [grӕnt] vt (give) conceder, otorgar, dispensar; (accept) admitir; (transfer) ceder; **to take for —ed** (an assumption) dar por sentado; (a person) no valorar; n (something granted) concesión f; (act of granting) concesión f, otorgamiento m; (subsidy) subvención f

granular [grǽnjələ] adj/vi/vr granular(se)

grape [grep] n uva f; —**fruit** pomelo m, toronja f; —**vine** vid f; (ornamental) parra f; **I heard it through the —vine** me lo contó un pajarito

graph [grӕf] n (curve) gráfica f; vt grafiar; — **paper** papel cuadriculado m

graphic [grǽfɪk] adj gráfico; —**design** diseño gráfico m; n gráfico m; —**s** gráfica f

graphite [grǽfaɪt] n grafito m

grapple [grǽpəl] vi/vr (hold) aferrar; (struggle) luchar, lidiar

grasp [grӕsp] vt (seize) agarrar, asir, aferrar; (understand) comprender; vi **to — at** asidero m; (comprehension) comprensión f f; **within one's** — al alcance; **to have a good** — **of a subject** dominar una materia

grass [græs] N (plant) hierba f; (lawn) césped m; (pasture) pasto m; —**hopper** saltamontes m sg, saltón m; —**land** pradera f, pastizal m; — **roots** las bases f pl

grassy [grǽsi] ADJ herboso

grate [gret] N (of a fireplace) parrilla f; (partition, guard) reja f, verja f; VT (install a grate) enrejar; (mince) rallar; (rub teeth together) crujir, rechinar; VI **to** — **on** rechinar

grateful [grétfəl] ADJ agradecido

grater [grédɚ] N rallador m

gratification [græpɪfikéʃən] N gratificación f

gratify [grǽpɪfaɪ] VT complacer, gratificar

grating [grédɪŋ] N reja f, enrejado m, rejilla f; ADJ (discordant) rechinante; (irritating) irritante

gratitude [grǽpɪtud] N gratitud f

gratuitous [grətúɪpəs] ADJ gratuito

gratuity [grətúɪpi] N propina f

grave [grev] ADJ grave; N fosa f, sepultura f; —**digger** sepulturero m; —**stone** lápida f; —**yard** cementerio m; —**yard shift** turno de la noche m; **to have one foot in the** — fam estar por reventar

gravel [grǽvəl] N grava f; VT cubrir con grava

gravitation [grævɪtéʃən] N gravitación f

gravity [grǽvɪpi] N gravedad f (also seriousness)

gravy [grévi] N jugo de carne m; **the rest is** — el resto es fácil

gray [gre] ADJ gris; (hair) canoso; (horses) rucio; — **area** zona gris f; —**haired** cano, canoso; — **matter** materia gris f; N gris m; VI/VT agrisar; (hair) encanecer

grayish [gréɪʃ] ADJ grisáceo

graze [grez] VI/VT (feed) pacer, pastar, apacentar; (brush) rozar; N roce m

grease [gris] N grasa f; VT engrasar; **to** — **someone's palm** untarle la mano a alguien, engrasar a alguien

greasy [grísi, grízi] ADJ grasiento, grasoso

great [gret] ADJ (large, numerous) grande; **a** — **tree blocked the path** un árbol grande bloqueaba el camino; (good, excellent, considerable) gran; **she's a** — **friend** es una gran amiga; (long) largo; **a** — **while** un largo rato; (skillful) excelente; **she's** — **at tennis** juega muy bien al tenis; **a** — **deal of** mucho; she did — le fue muy bien; N **the** —**s** los / las grandes mf; —**grandchild** bisnieto -ta mf;

—**grandfather** bisabuelo m; —**grandmother** bisabuela f; —–—**grandchild** tataranieto -ta mf; INTERJ ¡qué bien!

greatness [grétnɪs] N grandeza f

Greece [gris] N Grecia f

greed [grid] N codicia f

greedy [grídi] ADJ (covetous) codicioso; (voracious) voraz; (eager) ávido

Greek [grik] ADJ & N griego -ga mf; **that's** — **to me** eso es chino

green [grin] ADJ verde; (verdant, unripe, inexperienced, nauseated, environmentally conscious) verde; N (color) verde m; (lawn) césped m; (pasture) prado m; (in golf) green m; (commons) ejido m; —**back** dólar m; — **bean** Sp judía verde f; Mex ejote m; RP chaucha f; — **card** tarjeta verde f; —**horn** novato -ta mf; —**house** invernadero m; —**house effect** efecto invernadero m; — **light** luz verde f; — **pepper** pimiento verde m; —**s** verduras de hoja verde f pl

greenish [grínɪʃ] ADJ verdoso

greenness [grínnɪs] N verdor m

greet [grit] VT (say hello) saludar; (welcome) dar la bienvenida; (receive) recibir

greeting [grídɪŋ] N saludo m; — **card** tarjeta de felicitación f; —**s!** ¡saludos!

gregarious [grɪgérias] ADJ (animal) gregario; (person) sociable

gremlin [grémlɪn] N duende m

Grenada [grənédə] N Granada f

grenade [grənéd] N granada f

Grenadian [grənédiən] ADJ & N granadino -na mf

greyhound [gréhaund] N galgo m

griddle [grídl] N plancha f

gridlock [grídlɑk] N paralización f; VI paralizarse

grief [grif] N congoja f, pesar m, pesadumbre f; **to come to** — sufrir una desgracia; **to give someone** — meterse con alguien, jorobar a alguien; **good** —**!** ¡caramba!

grievance [grívəns] N (complaint) queja f; (cause for complaint) motivo de queja m

grieve [griv] VI estar de duelo; **to** — **for / over** llorar (la muerte de alguien); **he's grieving over the loss of his dog** lamenta la muerte de su perro; VT **that** —**s me** eso me apena

grieved [grivd] ADJ apenado

grievous [grívəs] ADJ (painful) doloroso, penoso; (atrocious) grave, atroz; (sorrowful) dolido

grill [grɪl] N (metal grid, restaurant fixture) parrilla f; (dish) parrillada f; VI/VT asar a la

grille [gril] N parrilla f

grim [grim] ADJ (news, situation) desalentador; (war) cruento; (joke) macabro

grimace [grímas] N mueca f; mohín m; VI hacer muecas

grime [graim] N mugre f; suciedad f

grimy [gráimi] ADJ mugriento; sucio; **to make** — percudir

grin [grin] VI sonreír; N sonrisa f; — **off your face** deja de reírte

grind [graind] VT/VI (mill finely) moler; (mill coarsely) triturar; (make shiny) pulir; (rub harshly) rechinar; (study hard) estudiar mucho; SP empollar; **to** — **to a halt** pararse con un chirrido; N (drudgery) trabajo pesado m; (overzealous student) empollón -ona mf; **the daily** — la lucha diaria; —**stone** muela f; **to keep one's nose to the** —**stone** matarse trabajando/estudiando

grinder [grainda-] N (for coffee, pepper) molinillo m; (for meat) picadora f; (for sharpening tools) afiladón m

grip [grip] N (hold) agarre m; (control) control m; (handle) mango m; **he had a firm** — **on the tool** tenía bien agarrada la herramienta; **get a** — **on yourself** contrólate, cálmate; VT (seize) agarrar, asir; (take hold, interest) atrapar

gripe [graip] VI quejarse, rezongar; N queja f

grisly [grízli] ADJ cruento; espantoso

gristle [grísel] N cartílago m

grit [grit] N (sand) arena f; (pluck) firmeza f, fam colones m pl; —**s** sémola de maíz f; VT apretar

gritty [gríti] ADJ (sandy) arenoso; (plucky) resuelto, fam colmado

grizzly [grízli] ADJ (grayish) grisáceo; — **bear** oso pardo m

groan [gron] N quejido m, gemido m; VI quejarse, gemir; (creak) crujir

grocer [grósa-] N tendero -ra mf; Mex abarrotero -ra mf; Caribbean bodeguero -ra mf; RF almacenero -ra mf

grocery [grósri] N tienda de comestibles f; Mex tienda de abarrotes f; Caribbean bodega f; RF almacén m; **groceries** comestibles m pl

groin [groin] N ingle f

groom [grum] N (in a wedding) novio m; (in a stable) mozo de cuadra m, caballerizo m; VT (a horse) almohazar; (prepare for a position) preparar; **to** — **oneself** arreglarse; **well-** —**ed** bien arreglado

groove [gruv] N (narrow cut) estría f, ranura f; (on a record, road) surco m; (routine) rutina f; VT estriar, acanalar

grope [grop] VI (feel one's way) andar a tientas; (search) buscar a tientas; VT manosear; N manoseo m, toqueteo m

gross [gros] ADJ (before deductions) bruto; (flagrant) flagrante; (indecent) grosero; (overall) general; (disgusting) asqueroso; — **domestic product** producto interno bruto m; N gruesa f; VT recaudar en bruto; **to** — **out** dar asco, asquear

grotesque [grotésk] ADJ grotesco

grotto [grído] N gruta f

grouch [grautʃ] N cascarrabias mf sg; refunfuñón -ona mf, rezongón -ona mf; VI refunfuñar

grouchy [grautʃi] ADJ cascarrabias, refunfuñón

ground [graund] N (land) tierra f (also electrical); (soil) suelo m; (basis) fundamento m; —**s** (reason) motivo m; (dregs) borra f, poso m; (tract of land) terreno m; — **floor** planta baja f; —**hog** marmota f; **to gain / lose** — ganar / perder terreno; **to stand one's** — ponerse firme; **from the** — **up** de piso a techo; VT (a wire) conectar a tierra; (a ship) encallar; (punish) poner en penitencia; **the 747 was** —**ed** se prohibió volar en el 747

groundless [gráundlis] ADJ infundado

group [grup] N grupo m; — **therapy** terapia de grupo f; VI/VT agrupar(se)

grouper [grúpa] N mero m

groupie [grúpi] N admirador -ra mf

grove [grov] N arboleda f, plantío m; **orange** — naranjal m

grovel [grávəl] VI arrastrarse, humillarse

grow [gro] VI (naturally increase in size) crecer; (increase) aumentar, acrecentarse; (expand) desarrollarse; VT (crops) cultivar; (beard) dejarse crecer; **to** — **old** envejecer; **to** — **up** madurar; **That food** —**s on you** la comida islandesa acaba gustándote

growl [graul] VI gruñir; (of thunder) retumbar; (of stomach) rugir; N gruñido m

grown [gron] ADJ adulto; — **man** hombre hecho y derecho; — **up** adulto m; —**up** para adultos

growth [groθ] N (increase in size) crecimiento m; (increase in number) aumento m, acrecentamiento m; (tumor) bulto m; (expansion) desarrollo m; **a** — **industry** una industria en expansión

grudge [grʌdʒ] N resentimiento m

grueling [grüəliŋ] adj arduo

gruesome [grüsəm] adj cruento, truculento

gruff [grʌf] adj (manner) brusco; (voice) ronco

grumble [grʌmbəl] vi/vt refunfuñar, rezongar; n refunfuño m, gruñido m

grumpy [grʌmpi] adj refunfuñón, gruñón, rezongón

grunt [grʌnt] vi/vt gruñir; n gruñido m

guarantee [gærəntí] n (promise, pledge) garantía f; (warranty) fianza f; vt (promise, pledge) garantizar; (warrant) dar fianza, avalar

guarantor [gærəntɔr] n fiador -ora mf

guaranty [gærəntí] n (guarantee) garantía f; (thing taken as security) fianza f

guard [gɑrd] vt custodiar, (watch over) vigilar; (protect) proteger; vi protegerse; to — against guardarse de; n (person that guards) guardia mf, (of a machine) dispositivo protector m; to be on — estar alerta/ estar en guardia; — dog perro guardián m; — rail baranda f, pasamano m

guardian [gɑrdiən] n guardián -ana mf; (legal) tutor -ora mf; — angel ángel de la guarda

guardianship [gɑrdiənʃip] n tutela f

Guatemala [gwɑtəmɑlə] n Guatemala f

Guatemalan [gwɑtəmɑlən] adj & n guatemalteco -ca m

guava [gwɑvə] n guayaba f

guess [gɛs] vt (hazard, conjecture) adivinar, (suppose) suponer; n conjetura f, (supposition) suposición f; I'll give you three —es te doy tres oportunidades para adivinar

guest [gɛst] n (to a party, function) invitado -da mf; (to a restaurant) cliente mf

guffaw [gəfɔ] n carcajada f, risotada f

guidance [gɑɪdns] n (act of guiding) dirección f; (counsel) orientación f; (in a missile) teledirección f

guide [gɑɪd] vt guiar; (force to move) dirigir; (counsel) orientar; n (person) guía mf; (publication, mechanism) guía f; —book guía f; — dog perro guía m; —d missile misil guiado m; —lines directivas f pl, pautas f pl

guild [gɪld] n gremio m, corporación f

guile [gɑɪl] n astucia f

guilt [gɪlt] n culpa f; — trip manipulación por acusaciones falsas f

guiltless [gɪltlis] adj inocente

guilty [gɪlti] adj culpable; we find the defendant not — hallamos al acusado inocente

Guinea [gɪni] n Guinea f; — pig conejillo de Indias m; —Bissau Guinea-Bissau f

Guinean [gɪniən] adj & n guineano -na mf

guise [gɑɪz] adv loc under the — of so/ bajo pretexto de; in the — of a manera de

guitar [gɪtɑr] n guitarra f

gulf [gʌlf] n (body of water) golfo m (abyss, gap) abismo m; — Stream corriente del Golfo

gull [gʌl] n (bird) gaviota f; (dupe) crédulo -la mf; Sp primo -ma mf

gullet [gʌlɪt] n gaznate m

gullible [gʌləbəl] adj crédulo, ingenuo

gully [gʌli] n barranco m, barranca f (gutter) alcantarilla f

gulp [gʌlp] vt tragar saliva; n trago m

gum [gʌm] n goma f; (for chewing) chicle m; —s encías f pl; vt to — up (ruin) jorobar; (stick) pegotear

gumption [gʌmpʃən] n (initiative) iniciativa f, arranque m; (courage) agallas f pl

gun [gʌn] n (firearm) arma de fuego f; (revolver) revólver m; (rifle) rifle m; (shotgun) escopeta f; (cannon) cañón m; (for painting, nailing) pistola f; vt (an engine) acelerar; to — down matar a tiros; to — for andar a la caza de; to stick to one's —s mantenerse firme; don't jump the — no te precipites; to be under the — estar bajo mucha presión; —boat cañonero m; —fire tiroteo m; —man pistolero m; at —point a mano armada; —powder pólvora f; —shot disparo m

gung-ho [gʌŋhó] adj fanático, entusiasta

gunner [gʌnər] n (shooting artillery) artillero -ra m; (shooting a machine gun) ametrallador -ora m

gurgle [gɜrgəl] vi (water) borbotar; (baby) gorjear; n (of water) borboteo m; (of a baby) gorjeo m

gush [gʌʃ] vi (liquids) chorrear, brotar; (talk effusively) hablar con efusividad

gust [gʌst] n ráfaga f; — of wind racha/ ráfaga de viento f, ventolera f; vi soplar en ráfagas

gusto [gʌsto] n (pleasure) placer m; (enthusiasm) entusiasmo m

gut [gʌt] n tripa f; (belly) barriga f; — feeling corazonada f; —s (intestines) entrañas f pl; (courage) fam cojones m pl; vt (eviscerate) destripar; (destroy the insides of) destrozar el interior de; (strip) desarmar

gutter [gʌ́dəˈ] N (in the street) alcantarilla *f*; (on the roof) canaleta *f*, desagüe *m*; (squalor) miseria *f*

guy [gaɪ] N (man) tipo *m*; *Sp* tío *m*; **you —s** *Sp* vosotros/vosotras, ustedes; **— wire** cable *m*

Guyana [gaɪánə] N Guyana *f*

Guyanese [gaɪəníz] ADJ & N guyanés -esa *mf*

gym [dʒɪm] N gimnasio *m*

gymnasium [dʒɪmnéziəm] N gimnasio *m*

gymnastics [dʒɪmnǽstɪks] N gimnasia *f*

gynecology [gaɪnəkáləˈdʒi] N ginecología *f*

gyp [dʒɪp] VT estafar, timar; N estafa *f*, timo *m*

gypsum [dʒípsəm] N yeso *m*

gypsy [dʒípsi] N & ADJ gitano -na *mf*

gyrate [dʒáɪret] VI girar

gyroscope [dʒáɪrəskop] N giroscopio *m*

Hh

habit [hǽbɪt] N (custom) hábito *m*, costumbre *f*; (clerical dress) hábito *m*; (vice) vicio *m*; **—-forming** que genera dependencia

habitat [hǽbɪtæt] N hábitat *m*

habitual [həbítʃuəl] ADJ habitual

hack [hæk] N (cut) tajo *m*, machetazo *m*; (cough) tos seca *f*; (horse for hire) caballo de alquiler *m*; (nag) jamelgo *m*; (writer) escritor -a mercenario -ria *m*; VI/VT tajar, cortar a machetazos; VI toser con tos seca; **—saw** sierra para metales *f*

hag [hæg] N (witch) bruja *f*; (ugly old woman) vieja fea *f*

haggard [hǽgəˈd] ADJ demacrado

haggle [hǽgəl] VI regatear

hail [hel] N (precipitation) granizo *m*; (greeting) saludo *m*; (shout) llamada *f*; **— Mary** Ave María *f*; **—storm** granizada *f*; VI (precipitate) granizar; VT (greet) saludar; (call out) llamar; (acclaim) aclamar; **to — from** ser oriundo de

hair [hɛr] N pelo *m*; (of the head only) cabello *m*; (of the body only) vello *m*; (on plants) pelusa *f*; **—brush** cepillo para el cabello *m*; **—cut** corte de pelo *m*; **to get a —cut** cortarse el pelo; **—do** peinado *m*; **—dresser** peluquero -ra *mf*, peinador -ora *mf*; **— follicle** folículo capilar *m*; **—piece** postizo *m*; **—pin** horquilla *f*; **—-raising** horripilante, espeluznante; **—spray** fijador *m*

hairless [hɛ́rlɪs] ADJ (deprived of hair) pelado; (growing no hair) lampiño

hairy [hɛ́ri] ADJ (including head) peludo; (body only) velludo

Haiti [héɪti] N Haití *m*

Haitian [héʃən] ADJ & N haitiano -na *mf*

hake [hek] N merluza *f*

half [hæf] N mitad *f*; **— an apple** media manzana *f*, ADJ medio; **—-baked** (not fully cooked) a medio cocer; (not fully developed) mal concebido; **—-breed** mestizo -za *mf*; **— brother** medio hermano *m*; **—-cocked** mal preparado; **he went off half-cocked** actuó precipitadamente; **—-cooked** a medio cocer; **—-dozen** media docena *f*; **—-hearted** desganado; **—-hour** media hora *f*; **—-moon** media luna *f*; **— note** blanca *f*; **—-open** entreabierto, entornado; **— past one** la una y media; **—time** medio tiempo *m*; **—way** a medio camino; **—way measures** medidas parciales *f pl*; **—way point** punto medio *m*; **—-wit** *pej* imbécil *mf*, papamoscas *mf*; **at —mast** a media asta; **to do something —way** hacer algo a medias; **to go halves** ir a medias

halibut [hǽləbət] N hipogloso *m*

hall [hɔl] N (corridor) corredor *m*, pasillo *m*; (large room) salón *m*; (building) edificio *m*; **—mark** distintivo *m*; **—way** (corridor) corredor *m*, pasillo *m*; (entrance) zaguán *m*, vestíbulo *m*

Halloween [hæləwín] N víspera del día de Todos los Santos *f*, noche de brujas *f*

hallucinate [həlúsənet] VI alucinar

halo [hélo] N halo *m*, aureola *f*

halogen [hǽlədʒən] ADJ halógeno

halt [hɔlt] N **to come to a —** detenerse; VI/VT parar, detener(se); **—!** ¡alto!

halter [hɔ́ltəˈ] N cabestro *m*

halting [hɔ́ltɪŋ] ADJ vacilante

halve [hæv] VT partir por la mitad

ham [hæm] N (meat) jamón *m*; (attention getter) payaso *m*; **—string** (human) ligamento de la corva *m*; (horse) tendón del jarrete *m*; **to — it up** sobreactuar, exagerar

hamburger [hǽmbɜˈgəˈ] N (meat) carne picada de vaca *f*; (sandwich or patty) hamburguesa *f*

hamlet [hǽmlɪt] N aldea *f*, poblado *m*, caserío *m*

hammer [hǽməˈ] N martillo *m*; VI/VT martillar, amartillar; **to — out** (an agreement) forjar; (differences) negociar

hammock [hǽmək] N hamaca *f*

hamper [hǽmpəˈ] N canasto *m*, cesto *m*; VT

impedir, embarazar

hamster [hǽmstɚ] N hámster *m*

hand [hænd] N mano *f*; (of a clock) aguja *f*, manecilla *f*; (farm helper) peón *m*; **—bag** (purse) bolsa *f*, cartera *f*; (valise) maletín *m*; **—ball** (American) pelota *f*, frontón *m*; (European) balonmano *m*; **—bill** volante *m*; **—cuffs** esposas *f pl*; **— grenade** granada de mano *f*, bomba de piña *f*; **—gun** revólver *m*; **—held** de mano; **— in —** (cogidos) de la mano; **—kerchief** pañuelo *m*; **—made** hecho a mano; **—out** (notes) repartido *m*, notas *f pl*; (alms) limosna *f*; **—saw** serrucho *m*; **—shake** apretón de manos *m*; **—s-on** práctico; **—stand** pino *m*, paro de manos *m*; **—work** trabajo manual *m*; **—writing** letra *f*; **at —** (within reach) al alcance; (about to happen) cerca; **on —** disponible, a mano; **on the other —** en cambio, por otra parte; **to have one's —s full** estar ocupadísimo; VT entregar, dar; **to —cuff** esposar; **to — down** (a thing) pasar; (a judgment) pronunciar; **to — in** entregar; **to — over** entregar

handful [hǽndfʊl] N manojo *m*, puñado *m*

handicap [hǽndikæp] N (physical disability) impedimento *m*; (mental disability) retardo *m*; (disadvantage) desventaja *f*; **physically —ped** minusválido físico; **— race** carrera de hándicap *f*; VT (hinder) perjudicar, handicapar; (injure) lisiar

handiwork [hǽndiwɚk] N labor *f*

handle [hǽndl] N (straight) mango *m*; (curved) asa *f*; (of a drawer) manija *f*; (of a knife) empuñadura *f*, puño *m*; **—bar** manubrio *m*; VT (manage) manejar; (touch) manipular, tocar; (deal in) comerciar en; **the car —s easily** el coche tiene buena maniobrabilidad

handling [hǽndlɪŋ] N (dealing) manejo *m*; (touching) manipulación *f*; (charge) porte *m*; (of a car) maniobrabilidad *f*

handsome [hǽnsəm] ADJ guapo, bien parecido; **a — sum** una suma considerable

handy [hǽndi] ADJ (near) a (la) mano; (practical) práctico; (skillful) hábil, diestro; **—man** hombre habilidoso *m*

hang [hæŋ] VI/VT colgar, suspender; **— glider** ala delta *f*; **—man** verdugo *m*; **—nail** padrastro *m*; **—out** sitio frecuentado *m*; **—over** resaca *f*; **—-up** complejo *m*; VT (door) colocar; (one's head) inclinar; VI pender; **— in there!** ¡ánimo! **to — around** quedarse por ahí, rondar; **to — on** (hold tight) agarrarse

bien; (persevere) aguantar; (wait) esperar; **to — out** (be outside) estar fuera; (hang around with) andar (con); **to — over** sobresalir; **to — paper on a wall** empapelar una pared; **to — up** colgar; **sentenced to —** condenado a la horca; N caída *f*; **to get the — of something** agarrarle la onda a algo

hangar [hǽŋɚ] N hangar *m*

hanger [hǽŋɚ] N colgadero *m*; (for clothes) percha *f*

hanging [hǽŋɪŋ] N muerte en la horca *f*; **—s** colgaduras *f pl*, tapiz *m*; ADJ colgante

hanky-panky [hǽŋkipǽŋki] N (deceit) tejemaneje *m*; (illicit sexual activity) aventuras *f pl*

haphazard [hæphǽzɚd] ADV a la buena de Dios; ADJ irregular

happen [hǽpən] VI suceder, pasar, acontecer; **I — to know** da la casualidad de que sé; **to — to pass by** acertar a pasar; **to — upon** encontrarse con, toparse con

happening [hǽpənɪŋ] N acontecimiento *m*, suceso *m*

happiness [hǽpinɪs] N felicidad *f*, dicha *f*

happy [hǽpi] ADJ (satisfied) feliz, dichoso; (pleased) contento; (lucky) afortunado; **— ending** final feliz *m*; **to be — to** hacer algo de buena gana

harangue [hərǽŋ] N arenga *f*; VT arengar

harass [hərǽs] VT acosar, hostigar

harbor [hárbɚ] N (for ships) puerto *m*; (refuge) refugio *m*; VT (refugees, suspicions) albergar; (hopes) abrigar

hard [hɑrd] ADJ (firm) duro; (difficult) difícil; (arduous) arduo; **to play —ball** ser despiadado; **— cash** dinero contante y sonante *m*; **— coal** antracita *f*; **— copy** copia *f*; **— core** núcleo resistente *m*; **—-core** (pornography) duro; (politics) radical; **— disk** disco duro *m*; **— hat** casco *m*; **—headed** testarudo; **—hearted** duro de corazón; **— liquor** bebida alcohólica fuerte *f*; **— luck** mala suerte *f*; **— of hearing** medio sordo; **—-on** erección *f*; **he had a —-on** la tenía dura; **—-pressed** en aprietos; **—ware** (metal articles) ferretería *f*; (computer) hardware *m*; **—ware store** ferretería *f*; **—wood** madera noble *f*; **— water** agua dura *f*; **— winter** invierno crudo *m*; **—-wired** programado; **—-working** trabajador; ADV (fall, push) con fuerza; (work) duro, con ahinco

harden [hárdn] VI/VT (make or become hard) endurecer(se); (make or become experienced) curtir(se)

hardening [hárdning] n endurecimiento m

hardly [hárdli] adv (scarcely) apenas; (at all) en absoluto; — **anyone** casi nadie; — **surprising** nada sorprendente

hardness [hárdnis] n dureza f

hardship [hárdship] n penuria f, penalidad f

hardy [hárdi] adj robusto

hare [her] n liebre f

harebrained adj descabellado; —**lip** labio leporino m

harem [hérem] n harén m

harm [harm] n daño m, mal m, perjuicio m; vt (object) dañar; (person) hacer daño; (chances) perjudicar

harmful [hármful] adj perjudicial, dañino, nocivo

harmless [hármlis] adj inocuo, inofensivo

harmonic [harmónik] adj & n armónico m

harmonious [harmóunias] adj armonioso

harmonize [hármanaiz] vi/vt armonizar

harmony [hármani] n armonía f

harness [hárnis] n arnés m, jaez m, guarnición f; vt (put on a harness) enjaezar; (utilize) aprovechar

harp [harp] n arpa f; vi (play the harp) tocar el arpa; (insist) machacar; **to — on** insistir sobre

harpoon [harpún] n arpón m; vt arponear

harpsichord [hárpsikard] n clavicémbalo m

harrowing [hárou] adj angustioso; — **adventure** aventura espeluznante f

harry [héri] vt acosar, hostigar

harsh [harsh] adj (words) duro; (surface) áspero; (discipline) severo, férreo; (winter) crudo, riguroso

harshness [hárshnis] n (of words) dureza f; (of a surface) aspereza f; (of character) severidad f; (of a winter) rigor m

harvest [hárvist] n cosecha f; (of sugar) zafra f; vt cosechar

hash [hash] n guisado m, picadillo m

hashish [háshish] n hachís m

hassle [hásl] n rollo m, lío m; vt jorobar

haste [heist] n prisa f; **in —** de prisa; **to make —** darse prisa, apresurarse

hasten [héisen] vi apresurarse; Am apurarse vt acelerar, adelantar

hasty [héisti] adj apresurado, precipitado, presuroso; Am apurado, **to be —** precipitarse, apresurarse

hat [hat] n sombrero m

hatch [hach] v/vt (chicks) empollar; (plot, scheme) fraguar, maquinar; n (chicks) nidada f; (opening, escotilla) f; — **way** escotilla f

hatchet [háchit] n hacha f; — **job** crítica feroz f; — **man** sicario m; **to bury the —**

hate [het] n odio m; vi/vt odiar; **I — to admit it** me molesta admitirlo; **I — eating leftovers** detesto comer restos

hatred [hétrid] n odio m

hateful [hétful] adj odioso, aborrecible

haughtiness [hótinis] n altivez f, altanería f, soberbia f

haughty [hóti] adj altivo, altanero, soberbio

haul [hol] vt (transport) transportar, (drag) arrastrar; vi (pull) jalar (de), tirar (de); n (quantity transported) carga f; (tug) tirón m; (catch of fish) redada f; (stolen goods) botín m; **long —** distancia larga f

haunch [hónch] n anca f

haunt [hont] vi/vt (frequent) frecuentar, (enchant) rondar; **that idea —s me** me obsesiona esa idea; —**ed house** casa embrujada f; (of animals, criminals) guarida f; (of people socializing) sitio frecuentado m

have [hav] v aux haber; vt tener; **to — to** tener que; **to — a baby** dar a luz; **to — a look at** echar una mirada a; **to — a suit made** mandarse hacer un traje; — **him come later** dile que venga más tarde; **what did she — on?** ¿qué tenía puesto? **we've been had** nos estafaron

havoc [hávak] n estrago m; **to wreak —** hacer estragos

hawk [hok] n gavilán m; vt pregonar

hay [he] n heno m; — **fever** alergia al polen f; — **loft** henil m; — **seed** paleto -ta m f; —**stack** almiar m; **to look for a needle in a —** buscar una aguja en un pajar

hazard [házard] n (chance) azar m; (danger) peligro m; vt arriesgar, aventurar

hazardous [házardas] adj peligroso

haze [hez] n neblina f, calina f; vt atormentar (como parte de un rito de iniciación)

hazel [hézal] n avellano m; —**nut** avellana f; adj de avellano

hazy [hézi] adj (weather) brumoso; (idea) confuso, vago

he [hi] pron él; —**goat** macho cabrío m; — **who** el que, quien

head [hed] n (of body) cabeza f; (of bed) cabecera f; (chief) jefe -fa m f; —**ache** dolor de cabeza m; — **cold** resfrío m; —**dress** tocado m, adorno para la cabeza m; —**gear** (hat) sombrero m; (helmet) casco m; (for a horse) cabezada f; —**land** cabo m, promontorio m; —**light** faro delantero m; —**line** titular m; — **long** (head first) de cabeza; (hastily)

hearten [hártn] vt animar
heartfelt [hártfelt] adj sincero
hearth [harth] n hogar m
heartless [hártlis] adj despiadado, desalmado
hearty [hárti] adj (cordial) cordial; (strong)
fuerte; —appetite apetito saludable m; a
—laugh una risa desbordante; — meal
una comida abundante
heat [hit] n (warmth) calor m; (passion) ardor
m; (estrus) celo m; (source of heat)
calefacción f; (preliminary race)
eliminatoria f; —stroke insolación f; vi/vt
calentar(se); to — up acalorarse
heater [híɽɚ] n calentador m
heating [híɽiŋ] n calefacción f
heave [hiv] vt (raise) levantar; (throw)
arrojar, lanzar; (sigh) exhalar; (pull) jalar;
vi (pant) jadear; (vomit) hacer arcadas; n
(throw) lanzamiento m; (pull) tirón m
heaven [hévṇ] n cielo m
heavenly [hévnli] adj celestial; — bodies
cuerpos celestes m pl; it was — estuvo
divino
heaviness [hévinis] n pesadez f
heavy [hévi] adj (weighty) pesado; (thick)
grueso, pesado; (dense) denso; (oppressive)
opresivo; — artillery artillería pesada f;
—duty para uso industrial; —handed
severo; —breathing jadeos m pl; — a
—heart con abatido; — with a — heart abatido,
cargada f; —weight peso pesado m; n
villano-na m/f
Hebrew [híbru] n & adj hebreo-a m/f;
(language) hebreo m
heck [hɛk] INTERJ ¡caramba! what the — are
you doing? ¿qué demonios haces? that
was a — of a good game fue un
partidazo
hectare [héktɛr] n hectárea f
hectic [héktik] adj febril, agitado
hedge [hɛʤ] n (row of bushes) seto m;
(precaution) precaución f; vi/vt (a bet)
cubrir(se); vt (a question) evadir
hedgehog [héʤhag] n erizo m
hedonism [hídnizm] n hedonismo m
heebie-jeebies [hibiʤibiz] n it gives me
the — me pone los pelos de punta
heed [hid] vt atender; n atención f; cuidado
m; to pay — to prestar atención a
heel [hil] n (of foot or sock) talón m; (of
shoe) tacón m; to kick up one's —s tirar la
chancleta, soltarse el pelo; vt poner tacón
a; vi/vt seguir de cerca
hegemony [hiʤéməni] n hegemonía f
heifer [héfɚ] n novilla f, vaquilla f
height [hait] n (of a building, mountain)
altura f; (of a person) estatura f; (utmost)

precipitadamente; — of hair cabellera f;
—phone auditófono m,
—on de frente; auricular m; —quarters (military) cuartel
general m; (police) jefatura f; (corporation)
oficina central f; —rest reposacabezas m
sg; —set auriculares m pl; —s or tails
cara o cruz; I can't make —s or tails of
it esto no tiene ni pies ni cabeza; — start
ventaja f; —stone lápida f; —strong
testarudo; —way avance m; —word voz
his — se le fue a la cabeza
heading [hédiŋ] n encabezamiento m
heal [hil] vt curar; vi (get well) sanar,
curarse; (form a scar) cicatrizarse
health [hɛlθ] n salud f; — care asistencia
médica f; — food comida macrobiótica f;
healthful [hɛlθfəl] adj saludable, sano
healthy [hɛlθi] adj sano, saludable
heap [hip] n montón m, pila f; vt
heap up amontonar; vi apilar; to — up
amontonarse
hear [hir] vi/vt (perceive) oír; vt (listen)
escuchar; to — about / of someone/
something oír hablar de alguien / algo;
to — from someone tener noticias de
alguien; I won't — of your leaving no
quiero saber de que te vayas
hearer [hírɚ] n oyente m/f
hearing [híriŋ] n (sense) oído m; (trial)
audiencia f; within — al alcance del
oído; — aid audiófono m; —impaired
sordo
hearsay [hírse] n testimonio de oídas m; by
— de oídas
hearse [hɚs] n coche fúnebre m, carroza f
heart [hart] n (organ) corazón m; (spirit)
ánimo m; —ache angustia f; — attack
ataque cardíaco m; — beat latido m; I
would do it in a — beat lo haría sin
pestañear; —broken inconsolable;
—burn acidez de estómago f; —disease
enfermedad coronaria f; —felt sincero,
sentido; —murmur soplo cardíaco m;
my —felt sympathy mis más sentido
pésame; —warming reconfortante; at
— en realidad, en el fondo; from the
bottom of one's — de corazón, con toda
el alma; to learn by — aprender de
memoria; to take — cobrar ánimo; to
take to — tomar a pecho

point) colmo *m*

heighten [haitn] *vt/vi* (increase) aumentar(se); (intensify) realzar

heinous [henəs] *adj* aborrecible

heir [er] *n* heredero -ra *m*; — **apparent** presunto heredero *m*, presunta heredera *f*

heiress [eris] *n* heredera *f*

helicopter [helikaptə-] *n* helicóptero *m*

helium [hiliəm] *n* helio *m*

hell [hel] *n* infierno *m*

hello [helo] *interj* ¡hola! (on the telephone) hola; *Sp* diga; *Mex* bueno; *RP* olá

helm [helm] *n* timón *m*

helmet [helmit] *n* (for bikes, etc.) casco *m*; (armor) yelmo *m*

help [help] *n* (aid) ayuda *f*; (rescue) auxilio *m*; (remedy) remedio *m*; (employee) empleado -da *m*; *interj* ¡auxilio! ¡socorro! *vi/vt* (aid) ayudar, asistir; (rescue) auxiliar, socorrer; — **yourself** sírvete; **he cannot — it** no puede evitarlo; **he cannot — but come** no puede menos que venir; **may I — you?** ¿en qué le puedo servir?

helper [helpə-] *n* ayudante *m*, asistente *mf*

helpful [helpfəl] *adj* (useful) útil; (willing to help) servicial

helping [helpiŋ] *n* porción *f*

helpless [helpləs] *adj* desamparado, desvalido

helplessness [helplisnis] *n* desamparo *m*, desvalimiento *m*

hem [hem] *n* dobladillo *m*, orillo *m*; (of a skirt) ruedo *m*; *vt* hacer dobladillos en, orillar; **to — in** arrinconar; **to — and haw** vacilar

hematoma [himatomə] *n* hematoma *m*

hemisphere [hemisfir] *n* hemisferio *m*

hemlock [hemlak] *n* cicuta *f*

hemoglobin [himaglobin] *n* hemoglobina *f*

hemophilia [himafilia] *n* hemofilia *f*

hemorrhage [heməridʒ] *n* hemorragia *f*

hemorrhoids [heməroidz] *n* hemorroides *f pl*

hemp [hemp] *n* cáñamo *m*

hen [hen] *n* (chicken) gallina *f*; (female bird) ave hembra *f*; —**pecked** dominado por su mujer

hence [hens] *adv* de aquí, de ahí; **a week —** de aquí a una semana

henceforth [hensfɔrθ] *adv* de aquí en adelante, de hoy en adelante

hepatitis [hepətaitis] *n* hepatitis *f*

her [hɜ] *pron* la; **I see —** la veo; **I talk to —** le hablo (a ella); **I went with —** fui con ella; *RP* voss *adj* **this is — dog** este es su perro, este es el perro de ella

herald [herəld] *n* heraldo *m*; *vt* anunciar, proclamar

herb [3-b] *n* hierba *f*

herbal [3-bəl] *adj* de hierbas; — **tea** tisana *f*

herbicide [h3-bisaid] *n* herbicida *m*

herbivore [h3-bivor] *n* herbívoro *m*

herbivorous [h3-bivərəs] *adj* herbívoro

herd [h3-d] *n* (of animals) manada *f* (of goats) hato *m*; (of sheep) rebaño *m*; (of horses, donkeys) recua *f*; **the common —** el populacho, la chusma; —**small** pastor *m*; *vt* arrear; *vi* ir en manada

here [hi] *adv* aquí, acá; — **it is** aquí está, **that is neither — nor there** eso no viene al caso; —**after** en adelante; **the —after** el más allá; —**by** (in writing) por la presente; **I —by pronounce you husband and wife** los declaro marido y mujer; —**in** en el presente; —**'s to you!** ¡a tu salud! —**tofore** hasta ahora; —**with** (hereby) por la presente; (attached) adjunto; **the —and now** el presente

hereditary [hərɛditɛri] *adj* hereditario

heredity [hərɛditi] *n* herencia *f*

heresy [hɛrisi] *n* herejía *f*

heretic [hɛritik] *n* hereje *mf*

heretical [hɛrɛtikəl] *adj* herético

heritage [hɛritidʒ] *n* herencia *f*, patrimonio *m*

hermetic [hər-mɛtik] *adj* hermético *m*

hermit [h3-mit] *n* ermitaño -ña *mf*; — **crab** ermitaño *m*

hernia [h3-niə] *n* hernia *f*; —**ted disk** hernia de disco

hero [hiro] *n* (brave man) héroe *m*; (main character) protagonista *mf*

heroic [hiroik] *adj* heroico

heroin [hɛroin] *n* heroína *f*

heroine [hɛroin] *n* heroína *f*

heroism [hɛroizm] *n* heroísmo *m*

heron [hɛrən] *n* garza *f*

herpes [h3-piz] *n* herpes *m*

herring [hɛriŋ] *n* arenque *m*

hers [h3-z] *pron* **this book is —** este libro es suyo/de ella; **these things are —** estas cosas son suyas; **— is bigger** el suyo/la suya es más grande; **a friend of —** un amigo suyo/de ella

herself [hə-sɛlf] *pron* ella misma; **she — wrote the letter** ella misma escribió la carta; **she's not — today** hoy no es la misma de siempre; **she was sitting by —** estaba sentada sola; **she — did it** lo hizo ella misma; **she talks to —** ella habla para sí, habla sola; **she looked at — in the mirror** se miró en el espejo; **she bought — a house** se compró una casa

hesitant [hɛzitənt] *adj* vacilante

hesitate [hɛzitet] *vi* (pause) vacilar; (stutter)

hesitate [héztitet] vi (pause) vacilar; (doubt) dudar, titubear

hesitating [héztitetiŋ] adj vacilante

hesitation [héztitéiʃən] n (pause) vacilación f; (stammer) titubeo m; (doubt) duda f

heterogeneous [hetərədʒíniəs] adj heterogéneo

heterosexual [hetəroséksjuəl] adj heterosexual

hexagon [héksəgɑn] n hexágono m

hey [hei] interj ¡oiga!

heyday [hédé] n auge m

hiatus [haiétəs] n hiato m

hibernate [háibərnet] vi hibernar, invernar

hiccup, hiccough [híkʌp] n hipo m; vi hipar, tener hipo

hick [hik] N & mf paleto -ta mf

hickory [híkəri] n nogal americano m

hide [haid] vt/vi ocultar(se), esconder(se); — and seek Sp escondite m; Am escondidas f pl; — out esconderse m; n cuero m, piel f; pellejo

hideous [hídiəs] adj horrendo, espantoso

hierarchy [háiərɑrki] n jerarquía f

hieroglyphic [haiərəglífik] adj & n jeroglífico m

high [hai] adj alto; (intoxicated) ebrio; (on drugs) volado; — and dry (ship) en seco; (person) colgado; — blood pressure hipertensión f; — brow culto; — class de clase; — er-up superior; — explosive explosivo de alta potencia m; — fever fiebre alta f; — fidelity alta fidelidad f; — grade de calidad superior; — handed arbitrario; — jump salto alto m; — lands tierras altas f pl; — light lo más destacado m; — lights claros m pl, mechas f pl; to — light resaltar; — minded idealista; — pitched agudo; — powered de alta potencia; — priced caro; — rise de muchos pisos; — school escuela secundaria f; Sp instituto m; — seas alta mar f; — sounding altisonante; — speed de alta velocidad; — spirits buen ánimo m; — strung nervioso; — tech alta tecnología f; — temperature temperatura máxima f; — tide pleamar f; — way carretera f, ruta f; — wind ventarrón m; in — gear a toda marcha; two feet — dos pies de altura; it is — time that ya era hora de que; to look — and low buscar por todas partes; n flash m, subida f

highly [háili] adv sumamente; — amusing sumamente divertido; — paid muy bien pagado; he spoke — of her habló muy bien de ella

highness [háinis] n alteza f

hijack [háidʒæk] vt secuestrar (un vehículo)

hike [haik] n caminata f; vi salir a caminar; take a — ¡ve a freír espárragos!

hilarious [hilériəs] adj graciosísimo, para morirse de risa

hill [hil] n (elevated area) colina f, cerro m; (pile) montón m; —billy paleto -ta mf; —side ladera f; —top cumbre f, cima f

hillock [hílək] n otero m

hilly [híli] adj accidentado

hilt [hilt] n empuñadura f; to the — al máximo

him [him] pron I see — lo veo; Sp le veo; I talk to — le hablo; I went with — fui con él

himself [himsélf] pron él mismo; he wrote the letter — el mismo escribió la carta; he's not — today hoy no es el mismo de siempre; he was sitting by — estaba sentado solo; he talks to — el habla para sí/solo; he looked at — in the mirror se miró en el espejo; he bought — a house se compró una casa

hind [haind] adj trasero; —most último; in —sight a posteriori; n cierva f

hinder [háində] vt impedir, entorpecer, estorbar

hindrance [híndrəns] n obstáculo m, impedimento m, traba f

Hindi [híndi] n hindú m

Hindu [híndu] adj & n hindú mf

hinge [hindʒ] n gozne m, quicio m; vi/vt engoznar, agoznar; to — on vi depender de

hint [hint] n (clue) indirecta f, pista f; (trace) dejo m; to take — darse por enterado; vt insinuar

hip [hip] n cadera f

hippopotamus [hipəpátəməs] n hipopótamo m

hire [hair] vt (engage for work) contratar; vi/vt (rent) alquilar(se); to — out dar o dar en alquiler, alquilar; n (engagement) contratación f; (employee) nuevo -va empleado -da mf; (rent) alquiler m

his [hiz] poss adj this is — dog este es su perro/el perro de él; pron these things are — estas cosas son suyas; — is right here el suyo/la suya está aquí; a friend of — un amigo suyo/una amiga suya

Hispanic [hispǽnik] adj hispánico, hispano; n hispano -na mf

hiss [his] vi sisear; (to boo) silbar; n siseo m

histamine [hístəmin] n histamina f

historic [hístɔrik] adj histórico

historical [hístɔrikəl] adj histórico

history [hístəri] n historia f

histrionics [hɪstriɑ́nɪks] N histrionismo *m*

hit [hɪt] VT (a target) dar en; (a car) chocar con; (a key) pulsar, tocar; **they — it off well** se llevaron bien desde el principio; **to — the mark** acertar, dar en el blanco; **to — upon** dar con; **to — on** ligar (con); N (blow) golpe *m*; (success) éxito *m*; (dose) dosis *f*; **that was a — with me** me encantó; **—-and-run** que se da a la fuga después de atropellar a alguien; **—man** sicario *m*; **—-or-miss** al azar

hitch [hɪtʃ] VT atar, amarrar; (pants) levantar; (yoke) uncir, enganchar; **to get —ed** casarse; **to —hike** *Sp* hacer autostop; *Am* hacer dedo; N (knot) nudo *m*; (difficulty) dificultad *f*; (period) período *m*

hither [hɪ́ðɚ] ADV acá; **— and thither** acá y allá; **—to** hasta ahora

HIV (human immunodeficiency virus) [etʃaɪví] N VIH *m*

hive [haɪv] N (shelter for bees) colmena *f*; (colony of bees) enjambre *m*; **—s** urticaria *f*

hoard [hɔrd] N reserva *f*; VI/VT acaparar

hoarse [hɔrs] ADJ ronco; (of alcoholics) aguardentoso

hoarseness [hɔ́rsnɪs] N ronquera *f*

hoax [hoks] N engaño *m*

hobble [hɑ́bəl] VI (limp) cojear; VT (tie to impede walking) manear; (hinder) trabar; N cojera *f*; (rope) traba *f*, manea *f*

hobby [hɑ́bi] N hobby *m*

hobo [hóbo] N vagabundo *m*

hockey [hɑ́ki] N hockey *m*

hodgepodge [hɑ́dʒpɑdʒ] N mezcolanza *f*, batiburrillo *m*

hoe [ho] N azada *f*, azadón *m*; VI/VT limpiar con azadón

hog [hɑg] N puerco *m*, cerdo *m*, marrano *m*; *Am* chancho *m*; **—wash** pamplinas *f pl*; **to live high on the —** vivir en la abundancia; VT acaparar, adueñarse de

hoist [hɔɪst] VT izar; N torno *m*, guinche *m*

hokey [hóki] ADJ sensiblero

hold [hold] VT (bear) llevar, sujetar; (contain) contener; (detain) detener; (decide legally, sustain a note) sostener; (opine) opinar; VI (remain fast) aguantar, resistir; (occupy a position) ocupar; (be valid) ser válido; **to — back** detener; **to — down** sujetar; **to — forth** perorar; **to — hands** tomarse de la mano; **to — in place** sujetar; **to — a meeting** celebrar una reunión; **to — off** mantener(se) a distancia; **to — on** (not let go) agarrar(se), sujetar(se); (stop) esperar; (persist) persistir; **— the pickles on that burger!** una hamburguesa sin pepinillos,

por favor; **to — someone responsible** hacerle a uno responsable; **to — someone to his word** obligar a uno a cumplir con su palabra; **to — oneself erect** ponerse derecho; **to — one's own** defenderse; **to — one's tongue** callarse, morderse la lengua; **to — out** tender; **to — still** quedarse/estarse quieto; **to — tight** agarrarse; **to — to one's promise** cumplir con la palabra; **to — up** (raise) alzar; (detain) detener; (rob) atracar, asaltar; (persevere) aguantar; **how much does it — ?** ¿Qué capacidad tiene? N (grip) agarro *m*; (thing to grasp) asidero *m*; (dominion) dominio *m*; (wrestling move) llave *f*; (in music) calderón *m*; (of a ship) bodega *f*; **—up** golpe *m*, atraco *m*; **to get — of** agarrar; **to take — of** *Sp* coger, agarrar; **to have a good — on something** agarrarse bien de algo

holder [hóldɚ] N (person) tenedor -ra *mf*, poseedor -ra *mf*; (device) receptáculo *m*

holding [hóldɪŋ] N propiedad *f*; **— company** holding *m*; **—s** (financial) valores en cartera *m pl*; (of a library) fondos *m pl*

hole [hol] N agujero *m*; (in a wall) boquete *m*; (of an animal) madriguera *f*; (in ground only, golf included) hoyo *m*; **to be in a —** hallarse/estar en un apuro/aprieto

holiday [hɑ́lɪde] N día de fiesta *m*; **—s** vacaciones *f pl*

holiness [hólɪnɪs] N santidad *f*

holistic [holístɪk] ADJ holístico

Holland [hɑ́lənd] N Holanda *f*

hollow [hɑ́lo] ADJ (empty) hueco; (concave) cóncavo; (sunken) hundido; (insincere) falso; N (cavity) hueco *m*, concavidad *f*; (valley) hondonada *f*, hondo *m*; VT **to — out** ahuecar, vaciar

holly [hɑ́li] N acebo *m*

holocaust [hɑ́ləkɔst] N holocausto *m*

holster [hólstɚ] N pistolera *f*, funda de pistola *f*

holy [hóli] ADJ santo, sagrado; **— Bible** Santa Biblia *f*; **— cow/Moses/mackerel!** ¡jobar! **— Ghost** Espíritu Santo *m*; **— Spirit** Espíritu Santo *m*; **— war** guerra santa *f*; **— water** agua bendita *f*

homage [hɑ́mɪdʒ] N homenaje *m*; **to pay —** rendir homenaje, honrar

home [hom] N casa *f*, hogar *m*; (for old people, orphans) asilo *m*, hogar *m*; **at —** en casa; ADJ doméstico; **— economics** economía doméstica *f*; **— game** partido en casa *m*; **—land** patria *f*; **—less** sin techo; —**made** casero; —**office** oficina central f; —**owner** propietario -ria de un bien inmueble m/f; —**page** página de inicio m; —**rule** autonomía f; —**run** jonrón m; **to be —sick** echar de menos/extrañar (a la familia); —**sickness** morriña f, añoranza f; —**stretch** último trecho m; —**work** tarea domiciliaria f, deber m; adv (direction) a casa; (location) en casa; **to strike —** dar en el blanco

homely ['homli] adj (ugly) feo; (familiar) familiar, doméstico

homeopathic [homiopæθik] adj homeopático

homeopathy [homi'apθi] n homeopatía f

homestead ['homsted] n heredad f, casa de la familia f

homeward ['homwə-d] adv a casa; — **bound**

homicide ['hamisaid] n homicidio m

homogeneous [homəd͡ʒinias] adj homogéneo

homogenize [hamɑd͡ʒənaiz] vt homogeneizar

homonym ['hamənim] n homónimo m

homosexual [homosɛkʃuəl] adj & n homosexual m/f

Honduran [handuran] adj & n hondureño -ña m/f

Honduras [handuras] n Honduras f

hone [hon] vt afilar; **to — one's skills** desarrollar las destrezas; n piedra de afilar

honest ['anist] adj honrado, honesto; **I'll be — with you** voy a ser franco contigo; —**!** ¡de veras!

honesty ['anisti] n (integrity) honradez f, honestidad f; (sincerity) franqueza f

honey ['hʌni] n (sweet substance) miel f; (endearment) querido -da m/f; —**bee** abeja f; —**comb** panal m; —**suckle** madreselva f

honeymoon ['hʌnimun] n luna de miel f; vi pasar la luna de miel

honk [hɑŋk] n (car) bocinazo m, pitazo m; (goose) graznido m; vi/vt tocar la bocina, vi graznar

honor [ana-] n (respect, privilege) honor m; (good reputation) honra f; (title) señoría f; **with —s** con honores; vt (revere) honrar; (accept invitation, check) aceptar

honorable [anarabl] adj honorable

honorary [anɛri] adj honorario

hood [hud] n (of a coat) capucha f, caperuza f; (of a car) capó m; Am tapa f; vt encapuchar

hoodlum ['hudlam] n maleante m/f, gamberro -rra m/f

hoof [huf] n casco m, pezuña f; vi **to — it** ir andando

hook [huk] n (for lifting) gancho m, garfio m; (for fishing) anzuelo m; —**and eye** alamar m, macho y hembra m/f; **by — or by crook** por las buenas o por las malas; —**up** n conexión f, engancha m; vt (snag) enganchar; (a dress) abrochar; **to — up** conectar, enganchar

hooked [hukt] adj (shaped like a hook) ganchudo; (addicted) enganchado

hooky [huki] n **to play —** hacer novillos

hoop [hup] n aro m

hoot [hut] vi/vt (of owl) ulular; (in derision) abuchear; n (of an owl) ululato m; (cry of derision) abucheo m; **I don't give a —** no me importa un comino; **it's a —** es para morirse de risa

hop [hap] vi saltar, brincar; **to — on** subirse a montar; n (short jump) saltito m, brinco m; (dance) bailongo m; —**s** n lúpulo m

hope [hop] n esperanza f; vi/vi esperar; **to — for** esperar; **to — against —** esperar lo imposible

hopeful ['hopfəl] adj (having hopes) esperanzado; (giving hopes) esperanzador, alentador

hopefully ['hopfəli] adv — **she'll come** ojalá (que) venga

hopeless ['hoplis] adj (without hope) desesperanzado; (with no solution) irremediable; (unattainable) inalcanzable; —**cause** causa perdida f; —**it is** — no tiene remedio; **the new secretary is — with numbers** el nuevo secretario es un desastre con los números

hopelessness ['hoplisnis] n desesperanza f

horde [hord] n (of people) horda f; (of animals) plaga f

horizon [ha'raizən] n horizonte m

horizontal [hɔrizɑntl] adj horizontal

hormone ['hɔrmon] n hormona f

horn [hɔrn] n (of an animal, substance) cuerno m, asta f; (of an automobile) bocina f, claxon m; (musical) corno m, trompa f; —**of plenty** cuerno de la abundancia m; **to toot one's own —** darse autobombo; vi **to — in** entremeterse

hornet ['hɔrnit] n avispón m; —**'s nest** avispero m

horoscope ['hɔrəskop] n horóscopo m

horrendous [hɔ'rɛndəs] adj horrendo

horrible ['hɔrəbl] adj horrible

horrid ['hɔrid] adj horrendo

horrify ['hɔrəfai] vt horrorizar

horror ['hɔrə-] n horror m

hors d'oeuvre [ɔrdɜ-v] n entremés m

horse [hɔrs] n caballo m; — **back** lomo de caballo m; **to ride** — **back** montar a caballo, cabalgar; — **fly** tábano m; — **laugh** carcajada f; — **man** jinete m; — **manship** equitación f; — **play** caballo de fuerza m; — **power** caballo de fuerza m; — **race** carrera de caballos f; — **radish** rábano picante m; — **sense** sentido común m; — **shoe** herradura f; **hold your** — **s!** ¡para el carro! vi **to** — **around** payasear

horticulture [hɔrtikʌltʃə] n horticultura f

hose [hoz] n (for legs) medias f pl; (for irrigation) manguera f, manga f

hosiery [hoʒəri] n (stockings) medias f pl; (shop for stockings) calcetería f

hospice [hɑspis] n (inn) hospicio m;

hospitable [hɑspitəbəl] adj hospitalario, acogedor

hospital [hɑspidl] n hospital m

hospitality [hɑspitæliti] n hospitalidad f

host [host] n anfitrión m; (at home, also for a parasite) huésped m; (on television) presentador -ra m f; (army) hueste f; (multitude) multitud f, cúmulo m; (wafer) hostia f

hostage [hɑstidʒ] n rehén m

hostel [hɑstel] n hostal m

hostelry [hɑstelri] n hostería f

hostess [hostis] n (at home) anfitriona f; (on airplanes) azafata f

hostile [hɑstəl] adj hostil

hostility [hɑstiliti] n hostilidad f

hot [hɑt] adj (at high temperature) caliente; (sweltry) caluroso; (spicy) picante; (sexy) bueno; (stolen) robado; (recent) de último momento; (popular) popular; — **and heavy** apasionadamente; — **bed** semillero m; — **dog** perro caliente m; — **headed** impetuoso, exaltado; — **house** invernadero m; — **potato** patata caliente f; — **seat** situación embarazosa f; — **shot** estrella f; — **tub** Jacuzzi m; (to) — **wire** hacerle un puente a; **it is** — **today** hace calor hoy; — **under the collar** enojado

hotel [hotel] n hotel m; — **keeper** hotelero -ra m f

hound [haʊnd] n perro de caza m, sabueso m; vt acosar, perseguir

hour [aʊr] n hora f; — **hand** horario m; **his finest** — su mejor momento m

hourly [aʊrli] adv (by the hour) por horas; (on the hour) cada hora, — **wages** salario por hora m

house [haʊs] n (residence) casa f; (legislature) cámara legislativa f; — **arrest** detención domiciliaria f; — **boat** casa flotante f; — **cleaning** limpieza de la casa f; — **hold** casa f, familia f; — **keeper** (in a house) ama de llaves f; (in a home) encargado -da de la limpieza m f; — **keeping** mantenimiento del hogar m; — **to** — de puerta a puerta; — **top** techo m, tejado m; — **wife** ama de casa f; — **work** trabajo de casa m, quehaceres domésticos m pl; **on the** — la casa paga; **to keep** — cuidar la casa; [haʊz] vt/vi alojar

housing [haʊzɪŋ] n (place to live) vivienda f; (protective covering) caja f

hovel [hʌvəl] n (hut) choza f, cabaña f, tugurio m; (open shed) cobertizo m

hover [hʌvər] vi (bird) cernerse; (hang in air) estar suspendido; (linger) rondar; — **craft** aerodeslizador m

how [haʊ] adv cómo; — **about your mom?** ¿y tu mamá? — **beautiful!** ¡qué hermoso! — **come?** ¿por qué? — **early (late, soon)?** ¿cuándo? ¿a qué hora? — **far is it?** ¿a qué distancia está? ¿cuánto dista de aquí? — **long?** ¿cuánto tiempo? — **many?** ¿cuántos? — **much is it?** ¿cuánto vale? — **old are you?** ¿cuántos años tienes? **no matter** — **much it rains** por mucho que llueva; **he knows** — **difficult it is** él sabe lo difícil que es

however [haʊεvər] conj sin embargo, no obstante; adv como quieras; — **difficult it may be** por muy difícil que sea; — **much it rains** por mucho que llueva

howl [haʊl] vi aullar; (wind) ulular; (with laughter) reír a carcajadas; n aullido m, alarido m

HTML (HyperText Markup Language) [eʧtiεmεl] n HTML m

hub [hʌb] n (center of wheel) cubo m; (center of activity) núcleo m; — **cap** tapacubos m sg

hubbub [hʌbəb] n alboroto m, barullo m

huckster [hʌkstər] n (peddler) vendedor ambulante m; (promoter) mercachifle m

huddle [hʌdl] vi/vr (a group) apiñar(se); (curl up) acurrucar(se); (consult) conferenciar; n tropel m; (group meeting for consultation) reunión f; **to be in a** — estar agrupados; **to get in a** — agruparse

hue [hju] n matiz m

huff [hʌf] n **to get into a** — enojarse; — **and puff** resoplar

hug [hʌg] vt/vi abrazar(se); **to** — **the coast** costear; n abrazo m

huge [hjudʒ] adj enorme, fiero

hull [hʌl] N (of a ship, airplane) casco m; (of beans, peas) vaina f; (of fruits, nuts) cáscara f; VT (beans, peas) desvainar; (nuts) pelar

hum [hʌm] VI/VT (person) tararear; (insect, machine) zumbar; (place of activity) hervir; to — to sleep arrullar; N (of voice) tarareo m; (of insect, machine) zumbido m

human [hjúmən] ADJ & N humano m; — being ser humano m

humane [hjumén] ADJ humano, humanitario

humanism [hjúmənɪzm] N humanismo m

humanitarian [hjumænɪtériən] ADJ humanitario

humanities [hjumǽnɪtiz] N humanidades f pl

humanity [hjumǽnɪti] N humanidad f

humble [hʌ́mbəl] ADJ humilde; VT humillar

humid [hjúmɪd] ADJ húmedo

humidify [hjumídɪfaɪ] VT humidificar

humidity [hjumídɪti] N humedad f

humiliate [hjumílieɪt] VT humillar, vejar

humiliation [hjumɪlién] N humillación f

humility [hjumílɪti] N humildad f

hummingbird [hʌ́mɪŋbɜrd] N colibrí m

humor [hjúmə] N humor m, humorismo m; out of — de mal humor, malhumorado; VT complacer a

humorous [hjúmərəs] ADJ jocoso, chistoso

hump [hʌmp] N joroba f, giba f, corcova f; we're over the — ya pasamos lo peor

humpback [hʌ́mpbæk] N jorobado -da mf; — whale ballena jorobada f, yubarta f

hunch [hʌntʃ] N presentimiento m, corazonada f; —back (person) jorobado -da mf; (hump) corcova f; VT encorvar

hundred [hʌ́ndrɪd] NUM cien(to); a — people cien personas; a — and fifty people ciento cincuenta personas; N cien/ciento m; —s centenares m pl, cientos m pl

hundredth [hʌ́ndrɪdθ] ADJ centésimo mf

Hungarian [hʌŋgériən] ADJ & N húngaro -ra mf

Hungary [hʌ́ŋgəri] N Hungría f

hunger [hʌ́ŋgə] N hambre f; VI pasar hambre; to — for ansiar, anhelar

hungry [hʌ́ŋgri] ADJ hambriento; to be — tener hambre

hunk [hʌŋk] N pedazo m, cacho m; he's a real — es un cacho de hombre

hunt [hʌnt] VI/VT (seek prey) cazar; to — for buscar; N (activity of hunting) caza f; (instance of hunting) cacería f; (search) búsqueda f

hunter [hʌ́ntə] N (who captures game) cazador -ra mf; (seeker) buscador -ra mf

hunting [hʌ́ntɪŋ] N caza f; — knife cuchillo de caza m

huntsman [hʌ́ntsmən] N cazador m

hurdle [hɜ́rdəl] N (impediment) obstáculo m; (in races) valla f; VT saltar

hurl [hɜrl] VI/VT arrojar, lanzar, precipitar

hurrah [hərá] INTERJ ¡hurra!

hurricane [hɜ́rɪken] N huracán m

hurried [hɜ́rid] ADJ apresurado, Am apurado

hurry [hɜ́ri] VI darse prisa, apresurarse; Am apurarse; VT apresurar, Am apurar; to — in (out) entrar (salir) de prisa; to — up apresurar(se), dar(se) prisa; Am apurar(se); N prisa f, Am apuro m; to be in a — tener prisa, Am estar apurado

hurt [hɜrt] VI/VT (to injure) lastimar(se), hacer(se) daño; (damage) dañar(se); (harm) perjudicar(se); VI (suffer pain) doler; to get —, lastimarse a uno; my tooth —s me duele la muela/el diente; N (wound) herida f, lastimadura f; (damage) daño m; — feelings sentimientos heridos m pl

husband [hʌ́zbənd] N marido m, esposo m; VT administrar

hush [hʌʃ] VI/VT aquietar(se), callar(se); —! ¡chitón!, ¡silencio! to — up a scandal encubrir un escándalo; N silencio m

husk [hʌsk] N (shell) cáscara f; (of corn) chala f, Sp farfolla f; VT (corn) quitar la chala/farfolla a; (beans, peas)

husky [hʌ́ski] ADJ (voice) ronco; (strong) recio; N husky m, perro esquimal m

hustle [hʌ́səl] VI (work energetically) afanarse; (swindle) estafar; VT (hurry along) empujar; N (bustle) ajetreo m; (scheme) timo m; — and bustle ajetreo m, trajín m

hut [hʌt] N choza f, cabaña f

hyacinth [háɪəsɪnθ] N jacinto m

hybrid [háɪbrɪd] ADJ híbrido; N híbrido m; VI/VT hibridar(se)

hydrate [háɪdret] N hidrato m; VI/VT hidratar(se)

hydraulic [haɪdrɔ́lɪk] ADJ hidráulico

hydrocarbon [háɪdrəkarbən] N hidrocarburo m

hydroelectric [haɪdroɪléktrɪk] ADJ hidroeléctrico

hydrogen [háɪdrədʒən] N hidrógeno m; — bomb bomba de hidrógeno f; — peroxide peróxido de hidrógeno m, agua oxigenada f

hydrophobia [haɪdrəfóbiə] N hidrofobia f

hydroplane [háɪdrəplen] N hidroavión m

hyena [haɪínə] N hiena f

hygiene [háɪdʒin] N higiene f

hymn [hɪm] N himno m

hype [haip] n exageración f; vt promocionar (exageradamente)

hyper [haipɚ] ADJ hiperactivo

hyperactive [haipɚæktiv] ADJ hiperactivo

hypersensitive [haipɚsɛnsɪtiv] ADJ hipersensible

hyperventilate [haipɚvɛntɪlet] vi hiperventilar

hyphen [haifən] n guión m

hypnosis [hipnosis] n hipnosis f

hypnotize [hipnataiz] vt hipnotizar

hypoallergenic [haipoɛlɚdʒɛnik] ADJ hipoalergénico

hypochondriac [haipokandriæk] n hipocondríaco m/f; ADJ hipocondríaco mf

hypocrisy [hipakrɪsi] n hipocresía f

hypocrite [hipakrɪt] n hipócrita mf

hypocritical [hipakrɪtikal] ADJ hipócrita

hypoglycemia [haipoglaisimia] n hipoglucemia f

hypothesis [haipɔbɪsis] n hipótesis f

hysterectomy [histɛrktami] n histerectomía f

hysterical [histɛrikal] ADJ (out of control) histérico; (funny) destornillante

I [ai] PRON yo

i-beam [aibim] n viga doble f

Iberian [aibirian] ADJ ibérico

ice [ais] n hielo m; —**age** período glaciar m; —**berg** iceberg m; —**box** Xp nevera f, Am refrigerador m; —**cream** helado m; —**cream cone** cucurucho de helado m; —**cream parlor** heladería f; —**hockey** hockey sobre hielo m; —**skates** patines de cuchilla m; —**d tea** té helado m; —**water** agua helada f; **to break the**— romper el hielo; **on** — en suspenso; vi/vt (freeze) helar(se); (cover with ice) cubrir(se) de hielo; vt (cover with icing) bañar; (insure a deal) cerrar; **to** —**skate** patinar sobre hielo

iceberg [aisbɚg] n iceberg m

Iceland [aisland] n Islandia f

Icelander [aislandɚ] n islandés -esa mf

Icelandic [aislandik] ADJ islandés m

icicle [aisikal] n carámbano m

icing [aisiŋ] n (frosting) baño m; (formation of ice) formación de hielo f

icon [aikan] n icono m, icono m (also computer term)

icy [aisi] ADJ helado

idea [aidiə] n idea f

ideal [aidil] n ideal m; ADJ ideal, idóneo

idealism [aidilizəm] n idealismo m

idealist [aidilist] n idealista mf

idealistic [aidilistik] ADJ idealista

identical [aidɛntikal] ADJ idéntico

identification [aidɛntifikeʃən] n identificación f; —**card** carnet de identidad m, cédula de identidad f

identify [aidɛntifai] vi/vt identificar(se)

identity [aidɛntiti] n identidad f

ideology [aidiladʒi] n ideología f

idiocy [idiəsi] n idiotez f

idiom [idiəm] n modismo m

idiosyncrasy [idiosinkrasi] n idiosincrasia f

idiot [idiət] n idiota mf

idiotic [idiatik] ADJ idiota

idle [aidl] ADJ (not active) ocioso; (lazy) perezoso, holgazán; (of a machine, worker) parado; (of an engine) en ralentí; (meaningless) vacío; vi (person) holgazanear; (motor) girar en vacío; vt (cause to be idle) dejar parado/descuapado

idleness [aidlnis] n (inactivity) ociosidad f, ocio m, holganza f; (sloth) pereza f

idler [aidlɚ] n holgazán -ana mf, zanguango -ga mf

idol [aidl] n ídolo m

idolater [aidlatɚ] n idólatra f

idolatry [aidlatri] n idolatría f

idolize [aidlaiz] vt idolatrar

idyll [aidil] n idilio m

if [if] CONJ si; — **I were you** en tu lugar/yo que tú; — **only I had known** de haber sabido/ojalá hubiera sabido; **he's tall,** — **a bit stooped** es alto, aunque un poco encorvado; — **s** condiciones f pl; **no** —**s, ands, or buts** no hay pero que valga

igloo [iglu] n iglú m

ignite [ignait] vi/vt encender(se), prender fuego (a)

ignition [igniʃən] n ignición f, encendido m; — **switch** llave de contacto f

ignoble [ignobal] ADJ innoble

ignorance [ignərəns] n ignorancia f

ignorant [ignərənt] ADJ ignorante

ignore [ignɔr] vt ignorar

ilk [ilk] n ralea f, calaña f

ill [il] ADJ enfermo, malo; — **fortune** mala suerte f; — **nature** mal genio m, mala índole f; — **repute** mala fama f; — **will** mala voluntad f; n (unfavorable statement) mal m; (sickness) enfermedad f; (calamity) calamidad f; ADV — **at ease** incómodo; —**bred** maleducado; —**fated** fatídico, funesto, desastrado; —**gotten** mal adquirido; —**humored**

malhumorado; **—mannered** adj maleducado, grosero; **—natured** de mal genio; **we can — afford to stop now** de ninguna manera podemos detenernos ahora; **you would be — advised to invest** sería desaconsejable que invirtieras

illegal [ɪˈliːgəl] adj ilegal

illegitimate [ˌɪlɪˈdʒɪtəmɪt] adj ilegítimo

illicit [ɪˈlɪsɪt] adj ilícito

illiteracy [ɪˈlɪtərəsi] n analfabetismo m

illiterate [ɪˈlɪtərɪt] adj & n analfabeto -ta mf

illness [ˈɪlnɪs] n enfermedad f

illuminate [ɪˈluːmɪneɪt] vt/vr iluminar(se)

illumination [ɪˌluːməˈneɪʃən] n iluminación f

illusion [ɪˈluːʒən] n ilusión f

illusory [ɪˈluːzəri] adj ilusorio

illustrate [ˈɪləstreɪt] vt/vr ilustrar

illustration [ˌɪləsˈtreɪʃən] n ilustración f, estampa f

illustrator [ˈɪləstreɪtər] n ilustrador -ra mf, dibujante mf

illustrious [ɪˈlʌstriəs] adj ilustre, eximio

image [ˈɪmɪdʒ] n imagen f

imagery [ˈɪmɪdʒri] n conjunto de imágenes m

imaginary [ɪˈmædʒəneri] adj imaginario, fantasioso

imagination [ɪˌmædʒəˈneɪʃən] n imaginación f, fantasía f

imaginative [ɪˈmædʒənətɪv] adj imaginativo, fabuloso

imagine [ɪˈmædʒɪn] v/vt imaginar(se); **— that!** ¡figúrate!

imbalance [ɪmˈbæləns] n desequilibrio m

imbecile [ˈɪmbəsɪl] n imbécil mf

imbibe [ɪmˈbaɪb] v/vt beber

imbue [ɪmˈbjuː] vt imbuir, infundir

immaculate [ɪˈmækjələt] adj inmaculado

immaterial [ˌɪməˈtɪriəl] adj inmaterial; **it is — to me** me es indiferente

immature [ˌɪməˈtʃʊr] adj inmaduro

immediate [ɪˈmiːdiɪt] adj inmediato

immense [ɪˈmens] adj inmenso

immensity [ɪˈmensɪti] n inmensidad f

immerse [ɪˈmɜːrs] vt (submerge) sumergir; (absorb) sumir

immigrant [ˈɪmɪgrənt] adj & n inmigrante mf

immigrate [ˈɪmɪgreɪt] vi inmigrar

immigration [ˌɪmɪˈgreɪʃən] n inmigración f

imminent [ˈɪmɪnənt] adj inminente

immobile [ɪˈmoʊbəl] adj inmóvil

immobilize [ɪˈmoʊbəlaɪz] vt inmovilizar

immodest [ɪˈmɑːdɪst] adj impúdico, deshonesto

immodesty [ɪˈmɑːdɪsti] n deshonestidad f

immoral [ɪˈmɔːrəl] adj inmoral

immorality [ˌɪməˈræləti] n inmoralidad f

immortal [ɪˈmɔːrtəl] adj & n inmortal mf

immortality [ˌɪmɔːrˈtæləti] n inmortalidad f

immovable [ɪˈmuːvəbəl] adj inamovible

immune [ɪˈmjuːn] adj inmune; **— system** sistema inmune m

immunity [ɪˈmjuːnəti] n inmunidad f

impact [ˈɪmpækt] n impacto m; v/vr impactar

impair [ɪmˈper] vt dañar, deteriorar, menoscabar

impairment [ɪmˈpermənt] n daño m, deterioro m, menoscabo m

impala [ɪmˈpælə] n impala m

impale [ɪmˈpeɪl] vt empalar

impart [ɪmˈpɑːrt] vt (bestow knowledge) impartir; (reveal) revelar

impartial [ɪmˈpɑːrʃəl] adj imparcial

impartiality [ɪmˌpɑːrʃiˈæləti] n imparcialidad f

impasse [ˈɪmpæs] n impasse m

impassioned [ɪmˈpæʃənd] adj apasionado

impassive [ɪmˈpæsɪv] adj impasible

impatience [ɪmˈpeɪʃəns] n impaciencia f

impatient [ɪmˈpeɪʃənt] adj impaciente

impeach [ɪmˈpiːtʃ] vt acusar formalmente; **to — a person's honor** poner en tela de juicio el honor de uno

impeachment [ɪmˈpiːtʃmənt] n impeachment m

impede [ɪmˈpiːd] vt obstaculizar, estorbar, trabar

impediment [ɪmˈpedəmənt] n impedimento m, obstáculo m; (of speech) defecto m

impel [ɪmˈpel] vt impeler

impending [ɪmˈpendɪŋ] adj inminente

impenetrable [ˌɪmpəˈnetrəbəl] adj impenetrable

imperative [ɪmˈperətɪv] adj (like a command) imperativo, (necessary) imperioso; n (command, grammatical mood) imperativo m; (obligation) obligación f

imperceptible [ˌɪmpərˈseptəbəl] adj imperceptible

imperfect [ɪmˈpɜːrfɪkt] adj & n imperfecto m

imperial [ɪmˈpɪriəl] adj imperial

imperialism [ɪmˈpɪriəlɪzəm] n imperialismo m

imperil [ɪmˈperəl] vt poner en peligro

imperious [ɪmˈpɪriəs] adj imperioso

impersonal [ɪmˈpɜːrsənəl] adj impersonal

impersonate [ɪmˈpɜːrsəneɪt] vt (assume traits of) hacerse pasar por; (mimic) imitar

impertinence [ɪmpɔ́-tɲəns] N impertinencia f

impertinent [ɪmpɔ́-tɲənt] ADJ impertinente

impervious [ɪmpɔ́-viəs] ADJ impermeable; (to reason) refractario

impetuous [ɪmpétʃuəs] ADJ impetuoso

impetus [ímpɔɔs] N ímpetu m, empuje m

impious [ímpiəs] ADJ impío

implacable [ɪmplǽkəbəl] ADJ implacable

implant [ɪmplǽnt] VT implantar; [ímplænt] N implante m

implement [ímpləmənt] N implemento m, utensilio m; [ímpləmənt] VT implementar, instrumentar

implicate [ímplɪket] VT implicar, involucrar

implicit [ɪmplísɪt] ADJ implícito

implore [ɪmplɔ́r] VI/VT implorar

imply [ɪmplái] VT dar a entender

impolite [ɪmpəláit] ADJ descortés

import [ɪmpɔ́rt] VT (bring in) importar; [ímpɔrt] N (act of importing, thing imported) importación f; (significance) significado m

importance [ɪmpɔ́rtɲs] N importancia f

important [ɪmpɔ́rtɲt] ADJ importante

impose [ɪmpóz] VT imponer; **to — (upon)** abusar (de)

imposing [ɪmpóziŋ] ADJ imponente, impresionante

imposition [ɪmpəzíʃən] N (act of imposing, burden) imposición f; (abuse) abuso m

impossibility [ɪmpɑsəbílɪdi] N imposibilidad f

impossible [ɪmpɑ́səbəl] ADJ (not possible) imposible; (unbearable) insoportable; **to make —** imposibilitar

impostor [ɪmpɑ́stɔ-] N impostor -ra mf

impotence [ímpətəns] N impotencia f

impotent [ímpətənt] ADJ impotente

impoverish [ɪmpɑ́vɔ-ɪʃ] VT empobrecer

impregnate [ɪmprégnet] VT (cause to be permeated) impregnar; (make pregnant) fecundar

impress [ɪmprés] VT (make a mark by pressing) estampar; VI/VT (affect deeply) impresionar

impression [ɪmpréʃən] N impresión f; (feeling) impresión f, sensación f

impressive [ɪmprésɪv] ADJ impresionante

imprint [ímprɪnt] N (indentation) impresión f, marca f; (printer's mark) pie de imprenta m; [ɪmprínt] VT (impress on) imprimir; (fix firmly in mind) grabar

imprison [ɪmprízən] VT (in jail) encarcelar; (anywhere) apresar

imprisonment [ɪmprízənmənt] N encarcelamiento m

improbable [ɪmprɑ́bəbəl] ADJ improbable

impromptu [ɪmprɑ́mptu] ADJ improvisado; **he gave the speech —** improvisó el discurso; N impromptu m

improper [ɪmprɑ́pɔ-] ADJ indecoroso, inconveniente

improve [ɪmprúv] VI/VT mejorar(se); **to — upon** mejorar

improvement [ɪmprúvmənt] N (act & effect of improving) mejora f; (in health) mejoría f

improvisation [ɪmprɑvɪzéʃən] N improvisación f

improvise [ímprəvaɪz] VI/VT improvisar

imprudent [ɪmprúdɲt] ADJ imprudente, desatinado

impudence [ímpjədəns] N impertinencia f, descaro m, desparpajo m

impudent [ímpjədənt] ADJ impertinente, descarado

impulse [ímpʌls] N impulso m; **to act on —** obrar impulsivamente

impulsive [ɪmpʌ́lsɪv] ADJ impulsivo

impunity [ɪmpjúnɪdi] N impunidad f

impure [ɪmpjúr] ADJ impuro

impurity [ɪmpjúrɪdi] N impureza f

in [ɪn] PREP en; **— London** en Londres; **—haste** de prisa; **— the morning** por/en la mañana; **— writing** por escrito; **she was walking — the street** andaba por la calle; **to arrive — London** llegar a Londres; **the books — the box** los libros de la caja; **at two — the morning** a las dos de la mañana; **dressed — white** vestido de blanco; **the tallest — his class** el más alto de su clase; **to come —a week** venir dentro de una semana; ADV adentro, dentro; **is she — or out?** ¿está adentro o afuera? **to be all —** estar rendido; **to be — with someone** estar bien con alguien; **to come —** entrar; **to have it — for someone** tenerle ojeriza a una persona; **to put —** meter; **the doctor is —** el doctor está; **hats are —** los sombreros están de moda; **—patient** paciente internado -da mf; **—seam** entrepierna f; **—step** empeine m; ADJ **the — place to eat** el restaurante de moda; **an — joke** una broma para un grupo selecto

inability [ɪnəbílɪdi] N inhabilidad f, incapacidad f

inaccessible [ɪnæksésəbəl] ADJ inaccesible, inasequible

inaccurate [ɪnǽkjə-ɪt] ADJ (not precise) inexacto, impreciso; (wrong) incorrecto

inactive [ɪnǽktɪv] ADJ inactivo

inactivity [ɪnæk'tɪvɪtɪ] *n* inactividad *f*

inadequate [ɪn'ædɪkwɪt] *adj* (insufficient) insuficiente; (unacceptable) inaceptable

inadvertent [ɪnəd'vɜ:tnt] *adj* (unintentional) involuntario; (careless) descuidado, negligente

inadvisable [ɪnəd'vaɪzəbəl] *adj* desaconsejable

inane [ɪn'eɪn] *adj* necio

inanimate [ɪn'ænɪmət] *adj* inanimado

inasmuch as [ɪnəz'mʌtʃæz] *conj* puesto que

inattentive [ɪnə'tentɪv] *adj* desatento

inaudible [ɪn'ɔ:dəbəl] *adj* inaudible

inaugurate [ɪn'ɔ:gjʊreɪt] *vt* (initiate) inaugurar; (induct into office) investir de un cargo

inauguration [ɪnɔ:gjʊ'reɪʃən] *n* (initiation) inauguración *f*; (induction) investidura *f*

inboard [ɪn'bɔ:d] *adj* dentro del casco

inborn [ɪn'bɔ:n] *adj* innato

incandescence [ɪnkæn'desns] *n* incandescencia *f*

incandescent [ɪnkæn'desnt] *adj* incandescente

incantation [ɪnkæn'teɪʃən] *n* conjuro *m*

incapable [ɪn'keɪpəbəl] *adj* incapaz

incapacitate [ɪnkə'pæsɪteɪt] *vt* incapacitar

incarcerate [ɪn'kɑ:səreɪt] *vt* encarcelar

incendiary [ɪn'sendɪərɪ] *adj & n* incendiario *m*; — **bomb** bomba incendiaria *f*

incense [ɪnsens] *n* incienso *m*; [ɪn'sens] *vt* encolerizar

incentive [ɪn'sentɪv] *n* incentivo *m*, aciate *m*

inception [ɪn'sepʃən] *n* comienzo *m*

incessant [ɪn'sesnt] *adj* incesante

incest [ɪnsest] *n* incesto *m*

inch [ɪntʃ] *n* pulgada (2.54 centímetros) *f*; **to be within an —** of estar a un punto de; **to advance** poco a poco

incidence [ɪnsɪdəns] *n* incidencia *f*

incident [ɪnsɪdənt] *n* incidente *m*, lance *m*; (crime, accident) suceso *m*

incidental [ɪnsɪ'dentl] *adj* (happening in accordance with) accesorio; — **music** música incidental *f*; — **s** gastos imprevistos *m pl*

incidentally [ɪnsɪ'dentlɪ] *adv* a propósito

incinerate [ɪn'sɪnəreɪt] *vt* incinerar

incipient [ɪn'sɪpɪənt] *adj* incipiente, naciente

incision [ɪn'sɪʒən] *n* incisión *f*

incisive [ɪn'saɪsɪv] *adj* incisivo

incite [ɪn'saɪt] *vt* incitar

inclement [ɪn'klemənt] *adj* inclemente

inclination [ɪnklɪ'neɪʃən] *n* (slope) inclinación *f*; (tendency) afición *f*, inclinación *f*

incline [ɪnklaɪn] *vi/vr* inclinar(se); [ɪnklaɪn] *n* declive *m*, pendiente *f*

include [ɪnklid] *vr* incluir

inclusive [ɪn'klu:sɪv] *adj* inclusivo; **from Monday to Friday** — de lunes a viernes inclusive

incoherent [ɪnkəʊ'hɪərənt] *adj* incoherente

income [ɪnkʌm] *n Sp* renta *f*; *Am* ingreso *m*; — **tax** *Sp* impuesto sobre la renta *m*; *Am* impuesto sobre ingresos *m*

incoming [ɪn'kʌmɪŋ] *adj* entrante

incomparable [ɪn'kɒmpərəbəl] *adj* incomparable, sin parangón

incompatible [ɪnkəm'pætɪbəl] *adj* incompatible

incompetent [ɪn'kɒmpɪtənt] *adj* incompetente

incomplete [ɪnkəm'pli:t] *adj* incompleto

incomprehensible [ɪnkɒmprɪ'hensɪbəl] *adj* incomprensible

inconceivable [ɪnkən'si:vəbəl] *adj* inconcebible

inconclusive [ɪnkən'klu:sɪv] *adj* no concluyente

inconsiderate [ɪnkən'sɪdərɪt] *adj* desconsiderado

inconsistency [ɪnkən'sɪstənsɪ] *n* (condition) inconsistencia *f*; (instance) incoherencia *f*

inconsistent [ɪnkən'sɪstənt] *adj* inconsecuente

inconspicuous [ɪnkən'spɪkjʊəs] *adj* poco llamativo; **to be —** pasar inadvertido

inconstancy [ɪn'kɒnstənsɪ] *n* inconstancia *f*

inconstant [ɪn'kɒnstənt] *adj* inconstante

incontinent [ɪn'kɒntɪnənt] *adj* incontinente

incontrovertible [ɪnkɒntrə'vɜ:təbəl] *adj* incontrovertible

inconvenience [ɪnkən'vi:nɪəns] *n* (state of being inconvenient) inconveniencia *f*; (thing that is inconvenient) molestia *f*, inconveniente *m*; *vt* incomodar, molestar

inconvenient [ɪnkən'vi:nɪənt] *adj* inconveniente; (bothersome) incómodo, (untimely) inoportuno

incorporate [ɪn'kɔ:pəreɪt] *vi/vr* (include) incorporar(se); (form a corporation) constituir(se) en sociedad

incorrect [ɪnkə'rekt] *adj* incorrecto

incorrigible [ɪn'kɒrɪdʒəbəl] *adj* incorregible

increase [ɪnkri:s] *vi/vr* aumentar(se), incrementar(se); [ɪnkri:s] *n* aumento *m*, incremento *m*

increasingly [ɪn'kri:sɪŋlɪ] *adv* cada vez más

incredible [ɪn'kredəbəl] *adj* increíble

incredulous [ɪn'kredjʊləs] *adj* incrédulo

increment [ɪnkrəmənt] *n* incremento *m*

incubate [ɪnkjʊbeɪt] *vr* incubar

incubation [ɪnkjʊ'beɪʃən] *n* incubación *f*

incubator [ɪnkjʊbeɪtə] *n* incubadora *f*

indignity [ɪndɪgnɪtɪ] n ultraje m, afrenta f

indigo [ɪndɪgo] n índigo m, añil m; — **blue** azul añil m

indirect [ɪndɪrɛkt] adj indirecto; — **object** complemento/objeto indirecto m

indiscreet [ɪndɪskrit] adj indiscreto

indiscretion [ɪndɪskrɛʃən] n indiscreción f

indispensable [ɪndɪspɛnsəbəl] adj indispensable, imprescindible

indispose [ɪndɪspoz] vt indisponer

indisposed [ɪndɪspozd] adj indispuesto; **to become —** indisponerse

indistinct [ɪndɪstɪŋkt] adj indistinto

individual [ɪndɪvɪdʒuəl] adj individual; n individuo m, persona f, pej sujeto m,

individualism [ɪndɪvɪdʒuəlɪzəm] n individualismo m

individualist [ɪndɪvɪdʒuəlɪst] n individualista mf

individuality [ɪndɪvɪdʒuˈælɪtɪ] n individualidad f

indivisible [ɪndɪvɪzəbəl] adj indivisible

indoctrinate [ɪndɑktrɪnet] vt adoctrinar

indolence [ɪndələns] n indolencia f

indolent [ɪndələnt] adj indolente, haragán

indomitable [ɪndɑmɪtəbəl] adj indomable

Indonesia [ɪndəniʒə] n Indonesia f

Indonesian [ɪndəniʒən] adj & n indonesio -sia mf

indoor [ɪndɔr] adj interior; [ɪndɔrz] adv **—s** dentro; **to go —s** entrar, ir para adentro

induce [ɪndus] vt inducir

inducement [ɪndusmənt] n aliciente m, incentivo m

induct [ɪndʌkt] vt (initiate) admitir, iniciar; (draft) reclutar

induction [ɪndʌkʃən] n (philosophical, electrical) inducción f; (into an organization) admisión f, iniciación f

indulge [ɪndʌldʒ] vt mimar, consentir; vi **to — in** darse a, entregarse a; **to — oneself** (in) darse el gusto (de)

indulgence [ɪndʌldʒəns] n (act or state of indulging, religious) indulgencia f; (thing indulged in) exceso m, lujo m

indulgent [ɪndʌldʒənt] adj indulgente; (toward a child) complaciente

industrial [ɪndʌstrɪəl] adj industrial

industrialist [ɪndʌstrɪəlɪst] n industrial mf

industrious [ɪndʌstrɪəs] adj (student) aplicado, diligente; (worker) industrioso

industry [ɪndʌstrɪ] n (manufacturing) industria f; (hard work) diligencia f

inebriated [ɪnibrietɪd] adj ebrio

inedible [ɪnɛdəbəl] adj incomestible, incomible

inculcate [ɪnkʌlket] vt inculcar

incumbent [ɪnkʌmbənt] adj & n — **upon me** un deber que me incumbe; n titular m

incur [ɪnkɜr] vt incurrir en

incurable [ɪnkjʊrəbəl] adj incurable

indebted [ɪndɛtɪd] adj endeudado; **I'm — to you for your kindness** estoy en deuda contigo por tu amabilidad

indebtedness [ɪndɛtɪdnɪs] n endeudamiento m, adeudo m

indecency [ɪndisənsɪ] n indecencia f

indecent [ɪndisənt] adj indecente; — **exposure** delito de exhibicionismo m

indecision [ɪndɪsɪʒən] n indecisión f

indeed [ɪndid] adv de verdad, INTRJ (ironically) ¡no me digas! (sincerely) ¡tienes razón!

indefinite [ɪndɛfɪnɪt] adj indefinido

indelible [ɪndɛləbəl] adj indeleble

indelicate [ɪndɛlɪkɪt] adj (tactless) indelicado; (offensive) indecoroso

indemnify [ɪndɛmnɪfaɪ] vt indemnizar

indemnity [ɪndɛmnɪtɪ] n indemnización f

indent [ɪndɛnt] vi/vt sangrar

indentation [ɪndɛnteʃən] n (notch) muesca f; (blank space) sangría f

independence [ɪndɪpɛndəns] n independencia f

independent [ɪndɪpɛndənt] adj independiente

indestructible [ɪndɪstrʌktəbəl] adj indestructible

indeterminate [ɪndɪtɜrmɪnɪt] adj indeterminado

index [ɪndɛks] n índice m; — **card** ficha f; — **finger** índice m; vt (incorporate into an index) poner en el índice; (make the index) poner un índice; (adjust wages) indexar

India [ɪndɪə] n India f

Indian [ɪndɪən] adj & n indio -a mf; — **Ocean** Océano Índico m

indicate [ɪndɪket] vt indicar

indication [ɪndɪkeʃən] n indicación f

indicative [ɪndɪkətɪv] adj & n indicativo m

indict [ɪndaɪt] vt acusar

indictment [ɪndaɪtmənt] n acusación f

indifference [ɪndɪfərəns] n indiferencia f

indifferent [ɪndɪfərənt] adj indiferente

indigenous [ɪndɪdʒənəs] adj (person) indígena; (plant, animal) autóctono

indigent [ɪndɪdʒənt] adj & n indigente mf

indigestion [ɪndɪdʒɛstʃən] n indigestión f

indignant [ɪndɪgnənt] adj indignado

indignation [ɪndɪgneʃən] n indignación f

ineffable [ɪnˈɛfəbəl] adj inefable

ineffective [ɪnɪˈfɛktɪv] adj (measure) ineficaz; (person) ineficiente

ineffectual [ɪnɪˈfɛktʃuəl] adj ineficaz

inefficient [ɪnɪˈfɪʃənt] adj ineficiente

inept [ɪnˈɛpt] adj inepto

inequality [ɪnɪˈkwɑlɪti] n desigualdad f

inert [ɪnˈɜrt] adj inerte

inertia [ɪnˈɜrʃə] n inercia f

inestimable [ɪnˈɛstəməbəl] adj inestimable

inevitable [ɪnˈɛvɪtəbəl] adj inevitable

inexcusable [ɪnɪkˈskjuzəbəl] adj inexcusable

inexhaustible [ɪnɪɡˈzɔstəbəl] adj inagotable

inexorable [ɪnˈɛksərəbəl] adj inexorable

inexpensive [ɪnɪkˈspɛnsɪv] adj económico, barato

inexperienced [ɪnɪkˈspɪriənst] adj inexperto

inexplicable [ɪnɪkˈsplɪkəbəl] adj inexplicable

infallible [ɪnˈfæləbəl] adj infalible

infamous [ˈɪnfəməs] adj infame, de mala fama

infamy [ˈɪnfəmi] n infamia f

infancy [ˈɪnfənsi] n primera infancia f

infant [ˈɪnfənt] n bebé mf

infantile [ˈɪnfəntaɪl] adj infantil

infantry [ˈɪnfəntri] n infantería f; — man infante m

infatuated [ɪnˈfætʃueɪd] adj enamorado

infect [ɪnˈfɛkt] vt (cause disease) infectar; (spread a mood) contagiar

infection [ɪnˈfɛkʃən] n infección f

infectious [ɪnˈfɛkʃəs] adj (disease) infeccioso, contagioso; (mood) contagioso,

infer [ɪnˈfɜr] vt inferir, deducir

inference [ˈɪnfərəns] n inferencia f, deducción f

inferior [ɪnˈfɪriər] adj & n inferior

inferiority [ɪnfɪriˈɔrɪti] n inferioridad f; — complex complejo de inferioridad m

infiltrate [ɪnˈfɪltreɪt] vt/vr infiltrar(se); to — an organization infiltrarse en una organización

infinite [ˈɪnfɪnɪt] adj & n infinito m

infinitive [ɪnˈfɪnɪtɪv] adj & n infinitivo m

infinity [ɪnˈfɪnɪti] n (large number) infinidad f; (space) infinito m

infirm [ɪnˈfɜrm] adj enfermizo, achacoso

infirmary [ɪnˈfɜrməri] n enfermería f

infirmity [ɪnˈfɜrmɪti] n enfermedad f, achaque m

inflame [ɪnˈfleɪm] vt (with infection) inflamar(se); (with fire) encender(se); (with passion) enardecer(se);

inflammation [ɪnfləˈmeɪʃən] n inflamación f

inflate [ɪnˈfleɪt] vt/vr (fill with air) inflar(se), hincharse; (exaggerate) exagerar

inflation [ɪnˈfleɪʃən] n (rise in prices) inflación f; (introduction of air) inflado m

inflexible [ɪnˈflɛksəbəl] adj inflexible

inflict [ɪnˈflɪkt] vt (impose on) infligir; to — a blow asestar un golpe

influence [ˈɪnfluəns] n influencia f, influjo m; vt influir en / sobre; — peddling tráfico de influencias m

influential [ɪnfluˈɛnʃəl] adj influyente

influenza [ɪnfluˈɛnzə] n gripe f

influx [ˈɪnflʌks] n (of fluid, goods) entrada f; (of people) afluencia f

infomercial [ɪnfoˈmɜrʃəl] n infomercial m

inform [ɪnˈfɔrm] vt/vr (give knowledge) informar(se); vt (inspire) inspirar; to — against / on delatar a, denunciar a

informal [ɪnˈfɔrməl] adj informal

informant [ɪnˈfɔrmənt] n informante mf

information [ɪnfɔrˈmeɪʃən] n (service) información f; (details) informes m pl

informative [ɪnˈfɔrmətɪv] adj informativo

informer [ɪnˈfɔrmər] n informante mf, delator -ora mf, pej soplón -ona mf

infraction [ɪnˈfrækʃən] n infracción f

infrared [ɪnfrəˈrɛd] adj & n infrarrojo m

infrastructure [ˈɪnfrəstrʌktʃər] n infraestructura f

infringe [ɪnˈfrɪndʒ] vt infringir; vi — upon violar

infuriate [ɪnˈfjʊrieɪt] vt enfurecer, sublevar

infuse [ɪnˈfjuz] vt infundir

ingenious [ɪnˈdʒinjəs] adj ingenioso

ingenuity [ɪndʒəˈnuːɪti] n ingenio m, inventiva f

ingest [ɪnˈdʒɛst] vt/vr ingerir

ingrate [ˈɪnɡreɪt] n ingrato -ta mf

ingratitude [ɪnˈɡrætɪtud] n ingratitud f

ingredient [ɪnˈɡridiənt] n ingrediente m

ingrown [ˈɪnɡron] adj encarnado

inhabit [ɪnˈhæbɪt] vt habitar

inhabitant [ɪnˈhæbɪtənt] n habitante mf

inhale [ɪnˈheɪl] vt/vr inhalar, aspirar

inherent [ɪnˈhɛrənt] adj inherente

inherit [ɪnˈhɛrɪt] vt/vr heredar

inheritance [ɪnˈhɛrɪtəns] n herencia f

inhibit [ɪnˈhɪbɪt] vt inhibir, cohibir

inhibition [ɪnhɪˈbɪʃən] n inhibición f; cohibición f

inhospitable [ɪnhɒsˈpɪtəbəl] adj inhóspito; (place) inhospitalario

inhuman [ɪnˈhjumən] adj inhumano

inimitable [ɪnˈɪmɪtəbəl] adj inimitable

initial [ɪˈnɪʃəl] adj & n inicial f; vt firmar las

iniciales
initialize [ɪnˈʃlaɪz] vt inicializar
initiate [ɪnˈʃeɪt] vr iniciar
initiative [ɪnˈʃətɪv] n iniciativa f
inject [ɪnˈdʒɛkt] vt/vr inyectar(se), pinchar(se)
injection [ɪnˈdʒɛkʃən] n inyección f
injunction [ɪnˈdʒʌŋkʃən] n mandato judicial m, orden judicial f
injure [ˈɪndʒə] vt/vr herir(se); (sports) lesionar(se)
injurious [ɪnˈdʒʊrɪəs] adj (harmful) perjudicial; (defamatory) injurioso
injury [ˈɪndʒərɪ] n herida f, lesión f
injustice [ɪnˈdʒʌstɪs] n injusticia f
ink [ɪŋk] n tinta f vt (mark with ink) entintar; (sign) firmar; — **jet printer** impresora de inyección de tinta f — **pad** almohadilla f; — **well** tintero m
inkling [ˈɪŋklɪŋ] n idea f
inlaid [ˈɪnleɪd] adj incrustado; — **work** incrustación f
inland [ˈɪnlənd] adj interior; adv tierra adentro
inlay [ɪnleɪ] vt incrustar; [ˈɪnleɪ] n incrustación f
inmate [ˈɪnmeɪt] n (in a prison) preso -sa mf; (in an asylum) internado, recluso -sa mf; (in a hospital) paciente m
inn [ɪn] n posada f, fonda f — **keeper** posadero -ra mf, fondista mf
innate [ɪnˈeɪt] adj innato
inner [ˈɪnə] adj (inside) interior; (intimate) íntimo; — **city** zona céntrica empobrecida f; — **ear** oído interno m; —**most** adj más íntimo, recóndito; — **tube** cámara f
innings [ˈɪnɪŋz] n entrada f
innocence [ˈɪnəsəns] n (absence of guilt) inocencia f; (naivety) candidez f
innocent [ˈɪnəsənt] adj n inocente mf
innocuous [ɪnˈdʒkjuəs] adj inocuo
innovation [ɪnəˈveɪʃən] n innovación f
innuendo [ɪnjuˈɛndəʊ] n insinuación f
innumerable [ɪˈnjuːmərəbəl] adj innumerables
inoculate [ɪnˈɒkjəleɪt] vt/vr inocular(se)
inoffensive [ɪnəˈfɛnsɪv] adj inofensivo
inoperable [ɪnˈɒpə-abəl] adj inoperable
inopportune [ɪnˈɒpə-tjuːn] adj inoportuno
inordinate [ɪnˈɔːdɪnət] adj desmesuado
inorganic [ɪnɔːˈɡænɪk] adj inorgánico; — **chemistry** química inorgánica f
input [ˈɪnpʊt] n (electric, computer) entrada f; (opinion) opinión f; vt ingresar / entrar datos
inquire [ɪnˈkwaɪr] vi/vr inquirir, preguntar; to — **about** / **after** preguntar por; to — **into** indagar, investigar

inquiry [ɪnˈkwaɪr] n (scientific) investigación f; (police) pesquisa f; **we made — about** hicimos averiguaciones acerca de hoteles
inquisition [ɪnˈkwɪzɪʃən] n inquisición f
inquisitive [ɪnˈkwɪzɪtɪv] adj (curious) inquisitivo, curioso; (asking many questions) preguntón
insane [ɪnˈseɪn] adj demente, loco; — **asylum** manicomio m
insanity [ɪnˈsænɪrɪ] n locura f, demencia f
insatiable [ɪnˈseɪʃəbəl] adj insaciable
inscribe [ɪnˈskraɪb] vt (mark) inscribir; (engrave) grabar; (dedicate) dedicar
inscription [ɪnˈskrɪpʃən] n (marks, engraving) inscripción f; (dedication) dedicatoria f
inscrutable [ɪnˈskruːtəbəl] adj inescrutable
insect [ˈɪnsɛkt] n insecto m
insecticide [ɪnˈsɛktɪsaɪd] n insecticida m
insectivorous [ɪnsɛkˈtɪvərəs] adj insectívoro
insecure [ɪnsɪˈkjʊr] adj inseguro
insensible [ɪnˈsɛnsəbəl] adj insensible
insensitive [ɪnˈsɛnsɪtɪv] adj insensible
inseparable [ɪnsɛpə-abəl] adj inseparable
insert [ɪnsɜːt] vt insertar, introducir; (into a text) intercalar; [ˈɪnsɜːt] n encarte m
insertion [ɪnsˈɜːʃən] n inserción f; (into a text) intercalación f
inside [ɪnsaɪd] prep dentro de; adv dentro, adentro; [ˈɪnsaɪd] n interior m; **to turn — out** volver del revés; —**s** entrañas fpl; **he passed me on the —** me pasó por la derecha; adj (interior) interior; — **job** delito cometido por un empleado m; — **track** pista interior f
insider [ɪnsaɪdə] n privilegiado -da mf; — **trading** abuso de información privilegiada m
insidious [ɪnˈsɪdiəs] adj insidioso
insight [ˈɪnsaɪt] n (intuition) perspicacia f; (discernment) discernimiento m
insignia [ɪnˈsɪɡniə] n insignia f
insignificant [ɪnsɪɡˈnɪfɪkənt] adj insignificante, menudo, nimio
insincere [ɪnsɪnˈsɪə] adj insincero
insinuate [ɪnˈsɪnjueɪt] vt insinuar
insinuation [ɪnsɪnjuˈeɪʃən] n insinuación f
insipid [ɪnˈsɪpɪd] adj insípido, soso
insist [ɪnˈsɪst] vi/vr insistir; **to — on** insistir en
insistence [ɪnˈsɪstəns] n insistencia f
insistent [ɪnˈsɪstənt] adj insistente
insole [ˈɪnsəʊl] n plantilla f
insolence [ˈɪnsələns] n insolencia f
insolent [ˈɪnsələnt] adj insolente, atrevido
insoluble [ɪnˈsɒljəbəl] adj insoluble
insolvent [ɪnˈsɒlvənt] adj insolvente

inspect [ɪnspékt] VT inspeccionar; **to — the troops** pasar revista a la tropa, revistar la tropa

inspection [ɪnspékʃən] N inspección f; (of troops) revista f

inspector [ɪnspéktə˞] N inspector -ra mf

inspiration [ɪnspəréʃən] N inspiración f

inspire [ɪnspáɪr] VI/VT inspirar

instability [ɪnstəbílɪɾi] N inestabilidad f

install [ɪnstɔ́l] VT instalar (also computer term)

installation [ɪnstəléʃən] N instalación f (also computer term)

installment [ɪnstɔ́lmənt] N (payment of debt) cuota f; (of a book) entrega f, fascículo m; **to pay in —s** pagar a plazos

instance [ɪ́nstəns] N ejemplo m; **for —** por ejemplo; **court of first —** tribunal de primera instancia m

instant [ɪ́nstənt] N instante m; **this —** ahora mismo; ADJ inmediato; **— coffee** café instantáneo m

instantaneous [ɪnstənténiəs] ADJ instantáneo

instead [ɪnstéd] ADV **she didn't want a sandwich, so she ordered a hamburger —** no quería un bocadillo, así que pidió una hamburguesa en su lugar; **— of** en lugar de, en vez de

instigate [ɪ́nstɪget] VT instigar

instill [ɪnstɪ́l] VT inculcar

instinct [ɪ́nstɪŋkt] N instinto m

instinctive [ɪnstɪ́ŋktɪv] ADJ instintivo

institute [ɪ́nstɪtut] N instituto m; VT instituir

institution [ɪnstɪtúʃən] N institución f

instruct [ɪnstrákt] VT (teach) instruir; (command, advise) dar instrucciones; (command) mandar

instruction [ɪnstrákʃən] N instrucción f (also computer term); **—s** (orders) órdenes f pl; (information) instrucciones f pl, indicaciones f pl

instructive [ɪnstráktɪv] ADJ instructivo

instructor [ɪnstráktə˞] N (of skills) instructor -ra mf; (of knowledge) profesor -ra mf

instrument [ɪ́nstrəmənt] N instrumento m; **— panel** salpicadero m, tablero m

instrumental [ɪnstrəmént] ADJ instrumental; **to be — in** ser fundamental para

insubordinate [ɪnsəbɔ́rdn̩ɪt] ADJ insubordinado

insufferable [ɪnsáfəəbəl] ADJ insufrible

insufficiency [ɪnsəfíʃənsi] N insuficiencia f

insufficient [ɪnsəfíʃənt] ADJ insuficiente

insulate [ɪ́nsəlet] VT aislar

insulation [ɪnsəléʃən] N aislamiento m

insulator [ɪ́nsəleɾə˞] N (material) aislante m; (device) aislador m

insulin [ɪ́nsəlɪn] N insulina f

insult [ɪ́nsʌlt] N insulto m, injuria f; [ɪnsʌ́lt] VT insultar, injuriar

insulting [ɪnsʌ́ltɪŋ] ADJ insultante, injurioso

insuperable [ɪnsúpəəbəl] ADJ insuperable

insurance [ɪnʃúrəns] N seguro m; **— agent** agente de seguros mf; **— company** compañía de seguros f; **— policy** póliza de seguro f

insure [ɪnʃúr] VI/VT asegurar(se)

insurmountable [ɪnsə˞máuntəbəl] ADJ insuperable

insurrection [ɪnsə˞rékʃən] N insurrección f

intact [ɪntǽkt] ADJ intacto

intangible [ɪntǽndʒəbəl] ADJ intangible

integer [ɪ́ntɪdʒə˞] N (número) entero m

integral [ɪ́ntɪgrəl] ADJ (complete) integral; (forming part of) integrante; N integral f; **— calculus** cálculo integral m

integrate [ɪ́ntɪgret] VT integrar; VI integrarse a

integrity [ɪntégrɪɾi] N integridad f

intellect [ɪ́ntl̩ekt] N intelecto m

intellectual [ɪntl̩éktʃuəl] ADJ & N intelectual mf

intelligence [ɪntélɪdʒəns] N inteligencia f (also secret information); **— quotient** coeficiente intelectual / de inteligencia m

intelligent [ɪntélɪdʒənt] ADJ inteligente

intelligible [ɪntélɪdʒəbəl] ADJ inteligible

intend [ɪnténd] VT pensar; **to — to do something** pensar hacer algo; **a book —ed for children** un libro destinado / dirigido a los niños

intense [ɪnténs] ADJ intenso

intensify [ɪnténsɪfaɪ] VI/VT intensificar(se)

intensity [ɪnténsɪɾi] N intensidad f

intensive [ɪnténsɪv] ADJ intensivo

intent [ɪntént] N intención f, propósito m; **to / for all —s and purposes** en la práctica; **— on** resuelto a

intention [ɪnténʃən] N intención f

intentional [ɪnténʃənəl] ADJ intencional

intentionally [ɪnténʃənəli] ADV a propósito

inter [ɪntə́˞] VT sepultar

interact [ɪntə˞ǽkt] VI interactuar

interactive [ɪntə˞ǽktɪv] ADJ interactivo

intercede [ɪntə˞síd] VI interceder

intercept [ɪntə˞sépt] VT interceptar

interception [ɪntə˞sépʃən] N interceptación f

intercession [ɪntə˞séʃən] N intercesión f

interchange [ɪntə˞tʃéndʒ] N cambio m; (on road) enlace m; Sp intercambiador m; [ɪntə˞tʃéndʒ] VI/VT cambiar, intercambiar

intercourse [ɪ́ntə˞kɔrs] N comunicación f,

trato m

interest [íntrəst] n interés m; (financial) interés m, rédito m; (share in a business) participación f; **mining** — s los negocios mineros; — **rate** tasa de interés f; vr interesar; **may I** — **you in a cookie?** ¿te puedo ofrecer una galleta?

interested [íntrəstəd] adj interesado; to be/ become — **in** interesarse en/ por

interesting [íntrəstɪŋ] adj interesante

interface [íntərfes] n interface mf, interfaz f

interfere [ɪntərfír] vi interferir; (meddle) entrometerse; **to** — **with** interferir en

interference [ɪntərfírəns] n interferencia f

interim [íntərɪm] n ínterin m; adj (person) interino; (decision) provisional

interior [ɪntíriər] adj & n interior m; — **decoration** decoración de interiores f; — **design** diseño de interiores m

interjection [ɪntərdʒékʃən] n interjección f, exclamación f

interlace [íntərles] vi/vt entrelazar(se)

interlinear [ɪntərlíniəl] adj interlineal

interlock [ɪntərlák] vi/vt (gears) engranar(se); (branches, etc.) enterlazar(se); n interlock m

interlocking [ɪntərlákɪŋ] adj (gears) engranado; (branches) enterlazado

interlude [íntərlud] n (interval) intervalo m; (musical) interludio m; (theatrical) entremés m

intermediate [ɪntərmídiət] adj intermedio

interment [ɪntə́rmənt] n entierro m

interminable [ɪntə́rmənəbəl] adj interminable

intermingle [ɪntərmíŋgəl] vi/vt entremezclar(se)

intermission [ɪntərmíʃən] n entreacto m, intervalo m

intermittent [ɪntərmítənt] adj intermitente

intern [ɪntə́rn] vt internar, confinar; n (prisoner, doctor) interno -na mf

internal [ɪntə́rnəl] adj interno, interior; —**combustion engine** motor de combustión interna m; — **revenue** rentas internas f pl; — **Revenue Service** Hacienda f

internalize [ɪntə́rnəlaɪz] vt interiorizar, internalizar

international [ɪntərnǽʃənəl] adj internacional; — **law** derecho internacional m

Internet [íntərnet] n Internet m internacional m

internist [íntərnɪst] n internista mf

internship [íntərnʃɪp] N (medical) internado m; (student) práctica f

interpersonal [ɪntərpə́rsənəl] adj interpersonal

interpose [ɪntərpóz] vi/vt interponer(se)

interpret [ɪntə́rprɪt] vi/vt interpretar

interpretation [ɪntərprɪtéʃən] n interpretación f

interpreter [ɪntə́rprɪtər] n intérprete mf

interrelated [ɪntərrɪlétɪd] adj interrelacionado

interracial [ɪntərréʃəl] adj interracial

interrogate [ɪntɛ́rəget] vi/vt interrogar

interrogation [ɪntɛrəgéʃən] n interrogación f, interrogatorio m

interrogative [ɪntərɑ́gətɪv] adj interrogativo; n palabra/ oración interrogativa f

interrupt [ɪntərʌ́pt] vi/vt interrumpir

interruption [ɪntərʌ́pʃən] n interrupción f

intersect [ɪntərsɛ́kt] vi/vt (math) intersecar(se); (road) cruzar(se)

intersection [ɪntərsɛ́kʃən] n (math) intersección f; (street) cruce m, intersección f

intersperse [ɪntərspə́rs] vt (scatter) esparcir; (intermingle) entremezclar, entreverar; (spice up) salpicar

interstate [íntərstet] adj interestatal; n — **highway** autopista interestatal f

interstellar [ɪntərstɛ́lər] adj interestelar

interstice [ɪntə́rstɪs] n intersticio m

intertwine [ɪntərtwáɪn] vi/vt entrelazar(se)

interval [íntərvəl] n intervalo m

intervene [ɪntərvín] vi/vt intervenir; (mediate) mediar

intervention [ɪntərvɛ́nʃən] n intervención f; (mediation) mediación f

interview [íntərvju] n entrevista f; (for entertainment) Sp interviú f; vt entrevistar; vi entrevistarse

intestine [ɪntɛ́stɪn] adj & n intestino m; **small** — intestino delgado m; **large** — intestino grueso m

intimacy [íntəməsi] n intimidad f

intimate [íntəmɪt] adj íntimo; (knowledge) profundo; [íntəmet] vt insinuar, dar a entender

intimation [ɪntəméʃən] n insinuación f

intimidate [ɪntímɪdet] vt intimidar, acobardar

into [ɪntu] prep she came — the room entró en la habitación; he put it — the box lo metió en la caja; he translated it — German lo tradujo al alemán; he ran — a tree chocó contra un árbol; it fell — oblivion cayó en el olvido; he went — medicine entró a medicina; I'm really — pop music me ha dado por la música pop

intolerable [intólə-əbəl] adj intolerable
intolerance [intólə-əns] n intolerancia f
intolerant [intólə-ənt] adj intolerante
intonation [intənéjʃən] n entonación f
intoxicate [intóksikejt] vt/vi embriagar (also exhilarate); (poison) intoxicar
intoxication [intoksikéjʃən] n (drunkenness) embriaguez f; (poisoning) intoxicación f
intransigent [intrǽnzidʒənt] adj intransigente
intransitive [intrǽnzitiv] adj intransitivo
intrauterine device [intrajúuərindívajs] n dispositivo intrauterino m
intravenous [intravíinəs] adj intravenoso
intrepid [intrépid] adj intrépido
intricate [íntrikit] adj intrincado
intrigue [intríg] vi/vt intrigar; [íntrig] n intriga f
intrinsic [intrínzik] adj intrínseco
introduce [intrədúus] vt (put in, bring) introducir; (to a person) presentar
introduction [intrədákʃən] n (putting in, preface) introducción f; (to a person) presentación f
introspection [intrəspékʃən] n introspección f
introvert [íntrəvət] n introvertido -da mf
introverted [íntrəvədid] adj introvertido
intrude [intrúd] vi/vt interrumpir; (penetrate, of rock) penetrar
intruder [intrúdə] n intruso -sa mf
intrusion [intrúʒən] n (interruption) interrupción f; (penetration) intrusión f
intrusive [intrúsiv] adj (rock) intrusivo; (people) entrometido
intuition [intujíʃən] n intuición f
intuitive [intúitiv] adj intuitivo
inundate [ínədejt] vt/vi inundar
invade [invéd] vi/vt invadir
invader [invédə-] n invasor -ra mf
invalid [ínvəlid] adj (not valid) nulo -da mf; [invǽlid] adj & n (ill) inválido
invaluable [invǽljuəbəl] adj invalorable, inestimable
invariable [invériəbəl] adj invariable
invariably [invériəbli] adv siempre
invasion [invéʒən] n invasión f
invent [invént] vt inventar
invention [invénʃən] n (act of inventing, thing invented) invención f, invento m; (falsehood)
inventive [invéntiv] adj inventivo
inventor [invéntə-] n inventor -ra mf
inventory [ínvəntri] n inventario m; vt inventariar
inverse [ínvə-s] adj & n inverso m
inversion [invə-ʒən] n inversión f

invert [invə-t] vt invertir
invest [invést] vi/vt invertir (money); (a rank upon someone) investir
investigate [invéstigejt] vi/vt investigar, indagar
investigation [investigéjʃən] n investigación f
investigator [invéstigejtə-] n investigador -ra mf
investment [invéstmənt] n (of money) inversión f; (of rank) investidura f —
investor [invéstə-] n inversionista mf; inversor -ra
broker corredor -ra de bolsa mf
invigorate [invígərejt] vt vigorizar
invincible [invínsəbəl] adj invencible
invisible [invízəbəl] adj invisible
invitation [invitéjʃən] n invitación f
invite [inváit] vi/vt invitar; to — **trouble** buscarse problemas; [ínvait] n fam invitación f
inviting [inváitiŋ] adj atractivo, seductor
in vitro fertilization [invítrófə-dizéjʃən] n fertilización in vitro f
invocation [invəkéjʃən] n invocación f
invoice [ínvojs] n factura f; vt facturar
invoke [invók] vt invocar
involuntary [inváləntəri] adj involuntario
involve [invávl] vt (take, last) suponer; **how much time will this —?** ¿cuánto tiempo supone esto? (consist of, entail) consistir en, involucrar; **what does your work —?** ¿en qué consiste tu trabajo? (be in question) ser cuestión de; **national security is —d!** ¡es una cuestión de seguridad nacional! (implicate) implicar; **they tried to — her** trataron de implicarla; (wrapped up in) estar metido; **he's very —d in the family business** está muy metido en el negocio familiar; (have a liaison) enredarse; **she got —d with a married man** se enredó con un hombre casado
involved [inválvd] adj complicado, enrevesado
inward [ínwəd] adv hacia dentro; adj interior
iodide [ájədajd] n yoduro m
iodine [ájədajn] n yodo m
ion [ájən] n ión m
ionize [ájənajz] vt ionizar
IQ (intelligence quotient) [ajkjú] n coeficiente de inteligencia m
Iran [irán] n Irán m
Iranian [irénian] adj & n iraní mf
Iraq [irǽk] n Irak m
Iraqi [irǽki] adj & n iraquí mf
irascible [irǽsəbəl] adj irascible

irate [airéit] adj airado

ire [air] n ira f

Ireland [áirland] n Irlanda f

iridescent [iridésent] adj iridiscente, tornasolado

iridium [iridíam] n iridio m

iris [áiris] n (of eye) iris m; (plant, flower) lirio m; (rainbow) arco iris m

Irish [áirij] adj irlandés; n (language) irlandés; **the —** los irlandeses

irk [3·k] vt fastidiar; **—ed** fastidiado

irksome [3·ksam] adj engorroso, molesto

iron [áia·n] n (element, golf club) hierro m; (appliance) plancha f; **in —s** en grilletes; adj férreo, de hierro; **—work** herrajes m pl; **—works** fundición f; vi/vt planchar; **to — out a difficulty** allanar una dificultad

ironic [airánik] adj irónico

ironing [áia·niŋ] n planchado m

irony [áiarni] n ironía f; (mockery) ironía f, sorna f

irradiate [iréidiet] vt irradiar

irrational [iréjanel] adj irracional

irrefutable [irifiútabel] adj irrefutable

irregular [irégjala·] adj irregular

irrelevant [irélavant] adj no pertinente; **your age is —** tu edad no viene al caso

irreparable [iréparabel] adj irreparable

irreplaceable [iripléisabel] adj irreemplazable

irreproachable [iripróuchabel] adj irreprochable

irresistible [irizístabel] adj irresistible

irresponsible [irispánsabel] adj irresponsable

irreverent [irévarant] adj irreverente

irrevocable [irévakabel] adj irrevocable

irrigate [íriget] vi/vt (a garden) irrigar, regar; (the eyes) irrigar

irrigation [irigéjan] n riego m, irrigación f; **—ditch** acequia f

irritable [íritabel] adj irritable, colérico

irritate [íritet] vt irritar

irritating [íritetiŋ] adj irritante

irritation [iritéjan] n irritación f

IRS (Internal Revenue Service) [aíarés] n Hacienda f

Islam [ízlam] n islamismo m, islam m

Islamic [izlámik] adj islámico

island [áiland] n isla f

islander [áilanda·] n isleño -ña mf

isle [ail] n isla f

isobar [áisobar] n isobara f

isolate [áiselet] vt aislar

isolation [aiseléjan] n aislamiento m

isolationism [aiseléjanizam] n aislacionismo m

isometric [aismétrik] adj isométrico

isotope [áisotop] n isótopo m

Israel [ízreil] n Israel m

Israeli [izréli] adj & n israelí mf

issue [íju] n (of printed matter) tirada f; (of stock, bonds) emisión f; (copy of a magazine) número m, entrega f; (of a fluid) flujo m; (progeny) descendencia f; **he's got —** es muy acomplejado; **to take — with** discrepar de; vt (written material) publicar; (a decree) promulgar; (a permit, document) expedir; (shares) emitir; (to flow) brotar; (to come out of) salir de; (to descend from) descender de

isthmus [ísmas] n istmo m

it [it] pron **— all started yesterday** todo empezó ayer; **— is necessary** es necesario; **— is raining** llueve, está lloviendo; **— is said that** se dice que —; **is two o'clock** son las dos; **— was broken** estaba roto; **who is —?** ¿quién es? **if — weren't five o'clock** si no fueran las cinco; **I saw —** lo/la vi; **he talked about —** habló de eso; **what time is —?** ¿qué hora es? **how is — going?** ¿qué tal? **I don't get —** no entiendo; **you're —!** ¡tú te/la quedas! ¡tú la traes!

Italian [itáljan] adj & n italiano -na mf

italic [itálik] adj itálico; **—s** letra cursiva

italicize [itálisaiz] vt poner en bastardilla/cursiva

Italy [íteli] n Italia f

itch [ich] vi/vr picar; **to be —ing to** tener ganas de; n comezón f, picazón f; (longing) ansia f

itchy [íchi] adj que pica; **it feels — to me** me pica

item [áitem] n (piece of news) artículo m; (unit) item m; (couple) pareja f

itemize [áitemaiz] vt (list) enumerar; (break down) desglosar

itinerant [aitína·ant] adj itinerante, ambulante

itinerary [aitína·ri] n (schedule) itinerario m; (guidebook) guía de viajeros f

its [its] poss adj su/sus, de él, de ella, de ello

itself [itsélf] pron **this story wrote —** esta historia se escribió sola; **the bike was standing by —** la bici estaba parada sola; **the dog bit —** el perro se mordió (a sí mismo); **the fox found — a hole** la zorra se encontró una guarida

ivory ['aivri] n marfil m; **— tower** torre de marfil f

Ivory Coast ['aivri'kəst] n Costa de Marfil f

ivy ['aivi] n hiedra f

Jj

jab [dʒæb] vi/vt (hit) golpear; (hit with elbow) codear; n (blow) golpe m; (blow with elbow) codazo m; (in boxing) jab m, puñetazo directo m

jabber [dʒæbə] vi (unintelligibly) farfullar; (incessantly) charlotear; n (unintelligible) farfulla f; (incessant) charloteo m

jack [dʒæk] n (tool) gato m; (card) sota f; (flag) bandera de proa f; **— ass** n asno m, burro m (also person); **—hammer** martillo neumático m; **—knife** navaja f; **— of all trades** hombre orquesta m; **—pot** premio gordo m; **—rabbit** liebre americana f; **you don't know —** no sabes ni un comino; vt **to — up** (a car) alzar con gato; (prices) subir

jacket [dʒækit] n (clothing) chaqueta f; (of a book) forro m; (of a potato) piel f

jade [dʒeid] n jade m

jaded [dʒeidid] adj (disenchanted) de vuelta; (sated) hastiado

jagged [dʒægid] adj recortado, desigual

jaguar [dʒægwɑr] n jaguar m

jail [dʒeil] n cárcel f; **—break** fuga f; vt encarcelar

jailer [dʒeilə] n carcelero -ra mf

jalopy [dʒæləpi] n cacharro m

jam [dʒæm] vt (stuff) embutir; (block) atestar; (immobilize) trabar; interferir; vi (become stuck or unworkable) atascarse; (crowd in) aplastarse; **to — on the brakes** frenar de golpe; **to — one's fingers** pillarse los dedos; n (jelly) mermelada f, dulce m; (difficult situation) aprieto m; (traffic) embotellamiento m; **— session** jam m

Jamaica [dʒəmeikə] n Jamaica f

Jamaican [dʒəmeikən] adj & n jamaicano -na mf, jamaiquino -na mf

janitor [dʒænitər] n conserje m

January [dʒænjuəri] n enero m

Japan [dʒəpæn] n Japón m

Japanese [dʒæpəniz] adj & n japonés -esa mf

jar [dʒɑr] vi/vt (shake) sacudir(se); (clash) chocar; **to — one's nerves** ponerle a uno los nervios de punta; n (container) tarro m, frasco m, pote m; (large earthen container) tinaja f; (collision) choque m; (shake) sacudida f

jargon [dʒɑrgən] n jerga f

jasmine [dʒæzmin] n jazmín m

jasper [dʒæspə] n jaspe m

jaundice [dʒɔndis] n ictericia f

jaunt [dʒɔnt] n excursión f; vi pasear

javelin [dʒævlin] n jabalina f

jaw [dʒɔ] n (of animal) quijada f; (of human) mandíbula f; (of carnivores) fauces f pl; **—bone** n mandíbula f, maxilar m

jay [dʒei] n arrendajo m

jazz [dʒæz] n jazz m; vi **to — up** animar

jealous [dʒeləs] adj (possessive) celoso; (envious) envidioso; (protective) protector

jealousy [dʒeləsi] n celos m pl

jeans [dʒinz] n jeans m pl, vaqueros m pl

jeer [dʒir] vi/vt (mock) mofarse (de); burlarse (de); (boo) abuchear, befar; n (act of mockery) mofa f, burla f; (boos) abucheo m, befa f

jelly [dʒeli] n jalea f; **—fish** n medusa f

jeopardize [dʒepədaiz] vt comprometer, poner en peligro

jeopardy [dʒepədi] adv loc **in —** en peligro

jerk [dʒərk] n (quick pull) tirón m; (muscular contraction) espasmo m; (idiot) pej pelmazo m; vi/vt tironear; **to — around** manipular; **—water** de mala muerte

jerky [dʒɜrki] adj espasmódico; n tasajo m

jersey [dʒɜrzi] n jersey m

jest [dʒest] n broma f, chanza f; **in —** en broma; vi bromear

jester [dʒestə] n bufón m

Jesuit [dʒezuit] n jesuita m

jet [dʒet] n (stream) chorro m; (spout) surtidor m; (stone) azabache m; **— (air)plane** avión a reacción m; **— engine** motor a reacción m; **— lag** jet lag m; **—liner** avión a reacción de pasajero m; **— propulsion** propulsión a chorro f; **— set** jet-set m; **— stream** (of air) corriente en chorro f; (of a jet) chorro m; vi (stream out) salir a chorros; (travel) volar en avión a reacción; vt (spew out) lanzar a chorros, (transport) transportar en avión a reacción

jettison [dʒetisən] vt echar por la borda

Jew [dʒu] n judío -día mf

jewel [dʒuəl] n (ornament, prized person) joya f, alhaja f; (stone) gema f; (watch jewel) rubí m; **— box** joyero m

jeweler [dʒúːlə-] n joyero -ra m/f; —'s shop n joyería f
jewelry [dʒúːlri] n joyas f pl, alhajas f pl; — box alhajero m; — store joyería f
Jewish [dʒúːiʃ] adj judío
jig [dʒíg] n giga f; — saw sierra de vaivén f; — saw puzzle rompecabezas m sg; vt (dance) bailotear; — up and down vi
jiffy [dʒífi] n; in a — en un santiamén
jiggle [dʒígəl] vi/vt zangolotear(se), zarandear(se); n zangoloteo m, zarandeo m zangolotearse
jilt [dʒílt] vt dejar plantado
jingle [dʒíŋgəl] vi tintinear; vt agitar; n retintín m (short song) jingle m
jinx [dʒíŋks] n gafe m; vt gafar
job [dʒáb] n (task) tarea f; (position) trabajo m, empleo m; (theft) golpe m; to be out of a — estar sin trabajo; Sp estar en (el) paro; by the — a destajo; to do a good job — hacer buen trabajo; vt trabajar a destajo
jobber [dʒábə-] n (day-worker) trabajador -ra a destajo m/f; (wholesaler) vendedor -ra a destajo m/f
jobless [dʒáblis] adj sin trabajo; Sp en paro
jock [dʒák] n deportista m/f; — (strap) suspensorio m
jockey [dʒáki] n jockey m; vi to — for position disputarse la posición
jocular [dʒákjələ-] adj jocoso
jog [dʒág] n (run) (refresh) refrescar; n trote m; to go for a — salir a correr
join [dʒɔ́in] vi/vt juntar(se); (pipes) acoplar(se), unir(se); (bones) articular(se); (a club) asociarse a(); (the navy, etc.) alistarse (en)
joint [dʒɔ́int] n (point of contact) juntura f, junta f (connection between bones) articulación f, coyuntura f; (nodule on a plant) nudo m; (public place) antro m; out of — descoyuntado; adj (shared) común; — account cuenta conjunta f; — action acción colectiva f; — owner copropietario -ria m/f; — session sesión plena f; — venture joint venture m
joke [dʒóʊk] n broma f, chiste m; vi bromear
joker [dʒóʊkə-] n (person who jokes) bromista m/f; guasón -ona m/f; (card) comodín m
jokingly [dʒóʊkiŋli] adv en broma
jolly [dʒáli] adj jovial
jolt [dʒóʊlt] vt sacudir; to — along avanzar a los tumbos
Jordan [dʒɔ́rdn] n Jordania f
Jordanian [dʒɔrdéiniən] adj & n jordano -na m/f
jostle [dʒásəl] vi/vt codear(se), dar

jot [dʒát] vt to — down apuntar; n pizca f
journal [dʒɔ́rnəl] n (diary) diario m; (periodical) revista f; (logbook) cuaderno de bitácora m
journalism [dʒɔ́rnəlizm] n periodismo m
journalist [dʒɔ́rnəlist] n periodista m/f
journalistic [dʒɔrnəlístik] adj periodístico
journey [dʒɔ́rni] n viaje m; vi viajar
joust [dʒáust] n justa f
joy [dʒɔ́i] n (delight) alegría f, regocijo m, alborozo m; (source of delight) deleite m; —ride paseo en coche robado m; —stick joystick m, palanca de juegos f
joyful [dʒɔ́ifəl] adj alborozado
joyous [dʒɔ́iəs] adj jubiloso, alegre
jubilant [dʒúːbilənt] adj jubiloso
jubilee [dʒúːbili] n jubileo m
judge [dʒʌdʒ] n juez -za m/f; to be a good — of character saber juzgar a la gente; vi/vt juzgar (estimate) calcular
judgment [dʒʌdʒmənt] n juicio m; (in court) fallo m; — day día del juicio final m
judicial [dʒudíʃəl] adj judicial
judicious [dʒudíʃəs] adj juicioso, sensato
judo [dʒúːdo] n judo m
jug [dʒʌg] n (pitcher) jarro m, jarra f; (storage jar) pote m
juggle [dʒʌgəl] vi/vt hacer juegos malabares (con), hacer malabarismo (con); to — the accounts manipular las cuentas
juggler [dʒʌglə-] n malabarista m/f
jugular [dʒʌgjələ-] n yugular f
juice [dʒús] n jugo m, (fruit only) Sp zumo m; n exprimidor m
juicy [dʒúːsi] adj jugoso; a — story un cuento sabroso
jukebox [dʒúːkbaks] n juke-box m
July [dʒulái] n julio m
jumble [dʒʌmbəl] vi/vt revolver(se) m; n revoltijo m
jumbo [dʒʌmbo] adj jumbo, gigantesco; — jet jumbo m
jump [dʒʌmp] vi (spring) saltar; (increase, as temperature, prices) dar un salto; vt (capture in checkers) comer; (ride a horse over barrier) hacer saltar; (mug) asaltar; to — a river, mountains, etc.) salvar; to — at abalanzarse sobre; to — over saltar; to — the track descarrilarse; to — to conclusions hacer deducciones precipitadas; n salto m; (in prices) subida repentina f; — rope cuerda de saltar f; to — start hacer un puente; —suit mono m
jumper [dʒʌmpə-] n (person who jumps) saltador -ra m/f; (dress) jumper m; Sp pichi m; — cable puente m

jumpy [dʒʌmpi] adj nervioso, asustadizo

junction [dʒʌŋkʃən] n (act or state of joining) unión f; (joining of two rivers) confluencia f; (of two railways) empalme m; (of roads) entronque m

juncture [dʒʌŋktʃə] n (point where joined) juntura f; **at this —** en esta coyuntura

June [dʒun] n junio m

jungle [dʒʌŋgəl] n selva f, jungla f; **the law of the —** la ley de la selva

junior [dʒunjə] adj (younger) menor; (more recent) más nuevo, de menos antigüedad; **college** institución para los dos primeros años de la licenciatura f; **John Smith, —** John Smith, hijo; n estudiante del tercer año mf

juniper [dʒunəpə] n enebro m

junk [dʒʌŋk] n (useless articles) trastos viejos pl; (metal) chatarra f; (Chinese boat) junco m; **— dealer** chatarrero -ra mf; **food** comida basura f; porquerías f pl; **mail** publicidad por correo f; **— yard** chatarrería f; vt desechar, echar a la basura

junkie [dʒʌŋki] n fam drogata mf, drogota mf

jurisdiction [dʒurɪsdɪkʃən] n jurisdicción f

jurisprudence [dʒurɪsprudəns] n jurisprudencia f

juror [dʒurə] n miembro de un jurado m, jurado -da mf

jury [dʒuri] n jurado m; **— box** banco de jurado m; **to — rig** chanchear

just [dʒʌst] adj justo; adv (exactly) exactamente; (only) sólo; **he — left** acaba de salir; **she is — a little girl** no es más que una niña; **you'll — have to wait** tendrás que esperar; **— barely** apenas; **the meeting is — starting** la reunión está empezando

justice [dʒʌstɪs] n (fairness) justicia f; (judge) juez -za mf; **to bring to —** enjuiciar; **the painting doesn't do him —** el retrato no le favorece

justification [dʒʌstɪfɪkeʃən] n justificación f

justify [dʒʌstəfaɪ] vt justificar

jut [dʒʌt] vi sobresalir, proyectarse

juvenile [dʒuvənaɪl] adj juvenil; **— delinquent** delincuente juvenil mf

juxtapose [dʒʌkstəpoz] vt yuxtaponer

K k

kangaroo [kæŋgəru] n canguro m

karat, carat [kærət] n quilate m

kayak [kaɪæk] n kayak m

Kazakhstan [kazəkstan] n Kazajstán m

Kazakh, Kazakh [kazæk] adj & n kazako -ka

keel [kil] n quilla f; vi/vt volcar(se); **to — over** (ship) volcarse; (person) caer de cabeza, desplomarse

keen [kin] adj (sharp) afilado; (ear) fino; (mind) agudo, penetrante

keenness [kinnəs] n agudeza f

keep [kip] vt (retain) guardar; (maintain) mantener; (employ) tener; (look after) cuidar; **to — a diary** llevar un diario; **to — a secret** guardar un secreto; **to — at it** persistir; **to — away** mantener(se) alejado; **to — back** (stay away) tener a raya; (restrain) contener; **to — bad company** andar en mala compañía; **to — from** (prevent) impedir; (protect) proteger; **to — (on) talking** seguir hablando; **to — the door open** mantener la puerta abierta; **to — off the grass** no pisar el césped; **to — up** (perform as well) seguir el tren; (stay informed) mantenerse al tanto; **to — one's hands off** no tocar; **to — someone posted** mantener al corriente a alguien; **to — quiet** estarse callado; **to — to the right** mantenerse a la derecha; **to — track of** (do accounts) llevar la cuenta de; (consider) no perder de vista; **to — watch** vigilar; **he — s a maid** tiene una criada; **she kept me on the phone me** (re)tuvo en el teléfono; **for — s** (forever) para siempre; (for real) en serio

keeper [kipə] n (of people) guardián m; (of things) custodio m

keeping [kipɪŋ] n custodia f; **in — with** en armonía con

keepsake [kipsek] n recuerdo m

keg [keg] n barril m

kennel [kɛnəl] n residencia de perros f

Kenya [kɛnjə] n Kenia f

Kenyan [kɛnjən] adj & n keniata mf

kernel [kɜːnəl] n (seed) semilla f, grano m; (essence) meollo m

kerosene [kɛrəsin] n queroseno m

kestrel [kɛstrəl] n cernícalo m

ketchup [kɛtʃəp] n salsa de tomate f, cátsup m

kettle [kɛtəl] n hervidor m; (for tea) tetera f; **— drum** tímpano/timbal m; **that's another — of fish** es harina de otro costal

key [ki] n (for locks) llave f; (secret, book of answers) clave f; (for winding) clavija f;

(for keyboard) tecla f; (island) cayo m; (music) clave f; —**board** teclado m

—**hole** ojo de la cerradura m; —**note** (music) tónica f; —**note address** discurso de apertura m; —**pad** teclado numérico m; —**ring** llavero m; —**signature** armadura f; —**stone** piedra angular f; —**stroke** pulsación (de la tecla) f; —**word** palabra clave f; **to sing on** — cantar a tono; adj estar sobreexcitado

khaki [kæki] n kaki m, caqui m

kick [kik] vt/vi (person) patear; (horse) dar coces (a), cocear; vi (gun) dar un culatazo, retroceder; **to** — **around** vt discutir; **to** — **at** dar patadas; **to** — **out** echar a patadas; **to** — **the bucket** estirar la pata; **to** — **up a lot of dust** levantar una polvareda; **to** — **a habit** dejar un vicio; n patada f, puntapié m; (of a horse) coz f; Am patada f; (of a gun) culatazo m; (in the air) pataleo m; **this whisky has a** — este whisky es fuerte; **I get a** — **out of swimming** me encanta nadar; —**back** comisión ilegal f; Mex mordida f; —**stand** soporte m; **to** — **start** arrancar

kid [kid] n (young goat) cabrito m, chivo m; (leather) cabritilla f; (child) niño -ña m/f, chico -ca m/f; — **stuff** juego de niños m; vi bromear, embromar, tomar el pelo

kidnapper [kidnæpə-] n secuestrador -ra m/f, raptor

kidnapping [kidnæpiŋ] n secuestro m, rapto m

kidney [kidni] n riñón m; — **bean** judía f; — **stone** cálculo renal m

kill [kil] vt/vi matar; (drink completely) terminar; (turn off) apagar; **that comedian** —**s me** ese cómico me mata de risa; n (animal killed) caza f; (slaughter) matanza f; —**joy** aguafiestas m/f sg

killer [kilə-] n asesino -na m/f; **a** — **game** un partidazo; — **bee** abeja asesina f; — **whale** orca f

killing [kiliŋ] n (slaughter) matanza f; (murder) asesinato m; (game killed) caza f; **to make a** — llenarse de oro

kilo [kilo] n kilo m

kilobyte [kilabait] n kilobyte m

kilogram [kilagræm] n kilogramo m

kilometer [kilamitə-] n kilómetro m

kilowatt [kilawat] n kilovatio m; —-**hour** kilovatio-hora f

kin [kin] n parentela f, parientes m pl; —**sman** pariente m; —**swoman** parienta f; **to notify the next of** — avisar a los deudos

kind [kaind] adj (benevolent) bondadoso, bueno; (words) amable; **to be** — **to animals** ser cariñoso con los animales; —**hearted** de buen corazón; — **of tired** algo cansado; n clase f, tipo m, género m; **to pay in** — (without money) pagar en especie; (retaliate) pagar con la misma moneda

kindergarten [kinda-gartn] n jardín de niños m; Sp parvulario m

kindle [kindl] vt (fire) prender; (interest) despertar, provocar; vi encenderse

kindling [kindliŋ] n leña ligera f, astillas f pl

kindly [kaindli] adj bondadoso, bueno; adv (with kindness) amablemente; (please) por favor; **we thank you** — le agradecemos mucho; **not to take** — **to criticism** no aceptar de buen grado las críticas

kindness [kaindnis] n (state) bondad f, amabilidad f; (act) favor m

kindred [kindrid] adj emparentado; — **spirits** espíritus afines m pl, almas gemelas f pl

king [kiŋ] n rey m (also chess, cards); (in checkers) dama f; —**fisher** martín pescador m; —**pin** (in a mechanism) pivote central m; (in bowling) bolo central m; (person) figura central f; —-**sized** extra grande

kingdom [kiŋdəm] n reino m

kingly [kiŋli] adj real

kink [kiŋk] n (bend) doblez m; (pain) torticolis f

kinky [kiŋki] adj crespo

kinship [kinʃip] n parentesco m; (likeness) afinidad f

kiosk [kiask] n quiosco m

Kiribati [kirabdti] n Kiribati m

kiss [kis] vt/vi besar(se); n beso m

kit [kit] n (of tools) caja f; (of first aid) botiquín m; (of sewing notions) costurero m

kitchen [kitʃin] n cocina f; —**ware** utensilios de cocina m pl

kite [kait] n (toy) cometa f; (bird) milano m

kitten [kitn] n gatito m

kitty [kidi] n (young cat) gatito m, minino m; (petty cash) caja chica f, fondo m

knack [næk] n buena mano f, maña f; **once you get the** — una vez que le agarras la vuelta/onda

knapsack [næpsæk] n mochila f

knave [nev] n pícaro m; (in cards) sota f

knead [nid] vt amasar, sobar

knee [ni] n rodilla f; —**cap** rótula f; —-**deep** hasta las rodillas; —-**jerk liberal** liberal fanático m; —-**jerk reaction** reacción

kneel [nil] vi arrodillarse

knell [nɛl] n doble m; vi doblar

knickknack [nɪknæk] n chuchería f, baratija f

knife [naɪf] n cuchillo m; (big) cuchilla f; (folding) navaja f; (for carving) trinchante m; vt acuchillar; — **point** a punta de cuchillo

knight [naɪt] n caballero m; (in chess) caballo m; — **errant** caballero andante m; vt armar caballero

knighthood [naɪthud] n (all knights) caballería f; (title) orden de la caballería f

knit [nɪt] vt/vi tejer; **to — one's brow** fruncir el entrecejo/el ceño

knitting [nɪtɪŋ] n tejido m; — **needle** aguja de punto f

knob [nab] n (on a door) pomo m, perilla f, tirador m; (protuberance) protuberancia f

knock [nak] vt (pound) golpear; (of motors) golpetear; (call at the door) llamar; vt criticar; **to — a hole in the wall** hacer un agujero en la pared a golpes; **to — down** derribar, echar abajo; **to — off** (stop working) terminar; (reduce) rebajar; (make fall) tirar; (kill) liquidar; — **it off!** ¡basta! **to — into** golpearse contra; **to — out** noquear; **to — over** voltear, revolcar; (pounding) golpe m, toque m; (criticism) crítica f; (in a motor) golpeteo m; — **kneed** patizambo, zambo; — **out** (boxing) nócaut m; (attractive person) bomba f

knocker [nɑkə] n (handle on door) llamador m, aldaba f

knoll [nol] n morro m, loma f

knot [nat] n nudo m (also in wood, unit of speed); (of people) grupo m; (swelling) chichón m; vi/vt anudar(se)

knotty [nɑti] adj (full of knots) nudoso; (difficult) dificultoso, enredado

know [no] vi/vt (to have knowledge of; to know how to) saber; vt (to be acquainted with, have sexual intercourse with) conocer; (to recognize) reconocer; (to distinguish) distinguir; **to — how to swim** saber nadar; **to — of** estar enterado de; **to be in the —** estar al tanto; —**how** conocimiento m; —**it-all** sabelotodo mf

knowing [noɪŋ] adj (complicitous) cómplice; (astute) astuto

knowingly [noɪŋli] adv a sabiendas

knowledge [nɑlɪdʒ] n (awareness) conocimiento m; (information known) conocimiento m, conocimientos m pl; **not to my —** saber m

knuckle [nʌkəl] n nudillo m; — no que yo sepa; **to — down** arremangarse, aplicarse con empeño; **to — under** someterse

Korean [kɔriən] adj & n coreano -na mf

kosher [koʃə] adj & n kosher

Kuwait [kuwet] n Kuwait m

Kuwaiti [kuweti] adj & n kuwaití mf

Kyrgyzstan [kɪrgɪstɑn] n Kirguistán m

L l

label [lebəl] n etiqueta f, rótulo m; (brand) marca f (of recording companies) sello m; vt etiquetar, rotular

labor [lebə] n trabajo m, labor f; (body of workers) mano de obra f; (working class) clase obrera f; (uterine contractions) trabajo de parto m; —**intensive** que requiere mucha mano de obra; — **union** sindicato m; **to be in —** estar de parto; adj laboral; vi (work) trabajar; (dedicate oneself) afanarse; **to — under a disadvantage** sufrir una desventaja

laboratory [læbrətɔri] n laboratorio m

laborer [lebrə] n jornalero -ra mf; (unskilled) peón -ona mf

laborious [ləbɔriəs] adj (industrious) laborioso; (difficult) trabajoso

labyrinth [læbərɪnθ] n laberinto m

lace [les] n (cloth) encaje m; (cord) cordón m; vt (to adorn with lace) bordar con encaje; (to insert laces into) poner cordones a; (to spike) echar alcohol, atizar

lack [læk] n falta f, carencia de; **he —s courage** le falta valor/coraje; vi/vt carecer de, faltarle a uno

lackey [læki] n lacayo m

lacking [lækɪŋ] adj (deficient) deficiente; **good maids are — in this town** faltan buenas criadas en este pueblo; — **in** en falta de, carente de

laconic [ləkɑnɪk] adj lacónico

lacquer [lækə] n laca f; vt lacar, laquear

lactic acid [læktɪkæsɪd] n ácido láctico m

ladder [lɛdə] n escalera f

laden [lɛdn] adj cargado

ladle [lɛdl] n cucharón m, cazo m; vt servir con cucharón

lady [lɛdi] n señora f, dama f; —**bug** mariquita f; —**like** muy fina; —**love** amada f; **ladies' room** Sp aseo/servicio

lag [læg] vi (fall behind) quedarse atrás, rezagarse; (flag) disminuir; n retardo m, retraso m

de damas m

lagoon [lǝgún] n laguna f

lair [ler] n guarida f

lake [lek] n lago m

lamb [læm] n cordero m; (yearling) borrego m

lame [lem] adj cojo; Am rengo; **—brained** idiota; **—duck** funcionario -ria cesante nf; **—excuse** pretexto tonto m; vt dejar cojo

lament [lǝmént] n lamento m; vi lamentar(se); vt llorar

lamentation [læmǝntéʃǝn] n lamentación f, lamento m

lamentable [læmǝntábǝl] adj lamentable

laminate [læmǝnet] vt laminar

lamp [læmp] n lámpara f; (in a street) farol m; **—post** farol m; **—shade** pantalla f

lance [læns] n lanza f; (lancet) lanceta f; vt lancear; (a wound) abrir con una lanceta

lancet [lénsit] n lanceta f

land [lænd] n tierra f; (lot) terreno m; (country) país m, tierra f; **—fill** vertedero m; vt con terrenos concedidos por el estado; **—lady** n casera f, propietaria f; **—lord** n casero m, propietario m; **—mark** n hito m (also historical), mojón m; **—mine** n mina f; **—owner** n hacendado -da nf; **—scape** n paisaje m; **—scape** vi arreglar paisajismo m; **—slide** n derrumbe m, desprendimiento m; (election) victoria aplastante f; vi/vt (a ship) atracar; (an airplane) aterrizar; vt (a fish) Sp coger, Am pescar; (a job) conseguir; you'll **—** in jail terminarás en la cárcel

landing [léndiŋ] n (of a ship) desembarco m; (of cargo) desembarque m; (of an airplane) aterrizaje m; (place) desembarcadero m; (on stairs) descanso m; **—field** campo de aterrizaje m; **—gear** tren de aterrizaje m; **—strip** pista de aterrizaje

lane [len] n (country road) sendero m; (for ships) ruta f; (road division) carril m

language [léŋgwidʒ] n lengua f, idioma m; (faculty, computer) lenguaje m

languid [léŋgwid] adj lánguido

languish [léŋgwiʃ] vi languidecer

languor [léŋgǝ] n languidez f

lanky [léŋki] adj larguirucho, zancudo

lanolin [lénǝlin] n lanolina f

lantern [léntǝrn] n farol m; (of a lighthouse) faro m, linterna f

Laos [léos] n Laos m

Laotian [leóʃǝn] adj & n laosiano -na mf

lap [læp] n (part of body) regazo m; (part of a race) vuelta f; **—dog** perro faldero m; **—top** laptop m; **to live in the — of luxury** vivir en la abundancia; vi/vt lamer

lapel [lǝpél] n solapa f

lapidary [lépideri] adj & n lapidario -ria mf

lapse [læps] n (period of time) lapso m; (linguistic error) lapsus m; (defect in memory) fallo m; (fall) caída f; (termination) caducidad f; vi (fall) caer; (decline) decaer; (end) caducar, vencer

larceny [lársǝni] n latrocinio m, hurto m

lard [lard] n manteca f; vt enmantecar; (with bacon) mechar

large [lardʒ] adj grande; **—scale** de gran escala; **a — company** una gran compañía/una gran compañía grande; **at —** (not in jail) suelto, libre; (in general) en general; n tamaño grande

lariat [lériat] n reata f

lark [lark] n (bird) alondra f; (bit of fun) diversión f; **to go on a —** ir de jarana

larva [lárvǝ] n larva f

laryngitis [lærǝndʒáitis] n laringitis f

larynx [lériŋks] n laringe f

lascivious [lǝsíviǝs] adj lascivo

laser [lézǝ] n láser m; **—printer** impresora f

lash [læʃ] n (blow with a whip, tail, etc.) azote m, latigazo m; (blow of waves) embate m; (part of eye) pestaña f; vt azotar; (tie) amarrar, **to — out at** fustigar

lasso [léso] n lazo m, reata f; vt lazar, Am enlazar

last [læst] adj (in a series) último; (definitive) final; **—ditch** desesperado; **—minute** de último momento; **—name** apellido m; **—night** anoche; **—rites** extrema unción f, viático m; **—straw** colmo m; **—word** última palabra f; **—year** el año pasado; **next to the —** penúltimo; adv último; **to arrive —** llegar al último; **when — seen** cuando se lo vio por última vez; **at —** finalmente; n el último; (of a shoe) horma f; vi durar; (live on) perdurar

lasting [léstiŋ] adj duradero, perdurable

lastly [léstli] adv por último

latch [lætʃ] n pestillo m, picaporte m, cierre m; vi cerrar con el pestillo; **to — on** agarrarse de; **to — onto** pegarse a

late [let] adj (tardy) tardío; (hour) avanzada; (recent) reciente, último; (recently deceased) finado; **—comer** comer rezagado -da

m f; — **afternoon** atardecer m; adv tarde;
— **in the night** a una hora avanzada de
la noche; — **into the night** hasta
la noche; — **in the week** a finales de la
semana; **it is —** ya
es tarde; — **of** ... últimamente; **to be —**
llegar tarde; **to work —** trabajar hasta
tarde; **the train was ten minutes —** el
tren llegó con diez minutos de retraso

lately [létlɪ] adv últimamente

lateness [létnɪs] n tardanza f

latent [létnt] adj latente

later [léə] adj posterior; **see you —** hasta
luego; — **on** más tarde

lateral [lǽtərəl] adj lateral

latest [létɪst] adj último; **the — fashion** la
última moda; **the — news** las últimas
novedades; **at the —** a más tarde, a la
última

latex [létɛks] n látex m

lathe [leθ] n torno m

lather [lǽðə] n (foam) espuma f; (sweat)
sudor m; **he got into a —** se puso
histérico; vt enjabonar; vi hacer espuma

Latin [lǽtn] adj latino, n latín m; —
American latinoamericano -na m f; —
America América Latina f, Latinoamérica
f

latitude [lǽtɪtud] n latitud f; (freedom)
flexibilidad f

latrine [lætrín] n letrina f

latter [lǽtə] adj último; **in the — days of
the Roman Republic** en los últimos
días de la República Romana; **toward
the — part of the week** a finales de la
semana; **the —** este m, esta f

lattice [lǽtɪs] n enrejado m, entramado m;
(of a window) celosía f

Latvia [lǽtvɪə] n Letonia f

Latvian [lǽtvɪən] adj & n letón -ona m f

laud [lɔd] vt loar

laudable [lɔ́dəbəl] adj laudable, loable

laugh [læf] vi reír(se); **to — at** reírse de; **to
— loudly** reírse a carcajadas; **to — up/
in one's sleeve** reírse para sus adentros;
she —ed in his face se rió en su cara; n
risa f; **we did it for —s** lo hicimos por
diversión

laughable [lǽfəbəl] adj risible

laughingstock [lǽfɪŋstɑk] n hazmerreír m

launch [lɔntʃ] vt (put into water) botar; (a
rocket, new product) lanzar; **to — forth/
out** lanzarse; n lancha f; (act of launching
a boat) botadura f; (act of launching a
rocket) lanzamiento m

launder [lɔ́ndə] vt/vr (wash) lavar; (money)
blanquear, lavar; (wash and iron) lavar y

---

laundry [lɔ́ndrɪ] n (business establishment)
lavandería f, lavadero m; (room in house)
cuarto de lavado m, lavadero m; (clothes
to be washed) ropa sucia f; (washed
clothes) ropa limpia f

laurel [lɔ́rəl] n laurel m (also honor); **to rest
on one's —s** dormirse sobre los laureles

lava [lávə] n lava f

lavatory [lǽvətrɪ] n (basin) lavabo m;
(bathroom) baño m, retrete m

lavender [lǽvəndər] n espliego m, lavanda f;
adj lavanda

lavish [lǽvɪʃ] adj inv (generous) pródigo,
espléndido; (abundant) abundante,
copioso; vt prodigar; **to — praise upon**
colmar de alabanzas a

law [lɔ] n ley f; (discipline) derecho m,
jurisprudencia f; (police) policía f; — **and
order** orden público m; **—breaker** n
infractor -ora m f, transgresor -ora m f;
—maker n legislador -ra m f; **—student**
n estudiante de derecho m f; **—suit** n pleito m,
litigio m; **to practice —** ejercer la
abogacía; **to take the — into one's
hands** hacer justicia por mano propia; adj
—abiding respetuoso de las leyes

lawful [lɔ́fəl] adj (in accordance with the
law) legal; (allowed by law) lícito;
(recognized by law) legítimo

lawless [lɔ́lɪs] adj (anarchic) anárquico;
(illegal) ilegal

lawn [lɔn] n césped m, grama f; — **mower**
cortadora de césped f

lawyer [lɔ́jə] n abogado -da m f

lax [læks] adj laxo

laxative [lǽksətɪv] adj & n laxante m,
purgante m

laxity [lǽksɪtɪ] n flojedad f, laxitud f

lay [le] vt colocar; (eggs) poner; (a cable)
tender; **to — aside** (abandon) dejar de
lado; (save) guardar; **to — a wager**
apostar; **to — bare** poner al descubierto;
to — bricks poner ladrillos; **to — down
arms** rendir las armas; **to — down the
law** imponerse; **to — hold of** asir,
agarrar; **to — into** atacar; **to — off a
workman** despedir temporalmente a un
obrero; **to — one's head on a pillow**
recostar la cabeza sobre una almohada; **to
— open** exponer; **to — out a plan** trazar
un plan; **to — up** almacenar; **to be laid
up** estar en cama; **to — waste** asolar; **—man** (non-
expert) lego m; (clergy) laico m; **—out**
trazado m; adj lego, laico

layer [léə] n capa f; (geological) estrato m;

(hen) gallina ponedora *f*; — **cake** tarta de capas *f*

laziness [lézɪnɪs] N pereza *f*, holgazanería *f*, flojera *f*

lazy [lézi] ADJ perezoso, holgazán, flojo

lead [led] N (metal) plomo *m*; (graphite) mina *f*; — **poisoning** intoxicación con plomo *f*; [lid] VT (guide) guiar; llevar de la rienda; (induce, take) llevar, inducir; (be in charge, be first) encabezar; (direct) dirigir; (be superior to) estar a la cabeza de; **to** — **a life of ease** llevar una vida fácil; **to** — **astray** llevar por mal camino; **to** — **the way** mostrar el camino; VI (afford passage to, result in) llevar a; (be first) estar a la cabeza; N (first position) delantera *f*, primer lugar *m*; (clue) indicio *m*; (most important role) papel principal *m*; — **story** noticia principal *f*

leaden [lédn] ADJ (of lead) de plomo; (color) plomizo; (oppressive, slow) pesado

leader [lídɚ] N (in politics) líder *mf*, caudillo *m*; (in a race) líder *mf*; (in music) director -ora *mf*; (as a guide) guía *mf*

leadership [lídɚʃɪp] N dirección *f*, liderazgo *m*

leading [lídɪŋ] ADJ (most important) principal; (arriving first) delantero; — **man** primer actor *m*

leadoff [lídɔf] ADJ comienzo

leaf [lif] N hoja *f*; VI echar hojas; **to** — **through a book** hojear un libro

leafless [lifls] ADJ sin hojas, deshojado

leaflet [líflɪt] N (small leaf) folíolo *m*; (printed matter) volante *m*; (folded printed matter) pliego *m*

leafy [lifi] ADJ (with foliage) frondoso; (in the form of leaves) de hoja

league [lig] N (alliance) liga *f*; (unit of distance) legua *f*; VI/VT aliar(se)

leak [lik] N (in a roof) gotera *f*; (in a boat, bucket, etc.) agujero *m*; (of information) filtración *f*; (of gas, steam, electricity) escape *m*, fuga *f*; VI (roof) gotear(se); (boat) hacer agua; (gas) salirse, escaparse; (information) filtrarse; VT pasar información

leaky [líki] ADJ (roof) que tiene goteras; (boat) que hace agua; (gas, electricity) que pierde

lean [lin] VI/VT (incline) inclinar(se); (support) apoyar(se), reclinar(se), recostar(se); **to** — **on** presionar; ADJ magro; — **year** mal año *m*

leap [lip] VI/VT saltar; **to** — **at** aprovechar; **to** — **to mind** ocurrírsele a uno; N salto *m*;

—**frog** pídola *f*; — **year** año bisiesto *m*

learn [lɚn] VI/VT aprender; (find out) enterarse de

learned [lɚnɪd] ADJ erudito, letrado

learner [lɚnɚ] N estudiante *mf*; (driver) aprendiz -za *mf*

learning [lɚnɪŋ] N (result) erudición *f*, saber *m*; (process) aprendizaje *m*; — **disability** problema de aprendizaje *m*

lease [lis] N (action) arrendamiento *m*; (contract) contrato de arrendamiento *m*; (period) período de arrendamiento *m*; **to have a new** — **on life** nacer de nuevo; VI/VT arrendar

leash [liʃ] N traílla *f*, correa *f*

least [list] ADJ **he doesn't have the** — **chance** no tiene la más mínima posibilidad; **the** — **amount of money** la menor cantidad de dinero; — **common denominator** mínimo común denominador *m*; ADV menos; **the** — **important** lo menos importante; **at** — **al** menos, por lo menos; N **I received the** — **of anyone** yo fui el que recibió menos de todos

leather [léðɚ] N cuero *m*; ADJ de cuero; — **strap** correa *f*

leave [liv] VT (a person, thing) dejar; (a place) salir de, irse de; VI salir, partir; **to** — **off** (stop) parar de; (omit) omitir; **to** — **out** omitir; **I have two books left** me quedan dos libros; N permiso *m*; **to be on** — estar de licencia; **to take** — **of** despedirse de

leaven [lévən] N levadura *f*; VT leudar

leavings [lívɪŋz] N (leftovers) sobras *f pl*; (refuse) desperdicios *m pl*; (act of leaving) partida *f*

Lebanese [lebəníz] ADJ & N libanés -esa *mf*

Lebanon [lébənən] N Líbano *m*

lecherous [létʃɚəs] ADJ lujurioso

lecture [léktʃɚ] N (presentation) conferencia *f*, disertación *f*; (sermon) sermón *m*; (long-winded speech) perorata *f*; VI (present) dar una conferencia, disertar; VT (scold) sermonear

lecturer [léktʃɚɚ] N conferenciante *mf*; (academic rank) profesor -ra *mf*

LED (**light-emitting diode**) [elidí] N LED *m*

ledge [ledʒ] N cornisa *f*

ledger [lédʒɚ] N libro mayor *m*

leech [litʃ] N sanguijuela *f*

leer [lir] VT (sideways) mirar de soslayo; (lecherously) mirar con lujuria; N (sideways) mirada de soslayo *f*; (lecherous) mirada lujuriosa *f*

leeway [líwe] N margen de maniobra *m*; (of a

left [lɛf] adj izquierdo; —**handed** zurdo, con la mano izquierda; —**handed** —**handed tool** herramienta f para zurdos
compliment alabanza irónica f
leg [lɛg] n (human) pierna f; (animal, furniture) pata f; (wading bird) zanca f; (furniture) pie m; (of a trip) etapa f; **to be on one's last** —s estar en las últimas; **to pull someone's** —s tomarle el pelo a alguien; **to stretch one's** —s estirar las piernas
legacy [lɛgəsi] n legado m
legal [lígəl] adj (in accordance with the law) legal; (permitted by law) lícito; (recognized by law) legítimo; —**age** mayoría de edad f; —**fees** honorarios del abogado m pl; —**holiday** día feriado m; —**procedure** procedimiento jurídico m; —**tender** moneda de curso legal f
legalize [lígəlaɪz] vt legalizar
legation [lɪgéʃən] n legación f
legend [lɛdʒənd] n leyenda f (also inscription); (of a map) clave f
legendary [lɛdʒəndɛri] adj legendario
leggings [lɛgɪnz] n (ankle to knee) polainas f pl; (trousers) leggings m pl
legible [lɛdʒəbəl] adj legible
legion [lídʒən] n legión f
legislate [lɛdʒɪsleɪt] vi/vt legislar
legislation [lɛdʒɪsléʃən] n legislación f
legislative [lɛdʒɪsleɪtɪv] adj legislativo
legislator [lɛdʒɪsleɪtər] n legislador -ra mf
legislature [lɛdʒɪsleɪʃər] n legislatura f
legitimate [lɪdʒítəmɪt] adj legítimo
legitimize [lɪdʒítəmaɪz] vt legitimar
legume [lɛgjum] n legumbre f
leisure [líʒər] n ocio m, holgura f; —**hours** horas de ocio f pl, tiempo libre m; **to be at** — estar desocupado; **to do it at your** — hazlo cuando te convenga
leisurely [líʒərli] adj lento, deliberado; adv sin prisa
lemon [lɛmən] n limón m; adj de limón; — **tree** limonero m
lemonade [lɛmənéd] n limonada f
lend [lɛnd] vi/vt prestar; **to** — **a hand** dar una mano
lender [lɛndər] n (person who lends) prestador -ora mf; (professional) prestamista mf
length [lɛŋkθ] n largo m, largura f; longitud
f (of movie) duración f; (of a book) extensión f; **at** — (in detail) pormenorizadamente; (finally) finalmente; **by two** —s por dos cuerpos; **two meters in** — dos metros de largo; **to go to any** —s hacer lo imposible
lengthen [lɛŋθən] vi/vt alargar(se)
lengthwise [lɛŋkθwaɪz] adv & adj a lo largo
lengthy [lɛŋkθi] adj largo, prolongado
lenient [línɪənt] adj indulgente
lens [lɛnz] n lente m; (of the eye) cristalino m
Lent [lɛnt] n Cuaresma f
lentil [lɛntɪl] n lenteja f
Leon [líən] n León m
Leonese [líəniz] adj leonés
leopard [lɛpərd] n leopardo m
leprosy [lɛprəsi] n lepra f
lesbian [lɛzbiən] adj lesbiano; n lesbiana f
lesion [líʒən] n lesión f
Lesotho [ləsóto] n Lesoto m
less [lɛs] adj, adv & prep menos; **I have** — **than you do** tengo menos que tú; **and** — cada vez menos
lessen [lɛsən] vi/vt disminuir, aminorar
lesser [lɛsər] adj menor
lesson [lɛsən] n lección f
lest [lɛst] conj no sea que; — **you should think I'm teasing** para que no vayas a creer que estoy bromeando
let [lɛt] vt (permit) dejar, permitir; (rent) alquilar; — **him come** que venga; **to** — **someone alone** dejar en paz; **to** — **it happen** hagámoslo; **to** — **down** (lower) bajar; (disappoint) decepcionar; **to** — **go** soltar; **to** — **in** dejar entrar; **to** — **know** hacer saber; **to** — **off** dejar ir; **to** — **through** dejar pasar; **to** — **up** (permit to stand) dejar incorporarse; (cease) disminuir; n —**down** desilusión f; —**up** tregua f
lethal [líθəl] adj letal
lethargy [lɛθərdʒi] n letargo m, sopor m; **to fall into a** — aletargarse
letter [lɛtər] n (of alphabet) letra f; (missive) carta f; —**box** buzón m; —**carrier** cartero -ra mf; —**head** membrete m; —**head paper** papel membretado m; —s letras f pl; **the** — **of the law** la letra de la ley; **to the** — al pie de la letra; vt escribir
lettuce [lɛtɪs] n lechuga f
leukemia [lukímiə] n leucemia f
levee [lɛvi] n dique m
level [lɛvəl] adj llano, plano; n nivel m (also tool); vt (make level) nivelar, igualar; (to demolish) arrasar, allanar; (to knock down a person) tumbar; (to aim a gun) dirigir; (to aim a criticism) apuntar; —**headed** sensato; — **with a** — a nivel de; a —

teaspoon una cucharada al ras; **to be on the** — ser serio; **to** — **off** quedar paralelo al suelo; **to** — **with** hablar en serio con/

a

lever [levə] n palanca f

leverage [levə-idȝ] n (influence) palanca f; (physical) apalancamiento m

levity [leviti] n ligereza f

levy [levi] n (of taxes) recaudación f; (of troops) leva f; vt (taxes) recaudar; (troops) reclutar, hacer una leva de

lewd [lud] adj lascivo

lewdness [ludnis] n lascivia f

lexical [leksikəl] adj léxico

lexicography [leksikägrəf] n lexicografía f

lexicon [leksikən] n léxico m

liability [laiəbiliti] n (disadvantage) desventaja f; (debts) pasivo m; (debts) deudas f pl; (responsibility) responsabilidad legal f; — **insurance** seguro contra daños a terceros m; **liabilities** obligaciones f pl

liable [laiəbl] adj responsable; — **to get angry** es propenso a; **she's** — **to get angry** es probable que se enoje

liaison [liezn] n enlace m; (illicit love affair) aventura f

liar [laiə] n mentiroso -sa mf, embustero -ra mf

libel [laibəl] n libelo m, difamación f; vt difamar

liberal [libə-l] adj & n liberal mf

liberalism [libə-lizm] n liberalismo m

liberality [libə-æliti] n (generosity) liberalidad f; (tolerance) tolerancia f

liberalize [libə-laiz] vt/vi liberalizar(se)

liberate [libə-et] vt (give freedom to) liberar; (release from obligation) librar; (give off) desprender

liberation [libə-eʃən] n liberación f

liberator [libə-etə] n libertador -ra mf

Liberia [laibiriə] n Liberia f

Liberian [laibiriən] adj & n liberiano -na mf

libertine [libə-tin] adj & n libertino -na mf

liberty [libə-i] n libertad f; **at** — autorizado

libido [libido] n libido f

librarian [laibreriən] n bibliotecario -ria mf

library [laibreri] n biblioteca f

libretto [libreto] n libreto m

Libya [libiə] n Libia f

Libyan [libiən] adj & n libio -bia mf

license [laisns] n permiso m; (driver's permit, poetic freedom) licencia f — **plate** placa f, matrícula f; vt (issue license to) otorgar una licencia; (give permission) autorizar

lick [lik] vt (touch with tongue) lamer (also waves); (thrash) dar una paliza; (defeat) derrotar; n lamida f, lengüetazo m; (blow) golpe m; **not to do a** — **of work** no mover un dedo

lickety-split [likitisplit] adv en un santiamén

licking [likiŋ] n paliza f

licorice [likə-is] n regaliz m

lid [lid] n tapadera f, tapa f; (of eye) párpado m; (on prices) tope m

lie [lai] n (falsehood) mentira f, embuste m; (orientation of an object) orientación f — **detector** detector de mentiras m; **to give the** — **to** desmentir; vi mentir; **to** — **one's way out of a situation** salirse de una situación a mentiras; (be buried) yacer; (to be on a flat surface) estar; (to be situated) estar situado; (be horizontal) tumbarse, acostarse; **he's lying in bed** está acostado en la cama; **to** — **back** recostarse; **to** — **down** acostarse, tumbarse; **to** — **in wait** acechar

Liechtenstein [likənstain] n Liechtenstein m

Liechtensteiner [likənstainə] n liechtensteiniano -na mf

lien [lin] n gravamen m, carga f

lieutenant [luftenənt] n teniente mf; — **colonel** teniente coronel mf; — **governor** vicegobernador -ora mf

life [laif] n vida f; —-**and-death** de vida o muerte; — **boat** bote de salvamento m; — **cycle** ciclo vital m; — **expectancy** expectativa de vida f; — **guard** salvavidas mf; — **imprisonment** prisión perpetua f; — **insurance** seguro de vida m; —-**like** natural, que parece vivo; — **long** de toda la vida; — **of the party** alma de la fiesta f; — **preserver** salvavidas m sg; — **raft** balsa salvavidas f; — **support system** (in space) equipo de vida m; (in a hospital) máquina corazón-pulmón f; —-**style** estilo de vida m; — **time** vida f; (relative to life) (for duration of life) vitalicio; —-**sized** de tamaño natural

lifeless [laiflis] adj (without living things) sin vida; (dead) muerto, sin vida; (fainted) desfallecido; (without liveliness) sin animación

lifer [laifə] n (prisoner) condenado -a a cadena perpetua mf; (soldier) militar de carrera m

lift [lift] vt levantar; (steal) robar; (plagiarize) copiar; vi (disperse) disiparse; (go up)

elevarse; N (upward force) empuje m;
(feeling) mejoría de ánimo f; (device for
lifting) montacargas m sg; **to give
someone a** — llevar en coche; *Mex* dar
un aventón; —**off** despegue m

ligament [lígəmənt] N ligamento m

ligature [lígətʃə] N ligadura f

light [laɪt] N luz f; (device) luz f, lámpara f;
(for traffic) semáforo m; (perspective)
perspectiva f; (for cigarettes) fuego m;
—**house** faro m; ADJ (well-lighted) claro;
(of little weight) ligero, leve; (of clothes)
fresco; *Am* liviano; — **blue** azul claro m;
—**emitting diode** diodo
electroiluminiscente m; —**headed**
mareado; —**hearted** alegre; — **rain** lluvia
fina f; —**skinned** de tez blanca; —
touch mano delicada f; —**weight** de
peso ligero; —**year** año luz m; **to make
— of** restar importancia a; VI/VT (turn on,
ignite) encender(se), prender(se); (provide
light, brighten) iluminar(se); (land on)
posarse en; **to — up** prender, encender,
alumbrar; **to — upon** caer sobre

lighten [láɪtn] VI/VT (make/become lighter)
aligerar(se), alivianar(se); (brighten)
iluminar(se); — **up!** ¡No tomes las cosas a
la tremenda!

lighter [láɪɾə] N encendedor m

lighting [láɪɾɪŋ] N iluminación f; (in the
street) alumbrado m

lightness [láɪtnɪs] N (little weight) ligereza f,
levedad f; (brightness) claridad f

lightning [láɪtnɪŋ] N relámpago m; — **bug**
luciérnaga f; — **rod** pararrayos m sg; **it
happened at — speed** pasó como rayo;
VI relampaguear

likable [láɪkəbəl] ADJ agradable, simpático

like [laɪk] ADV & PREP como; ADJ semejante,
parecido; **in — manner** del mismo
modo; **to feel — going** tener ganas de ir;
to look — someone parecerse a alguien;
it looks — rain parece que va a llover;
—**minded** del mismo parecer; N —**s**
gustos m pl, preferencias f pl; VT gustarle a
uno; **he —s dogs** le gustan los perros; **do
whatever you** — haz lo que quieras;
CONJ **he talked — he was crazy**
hablaba como si estuviera loco; **she came
— you predicted she would** vino, tal
como tú pronosticaste; **I'm —, "you're
crazy"** yo pensé/dije, "estás loco"; INTERJ
he was, like, way too old era como
que demasiado viejo

likely [láɪkli] ADJ (probable) probable;
(believable) creíble; (promising)
prometedor; **John is — to win** es

probable que gane Juan; ADV
probablemente

liken [láɪkən] VT comparar, asimilar

likeness [láɪknɪs] N (similarity) parecido m;
(portrait) retrato m

likewise [láɪkwaɪz] ADV (the same thing) lo
mismo; **we did** — hicimos lo mismo;
(similarly) asimismo; (also) también

liking [láɪkɪŋ] N preferencia f, gusto m

lilac [láɪlək] N lila f; ADJ lila *inv*

lily [líli] N lirio m, azucena f; ADJ —**white**
(very white) blanquísimo; (pure) puro; (for
whites only) exclusivamente para blancos

limb [lɪm] N (branch) rama f; (appendage)
miembro m

limber [límbə] ADJ flexible; VT hacer flexible;
VI **to — up** estirarse

lime [laɪm] N (mineral) cal f; (fruit, color)
lima f; —**light** candilejas f pl; **in the
—light** en el candelero; —**stone** piedra
caliza f; — **tree** limero m, lima f

limit [límɪt] N límite m; **to the —** al
máximo; VT limitar

limitation [lɪmɪtéʃən] N limitación f

limitless [límɪtlɪs] ADJ ilimitado

limousine [líməzin] N limusina f

limp [lɪmp] N cojera f, renguera f; VI cojear,
renguear, renquear; ADJ (body) flácido;
(plants) mustio

limpid [límpɪd] ADJ límpido

line [laɪn] N (bus route, telephone
connection) línea f; (of words) renglón m,
línea f; (row) raya f, hilera f; (cord) cuerda
f; (persons waiting) cola f, fila f; (business)
ramo m; (wrinkle) arruga f; (boundary)
límite m; — **of credit** línea de crédito f;
—**s** (in a play) parte f; —**up** hilera de
personas f; (sports) alineación f; **drop me
a** — escríbeme unas líneas; **off**— fuera
de línea; **on**— en línea; **out of** —
irrespetuoso; **to get in** — hacer cola; VI/
VT (border) alinear, bordear; (put in a
lining) forrar; **to — up** alinear(se)

lineage [líniɪdʒ] N linaje m, estirpe f

linear [líniə] ADJ lineal

lined [laɪnd] ADJ (with lines) rayado; (with a
lining) forrado

linen [línɪn] N (fabric) lino m; (bedclothes,
etc.) ropa blanca f

liner [láɪnə] N (ocean) transatlántico m; (air)
avión comercial m; (eye) delineador m

linger [língə] VI (stay) quedarse, demorarse;
(persist) persistir; (saunter) rezagarse;
(contemplate) detenerse; (delay death)
aguantar

lingerie [lɑnʒəré] N lencería f

linguist [língwɪst] N lingüista mf

linguistics [lɪŋgwɪstɪks] n lingüística f

liniment [lɪnəmənt] n linimento m

lining [laɪnɪŋ] n forro m; **every cloud has a silver —** no hay mal que por bien no venga

link [lɪŋk] n (of a chain) eslabón m; (bond, tie) vínculo m; (computer, rail, radio connection) enlace m; vi/vt enlazar(se), conectar(se), vincular(se)

linnet [lɪnɪt] n pardillo m

linoleum [lɪnoliəm] n linóleo m

linseed [lɪnsid] n linaza f; **— oil** aceite de linaza

lint [lɪnt] n pelusa f

lion [laɪən] n león m; **—'s share** la parte del león

lioness [laɪənɪs] n leona f

lip [lɪp] n labio m; (of a pitcher) borde m; **—stick** lápiz de labios m; **to —read** leer los labios; **don't give me no —!** no me contestes

liposuction [laɪposʌkʃən] n liposucción f

liqueur [lɪk-] n licor m

liquid [lɪkwɪd] adj líquido; **— assets** activo líquido m; **— measure** medida para líquido m

liquidate [lɪkwɪdet] vi/vt liquidar

liquidation [lɪkwɪdeʃən] n liquidación f

liquidity [lɪkwɪdɪti] n liquidez f

liquor [lɪkə] n bebida espirituosa f

lira [lɪrə] n lira f

lisp [lɪsp] n ceceo m; vi cecear

list [lɪst] n lista f; (of a ship) escora f; **— price** precio de lista m; **— server** servidor de lista m; vt (make a list) hacer una lista de; (lean) escorar; **this chair —s for two hundred dollars** esta silla está a doscientos dólares

listen [lɪsən] vi/vt (hear) escuchar, oír; (heed) escuchar, prestar atención; **to — in** (on radio) sintonizar; (eavesdrop) escuchar a hurtadillas

listener [lɪsənə] n oyente mf; **— radio —** radioescucha mf, oyente mf

listing [lɪstɪŋ] n listado m

listless [lɪstlɪs] adj lánguido

lit [lɪt] adj (provided with light) iluminado; (tipsy) alegre, alumbrado

literacy [lɪtərəsi] n (action of making literate) alfabetización f; (rate) alfabetismo m

literal [lɪtərəl] adj literal

literary [lɪtərɛri] adj literario

literate [lɪtərɪt] adj (who can read and write) alfabeto; (erudite) erudito, letrado; **he's barely —** apenas sabe leer y escribir

literature [lɪtərətʃə] n literatura f

lithium [lɪθiəm] n litio m

Lithuania [lɪθuenɪə] n Lituania f

Lithuanian [lɪθuenɪən] adj & n lituano -na mf

litigation [lɪtɪgeʃən] n litigio m, pleito m

litter [lɪtə] n (young animals) camada f, cría f; (stretcher) camilla f; (straw) cama de paja para animales f; (trash) basura f; (for cats) arena higiénica f; vi/vt (dirty) ensuciar; (strew) esparcir; vi (give birth) parir

little [lɪtl] adj (small) pequeño, chico; (not much) poco; **— brother** hermano menor m, hermanito m; **— finger** (dedo) meñique m; **— pig** puerquito m; **a — coffee** un poco de café; **a — while** un ratito, un poco; adv & n poco; **— by —** poco a poco

live [lɪv] vi/vt vivir; **to — up to** cumplir; **to — it up** tirar la casa por la ventana; **all the —long day** todo el santo día; [laɪv] adj vivo; (ammunition) cargado; **— coal** ascua encendida f; **— oak** roble de Virginia m; **—stock** ganado m; **— wire** (electric) cable cargado m; (person) persona viva f; **before a — audience** en vivo; **—in** con cama; adv en vivo y en directo

livelihood [laɪvlihud] n sustento m

liveliness [laɪvlinəs] n viveza f, animación f

lively [laɪvli] adj (party) animado; (person) vivaz, avispado; adv con animación

liver [lɪvə] n hígado m

livid [lɪvɪd] adj (bluish) lívido; (angry) furibundo

living [lɪvɪŋ] n (life) vida f; **to earn / make a —** ganarse la vida; adj vivo, viviente; **— room** sala f; **— wage** sueldo suficiente para vivir; **the —** los vivos

lizard [lɪzərd] n lagartija f

llama [lɑmə] n llama f

load [lod] n (of a weight) peso m; (of a ship) cargamento m; **—s of** montones de; vi/vt cargar; **to —down** colmar; **to —oneself down** agobiarse

loaf [lof] n hogaza de pan f, pan m; vi holgar, holgazanear, haraganear

loafer [lofə] n (idler) holgazán -ana mf, haragán -na mf; gandul -la mf; (shoe) mocasín m

loan [lon] n préstamo m; (to a government) empréstito m; **—shark** usurero -ra mf; **—word** préstamo m; vi/vt prestar

loath [loθ] adj renuente; **to be — to** ser renuente a

loathe [loð] vt aborrecer

loathsome [lōðsəm] adj repugnante, abominable

lob [lɑb] vt tirar por lo alto; n (tennis) globo m

lobby [lɑbi] n (vestibule) vestíbulo m; (special interest) grupo de presión m, lobby m; vi/vt (influence) presionar

lobbyist [lɑbiist] n lobbista m/f, lobista m/f

lobe [lob] n lóbulo m

lobotomy [ləbɑtəmi] n lobotomía f

lobster [lɑbstə-] n langosta f

local [lōkəl] adj local; **— train** tren de

localize [lōkəlaiz] vt localizar

locate [lōket] vt/vi (establish in a place) situar, ubicar; (find) localizar; vi (settle) radicarse, establecerse

location [lōkeʃən] n (position) ubicación f; (finding) localización f; **on —** en exteriores

lock [lɑk] n (door) cerradura f; (canal) esclusa f; (firearms, wrestling) llave f; (of hair) mechón m; **to have a — on the award** tener asegurado el premio; **—out** cierre patronal m; **—smith** cerrajero -ra m/f; vi/vt cerrar con llave; (make immovable) trabar(se); **to —in** encerrar; **to —out** dejar afuera; **to —up** (door) cerrar con llave; (animal) encerrar; (prisoner) encarcelar; (valuables) poner bajo llave

locker [lɑkə-] n (for athletic equipment) casillero m (for frozen food) cámara frigorífica f; **— room** vestuario m

locket [lɑkit] n relicario m, guardapelo m

locomotive [lōkəmotiv] n locomotora f

locust [lōkəst] n langosta f; **— tree** algarrobo m

lodge [lɑdʒ] n (of fraternal organization) logia f; (cabin) cabaña f; (hotel) posada f; **to —a complaint** presentar una queja; vi/vt alojar(se), hospedar(se); to

lodger [lɑdʒə-] n inquilino -na m/f

lodging [lɑdʒiŋ] n alojamiento m, hospedaje m

loft [lɑft] n (attic) desván m; (for choir) coro m; (for hay) pajar m; vt tirar por lo alto

lofty [lɑfti] adj elevado, encumbrado

log [lɑg] n leño m, madero m, rollizo m; (ship record) cuaderno de bitácora m; (record of activity) diario m; **— cabin** cabaña de troncos f; vi/vt (cut trees) cortar; vt (write down) anotar; **to —in** entrar (al sistema); **to —off/out** salir (del sistema)

logarithm [lɑgərɪðəm] n logaritmo m

logic [lɑdʒik] n lógica f

logical [lɑdʒikəl] adj lógico

logistics [lədʒɪstiks] n logística f

loin [lɔin] n ijada f (in animals) ijar m; (cut of meat) lomo m; **—s** entrañas f pl

loiter [lɔitə-] vi (idly) holgazanear; (with intent) merodear; **to —behind** rezagarse

loll [lɑl] vi arrellanarse

lollipop [lɑlipɑp] n Sp pirulí m; Mex paleta f; RP chupetín m

lone [lon] adj (solitary) solitario; (only) único

lonely [lōnli] adj solo

lonesome [lōnsəm] adj solo

long [lɒŋ] adj largo; **a —way home** lejos de casa; **— distance** de larga distancia; **— hours** horas; **to work — hours** trabajar muchas horas; **—division** división de más de una cifra f; **—hand** letra manuscrita f; **—johns** calzoncillos largos m pl; **— jump** salto largo m; **—lasting** duradero, perdurable; **—lived** (batteries) duradero; (people) longevo; **—range** de largo alcance; **—shoreman** estibador m; **—term** a largo plazo; **—underwear** calzoncillo largo m; **—winded** verborrágico, palabrero; **it's a —shot** es muy improbable; adv mucho tiempo; **—ago** hace mucho tiempo; **—before** mucho antes; **—live . . . !** ¡viva . . . !; **all winter —** todo el invierno; **—suffering** sufrido; **how — did he stay?** **the whole day —** todo el santo día; vi **to —for** anhelar

longer [lɒŋgə-] adj más largo; adv más; **no —** ya no; **how —?** ¿hasta cuándo? **will you be —?** ¿tardarás mucho? **three meters —** tres metros de largo; **to be —in coming** tardar en venir; **so —!** ¡hasta luego! ¿cuánto tiempo se quedó? **not for —** no por mucho tiempo

longevity [lɑndʒévɪti] n longevidad f

longing [lɒŋiŋ] n anhelo m; adj anhelante

longitude [lɑndʒitud] n longitud f

look [lʊk] vi (see) mirar; (seem) parecer; it **—s good on you** te queda bien, te luce; **to —alike** parecerse; **to —after** atender, cuidar; **to —down on someone** despreciar a alguien; **to —for** (search for) buscar; (anticipate) esperar; **I —forward to it** lo espero con ansia, me da mucha ilusión; **to —into** investigar; **she —s her age** aparenta la edad que tiene; **to —out on** dar a, tener vista a; **to —out of** asomarse a; **—out!** ¡cuidado! **to —over** dar un vistazo a; **to —up** (upwards) levantar la vista; (in a directory) buscar; **to —up to** admirar; n (gaze) mirada f; (examination) vistazo m; **—alike** doble mf; **—out** (person) vigía *mf*; (place) mirador *m*, vigía *f*; **to be on the —out** estar alerta; **—s** aspecto *m*, pinta *f*; **good —s** belleza *f*

looking glass [lúkıŋglæs] *n* espejo *m*

loom [lum] *n* telar *m*; *vi* (appear indistinctly) dibujarse; (threaten) cernerse

loony [lúni] *adj* chiflado

loop [lup] *n* (for fastening) presilla *f*; (in a rope) lazo *m*; (of a flight) rizo *m*; (electric) circuito cerrado *m*; (computer programming, ice-skating) bucle *m*; **—hole** requisito *m*, agujero *m*; *vi* (make a loop) hacer un lazo; (curve around) serpentear; (loop the loop) rizar el rizo; *vt* enlazar

loose [lus] *adj* (free) suelto; (not tight) flojo; (approximate) libre; (unfettered) desatado; (immoral) disoluto; (promiscuous) fácil; **—cannon** mono con una metralleta *m*; **—change** suelto *m*, cambio *m*; **—end** cabo suelto *m*; **—fitting** holgado; **—jointed** de articulaciones flexibles; **—leaf** (de) hojas sueltas; **to let —** soltar; *vt* desatar, soltar

loosen [lúsən] *vi/vr* (untie) soltar(se), desatar; (make/become less tight/dense/strict) aflojar(se)

looseness [lúsnıs] *n* (of skin) flojedad *f*; (of morals) relajamiento *m*; (of clothing) holgura *f*; (of soil) flaibilidad *f*; (of translation) lo figurado

loot [lut] *n* botín *m*; *vi/vr* saquear

lop [lap] *vt* (cut) cortar; (eliminate) eliminar; *adj* **—sided** (leaning to one side) ladeado; (unbalanced) desequilibrado; (listing) escorado

lope [lop] *vi* correr a pasos largos

loquacious [lokwéfəs] *adj* locuaz

loquat [lókwɑt] *n* níspero *m*

lord [lɔrd] *n* señor *m*; (God) Señor *m*; (British title) lord *m*; **—'s Prayer** Padrenuestro *m*; **my —!** ¡Dios mío! *vi* **to — it over someone** tratarse a álguien con arrogancia

lordly [lɔrdli] *adj* (kingly) señorial; (haughty) altivo

lordship [lɔrdfıp] *n* (title) señoría *f*; (power) señorío *m*

lore [lɔr] *n* saber *m*

lose [luz] *vi/vr* perder; (a pursuer) dejar atrás; **to — oneself in thought** ensimismarse; **to — sight of** perder de vista; **loser** [lúzə] *n* perdedor -a *mf*

loss [lɔs] *n* (destruction) pérdida *f*; (misplacement) pérdida *f*, extravío *m*; (sports) derrota *f*; **to be at a —** no saber qué hacer; **to sell at a —** vender con pérdida; **—es** bajas *f pl*

lost [lɔst] *adj* perdido; **— in thought** absorto; **to get —** perderse, extraviarse

lot [lat] *n* (parcel) lote *m*; (luck) suerte *f*; (piece of land) solar *m*, terreno *m*; destino *m*; **the —** todo; **—s of** muchos; **a — of money** mucho dinero; **by —** al azar, **to draw —s** echar suertes; **to fall to one's —** caerle en suerte a uno; *adv* **a — better** mucho mejor

lotion [lófən] *n* loción *f*

lottery [látəri] *n* lotería *f*

loud [laud] *adj* (noisy) ruidoso; (strong) fuerte; (ostentatious) chillón; *adv* fuerte; alto; **—speaker** altavoz *m*, altoparlante *m*; **—mouth** bocazas *m & f sg*

lounge [laundʒ] *vi* repantigarse, arrellanarse; **to — away** pasar holgazaneando; **—n** (waiting-room) sala de espera *f*; (room in bar) salón *m*; (divan) diván *m*; **—chair** diván *m*

louse [laus] *n* piojo *m*

lousy [láuzi] *adj* (infested with lice) piojoso; (contemptible) despreciable; (poorly done) pésimo

lout [laut] *n* bruto *m*

lovable [lávəbəl] *adj* adorable

love [lʌv] *n* (affection) amor *m*; (fondness) afición *f*; (in tennis) nada *f*; **— affair** aventura *f*, amorío *m*; **— at first sight** amor a primera vista *m*, flechazo *m*; **— life** vida sentimental *f*; **— seat** confidente *m*; **books were her great —** los libros fueron su gran pasión; **to be in —** estar enamorado; **to fall in — with** enamorarse de; **to make — to** hacerle el amor a; *vi/vr* amar, querer; **I — to eat apples** me encanta comer manzanas

lovely [lávli] *adj* (beautiful) hermoso; (charming) encantador; (pleasant) ameno

lover [lávr] *n* (sexually involved) amante *mf*; (in love) enamorado -da *mf*, amante *mf*; (interested in) aficionado -da *mf*

loving [lávıŋ] *adj* cariñoso, afectuoso

low [lo] *adj* (not high) bajo; (base) vil; (humble) humilde; (downcast) abatido; (deep in pitch) grave; **—beam** luces cortas *f pl*; **—brow** poco culto; **—cal** de bajas calorías; **—down** verdad *f*; **—end** barato; **—gear** primera marcha *f*; **—grade** (inferior) inferior; (low) bajo; **—key** tranquilo; **—land** tierra baja *f*; **—level** de bajo nivel; **—life** canalla *f*; **—tech** sencillo; **—tide** bajamar *f*, marea *f* baja f; **dress with a — neck** vestido escotado m; **to be — on something** estar escaso de algo; **to be in — spirits** estar abatido/desanimado; adv bajo; **to buy —** comprar barato; n (sound of a cow) mugido m; vi mugir

lower [ló+] vt/vi bajar; (prices) rebajar; (flag, sail) arriar; adj más bajo, inferior; **—case** minúscula f; **— house** cámara de diputados f

lowliness [lólinis] n humildad f

lowly [lóli] adj humilde

loyal [lóiəl] adj leal

loyalty [lóiəlti] n lealtad f

LSD (lysergic acid diethylamide) [elɛsdí] n LSD m

lubricant [lúbrikənt] adj & n lubricante m

lubricate [lúbrikeit] vi/vt lubricar

lucid [lúsid] adj lúcido

luck [lʌk] n suerte f; **in —** de suerte; **to be out of —** estar de mala suerte; **to — into** conseguir por un golpe de suerte; **to — out** tener suerte

lucky [lʌki] adj afortunado; **— charm** amuleto de la suerte m; **to be —** tener suerte

lucrative [lúkrətiv] adj lucrativo

ludicrous [lúdikrəs] adj ridículo

lug [lʌg] vt acarrear

luggage [lʌgidʒ] n equipaje m; **— rack** rejilla f

lukewarm [lúkwɔːrm] adj (not warm or cold) tibio; (indifferent) indiferente

lull [lʌl] vt (put to sleep) arrullar; vi/vt (soothe) calmar(se); n (calm) calma f, tregua f; (sound) arrullo m

lullaby [lʌləbai] n canción de cuna f, nana f

lumber [lʌmbər] n madera f; **—jack** leñador m; **— man** maderero m; **— mill** aserradero m; **— yard** almacén de maderas m; vi/vt (cut trees) talar; (move heavily) moverse pesadamente; (make a low noise) tronar

luminous [lúmənəs] adj luminoso

lump [lʌmp] n (in breast) bulto m; (in sauce) grumo m; (in throat) nudo m; (of coal) trozo m; (of rice) plasta f; (on head) chichón m; (of sugar) terrón m; **to take one's —s** recibir palos; **— sum** pago global m; vt juntar; vi agruparse

lumpy [lʌmpi] adj grumoso

lunar [lúnər] adj lunar; **— eclipse** eclipse lunar m

lunatic [lúnətik] adj & n lunático -ca m f, loco -ca m f; **— fringe** extremistas m pl

lunch [lʌntʃ] n comida f, almuerzo m; **—time** hora de almorzar / comer f; **out to — (crazy)** en la luna; vi comer, almorzar

lung [lʌŋ] n pulmón m

lunge [lʌndʒ] n arremetida f; vi arremeter, abalanzarse; **to — at** arremeter contra, abalanzarse sobre

lurch [lɜːrtʃ] n tambaleo m; **to give a —** tambalearse; **to leave someone in the —** dejar a alguien en la estacada; vi tambalearse, dar barquinazos

lure [lur] n (thing that attracts) atractivo m, gancho m; (in hunting) señuelo m; (in fishing) cebo m; vt atraer, seducir

lurid [lúrid] adj (gruesome) sangriento; (shocking) escabroso

lurk [lɜːrk] vi (lie in wait) estar en acecho, acechar; (move furtively) moverse furtivamente

luscious [lʌʃəs] adj (delicious) exquisito, delicioso; (sexy) voluptuoso

lust [lʌst] n (sexual desire) lujuria f, lascivia f; (craving) deseo m, ansia f; vi desear; **to — after** codiciar

luster [lʌstər] n lustre m, brillo m

lustful [lʌstfəl] adj lujurioso

lusty [lʌsti] adj (robust) robusto; (full of lust) lujurioso

Luxembourg [lʌksəmbɜːg] n Luxemburgo m

Luxembourger [lʌksəmbɜːgə] n luxemburgués -esa m f

Luxembourgian [lʌksəmbɜːgiən] adj luxemburgués

luxurious [lʌgʒúriəs] adj (characterized by luxury) lujoso; (luxuriant) exuberante

luxury [lʌgʒəri] n lujo m; **— tax** impuesto suntuario m; adj de lujo

lye [lai] n lejía f

lying [lái] adj mentiroso

lymph [limf] n linfa f; **— node** nodo linfático m

lynch [lintʃ] vt linchar

lynx [liŋks] n lince m

lyric [lírik] n poema lírico m; **—s** letra f; adj lírico

lyrical [lírikəl] adj lírico

lyricism [lírisizəm] n lirismo m

Mm

ma'am [mæm] n señora f

Macao [məkáu] n Macao m

macaroni [mækəróni] n macarrones m pl

Macedonia [mæsidóniə] n Macedonia f

Macedonian [mæsidóniən] adj & n macedonio -nia m f

machine [maʃin] n máquina f; (of government) maquinaria f; aparato m; — **gun** (not portable) ametralladora f; — **language** lenguaje de máquina m; — **made** hecho a máquina; vt trabajar a máquina

machinery [maʃinri] n maquinaria f, **machinist** [maʃinist] n maquinista mf; operario -ria mf

mackerel [makǝrǝl] n caballa f

mad [mad] adj (crazy) loco; (angry) rabioso, enojado; (hydrophobic) rabioso; **to be about someone** estar loco por alguien; **to drive** — enloquecer, volver loco; **to get** — enojarse; **to go** — volverse loco, enloquecerse; **like** — como loco; —**man** n loco m

Madagascan [madǝgaskǝn] adj & n malgache mf

Madagascar [madǝgaskǝr] n Madagascar m

madam [madǝm] n señora f; (woman who runs a brothel) madama f

madden [madǝn] vt enloquecer

made [med] adj —**to-measure** hecho a la medida; —**to-order** hecho por encargo; —**up** (invented) inventado, falso; (wearing make-up) maquillado; **to be** — **of** ser de; **to have something** — mandar hacer algo; **I'm a** — **man** estoy hecho; **to have it** — estar hecho

madness [madnis] n (insanity) locura f; (anger) rabia f

Mafia [mafiǝ] n mafia f

mafioso [mafioso] n mafioso m

magazine [magǝzin] n (publication) revista f; (room for ammunition) polvorín m; (part of gun) cargador m

magic [madʒik] adj mágico; n magia f; — **bullet** panacea f; — **wand** varita mágica f

magical [madʒikǝl] adj mágico

magician [mǝdʒiʃǝn] n mago -ga mf

magistrate [madʒistret] n magistrado -da mf

magma [magmǝ] n magma m

magnanimous [magnanǝmǝs] adj magnánimo

magnate [magnet] n magnate m

magnesia [magniʒǝ] n magnesia f

magnesium [magniziǝm] n magnesio m

magnet [magnit] n imán m

magnetic [magnɛtik] adj magnético; — **pole** polo magnético m; — **resonance imaging** imagen por resonancia magnética f; — **tape** cinta magnetofónica f

magnetism [magnitizǝm] n magnetismo m

magnetize [magnitaiz] vt magnetizar,

imantar

magnificence [magnifisǝns] n magnificencia f

magnificent [magnifisǝnt] adj magnífico

magnify [magnifai] vt (to make larger) aumentar; (to make louder) amplificar; (to exaggerate) exagerar, magnificar

magnitude [magnitud] n magnitud f

magnolia [magnoljǝ] n (flower) magnolia f; (tree) magnolio m

magpie [magpai] n urraca f (also hoarder)

mahogany [mǝhagǝni] n caoba f

maid [med] n criada f, sirvienta f; (in hotel) camarera f; — **of honor** dama de honor f

maiden [medǝn] n lit doncella f, virgen f; — **name** nombre de soltera m

mail [mel] n correo m; (electronic) mensaje m; (of metal) malla f; — **bag** cartera f; —**box** buzón m; —**man** cartero m; — **order** pedido por correo m; vt echar al correo

main [men] adj principal; — **office** oficina central f; n (pipe) cañería principal f (sea) alta mar f; —**frame** Sp ordenador central m, Am computadora central f; —**land** continente m; —**spring** muelle real m; —**stream** tendencia mayoritaria f; —**stay** pilar m, puntal m; —**street** calle principal f

maintain [menten] vt mantener (also support); (assert) afirmar

maintenance [mentnǝns] n (repairs) mantenimiento m; (monetary support) manutención f

maize [mez] n maíz m

majestic [mǝdʒɛstik] adj majestuoso

majesty [madʒisti] n majestad f; **Your** — Su Majestad

major [medʒǝr] adj (greater) mayor, más grande; (military rank) comandante m; (field of study) especialidad f; — **league** liga mayor f; vi especializarse

majority [mǝdʒɔriti] n mayoría f; **the** — el grueso; (age) mayoría de edad f

make [mek] vt (do) hacer; (create) fabricar, (cause) causar; (earn) ganar; (a speech) pronunciar; **to** — **a clean breast of** sacarse del pecho; **to** — **a decision** tomar una decisión; **to** — **a living** ganarse la vida; **to** — **a train** llegar a tiempo para tomar un tren; **to** — **a turn** girar, doblar; **to** — **away with** fugarse con; **two plus two** —**s four** dos y dos son cuatro; **to** — **believe** hacer de cuenta que; **to** — **out**

(see) vislumbrar, divisar; (read) descifrar;
(kiss) *Sp* morrear; *Am* besuquearse; **to —
too much of** exagerar; **what do you —
of that?** ¿cómo interpretas eso? **to — up**
(a story) inventar un cuento; (after a
quarrel) hacer las paces; (for a loss)
recuperar; (one's face) maquillarse; (one's
mind) decidirse; **to — up for** suplir;
you'll — a good teacher vas a ser un
buen profesor; N marca *f*; **—up**
(composition) composición *f*; (character)
carácter *m*; (cosmetics) maquillaje *m*; ADJ
—shift provisional

maker [mékɚ] N (creator) creador *mf*,
hacedor -ora *mf*; (manufacturer) fabricante
m

makings [mékɪŋz] N (potential) potencial *m*;
(ingredients) ingredientes *m pl*

maladjusted [mæləʤʌ́stɪd] ADJ inadaptado

malady [mælədi] N mal *m*

malaise [məléz] N malestar *m*

malaria [məléria] N malaria *f*, paludismo *m*

Malawi [məláwi] N Malawi *m*

Malawian [məláwiən] ADJ & N malawiano
-na *mf*

Malaysia [məléʒə] N Malasia *f*

Malaysian [məléʒən] ADJ & N malasio -sia *mf*

malcontent [mǽɫkəntɛnt] ADJ & N
descontento -ta *mf*

Maldives [mɔ́ɫdaɪvz] N Maldivas *f pl*

Maldivian [mɔɫdívian] ADJ & N maldivo -va
mf

male [mɛɫ] ADJ (animal, plant) macho;
(person) varón; (trait) masculino; N
(animal, plant) macho *m*; (person) varón
m

malevolent [məlévələnt] ADJ malévolo

malfunction [mæɫfʌ́ŋkʃən] N
funcionamiento defectuoso *m*; VI
funcionar mal

Mali [máli] N Malí *m*

Malian [máliən] ADJ & N malí *mf*

malice [mǽlɪs] N malicia *f*; **with —
aforethought** con premeditación y
alevosía

malicious [məlíʃəs] ADJ malicioso

malign [məláɪn] VT calumniar, difamar

malignant [məlígnənt] ADJ maligno

mall [mɔɫ] N (closed street) paseo *m*;
(enclosed shopping area) galería *f*, centro
comercial *m*

mallet [mǽlɪt] N mazo *m*

malnourished [mæɫnɚ́rɪʃt] ADJ desnutrido

malnutrition [mæɫnutríʃən] N desnutrición
f

malpractice [mæɫprǽktɪs] N negligencia *f*,
mala práctica *f*

malt [mɔɫt] N malta *f*; **—ed milk** leche
malteada *f*

Malta [mɔ́ɫtə] N Malta *f*

Maltese [mɔɫtíz] ADJ & N maltés -esa *mf*

mama, mamma [mámə] N mamá *f*; **—'s
boy** nene de mamá *m*

mammal [mǽməɫ] N mamífero *m*

mammography [mæmágrəfi] N mamografía
f

mammoth [mǽməθ] ADJ enorme; N mamut
m

man [mæn] N hombre *m*; (servant) criado *m*;
(in games) pieza *f*, ficha *f*; **— and wife**
marido y mujer; **—hunt** persecución *f*;
—kind humanidad *f*; **—-of-war** (ship)
buque de guerra *m*; (jellyfish) medusa *f*;
—power (for work) mano de obra *f*; (for
war) soldados *m pl*; **every — for himself**
cada cual para sí; **to a —** unánimamente;
ADJ **—-eating** que come carne humana;
—-made (fiber) sintético; (lake) artificial;
INTERJ ¡hombre! VT (a fort) guarnecer; (a
ship) tripular; **to —handle** violentar

manage [mǽnɪʤ] VT (succeed in) conseguir,
lograr; (direct) dirigir, administrar;
(maneuver) manejar; VI **to — without
help** arreglárselas sin ayuda; **—d care**
asociación mutualista de salud *f*

manageable [mǽnɪʤəbəɫ] ADJ manejable;
(hair) dócil

management [mǽnɪʤmənt] N (act of
managing) manejo *m*, dirección *f*;
(persons controlling a business) gerencia *f*,
gestión *f*

manager [mǽnɪʤɚ] N (of a store) gerente -ta
mf; (of a company) director -ra *mf*

mandate [mǽndet] N mandato *m*; VT
decretar

mandatory [mǽndətɔri] ADJ obligatorio

mandolin [mǽndəlɪn] N mandolina *f*

mane [men] N (of a lion) melena *f*; (of a
horse) crin *f*

maneuver [mənúvɚ] N maniobra *f*; VI/VT
maniobrar

manganese [mǽŋɡəniz] N manganeso *m*

mange [menʤ] N sarna *f*, roña *f*

manger [ménʤɚ] N pesebre *m*

mangle [mǽŋɡəɫ] VT (mutilate) magullar,
mutilar; (ruin) estropear

mango [mǽŋɡo] N mango *m*

mangrove [mǽŋɡrov] N mangle *m*

mangy [ménʤi] ADJ sarnoso

manhood [mǽnhud] N virilidad *f*; (men
collectively) hombres *m pl*; (adult age)
edad adulta *f*

mania [méniə] N manía *f*

maniac [méniæk] N maníaco -ca *mf*, maniaco

map [mæp] n (geographical) mapa m; (of streets) plano m; vr trazar un mapa de; **to — out** planear

maple [ˈmepəl] n Sp arce m, Am maple m; **— syrup** miel de arce, maple m

mar [mar] vr estropear

marathon [ˈmɛrəθɑn] n maratón m o f

marble [ˈmɑrbəl] n mármol m; (toy) canica f, bola f; **to play —s** jugar a las canicas; adj de mármol, marmóreo

march [mɑrʧ] n marcha f; vi marchar; (leave) marcharse; **to — in** entrar; **to — out** marcharse; vr hacer marchar

March [mɑrʧ] n marzo m

mare [mɛr] n yegua f

margarine [ˈmɑrʤərɪn] n margarina f

margin [ˈmɑrʤɪn] n margen m o f

marginal [ˈmɑrʤənəl] adj marginal

marginalize [ˈmɑrʤənəlaɪz] vr marginar

marigold [ˈmɛrɪɡold] n maravilla f, caléndula f

marijuana, marihuana [mɛrəˈwɑnə] n marihuana f

marina [məˈrinə] n marina f

marinate [ˈmɛrənet] vr marinar

marine [məˈrin] adj (of the sea) marino; (maritime) marítimo; **— corps** infantería de marina f; n soldado de infantería de marina m

marionette [mɛriəˈnɛt] n marioneta f

marital [ˈmɛrɪtl] adj conyugal

maritime [ˈmɛrɪtam] adj marítimo

mark [mɑrk] n (token) señal f; (indication) seña f; (grade) nota f, calificación f; (former German currency) marco m; **—sman** tirador m; **he's a good —sman** tiene muy buena puntería/muy buen tino; **the halfway —** el punto medio, la mitad; **to hit the —** dar en el blanco; **on your —, set, go!** ¡en sus marcas, listos y ya! ¡en sus marcas, listos, fuera! **to make one's —** distinguirse; **to miss the —** errar el tiro; **easy —** blanco fácil; vr marcar, (indicate) señalar, (observe) observar, notar; (grade) calificar; **—ed for greatness** destinado a la grandeza, ¡ya verás! **to — down prices** rebajar los precios; **to — off** acotar, deslindar; **to — up prices** subir los precios

markdown [ˈmɑrkdaʊn] n rebaja f

marker [ˈmɑrkər] n marcador m

market [ˈmɑrkɪt] n mercado m; **— place** mercado m; **— price** precio de mercado m; **— share** sector del mercado m; **I'm in the — for** estoy buscando; vr

---

maniacal [mənˈaɪəkl] adj maníaco

manic-depressive [mænɪkdɪˈprɛsɪv] adj maníaco-depresivo

manicure [ˈmænɪkjʊr] n manicura f; vr manicurar

manifest [ˈmænɪfɛst] adj manifiesto; n (list of cargo) manifiesto m, hoja de ruta f; vr (show) manifestar, poner de manifiesto

manifestation [mænəfɛsˈteʃən] n manifestación f

manifesto [mænəˈfɛsto] n manifiesto m

manifold [ˈmænəfold] adj diverso; n colector m

manila [məˈnɪlə] n abacá n; **— envelope** sobre manila m

manioc [ˈmænɪɑk] n mandioca f, yuca f

manipulate [məˈnɪpjəlet] vr manipular

manipulation [mənɪpjəˈleʃən] n manipulación f

manlike [ˈmænlaɪk] adj (manly) varonil; (mannish) hombruna; (resembling a human) de hombre

manly [ˈmænli] adj varonil, viril

manner [ˈmænər] n (way) manera f, modo m, forma f; (type) tipo m; (air) aire m; **—s** modales m; (outward bearing) porte m; **—s** modales m pl, crianza f; **in the — of** a la manera de

mannerism [ˈmænərɪzəm] n peculiaridad f, manera de

mannish [ˈmænɪʃ] adj hombruno, varonil

manor [ˈmænər] n feudo m, solar m; **— house** casa solariega f

mansion [ˈmænʃən] n mansión f

mantel [ˈmænəl] n repisa de chimenea f

mantle [ˈmænəl] n manto m

mantra [ˈmæntrə] n mantra m

manual [ˈmænjuəl] adj & n manual m

manufacture [mænjəˈfækʧər] vr fabricar, confeccionar; n fabricación f, manufactura f; (of clothes, shoes) confección f

manufacturer [mænjəˈfækʧərər] n fabricante

manufacturing [mænjəˈfækʧərɪŋ] n fabricación f, manufactura f; adj fabril, manufacturero

manure [məˈnur] n estiércol m; vr estercolar, abonar

manuscript [ˈmænjəskrɪpt] adj & n manuscrito m

many [ˈmɛni] adj muchos; **— apples** muchas manzanas; **— came** vinieron muchos; **— a time** muchas veces; **a great —** muchísimos, **as — as** tantos como; **as — as five** hasta cinco; **how —** ¿cuántos? **too —** demasiados; **three books too —** tres libros de más;

comercializar, mercadear

marketable [márkɪɾəbəł] ADJ vendible

marketing [márkɪɾɪŋ] N (field of study) mercadotecnia f, marketing m; (selling) comercialización f

marmalade [mármələd] N mermelada de naranja f

maroon [mərún] ADJ & N bordó/bordeaux m; VT abandonar

marriage [mǽrɪʤ] N matrimonio m; (combination) combinación f; — **license** licencia de matrimonio f

marriageable [mǽrɪʤəbəł] ADJ casadero

married [mǽrid] ADJ (united in marriage) casado; (relation to marriage) conyugal; — **couple** matrimonio m; **to get** — casarse

marrow [mǽro] N (in the bones) médula f; (food) tuétano m; (essential part) meollo m

marry [mǽri] VT (to marry off) casar; (to get married) casarse con; VI casarse

marsh [marʃ] N pantano m, ciénaga f

marshal [márʃəł] N (military) mariscal m; (police chief) alguacil m; (of a parade) maestro de ceremonia m; VT (facts, forces) reunir; (troops) formar

Marshallese [marʃəlíz] ADJ & N marshalés -esa mf

Marshall Islands [márʃəláɪləndz] N Islas Marshall f pl

marshmallow [márʃmɛlo] N caramelo de azúcar y gelatina m

marshy [márʃi] ADJ pantanoso, cenagoso

martial [márʃəł] ADJ marcial; — **arts** artes marciales f pl; — **law** ley marcial f

martin [mártṇ] N avión m

martini [martíni] N martini m

martyr [márdɚ] N mártir m; VT martirizar

martyrdom [márdɚdəm] N martirio m

marvel [márvəł] N maravilla f; VI maravillarse

marvelous [márvələs] ADV maravilloso

Marxism [márksɪzəm] N marxismo m

mascara [mæskǽɾə] N rímel m

mascot [mǽskɑt] N mascota f

masculine [mǽskjəlɪn] ADJ masculino

mash [mæʃ] VT aplastar, pisar; N (pulpy mass) puré m; (food for livestock) afrecho m; (malt) malta remojada f; —**ed potatoes** puré de papas/patatas m

mask [mæsk] N máscara f, careta f; VT enmascarar; —**ed ball** baile de máscaras m

masochism [mǽsəkɪzəm] N masoquismo m

mason [mésən] N (builder) albañil m; (freemason) masón m

masonry [mésənri] N (bricklaying) albañilería f; (fraternal order) masonería f

masquerade [mæskɚéd] N mascarada f; VI **to — as** hacerse pasar por

mass [mæs] N masa f; (in church) misa f; — **communication** comunicación de masas f; —-**marketing** comercialización masiva f; — **media** medios de comunicación (de masas) m pl; — **production** fabricación en masa f; — **unemployment** desempleo/paro masivo m; — **transit** transporte público m; **the —es** las masas pl; VI/VT juntar(se) en masa; (troops) concentrar(se)

massacre [mǽsəkɚ] N masacre m; VT masacrar

massage [məsáʒ] N masaje m; — **parlor** salón de masajes m; VT (give a massage) masajear; (change data) manipular

masseur [məsɚ́] N masajista m

masseuse [məsús] N masajista f

massive [mǽsɪv] ADJ (severe) masivo; (solid) macizo; (large) enorme

mast [mæst] N mástil m, árbol m

mastectomy [mæstéktəmi] N mastectomía f

master [mǽstɚ] N (person in control) amo -a mf, señor -ora mf; (owner of slave or animal) amo -a mf; (best representative, skilled laborer) maestro m; (young boy) señorito m; (tape or disk) original m; —'s **degree** maestría f, ADJ (dominant) dominante; — **bedroom** dormitorio principal m; — **key** llave maestra f; —**piece** obra maestra f; VT dominar

masterful [mǽstɚfəł] ADJ magistral

masterly [mǽstɚli] ADJ magistral

mastery [mǽstɚi] N dominio m

mastiff [mǽstɪf] N mastín m, alano m

masturbate [mǽstɚbet] VI/VT masturbar

mat [mæt] N (floor covering) estera f; (for wiping feet) felpudo m; (in gymnastics) colchoneta f; (of hair) maraña f; VI enmarañarse

match [mætʃ] N (pair) pareja f; (chess game) partida f; (tennis game) partido m; (boxing encounter) combate m; (device for fire) fósforo m, cerilla f; —**box** cajita de fósforos f; —**maker** casamentero -ra mf; **he has no** — no tiene igual; **he is a good** — es un buen partido; **the hat and coat are a good** — el abrigo y el sombrero hacen juego; VI/VT hacer juego (con); VI (to correspond) estar de acuerdo; **the colors don't** — los colores no combinan; VT (equal) igualar; (come to correspond) poner de acuerdo; (form pairs) parear

matchless [mǽtʃlɪs] ADJ sin par

mate [meɪt] N (one of a pair) pareja f; (friend) compañero -ra m/f; (on a ship) oficial m; (in chess) mate m; vt/vi aparear(se)

material [məˈtɪriəl] adj material; (pertinent) pertinente; N (substance) material m; (fabric) tejido m, género m; vt/vi **materialize** [məˈtɪriəlaɪz] vt/vi materializar(se)

maternal [məˈtɜrnəl] adj (motherly) maternal; (on mother's side of family) materno

maternity [məˈtɜrnɪti] N maternidad f

math [mæθ] N matemáticas f (pl)

mathematical [ˌmæθəˈmætɪkəl] adj matemático

mathematician [ˌmæθəməˈtɪʃən] N matemático -ca m/f

mathematics [ˌmæθəˈmætɪks] N matemáticas f (pl)

matinée [ˌmætəˈneɪ] N matiné f

matriarch [ˈmeɪtriɑrk] N matriarca f

matriculate [məˈtrɪkjəleɪt] vt/vi matricular(se)

matriculation [məˌtrɪkjəˈleɪʃən] N matriculación f, matrícula f

matrimony [ˈmætrəmoʊni] N matrimonio m

matrix [ˈmeɪtrɪks] N matriz f

matron [ˈmeɪtrən] N matrona f; (in a hospital) jefa de enfermeras f

matter [ˈmætər] N (substance, pus) materia f; (affair) asunto m; (printed) impreso m; (reading) material de lectura m; — **for** motivo de queja m; **as a — of fact** de hecho; **it is of no** — no tiene importancia; **no — what you say** no importa lo que digas; **to do something as a — of course** hacer algo por rutina; **what is the —?** ¿qué pasa? vi importar; **it doesn't** — no importa

mattress [ˈmætrɪs] N colchón m

mature [məˈtʃʊr] adj maduro; **a — note** un pagaré vencido/pagadero; **for — audiences** para adultos; vt/vi madurar(se); (savings bond) vencer(se)

maturity [məˈtʃʊrɪti] N madurez f; (of a debt) vencimiento m

maul [mɔl] vt atacar, herir gravemente

Mauritania [ˌmɔrɪˈteɪniə] N Mauritania f

Mauritanian [ˌmɔrɪˈteɪniən] adj & N mauritano -na m/f

Mauritian [mɔˈrɪʃən] adj & N mauriciano -na m/f

Mauritius [mɔˈrɪʃəs] N Mauricio m

maverick [ˈmævərɪk] N cimarrón m (also person); (person) inconformista m/f

maximum [ˈmæksəməm] adj & N máximo m

may [meɪ] v aux — **I sit down?** ¿puedo sentarme? — **you have a merry Christmas** que pases una feliz Navidad; **it — be that** puede ser que; **it — rain** puede (ser) que llueva, tal vez llueva; **she — have been late** puede (ser) que haya llegado tarde; **be that as it** — sea como fuere

May [meɪ] N mayo m; — **Day** primero de mayo m; — **pole** mayo m

maybe [ˈmeɪbi] adv quizá(s), tal vez

mayonnaise [ˌmeɪəˈneɪz] N mayonesa f, mahonesa f

mayor [ˈmeɪər] N alcalde m

maze [meɪz] N laberinto m

me [mi] pron **she sees** — me ve; **he talks to** — me habla; **he comes with** — viene conmigo; **he did it for** — lo hizo para mí

meadow [ˈmɛdoʊ] N pradera f, prado m; — **lark** alondra f

meagre [ˈmigər] adj escaso, exiguo

meal [mil] N comida f; (flour) harina f; — **time** hora de comer

mean [min] adj (unkind) cruel; (petty) vil; (humble) humilde; (stingy) mezquino; — **spirited** de mal genio; (middle) medio; (difficult) difícil; **I make a — lasagna** me sale muy rica la lasaña; N (average) media f, promedio m; — **s** medios m pl; **the ends justify the — s** el fin justifica los medios; **a man of — s** un hombre adinerado; **by — s of** por medio de; **by all — s** (of course) por supuesto; **by no — s** de ningún modo; vt (intend) querer, tener intenciones; (signify) querer decir, significar; **he — s well** tiene buenas intenciones; **winning — s everything to them** lo que más les importa es ganar; **they are meant for each other** son el uno para el otro

meander [miˈændər] vi (be winding) serpentear; (to wander) vagar

meaning [ˈminɪŋ] N (sense) significado m, sentido m; (purpose) sentido m; **well—** bien intencionado

meaningless [ˈminɪŋlɪs] adj sin sentido

meanness [ˈminnɪs] N (cruelty) crueldad f; (pettiness) mezquindad f

meantime [ˈmintaɪm] adv loc **in the —** mientras tanto

meanwhile [ˈminhwaɪl] adv mientras tanto

measles [ˈmizəlz] N sarampión m

measurable [ˈmeʒərəbəl] adj medible, mensurable

measure [ˈmeʒər] N (dimension) medida f;

criterion m; (in musical bar) compás m; (bill) proyecto de ley m; **—s** medidas f pl; **beyond —** sobremanera; **dry —** medida de áridos f; **in large —** en gran parte; vi/vr medir; **to — up** compararse con; **measuring tape** cinta de medir f, metro m

measured [mɛʒəd] adj (rhythmical) acompasado; (moderate) moderado, mesurado

measurement [mɛʒəmənt] N (act of measuring) medición f; (dimension) medida f, dimensión f

meat [mit] N carne f; (essential point) meollo m; **—ball** albóndiga f; **— loaf** pan/pastel de carne m

meaty [miti] adj (with meat) con mucha carne; (substantial) sustancioso

mechanic [mɪkænɪk] adj & N mecánico m; N **—s** mecánica f

mechanical [mɪkænɪkəl] adj mecánico

mechanism [mɛkənɪzəm] N mecanismo m

medal [mɛdl] N medalla f; vi ganar una medalla

meddle [mɛdl] vi entrometerse; inmiscuirse

meddler [mɛdlə] N entrometido -da m f

meddlesome [mɛdlsəm] adj entrometido

media [midiə] N media m pl, medios de comunicación (de masas) m pl

median [midiən] adj mediano; N (middle value, line) mediana f

mediate [midiet] vi/vr mediar

mediation [midieʃən] N mediación f

mediator [midietər] N mediador -ra m f

medical [mɛdɪkəl] adj médico; **— school** facultad de medicina f

medication [mɛdɪkeʃən] N medicación f

medicinal [mədɪsɪnəl] adj medicinal

medicine [mɛdɪsɪn] N medicina f; **— ball** balón medicinal m; **— cabinet** botiquín m; **— man** curandero m

medieval [midivəl] adj medieval

mediocre [midioukər] adj mediocre

mediocrity [midiɑkrɪti] N mediocridad f

meditate [mɛdɪtet] vi meditar

meditation [mɛdɪteʃən] N meditación f

medium [midiəm] N (person who contacts spirits) médium mf; adj mediano; adv término medio; **— of exchange** medio de cambio m

medley [mɛdli] N (music) popurrí m; (mixture) mezcla f

meek [mik] adj manso

meet [mit] vr (encounter) encontrarse con; (make acquaintance) conocer; (face in conflict) enfrentar; (satisfy) satisfacer; (pay) pagar; **to — a deadline** cumplir el plazo; **to — the expenses** sufragar los gastos; **to — halfway** partir la diferencia; **to — a train** esperar un tren; **I will — you at the station** nos encontramos/vemos en la estación; **have you met my brother?** ¿conoces a mi hermano? **we were met with disapproval** se nos recibió con desaprobación; (encounter) encontrarse; (make acquaintance) conocerse; (have a meeting) reunirse; **to — with** (intentional) reunirse con; (unintentional) tropezar con; **in battle** trabar batalla; **to — with an** encuentro deportivo m, competición f

meeting [mitɪŋ] N reunión f, junta f; (political) mitin m; (crossing of roads) cruce m

megabyte [mɛgəbait] N megabyte m

megahertz [mɛgəhɜrtz] N megahertz m, megahercio m

megaphone [mɛgəfon] N megáfono m, bocina f

melancholy [mɛlənkɑli] N melancolía f; adj melancólico

melanoma [mɛlənomə] N melanoma m

mellow [mɛlo] adj (soft) dulce, suave; (gentle) tranquilo; vi/vr suavizar(se)

melodious [məlodiəs] adj melodioso

melodrama [mɛlodrɑmə] N melodrama m

melody [mɛlədi] N melodía f

melon [mɛlən] N melón m

melt [mɛlt] vi/vr (liquefy) derretir(se); (dissolve) disolver(se); **—down** (fusion) catástrofe por fusión nuclear incontrolada f; (any developing disaster) catástrofe f; **melting pot** [mɛltɪŋpɑt] M crisol m

member [mɛmbə] N miembro m (also body part)

membership [mɛmbəʃip] N (number) número de miembros / socios m; (state) calidad de miembro / socio f

membrane [mɛmbren] N membrana f

memento [məmɛnto] N recuerdo m

memoir [mɛmwɑr] N memoria f; **—s** memorias f pl, autobiografía f

memorable [mɛmərəbl] adj memorable

memorandum [mɛmərændəm] N memorándum m

memorial [məmɔriəl] N (monument) monumento conmemorativo m; (petition) memorial m; adj conmemorativo

memorize [mɛməraiz] vi/vr memorizar

memory [mɛməri] N (faculty) memoria f; (recollection) recuerdo m

menace ['mɛnɪs] n amenaza f; v/vt amenazar

mend [mɛnd] v/vt remendar; **to — matters** enmendar la situación; **to — one's ways** enmendarse, reformarse; v (sick person) mejorarse; (bones) soldarse; n remiendo m; **to be on the —** ir mejorando

menial ['miːnɪəl] adj bajo; (job) servil; n criado -da m/f

meningitis [mɛnɪn'dʒaɪtɪs] n meningitis f

menopause ['mɛnəpɔːz] n menopausia f

menstruation [mɛnstru'eɪʃən] n menstruación f

mental ['mɛntl] adj mental; (insane) (fam) chiflado; **— health** n salud mental f; **— illness** n enfermedad mental f; **— retardation** n retraso mental m

mentality [mɛn'tælɪtɪ] n mentalidad f

mention ['mɛnʃən] v/t mencionar; **don't — it** no hay de qué; n mención f

mentor ['mɛntɔː] n mentor -ra m/f

menu ['mɛnjuː] n carta f (list of dishes); menú m (computer) menú m

meow [mjau] interj miau

mercantile ['mɜːkəntɪl] adj mercantil

mercenary ['mɜːsənərɪ] adj mercenario m

merchandise ['mɜːtʃəndaɪs] n mercancía f, mercadería f

merchandising ['mɜːtʃəndaɪzɪŋ] n mercadeo m, comercialización f

merchant ['mɜːtʃənt] n (trader) comerciante m, mercader m; adj mercante; **— marine** marina mercante f

merciful ['mɜːsɪfl] adj misericordioso

merciless ['mɜːsɪləs] adj despiadado

mercury ['mɜːkjərɪ] n mercurio m; (on a mirror) azogue m

mercy ['mɜːsɪ] n compasión f, misericordia f, clemencia f, piedad f; **to be at the — of** estar a merced de; **— killing** eutanasia f

mere [mɪə] adj mero, simple; **a — trifle** una nonada

merge [mɜːdʒ] v/i/vt (join) unir(se); (colors) fundir(se); (companies) fusionar(se)

merger ['mɜːdʒə] n fusión f

meridian [mə'rɪdɪən] adj & n meridiano m

merit ['mɛrɪt] n mérito m; v/t merecer

meritorious [mɛrɪ'tɔːrɪəs] adj meritorio

mermaid ['mɜːmeɪd] n sirena f

merriment ['mɛrɪmənt] n alegría f, algazara f

merry ['mɛrɪ] adj alegre; **—go-round** tiovivo m; **— maker** festero m, juerguista m/f; **—making** fiesta f, juerga f; **to make — divertirse**; interj **— Christmas** Feliz Navidad f, Felices Pascuas

mesa ['meɪsə] n mesa f

mesh [mɛʃ] n (of metal) malla f; (of fiber) red f; (of gears) engranaje m; v/i engranar

mesmerize ['mɛzməraɪz] v/vt hipnotizar

mess [mɛs] n (state of confusion) desorden m, desarreglo m; (disorderly person) desordenado -da m/f, mugriento -ta m/f; (confused person) desastre m; (difficult situation) lío m, jaleo m; (food for soldiers) rancho m; (cafeteria) cantina f; **— hall** cantina f; **— of fish** plato de pescado m; **to make a — of** (a room) ensuciar, desordenar; (a project) estropear; v/vt **to — up** (a room) alborotar, desordenar; (clothes, hair) desarreglar; (a project) estropear; **to — with** meterse con (philander); correr detrás de las mujeres; **to — up** (a room) alborotar, desordenar; (get involved with) meterse con; tiempo; (waste time) perder el tiempo

message ['mɛsɪdʒ] n mensaje m, recado m; **I get the —** ya caí en cuenta

messenger ['mɛsəndʒə] n mensajero -ra m/f

messy ['mɛsɪ] adj (chaotic) desordenado; (embarrassing) embarazoso

metabolism [mə'tæbəlɪzəm] n metabolismo m

metal ['mɛtl] n metal m; adj de metal, metálico

metallic [mə'tælɪk] adj metálico

metallurgy [mə'tælɜːdʒɪ] n metalurgia f

metamorphosis [mɛtə'mɔːfəsɪs] n metamorfosis f

metaphor ['mɛtəfə] n metáfora f

metaphysics [mɛtə'fɪzɪks] n metafísica f

metastasis [mə'tæstəsɪs] n metástasis f

meteor ['miːtɪə] n meteoro m; **— shower** lluvia de meteoritos

meteorite ['miːtɪəraɪt] n meteorito m

meteorology [miːtɪə'rɒlədʒɪ] n meteorología f

meter ['miːtə] n (unit of length) metro m; (measuring device) contador m, medidor m

methane ['miːθeɪn] n metano m

method ['mɛθəd] n método m

methodical [mə'θɒdɪkl] adj metódico

methodology [mɛθə'dɒlədʒɪ] n metodología f

meticulous [mə'tɪkjələs] adj detallista

metric ['mɛtrɪk] adj métrico

metronome ['mɛtrənəʊm] n metrónomo m

metropolis [mə'trɒpəlɪs] n metrópoli f, urbe f

metropolitan [mɛtrə'pɒlɪtən] adj metropolitano

mettle ['mɛtl] n temple m, valor m

Mexican ['mɛksɪkən] adj & n mexicano -na m/f

Mexico ['mɛksɪkəʊ] n México m

mezzanine ['mɛzəniːn] n entrepiso m, entresuelo m

Mickey mouse ['mɪkɪmaʊs] adj poco serio,

microbe [maikrob] n microbio m

microcomputer [maikrokəmpjutə] n Am microcomputadora f; Sp microordenador m

microeconomics [maikrokənámiks] n microeconomía f

microfiche [maikrofiʃ] n microficha f

microfilm [maikrofilm] n microfilm m; microfilme m

micromanage [maikromǽnidʒ] vi/vt

micron [maikran] n micrón m, micra f

Micronesia [maikroníʒa] n Micronesia f

Micronesian [maikroníʒan] adj & n micronesio-sia m,f

microorganism [maikroórgənizm] n microorganismo m

microphone [maikrofon] n micrófono m

microprocessor [maikroprásesə-] n microprocesador m

microscope [maikroskop] n microscopio m

microscopic [maikroskápik] adj microscópico

microsurgery [maikrosэ́rdʒən] n microcirugía f

microwave [maikrowev] n microonda f — **oven** (horno) microondas m sg

mid [mid] adj medio; **—day** (del) mediodía m; **—air** en el aire; **—life** madurez f; **—night** (de) medianoche f; **—shipman** guardiamarina m; **—stream** (of a river) en medio del río; (of a task) en plena actividad; **—summer** pleno verano m; **—term examination** examen a mitad del curso m; **—way** a medio camino, a mitad del camino; **—wife** partera f, comadre f

middle [midl] adj (average) medio, mediano; (intermediate) intermedio; (central) central; **—aged** de mediana edad; **—Ages** Edad Media f; **—ear** oído medio m; **—finger** dedo mayor m, dedo del corazón m; **—man** intermediario m, revendedor m; **—management** mandos medios m pl; **—name** segundo nombre m; **—sized** (de) tamaño mediano m; **In the — of** (waist) cintura f; **In the — of** en el medio de; **I'm in the — of something** estoy ocupado haciendo algo; **—of-the-road** moderado; **toward the —of the month** a mediados del mes

midget [midʒit] n enano-na m,f

midst [midst] n medio m, centro m; **in the — of** en medio de, entre; **in our — entre** nosotros

mien [min] n porte m

might [mait] n v aux **it — be that** podría ser

migrate [maigret] vi emigrar

migraine [maigren] n migraña f, jaqueca f

migrant [maigrant] adj migratorio, migrante; n trabajador -ra itinerante m,f; bracero -ra m,f

mighty [maiti] adj (strong) poderoso, potente; (large) imponente; adv muy

mike [maik] n (microphone) micrófono m

mild [maild] adj (gentle) suave; (moderate) moderado; (not serious) leve

mildew [mildu] n moho m

mildness [maildnis] n (gentleness) suavidad f; (lack of gravity) levedad f

mile [mail] n milla f; **—stone** hito m

mileage [maildʒ] n (distance, odometer reading) millaje m, kilometraje m; **this car gets good —** este coche es económico; **what kind of — are you getting?** ¿cuántos kilómetros por litro hace tu coche?

milieu [milju] n ambiente m

militant [militant] adj & n (fanatic) militante m,f; (combatant) combatiente m,f

military [militari] adj militar; n **the —** (armed forces) el ejército; (military personnel) los militares

militia [maliʃa] n milicia f

milk [milk] n leche f **— chocolate** chocolate con leche m; **—maid** lechera f; **—man** lechero m; **—shake** batido m; vt ordeñar; (exploit) exprimir; **he's —ing it for all it's worth** le está sacando todo el jugo

milky [milki] adj (consistency) lechoso; (product) lácteo; **—Way** Vía Láctea f

mill [mil] n (building) molino m; (factory) fábrica f; (for sugar) trapiche m; ingenio m; (rotating tool) fresa f; (small grinder) molinillo m; **—stone** muela de molino f; **a —stone around your neck** una piedra al cuello; vt (grind grain) moler; (cut wood) aserrar; (cut grooves on coins) acordonar; (machine) fresar; **to —around** dar vueltas

millennium [maliniam] n milenio m

miller [mila] n (person who mills) molinero m; (machine for milling) molinera f; (moth) mariposa nocturna f

milligram [miligram] n miligramo m

milliliter [mililita-] n mililitro m

millimeter [milimita-] n milímetro m

milliner [milina] n sombrerero -ra m,f

millinery [milinari] N (shop) sombrerería f;

(hats) sombreros de señora m pl

million [míljən] N millón m; **a — dollars** un millón de dólares

millionaire [mɪljənér] N millonario -ria mf

millionth [míljənθ] ADJ & N millonésimo m

mime [maim] N (actor) mimo m; (technique, performance) pantomima f; VI hacer la mímica

mimic [mímɪk] VT imitar, remedar; N mono -na mf, remedador -ra mf

mince [mɪns] VT picar, desmenuzar; **—meat** picadillo m; **not to — words** no tener pelos en la lengua; **I'm going to make —meat of you** te voy a hacer picadillo

mind [maɪnd] N (thinking process) mente f; (person of intellect) inteligencia f; (opinion) parecer m, opinión f; **—-altering** alucinógeno; **— games** manipulación psicológica f; **— over matter** el espíritu sobre la materia; **—set** actitud f; **to be out of one's —** estar loco; **to change one's —** cambiar de parecer / opinión; **to give someone a piece of one's —** cantarle a alguien las cuarenta; **I have a — to** me dan ganas de; **to make up one's —** decidirse; **to my —** a mi modo de ver; **to speak one's — freely** hablar con toda franqueza; **what do you have in —?** ¿qué tienes en mente? **to call to —** recordar; **to keep one's — on one's work** concentrarse en el trabajo; VT (take care of) cuidar; (pay attention to) atender a; (obey) obedecer; **I don't —** no tengo inconveniente en ello; **— what you say** cuidado con lo que dices; **to — one's own business** no meterse en lo ajeno

mindful [máɪndfəl] ADJ atento (a)

mine [maɪn] PRON **this book is —** este libro es mío; **these things are —** estas cosas son mías; **— is bigger** el mío / la mía es más grande; **a friend of —** un amigo mío / una amiga mía; N mina f (also explosive device); **—field** campo minado m; **— sweeper** dragaminas m sg, barreminas m sg; VT (plant explosives) minar; (dig out minerals) extraer; (exploit an area for minerals) explotar; VI (lay mines) sembrar minas; (dig a mine) cavar una mina; **to — for** extraer

miner [máɪnə] N minero -ra mf

mineral [mínəəl] ADJ & N mineral m; **— water** agua mineral f

mingle [míŋgəl] VI mezclarse; (sounds) confundirse; VT mezclar

miniature [mínɪətʃə] N miniatura f; ADJ en miniatura

minicomputer [mɪnɪkəmpjúdə] N Am minicomputadora f; Sp miniordenador m

minimal [mínəməl] ADJ mínimo

minimize [mínəmaɪz] VT minimizar

minimum [mínəməm] ADJ & N mínimo m; **— wage** salario mínimo m

mining [máɪnɪŋ] N (of minerals) minería f; (with explosives) minado m; ADJ minero; **— engineer** ingeniero -ra de minas mf

miniskirt [mínɪskət] N minifalda f

minister [mínɪstə] N (official) ministro -tra mf; (pastor) pastor -ora mf, clérigo m; VI **to — to** atender a

ministry [mínɪstri] N (government agency) ministerio m; (functions of pastor) clerecía f

minivan [mínɪvæn] N camioneta f

mink [mɪŋk] N visón m

minnow [míno] N pececillo m

minor [máɪnə] ADJ (smaller) menor, más pequeño; (of secondary importance) menor; **— key** tono menor m; **— league** liga menor f; N (young person) menor de edad mf; (musical interval) tono menor m; (subfield) asignatura secundaria f; VI tener como segunda especialización

minority [mənórɪdi] N (smaller part or group) minoría f; (state of being underage) minoridad f; (member of a minority) miembro de una minoría m; ADJ minoritario

mint [mɪnt] N (flavor) menta f, hierbabuena f; (candy) pastilla de menta f; (money) casa de la moneda f; VT acuñar

minus [máɪnəs] PREP **seven — four** siete menos cuatro; **we came — my brother** vinimos sin mi hermano; N signo de menos m; ADJ negativo

minuscule [mínəskjul] ADJ minúsculo

minute [mínɪt] N minuto m; **— hand** minutero m; **—s** actas f pl; [mənjút] ADJ (small) diminuto; (detailed) detallado, minucioso

miracle [mírəkəl] N milagro m

miraculous [mɪrǽkjələs] ADJ milagroso

mirage [mɪráʒ] N espejismo m

mire [maɪr] N (mud) cieno m, fango m; (muddy place) ciénaga f; VI / VT (bog down) atascar(se) en el fango; (be or get covered with mud) enlodar(se)

mirror [mírə] N espejo m; (large) luna f; **— image** imagen especular f; VT reflejar

mirth [məθ] N risa f, hilaridad f

mirthful [mə́θfəl] ADJ risueño

miry [máɪri] ADJ cenagoso, fangoso

misappropriation [mɪsəpropriéʃən] N malversación f

misbehave [misbiˈhev] vi portarse mal

miscarriage [misˈkæriʤ] n aborto espontáneo m; malparto m; **— of justice** injusticia f

miscarry [misˈkæri] vi (abort) abortar espontáneamente; (fail) malograrse, frustrarse

miscellaneous [misəˈleniəs] adj diverso; (of texts) miscelánea; **— expenses** gastos varios mf

mischief [ˈmistʃif] n travesura f, diablura f; picardía f (serious prank) barrabasada f; bellaquería f; **this will come to —** va a suceder una desgracia

mischievous [ˈmistʃəvəs] adj travieso, pícaro; malo

misconception [miskənˈsepʃən] n concepto erróneo m

misconduct [misˈkɑndʌkt] n (bad behavior) mala conducta f; (malfeasance) mala administración f; (misconduct) vt administrar mal; **to — oneself** portarse mal

miscue [misˈkju] n pifia f; vi/vt pifiar

misdeed [misˈdid] n fechoría f

misdemeanor [misdiˈminə] n delito menor m

miser [ˈmaizə] n avaro -ra mf, tacaño -ña mf

miserable [ˈmizərəbl] adj infeliz; desdichado, mísero; **a — day** un día asqueroso; **a — failure** un fracaso rotundo

misery [ˈmizəri] n (wretchedness) desgracia f; (poverty) miseria f; (unhappiness) m

misfit [ˈmisfit] n inadaptado -da mf; infelicidad f

misfortune [misˈfɔrtʃən] n desgracia f, desdicha f, desventura f

misgivings [misˈgivinz] n aprensión f, recelo m

misguided [misˈgaidid] adj mal aconsejado, poco feliz

mishap [ˈmishæp] n contratiempo m, percance m

misinform [misinˈfɔrm] vt desinformar, dar información errónea

misjudge [misˈʤʌʤ] vt juzgar mal

mislay [misˈle] vt (lose keys, etc.) extraviar, perder; (lose a document) traspapelar; (lay wrong) colocar mal

mislead [misˈlid] vt (lead in wrong direction) guiar por mal camino; (lead into error) engañar, confundir

misogyny [misˈɑʤəni] n misoginia f

mismanage [misˈmænɪʤ] vt administrar mal

misplace [misˈples] vt (lose keys, etc.) extraviar; (lose a document) traspapelar;

misprint [ˈmisprint] n errata f, error de imprenta m

misrepresent [misrepriˈzent] vt distorsionar, tergiversar

misrepresentation [misreprizenˈteʃən] n distorsión f, tergiversación f

miss [mis] vt (fail to hit) errar; (misfire) fallar; vi (fail to hit) errar, no acertar; (fail to be on time for) perder; (fail to attend) faltar a; (feel absence of) echar de menos; Am extrañar; **he just —ed being killed** por poco se mata; **he —s** (of a target) tiro errado m; (in a motor) falla f; (from class) falta f; (young woman) señorita f; **— Smith** la señorita Smith

missile [ˈmisl] n (projectile) proyectil m; (guided weapon) misil m

missing [ˈmisɪŋ] adj (not present) ausente; (lost) perdido; **— link** eslabón perdido m; **one book is —** falta un libro

mission [ˈmiʃən] n misión f

missionary [ˈmiʃəneri] adj & n misionero -ra mf

misspell [misˈspel] vt (written) escribir mal; (oral) deletrear mal

mistake [misˈtek] n error m, equivocación f; (orthographical) falta f; **to make a —** equivocarse; vi/vt equivocar(se); **I mistook my sister for my mother** confundí a mi hermana con mi madre

mistaken [misˈtekən] adj equivocado; **to be —** estar equivocado, equivocarse; **unless I'm —** si no me equivoco

mister [ˈmistə] n señor m

mistletoe [ˈmislto] n muérdago m

mistreat [misˈtrit] vt maltratar

mistreatment [misˈtritmənt] n maltrato m

mistress [ˈmistrɪs] n (of a household) señora f; (employing servants, animal owner) ama f; (lover) amante f

mistrial [misˈtraiəl] n proceso viciado de nulidad m

mistrust [misˈtrʌst] n desconfianza f; vt desconfiar de

mistrustful [misˈtrʌstfəl] adj desconfiado, receloso

misty [ˈmisti] adj (foggy) nebuloso, brumoso; (in tears) nublado; (blurry) empañado

misunderstand [misʌndəˈstænd] vt comprender mal, malinterpretar

misunderstanding [misʌndəˈstændiŋ] n

misunderstand vt: (failure to understand) malentender; (confusion) malinterpretar m; **misunderstanding** n (confusion) malentendido m; (failure to understand) equivocación f; mala inteligencia f; (argument) desavenencia f

misuse [mis'jus] n (of drugs) abuso m; (of a word) mal uso m; (of funds) malversación f ~ [mis'juz] vt (drugs) abusar de; (a word) emplear mal; (funds) malversar

mite [mait] n ácaro m; **a ~ greedy** un poquito codicioso

mitigate [mitigeit] vt mitigar

mitten [mitn] n manopla f

mix [miks] vt/vi mezclar(se); **to ~ up** confundir; n mezcla f; (for baking) preparado m; **~-up** n (confusion) confusión f; **~ed bag** grupo heterogéneo m; **~ed drink** cóctel m; **~-ed up** confundido

mixed [mikst] adj mixto

mixer [miksə-] n (appliance) batidora f; (party) fiesta f; (soda) refresco m; (sound technician) mezclador -ra m/f; (sound device) mezcladora f

mixture [miks'tʃə-] n mezcla f

moan [mon] n quejido m, gemido m; vi gemir, quejarse; vt/vi lamentar

moat [mot] n foso m

mob [mob] n (disorderly crowd) tumulto m, turba f; (crowd) muchedumbre f, populacho m; (Mafia) mafia f; vt (attack) asaltar; (crowd) atestar

mobile [mobəl] adj móvil; (personnel) que tiene movilidad; **~ home** n casa prefabricada f; **~ phone** n (teléfono) móvil m, (teléfono) celular m

mobilize [mobəlaiz] vt/vi movilizar(se)

moccasin [mokəsin] n mocasín m (also snake)

mock [mok] vt (ridicule) burlar(se); vt (imitate) remedar; **to ~ at** burlarse de; adj de práctica; **~ battle** simulacro de batalla m; **~-up** maqueta f; modelo m

mockery [mokəri] n (ridicule) burla f; (imitation) remedo m; (travesty) farsa f

mockingbird [mokiŋbə-d] n sinsonte m

mode [mod] n modo m

model [modl] n (guide) modelo m; (person) modelo -da m/f; (manikin) maniquí m; adj modelo; **~ school** escuela modelo f; vi/vt modelar; (display clothes) lucir

moderate [mdə-it] adj (not excessive) moderado, mesurado; (person) moderado; (weather) templado; (price) módico; n moderado -da m/f; [mdə-eit] vt/vr moderar(se) (also preside at meetings) moderar(se)

moderation [mdə'reiʃən] n moderación f

modern [mdə-n] adj moderno

modernize [mdə-naiz] vt/vr modernizar(se)

modest [mdist] adj (humble) modesto; (chaste) recatado, honesto

modesty [mdisti] n (humility) modestia f; (chastity) recato m, pudor m

modify [mdəfai] vt modificar

modification [mdəfəkeiʃən] n modificación f

mohair [mohɛr] n mohair m

moist [moist] adj húmedo

moisten [moisn] vt/vi humedecer(se)

moisture [mistʃə-] n humedad f

moisturizer [mistʃəraiz-] n (cream) hidratante / humectante f

molar [mola-] adj molar; n muela f, molar m

molasses [məlasiz] n melaza f

mold [mold] n (form) molde m; (fungi) moho m; (mettle) temple m; vt (shape) moldear; (adapt) amoldar; (fuse) fundir; vi/vt (become moldy) enmohecer(se)

molder [molda-] vi/vt descomponerse; (paper) enmohecerse

molding [moldiŋ] n (adornment) moldura f; (action of molding) moldeado m

Moldova [mɔldovə] n Moldavia f

Moldovan [mɔldovən] adj & n moldavo -va m/f

moldy [moldi] adj mohoso

mole [mol] n (blemish) lunar m; (animal, spy) topo m; (breakwater) rompeolas m sg

molecule [mɑlikjul] n molécula f

molest [məlɛst] vt abusar sexualmente de

mollify [mɑləfai] vt apaciguar, aplacar

mollusk [mɑləsk] n molusco m

molt [molt] vi (birds) mudar la pluma; (snakes) mudar la piel; n muda f

molten [moltn] adj fundido

molybdenum [məlibdənəm] n molibdeno m

mom [mom] n mamá f; **~ and pop store** n tienda familiar

moment [momənt] n momento m; **being a parent has its ~s** ser padre/madre tiene sus momentos de recompensa

momentary [momənteri] adj momentáneo

momentous [momɛntəs] adj importante, trascendental

momentum [momɛntəm] n (in physics) momento m; (in politics, sports) empuje m

mommy [mɑmi] n mamá f

Monaco [mɑnəko] n Mónaco m

monarch [mɑnɑrk] n monarca m/f

monarchy [mɑnɑrki] n monarquía f

monastery [mɑnəsteri] n monasterio m

Monday [mʌndei] n lunes m

Monégasque [manigásk] adj & n monegasco -ca mf

monetary [mánitri] adj monetario

money [máni] n dinero m — **belt** faltriquera en forma de cinturón f — **changer** cambista mf; — **machine** cajero automático m; — **making** lucrativo, rentable; — **market** mercado de valores m; — **order** giro postal m; **to get one's —'s worth** sacar jugo al dinero

Mongolia [maŋgóli] n Mongolia f

Mongolian [maŋgólien] adj & n mongol -la mf

mongoose [máŋgus] n mangosta f

mongrel [máŋgrel] adj & n mestizo m

monitor [mánitr] n monitor m; (in a school) celador -ora mf; — **lizard** varano m

monk [maŋk] n monje m; religioso m

monkey [máŋki] n mono m; mico m (also child); — **bars** jaula de los monos f; — **business** (mischief) picardía f; (trickery) chanchullo m; — **wrench** llave inglesa f; **to have a — on one's back** estar adicto; vi **to — around** bobear, payasear; **to — with** bobear con

monogamy [manágami] n monogamia f

monogram [mánagram] n monograma m

monolog, monologue [mánalg] n monólogo m

mononucleosis [manonukliósis] n mononucleosis f

monopolize [manápalaiz] vt monopolizar

monopoly [manápali] n monopolio m

monotonous [manátnas] adj monótono

monotony [manátni] n monotonía f

monster [mánstr] n monstruo m; adj enorme, monstruo inv

monstrosity [manstrásiti] n monstruosidad f

monstrous [mánstras] adj monstruoso

month [manθ] n mes m

monthly [mánθli] adj mensual; — **installment** mensualidad f; n publicación mensual f, mensuario m; adv mensualmente

monument [mánjamant] n monumento m

monumental [manjaméntl] adj monumental

moo [mu] n mugido m; vi mugir

mooch [muʧ] vi/vt gorronear

mood [mud] n (emotional state) humor m, vena f, ánimo m; (grammatical category) modo m; **to be in a good —** estar de buen humor; **to be in the — to** tener ganas de

moody [múdi] adj (sullen) malhumorado; (changing) voluble

moon [mun] n luna f; —**beam** rayo de luna m; —**light** claro de la luna m, luz de la luna f; —**shine** bebida alcohólica destilada sin licencia f; **once in a blue moon** de Pascuas a Ramos; vt fam mostrar el culo

moor [mur] vi/vt amarrar; n páramo m; **Moor** [mur] n moro -ra mf

Moorish [múriʃ] adj morisco, moro

moose [mus] n alce m

moot [mut] adj **it became a — point** dejó de tener importancia

mop [map] n Sp fregona f, Mex trapeador m; (of hair) pelambrera f; (of hair) greña f; —**up** (of an enemy) limpieza f; (of a task) remate m; vi/vt pasar la mopa (sobre); Am tapear; **to — one's brow** enjugarse la frente; **to — up** (a spill) limpiar; (an enemy) acabar con; (a task) rematar

mope [mop] vi andar abatido

moped [móped] n ciclomotor m, scooter m

moral [mórl] adj moral; n moraleja f; —**s** moral f

morale [maral] n moral f

moralist [mórlist] n moralista mf

morality [mrálti] n moralidad f

moralize [mórlaiz] vi/vt moralizar

morbid [mórbid] adj mórbido, morboso

more [mor] adj & adv más; — **and —** cada vez más; — **or less** más o menos; **there is no —** no hay más; —**over** además

morgue [mrg] n depósito de cadáveres m, morgue f

moribund [móriband] adj moribundo

morning [mórniŋ] n mañana f; **good —!** ¡buenos días! **tomorrow —** mañana por la mañana; adj de la mañana, matutino; —**glory** dondiego de día m; — **sickness** náuseas f pl; — **star** lucero del alba m

Moroccan [marákn] adj & n marroquí mf

Morocco [maróko] n Marruecos m

moron [máran] n imbécil m

morphine [mórfin] n morfina f

morsel [mórsl] n bocado m

mortal [mórtl] adj & n mortal mf; — **sin** pecado mortal m

mortality [mrtálti] n (rate) mortalidad f; (toll) mortandad f

mortar [mórtr] n (for pounding) mortero m (also ballistics); (for bricks) argamasa f; —**board** birrete m

mortgage [mórgiʤ] n hipoteca f; vt hipotecar; adj hipotecario

mortgagor [mórgiʤr] n deudor -ra hipotecario -ria mf

mortify [mórtfai] vi/vt mortificar(se)

mosaic [mozéik] N mosaico m

Moslem [mázləm] ADJ & N musulmán-ana mf

mosque [mɑsk] N mezquita f

mosquito [məskíto] N mosquito m; — **net** N mosquitero m

moss [mɑs] N musgo m

mossy [mɑsi] ADJ musgoso m

most [most] ADJ — **children are good** la mayoría de los niños son buenos; — **people** la mayoría de la gente; the — **money** más dinero m; the — **votes** el mayor número de votos; **for the** — **part** generalmente; PRON **the** — **that I can do** lo más que puedo hacer; **we ate the** — **of the** continuos más que nadie; — **of the guests are here** ha llegado la mayoría de los invitados; ADV **the** — **ambitious** el más ambicioso; **a** — **pleasant day** un día de lo más agradable

mostly [móstli] ADV generalmente

motel [motél] N motel m

moth [mɔθ] N (pest) polilla f; (nocturnal insect) mariposa nocturna f; —**ball** bolita de naftalina f; —**eaten** ADJ apolillado

mother [mʌðə] N madre f; —**board** plaqueta madre f; — **country** madre patria f; —**in-law** suegra f; —**of-pearl** f; — **tongue** lengua materna f; VT mimar a, cuidar de/a

motherhood [mʌðəhud] N maternidad f

motherly [mʌðərli] ADJ maternal

motif [motíf] N motivo m

motion [móʃən] N (movement) movimiento m; (signal) ademán m; (proposal) moción f; — **picture** película de cine f; — **picture industry** N industria cinematográfica f; — **sickness** mareo m; VI/VT hacer un ademán

motionless [móʃənlis] ADJ inmóvil

motivate [mótəvet] VT motivar

motivation [motəvéʃən] N motivación f

motive [mótiv] N motivo m; ADJ motriz

motley [mátli] ADJ abigarrado

motor [mótə] N motor m; —**bike** motocicleta pequeña f; —**boat** lancha a motor f; —**cycle** motocicleta f; —**cyclist** motociclista mf; —**home** casa rodante f, —**scooter** scooter m; — vehículo motorizado m; VI pasear en coche

motorist [mótərist] N automovilista mf

motto [mɑto] N lema f

mound [maund] N montículo m; (burial —) túmulo m; — **of laundry** pila de ropa f

mount [maunt] N monte m; VT montar; VI (increase) subir; VT (assemble) armar; N (mountain)

mountain [máuntən] N montaña f; ADJ (animal, person) montañés; (thing) de montaña; — **bike** bicicleta de montaña f; — **climber** alpinista mf; —**climbing** m alpinismo m; — **goat** cabra montés f; — **lion** puma f, gato montés m; — **range** (large) cordillera f; (small) sierra f; —**side** ladera de una montaña f; —**top** cumbre (de una montaña) f

mountaineer [mauntinír] N alpinista mf

mountainous [máuntinəs] ADJ montañoso

mourn [morn] VI estar de duelo/luto; VT llorar; — **for** llorar a

mourner [mórnər] N doliente mf

mournful [mórnfəl] ADJ lúgubre, triste

mourning [mɔrniŋ] N luto m, duelo m; **to be in** — estar de luto/duelo; ADJ de luto

mouse [maus] N ratón m (also computer); — **pad** bandeja del ratón f; —**trap** ratonera f

mouth [mauθ] N boca f; (of a cave) abertura f; (of a river) desembocadura f; —**piece** (part of a trumpet) boquilla f; (spokesman) portavoz mf; —**to-mouth resuscitation** f; —**wash** enjuague bucal m; —**watering** ADJ delicioso; [mauð] VT articular silenciosamente una palabra, VI **to** — **off** contestar

mouthful [mʌθfəl] N (of food) bocado m; (of liquid) bocanada f; buche m

movable [múvəbəl] ADJ movible, móvil

move [muv] VT (change position) mover(se) (also board games); (change residence) mudarse de casa; (sell) vender(se); **to** — **away** (distance oneself) apartarse; (change residence) irse; **to** — **forward** avanzar; **to** — **on** seguir adelante; **to** — **out** mudarse de casa; **to** — **up** anticipar; VT (propose) proponer; (affect emotionally) conmover; N (act of moving) movimiento m; (change of residence) mudanza f; (action toward a goal) paso m; (play, in games) jugada f; **get a** — **on there!** ¡date prisa! **he made the first** — dio el primer paso

movement [múvmənt] N (motion, part of a watch) movimiento m; **to have a bowel** — mover el vientre

mover [múvər] N compañía de mudanzas f; —**s and shakers** la plana mayor

movie [múvi] N película f; — **star** estrella de cine f; —**s** cine m

moving [múviŋ] ADJ (target) móvil; (car) en movimiento; (company) de mudanzas; (story) conmovedor; — **picture** película f

— **van** camión de mudanzas m; **I hate** — no me gusta mudarme de casa

mow [moʊ] vt cortar; (harvest) segar

mower [moʊə] n (for lawns) cortadora de césped f, cortacésped m; (farm implement) segadora f; (farm worker) segador -ra m

Mozambican [moʊzæmˈbiːkən] adj & n mozambiqueño -ña mf

Mozambique [moʊzæmˈbiːk] n Mozambique m

Mozarabic [moʊˈzærəbɪk] adj mozárabe

Mr. [ˈmɪstər] n Sr. m

Mrs. [ˈmɪsɪz] n Sra. f

Ms. [mɪz] n Sra. f

much [mʌtʃ] adj & adv mucho, — **the same** casi lo mismo; — **like the others** muy parecido a los demás; **as** — **as** tanto como; **how** — ? ¿cuánto? **too** — demasiado; **very** — muchísimo; **to make** — **of** dar mucha importancia a; — **as I'd like, I won't do it** aunque me gustaría, no lo voy a hacer; **that's not** — **of a book** ese libro no es gran cosa; **she cried so** — **that her eyes turned red** lloró tanto que se le enrojecieron los ojos; **they need water,** — **as they need sun** necesitan agua, del mismo modo que necesitan sol

muck [mʌk] n (manure) estiércol m; (mire) cieno m, lodo m; (filth) porquería f

mucous [ˈmjuːkəs] adj mucoso

mucus [ˈmjuːkəs] n mucosidad f

mud [mʌd] n lodo m, barro m; —**slinging** n difamación f

muddle [ˈmʌdl] vt (confuse) confundir; (make turbid) enturbiar; vi **to** — **along** ir tirando; **to** — **through** salir del paso; n (confusion) confusión f; (confused situation) embrollo m

muddy [ˈmʌdi] adj (path) lodoso, barroso; (shoes) embarrado; (water) confuso; vt (cover with mud) enlodar, embarrar; (make unclear) enturbiar

muff [mʌf] n manguito m; vt estropear

muffin [ˈmʌfɪn] n molete m

muffle [ˈmʌfəl] vt amortiguar

muffler [ˈmʌflər] n (scarf) bufanda f; (exhaust device) silenciador m

mug [mʌg] n (ceramic) tazón m; (glass) jarra f; (face) jeta f; vt atracar

mugger [ˈmʌgər] n asaltante mf; atracador -ora mf

muggy [ˈmʌgi] adj bochornoso

mulatto [muˈlɑːtoʊ] adj & n mulato -ta mf

mulberry [ˈmʌlbɛri] n mora f; — **tree** moral m

mule [mjuːl] n mulo -la mf (also in drug trafficking)

mull [mʌl] vt/vi rumiar

multicultural [ˌmʌltiˈkʌltʃərəl] adj multicultural

multiple [ˈmʌltəpəl] n múltiplo m; adj múltiple; —**choice** de opción múltiple; — **personality disorder** trastorno de personalidad múltiple m; — **sclerosis** esclerosis múltiple f

multiplication [ˌmʌltəplɪˈkeɪʃən] n multiplicación f; — **sign** signo de multiplicación m; — **table** tabla de multiplicar f

multiplicity [ˌmʌltəˈplɪsɪti] n multiplicidad f

multiply [ˈmʌltəplaɪ] vt/vi multiplicar(se)

multitasking [ˈmʌltiˌtæskɪŋ] n multitarea f

multitude [ˈmʌltɪtuːd] n multitud f

multi-user [ˈmʌltiˈjuːzər] n multiusuario -ria mf

mum [mʌm] adj callado; **to keep** — callarse la boca

mumble [ˈmʌmbəl] vt/vi masticar; n refunfuño m

mumbo jumbo [ˈmʌmboʊˈdʒʌmboʊ] n jerigonza f

mummy [ˈmʌmi] n momia f

mumps [mʌmps] n paperas f pl

munch [mʌntʃ] vt mascar

mundane [ˈmʌndeɪn] adj mundano

municipal [mjuˈnɪsəpəl] adj municipal; — **council** concejo m

municipality [mjuˌnɪsəˈpælɪti] n municipio m, municipalidad f

munition [mjuˈnɪʃən] n munición f

mural [ˈmjʊrəl] adj & n mural m

murder [ˈmɜːrdər] n asesinato m, homicidio m; vt asesinar; — **that exam was** — ese examen fue matador; vt/vi **to get away with** — salirse con la suya

murderer [ˈmɜːrdərər] n asesino m, homicida mf

murderous [ˈmɜːrdərəs] adj asesino, homicida

murky [ˈmɜːrki] adj (of water, matter) turbio; (of sky) oscuro

murmur [ˈmɜːrmər] n (noise) murmullo m, susurro m; (complaint) queja f; vt/vi (make noise) murmurar, susurrar; (complain) quejarse

muscle [ˈmʌsəl] n músculo m

muscular [ˈmʌskjələr] adj (relative to muscles) muscular; (endowed with muscles) musculoso

muse [mjuːz] vi meditar; vt cavilar; n musa f

museum [mjuˈziːəm] n museo m

mushroom [ˈmʌʃrum] n seta f, hongo m, champiñón m

mushy [ˈmʌʃi] adj (soft) fofo; (sentimental) sentimental

music [mjuzik] n música f; — **stand** atril m; — **video** Am video musical m; Sp video m

musical [mjuzikǝl] adj (pertaining to music) musical; (fond of music) aficionado a la música, melómano; — **comedy** n comedia musical

musician [mjuzíʃǝn] n músico -ca mf

muskrat [máskræt] n ratón almizclero m

Muslim [mázlǝm] adj & n musulmán -ana mf

muslin [mázlǝn] n muselina f

muss [mas] vt revolver, alborotar; n revoltijo m

mussel [másǝl] n mejillón m

must [mʌst] v aux **you — arrive before nine** debes llegar antes de las nueve; **you really — eat at that restaurant** tienes que comer en ese restaurante; **you — be his son** debes (de)/has de ser su hijo; **they — have seen me** deben (de) haberme visto

mustache, moustache [mástæʃ] n bigote m; (large) mostacho m

mustard [mástǝd] n mostaza f; — **gas** n gas mostaza

muster [mÁstǝr] vt (troops) formar; (courage) juntar, reunir; vi (assemble for inspection) formar; (come together) reunirse; **to — out** dar de baja; **to — up one's courage** juntar valor, revista f; **to pass —** ser

musty [mÁsti] adj (stale smelling) con olor a encierro/humedad; (antiquated) anticuado

mutant [mjútǝnt] adj & n mutante mf

mutation [mjutéʃǝn] n mutación f

mute [mjut] adj mudo; n (mute person) mudo -da mf; (for musical instruments) sordina f

mutilate [mjútǝlet] vt mutilar

mutiny [mjútǝni] n motín m; vi amotinarse

mutter [mÁtǝr] vi/vt refunfuñar, musitar; n refunfuño m

mutton [mÁtn] n carne de cordero f

mutual [mjútʃuǝl] adj mutuo; — **fund** fondo mutuo/mutual m

muzzle [mÁzǝl] n (snout) hocico m; (mouthguard) bozal m; (gun opening) boca f; vt (a dog) abozalar, poner bozal a; (critics) amordazar, silenciar

my ross mis ami; **these are — friends** estos son mis amigos; **oh —!** ¡Dios mío!; — **foot!** ¡ni lo pienses!

Myanmar [mjánmár] n Myanmar m

myopia [maiópiǝ] n miopía f

myriad [míriǝd] n miríada f, sinfín m; — **problems** un sinfín de problemas

myrtle [mÁrtǝl] n mirto m, arrayán m

myself [maisélf] pron **I — wrote the letters** yo mismo escribí las cartas; **I'm not — today** no soy yo mismo de siempre; **I was sitting by —** estaba sentado solo; **I talk to —** hablo solo; **I looked at — in the mirror** me miré en el espejo; **I bought — a house** me compré una casa

mysterious [mistíriǝs] adj misterioso

mystery [místǝri] n misterio m

mystic [místik] adj & n místico -ca mf

mystical [místikǝl] adj místico

myth [miθ] n mito m

mythology [miθálǝdʒi] n mitología f

nab [næb] vt pescar; Sp coger

nag [næg] n (horse) jaca f, rocín m; penco m; (complainer) quejica mf; vi/vt regañar, criticar

nail [nel] n (for nailing) clavo m; (of finger, toe) uña f; — **bitter** situación angustiante; — **file** lima f; — **polish** esmalte para uñas m; **to hit the — on the head** dar en el clavo; vt (fasten) clavar; (nab) pescar; Sp coger

naive [naív] adj ingenuo, cándido, bonachón

naked [nékid] adj desnudo

nakedness [nékidnis] n desnudez f

name [nem] n nombre m; — **brand** marca f; — **plate** placa f; — **sake** tocayo m; — **tag** etiqueta de identificación f; — **of the game** lo esencial m; **to call someone — s** mofarse de alguien; **to make a — for oneself** hacerse un nombre; **what is your —?** ¿cómo te llamas? vt nombrar; **your price** haz una oferta

namely [némli] adv a saber, en concreto

Namibia [namíbiǝ] n Namibia f

Namibian [namíbiǝn] adj & n namibio -bia mf

nanny [néni] n niñera f

nanosecond [nǽnoskænd] n nanosegundo m

nap [næp] n (sleep) siesta f; (fibers) pelo m; **to take a —** echar/dormir una siesta; vi echar/dormir una siesta

napalm [népalm] n napalm m

nape [nep] n nuca f

napkin [nǽpkin] n servilleta f

narcissism [nársisizəm] n narcisismo m

narcissus [narsísəs] n narciso m

narcolepsy [nárkəlepsi] n narcolepsia f

narcotic [narkátik] adj & n narcótico m, estupefaciente n

narco-trafficking [narkōtrǽfikiŋ] n narcotráfico m

narrate [nǽret] vt/vi narrar

narration [nærέjən] n narración f narrativa f

narrative [nǽrətiv] adj narrativo; n narrativa f

narrator [nǽrretər-] n narrador -ora mf

narrow [nǽrō] adj (of little width) estrecho, angosto; (exhaustive) exhaustivo, (limited in scope) limitado, (intolerant) intolerante; **to have a — escape** salvarse por poco; **— gauge** de vía angosta/ estrecha; **—-minded** intolerante; **—s** desfiladero m, estrecho m, angostura f; vi/ vt angostar(se), estrechar(se); **to — down** reducir

narrowness [nǽrōnis] n (quality of being narrow) estrechez f, angostura f; (intolerance) estrechez f

nasal [nézəl] adj nasal

nastiness [nǽstinis] n (filth) suciedad f; (unkindness) aspereza/rudeza f; (rudeness, obscenity) grosería f

nasturtium [nəstə́rjəm] n capuchina f

nasty [nǽsti] adj (mess) sucio; (smell) asqueroso; (comment) hiriente; (accident) feo; (word) grosero; (disposition) malo

natal [nétəl] adj natal

nation [néjən] n nación f; **—-wide** a escala nacional

national [nǽjənl] adj nacional; **— park** parque nacional m; n ciudadano -na mf, nacional mf

nationalism [nǽjənəlizəm] n nacionalismo m

nationality [næjənǽliti] n nacionalidad f;

nationalize [nǽjənəlaiz] vt nacionalizar

native [nétiv] adj nativo; **— language** lengua nativa f; **— plants** flora nativa f; **my — Italy** mi Italia natal f; (innate) innato; n (person born in a place) natural m; (member of a tribal group) indígena mf; native-va mf

nativity [nətíviti] n nacimiento m; **— scene** pesebre m; **the —** la Natividad

NATO (North Atlantic Treaty Organization) [nétō] n OTAN f

natural [nǽtʃrəl] adj natural; (inborn) innato; **—childbirth** parto natural m; **— gas** gas natural m; **— resources** recursos naturales m pl; **— selection** selección natural f; (musical sign) becuadro m; **he is a — for that job** tiene aptitud natural para ese puesto

naturalist [nǽtʃrəlist] n naturalista mf

naturalization [nǽtʃrəlaizéjən] n naturalización f

naturalize [nǽtʃrəlaiz] vt/vi naturalizar(se)

naturally [nǽtʃrəli] adv (of course) naturalmente; **I have — curly hair** tengo rizos naturales

naturalness [nǽtʃrəlnis] n naturalidad f

nature [nétʃər] n naturaleza f; (disposition) genio m, natural m

naught [nɔt] n (zero) cero m; (nothing) nada f

naughty [nɔ́ti] adj (child) travieso, pícaro, pillo; **— word** palabra/

Nauru [náuru] n Nauru m

Nauruan [náuruən] adj & n nauruano -na mf

nausea [nɔ́ziə] n náusea f, mareo m

nauseate [nɔ́ziet] vt dar náuseas, **to be —d** tener náuseas

nauseating [nɔ́zietiŋ] adj nauseabundo

nauseous [nɔ́ʃəs] adj (feeling nausea) mareado; (causing nausea) nauseabundo

nautical [nɔ́tikəl] adj náutico

naval [névəl] adj naval; **— officer** oficial de marina m

nave [nev] n nave f

navel [névəl] n ombligo m; **— orange** naranja de ombligo f

navigable [nǽvigəbəl] adj navegable

navigate [névigeit] vi/vt navegar

navigation [nævigéjən] n navegación f; (science) náutica f

navigator [nǽvigeitər-] n navegante mf

navy [névi] n marina (de guerra) f, armada f; **— bean** judía blanca f; **— blue** azul marino m

nay [ne] n (refusal) no m; (negative vote) voto negativo m

near [nir] adv cerca; **at hand** cerca, a la mano; **to come/ go/ draw —** acercarse; **—sighted** miope; prep cerca de; **— the end of the month** hacia fines del mes; **to be — death** estar a punto de morir; adj cercano, próximo; **— East** Cercano Oriente m, Oriente Próximo m; **I had a — miss** por poco me sucede un accidente; vi/vt acercarse (a)

nearby [nírbai] adv cerca; adj cercano, próximo

nearly [nírli] adv casi, cerca de; **I — did it** casi lo hago

nearness [nírnis] n cercanía f, proximidad f

neat [nit] adj (clean) limpio, pulcro; (ordered) ordenado; (great) bueno

neatness [nitnəs] n (cleanness) limpieza f, (order) orden m

nebulous [nebjələs] adj nebuloso

necessary [nesɪseri] adj (needed) necesario; (involuntary) forzoso

necessitate [nəsesɪtet] vt requerir

necessity [nəsesɪti] n necesidad f

neck [nek] n (of a human) cuello m; (of an animal) pescuezo m; (of clothes) escote m; (throat) garganta f; — **and** — parejos; —**lace** collar m; —**line** escote m; — **of land** istmo m; —**tie** corbata f

nectar [nektər] n néctar m

nectarine [nektərin] n nectarina f

need [nid] n (lack) necesidad f; (poverty) carencia f; **in** — en apretos; **if** — **be** en caso de necesidad; vt necesitar, precisar; **you** — **to come at four** tienes que venir a las cuatro

needle [nidl] n aguja f; —**point** n bordado m; —**work** (embroidery) bordado m; (sewing) costura f; vt pinchar

needless [nidləs] adj innecesario; — **to say** huelga decir

needy [nidi] adj necesitado, menesteroso

ne'er-do-well [nerdəwel] n inútil mf

negate [nɪgeit] vt negar

negation [nɪgeishən] n negación f

negative [negətiv] adj negativo; **the search proved** — la búsqueda no dio resultado; n negativa f; (photographic) negativo m; **this plan has one** — este plan tiene una contra; interj ¡negativo!

neglect [nɪglekt] vt postergar; (children) descuidar; (chores) desatender; **you're** —**ing your friends** tienes abandonados a tus amigos; **to** — **to do** olvidarse de; n negligencia f, descuido m

neglectful [nɪglektfəl] adj negligente, descuidado

negligence [neglidʒəns] n negligencia f, descuido m

negligent [neglidʒənt] adj negligente

negligible [neglidʒəbəl] adj despreciable

negotiate [nɪgoushiet] vt/vi (a contract) negociar, gestionar; (an obstacle) salvar

negotiation [nɪgoushieishən] n negociación f, gestión f

Negro [nigrou] adj & n negro -gra mf

neigh [nei] n relincho m; vi relinchar

neighbor [neibə] n (person who lives near) vecino -na mf; (fellow human) prójimo -ma mf; adj vecino, vi **to** — **with** lindar con

neighborhood [neibə-hud] n vecindario m, barrio m; — **in the** — **of a hundred dollars** alrededor de cien dólares

neighboring [neibərɪŋ] adj vecino, colindante

neither [niðə] pron ninguno de los dos, ni (el) uno ni (el) otro; — **of the two** ninguno de los dos, adj ninguno de los dos; — **one of us** ninguno de nosotros dos; conj ni; — **hot nor cold** ni caliente ni frío; — **will I** yo tampoco

neologism [niälədʒizəm] n neologismo m

neon [niän] n neón m

Nepal [nəpäl] n Nepal m

Nepalese [nepəliz] adj & n nepalés -esa mf

nephew [nefyü] n sobrino m

nephritis [nəfraitəs] n nefritis f

nepotism [nepətizəm] n nepotismo m

nerd [nərd] n (technological adept) persona aficionada a las computadoras/los ordenadores; (socially inept person) persona socialmente inepta f

nerve [nərv] n (anatomy) nervio m; (courage) presencia de ánimo f; (impertinence) descaro m, morro m; — **cell** n neurona f; —(**w**)**racking** adj angustiante; **he gets on my** —**s** me saca de quicio

nervous [nərvəs] adj nervioso; — **breakdown** ataque de nervios m

nervousness [nərvəsnəs] n nerviosismo m

nest [nest] n nido m; (brood) nidada f; — **egg** ahorros m pl; — **of thieves** guarida de ladrones f

nestle [nesəl] vi acurrucarse; vt apoyar, encajarse

net [net] n red f (also network); (in hair) redecilla f; vt (catch a fish) pescar con red; (cover with a net) cubrir con una red; (catch a criminal) atrapar; (hit the tennis net) dar en la red; (make money after expenses) producir/ganar neto; adj neto; — **price** precio neto m; — **profit** ganancia neta f; — **assets** activo neto m; — **income** ingreso neto m; —**work** n (social) relaciones profesionales f pl; (computer) diseño de redes y comunicaciones de ...

Netherlander [neðə-landə] n holandés -esa mf

Netherlands [neðə-landz] n Países Bajos m pl

nettle [netl] n ortiga f

neural [nurəl] adj neural

neuron [nurän] n neurona f

neurosis [nuˈrosɪs] n neurosis f
neurotic [nuˈrɑtɪk] adj & n neurótico -ca m/f
neuter [ˈnudə] adj neutro; vt castrar
neutral [ˈnutrəl] adj neutral; (of colors) neutro; n punto muerto m
neutrality [nuˈtræləti] n neutralidad f
neutralize [ˈnutrəlaɪz] vt/vr neutralizar(se)
neutron [ˈnutrɑn] n neutrón m; — **bomb** n bomba de neutrones f
never [ˈnɛvə] adv nunca, jamás; — **mind** no te preocupes; **this will** — **do** esto no va a a funcionar; — **ending** adj interminable
nevertheless [nɛvərðəˈlɛs] adv & conj sin embargo, no obstante
new [nu] adj (not old) nuevo; (fresh) otro; **a** — **sheet of paper** otra hoja de papel; —**Age** (music) new age f; —**born baby** recién nacido -da m/f; —**comer** recién llegado -da m/f; —**fangled** adj moderno, recién inventado; —**found** nuevo; —**year** año nuevo m; —**Year's Eve** n fin de año m; Sp nochevieja f
newly [ˈnuli] adv recientemente; —**arrived** recién llegado; —**wed** recién casado
newness [ˈnunɪs] n novedad f
news [nuz] n noticias f pl; (latest gossip) novedades f pl; (newspaper) periódico m; **it is** — **to me** recién me entero; **piece of** — n noticia f; —**broadcast / bulletin** n noticiero m, noticiario m; —**cast** noticiero m, noticiario m; —**clipping** recorte de diario m; —**letter** boletín informativo m; —**paper** periódico m, diario m; —**print** papel de periódico m; —**room** sala de redacción f; —**stand** quiosco m; —**worthy** de interés periodístico
newt [nut] n tritón m
New Zealand [nuˈzilənd] n Nueva Zelanda f
New Zealander n neozelandés -esa m/f
next [nɛkst] adj (future) próximo, entrante; (following) siguiente; (contiguous) contiguo, de al lado; **who's** —? ¿quién sigue? adv después, luego; — **best** segundo en calidad; **when** — **we meet** cuando nos volvamos a ver; prep —**door** de al lado; — **of kin** familiares m pl; — **to** junto a, al lado de

nib [nɪb] n (bite) mordisco m; (act of nibbling) mordisqueo m
nibble [ˈnɪbəl] vi/vr (bite) mordiscar, mordisquear; (eat) picotear; (of fish) picar; n (bite) mordisco m; (of fish) picar; mordisqueo m
Nicaragua [nɪkəˈrɑgwə] n Nicaragua f
Nicaraguan [nɪkəˈrɑgwən] adj & n nicaragüense m/f
nice [naɪs] adj (kind) amable, simpático; (agreeable) Am lindo, Sp majo; **it's** — **and** hot está bien calentito
nicety [ˈnaɪsəti] n (subtlety) sutileza f; (detail) exactitud f, precisión f
niche [nɪʃ] n nicho m (also environmental); **I've found my** — he encontrado mi lugar
nick [nɪk] n (chip) muesca f; (cut) corte m; **in the** — **of time** justo a tiempo; vt (chip) hacer muescas; (cut) cortar
nickel [ˈnɪkəl] n (metal) níquel m; (coin) moneda de cinco centavos f; —**plated** niquelado
nickname [ˈnɪknem] n apodo m, mote m, sobrenombre m; vt apodar
nicotine [ˈnɪkətin] n nicotina f
niece [nis] n sobrina f
Niger [ˈnaɪdʒə-] n Níger m
Nigerien [naɪˈdʒɪriən] adj & n nigerino -na m/f
Nigeria [naɪˈdʒɪriə] n Nigeria f
Nigerian [naɪˈdʒɪriən] adj & n nigeriano -na m/f
niggardly [ˈnɪgərdli] adj & n mezquino
night [naɪt] n noche f; adj nocturno, de noche; —**club** club nocturno m; —**fall** anochecer m, atardecer m; —**gown** camisón m; —**life** vida nocturna f; Sp marcha f; —**light** lamparilla f; —**mare** pesadilla f; —**owl** trasnochador -ora m/f; —**shift** turno de la noche m; —**stand** veladora f; mesilla de noche f; —**time** noche f; —**watchman** sereno m
nightingale [ˈnaɪtɪŋgel] n ruiseñor m
nightly [ˈnaɪtli] adv todas las noches; adj nocturno
nihilism [ˈnaɪəlɪzəm] n nihilismo m
nil [nɪl] adv cero; **your chances are** — tus probabilidades son nulas
nimble [ˈnɪmbəl] adj ágil
nincompoop [ˈnɪnkəmpup] n fam tarambana m/f, bobalicón -ona m/f
nine [naɪn] num nueve
nineteen [naɪnˈtin] num diecinueve
ninety [ˈnaɪnti] num noventa
ninth [naɪnθ] adj & n noveno m
nip [nɪp] vt (pinch) pellizcar; (bite) mordiscar, mordisquear; (cause frostbite) helar; **to** — **in the bud** cortar de raíz; **to** — **off** despuntar; vi (drink in sips) dar sorbitos; n (pinch) pellizco m; (bite) mordisco m; (sip) traguito m, sorbito m; (cold) frío m; **it's going to be** — **and tuck** va a ser muy reñido
nipple [ˈnɪpəl] n (on female breast) pezón m; (on male breast) tetilla f; (on bottle) tetina f
nit [nɪt] n liendre f
nitpick [ˈnɪtpɪk] vi criticar detalles insignificantes

nitrate [náitret] n nitrato m

nitric acid [náitrikésid] n ácido nítrico m

nitrogen [náitradʒan] n nitrógeno m

nitroglycerin [náitrowglísarin] n nitroglicerina f

nitty-gritty [nítigríti] n **to get down to the —** ir al grano

no [no] adv adj no; **— longer** ya no; **he was a — show** no se presentó; **a — -win situation** una situación insoluble; **there is — more** no hay más; adj ningún(o); **— man's land** tierra de nadie f; **— matter how much** por mucho que; **— one** ninguno, nadie; **— smoking** se prohíbe fumar; **— where** (location) en ninguna parte/ningún lado; (direction) a ninguna parte/ningún lado; **I have — friends** no tengo amigos; **it's a — -brainer** la respuesta es obvia; **— friend of mine** ningún amigo mío; **will go hungry** ningún amigo mío pasará hambre; **— use** inútil; n (refusal) no m; (negative vote) voto negativo m

nobility [nobíliti] n nobleza f, hidalguía f

noble [nóbal] adj & n noble mf

nobody [nóbadi] pron nadie, ninguno; n un don nadie, pelagatos mf sg

nocturnal [naktɔ́rnal] adj nocturno

nod [nad] n (signal) afirmación f; (in physics) nodo m; (of assent) inclinación de cabeza f; saludo con la cabeza m; (from sleepiness) cabezada f; vt (head) inclinar la cabeza; vi (doze) cabecear, dar con la cabeza; **to — off** dormirse; (as signal) inclinación de cabeza; saludo con la cabeza

node [nod] n (of cells) nódulo m; (in plants) nudo m

noise [nɔiz] n ruido m; **it is being —d about that** corre el rumor que

noiseless [nɔizlis] adj silencioso

noisy [nɔizi] adj ruidoso

nomad [nómæd] n nómada mf

nomenclature [nómankleitʃər-] n nomenclatura f

nominal [námanal] adj nominal

nominate [námanet] vt nominar

nomination [namanéʃan] n nominación f

nominee [namaní] n candidato -ta mf

nonchalant [nanʃalánt] adj despreocupado

nonconformist [nankanfɔ́rmist] adj & n inconformista mf

none [nan] pron ninguno; **I want — of that** no me quiero meter en eso; **that is — of your business** no es asunto tuyo; adv **— too soon** al último momento; **— theless** sin embargo

nonentity [nanéntiti] n nulidad f

nonfiction [nanfíkʃan] n no ficción f

nonpartisan [nanpártizan] adj imparcial

nonproductive [nanprədʌ́ktiv] adj improductivo

nonprofit [nanpráfit] adj sin fines de lucro

nonresident [nanrézidant] adj & n no residente mf

nonsense [nánsens] n tonterías f pl, estupideces f pl; **to talk —** decir barbaridades/disparates

nonstop [nánstap] adj sin escala, directo; adv sin parar

noodle [núdl] n fideo m, tallarín m

nook [nuk] n rincón m

noon [nun] n mediodía m; **—time** mediodía m

noose [nus] n soga f, lazo m; **with a — around his neck** con la soga al cuello; vt (catch with a rope) enlazar; (make a loop in) hacer un lazo corredizo en

nope [nop] adv no

nor [nɔr] conj ni; **we have neither eggs — flour** no tenemos ni huevos ni harina

Nordic [nɔ́rdik] adj nórdico

normal [nɔ́rmal] adj normal; n normal f; **to return to —** volver a la normalidad

normalcy [nɔ́rmalsi] n normalidad f

normalize [nɔ́rmalaiz] vt/vi normalizar(se)

north [nɔrθ] n norte m; adv (in the north) al norte, norteño; **the — entrance** la entrada norte; (from the north) del norte;

northeast [nɔrθíst] n noreste m, hacia el noreste; **—ern** del noreste, hacia el noreste; **— American** norteamericano -na mf; **— America** América del Norte f; **— Korea** Corea del Norte f; **— Pole** Polo Norte m; **— west** noroeste m, hacia el noroeste; **— wind** cierzo m, viento norte m; adv al norte, hacia el norte

northern [nɔ́rðarn] adj del norte; (from the north) norteño; **— lights** aurora boreal f

northerner [nɔ́rðarnar] n norteño -ña mf

northward [nɔ́rθwad] adv hacia el norte

Norway [nɔ́rwe] n Noruega f

Norwegian [nɔrwídʒan] adj & n noruego -ga mf

nose [noz] n nariz f; (of an airplane) morro m; (of an animal) hocico m; (perspicacity) **—dive** picado m; **—job** rinoplastia f; **—bleed** hemorragia nasal f; **keep your — clean** no le metas en líos; **on the —** exactamente; vi/vt (move forward) entrar de punta; (muzzle) hocicar; **to — around** husmear; **to pick one's —** hurgarse las narices

nostalgia [nastáldʒa] n nostalgia f

nostalgic [nastáldʒik] adj nostálgico

nostrils [ˈnɒstrɪlz] n narices f pl, ventanillas de la nariz f pl

nosy, nosey [ˈnəʊzɪ] adj entrometido

not [nɒt] adv no; **I'm — your friend** no soy tu amigo; **— at all** (no way) de ningún modo; (you're welcome) de nada; **at all sure** nada seguro; **— even a word** ni una palabra

notable [ˈnəʊtəbəl] adj notable; n notable, ganado

notarize [ˈnəʊtəraɪz] vt notariar

notary [ˈnəʊtərɪ] n notario -ria m/f; **— public** notario -ria público -ca m/f

notation [nəʊˈteɪʃən] n (system of signs) notación f; (act of writing) anotación f

notch [nɒtʃ] n (nick) muesca f, mella f; (degree) grado m; **a — above the rest** mejor que los demás; vt hacer una muesca; **he — ed another win** se anotó otra victoria

note [nəʊt] n (touch) toque m; **—book** cuaderno m; (small) libreta f; **— s** apuntes m pl; **—worthy** notable; **of —** de renombre/ de nota; **to take — of** notar, apuntar

noted [ˈnəʊtɪd] adj célebre

nothing [ˈnʌθɪŋ] pron nada; (score) cero, nada; (insignificant person) don nadie m; (insignificant thing) nadería f; **— to it** no tiene ciencia; adv **it was — like that** (free) lo hicimos gratis; (fruitlessly) lo hicimos en balde

notice [ˈnəʊtɪs] n (information) aviso m; (warning) advertencia f; (attention) atención f; **a week's —** una semana de plazo; **to give —** renunciar; **to take —** hacer caso; vt (perceive) notar, advertir; (pay attention to) fijarse (en), reparar (en)

noticeable [ˈnəʊtɪsəbəl] adj perceptible, apreciable

notification [nəʊtɪfɪˈkeɪʃən] n notificación f

notify [ˈnəʊtɪfaɪ] vt notificar

notion [ˈnəʊʃən] n noción f, idea f; (whim) capricho m; **— s** mercería f

notorious [nəʊˈtɔːrɪəs] adj de mala fama; **he's a — liar** tiene fama de mentiroso

nougat [ˈnuːɡɑː] n turrón m

noun [naʊn] n sustantivo m

nourish [ˈnɜːrɪʃ] vt (a person) nutrir, alimentar; (a hope) abrigar

nourishing [ˈnɜːrɪʃɪŋ] adj nutritivo

nourishment [ˈnɜːrɪʃmənt] n (food) alimento m; (act of nourishing) alimentación f

novel [ˈnɒvəl] n novela f; adj novedoso

novelist [ˈnɒvəlɪst] n novelista m/f

novelty [ˈnɒvəltɪ] n novedad f; **the — soon wore off** se pasó la novedad; **novelties** chucherías f pl

November [nəʊˈvɛmbə] n noviembre m

novice [ˈnɒvɪs] n novato -ta m/f, pipiolo -la m/f; (religious) novicio -cia m/f

now [naʊ] adv ahora; **— and then** de vez en cuando; **— that** ahora que; **he left just —** salió hace poco, recién salió; **—, calm down!** bueno, bueno, ¡cálmate!

nowadays [ˈnaʊədeɪz] adv hoy (en) día

noxious [ˈnɒkʃəs] adj nocivo

nuance [ˈnjuːɑːns] n matiz m

nuclear [ˈnjuːklɪə] adj nuclear; **— energy** energía nuclear f; **— family** familia nuclear f; **— fission** fisión nuclear f; **— fusion** fusión nuclear f; **— physics** física nuclear f; **— weapon** arma nuclear f

nucleus [ˈnjuːklɪəs] n núcleo m

nude [njuːd] adj & n desnudo m

nudge [nʌdʒ] vt/vi codear; n golpe suave con el codo m

nugget [ˈnʌɡɪt] n (gold) pepita f; (chicken) pedacito m; (wisdom) perla f

nuisance [ˈnjuːsəns] n molestia f; Sp pesadez f; (legal) perjuicio m; **you're such a —!** ¡qué pesado eres tú!

nuke [njuːk] n (bomb) arma nuclear f; vt (bomb) bombardear con armas nucleares; (cook) calentar en microondas

null [nʌl] adj nulo; **— and void** nulo

nullify [ˈnʌlɪfaɪ] vt anular

numb [nʌm] adj entumecido; **to get —** entumecerse

number [ˈnʌmbə] n número m; **— one** uno mismo m; **—crunching** procesamiento de datos numéricos complejos m; vt numerar; vt (total) ascender a; **I — him among my friends** lo cuento entre mis amigos

numberless [ˈnʌmbəlɪs] adj sin número

numbskull, numskull [ˈnʌmskʌl] n zopenco -ca m/f

numeral [ˈnjuːmərəl] n número m; adj numeral

numerical [njuːˈmɛrɪkəl] adj numérico

numerous [ˈnjuːmərəs] adj numeroso

nun [nʌn] n monja f, religiosa f

nuptial [ˈnʌpʃəl] adj nupcial; **— s** nupcias f pl

nurse [nɜːs] n (for the sick) enfermero -a m/f; (for children) niñera f; vt (give milk) amamantar, lactar; (tend to a sick person) cuidar; **to — a grudge** guardar rencor; **to — a cup of coffee** tomar una taza de café a sorbitos; **to — a cold** cuidarse

nursery ['nɜ:srɪ] n (children's room) cuarto para niños m; (day-care center) guardería f; (place for growing plants) almáciga f, vivero m, planté m; **— rhyme** canción infantil f; ronda f; **— school** pre-escolar m; Sp parvulario m; Am jardín infantil m

nursing ['nɜ:sɪŋ] n (profession) enfermería f; (care) cuidado m; **— home** (for old people) hogar de ancianos m; (for sick people) casa de salud f

nurture ['nɜ:tʃə] vt (rear) criar; (feed) nutrir, alimentar; (encourage) fomentar; n (rearing) crianza f; (feeding) alimentación f

nut [nʌt] n (fruit) fruto seco m; (device) tuerca f; (person) excéntrico -ca m/f; **—cracker** cascanueces m sg; **—meg** nuez moscada f; **he's — s** está loco; **— s and bolts** los fundamentos; **—shell** cáscara de fruto seco f; **in a —shell** en pocas palabras

nutrient ['nju:trɪənt] n nutriente m

nutrition [nju:'trɪʃən] n nutrición f, alimentación f

nutritious [nju:'trɪʃəs] adj nutritivo, alimenticio

nylon ['naɪlɒn] n nilón m, nailon m

Oo

oak [ok] n roble m, encina f; **— grove** robledal m

oar [ɔ:r] n remo m; vi/vt remar, bogar; **—lock** tolete m

OAS (Organization of American States) [oes] n OEA f

oasis [o'esɪs] n oasis m

oat [ot] n avena f; **—meal** (flour) harina de avena f; (breakfast food) gachas de avena f pl; **— s** avena f

oath [oθ] n (pledge) juramento m; (curse) maldición f; (swear word) palabrota f, taco m; **to take an —** prestar juramento

obedience [o'bi:dɪəns] n obediencia f

obedient [o'bi:dɪənt] adj obediente

obese [o'bi:s] adj obeso

obesity [o'bi:sɪtɪ] n obesidad f

obey [o'be] vi/vt obedecer

obituary [o'bɪtʃuərɪ] n nota necrológica f, obituario m

object [əb'dʒɛkt] v (object to) oponerse a ['ɒbdʒɛkt] n objeto m; (of a verb) complemento m; vi/vt objetar

objection [əb'dʒɛkʃən] n objeción f

objective [əb'dʒɛktɪv] adj objetivo; n objetivo m

obligate ['ɒblɪget] vt obligar

obligation [ɒblɪ'geʃən] n obligación f; **under no — to** sin compromiso de compra

obligatory ['ɒblɪgətɔrɪ] adj obligatorio

oblige [o'blaɪdʒ] vt (make obliged) vi/vt (do a favor for) complacer; vi (obey an order) obedecer; **much — d!** ¡muchas gracias! ¡muy agradecido!

obliging [o'blaɪdʒɪŋ] adj complaciente; Am comedido

oblique [o'bli:k] adj oblicuo

obliterate [o'blɪtəret] vt (blot out) tachar; (destroy) arrasar, destruir

oblivion [o'blɪvɪən] n olvido m

oblivious [o'blɪvɪəs] adj inconsciente; **— to the danger** ajeno al peligro

obnoxious [əb'nɒkʃəs] adj (remark, behavior) ofensivo; (person) molesto

oboe [obo] n oboe m

obscene [əb'si:n] adj obsceno; **his salary is —** lo que gana es escandaloso

obscenity [əb'sɛnɪtɪ] n obscenidad f

obscure [əb'skjʊr] adj oscuro; vt oscurecer

obscurity [əb'skjʊrɪtɪ] n oscuridad f

obsequious [əb'si:kwɪəs] adj obsequioso

observance [əb'zɜ:vəns] n observancia f

observant [əb'zɜ:vənt] adj observador

observation [ɒbzər'veʃən] n observación f

observatory [əb'zɜ:vətɔrɪ] n observatorio m

observe [əb'zɜ:v] vt observar; (holidays, rituals) guardar

observer [əb'zɜ:və] n observador -ra m/f

obsess [əb'sɛs] vi/vt obsesionar(se); **he's —ing over it** está obsesionado

obsession [əb'sɛʃən] n obsesión f

obsessive-compulsive [əb'sɛsɪvkəm'pʌlsɪv] adj obsesivo-compulsivo

obsolescence [ɒbsə'lɛsəns] n desuso m

obsolete [ɒbsə'li:t] adj anticuado, desusado

obstacle ['ɒbstəkəl] n obstáculo m

obstetrics [ɒb'stɛtrɪks] n obstetricia f

obstinacy ['ɒbstɪnəsɪ] n obstinación f, terquedad f, porfía f

obstinate ['ɒbstɪnət] adj obstinado, terco, recalcitrante; **to be —** obstinarse

obstruct [əb'strʌkt] vi/vt obstruir; (traffic) atascar, obturar

obstruction [əb'strʌkʃən] n obstrucción f

obtain [əb'ten] vt obtener, procurar; vi prevalecer

obtainable [əb'tenəbəl] adj conseguible

obviate ['ɒbviet] vt hacer innecesario

obvious ['ɒbvɪəs] adj obvio, evidente

occasion [ə'keʒən] n (moment) ocasión f;

occasion [əˈkeɪʒən] n (cause) ocasión f, oportunidad f; (event) acontecimiento m, motivo m; vt ocasionar

occasional [əˈkeɪʒənəl] adj ocasional

occasionally [əˈkeɪʒənəli] adv de vez en cuando, ocasionalmente

occidental [ˌaksɪˈdɛntəl] adj & n occidental mf

occult [əˈkʌlt] adj oculto; n ocultismo m; vt ocultar

occupant [ˈakjəpənt] n ocupante mf

occupation [ˌakjəˈpeɪʃən] n ocupación f

occupy [ˈakjəˌpaɪ] vt/vi ocupar

occur [əˈkɜr] vi ocurrir, suceder; **it — red to me** se me ocurrió

occurrence [əˈkɜrəns] n suceso m, acontecimiento m

ocean [ˈoʃən] n océano m

oceanography [ˌoʃəˈnagrəfi] n oceanografía f

o'clock [əˈklak] adv **it is one** — es la una; **it is two** — son las dos

octagon [ˈaktəˌgan] n octágono m, octógono m

octane [ˈakteɪn] n octano m

octave [ˈaktɪv] n octava f

October [akˈtobər] n octubre m

octopus [ˈaktəpəs] n pulpo m

OD (overdose) [od] n sobredosis f; vi tomar una sobredosis

odd [ad] adj (unusual) extraño; (not even) impar, non; **— ball** excéntrico -ca mf; **— job** trabajo ocasional m; **— shoe** zapato sin compañero m; **— thirty** — treinta y tantos

oddity [ˈadɪti] n [brɪl] rareza f; (person) excéntrico -ca mf

odds [adz] n (probabilities) probabilidades f pl; **— and ends** cachivaches m pl; **—on** ...

odious [ˈoʊdiəs] adj odioso

ode [od] n oda f

odor [ˈoʊdər] n olor m; (bad) hedor m

odorless [ˈoʊdər-lɪs] adj inodoro

odorous [ˈoʊdər-əs] adj oloroso

of [əv] prep de; **— course** por supuesto, desde luego; **a quarter — five** las cinco menos cuarto; **doctor — medicine** doctor -ra en medicina mf; **the smell — paint** el olor a pintura; **a friend — mine** un amigo mío

off [ɔf] adv de; **— and on** de vez en cuando; **— the record** extraoficialmente; **ten cents —** rebaja de diez centavos f; **ten miles —** a diez millas de distancia; **to take a day —** tomarse un día libre; adj **— chance** posibilidad remota f; **— color** verde: **— year** de producción decreciente; **our deal is —** se canceló nuestro plan; **prices are —** los precios han caído; **you're — by a mile** estás equivocadísimo; **he's a mile —** está tocadito, **— with his hat** sin el sombrero; **the electricity is —** está apagada la electricidad; **to be — to war** haberse ido a la guerra; **to be well —** tener mucho dinero; prep **— course** fuera de curso; **he drove — the road** se salió de la carretera; **I bought — a gypsy** se lo compré a un gitano; **he's — playing golf** se fue a jugar al golf; vt liquidar

off-duty [ˈɔfˈduti] adj & n **to be —** no estar de turno

offend [əˈfɛnd] vt/vi (insult) ofender; afrentar; (affect disagreeably) desagradar

offender [əˈfɛndər] n delincuente mf

offense [əˈfɛns] n (sin, insult) ofensa f; (misdemeanor) delito m; **no — was meant** no se lo tomes a mal; (in sports) ofensiva f

offensive [əˈfɛnsɪv] adj ofensivo; n ofensiva f

offer [ˈɔfər] vt ofrecer; **to —** ofrecerse a; n oferta f

offering [ˈɔfərɪŋ] n (thing given in worship) ofrenda f; (thing presented for sale) oferta f; (action of offering) ofrecimiento m

offhand [ˈɔfˈhænd] adv **he remarked —** mencionó al descuido; adj **— remark** un comentario descuidado m

office [ˈɔfɪs] n (function) cargo m, función f; (place) oficina f, despacho m; (headquarters) oficinas f pl; **— boy** mandadero de oficina m; **— building** edificio para oficinas m; **through the —s of** por la intervención de

officer [ˈɔfɪsər] n (military) oficial m; (police) agente de policía mf; (of an organization) directivo -va mf

official [əˈfɪʃəl] adj oficial; n funcionario -ria mf

officiate [əˈfɪʃiˌeɪt] vi oficiar; (in sports) arbitrar

officious [əˈfɪʃəs] adj oficioso

off-key [ˈɔfˈki] adj desafinado

off-limits [ˈɔfˈlɪmɪts] adj vedado

off-season [ˈɔfˈsizən] adj de temporada baja

offset [ˈɔfsɛt] n offset m; vt compensar

offshore [ˈɔfʃor] adj & adv cerca de la costa; **— drilling** explotación petrolífera en el fondo del mar f

offspring [ˈɔfsprɪŋ] n prole m

offstage [ˈɔfˈsteɪdʒ] adv & adj entre bastidores, fuera de escena

often [ˈɔfən] adv a menudo; **how — ?** ¿con

qué frecuencia? ¿cada cuánto?

ogre [ógə-] N ogro *m*

ohm [om] N ohmio *m*

oil [ɔɪl] N (for cars, cooking) aceite *m*; (crude) petróleo *m*; **—can** alcuza *f*, aceitera *f*; **—cloth** hule *m*, tela de hule *f*; — **field** yacimiento petrolífero *m*; — **lamp** quinqué *m*; — **painting** pintura al óleo *f*, óleo *m*; — **pan** cárter *m*; — **rig** plataforma petrolífera *f*; — **slick** mancha de petróleo *f*; — **well** pozo de petróleo *m*; VT (apply oil) aceitar; (bribe) untar

oily [ɔíli] ADJ aceitoso, oleoso; (unctuous) untuoso

oink [ɔɪŋk] VI gruñir; N gruñido *m*

ointment [ɔíntmənt] N ungüento *m*

OK [oké] ADJ bueno; ADV bien; **he's an — guy** es un buen tipo; **it's —** (fine) está bien; (adequate) es regular; **to give one's — dar** el visto bueno; VT dar el visto bueno, aprobar

okra [ókrə] N quingombó *m*

old [oɫd] ADJ viejo; (objects only) antiguo; (wine) añejo; **— age** vejez *f*, ancianidad *f*; **—-fashioned** (unfashionable) pasado de moda; (antiquated) anticuado; (morally prudish) chapado a la antigua; **— fogey** carcamal *m*, carca *m*; **— hat** pasado de moda; **— maid** solterona *f*; **—-time** antiguo, viejo; **—-timer** (long-time member) miembro de la vieja guardia *m*; (oldster) viejo *m*; **— wives' tale** superstición *f*; **— world** viejo mundo *m*; **days of —** antaño; **how — are you?** ¿cuántos años tienes? — **man** (husband) marido *m*; (father) *fam* viejo *m*; **I'm not — enough to drive** soy muy joven para conducir; **to be an — hand at** ser ducho en

olden [óɫdən] ADJ **in — days** antaño

oldie [óɫdi] N viejo éxito *m*

oleander [óliændə-] N adelfa *f*

olfactory [ɔlfǽktəri] ADJ olfatorio

olive [áɫɪv] N (tree) olivo *m*; (fruit) aceituna *f*, oliva *f*; **— branch** ramo de olivo *m*; **— grove** olivar *m*; **— oil** aceite de oliva *m*; **— wood** madera de olivo *m*; ADJ verde oliva

Olympiad [olímpiæd] N olimpiada *f*

Olympic [olímpɪk] ADJ olímpico; **— Games** Olimpiadas *f pl*, Juegos Olímpicos *m pl*

Oman [omán] N Omán *m*

Omani [ománi] ADJ & N omaní *mf*

omelet [ámlɪt] N tortilla francesa *f*

omen [ómən] N agüero *m*, presagio *m*

ominous [ámənəs] ADJ (threatening) amenazador; (like an omen) agorero

omission [omíʃən] N omisión *f*

omit [omít] VT omitir

omnipotence [ɑmnípətəns] N omnipotencia *f*

omnipotent [ɑmnípətənt] ADJ omnipotente

omniscience [ɑmníʃəns] N omnisciencia *f*

omniscient [ɑmníʃənt] ADJ omnisciente

omnivorous [ɑmnívə-əs] ADJ omnívoro

on [ɑn] PREP en, sobre, encima de; **— the table** en / sobre / encima de la mesa; **— all sides** por todos lados; **— arriving** al llegar; **— call** de guardia; **— credit** al fiado; **— drugs** drogado; **— horseback** a caballo; **—-line** en línea; **— Monday** el lunes; **— purpose** a propósito; **—-screen** en la pantalla; **— the house** la casa paga; **— time** a tiempo; **a book — stamps** un libro sobre sellos; **do you have any cigarettes — you?** ¿tienes cigarros? **drunk — beer** borracho de cerveza; **to talk — the phone** hablar por teléfono; ADV **— and —** dale que dale; ADJ **his hat is —** lleva puesto el sombrero; **the light is —** está encendida la luz; **there's a war —** estamos en guerra; **you're —** (broadcasting) estás en el aire

once [wʌns] ADV (in the past, a single time) una vez; (if ever) si alguna vez; **— and for all** una vez por todas; **— in a while** de vez en cuando; **—-over** vistazo *m*; **— upon a time** érase una vez; **at — de** inmediato; **just this —** sólo por esta vez; **— removed** primo segundo *m*; CONJ una vez que, cuando; N una vez

oncology [ɑnkálədʒi] N oncología *f*

one [wʌn] ADJ uno; — **book** un libro; **— thousand** mil; **—-armed** manco; **—-armed bandit** tragaperras *mf sg*; **—-eyed** tuerto; **— John Smith** un tal John Smith; **—-man band** hombre orquesta *m*; **— on —** mano a mano; **—-sided fight** pelea desigual *f*; **—-upmanship** competitividad *f*; **—-way street** calle de sentido único *f*; **his — chance** su única oportunidad; **the — and only** el único; **this is — smart dog** es un perro muy listo; N & PRON uno *m*; **— at a time** de a uno; **— by —** uno por uno; **love — another** amaos los unos a los otros; **the — who** el / la que; **the green —** el verde; **this —** este / ésta

oneself [wʌnsélf] PRON **to be —** ser uno mismo; **to sit by —** estar sentado solo; **to talk to —** hablar para sí; **to look at — in the mirror** mirarse en el espejo; **to buy — a house** comprarse una casa

ongoing [ángoɪŋ] ADJ continuo

onion [ʌnjən] N cebolla f; — **patch** cebollar m

onlooker [ɑnlukə] N espectador -ra mf; mirón -ona mf

only [onli] ADJ único; ADV sólo, solamente; **I — just caught the train** por poco pierdo el tren; CONJ sólo que, pero

onomatopoeia [anamatapiə] N onomatopeya f

onset [ɑnsɛt] N comienzo m

onto [ɑntu] PREP en, sobre, encima de; **he placed it — the top of the refrigerator** lo coloco encima de la nevera; **I'm — your plot** conozco tu plan

onward [ɑnwə-d] ADV hacia adelante

onyx [ɑnɪks] N ónix m

ooze [uz] VI/VT rezumar(se); N cieno m

oops [ups] INTERJ ¡huy!

opal [opəl] N ópalo m

opaque [opek] ADJ opaco

OPEC (Organization of Petroleum Exporting Countries) [opɛk] N OPEP f

open [opən] VI/VT abrir(se); **to — into** comunicarse con; **to — one's way** abrir paso; **to — onto** dar a; **to — up** abrirse; ADJ abierto; **— and shut** claro, evidente; **— door policy** política de acceso libre f; **—ended** abierto; **—heart surgery** cirujía de corazón abierto f; **—minded** de amplias miras; **—mouthed** boquiabierto; **— question** cuestión discutible f; **— season** temporada de caza f; **— to criticism** expuesto a la crítica; N (outdoors) aire libre m; (tournament) abierto m

opener [opənə-] N abridor m; (in sports) primer partido m; **for —s** para empezar

opening [opənɪŋ] N (open space) abertura f; (act of making or becoming open, ceremony) apertura f; (beginning) comienzo m; (clearing) claro m; (vacancy) vacante m; (pretext) oportunidad f; **— night** estreno m

opera [opərə] N ópera f; **— glasses** N gemelos m pl; **— house** ópera f

operable [opərəbl] ADJ operable

operate [opəret] VI (function) funcionar; (intervene surgically) operar; **to — on a person** operar a una persona; VT (run a machine) manejar; (administrate) dirigir; (make function) accionar

operating room [apəretɪŋrum] N sala de operaciones f, quirófano m

operation [apəretʃən] N (surgical intervention, mission, math function) operación f; (function) funcionamiento m; (use of a machine) manejo m; **to be in —** (law) estar vigente; (machine) estar funcionando

operative [apə-rɪv] ADJ (law) vigente; (contract provision) pertinente; (word) clave; N (machine worker) operario -ria mf; (spy) agente mf

operator [apəretə-] N (telephone, math) operador -ra mf; (machine) maquinista mf; (stock) especulador -ra mf; inf **es un astuto — smooth**

opinion [əpɪnjən] N opinión f

opium [opiəm] N opio m

opossum [əpɑsəm] N zarigüeya f

opponent [əponənt] N opositor -ora mf; (contender) adversario -ria mf

opportune [apə-tun] ADJ oportuno

opportunistic [apə-tunɪstɪk] ADJ oportunista, aprovechado

opportunity [apə-tunɪti] N oportunidad f; ocasión f

oppose [əpoz] VI/VT oponer(se)

opposing [əpozɪŋ] ADJ opuesto, contrario; **— thumb** pulgar oponible m

opposite [apəzɪt] ADJ (contrary) opuesto, contrario; **— to** frente a; en frente de; N contrario m; opuesto m; ADV en frente

opposition [apəzɪʃən] N oposición f; **they met with little —** encontraron poca resistencia

oppress [əprɛs] VT oprimir

oppression [əprɛʃən] N opresión f

oppressive [əprɛsɪv] ADJ (harsh) opresivo; (heat) bochornoso, sofocante

oppressor [əprɛsə-] N opresor -ra mf

optic [aptɪk] ADJ óptico; N **—s** óptica f

optical [aptɪkl] ADJ óptico; **— fiber** fibra óptica f; **— illusion** ilusión óptica f

optician [aptɪʃən] N óptico -ca mf

optimism [aptɪmɪzəm] N optimismo m

optimist [aptɪmɪst] N optimista mf

optimistic [aptɪmɪstɪk] ADJ optimista

option [apʃən] N opción f; (also financial); (feature) extra m; **to leave one's —s open** no descartar posibilidades

optional [apʃənl] ADJ opcional, optativo

optometry [aptɑmɪtri] N optometría f

opulence [apjələns] N opulencia f

opulent [apjələnt] ADJ opulento

or [ɔr] CONJ o; **seven — eight** siete u ocho

oracle [ɔrəkl] N oráculo m

oral [ɔrəl] ADJ oral; (hygiene) bucal

orange [ɔrɪndʒ] N naranja f; **— blossom** azahar m; **— grove** naranjal m; **— tree** naranjo m; ADJ anaranjado

orangutan [əræŋjətæn] N orangután m

orator [ˈɔrə] n orador -ra mf

oratory [ˈɔrətri] n (skill in speaking) oratoria f; (place for prayer) oratorio m

orb [ɔrb] n orbe m

orbit [ˈɔrbɪt] n órbita f; vi/vt orbitar

orbital [ˈɔrbɪtəl] adj orbital

orbiter [ˈɔrbɪtər] n orbitador m

orchard [ˈɔrtʃə-d] n huerto m; (large) huerta f

orchestra [ˈɔrkɪstrə] n orquesta f

orchestrate [ˈɔrkɪstret] vt orquestar

orchid [ˈɔrkɪd] n orquídea f

ordain [ɔrˈden] vt (as minister) ordenar; (with an edict) decretar

ordeal [ɔrˈdil] n suplicio m, tortura f — **by fire** ordalía de fuego f

order [ˈɔrtrə] n (command) orden f, mandato m; (request, commission) pedido m; (obedience to law, sequence, regime) orden m; **holy** —**s** órdenes sagradas f pl; **an — ology is in** — corresponde una disculpa; **in** — **to** para; **in working** — en buen estado; **in** — **that** para que, a fin de que; **to the** — **of** a la orden de; **out of** — no funciona; **to put in** — ordenar; vi/vt (command, arrange) ordenar, mandar; (ask for) pedir

orderly [ˈɔrdə-li] adj ordenado; n (military) ordenanza m; (hospital) camillero m

ordinance [ˈɔrdɪnəns] n ordenanza f

ordinary [ˈɔrdɪnɛri] adj común, corriente, ordinario; **out of the** — **way** hazlo de la forma habitual

ore [ɔr] n mineral m

organ [ˈɔrɡən] n (also musical instrument) órgano m

oregano [ɔˈrɛɡəno] n orégano m

organic [ɔrˈɡænɪk] adj orgánico; — **chemistry** química orgánica f

organism [ˈɔrɡənɪzəm] n organismo m

organist [ˈɔrɡənɪst] n organista m

organization [ɔrɡənɪˈzeʃən] n organización f

organize [ˈɔrɡənaɪz] vt organizar; vi/vt organizarse

organizer [ˈɔrɡənaɪzər] n organizador -ra mf

orgy [ˈɔrdʒi] n orgía f

orient [ˈɔriɛnt] n oriente m; vt orientar

oriental [ɔriˈɛntl] adj & n oriental mf

orientate [ˈɔriɛntet] vt orientar

orientation [ɔriɛnˈteʃən] n (guidance) orientación f; (tendency, leaning) tendencia f

orifice [ˈɔrɪfɪs] n orificio m

origin [ˈɔrɪdʒɪn] n origen m; (of a river) nacimiento m

original [əˈrɪdʒənl] adj & n original m

originality [ərɪdʒəˈnælɪti] n originalidad f

originate [əˈrɪdʒənet] vi/vt originar(se)

oriole [ˈɔriol] n oropéndola f

Orion [ɔrˈaɪən] n orión m

ornament [ˈɔrnəmənt] n adorno m, ornamento m; [ˈɔrnəmɛnt] vt adornar, ornamentar

ornamental [ɔrnəˈmɛntl] adj ornamental

ornate [ɔrˈnet] adj adornado en exceso; — **style** estilo rebuscado m

ornithology [ɔrnɪˈθɑlədʒi] n ornitología f

orphan [ˈɔrfən] adj & n huérfano -na mf; vt dejar huérfano a

orphanage [ˈɔrfənɪdʒ] n orfanato m, hospicio m

orthodontics [ɔrθəˈdɑntɪks] n ortodoncia f

orthodox [ˈɔrθədɑks] adj ortodoxo

orthography [ɔrˈθɑɡrəfi] n ortografía f

oscillate [ˈɑsəlet] vi oscilar; vt hacer oscilar

oscillation [ɑsəˈleʃən] n oscilación f

osmosis [ɑzˈmosɪs] n ósmosis f

osprey [ˈɑspre] n águila pescadora f

ostensible [ɑsˈtɛnsəbl] adj aparente

ostentation [ɑstɛnˈteʃən] n ostentación f

ostentatious [ɑstɛnˈteʃəs] adj ostentoso

osteoporosis [ɑstioˈprosɪs] n osteoporosis f

ostracize [ˈɑstrəsaɪz] vt aislar

ostrich [ˈɑstrɪtʃ] n avestruz m

other [ˈʌðr] adj, pron N otro -tra mf; — **than Bob** salvo Bob; **every** — **day** cada dos días, un día sí y otro no; — **wise** de otro modo; — **worldly** adj fantástico

otter [ˈɑtr] n nutria f

ouch [aʊtʃ] interj ¡ay!

ought [ɔt] v aux **you** — **to sit down** deberías sentarte; **we** — **to get up early** deberíamos levantarnos más temprano

ounce [aʊns] n onza f

our [aʊr] poss adj nuestro

ours [aʊrz] adj nuestro; **this book is** — este libro es nuestro; **these things are** — estas cosas son nuestras; pron el nuestro; — **is bigger** el nuestro es más grande; **a friend of** — un amigo nuestro

ourselves [aʊrˈsɛlvz] pron **we made the cake** — nosotros mismos hicimos la torta; **we were sitting by** — estábamos sentados solos; **we look at** — **in the mirror** nos miramos en el espejo; **we bought** — **a house** nos compramos una casa

oust [aʊst] vt echar, expulsar

out [aʊt] adv (outside) fuera; (turned off, extinguished) apagado; interj ¡fuera! n escape m; vt (expel) expulsar; (expose) descubrir; vi **the truth will** — se descubrirá la verdad; prep **she ran** — **the door** salió corriendo por la puerta; **they locked me** — me dejaron fuera; — **and**

— **criminal** criminal empedernido *f;* —
and — refusal una negativa rotunda; —
of commission / order fuera de servicio;
—of-date pasado de moda, anticuado; —
of fashion pasado de moda; — **of fear**
por miedo; — **of joint** dislocado; — **of**
money sin dinero; — **of print / stock**
agotado; — **of touch with** desconectado
de; — **of tune** desentonado; — **of work**
desempleado; **made** — de hecho de;
miniskirts are on the way — las
minifaldas se están dejando de usar; **I**
had it — **with him** me peleé con él;
you were — no estabas; **before the**
week is — antes de que termine la
semana; **the book is just** — acaba de
publicarse el libro; **the secret is** — se ha
divulgado el secreto; **we had some, but**
now we're — teníamos, pero se nos
acabó; **I'm** — **$10** perdí $10

outage [áuɾɪʤ] N apagón *m*

outbreak [áutbrek] N (of pimples) erupción
f; (of war) comienzo *m;* (of disease) brote
m

outburst [áutbɚst] N (emotional) arrebato *m;*
(of tears) ataque *m;* (of violence) motín *m,*
explosión *f*

outcast [áutkæst] ADJ & N marginado -da *mf*

outcome [áutkʌm] N resultado *m*

outcry [áutkraɪ] N clamor *m,* protesta *f*

outdated [autdéɾɪd] ADJ anticuado

outdoor [áutdɔr] ADJ al aire libre; [autdɔ́rz]
ADV —**s** al aire libre, afuera

outer [áuɾɚ] ADJ exterior; — **ear** oído
externo *m;* — **space** espacio exterior *m*

outfit [áutfɪt] N (gear) equipo *m;* (clothes)
conjunto *m;* (soldiers) unidad *f;* VI/VT
equipar, habilitar

outfox [autfáks] VT ser más listo que

outgoing [áutgoɪŋ] ADJ (leaving) saliente;
[autgóɪŋ] ADJ (extrovert) extrovertido

outgrow [autgró] VT **she will — her**
clothes le quedará la ropa pequeña; **she**
will — her epilepsy la epilepsia se le irá
con la edad

outing [áuɾɪŋ] N excursión *f,* paseo *m*

outlandish [autlǽndɪʃ] ADJ estrafalario

outlast [autlǽst] VT (last longer than) durar
más que; (live longer than) sobrevivir a

outlaw [áutlɔ] N bandido -da *mf,* forajido -da
mf; VT prohibir

outlay [áutle] N gasto *m,* desembolso *m;*
[autlé] VT gastar, desembolsar

outlet [áutlɛt] N (exit) salida *f;* (stream)
desagüe *m,* emisario *m;* (store) tienda *f;*
(electric connection) toma de corriente *f;*
she needs an — for her talent necesita

canalizar su talento

outline [áutlaɪn] N (abstract) bosquejo *m,*
esbozo *m,* trazado *m;* (boundary) contorno
m; VT (summarize) bosquejar, esbozar;
(draw) delinear; (plan) trazar

outlook [áutluk] N perspectiva *f,* panorama
m

outlying [áutlaɪɪŋ] ADJ (marginal) periférico;
(distant) remoto

output [áutpʊt] N (production) rendimiento
m; (computer information) salida *f*

outrage [áutreʤ] N (offense) ultraje *m,*
agravio *m,* atropello *m;* (indignation)
indignación *f;* VT (offend) ultrajar,
agraviar; (enrage) indignar

outrageous [autréʤəs] ADJ (offensive)
ultrajante; (exorbitant) exorbitante;
(extravagant) extravagante

outreach [áutritʃ] N extensión *f;* [autrítʃ] VT
exceder

outright [autráɪt] ADV completamente; **he**
bought it — lo compró al contado; **he**
rejected it — lo rechazó
categóricamente; [áutraɪt] ADJ — **denial**
negativa rotunda *f;* — **lie** mentira
descarada *f*

outset [áutset] N comienzo *m,* principio *m*

outshine [autʃáɪn] VT eclipsar

outside [autsáɪd] ADV fuera, afuera; PREP fuera
de; [áutsaɪd] ADJ (external) exterior;
(foreign) foráneo; N exterior *m;* — **chance**
posibilidad remota *f;* **in a week, at the**
— en una semana, a lo sumo; **to close**
on the — cerrar por fuera

outsider [autsáɪɾɚ] N forastero -ra *mf*

outskirts [áutskɚts] N alrededores *m pl,*
afueras *f pl*

outspoken [autspókən] ADJ franco

outstanding [autstǽndɪŋ] ADJ (excellent)
sobresaliente, destacado; (pending)
pendiente

outstretched [autstrétʃt] ADJ extendido

outward [áutwɚd] ADJ exterior, externo; —
appearances apariencias *f pl;* ADV hacia
fuera; — **bound** que sale

outweigh [autwé] VT (weigh more) pesar más
que; (be more important) sobreponerse a,
valer más que

outwit [autwít] VT ser más listo que

oval [óvəl] ADJ oval, ovalado; N óvalo *m*

ovary [óvəri] N ovario *m*

ovation [ovéʃən] N ovación *f*

oven [ávən] N horno *m*

over [óvɚ] PREP — **here** acá; — **in Japan**
allá en Japón; — **many years** durante
muchos años; — **the sea** al otro lado del
mar; — **the hill** viejo; — **there** allá; **an**

overhear [ova-hír] VI/VT oír por casualidad

overkill [ova-kíl] N exageración f

overland [ova-lénd] ADV & ADJ por tierra

overlap [ova-lép] VI/VT solapar(se); superponer(se); [ova-lép] N traslapo m

overlay [ova-lé] VT cubrir; (with gold, etc.) incrustar; [ova-le] N cubierta f; (with metal, wood) revestimiento m, chapa f

overload [ova-lód] N sobrecarga f; VT sobrecargar, recargar, saturar; [ova-lod] N sobrecarga f

overlook [ova-lúk] VT (fail to mention) pasar por alto, omitir; (pardon) perdonar; (look from above) mirar desde arriba; (afford a view of) dar a, tener vista a; [ova-lúk] N mirador m

overly [ova-lí] ADV excesivamente

overnight [ova-náit] ADJ — **delivery** entrega al otro día f; — **guest** invitado -da a dormir m/f; [ova-náit] ADV **he succeeded** — tuvo éxito de la noche a la mañana

overpass [ova-pés] N paso elevado m

overpower [ova-páua] VT vencer

overqualified [ova-kwálifaid] ADJ sobrecalificado

overreach [ova-ríʧ] VI **to — oneself** abarcar demasiado

overreact [ova-riékt] VI reaccionar exageradamente

override [ova-ráid] VT anular

overrule [ova-rúl] VT anular

overrun [ova-rʌ́n] VT (overflow) desbordarse; (exceed) exceder; (invade) infestar; [ova-rʌn] N exceso m

overseas [ova-síz] ADV (beyond the sea) en ultramar; (abroad) en el extranjero

oversee [ova-sí] VT dirigir, supervisar

overseer [ova-sír] N capataz -za m/f, supervisor -ra m/f

overshadow [ova-ʃédo] VT eclipsar, opacar

overshoe [ova-ʃu] N chanclo m

oversight [ova-sait] N (mistake) descuido m; (act of overseeing) supervisión f

overstep [ova-stép] VT excederse en

overt [ova-t] ADJ evidente

overtake [ova-ték] VT (pass someone) pasar, rebasar; (befall) abatirse sobre

overtax [ova-téks] VT (tax too much) gravar excesivamente; (demand too much) exigir demasiado

overthrow [ova-θro] VT derrocar, derribar; [ova-θro] N derrocamiento m

overtime [ova-taim] N (at work) horas extras f pl; (in a game) prórroga f; **to work** — hacer horas extras

overture [ova-tʃa] N (musical composition) obertura f; (initial move) propuesta f

---

umbrella — **his head** un paraguas sobre la cabeza; **I heard it** — **the radio** lo oí por la radio; **he jumped** — **the fence** saltó por encima de la cerca; **he is** — **her in the hierarchy** él está por encima de ella en la jerarquía; **not** — **one year** no más de un año; **he hit him** — **the head with a rock** le golpeó en la cabeza con una piedra; **all** — **the city** por toda la ciudad, — **again** de nuevo, otra vez, — **and** — una y otra vez; — **generous** demasiado generoso; **do it** — hazlo de nuevo, hazlo otra vez; **the world** — por todo el mundo; **it is** — **with** se acabó; INTERJ — **and out** cambio y fuera

overactive [ova-éktiv] ADJ hiperactivo, demasiado activo

overall [ova-ɔ́l] ADJ global, total; —**s** mono m, overol m

overbearing [ova-bériŋ] ADJ mandón -ona, dominante

overboard [ova-bɔrd] ADV (into the water) al agua; **she went** — **on her project** se le fue la mano con su proyecto

overcast [ova-kést] ADJ nublado, encapotado; **to become** — nublarse, encapotarse

overcharge [ova-ʧárdʒ] VI/VT cobrar demasiado

overcoat [ova-kot] N sobretodo m, gabán m

overcome [ova-kʌ́m] VI/VT (to get the better of) superar; (to overwhelm) embargar; **to be** — **by weariness** estar agobiado

overdose [ova-dos] N sobredosis f; VI tomar una sobredosis

overdraft [ova-dræft] N sobregiro m, descubierto m

overdraw [ova-drɔ] VI/VT sobregirar(se)

overdrawn [ova-drɔn] ADJ en descubierto, sobregirado

overdrive [ova-draiv] N superdirecta f

overdue [ova-du] ADJ (borrowed item) atrasado; (bill) vencido

overeat [ova-it] VI comer en exceso

overexcite [ova-iksáit] VT sobreexcitar

overflow [ova-flo] VI desbordarse, rebosar; [ova-flo] N desbordamiento m, salidero m

overgrown [ova-gron] ADJ cubierto, crecido; — **boy** muchacho demasiado crecido para su edad m

overhang [ova-héŋ] VI (jut) proyectarse; (hang over) estar suspendido; [ova-hæŋ] N saliente f

overhaul [ova-hɔl] VT revisar; [ova-hɔl] N revisión f

overhead [ova-hɛd] N gastos generales m/f; ADJ elevado; — **projector** retroproyector m

overturn [ova-ˈtɜn] vt/vi volcar(se); vt (a decision) anular; (a government) derrocar

overview [ˈova-vju] n vista global f, panorama m

overweight [ova-ˈwet] adj he's — pesa demasiado; [ova-wet] n sobrepeso m

overwhelm [ova-ˈhwelm] vt abrumar, agobiar

overwhelming [ova-ˈhwelmɪŋ] adj (responsibility, task) abrumador, agobiante; (victory) arrollador

overwork [ova-ˈwɜk] vi trabajar demasiado; vt hacer trabajar demasiado; n exceso de trabajo m

ovulate [ˈovjəleɪt] vi ovular

owe [o] vt/vi deber; (a sum) adeudar, deber

owing [ˈoɪŋ] adj debido; — to a debido a

owl [aʊl] n lechuza f, búho m

own [on] adj & pron propio; a house of his own — una casa suya; to be on one's — ser independiente; to come into one's — conseguir lo que uno se merece; to hold one's — mantenerse firme; vt poseer; to — up (to) confesar

owner [ˈona-] n dueño -ña m/f, propietario -ria m/f

ownership [ˈona-ʃɪp] n propiedad f

ox [aks] n buey m

oxidize [ˈaksɪdaɪz] vt/vi oxidar(se)

oxygen [ˈaksɪdʒən] n oxígeno m; — tent n cámara de oxígeno f

oyster [ˈoɪsta-] n ostra f; (large) ostión m

ozone [ˈozon] n ozono m; — layer n capa de ozono f

Pp

pace [pes] n paso m; vt (traverse) ir y venir por; (set the pace) marcar al paso; (measure) medir a pasos; —maker n marcapasos m sg

pacific [pəˈsɪfɪk] adj pacífico; — Ocean n Océano Pacífico m

pacifier [ˈpæsəfaɪa-] n chupete m

pacifism [ˈpæsəfɪzəm] n pacifismo m

pacify [ˈpæsəfaɪ] vt (a country) pacificar; (a person) apaciguar, apagar

pack [pæk] n (of wolves) manada f; (of dogs) jauría f; (of cigarettes) cajilla f, cajetilla f; (of cards) baraja f; (of cyclists) pelotón m; — animal n animal m, acémila f; bestia de carga f; a — of lies una sarta de mentiras; vt empacar, empaquetar;

package [ˈpækɪdʒ] n paquete m (also packet); vt (gift) empaquetar; (food) envasar; (in advertising) presentar; — vacation n vacación organizada f

packer [ˈpæka-] n empacador -ra m/f, embalador -ra m/f

packet [ˈpækɪt] n paquete m; (of soup) sobre m

packing [ˈpækɪŋ] n embalaje m (also cushioning material)

pact [pækt] n pacto m

pad [pæd] n (cushion) almohadilla f (also for ink); (block of paper) bloc m; (for aircraft) pista f; (for spacecraft) plataforma de lanzamiento f; vt (stuff with padding) acolchar; (add to dishonestly) rellenar

padding [ˈpædɪŋ] n (for rowing) relleno m; (cotton) guata f; (of a speech) ripio m

paddle [ˈpædl] n (for rowing) pala f, remo m; (for mixing, beating, ping-pong) paleta f; — wheel n rueda de paleta f; vi remar; vt hacer avanzar remando; (hit) dar una paletada

paddock [ˈpædək] n (field) prado m; (enclosure at racetrack) paddock m

padlock [ˈpædlɑk] n candado m; vt cerrar con candado

pagan [ˈpeɪɡən] adj & n pagano -na m/f

paganism [ˈpeɪɡənɪzəm] n paganismo m

page [peɪdʒ] n (sheet) hoja f, página f; (boy servant) paje m; (hotel employee) botones m sg; vt (number pages) paginar; (call) llamar por altavoz, Mex vocear; to — through hojear

pageant [ˈpædʒənt] n (parade) desfile m; (show) espectáculo m

pail [peɪl] n balde m, cubeta f

pain [peɪn] n dolor m; (suffering) sufrimiento m; —killer n analgésico m; to take pains — esmerarse; he's a — es un chinche; vt (physical) doler; (mental) apenar

painful [ˈpeɪnfəl] adj (hurting) doloroso; (distressing) penoso; (difficult) arduo

painless [ˈpeɪnlɪs] adj sin dolor, indoloro

paint [peɪnt] n (substance) pintura f; (for art) pincel m; vt/vi pintar; to — the town red irse de juerga; — brush n brocha f; (for art) pincel m; (spotted horse) pinto m

painter [ˈpeɪnta-] n pintor -ra m/f

painting [ˈpeɪntɪŋ] n pintura f

pair [per] n par m; (married couple) pareja f; (span) yunta f; a — of scissors unas tijeras, una tijera; vi/vt aparear(se),

pane [pein] n vidrio m, cristal m

panel [pænəl] n (wall, group of persons) panel m; (of instruments) tablero m; vt revestir con paneles

pang [pæŋ] n (sharp pain, hunger) punzada f; (anguish) remordimientos m pl

panic [pænik] adj & n & pánico m — **-stricken** adj sobrecogido de pánico

panorama [pænəræmə] n panorama m — **panoramic** [pænəræmik] adj panorámico

pansy [pænzi] n (flower) pensamiento m

pant [pænt] vi jadear; **to — out** decir jadeando

panther [pænθər] n pantera f

panties [pæntiz] n pl bragas f pl, Mex pantaletas f pl; RP bombacha f

pantomime [pæntəmaim] n pantomima f

pantry [pæntri] n despensa f, alacena f

pants [pænts] n pl pantalones m pl, pantalón m

pantyhose [pæntihoz] n panty m

papa [popa] n papá m

papacy [peipəsi] n papado m

papaya [pəpaiə] n papaya f; Cuba fruta bomba f

paper [peipər] n (material) papel m; (newspaper) periódico m; (assignment) trabajo m; (oral learned contribution) comunicación f; (written learned contribution) artículo m; **— back** libro en rústica m; **— clip** m, sujetapapeles m; **— cutter** guillotina f; **— money** papel moneda m; **— s** papeles m pl; **— shredder** trituradora f; **— weight** pisapapeles m sg; **— work** trámites m pl; **on —** por escrito; vt/vi empapelar

paprika [pəprikə] n pimentón m, páprika f

Papua New Guinea [pæpjuənugini] n Papúa Nueva Guinea f

Papua New Guinean [pæpjuənuginiən] adj & n papú m sg

par [par] n (financial) paridad f; (in golf) par m; **at —** a la par; **below —** bajo par; **to be on a — with** estar en pie de igualdad con; **to feel above —** sentirse mejor que lo normal; to feel par

parachute [pærəʃut] n paracaídas m sg — **parachutist** [pærəʃutɪst] n paracaidista mf

parade [pəreid] n (procession) desfile m; (military review) parada f; **— ground** f — **of** campo de maniobras m; **to make a — of** ostentar, hacer ostentación de; vt hacer ostentación de

paradigm [pærədaim] n paradigma m

paradise [pærədais] n paraíso m

paradox [pærədaks] n paradoja f — **paradoxical** [pærədaksikəl] adj paradójico

paraffin [pærəfin] n parafina f

emparejar(se); **to — off** aparearse

pajamas [pədʒaməz] n pijama f/pyjama m/pijama f

Pakistan [pækistæn] n Paquistán m

Pakistani [pækistæni] adj & n paquistaní mf, paquistano -na mf

pal [pæl] n compañero -ra mf, compadre m, comadre f

palace [pæləs] n palacio m

palate [pælit] n paladar m

palatial [pəleiʃəl] adj suntuoso

Palau [palau] n Palau m

pale [peil] adj pálido, macilento; **beyond the —** grosero; vi palidecer

paleness [peilnəs] n palidez f

paleontology [peliantalədʒi] n paleontología

palette [pælit] n paleta f

palisade [pæliseid] n empalizada f; **—s** acantilados m pl

pall [pɔl] vt (cover with a cloth) cubrir con un paño mortuorio; (salate) hartar; vi cansar; n paño mortuorio m; **— bearer** portador del féretro m; **to cast a — on** empañar

pallid [pælid] adj pálido

pallor [pælər] n palidez f

palm [pam] n (part of hand) palma f; **— (tree)** palmera f; palma f; **— Sunday** Domingo de Ramos m; vt (hide in palm) escamotear; **to — something off on someone** encajar algo a alguien

palpable [pælpəbəl] adj (perceptible) palpable; (tangible) tangible

palpitate [pælpiteit] vi palpitar — **palpitation** [pælpiteiʃən] n palpitación f

paltry [pɔltri] adj miserable, despreciable

pamper [pæmpər] vt mimar, consentir

pamphlet [pæmflət] n (informative) folleto m; (political) panfleto m

pan [pæn] n (for boiling) cazuela f, cacerola f; (for frying) sartén f (for baking) molde m; **— handle** mango de sartén m; **— handler** vi/vt criticar duramente; vi **— out** resultar; **— for gold** extraer oro; **to — out** dar buen resultado; **to — handle** mendigar, pordiosear

panacea [pænəsiə] n panacea f

Panama [pænəma] n Panamá f

Panamanian [pænəmeiniən] adj & n panameño -ña mf

Pan-American [pænəmerikən] adj panamericano

pancake [pænkeik] n panqueque m; **flat as a —** chato como una tabla

pancreas [pæŋkriəs] n páncreas m

panda [pændə] n panda m

pander [pændər] vi consentir

paragraph [pǽrəgræf] N párrafo *m*; VT dividir en párrafos

Paraguay [pǽrəgwaɪ] N Paraguay *m*

Paraguayan [pærəgwáɪən] ADJ & N paraguayo -ya *mf*

parakeet [pǽrəkit] N perico *m*, periquito *m*

parallel [pǽrəlɛl] ADJ & N paralelo *m*; (geometry) paralela *f*; VT (run equidistant from) correr paralelo a; (compare) comparar

paralysis [pərǽləsɪs] N (of the body) parálisis *f*; (of a transportation system) paralización *f*

paralyze [pǽrəlaɪz] VT paralizar

paramedic [pærəmɛ́dɪk] ADJ & N paramédico -ca *mf*

parameter [pərǽmɪdə] N parámetro *m*

paramilitary [pærəmílɪtɛri] ADJ & N paramilitar *mf*

paramount [pǽrəmaunt] ADJ supremo, sumo

paranoia [pærənɔ́ɪə] N paranoia *f*

paranoid [pǽrənɔɪd] ADJ & N paranoico -ca *mf*; — **delusion** delirio paranoico *m*

paranormal [pærənɔ́rməl] ADJ paranormal

paraphernalia [pærəfənéljə] N parafernalia *f*

paraphrase [pǽrəfrez] N paráfrasis *f*; VI/VT parafrasear

parapsychology [pærəsaɪkálədʒi] N parapsicología *f*

parasite [pǽrəsaɪt] N parásito *m*

parasol [pǽrəsɔl] N parasol *m*, sombrilla *f*

paratroops [pǽrətrups] N tropas paracaidistas *f pl*

parcel [púrsəl] N (package) paquete *m*; (lot) partida *f*; (land) parcela *f*; — **post** paquete postal *m*; VT (land) parcelar; **to — out** repartir

parch [partʃ] VT secar; **I'm —ed** estoy muerto de sed

parchment [pártʃmənt] N pergamino *m*

pardon [púrdn̩] N perdón *m*, gracia *f*; (legal) indulto *m*; **I beg your —** perdone; VT perdonar, disculpar; (legally) indultar

pare [per] VT mondar, pelar; **to — down expenditures** reducir gastos

parent [pérənt] N padre *m*, madre *f*; —**s** padres *m pl*

parental [pərént̩l] ADJ parental

parenthesis [pərénθəsɪs] N paréntesis *m*

pariah [pəráɪə] N paria *mf*

parish [pǽrɪʃ] N parroquia *f*; — **priest** (cura) párroco *m*

parishioner [pəríʃənə] N feligrés -esa *mf*, parroquiano -na *mf*

parity [pǽrɪdi] N paridad *f*

park [park] N parque *m*; (for baseball) estadio de béisbol *m*; VI/VT estacionar, aparcar

parking [púrkɪŋ] N estacionamiento *m*, aparcamiento *m*; — **lot** estacionamiento *m*, aparcamiento *m*; — **place** lugar de estacionamiento / aparcamiento *m*

parlance [púrləns] N habla *f*

parley [púrli] N (peace negotiation) parlamento *m*; (discussion) discusión *f*; VI parlamentar

parliament [púrləmənt] N parlamento *m*

parliamentary [parləméntri] ADJ parlamentario

parlor [púrlə] N sala *f*, salón *m*; — **game** juego de salón *m*; **beauty —** salón de belleza *m*

parochial [pərókiəl] ADJ (of a parish) parroquial; (provincial) pueblerino

parody [pǽrədi] N parodia *f*; VT parodiar

parole [pərÓl] N libertad condicional *f*; VT poner en libertad condicional

parrot [pǽrət] N loro *m*, papagayo *m*; VT repetir como loro

parry [pǽri] VT (a blow) parar; (a remark) eludir; N parada *f*

parsley [púrsli] N perejil *m*

parsnip [púrsnɪp] N chirivía *f*

parson [púrsən] N pastor *m*

part [part] N (component) parte *f*; (role) papel *m*; (in hair) raya *f*; — **and parcel** parte esencial *f*; —**time** a tiempo parcial; **in foreign —s** en el extranjero; **spare —s** piezas de repuesto *f pl*, repuestos *m pl*; VI/VT (cut into parts) partir(se); (divide into parts) dividir(se); (separate, leave) separar(se); (apportion) repartir(se); **to — company** separarse; **to — one's hair** hacerse la raya; **to — with** desprenderse de

partake [parték] VI **to — in** participar; **to — of** (share) compartir; (eat) comer

partial [púrʃəl] ADJ parcial

participant [partísəpənt] ADJ & N participante *mf*, partícipe *mf*

participate [partísəpet] VI participar

participation [partɪsəpéʃən] N participación *f*

participle [púrdɪsɪpəl] N participio *m*

particle [púrdɪkəl] N partícula *f*; — **board** aglomerado *m*

particular [pətíkjələ] ADJ particular; (fussy) quisquilloso; N —**s** particulares *m pl*; **in — ** en particular

parting [púrdɪŋ] N (farewell) despedida *f*; (separation) separación *f*; — **of the ways** encrucijada *f*

partisan [púrdɪzən] N (supporter) partidario -ria *mf*; (guerrilla) partisano -na *mf*; ADJ (of supporters) partidario; (of guerrillas) de

partisans N

partition [partíʃən] N (distribution) reparto m; (division) división f; (wall) tabique m; mampara f; VT (distribute) repartir; (divide) dividir, (divide a wall)

partly [pártli] adv en parte

partner [pártnr] N (in business) socio -cia mf; (in an activity) compañero -ra mf; (in dancing, sports, marriage) pareja f

partnership [pártnr-ʃip] N (business) sociedad f; (relationship) asociación f

partridge [pártrij] N perdiz f

party [párti] N (get-together) fiesta f; (political group) partido m; (group of people) partida f; (litigant) parte f; — **of four** mesa para cuatro f; — **animal** fiestero -ra mf, parrandero -ra mf

pass [pæs] VI/VT pasar; (a law) aprobar; (an exam, test) aprobar, superar; **to — away** fallecer; **to — for** pasar por; **to — in review** pasar revista; **to — judgment** juzgar; **to — on** (die) fallecer; (approve) aceptar; (refuse) no querer; **to — oneself off as** hacerse pasar por; **to — out** desmayarse; **to — over** no tener en cuenta; **to — up an opportunity** perderse una oportunidad; **he — ed a kidney stone** expulsó un cálculo renal; **— me the salt** pásame la sal; alcánzame la sal; N (road through mountains) paso m; (motion, permission) pase m; (for transportation) abono m; (over a surface) pase f; (on an exam) aprobación f; — **key** llave maestra f; — **port** pasaporte m; — **word** contraseña f, clave de seguridad f; **he made a — at her** trató de ligar con ella

passable [pǽsəbl] adj (penetrable) transitable; (mediocre) pasable

passage [pǽsij] N (fare, musical or textual phrase, alley) pasaje m; (passing of time) paso m; transcurso m; (hallway in a house) pasillo m; (secret pathway) pasadizo m; (crossing) travesía f; (approval of a bill) aprobación f; — **way** (corridor) corredor m; pasillo m; (alley) pasaje m

passenger [pǽsəndʒr] N pasajero -ra mf

passerby [pǽsr-bai] N transeúnte mf, viandante mf

passing [pǽsiŋ] adj **each — day** cada día que pasa; **a — grade** una nota de aprobado; **a — fancy** un capricho pasajero; **a — mention** una mención al pasar

passion [pǽʃən] N pasión f

passionate [pǽʃənit] adj apasionado

passive [pǽsiv] adj pasivo; N pasiva f

past [pæst] adj pasado; N participio pasado m; — **perfect** pluscuamperfecto m; — **precedents** precedentes anteriores m pl; — **tense** tiempo pretérito m; **the — president** el expresidente; PREP más allá de; — **hope** más allá de toda esperanza; PREP más allá de; — **noon** después de mediodía; **the house — the store** la casa pasando la tienda; **we went — the tower** pasamos al lado de la torre; **half — two** las dos y media; **a woman — forty** una mujer de más de cuarenta años; ADV **for some time —** desde hace algún tiempo; **they drove —** pasaron en coche; N (time) pasado m; (tense) pretérito m

pasta [pásta] N pasta f

paste [peist] N (soft material, purée) pasta f; (glue) engrudo m; —**board** cartón m; VT pegar

pasteurize [pǽstʃə-raiz] VT pasteurizar/pasteurizar

pastime [pǽstaim] N pasatiempo m

pastor [pǽstr] N pastor -ra mf

pastoral [pǽstr-əl] adj (literary) pastoril; (ecclesiastical) pastoral; N pastoral f

pastry [péistri] N (in general) pastelería f; (literary work) égloga f; (specific) pastel m; — **cook** pastelero -ra mf, repostero -ra mf; — **shop** pastelería f, repostería f

pasture [pǽstʃr] N (grassland) prado m; (grass) pasto m; (for horses) potrero m; VI/VT pastar, pacer, apacentar

pasty [péisti] adj pastoso

pat [pæt] adj banal; (down) — al dedillo; **to stand —** mantenerse firme; VI/VT dar palmaditas (a); — **of butter** porción de mantequilla f

patch [pætʃ] N (piece of cloth to repair clothes) remiendo m, parche m; (also for eye) (spot or area, as of ice) tramo (con hielo) m; (plot) parcela f; VT (repair) remendar; **to — up a quarrel** hacer las paces

patent [pǽtnt] adj (evident) patente; (protected by patent) patentado; — **leather** charol m; N patente f; — **pending** patente en trámite; VT patentar

paternal [pətɜ́rnl] adj (fatherly) paternal; (of the father's lineage) paterno

paternity [pətɜ́r-niti] N paternidad f

path [pæθ] N senda f, sendero m; (of a projectile, storm) trayectoria f; — **way** senda f, sendero m

pathetic [pəθétik] adj (moving) patético; (contemptible) lamentable

pathogen [pǽθədʒən] n patógeno m

pathology [pəθɑ́lədʒi] n patología f

pathos [péθɑs] n patetismo m

patience [péʃəns] n paciencia f

patient [péʃənt] adj & n paciente mf

patriarch [pétriɑrk] n patriarca m

patriarchal [pétriɑrkəl] adj patriarcal

patrimony [pǽtrəmoni] n patrimonio m

patriot [pétriət] n patriota mf

patriotic [pétriɑtik] adj patriótico

patriotism [pétriətizəm] n patriotismo m

patrol [pətról] vi/vt patrullar, rondar; n patrulla f; ronda f; — car, — man patrullero m

patron [pétrən] n (customer) cliente -ta mf; (benefactor) benefactor -ra mf, mecenas mf; (saint) patrono m

patronage [pétrənidʒ] n (support of an artist) mecenazgo m; (clientele) clientela f

patronize [pétrənaiz] vt (be condescending) tratar con condescendencia; (do business with) frecuentar

patter [pǽtər] vi (strike lightly) golpetear; (chatter) parlotear; n (small blows) golpeteo m; (chatter) parloteo m

pattern [pǽtən] n (for sewing) molde m; (for drawing) plantilla f; (of behavior) patrón m; vi/vt to — something after modelar algo a imitación de, basarse en el modelo de; to — oneself after seguir el ejemplo de

paucity [pɔ́siti] n escasez f

paunch [pɔntʃ] n panza f, barriga f

pause [pɔz] n pausa f; vi (while talking) hacer pausa; (while moving) detenerse

pave [pev] vt (with asphalt) pavimentar; (with bricks) enladrillar; (with flagstones) enlosar; to — the way for preparar el camino para

pavement [pévmənt] n calzada f; (of asphalt) pavimento m; (of bricks) enladrillado m; (of flagstones) enlosado m

pavilion [pəvíljən] n pabellón m

paw [pɔ] n pata f; (with claws) garra f; vt (touch with paw) tocar con la pata; (grope) manosear

pawn [pɔn] n (object left in deposit) prenda f; (chess piece) peón m; (puppet) títere m; —broker prestamista mf; —shop casa de empeños f; monte de piedad m; — in en prenda; vt empeñar, dejar en prenda

pay [pe] vt (remit) pagar; vi (be profitable) ser provechoso, convenir; (be worthwhile) valer la pena; to — attention prestar atención, fijarse en; to — back (return) restituir; (retaliate) vengarse; to — a compliment hacer un cumplido; to — homage rendir homenaje; to — one's respects saludar; to — off a debt cancelar una deuda; to — a visit hacer una visita; to — through the nose pagar demasiado; I will — for your meal te pago la comida; n (payment) pago m; (wages) paga f, salario m; —back venganza f; —check cheque del sueldo m; —day día de pago m; —load carga útil f; —off (pay) paga f; (reward) recompensa f; (bribe) soborno m; —phone teléfono público m; —roll nómina f, planilla f; to hit — dirt encontrar una mina de oro

payable [péəbəl] adj pagadero

payee [peí] n tenedor -ra mf, beneficiario -ria mf

payment [pémənt] n pago m; — in full liquidación f

PC [písi] n (personal computer) PC m;

pea [pi] n guisante m; Am arveja f; —nut Sp cacahuete m; Mex cacahuate m; Am maní m; —nut butter Sp crema de cacahuete f; Mex crema de cacahuate f; Am manteca/mantequilla de maní f

peace [pis] n paz f; — officer oficial de policía m; at — en paz; to keep the — mantener el orden público; to hold one's — callar

peaceful [písfəl] adj pacífico, tranquilo

peach [pitʃ] n durazno m; Sp melocotón m; (nice thing or person) delicia f, monada f; — tree durazno m, duraznero m, Sp melocotonero m

peacock [píkɑk] n pavo real m, pavón m

peak [pik] n pico m, cumbre f; (of production, of one's abilities) punto máximo m; — load carga máxima f; — season temporada alta f; — time hora punta f

peal [pil] n (of bells) repique m; (of laughter) carcajada f; vi/vt repicar

pear [per] n pera f; — tree peral m

pearl [pɜrl] n perla f; — necklace collar de perlas m

pearly [pɜ́li] adj (color) nacarado, perlado; (with pearls) perlado; the — Gates las puertas del cielo

peasant [pézənt] adj & n campesino -na mf

peat [pit] n turba f

pebble [pébəl] n guijarro m, piedrecilla f;

pecan [píkæn] n pacana f

peccary [pékəri] n pecarí/ pécari m

peck [pek] vi/vt (strike with beak) picar; (eat bit by bit) picotear; (kiss) dar un besito; **to — a hole** aguijerar a picotazos; (quick stroke) picotazo m; (kiss) besito m; (measure) medida de áridos (9 litros) f; **you're in a — of trouble** estás metido en un lío

pecking order [pékɪŋ ɔrdə·] n jerarquía f

peculiar [pikjúljə·] adj peculiar, particular

peculiarity [pikjuliǽrəti] n peculiaridad f

pectoral [péktərəl] adj & n pectoral m

pedagogue [pédəgag] n pedagogo m

pedagogy [pédəgodʒi] n pedagogía f

pedal [pédl] n pedal m; vi/vt pedalear

pedant [pédnt] n pedante mf

pedantic [pədǽntɪk] adj pedante

peddle [pédl] vi/vt ir vendiendo de puerta en puerta; **to — gossip** repartir chismes

peddler [pédlə·] n buhonero -a mf, mercachifle m

pedestal [pédɪstəl] n pedestal m

pedestrian [pədéstrɪən] n peatón -ona mf; adj pedestre

pediatrician [pidiətrɪʃən] n pediatra mf

pediatrics [pidiǽtrɪks] n pediatría f

pedigree [pédəgri] n (of persons) linaje m; (of animals) pedigrí m

pee [pi] vi hacer pipí; n fam pipí m

peek [pik] vi atisbar; n atisbo m

peel [pil] vi/vt (fruit, tree) pelar(se), descortezar(se); (paint) descascarar(se); **to keep one's eyes —ed** mantener los ojos abiertos; n cáscara f

peeler [pilə·] n pelador m

peep [pip] vi/vt (begin to appear) asomar(se); (make sound of chicks) piar; **to — at** atisbar; n (look) atisbo m; (sound of chicks) pío m; **— hole** mirilla f

peer [pir] n par m (also nobleman); **— group** grupo paritario m; vi (look attentively) escudriñar; (peep out) asomar

peerless [pírlɪs] adj incomparable, sin par

peeve [piv] vt irritar; **to get —d** ponerse de mal humor; n cosa que irrita f

peevish [pívɪʃ] adj malhumorado

peg [peg] n percha f; (on violin) clavija f; **to take a person down a —** bajarle los humos a alguien; vt clavar, clavetear; (price) estabilizar

pejorative [pidʒɔrətɪv] adj peyorativo, despectivo

pelican [pélɪkən] n pelícano m

pellet [pélɪt] n (ball) bola f, bolita f; (shot)

pell-mell [pélmɛl] adj confuso, tumultuoso; adv a troche y moche

pelt [pelt] n piel f, pellejo m; vi/vt acribillar; **to — with stones** apedrear

pelvis [pélvɪs] n pelvis f

pen [pen] n (fountain) pluma f; (ballpoint) bolígrafo m; (for pigs) pocilga f; (for sheep) redil m; (for cows) corral m; **— name** seudónimo m; vt (write) escribir; (shut in) acorralar, encerrar

penal [pínl] adj penal

penalize [pínəlaɪz] vt penar; (in sports) penalizar

penalty [pénəlti] n (punishment) pena f; (forfeiture) multa f; (in sports) castigo m; **— kick** tiro de penalidad f, penalidad f

penance [pénəns] n penitencia f

pencil [pénsəl] n (writing instrument) lápiz m; (beam of light) haz m; **— sharpener** sacapuntas m sg

pendant [péndənt] n colgante m; adj pendiente

pending [péndɪŋ] adj pendiente; prep **— his arrival** hasta que llegue, mientras no llegue

pendulum [péndʒələm] n péndulo m

penetrate [pénɪtret] vt penetrar

penetrating [pénɪtretɪŋ] adj penetrante

penetration [pénɪtreʃən] n penetración f

penguin [péŋgwɪn] n pingüino m

penicillin [pɛnɪsɪlɪn] n penicilina f

peninsula [pənínsələ] n península f

penis [pínɪs] n pene m

penitent [pénɪtnt] adj & n penitente mf

penitentiary [pɛnɪténʃəri] n penitenciaría f, penal m

penmanship [pénmənʃɪp] n escritura f, caligrafía f

penniless [pénɪlɪs] adj pobre, sin dinero

pennant [pénənt] n banderín m, gallardete m

penny [péni] n centavo m; **— pincher** avaro -ra mf; **to cost a pretty —** costar un dineral

pension [pénʃən] n (paid to a worker) pensión f; (paid to a worker's survivors) jubilación f; **— fund** caja de jubilaciones f; vt jubilar, pensionar

pensioner [pénʃənə·] n pensionista mf

pensive [pénsɪv] adj pensativo

pent [pent] adj encerrado; **— up** reprimido

pentagon [péntəgan] n pentágono m

penthouse [pénthaʊs] n penthouse m

penultimate [pɪnʌltəmɪt] adj penúltimo

people [pípəl] n (national group) gente f;

pueblo *nm;* vt poblar

pep [pep] *n* energía *f;* vi **to — up** animar

pepper [ˈpepər] *n* (black) pimienta *f;* (green) pimiento *nm;* (plant, shaker) pimentero *nm;* **—mint** menta *f;* vt pimentar; **to — with bullets** acribillar a balazos

peptic [ˈpeptik] *adj* **— ulcer** úlcera péptica *f*

per [pɜr] *prep* (for each) por; (according to) según; **— capita** per cápita; **— cent** por ciento; **— diem** viático *m*

perceive [pərˈsiv] *vt* percibir

percale [pərˈkeɪl] *n* percal *m*

percentage [pərˈsentɪdʒ] *n* porcentaje *m*

percentile [pərˈsentaɪl] *n* percentil *m*

perceptible [pərˈseptəbəl] *adj* perceptible

perception [pərˈsepʃən] *n* percepción *f*

perceptive [pərˈseptɪv] *adj* (pertaining to perception) perceptivo; (having keen perception) perspicaz

perch [pɜrtʃ] *n* (rod for birds) percha *f;* (type of fish) perca *f;* vi (alight) posarse; vi/vt (set) encaramar(se)

percolate [ˈpɜrkəleɪt] *vi/vt* filtrar(se)

percussion [pərˈkʌʃən] *n* percusión *f*

perdition [pərˈdɪʃən] *n* perdición *f*

perennial [pəˈreniəl] *adj* perenne; *n* — **plant** planta perenne *f*

perfect [ˈpɜrfɪkt] *adj* perfecto; **a — stranger** un completo desconocido; [pərˈfɛkt] *vt* perfeccionar

perfection [pərˈfɛkʃən] *n* perfección *f*

perforate [ˈpɜrfəreɪt] *vt/vi* perforar(se); *vt* calar

perforation [ˌpɜrfəˈreɪʃən] *n* perforación *f*

perform [pərˈfɔrm] *vt* (a task) ejecutar; realizar; (a rite, ceremony) celebrar; (a contract) cumplir; (a play) representar; *vi* (give a performance) actuar; (play music) interpretar; (function) funcionar; (do well) rendir

performance [pərˈfɔrməns] *n* (of a task) ejecución *f;* (of a ceremony) celebración *f;* (of a contract) cumplimiento *m;* (of a motor) rendimiento *m;* (of a play) representación *f;* (of an actor) actuación *f;* (of music) interpretación *f*

perfume [pərˈfjum] *n* perfume *m;* [pərˈfjum] *vt* perfumar

perfumery [pərˈfjuməri] *n* (store) perfumería *f;* (collection) perfumes *m pl*

perhaps [pərˈhæps] *adv* tal vez, quizá(s), acaso

peril [ˈperəl] *n* peligro *m;* vt poner en peligro

perilous [ˈperələs] *adj* peligroso

perimeter [pəˈrimɪtər] *n* perímetro *m*

period [ˈpɪriəd] *n* (historical) período *m;* época *f;* (punctuation) punto *m;* (menstruation) período *m;* regla *f;* you

---

can't go, —! no puedes ir, y sanseacabó; **within a — of ten days** en el término de diez días

periodic [ˌpɪriˈɑdɪk] *adj* periódico; **— table** tabla periódica *f*

periodical [ˌpɪriˈɑdɪkəl] *adj* periódico; *n* revista *f*

peripheral [pəˈrifərəl] *adj & n* periférico *m;* **— vision** visión periférica *f*

periphery [pəˈrifəri] *n* periferia *f*

periscope [ˈperɪskoʊp] *n* periscopio *m*

perish [ˈperɪʃ] *vi* perecer

perishable [ˈperɪʃəbəl] *adj* perecedero

peritonitis [ˌperɪtəˈnaɪtɪs] *n* peritonitis *f*

perjure [ˈpɜrdʒər] *vi* **to — oneself** perjurarse, jurar en falso

perjury [ˈpɜrdʒəri] *n* perjurio *m*

permanence [ˈpɜrmənəns] *n* permanencia *f*

permanent [ˈpɜrmənənt] *adj* permanente; (of a position) titular

permeable [ˈpɜrmiəbəl] *adj* permeable

permeate [ˈpɜrmieɪt] *vi/vt* permear

permissible [pərˈmɪsəbəl] *adj* permisible, lícito

permission [pərˈmɪʃən] *n* permiso *m*

permissive [pərˈmɪsɪv] *adj* permisivo

permit [pɜrˈmɪt] *vi/vt* permitir; [ˈpɜrmɪt] *n* permiso *m*

permutation [ˌpɜrmjuˈteɪʃən] *n* permutación *f*

pernicious [pərˈnɪʃəs] *adj* pernicioso

peroxide [pəˈrɑksaɪd] *n* peróxido *m*

perpendicular [ˌpɜrpənˈdɪkjələr] *adj & n* perpendicular *f*

perpetrate [ˈpɜrpɪtreɪt] *vt* perpetrar

perpetual [pərˈpɛtʃuəl] *adj* perpetuo

perpetuate [pərˈpɛtʃueɪt] *vt* perpetuar

perplex [pərˈplɛks] *vt* confundir, dejar perplejo; **—ed** perplejo

perplexity [pərˈplɛksɪti] *n* perplejidad *f*

persecute [ˈpɜrsɪkjut] *vt* perseguir

persecution [ˌpɜrsɪˈkjuʃən] *n* persecución *f*

persecutor [ˈpɜrsɪkjutər] *n* perseguidor -ra *m f*

perseverance [ˌpɜrsəˈvɪrəns] *n* perseverancia *f*

persevere [ˌpɜrsəˈvɪr] *vi* perseverar, persistir

Persian [ˈpɜrʒən] *adj & n* persa *m f*

persist [pərˈsɪst] *vi* (continue, endure) persistir; (to be insistent) insistir

persistence [pərˈsɪstəns] *n* (endurance) persistencia *f;* (insistence) insistencia *f*

persistent [pərˈsɪstənt] *adj* (lasting) persistente; (insisting) insistente, machacón

person [ˈpɜrsən] *n* persona *f*

personable [ˈpɜrsənəbəl] *adj* agradable

personage [ˈpɜrsənɪdʒ] *n* personaje *m*

personal [ˈpɜrsənəl] *adj* personal; **— computer** *Sp* ordenador personal *m; Am*

computadora personal f; — **effects** efectos personales m pl; — **identification number** número de identificación personal m; — **pronoun** pronombre personal m; — **property** bienes muebles m pl; **to make a — appearance** in pl;
personality [pərsǽnəlti] n personalidad f
personify [pərsánəfaɪ] vt personificar
personify ... personalizar en persona
perspective [pərspɛ́ktɪv] n perspectiva f
perspicacious [pərspɪkéʃəs] adj perspicaz
perspiration [pərspəréʃən] n transpiración f
perspire [pərspáɪr] vt transpirar
persuade [pərswéd] vt persuadir, convencer
persuasion [pərswéʒən] n persuasión f; (belief) convicción f
persuasive [pərswésɪv] adj persuasivo, convincente
pert [pərt] adj (insolent) insolente; (lively) vivaz
pertain [pərtén] vi atañer, corresponder
pertinent [pártnənt] adj pertinente
perturb [pərtárb] vt perturbar
Peru [pərú] n Perú m
perusal [pərúzəl] n lectura f
peruse [pərúz] vt (read carefully) leer con cuidado; (read carelessly) hojear
Peruvian [pərúviən] adj & n peruano -na mf
pervade [pərvéd] vt difundirse por
perverse [pərvárs] adj perverso
perversion [pərvárʒən] n perversión f
perversity [pərvársɪti] n perversidad f
pervert [pərvárt] vt pervertir; (misconstrue) desvirtuar; [pərvárt] n pervertido -da mf
peso [péso] n peso m
pessimism [pésəmɪzəm] n pesimismo m
pessimist [pésəmɪst] n pesimista mf
pest [pɛst] n (insect, disease) peste f, plaga f; (person) pesado -da m f
pester [pɛ́stər] vt molestar
pesticide [péstɪsaɪd] n pesticida m
pestilence [péstələns] n pestilencia f
pet [pɛt] n (animal) mascota f; (favorite) favorito -ta m f, preferido -da m f; adj predilecto; — **name** apodo cariñoso m; vt (caress) acariciar; (pat) dar palmaditas a
petal [pédl] n pétalo m
petition [pətíʃən] n petición f, solicitud f; vi/vt peticionar, solicitar
petrify [pétrɪfaɪ] vi/vt petrificar(se)
petroleum [pətróliəm] n petróleo m; — **products** productos petrolíferos m pl; — **jelly** vaselina f
petticoat [pédikot] n enaguas f pl
petty [pédi] adj (trivial) trivial; (mean) mezquino; — **cash** caja chica f; —

larceny ratería f; — **officer** suboficial de marina m
petunia [pɪtúnjə] n petunia f
pew [pju] n banco de iglesia m
pewter [pjúər] n peltre m
peyote [peóti] n peyote m
phantom [fǽntəm] n fantasma m
pharmaceutical [farməsútɪkəl] adj farmacéutico; n producto farmacéutico m
pharmacist [fárməsɪst] n farmacéutico -ca mf
pharmacology [farməkáləʤi] n farmacología f
pharmacy [fárməsi] n farmacia f
pharynx [fǽrɪŋks] n faringe f
phase [fez] n fase f; vt to — **out** retirar por etapas, to — **in** incorporar paulatinamente
pheasant [féznt] n faisán m
phenomenon [fɪnámənən] n fenómeno m
philanthropy [fɪlǽnθrəpi] n filantropía f
philanthropic [fɪlənθrápɪk] adj filantrópico
philharmonic [fɪlhɑrmánɪk] adj filarmónico
Philippine [fɪlɪpin] adj & n filipino -na mf
Philippines [fɪlɪpinz] n Filipinas f pl
philosopher [fɪlásəfər] n filósofo -fa mf
philosophical [fɪləsáfɪkəl] adj filosófico
philosophy [fɪlásəfi] n filosofía f
phlegm [flɛm] n flema f
phobia [fóbiə] n fobia f
phone [fon] n teléfono m; vi/vt telefonear; — **card** tarjeta telefónica f
phonetics [fənɛ́tɪks] n fonética f
phonograph [fónəgræf] n fonógrafo m
phonology [fənáləʤi] n fonología f
phony [fóni] adj falso
phosphate [fásfet] n fosfato m
phosphorus [fásfərəs] n fósforo m
photo [fóto] n foto f; — **finish** final muy reñido m
photocopier [fótokapiər] n fotocopiadora f
photocopy [fótokapi] n fotocopia f; vi/vt fotocopiar
photoelectric [fótoɪlɛ́ktrɪk] adj fotoeléctrico
photogenic [fótoʤɛ́nɪk] adj fotogénico
photograph [fótəgræf] n fotografía f; vt fotografiar
photographer [fətágrəfər] n fotógrafo -fa mf
photography [fətágrəfi] n fotografía f
photon [fótan] n fotón m
photosynthesis [fótosínθəsɪs] n fotosíntesis f
phrase [frez] n frase f; vi/vt expresar; (musical) frasear
phylum [fáɪləm] n filo m
physical [fízɪkəl] adj físico; — **education** educación física f; — **geography**

geografía física *f*; **— science** ciencia física *f*

physician [fɪzíʃən] N médico -ca *mf*; **—'s assistant** ayudante médico -ca sanitario -ria *mf*

physicist [fízɪsɪst] N físico -ca *mf*

physics [fízɪks] N física *f*

physiological [fɪzɪəládʒɪkəl] ADJ fisiológico

physiology [fɪzɪáLədʒi] N fisiología *f*

physique [fɪzík] N físico *m*

piano [piǽno] N piano *m*; **— bench** banqueta de piano *f*; **— hammer** martinete *m*; **— stool** taburete de piano *m*

picaresque [pɪkərɛ́sk] ADJ picaresco

piccolo [píkəlo] N flautín *m*, pícolo *m*

pick [pɪk] VT (choose) escoger, elegir; (gather flowers) juntar; (play a guitar) puntear; (clean teeth) mondarse; (eat with the bill) picotear; (provoke a fight) armar, entablar; VI picar; **to — at** picotear; **to — apart** criticar; **to — a lock** violar una cerradura con ganzúa; **to — on** meterse con; **to — out** (choose) escoger; (distinguish) distinguir; **to — pockets** ratear; **to — up** (gather) recoger; (lift) levantar; (learn) aprender; (order) ordenar; (improve) mejorar; (contact in hope of sex) ligar con; **to — up speed** acelerar la marcha; **—-proof** a prueba de ladrones; N (tool) pico *m*; (of a guitar) púa *f*; (act of selecting) selección *f*; (thing or person selected) elección *f*; (the best) lo selecto, lo mejor; **—ax(e)** zapapico *m*; **—lock** ganzúa *f*; **—pocket** ratero -ra *mf*, carterista *mf*; **—up** (taking on freight) recolección *f*; (improvement in business) recuperación *f*; (acceleration) aceleración *f*; **—up truck** camioneta *f*

picket [píkɪt] N piquete *m* (also union worker); **— fence** cerca de piquetes *f*; VT (fence) vallar; (block with workers) bloquear

pickle [píkəl] N pepinillo en vinagre *m*, curtido *m*; **to be in a —** hallarse en un aprieto; VT encurtir, escabechar; **—d fish** pescado al/en escabeche *m*, pescado adobado *m*

picnic [píknɪk] N picnic *m*; **— area** merendero *m*; VI hacer un picnic

picture [píktʃɚ] N (image) imagen *f*; (drawing) dibujo *m*; (photo) fotografía *f*; (situation) panorama *m*; (movie) película *f*; **— frame** marco *m*; **— gallery** galería de pinturas *f*; **— tube** tubo de imagen *m*; **she is the — of unhappiness** es la imagen de la infelicidad; VT (describe) describir; (imagine) imaginar

picturesque [pɪktʃərɛ́sk] ADJ pintoresco

pie [paɪ] N pastel *m*, tarta *f*; **— chart** gráfica circular *f*; **— in the sky** castillos en el aire *m pl*; **it's as easy as —** es pan comido

piece [pis] N (of music, in a board game, of furniture) pieza *f*; (of wood, rock, pie) pedazo *m*, trozo *m*; **—meal** por partes; **— of advice** consejo *m*; **— of cake** pan comido *m*; **— of land** parcela *f*, terreno *m*; **— of one's mind** regaño *m*; **— of news** noticia *f*; **—work** trabajo a destajo *m*; **to go to —s** descomponerse; VI remendar; **to — together** (assemble) armar; (make sense of) atar cabos

pier [pɪr] N muelle *m*, embarcadero *m*; (breakwater) rompeolas *m sg*

pierce [pɪrs] VI/VT (make a hole in) agujerear; (penetrate) penetrar; (cause a sharp pain) punzar; (make a sharp sound) quebrar

piercing [pírsɪŋ] ADJ (glance, sound) penetrante; (pain) punzante

piety [páɪɪti] N piedad *f*

pig [pɪg] N puerco *m*, cerdo *m*, cochino *m*; *Sp* guarro *m*; **—-headed** testarudo, cabezón; **—iron** hierro en lingotes *m*; **— Latin** jerigonza *f*; **—pen** pocilga *f*; **—tail** coleta *f*

pigeon [pídʒən] N paloma *f*; (young) pichón *m*; **—hole** casilla *f*; **to —hole** encasillar; **— loft** palomar *m*

piggy [pígi] N cerdito *m*; **—-bank** alcancía *f*; *Sp* hucha *f*; **—back** a hombros, a cuestas

pigment [pígmənt] N pigmento *m*

pike [paɪk] N (weapon) pica *f*; (fish) lucio *m*

pile [paɪl] N (ordered stack) pila *f*; (chaotic group) montón *m*, amontonamiento *m*; (surface of a carpet) pelo *m*; (post) pilote *m*; **— driver** martinete *m*; **—s** almorranas *f pl*; **—-up** accidente múltiple *m*; VI/VT apilar(se), amontonar(se)

pilfer [pílfɚ] VI/VT ratear, sisar

pilgrim [pílgrəm] N peregrino -na *mf*, romero -ra *mf*

pilgrimage [pílgrəmɪdʒ] N peregrinación *f*, romería *f*

pill [pɪl] N píldora *f* (also birth control), pastilla *f*; (naughty child) pesado -da *mf*

pillage [pílɪdʒ] N pillaje *m*, saqueo *m*, rapiña *f*; VI/VT pillar, saquear

pillar [pílɚ] N pilar *m*, columna *f*

pillow [pílo] N almohada *f*; **—case** funda *f*

pilot [páɪlət] N piloto *mf* (also test, light); (of a boat) timonel *m*, piloto *mf*; VT pilotar, comandar

pimple [pímpəl] N grano *m*, barro *m*

pin [pɪn] N alfiler *m*; (ornament) prendedor

m; (rod) pasador *m*, perno *m*; (bowling) bolo *m*; (electric) pata *f*, clavija *f*; **—cushion** alfiletero *m*; **—wheel** molinete *m*, remolino *m*; VT (affix with pins) prender; (in wrestling) inmovilizar; **to be on —s and needles** estar en ascuas; **to — someone down** (hold down) inmovilizar; (force to act) hacer que concrete detalles; **to — one's hopes on** poner sus esperanzas en; **to —point** localizar con precisión; **to — up** sujetar con alfileres

PIN (personal identification number) [pɪn] N PIN *m*

pincers [pínsɚz] N (of lobsters) pinzas *f pl*; (tool) tenazas *f pl*

pinch [pɪntʃ] VT (squeeze with fingers) pellizcar; (squeeze tightly, hamper) apretar; (steal) birlar; (arrest) prender; VI (be too tight) apretar; (economize) economizar; N (act of pinching) pellizco *m*; (small amount) pizca *f*; (trying circumstances) aprieto *m*, apuro *m*

pine [paɪn] N pino *m*; **—apple** piña *f*, ananá(s) *m*; **— cone** piña *f*; **— grove** pinar *m*; **— nut** piñón *m*; VI **to — away** languidecer; **to — for** anhelar, suspirar por

ping-pong [píŋpɑŋ] N ping-pong *m*, tenis de mesa *m*

pinion [pínjən] N piñón *m*

pink [pɪŋk] N rosado *m*, rosa *m*; **in the —** rebosante de salud; ADJ rosado, rosa *inv*

pinnacle [pínəkəl] N pináculo *m*

pint [paɪnt] N pinta *f*; **—-sized** diminuto

pinto bean [píntobin] N judía pinta *f*

pioneer [paɪənír] N pionero -ra *mf*; VI ser el primero en hacer algo; VT promover

pious [páɪəs] ADJ (religious) pío, piadoso; (hypocritical) beato

pipe [paɪp] N (for smoking) pipa *f*; (for water) tubo *m*, caño *m*; (of an organ) tubo *m*; (for playing music) caramillo *m*, flauta *f*; **— dream** ilusiones *f pl*; **—line** (for oil) oleoducto *m*; (for gas) gasoducto *m*; (for water) tubería *f*; **in the —line** en trámite; **— wrench** llave inglesa *f*; VT (convey water) conducir por cañerías; (make music) tocar la flauta; VI chillar; **to — down** callarse

piping [páɪpɪŋ] N (many pipes) cañería *f*, tubería *f*; (border on clothes) ribete *m*; (sound of pipes) sonido de la gaita / flauta *m*; **— hot** hirviendo

pipsqueak [pípskwik] N chisgarabís *m*, mequetrefe *m*

pirate [páɪrət] N pirata *mf*; VT piratear

pistol [pístəl] N pistola *f*, revólver *m*; **to —-whip** dar culatazos

piston [pístən] N pistón *m*, émbolo *m*; **—ring** segmento de compresión *m*; **— rod** eje del pistón *m*

pit [pɪt] N (hole) hoyo *m*, pozo *m*; (in a garage, theater) foso *m*; (trap) trampa *f*; (seed) hueso *m*; (part of a racetrack) box *m*, paddock *m*; (part of the stomach) boca *f*; **—fall** (trap) trampa *f*; (difficulty) dificultad *f*; **this is the —s** esto es lo peor; VI/VT (make holes) picarse; VT (set against) oponer, enfrentar

pitch [pɪtʃ] VT (throw) tirar, lanzar; (try to sell) pregonar; **to — a tent** armar una tienda de campaña; VI (plane, ship) cabecear; **to — in** colaborar; N (throw) tiro *m*, lanzamiento *m*; (in music) tono *m*; (in printing) espaciado *m*; (slope) grado de inclinación *m*; (tar) brea *f*, pez *f*; **— dark** oscuro como boca del lobo; **—fork** horca *f*, horquilla *f*

pitcher [pítʃɚ] N (vessel) cántaro *m*, jarro *m*, jarra *f*; (in baseball) lanzador *m*

pith [pɪθ] N (in plants, feathers) médula *f*; (essence) meollo *m*

pithy [píθi] ADJ sustancial

pitiful [pídɪfəl] ADJ (deserving pity) lastimoso; (deserving contempt) despreciable

pitiless [pídɪlɪs] ADJ despiadado

pituitary [pɪtúɪteri] ADJ pituitario; **— gland** glándula pituitaria *f*

pity [pídi] N compasión *f*, lástima *f*; **what a —!** ¡qué lástima! VT compadecerse (de)

pivot [pívət] N pivote *m*; VI pivotar

pixel [píksəl] N píxel *m*

pizza [pítsə] N pizza *f*

placard [plǽkɚd] N cartel *m*

placate [pléket] VT apaciguar

place [ples] N (site) lugar *m*, sitio *m*; (position) puesto *m*; (passage in text) pasaje *m*; **— mat** mantel individual *m*; **— of business** oficina *f*; **— setting** cubierto para una persona *m*; **— of worship** templo *m*; **in — of** en lugar de; **it is not my — to do it** no me corresponde a mí hacerlo *m*; VT colocar; (identify) situar, ubicar; VI clasificarse; **to — an order** hacer un pedido; **to — an ad** poner un anuncio

placebo [pləsíbo] N placebo *m*

placement [plésmənt] N colocación *f*

placenta [pləséntə] N placenta *f*

placid [plǽsɪd] ADJ plácido

plagiarism [pléʤərɪzəm] N plagio *m*

plague [pleg] N plaga *f*, peste *f*; VT

atormentar, apestar

plaid [plæd] N tela escocesa *f*

plain [plen] ADJ (without embellishment) sencillo, llano; (clear) claro; (downright, unadulterated) puro; (ordinary) común; (unattractive) poco atractivo; — **fool** tonto de capirote; **in** — **sight** en plena vista; —**clothesman** policía en traje de civil *m*; —**Jane** sencillo; ADV completamente; N llano *m*, llanura *f*

plaintiff [pléntɪf] N demandante *mf*, querellante *mf*

plan [plæn] N plan *m*; (drawing, sketch, map, outline) plano *m*; VI/VT planear, planificar; (diagram) hacer el plano de

plane [plen] N (airplane) avión *m*; (surface) plano *m*; (tool) cepillo *m*; ADJ plano; — **geometry** geometría plana *f*; — **tree** plátano *m*; VI (glide, hover) planear; VT (smooth) cepillar, planear

planet [plænɪt] N planeta *m*

planetarium [plænɪtériəm] N planetario *m*

plank [plæŋk] N (board) tabla *f*, tablón *m*; (tenet) principio *m*, base *f*; VT entarimar

plankton [plæŋktən] N plancton *m*

plant [plænt] N (vegetation) planta *f*; (industrial installation) fábrica *f*, planta *f*; (mole, spy) topo *m*; VT (plants) plantar; (ideas) sembrar; (a spy, evidence) colocar

plantation [plæntéʃən] N plantación *f*

plaque [plæk] N placa *f*; (on teeth) sarro *m*, placa *f*

plasma [plǽzmə] N plasma *m*

plaster [plǽstə] N (substance) yeso *m*; (preparation applied to body) emplasto *m*; — **of Paris** yeso *m*; VT (cover with plaster) revocar; (apply a preparation) emplastar; (cover with posters) cubrir, empapelar; (defeat) aplastar; **to** — **down one's hair** achatarse el pelo; **he got** —**ed** se emborrachó

plastic [plǽstɪk] ADJ plástico; — **surgery** cirugía plástica / estética *f*

plate [plet] N (for food) plato *m*; (for collections) bandeja *f*; (metal) plancha *f*, lámina *f*; (license) placa *f*; — **glass** vidrio cilindrado *m*; — **tectonics** tectónica de placas *f*; VT (apply metal covering) chapar, enchapar; (apply armor) blindar

plateau [plætó] N meseta *f*, macizo *m*

platform [plǽtfɔrm] N plataforma *f* (also political); (railway) andén *m*; (mobile) tarima *f*, tinglado *m*

platinum [plǽtnəm] N platino *m*

platitude [plǽtɪtud] N lugar común *m*, perogrullada *f*

platter [plǽDə] N fuente *f*

plausible [plɔ́zəbəl] ADJ plausible

play [ple] VT (game) jugar; (an opponent) jugar contra; (an instrument) tocar; (a drama) representar; (a role) desempeñar; (bet on) apostar; VI (divert oneself, gamble) jugar; (kid) bromear; (make music) tocar; **to** — **a joke** gastar una broma; **to** — **along** seguir la corriente; **to** — **cards** jugar a los naipes; **to** — **down** minimizar; **to** — **havoc** hacer estragos; **to** — **tennis** jugar al tenis; **to** — **the fool** hacerse el tonto; **to be all** —**ed out** estar agotado; N (recreational activity, looseness) juego *m*; (instance of playing) jugada *f*; (theater work) obra de teatro *f*; — **on words** juego de palabras *m*; —**boy** playboy *m*; —**ground** recreo *m*, patio *m*; —**ing card** naipe *m*; —**mate** compañero -ra de juego *mf*; —**thing** juguete *m*

player [pléə] N (one who plays, gambler) jugador -ra *mf*; (musician) músico -ca *mf*; (actor) actor *m*, actriz *f*; (participant) participante *mf*; — **piano** pianola *f*

playful [pléfəl] ADJ juguetón

playwright [plérait] N dramaturgo -ga *mf*

plea [pli] N (entreaty) súplica *f*, ruego *m*; (allegation) alegato *m*; **to enter a** — **of guilty** declararse culpable

plead [plid] VI/VT (entreat) suplicar, rogar; (defend) abogar, defender; **to** — **guilty** declararse culpable

pleasant [plézənt] ADJ agradable, grato, placentero

pleasantry [plézəntri] N cortesía *f*

please [pliz] ADV por favor; VI/VT agradar, complacer; **as you** — como quieras; **to be** —**d to** tener el gusto de, tener gusto en; **to be** —**d with** estar satisfecho con

pleasing [plízɪŋ] ADJ agradable

pleasure [pléʒə] N placer *m*, gusto *m*, agrado *m*; — **trip** viaje de placer *m*

pleat [plit] N pliegue *m*, tabla *f*; (wide) tabla *f*; VT plisar; (wide) tablear

pledge [plɛdʒ] N (promise) promesa *f*; (security deposit) prenda *f*; (in a fraternity) miembro provisorio *m*; **as a** — **of** en prenda de; VI/VT (promise) prometer; VT (give as a deposit) empeñar; **to** — **one's word** dar la palabra; **to** — **to secrecy** exigir promesa de discreción

plenary [plénəri] ADJ & N plenario *m*

plentiful [pléntɪfəl] ADJ abundante, copioso

plenty [plénti] N abundancia *f*; — **of time** suficiente tiempo *m*; **that's** — con eso basta

pliable [pláɪəbəl] ADJ (flexible) flexible; (docile) dócil

pliant [pláɪənt] ADJ (flexible) flexible; (docile) dócil

pliers [pláɪəz] N alicates *m pl*, tenazas *f pl*

plight [plaɪt] N aprieto *m*

plod [plɑd] VI (walk) caminar trabajosamente; (work) trabajar laboriosamente

plop [plɑp] VI hacer plaf; VT dejar caer; N plaf *m*

plot [plɑt] N (storyline) trama *f*, argumento *m*; (conspiracy) complot *m*, conspiración *f*; (land) parcela *f*, era *f*; (floor plan) plano *m*; VI/VT (plan secretly) tramar, conspirar, maquinar; VT (make a graph) hacer un gráfico; **to — a course** trazar un curso

plotter [plɑ́tə] N (one who plots) conspirador -ora *mf*; (device) trazador de gráficos *m*

plover [plóvə] N chorlito *m*

plow [plau] N arado *m*; **—share** reja de arado *f*; VI/VT arar; (fresh soil) roturar; **to — through** abrirse paso

plowing [pláuɪŋ] N labranza *f*

pluck [plʌk] VT (a feather, flower) arrancar; (bird) desplumar; (guitar) puntear, pulsar; **to — at** tirar de; **to — out / off** desprender; **to — up courage** animarse, cobrar ánimo; N (act of plucking) tirón *m*; (courage) valor *m*

plug [plʌg] N (stopper) tapón *m*; (horse) *pej* penco *m*; (electric) enchufe *m*; (advertisement) mención favorable *f*; (tobacco) rollo *m*; **—in** enchufe *m*; VT tapar; (advertise) hacer una mención favorable de; VI **to — along** afanarse; **to — in** enchufar; **to — up** tapar

plum [plʌm] N (fruit) ciruela *f*; **— tree** ciruelo *m*; **that job is a real —** ese trabajo es estupendo

plumage [plúmɪʤ] N plumaje *m*

plumb [plʌm] N (lead weight) plomada *f*; **to be out of —** no estar a plomo; ADJ (perpendicular) a plomo; **— bob** plomada *f*; ADV (in a vertical direction) a plomo; (completely) completamente; VT (measure depth) sondear; (test for verticality) aplomar; (examine) examinar

plumber [plámə] N plomero -ra *mf*; *Sp* fontanero -ra *mf*

plumbing [plámɪŋ] N (work and trade) plomería *f*; *Sp* fontanería *f*; (system of pipes) cañerías *f pl*

plume [plum] N penacho *m*; VT adornar con plumas

plummet [plámɪt] VI precipitarse; N plomada *f*

plump [plʌmp] ADJ rechoncho, regordete, rollizo; ADV a plomo; VI/VT **to — down**

dejar(se) caer

plunder [plándə] N (act of plundering) pillaje *m*, saqueo *m*; (loot) botín *m*; VI/VT pillar, saquear

plunge [plʌnʤ] VI/VT (into water) zambullir(se), sumergir(se); (into something solid) hundir(se); VI (fall) precipitarse; (slope downward) bajar repentinamente; **to — headlong** echarse de cabeza; (rush) salto *m*

plunger [plánʤə] N (for a toilet) desatascador *m*; (of a pump) émbolo *m*

pluperfect [plupə́fɪkt] N pluscuamperfecto *m*

plural [plúrəl] ADJ & N plural *m*

plurality [plurǽlɪɾi] N pluralidad *f*

plus [plʌs] PREP más; N signo más *m*; (advantage) ventaja *f*; **two — three** dos más tres *m*; **on the — side** en el lado positivo; **— sign** signo de más *m*

plush [plʌʃ] N felpa *f*; ADJ (fabric) afelpado; (hotel) lujoso

plutonium [plutóniəm] N plutonio *m*

ply [plaɪ] VT (use) manejar; (assail with questions) acosar; (navigate a body of water) surcar; VI (travel regularly) recorrer con regularidad; (work steadily) aplicarse; **to — a trade** ejercer un oficio; N (layer of cloth, rubber) capa *f*; (layer of plywood) chapa *f*; **—wood** madera compensada *f*, contrachapado *m*

pneumatic [numǽdɪk] ADJ neumático

pneumonia [numónjə] N pulmonía *f*

poach [potʃ] VT (eggs) escalfar; VI/VT (game) cazar furtivamente

pocket [pɑ́kɪt] N bolsillo *m*; (vein of ore) filón *m*; (on a pool table) tronera *f*; (of air) bache *m*; (of poverty) bolsa *f*; **—book** cartera *f*, *Sp* bolso *m*; **— book** libro de bolsillo *m*; **—knife** navaja *f*; **— of resistance** foco de resistencia *m*; VT meterse en el bolsillo; (appropriate) embolsar; (knock in a billiard ball) meter en la tronera

pod [pɑd] N (seed vessel) vaina *f*; (herd of cetaceans) manada *f*

podium [pódiəm] N podio *m*

poem [póəm] N poema *m*, poesía *f*

poet [póɪt] N poeta *mf*

poetic [poɛ́dɪk] ADJ poético; **—s** poética *f*; **— justice** justicia divina *f*

poetry [póɪtri] N poesía *f*

poignant [pɔ́ɪnjənt] ADJ conmovedor

poinsettia [pɔɪnsɛ́də] N flor de Pascua *f*

point [pɔɪnt] N (place) punto *m*; (sharp end) punta *f*; **— of view** punto de vista *m*; **—blank** a quemarropa; **it is not to the — no viene al caso; I don't see the —**

no le veo el sentido; **on the — of** a punto de; *vt* (direct finger at) apuntar con, señalar con; (indicate) señalar; **to — out** señalar, indicar; **to — up** enfatizar

pointed [puntid] *adj* (having a point) puntiagudo; (piercing) agudo; (aimed) a propósito; **— arch** arco ojival *m*

pointer [pintər] *n* (stick) puntero *m*; (on a scale) indicador *m*; (dog) perro de muestra *m*; (advice) consejo *m*

pointless [pintlis] *adj* inútil

poise [piz] *n* (balance, steadiness) equilibrio *m*; (dignified bearing) aplomo *m*; *vi/vt* equilibrar(se); *vt* (ready) preparar; *vi* (hover) cernirse

poison [pizən] *n* veneno *m*, ponzoña *f*; **— ivy** hiedra venenosa *f*; *vt* envenenar, emponzoñar

poisoning [pizəniŋ] *n* intoxicación *f*

poisonous [pizənəs] *adj* venenoso, ponzoñoso

poke [pok] *vt* (jab) clavar, pinchar; (stir a fire) atizar; (thrust out, as one's head) asomar; **to — out an eye** sacar un ojo; *vi* **to — along** andar perezosamente; **to — around** husmear; **to — fun at** burlarse de; **to — into** meterse en; **to — out**

Poland [poland] *n* Polonia *f*

polar [polər] *adj* polar; **— bear** oso polar *m*

polarity [pəlærəti] *n* polaridad *f*

polarization [polərəzeiʃən] *n* polarización *f*

polarize [poləraiz] *vi/vt* polarizar(se)

pole [pol] *n* (long piece of wood, metal) poste *m*; (for a flag) asta *f*; (for vaulting) pértiga *f*, garrocha *f*; (earth's axis) polo *m*; (for skiing) bastón *m*; **— vault** salto con pértiga *m*

Pole [pol] *n* polaco -ca *m/f*

polemic [pəlemik] *adj* polémico *m*; *n* polémica *f*

police [pəlis] *n* **— car** patrullero *m*; **— dog** perro policía *m*; **— force** cuerpo de policía *m*; **— man** policía *m*; **— officer** oficial de policía *m/f*; **— state** estado policíaco *m*; **— station** comisaría de policía *f*; **— woman** policía *f*

policy [pálisi] *n* (procedure) política *f*; (for insurance) póliza *f*

polio [pólio] *n* polio *f*

Polish [póli] *adj & n* polaco -ca *m/f*

polish [póli] *n* (sheen) lustre *m*; refinamiento *m*; (refinement) urbanidad *f*; (substance for furniture) cera *f*; (substance for shoes) betún *m*; *vt* (a speech) pulir; (a metal) sacar brillo; (a car) encerar; (shoes) lustrar, embetunar; *vi* lustrarse; **to — off** despachar; **to — up** (metal) sacar brillo; (speech) pulir

polite [pəlait] *adj* cortés

politeness [pəlaitnəs] *n* cortesía *f*

politic [pálitik] *adj* diplomático, político

political [pəlitikəl] *adj* político; **— prisoner** preso -sa político -ca *m/f*; **— science** ciencias políticas *f pl*

politically correct [pəlitikli kərekt] *adj* políticamente correcto

politician [pálitiʃən] *n* político -ca *m/f*

politics [pálitiks] *n* política *f*

polka [pólkə] *n* polca *f*; **— dot** lunar *m*

poll [pol] *n* (survey) encuesta *f*; **—s** (elections) comicios *m pl*; (voting place) urna *f*; *vt* (survey) encuestar; (receive votes) obtener; (record vote of) registrar

pollen [pálən] *n* polen *m*

pollinate [pálineit] *vt* polinizar

pollute [pəlut] *vi/vt* contaminar

pollution [pəluʃən] *n* contaminación *f*

polo [pólo] *n* polo *m*

polyester [pálistər] *n* poliéster *m*

polygamy [pəligəmi] *n* poligamia *f*

polyglot [páliglat] *adj & n* poligloto *m/f*

polygraph [páligræf] *n* polígrafo *m*

polymer [pálimər] *n* polímero *m*

polyp [pálip] *n* pólipo *m*

polyunsaturated [páliansætʃəreitid] *adj* poliinsaturado

polyurethane [pálijuəθein] *n* poliuretano *m*

pomegranate [pámgrænit] *n* granada *f*; **— tree** granado *m*

pomp [pamp] *n* pompa *f*, boato *m*; aparato *m*

pompous [pámpəs] *adj* pomposo, aparatoso

pond [pand] *n* (natural) charca *f*; (artificial) estanque *m*; (for irrigation) balsa *f*

ponder [pándər] *vi* meditar; *vt* considerar

ponderous [pándə-əs] *adj* enorme

pontoon [pantun] *n* (on a bridge) pontón *m*; (on an airplane) flotador *m*

pony [póni] *n* póney *m*; **—tail** coleta *f*, cola de caballo *f*; *vi* **to — up** soltar

poodle [pudl] *n* caniche *m*

pool [pul] *n* (puddle of water, blood, etc.) charco *m*; (swimming place) piscina *f*, Mex alberca *f*; (association of competitors) pool *m*; (game) pozo *m*, billar *m*; (bets) pozo *m*; **— table** billar *m*; **— hall** billar *m*; *vi* acumularse; *vt* combinar fondos

poop [pup] *n* (part of ship) popa *f*; (excrement) Am caca *f*; Am hacer caca

poor [pur] *adj* (lacking money) pobre; (deficient) malo; **I'm a — cook** no sé cocinar; **— house** asilo para los pobres *m*; **— little thing** pobrecito -ta *m/f*; **the —** los pobres

pop [pap] vi reventar, estallar; (eyes, cork)
saltar; **to — in** entrar de paso; vr (make
explode) hacer reventar; (take, as cork)
hacer saltar; (put) meter; (take, as pills)
tomar (píldoras); **to — a question** —
espetar una pregunta; **to — corn** hacer
palomitas; n estallido m, detonación f;
—**corn** palomitas f pl; — **music** música
popular; — **quiz** prueba sorpresa f; — **of**
a **cork** taponazo m

Pope [pop] n Papa m

poplar [pápl-] n álamo m, chopo m; —
grove alameda f

poppy [pápi] n amapola f

popular [pápjalar] adj popular; **he's very —
with the ladies** tiene mucho éxito con
las mujeres

popularity [papjalérɪti] n popularidad f

populate [pápjalet] vr poblar

population [papjaléjan] n población f

populous [pápjalas] adj populoso

porcelain [pórslɪn] n porcelana f

porch [pɔrtʃ] n porche m

porcupine [pórkjapaɪn] n puercoespín m

pore [pɔr] n poro m; vi **to — over a book**
estudiar detenidamente un libro

pork [pɔrk] n carne de cerdo f; — **chop**
chuleta de cerdo f

pornography [pɔrnágrafi] n pornografía f

porous [pɔrəs] adj poroso

porpoise [pɔrpəs] n marsopa f

port [pɔrt] n (harbor, computer) puerto m;
(wine) oporto m; (left side of ship) babor
m; — **hole** ojo de buey m

portable [pɔrtəbəl] adj portátil

portal [pɔrtl] n portal m (also of Internet)

portend [pɔrtɛnd] vr (omen) presagiar;
agüero m (marvel, prodigy) portento m

portentous [pɔrtɛntəs] adj (ominous) de mal
agüero; (prodigious) portentoso

porter [pɔrtər] n mozo -za mf

portfolio [pɔrtfóliɔ] n (flat case for
papers) carpeta f

portion [pɔrʃən] n porción f; vi **to — out**
repartir

portly [pɔrtli] adj grueso

portrait [pɔrtrɪt] n retrato m

portray [pɔrtré] vr (draw, describe) retratar;
(in a drama) representar

portrayal [pɔrtréəl] n (portrait) retrato m;
(act of portraying) representación f

Portugal [pɔrtʃəgəl] n Portugal m

Portuguese [pɔrtʃəgíz] adj & n portugués
-esa mf

pose [poz] n (posture) pose f, postura f;
(affected attitude) afectación f; vi (sit as a
model) posar; (act affectedly) afectar una
actitud; vr (to make sit as model) hacer
posar; (to present) plantear; hacerse pasar por

position [pazíʃan] n (place) posición f; (job)
puesto m, colocación f; vr (to present)
posar; (to make sit as model) hacer

positive [pázɪtɪv] adj positivo; — **proof** —
prueba cierta f; **I am —** estoy seguro

possess [pazés] vr poseer

possession [pazéʃan] n posesión f

possessive [pazésɪv] adj & n posesivo m

possessor [pazésər] n poseedor -ra f

possibility [pasəbílɪti] n posibilidad f

possible [pásəbəl] adj posible

post [post] n (pole) poste m; (position) puesto
m; (mail) correo m; — **card** tarjeta postal f;
— **haste** a la brevedad; — **man** cartero m;
— **mark** matasellos m; — **master** director
de correos m; — **office** oficina de correos
f; casa de correos m; — **office box**
apartado postal m; — **paid** porte pagado;
vr (affix) fijar; (announce) anunciar; (list)
poner en lista; (place) apostar, situar;
(mail) echar al correo; **keep me —ed**
mantenme al tanto

postage [póstɪdʒ] n franqueo m; — **meter**
estampilla f; Mex timbre m

postal [póstəl] adj postal; **to go —** perpetrar
un ataque homicida, volverse loco

poster [póstər] n cartel m, póster m, afiche m;
— **child** modelo m

posterior [pastíriər] adj posterior; n trasero m

posterity [pastérɪti] n posteridad f

posthumous [pásjaməs] adj póstumo

postpone [postpón] vr posponer, aplazar

postponement [postpónmənt] n
aplazamiento m

postscript [póstskrɪpt] n posdata f

postulate [pásjalet] vr postular; [pásjalət] n
postulado m

posture [pásjə-] n (carriage, attitude) postura
f (affectation) afectación f; vi darse aires

posy [pózi] n ramillete m

pot [pat] n (vessel) olla f, marmita f;
(marijuana) marihuana f; — **bellied**
panzudo, barrigón; — **hole** bache m

potable [pótəbəl] adj potable

potassium [pətæsɪəm] n potasio m

potato [pətéto] n Sp patata f; Am papa f; —
chip patata/papa frita a la inglesa f, chip
m

potency [pótnsi] n potencia f

potent [pótnt] adj potente

potentate [pótntet] n potentado -da mf

potential [pəténʃəl] adj & n potencial m

potion [póʃən] n poción f

potter [pátɚ] N alfarero -ra *mf*

pottery [pátɚi] N (craft, shop) alfarería *f*; (objects) cerámica *f*, objetos de alfarería *m pl*

pouch [pautʃ] N bolsa *f*; (for mail) valija *f*; (for tobacco) petaca *f*

poultry [póltri] N aves de corral *f pl*

pounce [pauns] VI saltar; **to — upon / on** abalanzarse sobre; **to — on an opportunity** no dejar pasar una oportunidad; N salto *m*

pound [paund] N (unit of weight, British currency) libra *f*; (blow) golpazo *m*; (place for stray dogs) perrera *f*; VT (a door) golpear; (seeds) machacar; (a military target) bombardear; VI (beat) latir con fuerza

pour [pɔr] VT verter; VI (leave en masse) salir en tropel; (rain) llover a cántaros; **to — out one's feelings** desahogarse

pout [paut] VI hacer pucheros; N puchero *m*

poverty [pávɚɖi] N pobreza *f*, penuria *f*; **—stricken** indigente

powder [páudɚ] N polvo *m*; (for the face) polvos *m pl*; (for guns) pólvora *f*; **— compact** polvera *f*; **— puff** borla *f*; **to take a —** poner pies en polvorosa; VI/VT (use powder) empolvar(se); (pulverize) pulverizar(se)

power [páuɚ] N (control) poder *m*, poderío *m*; (might, in physics, in math) potencia *f*; (physical strength) fuerza *f*; (energy) energía *f*; **— of attorney** poder *m*; **— plant** central eléctrica *f*; **— steering** dirección asistida *f*; **legislative —s** atribuciones legislativas *f pl*

powerful [páuɚfəl] ADJ poderoso, potente

powerless [páuɚlɪs] ADJ impotente

practical [præktɪkəl] ADJ práctico; **— joke** broma pesada *f*; **— nurse** enfermero -ra sin título *mf*

practice [præktɪs] N práctica *f*; (habit) costumbre *f*; (doctor's office) consultorio *m*; (lawyer's office) bufete *m*; VI/VT practicar; VT (a profession) ejercer

practiced [præktɪst] ADJ experto, perito

practitioner [præktíʃənɚ] N practicante *mf*; **general —** médico -ca general *mf*

pragmatic [prægmǽɖɪk] ADJ pragmático

prairie [préri] N pradera *f*, llanura *f*

praise [prez] N alabanza *f*, elogio *m*; VT alabar, elogiar; **—worthy** loable, encomiable

prance [præns] VI cabriolar, hacer cabriolas; N cabriola *f*

prank [præŋk] N travesura *f*, chasco *m*; **to play —s** hacer travesuras

prawn [prɔn] N langostino *m*; *Sp* gamba pequeña *f*

pray [pre] VI/VT (religious) rezar, orar; (beg) rogar, suplicar

prayer [prer] N (devout petition to God) oración *f*, rezo *m*; (entreaty) ruego *m*, súplica *f*

praying mantis [préɪŋmæntɪs] N mantis religiosa *f*

preach [pritʃ] VI/VT predicar; (moralize) sermonear

preacher [prítʃɚ] N predicador -ra *mf*

preamble [príæmbəl] N preámbulo *m*

precarious [prɪkérias] ADJ precario

precaution [prɪkóʃən] N precaución *f*

precede [prɪsíd] VI/VT preceder

precedence [présɪdəns] N precedencia *f*, prioridad *f*

preceding [prɪsídɪŋ] ADJ precedente, anterior

precept [prísept] N precepto *m*

precinct [prísɪŋkt] N distrito *m*; (police station) comisaría *f*; **—s** límites *m pl*

precious [préʃəs] ADJ precioso; (overly refined) preciosista; **— little** muy poco; **— metal** metal precioso *m*; **— stone** piedra preciosa *f*

precipice [présəpɪs] N precipicio *m*, derrumbadero *m*

precipitate [prɪsípɪtet] VI/VT precipitar(se); [prɪsípɪtət] ADJ & N precipitado *m*

precipitation [prɪsɪpɪtéʃən] N precipitación *f*

precipitous [prɪsípɪɖəs] ADJ (steep) escarpado; (hasty) precipitado

precise [prɪsáɪs] ADJ preciso, exacto

precision [prɪsíʒən] N precisión *f*, exactitud *f*; (of expression) propiedad *f*

preclude [prɪklúd] VT excluir; **that doesn't — our considering your application** esto no obsta para que tengamos en cuenta su solicitud

precocious [prɪkóʃəs] ADJ precoz

precursor [prɪkɚ́sɚ] N precursor *m*

predator [prédəɖɚ] N depredador *m*

predatory [prédətɔri] ADJ (animal) depredador; (persona) rapaz

predecessor [prédisesɚ] N predecesor -ra *mf*, antecesor -a *mf*

predestine [pridéstɪn] VT predestinar

predicament [prɪdíkəmənt] N aprieto *m*

predicate [prédɪkət] ADJ & N predicado *m*; [prédɪket] VT basar

predict [prɪdíkt] VT predecir

prediction [prɪdíkʃən] N predicción *f*, vaticinio *m*

predilection [prédlékʃən] N predilección *f*

predispose [pridɪspóz] VI/VT predisponer

predominance [prɪdámənəns] N

predominio m

predominant [prɪdámənənt] ADJ predominante

predominate [prɪdámənet] VI/VT predominar, preponderar

preface [préfɪs] N prefacio m, prólogo m; VT hacer una introducción; (a book) prologar

prefer [prɪfɝ] VT preferir; **to — a claim** presentar una demanda

preferable [préfɚəbəł] ADJ preferible

preference [préfɚəns] N preferencia f

preferential [prefɚénʃəł] ADJ preferente

preferred [prɪfɝd] ADJ preferido; **— stocks** acciones preferentes f pl

prefix [prífɪks] N prefijo m; VT poner un prefijo

pregnancy [prégnənsi] N embarazo m; (of an animal) preñez f

pregnant [prégnənt] ADJ (person) embarazada, encinta; (animal) preñada; (full of meaning, rain) preñado, cargado

prehensile [prihénsəł] ADJ prensil

prehistoric [prihɪstɔ́rɪk] ADJ prehistórico

prejudge [pridʒʌ́dʒ] VT prejuzgar

prejudice [prédʒədɪs] N (bias) prejuicio m; (harm) perjuicio m; VT (cause bias against) predisponer en contra; (harm) perjudicar

preliminary [prɪlímɪneri] ADJ & N preliminar m

prelude [prélud] N preludio m; VI/VT preludiar

premarital [primǽrɪtəł] ADJ prematrimonial

premature [primətʃúr] ADJ prematuro

premeditated [priméɪtetɪd] ADJ premeditado

premier [prɪmír] N primer ministro / primera ministra mf; ADJ principal

premiere [prɪmír] N estreno m, première f

premise [prémɪs] N premisa f; **—s** local m

premium [prímiəm] N (bonus) premio m; (insurance) prima f; (surcharge) recargo m; **at a —** muy escaso; ADJ superior

premonition [preməníʃən] N premonición f

prenatal [prinéɪdəł] ADJ prenatal

prenuptial [prinʌ́pʃəł] ADJ prenupcial

preoccupy [priákjəpaɪ] VT absorber

prepaid [pripéd] ADJ pagado de antemano; **to send —** enviar porte pagado

preparation [prepɚéʃən] N (act of preparing) preparación f; (substance) preparado m; (for a trip) preparativos m pl

preparatory [prépɚətɔri] ADJ preparatorio, preparativo

prepare [prɪpér] VI/VT preparar(se)

preponderance [prɪpándɚəns] N preponderancia f

preponderant [prɪpándɚənt] ADJ preponderante

preposition [prepəzíʃən] N preposición f

preposterous [prɪpástɚəs] ADJ absurdo

prerequisite [prirékwəzɪt] N prerequisito m

prerogative [prɪrágətɪv] N prerrogativa f

prescribe [prɪskráɪb] VT (order) prescribir; (medicine) recetar

prescription [prɪskrípʃən] N (order) prescripción f; (of medicine) receta f

presence [prézəns] N presencia f; **— of mind** aplomo m, presencia de ánimo f

present [prézənt] N (time) presente m; (gift) regalo m, presente m; **at —** ahora; **for the —** por ahora; ADJ (at a place) presente; (at this time) actual; **— company excepted** con perdón de los presentes; **—-day** actual; **— participle** gerundio m; **— perfect** pretérito perfecto m; [prɪzént] VT presentar, entregar

presentable [prɪzéntəbəł] ADJ presentable

presentation [prezəntéʃən] N presentación f, entrega f; (talk) ponencia f

presentiment [prɪzéntəmənt] N presentimiento m

presently [prézəntli] ADV (soon) pronto; (now) actualmente

preservation [prezɚvéʃən] N preservación f, conservación f

preservative [prɪzɝ́vədɪv] N conservante m

preserve [prɪzɝv] VI/VT (protect) preservar; (keep food fresh) conservar; N (for game) coto m; (for animals) reserva f; **—s** mermelada f, dulce m

preside [prɪzáɪd] VI presidir; **to — over a meeting** presidir una reunión

presidency [prézɪdənsi] N presidencia f

president [prézɪdənt] N presidente -ta mf

presidential [prezɪdénʃəł] ADJ presidencial

press [pres] VI/VT (bear down, squeeze) apretar, oprimir; (iron) planchar; (force) presionar; (extract juice) prensar; (put under pressure) apremiar; **to — on** avanzar; **to — one's point** insistir en un argumento; **to — through** abrirse paso; N (newspapers) prensa f; (printing machine) imprenta f; (crowding) empuje m; **— conference** conferencia de prensa f; **— corps** cuerpo de prensa m; **— release** comunicado de prensa m

pressing [présɪŋ] ADJ apremiante, urgente

pressure [préʃɚ] N presión f; **— cooker** olla a presión f; **— gauge** manómetro m; **— group** grupo de presión m; VT apremiar, presionar

prestige [prestíʒ] N prestigio m

prestigious [prestídʒəs] ADJ prestigioso

presume [prɪzúm] VI (be presumptuous)

presumir; VT (suppose) suponer; (dare) atreverse a

presumption [prɪzʌ́mpʃən] N presunción f

presumptuous [prɪzʌ́mptʃuəs] ADJ presuntuoso, presumido

presuppose [prisəpóz] VT presuponer

preteen [pritín] ADJ & N preadolescente mf

pretend [prɪténd] VI/VT (make believe) hacer de cuenta que; (feign) fingir; VT (claim) pretender; **to — to the throne** pretender el trono

pretense [pritens] N (faked action or belief) engaño m; (false show) apariencia f; **under — of** so pretexto de

pretension [prɪténʃən] N pretensión f; (pretext) pretexto m

pretentious [prɪténʃəs] ADJ (full of pretension) pretencioso; (showy) ostentoso

pretext [pritekst] N pretexto m

pretrial [pritráɪəl] ADJ anterior al juicio

pretty [príti] ADJ bonito; (human only) Sp guapo; ADV bastante; VI/VT **to — up** embellecer

prevail [prɪvél] VI (win) prevalecer; (be widespread, dominant) preponderar, imperar; **to — on (upon)** persuadir

prevailing [prɪvéliŋ] ADJ (dominant) predominante; (existing) reinante

prevalent [prévələnt] ADJ prevaleciente, preponderante

prevent [prɪvént] VT (keep from occurring) prevenir; VI/VT (impede) impedir

prevention [prɪvénʃən] N prevención f; (of a disease) prevención f, profilaxis f

preventive [prɪvéntɪv] ADJ preventivo

preview [prívju] N preestreno m

previous [prívíəs] ADJ previo, anterior

prey [pre] N (animal) presa f; VI **to — on** alimentarse de cazar; **it —s upon my mind** me tiene preocupado

price [praɪs] N precio m; **at any — a** toda costa; **— control** control de precios m; **— fixing** fijación de precios f; **— index** índice de precios m; **— tag** etiqueta de precio f; VT (set price) poner precio a; (ask price) averiguar el precio de

priceless [práɪslɪs] ADJ (without price) invalorable; (amusing) divertidísimo

prick [prɪk] N (puncture) pinchazo m; (sharp point) púa f; VI/VT pinchar, punzar; **to — up one's ears** parar las orejas

prickly [príkli] ADJ espinoso; **— heat** sarpullido causado por el calor m; **— pear** tuna f, nopal m

pride [praɪd] N orgullo m; (excessive) soberbia f; VI **to — oneself on** enorgullecerse de

priest [prist] N sacerdote m; (Catholic only)

cura m; **—hood** sacerdocio m

prim [prɪm] ADJ remilgado

primary [práɪmɛri] ADJ primario; (main) fundamental, principal; **— colors** colores primarios m pl; **— election** elección primaria f; **— school** escuela primaria f

primate [prámet] N primate m

prime [praɪm] ADJ (principal) fundamental; (of a number) primo; (select) de primera; **— minister** primer ministro m, primera ministra f; N (stage) flor f; (number) número primo m; **to be in one's —** estar en la flor de la edad, estar en la plenitud de la vida; **— rate** tasa prima f; VT preparar; (a pump) cebar

primer [prímɚ] N (first book) manual elemental m; (pump part) cebador m

primitive [prímɪtɪv] ADJ & N primitivo -va mf

prince [prɪns] N príncipe m

princely [prínsli] ADJ noble, principesco; **a — sum** una suma muy grande

princess [prɪnsɛs] N princesa f

principal [prínsəpəl] ADJ principal; N (money invested) capital m; (giver of power of attorney) poderdante mf, mandante mf; (head of a school) director -ora mf

principle [prínsəpəl] N principio m

print [prɪnt] VI/VT imprimir; (write in block letters) escribir en letra de molde; **to — out** imprimir; N (type) letra de imprenta f; (of art) lámina f; (of photographs) copia f; (of fingers) huella digital f; (on cloth) estampado m; **—out** listado m; **in — publicado**, en venta; **out of —** agotado

printer [príntɚ] N (person) impresor -ra mf; gráfico -ca mf; (machine) impresora f

printing [príntɪŋ] N (art, trade) imprenta f; (process) impresión f, tipografía f; (block letters) letra de molde f, letra de imprenta f; **— press** imprenta f; **this book is in its second —** este libro está en su segunda edición

prior [práɪɚ] ADJ previo; **— to** anterior a

priority [praɪɔ́rɪti] N prioridad f

prism [prízəm] N prisma m

prison [prízən] N prisión f, cárcel f, presidio m

prisoner [prízənɚ] N (captive) prisionero -ra mf; (in jail) preso -sa mf, presidiario -ria mf; **— of war** prisionero -ra de guerra mf

pristine [prɪstín] ADJ (immaculate) puro; (perfect) perfecto

privacy [práɪvəsi] N privacidad f

private [práɪvɪt] ADJ (not public) privado; (individual) particular; **— enterprise**

empresa privada f; — **eye** detective privado -da mf; — **parts** partes pudendas f pl; — **school** escuela privada f; — **sector** sector privado m; **a — citizen** un particular; **in** — en privado; N soldado raso m

privation [praivéʃən] N privación f

privilege [prívəlidʒ] N privilegio m

privileged [prívəlidʒd] ADJ privilegiado

privy [prívi] **to be —** to estar enterado de; N retrete m

prize [praiz] N (reward) premio m; (booty) botín m; — **fight** pelea de boxeo profesional f; — **fighter** boxeador -ora mf, pugilista mf; VT apreciar

pro [pro] N profesional mf

probability [prɑbəbíliti] N probabilidad f

probable [prɑ́bəbəl] ADJ probable

probation [probéʃən] N libertad condicional f

probe [prob] VI/VT (explore with a probe) sondear; (examine) examinar; N sonda f (also space); (investigation) indagación f

problem [prɑ́bləm] N problema m

procedure [prəsídʒə-] N procedimiento m; (legal) trámite m

proceed [prəsíd] VI (originate) proceder; (continue) proseguir, continuar; **to — against** demandar a; **to — to** proceder a; N **—s** ganancia f, lo recaudado

proceedings [prəsídiŋz] N (events) acontecimientos m pl; (record of a conference) actas f pl, memoria f; (legal action) procedimiento m

process [prɑ́ses] N proceso m; **in the — of** en vías de

procession [prəséʃən] N procesión f

pro-choice [protʃɔ́is] ADJ proaborto

proclaim [prəklém] VT proclamar

proclamation [prɑkləméʃən] N proclamación f, proclama f

procrastinate [prəkrǽstənet] VI/VT dejar para último momento

procreate [prókriet] VI/VT procrear, engendrar

procure [prəkjúr] VT procurar, obtener; VI ser proxeneta

prod [prɑd] VT aguijonear; **they —ded me into going / to go** insistieron en que fuera

prodigal [prɑ́dɪgəl] ADJ & N pródigo -ga mf

prodigious [prədídʒəs] ADJ prodigioso

prodigy [prɑ́dədʒi] N prodigio m

produce [prɑ́dus] N (vegetables) verduras f pl, hortalizas f pl; [prədús] VI/VT producir; VT (present) presentar

producer [prədúsə-] N productor -ora mf

product [prɑ́dəkt] N producto m

production [prədʌ́kʃən] N producción f; (TV, radio) producción f, realización f; (exaggerated situation) teatro m

productive [prədʌ́ktɪv] ADJ productivo

profane [profén] ADJ profano; (vulgar) grosero; VT profanar

profanity [prəfǽnɪti] N groserías f pl, palabrotas f pl

profess [prəfés] VI/VT (publicly accept, take vows) profesar; VT (express) expresar

profession [prəféʃən] N profesión f

professional [prəféʃənəl] ADJ & N profesional mf

professor [prəfésə-] N profesor -ra universitario -ria mf; (full) catedrático -ca mf

proffer [prɑ́fə-] VT ofrecer; N oferta f

proficiency [prəfíʃənsi] N competencia f

proficient [prəfíʃənt] ADJ competente

profile [prófaɪl] N (contour) perfil m; **a high-— case** un caso muy sonado

profit [prɑ́fɪt] N (gain) ganancia f; — **and loss** ganancias y pérdidas f pl; — **sharing** participación en las ganancias de una empresa f; **at a —** con ganancia; **to turn a —** dar ganancia; **not for —** sin fines de lucro; VI salir ganando; **to — from** (benefit) aprovechar, sacar provecho de; (use to get an advantage) aprovecharse de; VT servir

profitable [prɑ́fɪtəbəl] ADJ (beneficial) provechoso; (lucrative) lucrativo, rentable

profound [prəfáund] ADJ profundo

profundity [prəfʌ́ndɪti] N profundidad f

profuse [prəfjús] ADJ profuso, pródigo

progesterone [prodʒéstəron] N progesterona f

prognosis [prɑgnósɪs] N pronóstico m

program [prógræm] N programa m; VI/VT programar

programmer [prógræmə-] N programador -ora mf

programming [prógræmɪŋ] N programación f

progress [prɑ́grɛs] N progreso m; [prəgrés] VI progresar

progressive [prəgrésɪv] ADJ (advancing) progresivo; ADJ & N (liberal) progresista mf, progresivo -va mf

prohibit [prohíbɪt] VT prohibir, vedar

prohibition [proəbíʃən] N prohibición f

project [prɑ́dʒekt] N proyecto m; [prədʒékt] VI/VT proyectar(se); VI (jut out) sobresalir

projectile [prədʒéktaɪl] N proyectil m; ADJ arrojadizo

projection [prədʒékʃən] N proyección f; (jut) saliente f

projector [prədʒéktə] N proyector *m*
proletariat [prolitériət] N proletariado *m*
pro-life [prolíf] ADJ antiaborto
prolific [prəlífik] ADJ prolífico
prologue [prólɔg] N prólogo *m*
prolong [prəlɔ́ŋ] VT prolongar
prolongation [prolɔŋgéʃən] N prolongación *f*
promenade [prɑmənéd] N paseo *m*; (prom) baile *m*; VI/VT pasear(se)
prominent [prɑ́mənənt] ADJ prominente
promiscuous [prəmískjuəs] ADJ promiscuo, liviano
promise [prɑ́mɪs] N promesa *f*; **he showed — prometía mucho**; VI/VT prometer
promising [prɑ́mɪsɪŋ] ADJ prometedor, halagüeño
promissory [prɑ́mɪsɔri] ADJ promisorio; **— note pagaré *m***
promontory [prɑ́məntɔri] N promontorio *m*
promote [prəmót] VT (foster) promover, fomentar; (advance in rank) ascender; (in school) pasar de año, promover; (advertise) promocionar
promoter [prəmótə] N (fomenter) propulsor -ora *mf*; (organizer) promotor -ora *mf*
promotion [prəmóʃən] N (act of promoting) promoción *f*; (advance in rank) ascenso *m*
prompt [prɑmpt] ADJ (quick) rápido; (punctual) puntual; VT (cause) inducir; (in theater) apuntar; **to give someone a — apuntarle a alguien**
promptly [prɑ́mptli] ADV (soon) pronto; (punctually) puntualmente
promulgate [prɑ́mɑɫget] VT promulgar
prone [pron] ADJ (disposed) propenso, proclive; (face down) boca abajo; (prostrate) postrado
prong [prɔŋ] N púa *f*, diente *m*
pronoun [prónaun] N pronombre *m*
pronounce [prənáuns] VT (enunciate) pronunciar; (declare) declarar
pronounced [prənáunst] ADJ pronunciado
pronunciation [prənʌnsiéʃən] N pronunciación *f*
proof [pruf] N (evidence, test, trial printing) prueba *f*; (of alcohol) graduación *f*, grado *m*; **— of purchase** comprobante de compra *m*; **—reader** corrector -ra de pruebas *mf*; **fifty —** veinticinco por ciento de graduación alcohólica; ADJ **fire— a** prueba de incendios; **water— impermeable**; **bullet— a** prueba de balas
prop [prɑp] N (pole) puntal *m*; (in theater) accesorio *m*; (propeller) hélice *f*; (support) sostén *m*, apoyo *m*; (of a plant) tutor *m*; VT **to — against** apoyar en, sostener en;

to — up apuntalar, sostener
propaganda [prɑpəgǽndə] N propaganda *f*
propagate [prɑ́pəget] VI/VT propagar(se)
propagation [prɑpəgéʃən] N propagación *f*
propane [própen] N propano *m*
propel [prəpél] VT propulsar, impulsar
propeller [prəpélə] N hélice *f*
propensity [prəpénsɪdi] N propensión *f*
proper [prɑ́pə] ADJ (appropriate) apropiado; (decorous) decoroso; (genuine) como Dios manda; (correct) correcto; (in math, grammar) propio; **to be — to** ser propio de
property [prɑ́pə-di] N (characteristic) propiedad *f*; (real estate) propiedad *f*, finca *f*; (assets) bienes *m pl*
prophecy [prɑ́fisi] N profecía *f*
prophesy [prɑ́fisai] VI/VT profetizar
prophet [prɑ́fit] N profeta -tisa *mf*
prophetic [prəfédik] ADJ profético
propitious [prəpíʃəs] ADJ propicio
proponent [prəpónənt] N (person who proposes) proponente *mf*; (adherent) defensor -ra *mf*
proportion [prəpórʃən] N proporción *f*; **out of —** desproporcionado; VT proporcionar; **well —ed** bien proporcionado
proposal [prəpózəɫ] N (suggestion) propuesta *f*; (of marriage, dishonest) proposición *f*
propose [prəpóz] VI/VT (suggest) proponer; VI (ask in marriage) declararse, hacer una proposición de matrimonio; **to — to do something** proponerse hacer algo
proposition [prɑpəzíʃən] N proposición *f*; VT hacer proposiciones deshonestas
proprietor [prəpráidə] N propietario -ria *mf*
propriety [prəpráiidi] N decoro *m*
propulsion [prəpʌ́ɫʃən] N propulsión *f*
prorate [prorét] VT prorratear
prosaic [prozéik] ADJ prosaico
prose [proz] N prosa *f*
prosecute [prɑ́sikjut] VI/VT (take to court) procesar, enjuiciar; VT (pursue) llevar adelante
prosecution [prɑsikjúʃən] N (act of prosecuting) procesamiento *m*; (officials who prosecute) ministerio público *m*, fiscalía *f*
prosecutor [prɑ́sikjudə] N fiscal *mf*
proselytize [prɑ́səlitaiz] VT convertir; VI ganar prosélitos
prospect [prɑ́spekt] N (outlook, possibility) perspectiva *f*, expectativa *f*; (candidate) candidato -ta *mf*; (possible client) posible cliente -ta *mf*; VT prospectar; VI **to — for** buscar
prospective [prəspéktiv] ADJ posible,

potencial

prospector [práspekta-] N prospector -ora *mf*

prosper [práspa-] VI prosperar

prosperity [prospérIdi] N prosperidad *f*, bonanza *f*

prosperous [práspərəs] ADJ próspero

prostate [prástet] N próstata *f*; **— gland** próstata *f*

prosthesis [pras01sis] N prótesis *f*

prostitute [prástitut] N prostituto -ta *mf*; VT prostituir

prostrate [prástret] VT postrar; ADJ (lying flat, overcome) postrado; (lying face down) boca abajo

protagonist [protégənɪst] N protagonista *mf*

protect [prətékt] VI/VT proteger, amparar

protection [prətékʃen] N protección *f*

protectionist [prətékʃənɪst] ADJ & N proteccionista *mf*

protective [prətéktɪv] ADJ protector

protector [prətéktə-] N protector -ra *mf*

protectorate [prətéktərɪt] N protectorado *m*

protégé, protégée [próuʒe] N protegido -da *mf*

protein [prótin] N proteína *f*

protest [prótest] N protesta *f*, reclamación *f*; [prətést] VI/VT protestar, reclamar

Protestant [prádɪstənt] ADJ & N protestante *mf*

protestation [protestéʃən] N declaración *f*

protocol [próuəkɔl] N protocolo *m*

proton [prótan] N protón *m*

protoplasm [próuəplæzəm] N protoplasma *m*

prototype [próuətaɪp] N prototipo *m*

protozoan [prouəzóən] N protozoario *m*

protract [protrékt] VT prolongar

protrude [protrúd] VI sobresalir, proyectarse

protuberance [prətúbərəns] N protuberancia *f*

proud [praud] ADJ orgulloso; (haughty) soberbio; **to be — of** enorgullecerse de, ufanarse de

prove [pruv] VT (demonstrate) probar, demostrar; (verify) resultar; VI resultar; **events have —d me right** los hechos me han dado la razón

proverb [právə-b] N proverbio *m*, refrán *m*

provide [prəváɪd] VT (furnish) proveer, proporcionar; (supply) abastecer, aportar; (stipulate) estipular, prevenir; VI **to — for** (support) mantener; (stipulate) estipular; **to — with** proveer de, proporcionar

provided [prəváɪdɪd] CONJ **— (that)** con tal (de) que, siempre que

providence [právɪdəns] N providencia *f*

provider [prəváɪdə-] N (supplier) proveedor -ra *mf*; (breadwinner) sostén *m*

province [právɪns] N (area) provincia *f*; (competence) competencia *f*

provincial [prəvínʃəl] ADJ (of a province) provincial; (rustic) provinciano, pueblerino; N provinciano -na *mf*

provision [prəvíʒən] N (act of providing, thing provided) provisión *f*, prestación *f*; (precaution) medida *f*, precaución *f*; (clause) estipulación *f*, prevención *f*; **—s** provisiones *f pl*, víveres *m pl*, bastimentos *m pl*

provisional [prəvíʒənəl] ADJ provisional

proviso [prəváɪzo] N condición *f*, estipulación *f*

provocation [pravəkéʃən] N provocación *f*

provoke [prəvók] VT provocar

provost [próuvost] N vicerrector -ora *mf*

prow [prau] N proa *f*

prowess [práuɪs] N valentía *f*

prowl [prauɫ] VI/VT rondar en acecho

proximity [praksímɪdi] N proximidad *f*

proxy [práksi] N (person) apoderado -da *mf*; (power of attorney) poder *m*; **by —** por poder

prude [prud] N mojigato -ta *mf*, gazmoño -ña *mf*

prudence [prúdns] N prudencia *f*

prudent [prúdnt] ADJ prudente

prudery [prúdəri] N mojigatería *f*, gazmoñería *f*

prudish [prúdɪʃ] ADJ mojigato, gazmoño

prune [prun] N ciruela pasa *f*; VI/VT podar

pry [praɪ] VT curiosear; **to — into** entrometerse; **to — open** abrir por la fuerza; **to — a secret out** extraer / arrancar un secreto

pseudonym [súdnɪm] N seudónimo *m*

psoriasis [səráɪəsɪs] N psoriasis *f*

psychedelic [saɪkɪdélɪk] ADJ psicodélico

psychiatrist [saɪkáɪətrɪst] N psiquiatra *mf*

psychiatry [saɪkáɪətri] N psiquiatría *f*

psychic [sáɪkɪk] ADJ psíquico; N médium *mf*, psíquico -ca *mf*

psychological [saɪkəládʒɪkəl] ADJ psicológico

psychologist [saɪkálədʒɪst] N psicólogo -ga *mf*

psychology [saɪkálədʒi] N psicología *f*

psychopath [sáɪkəpæθ] N psicópata *mf*

psychosis [saɪkósɪs] N psicosis *f*

psychosomatic [saɪkosəmædɪk] ADJ psicosomático

psychotherapy [saɪkoθérəpi] N psicoterapia *f*

psychotic [saɪkádɪk] ADJ psicótico

puberty [pjúbə-di] N pubertad *f*

public [páblɪk] ADJ público; **— domain** dominio público *m*; **— relations** relaciones públicas *f pl*; **— school** escuela pública *f*; **— service** servicio público *m*; N público *m*

publication [pʌblɪkéʃən] N publicación *f*

publicity [pʌblísɪɖɪ] N publicidad *f*, propaganda *f*

publish [pʌ́blɪʃ] VI/VT publicar, editar; **—ing house** editorial *f*

publisher [pʌ́blɪʃ] N editor -ra *mf*

puck [pʌk] N puck *m*

pucker [pʌ́kə-] VI/VT fruncir(se); N frunce *m*

pudding [pʌ́dɪŋ] N budín *m*

puddle [pʌ́dl] N charco *m*

Puerto Rican [pɔrdəríkən] ADJ & N puertorriqueño -ña *mf*

Puerto Rico [pɔrdəríko] N Puerto Rico *m*

puff [pʌf] N (air) resoplido *m*, soplo *m*; (smoke) bocanada *f*; (on a cigarette) pitada *f*, chupada *f*; (of a sleeve) bullón *m*; **— pastry** masa de hojaldre *f*; VI (blow) resoplar; (breathe hard) jadear; (smoke a cigarette) echar bocanadas; **to — up** hincharse; **to — up with pride** henchirse de orgullo

pug [pʌg] N dogo *m*; **— nose** nariz chata *f*

puke [pjuk] VI/VT vomitar, lanzar; N vómito *m*

pull [pʊl] VI/VT (tug) tirar, jalar; (extract) arrancar, extraer; (stretch) estirar; (injure) desgarrarse; **to — apart** destrozar; **to — down** (demolish) demoler; (earn) sacar; **to — for** hinchar; **to — off** conseguir; **to — oneself together** calmarse; **to — over** parar; **to — up** parar; **to — through** salvarse; **to — strings** mover palancas; **to — out** (leave a place) salir; (back out) retirarse; **the train —ed into the station** el tren entró a la estación; N (act of pulling) tirón *m*; (force) fuerza *f*; (influence) influencia *f*; (injury) desgarro *m*

pullet [pʊ́lɪt] N polla *f*

pulley [pʊ́li] N polea *f*, carrucha *f*

pulp [pʌłp] N (of paper, wood, fruit) pulpa *f*; (residue of grape, sugarcane, olive, etc.) bagazo *m*

pulpit [pʊ́łpɪt] N púlpito *m*

pulsar [pʌ́łsar] N púlsar *m*

pulsate [pʌ́łset] VI latir

pulse [pʌłs] N pulso *m*; (single pulsation, act of pulsing) pulsación *f*

pulverize [pʌ́łvəraɪz] VT pulverizar(se)

pumice [pʌ́mɪs] N piedra pómez *f*

pump [pʌmp] N bomba *f*; (shoe) zapatilla *f*, zapato escotado *m*; (for gasoline) surtidor *m*; VI/VT bombear; (inflate) inflar; **to — someone for information** sonsacar (información) a alguien

pumpkin [pʌ́mpkɪn] N calabaza *f*

pun [pʌn] N juego de palabras *m*, retruécano *m*; VI hacer juegos de palabras

punch [pʌntʃ] N (blow) puñetazo *m*; (drink) ponche *m*; (drill) sacabocados *m sg*; (force) fuerza *f*, empuje *m*; **— bowl** ponchera *f*; **— line** remate de un chiste *m*; VI/VT (hit) dar un puñetazo; VT (drive cattle) arriar; (make a hole) agujerear; **to — in/out** marcar tarjeta

punctual [pʌ́ŋktʃuəł] ADJ puntual

punctuality [pʌŋktʃuélɪɖɪ] N puntualidad *f*

punctuate [pʌ́ŋktʃuet] VI/VT puntuar; (interrupt) interrumpir; (accentuate) salpicar

punctuation [pʌŋktʃuéʃən] N puntuación *f*

puncture [pʌ́ŋktʃə-] VI/VT pinchar(se); **—d tire** neumático pinchado *m*; N (action of perforating) perforación *f*; (hole) pinchazo *m*

pundit [pándɪt] N experto -ta *mf*

pungent [pándʒənt] ADJ (acrid) acre; (sarcastic) mordaz

punish [pánɪʃ] VT castigar, penar

punishment [pánɪʃmənt] N castigo *m*

punitive [pjúnɪɖɪv] ADJ punitivo; **— damages** daños punitivos *m pl*

punk [pʌŋk] N (inexperienced boy) mocoso *m*; (hoodlum) gamberro *m*; (rock) punk *m*; (punker) punkero -ra *mf*

punt [pʌnt] N (kick) patada de despeje *f*; (boat) balsa *f*; VI/VT despejar; VI andar en balsa

puny [pjúni] ADJ endeble, ruin

pupil [pjúpəł] N escolar *mf*; **— of the eye** pupila *f*, niña *f*

puppet [pápɪt] N títere *m*, monigote *m*; **— show** teatro de títeres *m*

puppy [pápi] N cachorro *m*

purchase [pɜ́-tʃəs] VI/VT comprar, adquirir; N compra *f*; (hold) asidero *m*

purchaser [pɜ́-tʃəsə-] N comprador *mf*

pure [pjur] ADJ puro; ADJ & N **—bred** purasangre *m*

puree [pjuré] N puré *m*

purgative [pɜ́-gəɖɪv] ADJ & N purgante *m*

purgatory [pɜ́-gətɔri] N purgatorio *m*

purge [pɜ-dʒ] VI/VT purgar(se); N purga *f*

purify [pjúrəfaɪ] VI/VT purificar(se), depurar(se)

purist [pjúrɪst] N purista *mf*

puritanical [pjurɪtǽnɪkəł] ADJ puritano

purity [pjúrɪɖɪ] N pureza *f*

purple [pɜ́-pəł] N morado *m*, púrpura *f*; ADJ púrpura *inv*, morado

purport [pɜ́-pɔrt] N (meaning) significado *m*; (purpose) propósito *m*; [pə-pɔ́rt] VT pretender

purpose [pɜ-pəs] n propósito m, objetivo m; **on** — adrede, a propósito

purr [pɜ] n ronroneo m (also motors); vi ronronear

purse [pɜs] n bolso m, cartera f; vt **to** — **one's lips** fruncir los labios

pursuant [pə-suənt] adv loc — **to** conforme a, de acuerdo con

pursue [pə-su] vt (follow) perseguir; (strive) dedicarse a; (continue) continuar con; (practice a profession) ejercer

purser [pɜ-sə] n perseguidor -ora mf

pursuit [pə-sut] n (chase) persecución f; (striving for) búsqueda f; (pastime) pasatiempo m; (practice) ejercicio m; **in** — **of** (chasing) detrás de; (striving for) en busca de

pus [pʌs] n pus m

push [pʊʃ] n (shove) empujar; vt (pressure) presionar, promover; (sell drugs) **to** — **aside / away** apartar; **to** — **forward** abrirse paso, avanzar; **to** — **open** abrir de un empujón; **to** — **through** hacer pasar; **to** — **a button** apretar un botón; —**button** de botones, —**up** lagartija f

pusher [pʊʃə] n camello m

pushy [pʊʃɪ] adj insistente

pussy [pʊsɪ] n (cat) minino m, gatito m;

pussy willow n sauce m

put [pʊt] vt poner, colocar; **to** — **a question** plantear una pregunta; **to** — **across** expresar; **to** — **away** guardar; **to** — **down** (write down) apuntar; (suppress) sofocar; (attribute) atribuir; (humiliate) humillar; (make a deposit) hacer un depósito; **to** — **into** meter; **to** — **in writing** ponerlo por escrito; **to** — **off** (postpone) aplazar, posponer; (perturb) desagradar; **to** — **on airs** darse tono; **to** — **on weight** engordar; **to** — **out** (extinguish) apagar, extinguir; (annoy) molestar; **to** — **the blame** echar la culpa; **to** — **to sea** echar al mar; **to** — **up** (construct) levantar; (lodge) alojar; **to** — **up for sale** poner a la venta; **to** — **up with** aguantar; —**down** insulto m; **I felt** —**upon** sentí que se habían aprovechado de mí

putrid [pjutrid] adj putrefacto

putter [pʌtə] vt entretenerse; n putter m

putty [pʌtɪ] n masilla f; vt rellenar con masilla

puzzle [pʌzəl] n (jigsaw) rompecabezas m sg; (riddle) acertijo m; (problem) enigma m; (crossword) crucigrama m; vt dejar perplejo, desconcertar; vi **to** — **over** meditar sobre; **to be** —**d** estar perplejo

pygmy [pɪgmɪ] n pigmeo -a mf

pylon [paɪlən] n pilón m

pyramid [pɪrəmɪd] n pirámide f

pyromaniac [paɪroʊmænɪæk] n pirómano -na mf

pyrotechnics [paɪrətɛknɪks] n pirotecnia f

python [paɪθən] n pitón m

Qq

Qatar [katɑr] n Qatar m

Qatari [kɑtɑri] adj & n catarí mf

quack [kwæk] n (sound of duck) graznido m; (charlatan) matasanos mf, charlatán -ana mf; adj charlatán; vi graznar

quadrilateral [kwɑdrɪlætərəl] adj & n cuadrilátero m

quadriplegic [kwɑdrɪplidʒɪk] adj & n tetrapléjico -ca mf

quadruped [kwɑdrəpɛd] adj & n cuadrúpedo m

quadruplet [kwɑdrʌplɪt] n cuatrillizo -za mf

quagmire [kwægmaɪr] n (bog) cenagal m, atascadero m; (crisis) atolladero m, atascadero m

quail [kweɪl] n codorniz f

quaint [kwent] adj pintoresco

quake [kwek] n (instance of quaking) temblor m; (earthquake) terremoto m; vi temblar

qualification [kwɑlɪfɪkeɪʃən] n (for a race) clasificación f; (requirement) requisito m; **without** — sin reservas

qualify [kwɑlɪfaɪ] vt (characterize) calificar; (credentials) capacitar; vi (for a race) clasificarse; (for a position) estar capacitado

quality [kwɑlɪtɪ] n (characteristic) cualidad f; (excellence) calidad f

qualm [kwɑm] n escrúpulo m

quantify [kwɑntɪfaɪ] vt cuantificar

quantity [kwɑntɪtɪ] n cantidad f

quantum mechanics [kwɑntəmməkænɪks] n mecánica cuántica f

quarantine [kwɑrəntin] n cuarentena f; vt poner en cuarentena

quarrel [kwɔrəl] n riña f, rencilla f; vi reñir, pelear

quarrelsome [kwɔrəlsəm] adj pendenciero

quarry [kwɔri] n (stone) cantera f; (game) presa f; vt explotar

quart [kwɔrt] n cuarto de galón (0.9463 litros) m

quarter [kwɔrtər] n (one-fourth) cuarto m, cuarta parte f; (coin) moneda de 25 centavos f; (of a sporting match) tiempo m; (of a calendar or school year) trimestre m; (district) barrio m; — **note** negra f; — **s** alojamiento m, — **s from all** — s de todas partes; **to give no** — **to the enemy** no dar cuartel al enemigo; vt cuartear, dividir en cuartos; (divide) descuartizar; (lodge troops) (execute) acuartelar, acantonar

quarterly [kwɔrtərli] adv trimestralmente; adj trimestral; n publicación trimestral f

quartet [kwɔrtɛt] n cuarteto m

quartz [kwɔrts] n cuarzo m

quasar [kwɛzɑr] n cuásar m, quásar m

quash [kwɑʃ] vt (a rebellion) sofocar; (a decision) anular

quaver [kweɪvər] vi temblar; n temblor m; (in music) trémolo m

queen [kwin] n reina f

queer [kwir] adj (strange) raro; (eccentric) excéntrico; **to feel** — sentirse raro; vt comprometer

quell [kwɛl] vt (suppress) reprimir, sofocar; (passions) aplacar, apagar

quench [kwɛntʃ] vt (flames, thirst) apagar; (calm) calmar

query [kwiri] n (question) pregunta f; (doubt) duda f; vt (ask) preguntar; (question) expresar dudas; (mark with a question mark) marcar con signo de interrogación

quest [kwɛst] n búsqueda f

question [kwɛstʃən] n (thing asked) pregunta f; (issue) cuestión f; — **mark** signo de interrogación m; **beyond** — fuera de duda; **that is out of the** — ¡ni pensarlo!; vt (ask) preguntar; (interrogate) interrogar; (call into doubt) dudar, cuestionar

questionable [kwɛstʃənəbl] adj (doubtful) cuestionable, discutible; (morally dubious) equívoco

questioning [kwɛstʃənɪŋ] n interrogatorio m; adj (asking) interrogador, (doubting) cuestionador

questionnaire [kwɛstʃənɛr] n cuestionario m

quibble [kwɪbl] vi (split hairs) sutilizar; (evade) evadir; (argue) andar en dimes y diretes; n (hairsplitting) sutileza f; (evasion) evasiva f

quiche [kiʃ] n quiche f

quick [kwɪk] adj rápido, pronto; — **tempered** irascible, geniudo; — **witted** agudo; adv rápido; (flesh under nails) carne viva f; (the living) los vivos, **to cut to the** — herir en lo vivo; — **sand** arena movediza f; — **silver** mercurio m, azogue m

quicken [kwɪkən] vi/vt (speed up) acelerar(se), aligerar(se); (liven) avivar(se)

quickly [kwɪkli] adv rápido, deprisa

quickness [kwɪknɪs] n (speed) rapidez f; (of wit) agudeza f

quiet [kwaɪət] adj (not noisy) silencioso; (not talking) callado; (restrained) tranquilo; (peaceful, still) reposado; **be** — ¡silencio! ¡cállate!; n (freedom from noise) silencio m; (tranquility) tranquilidad f, sosiego m; vt (make quiet) acallar; (make tranquil) sosegar, tranquilizar, serenar; vi — **down** calmarse

quill [kwɪl] n (feather) pluma f; (hollow base of feather) cañón m; (spine on a porcupine) púa f

quilt [kwɪlt] n edredón m; vi/vt acolchar

quip [kwɪp] n ocurrencia f; vi decir ocurrencias

quirk [kwɜrk] n excentricidad f

quit [kwɪt] vt (a competition) abandonar; (a place) irse de, salir de; (a job) dejar; **to call it** — **s** abandonar; **to** — **smoking** dejar de fumar; vi (withdraw) abandonar, (stop) parar, (resign) renunciar

quite [kwaɪt] adv (very) bastante; (entirely) del todo, enteramente; — **a person** una persona admirable f; — **a lot** bastante; **it's** — **the fashion** está muy de moda

quiver [kwaɪvər] vi temblar; n (shake) temblor m; (sheath for arrows) carcaj m, aljaba f

quiz [kwɪz] n (test) prueba f; (show) concurso m; vt (give a quiz) examinar, poner una prueba; (interrogate) interrogar

quota [kwoʊtə] n cuota f

quotation [kwoʊteɪʃən] n cita f; (of a price) cotización f; — **marks** comillas f pl

quote [kwoʊt] vi/vt citar; (prices) cotizar; **to** — **from** citar a; n cita f; (of a price) cotización f; **in** — **s** entre comillas

quotient [kwoʊʃənt] n cociente m

Rr

rabbi [ræbaɪ] N rabino -na *mf*

rabbit [ræbɪt] N conejo *m*

rabble [ræbəl] N chusma *f*, plebe *f*, gentuza *f*

rabid [ræbɪd] ADJ rabioso

rabies [rébiz] N rabia *f*

raccoon [rækún] N mapache *m*

race [res] N (lineage) raza *f*; (competition) carrera *f*; **—horse** caballo de carreras *m*; **—track** (for runners) pista *f*; (for horses) hipódromo *m*; VI (participate in competition) correr, competir en una carrera; (hurry) ir corriendo; (of heart) latir rápido; (of a motor) acelerar; VT (a horse) hacer correr; (an engine) acelerar; **I'll — you** te echo una carrera

racer [résə-] N corredor -ra *mf*; (horse) caballo de carreras *m*

racial [réʃəl] ADJ racial

racism [résɪzəm] N racismo *m*

rack [ræk] N (for clothes) perchero *m*; (on a vehicle) baca *f*; (for spices) especiero *m*; (for towels) toallero *m*; (torture) potro de tormento *m*; **— and pinion** cremallera *f* y piñón *m*; VT **to be —ed with pain** estar transido de dolor; **to — one's brain** devanarse los sesos; **to — up** acumular

racket [rǽkɪt] N (sports) raqueta *f*; (noise of an impact) estrépito *m*, estruendo *m*; (noise of voices and movement) barahúnda *f*, batahola *f*; (swindle) estafa *f*; (extortion) extorsión *f*

racketeer [rækitír] N trapacero -ra *mf*; (swindler) estafador -ra *mf*; (extortionist) extorsionista *mf*; VI (swindle) estafar; (extort) extorsionar

radar [rédar] N radar *m*

radial [rédiəl] ADJ radial

radiance [rédiəns] N resplandor *m*, fulgor *m*

radiant [rédiənt] ADJ radiante, resplandeciente

radiate [rédiet] VI/VT irradiar, radiar; (health) derrochar

radiation [rediéʃən] N radiación *f*

radiator [rédiedə-] N radiador *m*

radical [rǽdɪkəl] ADJ & N radical *mf*

radicalism [rǽdɪkəlɪzəm] N radicalismo *m*

radio [rédio] ADJ **—active** radiactivo, radioactivo; N (device, system of communication) radio *f*; **— announcer** locutor -ra *mf*; **— listener** radioescucha *mf*; **— station** radiodifusora *f*; **—**

telescope radiotelescopio *m*; **— transmitter** radiotransmisor *m*; **by —** por radio; VT (broadcast) transmitir por radio; VI/VT (call) llamar por radio

radiology [rediálədʒi] N radiología *f*

radish [rǽdɪʃ] N rábano *m*

radium [rédiəm] N radio *m*

radius [rédiəs] N radio *m*

radon [rédɑn] N radón *m*

raffle [rǽfəl] N rifa *f*, sorteo *m*; VI rifar, sortear

raft [ræft] N balsa *f*

rafter [rǽftə-] N viga *f*, cabrio *m*

rag [ræg] N (piece of cloth) trapo *m*, guiñapo *m*; (clothes) harapo *m*, andrajo *m*; **— doll** muñeca de trapo *f*

rage [redʒ] N ira *f*, rabia *f*, cólera *f*; **to be all the —** estar de moda; VI enfurecerse; **to — with anger** bramar de ira

ragged [rǽgɪd] ADJ (ill-clothed) andrajoso, harapiento, desharrapado; (voice) ronco, roto; (on an edge) irregular, desigual; **to be on the — edge** estar al borde

raid [red] N (military) incursión *f*; (by police) allanamiento *m*, redada *f*; (by air) bombardeo aéreo *m*; VI/VT hacer una incursión; VT (attack) atacar; (rob) asaltar; (by the police) allanar

rail [rel] N (of a railroad track) riel *m*, carril *m*; (railing) baranda *f*, barandilla *f*; **—fence** barrera *f*; **—road** ferrocarril *m*; **—road company** empresa ferroviaria *f*; **—road crossing** cruce de ferrocarril *m*; **—road employee** ferroviario -a *mf*; **to —road** (goods) transportar por ferrocarril; (laws) hacer aprobar apresuradamente; (a person) condenar injustamente; **—way** ferrocarril *m*; **by —** por ferrocarril

railing [réliŋ] N (barrier) baranda *f*; (on a bridge) pretil *m*; (on a stairway) pasamano *m*

rain [ren] N lluvia *f*; **—bow** arco iris *m*; **—coat** impermeable *m*; **—drop** gota de lluvia *f*; **—fall** precipitación *f*; **— forest** selva tropical *f*; **— gauge** pluviómetro *f*; **—storm** temporal de lluvia *f*; **— water** agua llovediza *f*; VI/VT llover; **— or shine** llueva o truene; **to — cats and dogs** llover a cántaros

rainy [réni] ADJ lluvioso

raise [rez] VI/VT (voice, hand, a house, spirits) levantar(se); VT (prices) subir; (an alarm) dar; (a flag) izar; (crops) cultivar; (animals, children) criar; (money) recabar, recaudar; **to — a question** plantear una pregunta; **to — a racket** armar un alboroto; N aumento *m*

raisin [rézɪn] N pasa (de uva) f

rake [rek] N rastrillo m; VI/VT rastrillar; **to — in money** amasar dinero

rally [ræli] VI/VT (reorganize troops) reunir(se), juntar(se); (inspire) reanimar; VI (demonstrate) concentrarse; (recuperate) recuperarse; (reinvigorate) recobrar ánimo; (rise in value) repuntar; **to — around someone** apoyar a alguien; N (demonstration) concentración f; (recovery) recuperación f; (rise in prices) subida f

RAM (random-access memory) [ræm] N RAM m

ram [ræm] N (male sheep) carnero m; (tool for battering) ariete m; (part of a ship) espolón m; VT chocar contra; **to — a boat** embestir un buque con el espolón

ramble [ræmbəl] VI vagar; **to — on** divagar; N paseo m

ramp [ræmp] N rampa f

rampage [ræmpedʒ] N **to go on a —** andar destrozando todo; VI andar destrozando todo

rampant [ræmpənt] ADJ desenfrenado

ranch [ræntʃ] N hacienda f; Mex rancho m

rancid [rænsɪd] ADJ rancio

rancor [ræŋkɚ] N rencor m

random [rændəm] ADJ aleatorio, azaroso; **at — al azar; — access memory** memoria de acceso directo f

range [rendʒ] N (gamut) gama f; (of a gun) alcance m; (amplitude of variation) fluctuación f; (of mountains) cadena f; (for shooting) campo de tiro m; (of an aircraft) autonomía f; (grazing place) campo abierto m; (stove) cocina f; Mex estufa f; **— finder** telémetro m; **— of vision** alcance visual m; VT (align) alinear; (of a gun) tener alcance; VI (vary) oscilar; (be found in an area) extenderse; **his children — in age between 2 and 10** sus hijos van en edad entre 2 y 10

ranger [rendʒɚ] N (in a park) guardabosques mf; (soldier) guardia de asalto m

rank [ræŋk] N (in a hierarchy) rango m, grado m; (line) fila f; **— and file** (of an army) tropa f sg; **the —s** (soldiers) la tropa; (union members) bases f pl; **a sculptor of the first —** un escultor de primer orden; VT (arrange) poner en orden de importancia; VI (rate) figurar; **to — high** tener alto rango; **to — second** estar clasificado en el segundo lugar; ADJ (smelly) hediondo; (growing vigorously) exuberante

ransack [rænsæk] VT saquear, desvalijar

ransom [rænsəm] N rescate m; VT rescatar

rant [rænt] VI/VT despotricar

rap [ræp] VI/VT (strike) golpear; (chat) charlar; VI rapear, cantar rap; N (blow) golpe m; (accusation) cargo m; **to take the —** ser el cabeza de turco; **— music** música rap f

rapacious [rəpéʃəs] ADJ rapaz

rape [rep] N (violation) violación f; (statutory) estupro m; (plant) colza f; (grape pulp) orujo m; VT violar

rapid [ræpɪd] ADJ rápido; N **—s** rápidos m pl

rapidity [rəpídɪti] N rapidez f

rapport [rəpór] N relación f

rapt [ræpt] ADJ extasiado

rapture [ræptʃɚ] N éxtasis m, embeleso m; **to go into a —** arrobarse

rare [rer] ADJ (infrequent) raro, poco frecuente, extraño; (of gas, earth) raro; (thin, of air) enrarecido; (excellent) excepcional; (not well-done) crudo; **— earths** tierras raras f pl

rarity [rérɪdi] N rareza f; (of air) enrarecimiento m

rascal [ræskəl] N bribón m, bellaco m, pícaro m; Sp golfo m; **you little —!** ¡bandido! ¡sinvergüenza!

rash [ræʃ] ADJ (thoughtless) precipitado, temerario; N sarpullido m

raspberry [ræzberi] N frambuesa f; **— bush** frambueso m

raspy [ræspi] ADJ ronco, áspero

rat [ræt] N rata f; **I smell a —** aquí hay gato encerrado; VI (one's hair) cardar; **to — on** chivar, delatar

ratchet [rætʃɪt] N trinquete m

rate [ret] N (amount of interest) tasa f; (charge) tarifa f; (unit charge for insurance) prima f; (pace) paso m, ritmo m; **— of exchange** tipo de cambio m; **at any —** en todo caso; **at this —** a este ritmo; **at the — of** a razón de; VT (estimate) valorar, estimar; (esteem) considerar; **he —s as the best** se le considera como el mejor; **he —s high** se le tiene en alta estima

rather [ræðɚ] ADV (somewhat) bastante; (more precisely) más bien; **— than** en vez de; **I would — die than** antes la muerte que; **I would — not go** prefiero no ir

ratify [rædəfaɪ] VT ratificar

rating [rédɪŋ] N (act of adjudging) calificación f; (for credit) clasificación f; (TV quotient) rating televisivo m, índice de audiencia m

ratio [réʃo] N razón f, proporción f

ration [ræʃən] N ración f; VT racionar

rational [ræʃənəl] ADJ racional

rationale [ræʃænǽl] n motivo m

rationalize [rǽʃænalaiz] vi/vt racionalizar

rationing [rǽʃænin] n racionamiento m

rattle [rǽdl] vi (bang) golpetear m; **to — on** parlotear; vt hacer sonar, sacudir; **to — off** recitar; n (banging) golpeteo m; (movement) traqueteo m; (toy) sonaja f, sonajero m; (of a rattlesnake) cascabel m; (of death) estertor m; **—snake** víbora de cascabel f

raucous [rɔ́kəs] adj (loud) estridente; (rowdy) escandaloso

ravage [rǽvidʒ] vi/vt asolar, arruinar; n estrago m

rave [rev] vi (rant) desvariar, delirar; vi/vt (roar) bramar; **to — about** deshacerse en elogios; u crítica muy favorable f

raven [révən] n cuervo m; adj azabache

ravenous [rǽvənəs] adj voraz, famélico; **to be —** tener un hambre canina

ravine [ravín] n quebrada f, barranco m, cañada f

raving [révin] adj delirante; (extraordinary) extraordinario; **— mad** loco de remate; n desvarío m

ravish [rǽviʃ] vt (kidnap) raptar, secuestrar; (rape) violar

raw [rɔ] adj (uncooked, unprocessed, damp and cold) crudo; (of vegetables) fresco; (unadorned) descarnado; **— flesh** carne viva f; **— material** materia prima f; **— sugar** azúcar bruto m; n **— hide** cuero crudo m

ray [re] n (beam) rayo m; (stingray) raya f

rayon [réan] n rayón m

raze [rez] vt arrasar, asolar

razor [réza-] n (device with blade) maquinilla de afeitar f, rasuradora f; (barber's tool) navaja f; (electric) rasuradora eléctrica f — **blade** hoja de afeitar f; **— safety** navaja de seguridad f

reach [ritʃ] vi/vt (extend) alcanzar; vt (arrive at) llegar a; (contact) ponerse en contacto con; **to — for** tratar de agarrar; 5p tratar de coger; **to — into** meter la mano en; **to — out one's hand** alargar la mano; n alcance m; **beyond his —** fuera de su alcance; **within his —** a su alcance; **far —** es zona remota f

react [riǽkt] vi reaccionar

reaction [riǽkʃən] n reacción f

reactionary [riǽkʃənεri] adj & n reaccionario-ria mf

reactor [riǽktə-] n reactor m

read [rid] vi/vt leer; vt (interpret) interpretar; (give as a reading) decir; (indicate) indicar, marcar; **it —s easily** es fácil de leer; n

reader [ríɖə-] n (person who reads) lector -ra mf; (schoolbook) libro de lectura m; lectura f

readily [rǽdli] adv fácilmente

readiness [rédinis] n estado de preparación m; (willingness) buena disposición f; **to be in —** estar preparado, estar listo

reading [rídin] n lectura f (interpretation) interpretación f; **— room** sala de lectura f

readjust [riədʒʌst] vi/vt (improve fit) reajustar; (acclimate) readaptar

readjustment [riədʒʌstmənt] n (fitting) reajuste m; (acclimation) readaptación f

ready [rédi] adj (prepared) listo, preparado, pronto; (willing) dispuesto; (available) disponible; (quick) rápido; **—made** de confección

reagent [riéʤənt] adj & n reactivo m

real [ril] adj real, verdadero; **— estate** bienes raíces m pl, bienes inmuebles m pl

realism [ríalizəm] n realismo m

realist [rialist] n realista mf

realistic [rialistik] adj realista

reality [riǽliti] n realidad f; **— check** ajuste de perspectiva m

realization [rializéʃən] n (making real) realización f; (understanding) comprensión f

realize [rialáiz] vt (achieve) realizar; (comprehend) darse cuenta de, comprobar

realm [rεlm] n (kingdom) reino m; (domain) terreno m, esfera f

realtor™ [ríəltə-] n agente inmobiliario -ria mf

reap [rip] vi/vt (cut with sickle) segar; (harvest) cosechar; **to — a benefit** obtener, sacar

reaper [rípa-] n (person) segador -ora mf; (machine) segadora f; (death) la Parca, la Muerte

reappear [riəpír] vi reaparecer

rear [rir] adj trasero, posterior; **—guard** retaguardia f; n (space at the back) parte de atrás f, fondo m; (backside) trasero m, posaderas f pl; **— end** trasero m; **—view mirror** espejo retrovisor m; vt (raise) criar; vi (rise on back legs) encabritarse, empinarse

reason [ríʒən] n (faculty) razón f; (cause) motivo m, razón f; **by — of** por causa de; **it stands to —** es lógico; **to** razonar; **to — out** resolver por medio de la razón, **to — with** hacer entrar en razón

reasonable [ríʒənəbl] adj razonable (in price) módico, moderado

reasoning [ríʒənin] n razonamiento m

reassure [rɪəʃur] vt tranquilizar

rebate [ribeɪt] n reembolso m, reintegro m; vt reembolsar, reintegrar

rebel [rɛbəl] adj & n rebelde mf, insurrecto -ta mf; [rɪbɛl] vi rebelarse

rebellion [rɪbɛljən] n rebelión f

rebellious [rɪbɛljəs] adj rebelde, insurrecto

rebelliousness [rɪbɛljəsnɪs] n rebeldía f

rebound [ribaʊnd] vi (bounce) rebotar; (recover) recuperarse; [ribaʊnd] n rebote m; **on the —** de rebote

rebuff [rɪbʌf] n desaire m, repulsa f; vt desairar, rechazar

rebuild [ribɪld] vt/vi reconstruir, reedificar; (auto engine) reacondicionar

rebuke [rɪbjuk] vt reprender, reprochar; n reproche m, reprimenda f

recall [rɪkɔl] vt (remember) recordar; (call back) retirar, (remove from office) destituir; [rikɔl] n (memory) memoria f; (of a diplomat, product) retirada f; (from office) destitución f

recapitulate [rikəpɪtʃəleɪt] vt/vi recapitular

recast [rikæst] vt refundir

recede [rɪsid] vi retroceder; (of hairline) tener entradas

receipt [rɪsit] n recibo m; **upon — of** al recibo de; **—s** entradas m pl, ingresos m pl

receive [rɪsiv] vt/vr recibir; (suggestions) acoger, recibir; (a broadcast) captar, recibir

receiver [rɪsiv-] n recibidor -ora m; (of a telephone) auricular m; (of a television or radio, in sports) receptor m; (of a business) síndico m

recent [risənt] adj reciente

receptacle [rɪsɛptəkəl] n receptáculo m

reception [rɪsɛpʃən] n (hotel, social event, TV) recepción f; (act of receiving) recibimiento m, acogida f; **— room** recibidor m

recess [rɪsɛs] n (niche) nicho m, entrante m; (pause) descanso m; (playtime) recreo m; **in the —es** m or lo más recóndito de; vi (a meeting) interrumpir; vt (a wall) hacer un nicho en

recession [rɪsɛʃən] n (act of receding) retroceso m; (economic) recesión f

recipe [rɛsɪpi] n receta f

recipient [rɪsɪpiənt] n destinatario -ria mf

reciprocal [rɪsɪprəkəl] adj recíproco

reciprocate [rɪsɪprəkeɪt] vt/vi corresponder (a)

recital [rɪsaɪdl] n recital m

recitation [rɛsɪteɪʃən] n recitación f

recite [rɪsaɪt] vt/vr recitar

reckless [rɛklɪs] adj (driver) temerario, imprudente; (speed) desenfrenado

recklessness [rɛklɪsnɪs] n temeridad f, imprudencia f

reckon [rɛkən] vt/vr calcular; (consider) considerar; (think) suponer

reckoning [rɛkənɪŋ] n (computation) cálculo m; (settlement of accounts) ajuste de cuentas m; **the day of —** el día del juicio final

reclaim [rɪkleɪm] vt (win back, recover) recuperar; (make land usable) ganar, sanear

recline [rɪklaɪn] vt/vr reclinar(se), recostar(se)

recluse [rɛklus] adj & n solitario -ria mf, ermitaño -ña mf

recognition [rɛkəgnɪʃən] n reconocimiento m

recognize [rɛkəgnaɪz] vt/vr reconocer

recoil [rɪkɔɪl] vi (firearm) dar un culatazo; (move back) retroceder; [rikɔɪl] n (of a gun) culatazo m; (move back) retroceso m

recollect [rɛkəlɛkt] vt/vr recordar

recollection [rɛkəlɛkʃən] n recuerdo m

recommend [rɛkəmɛnd] vt/vr recomendar

recommendation [rɛkəmɛndeɪʃən] n recomendación f

recompense [rɛkəmpɛns] vt/vr recompensar; n recompensa f

reconcile [rɛkənsaɪl] vt (persons) reconciliar; (statements) conciliar; **to — oneself to** resignarse a, conformarse con

reconciliation [rɛkənsɪliˈeɪʃən] n reconciliación f

reconnoiter [rɛkənɔɪtr-] vt reconocer; vi hacer un reconocimiento

reconsider [rɛkənsaɪdr-] vt/vr reconsiderar

reconstruct [rɛkənstrʌkt] vt reconstruir

reconstruction [rɛkənstrʌkʃən] n reconstrucción f

record [rɛkə-d] n (account) registro m, asiento m; (account of a meeting) acta f; (of criminal acts) antecedentes m pl; (of past activities) historial m, hoja de servicios f; (phonographic) disco m; (best performance) récord m, marca f; **— player** tocadiscos m sg; **off the —** extraoficialmente; [rɪkɔrd] vt/vr (write down) registrar, apuntar; (cut a recording) grabar

recorder [rɪkɔrd-] n (archivist) archivero -ra m; (sound device) grabadora f; (musical instrument) flauta dulce f

recording [rɪkɔrdɪŋ] n grabación f; **— company** grabadora f

recount [rɪkaʊnt] vt (tell) narrar, relatar; [rikaʊnt] (count again) recontar

recourse [rɪkɔrs] n recurso m; **to have — to**

recurrir a

recover [rɪkávə-] vi/vt recobrar(se), recuperar(se); vi (lost health) restablecerse; vt (lost time, property) recuperar; (damages) obtener indemnización

recovery [rɪkávəri] N recuperación f, recobro m; (from a lawsuit) indemnización f

recreation [rɛkriéʃən] N recreación f, recreo m, esparcimiento m

recreational [rɛkriéʃənəɫ] ADJ de recreo; — **vehicle** caravana f

recriminate [rɪkrímənət] vi/vt recriminar

recruit [rɪkrút] N recluta mf; vi/vt reclutar

recruitment [rɪkrútmənt] N reclutamiento m, recluta f

rectangle [rɛ́ktæŋgəɫ] N rectángulo m

rectify [rɛ́ktəfaɪ] vt rectificar

rector [rɛ́ktə-] N rector -ra mf

rectum [rɛ́ktəm] N recto m

recuperate [rɪkúpəret] vi/vt recuperar(se), recobrar(se)

recur [rɪkɹ́] vi volver a ocurrir, repetirse

recycle [risárkəɫ] vi/vt reciclar

red [red] ADJ & N rojo m, colorado m; — **blood cell** glóbulo rojo m; —-**handed** fam in fraganti; —-**headed** pelirrojo; —-**hot** candente, al rojo vivo; — **light** luz roja f; —**neck** granjero -ra blanco -ca pobre mf; — **pepper** pimienta de cayena f; — **snapper** pargo m; — **tape** trámites m pl; — **wine** vino tinto m; —**wood** secoya / secuoya f; **in the** — en números rojos; **to see** — enfurecerse

redden [rɛ́dŋ] vi/vt enrojecer, ruborizar(se)

reddish [rɛ́dɪʃ] ADJ rojizo, bermejo

redeem [rɪdím] vt (deliver from sin) redimir; (pay off a mortgage) cancelar; (buy back) desempeñar; (exchange) canjear; (fulfill) cumplir

redemption [rɪdɛ́mpʃən] N redención f; (of something pawned) desempeño m

redness [rɛ́dnɪs] N rojez f; (inflammation) inflamación f

redress [rídrɛs] N reparación f, desagravio m; [rɪdrɛ́s] vt reparar, desagraviar

reduce [rɪdús] vi/vt reducir(se); **she was —d to tears** se echó a llorar

reduction [rɪdákʃən] N reducción f

redundant [rɪdándənt] ADJ (repetitive) redundante; (superfluous) superfluo

reed [rid] N caña f, junco m, carrizo m; (of a musical instrument) lengüeta f

reef [rif] N (underwater ridge) escollo m; (of coral) arrecife m

reek [rik] vi heder, apestar; N hedor m

reel [riɫ] N carrete m, bobina f; vt (on a spool) bobinar; vi tambalearse; **to — off**

recitar; **to — in a fish** sacar un pez del agua

reelect [rɪilékt] vt reelegir

reelection [rɪilékʃən] N reelección f

reestablish [rɪistǽblɪʃ] vt restablecer

refer [rɪfɹ́] vi referir; (direct to a source of information) remitir; (direct to a doctor) mandar; (mention) referirse a, aludir; (look up in) consultar

referee [rɛfərí] N árbitro m; vt (a game) arbitrar; (a submission) hacer el referato

reference [rɛ́fərəns] N (mention) referencia f; — **book** libro de consulta m; **with — to** con respecto a, respecto de

referendum [rɛfəréndəm] N referéndum m

referral [rɪfɹ́əɫ] N **he gave me a — to a specialist** me mandó con un especialista

refill [rífɪl] vi/vt rellenar; [rífɪl] N (for a pen) repuesto m; (for a lighter) carga f; **may I have a —?** ¿me sirve más?

refine [rɪfáɪn] vt (purify) refinar; (polish) refinar, pulir

refined [rɪfáɪnd] ADJ refinado

refinement [rɪfáɪnmənt] N (of manners) refinamiento m, pulimento m; (of oil) refinación f

refinery [rɪfáɪnəri] N refinería f; (of sugar) ingenio m

reflect [rɪflɛ́kt] vi/vt (mirror) reflejar; vi (ponder) reflexionar; **to — poorly on** desacreditar

reflection [rɪflɛ́kʃən] N (image) reflejo m; (consideration) reflexión f; (unfavorable observation) tacha f; **on** — pensándolo bien

reflector [rɪflɛ́ktə-] N reflector m

reflex [rífleks] ADJ & N reflejo m

reflexive [rɪflɛ́ksɪv] ADJ reflexivo

reform [rɪfɔ́rm] vi/vt reformar(se); N reforma f

reformation [rɛfə-méʃən] N reforma f

reformatory [rɪfɔ́rmətɔri] N reformatorio m

reformer [rɪfɔ́rmə-] N reformador -ra mf, reformista mf

refraction [rɪfrǽkʃən] N refracción f

refractory [rɪfrǽktəri] ADJ (not malleable) refractario; (rebellious) rebelde

refrain [rɪfrén] vi abstenerse; N estribillo m

refresh [rɪfrɛ́ʃ] vi/vt refrescar(se)

refreshing [rɪfrɛ́ʃɪŋ] ADJ (drink) refrescante; (sleep) reparador; (honesty) agradable

refreshment [rɪfrɛ́ʃmənt] N (drink) refresco m; (food) refrigerio m

refrigerate [rɪfrídʒəret] vt refrigerar

refrigeration [rɪfrɪdʒəréʃən] N refrigeración f

refrigerator [rɪfrídʒəret̬ə-] N Sp frigorífico m, nevera f; Am refrigerador m; RP heladera f

refuge [refjuʤ] n refugio m

refugee [refjuʤi] n refugiado -da mf

refund [rifʌnd] n reembolso m; [rifʌnd] vt reembolsar

refurbish [rifɜbɪl] vt restaurar

refusal [rifjuzəl] n negativa f, rechazo m; **first —** opción f

refuse [rifjuz] vt/vi (deny a request) negarse (a); (decline to accept) rehusarse (a); vt (reject) rechazar, desechar; **to —** desechos m pl, desperdicios m pl

regain [rigen] vt (recover) recobrar; (get back to) volver a

regal [rigəl] adj regio, real

regard [rigɑrd] vt (consider) considerar, estimar; **as — s** en cuanto a; N (esteem) consideración f (esteem) estima f; **— s** recuerdos m pl, saludos m pl; **with — to** con respecto a

regarding [rigɑrdɪŋ] prep con respecto a

regardless [rigɑrdlɪs] adv loc **— of** independientemente de

regenerate [riʤenəret] vi/vt regenerar(se)

regent [riʤənt] n regente -ta mf

reggae [rege] n reggae m

regime [riʒim] n régimen m

regimen [reʤəmən] n régimen m

regiment [reʤəmənt] n regimiento m

region [riʤən] n región f

register [reʤɪstər] n (recording, range of voice) registro m; (entry) asiento m; vi/vt (enter into a list) registrar(se); (enroll) matricularse; inscribir(se); vt (indicate) indicar, registrar; (a letter) certificar; vi (appear) aparecer; **that didn't —** no cayó en la cuenta

registered [reʤɪstə-d] adj registrado; **— mail** correo certificado m; **— nurse** enfermero -ra titulado -da mf; **— trademark** marca registrada f

registrar [reʤɪstrɑr] n secretario -ria de admisiones mf

registration [reʤɪstreʃən] n (of a car) matrícula f; (of a student) inscripción f

regret [rigret] vt (feel sorry) lamentar; (feel rueful) arrepentirse de; n arrepentimiento m; **to send — s** enviar sus excusas

regretful [rigretfəl] adj lleno de remordimientos

regrettable [rigretəbəl] adj lamentable

regroup [rigrup] vt reagrupar; vi reorganizarse

regular [regjələr] adj (symmetrical, uniform) regular; (normal) normal; (habitual) habitual; **a — fool** un verdadero necio; **a — guy** un buen tipo; (habitual customer) habitual m; parroquiano -na mf; (soldier) soldado de línea m

regularity [regjəlærɪti] n regularidad f

regulate [regjəlet] vt (control) regular; (make regular) regularizar

regulation [regjəleʃən] n regulación f; **— s** reglamento m

regulator [regjəletər] n regulador m

rehabilitate [rihəbɪlitet] vt/vi rehabilitar(se)

rehearsal [rihɜsəl] n ensayo m

rehearse [rihɜs] vt/vi ensayar

reign [ren] n reino m, reinado m; vi reinar

reimburse [rimbɜs] vi/vt reembolsar

reimbursement [rimbɜsmənt] n reembolso m

rein [ren] n rienda f (also control); vi **to — in** dominar, refrenar

reincarnation [rinkɑrneʃən] n reencarnación f

reindeer [rendir] n reno m

reinforce [rinfɔrs] vt reforzar

reinforcement [rinfɔrsmənt] n refuerzo m

reiterate [ritəret] vt reiterar

reject [riʤekt] vt rechazar; n (thing) cosa rechazada f; (person) desecho m; rechazado -da mf

rejoice [riʤɔɪs] vi regocijarse

rejoin [riʤɔɪn] vt (come again into group) reincorporarse a; vi/vt (reunite) volver a unir(se); (rejoin) juntarse

rejuvenate [riʤuvənet] vi/vt rejuvenecer

relapse [rilæps] vi (into bad health) recaer; (into crime) reincidir; [rilæps] n (into bad health) recaída f; (into crime) reincidencia f

relate [rilet] vt (tell) relatar, narrar; (connect) relacionar; vi **to —** relacionarse con

related [rileted] adj (connected) relacionado; (kin) emparentado

relation [rileʃən] n (association) relación f; (act of narrating) narración f; (kinship) parentesco m; (relative) pariente -ta mf; **— with** con respecto a

relationship [rileʃənʃɪp] n relación f

relative [relətɪv] adj relativo; n pariente -ta mf; allegado -da mf; **— to** relativo a, referente a

relax [rilæks] vt/vi relajar(se), distender(se); vt (grip) aflojar

relaxation [rilækseʃən] n (recreation) esparcimiento m, recreo m; (loosening) relajamiento m, relajación f

relay [rile] n relevo m, posta f; (electrical) relé m; **— race** carrera de relevos/postas f

[rilé] VT transmitir; **to — a broadcast**
transmitir un programa
release [rilís] VT (let go) soltar; (free
prisoners) librar, poner en libertad;
(energy) liberar; (news) divulgar;
(discharge from hospital) dar de alta; N
(liberation) liberación f; (permission)
permiso m; (of film) estreno m; (of gas)
escape m; (of energy) desprendimiento m
relegate [réliget] VT relegar
relent [rilént] VI aplacarse
relentless [riléntlis] ADJ implacable
relevant [rélavant] ADJ pertinente
reliability [rilaiabíliDi] N fiabilidad f,
confiabilidad f
reliable [rilárabal] ADJ fiable, confiable; (a
person) formal
reliance [rilárans] N (dependency)
dependencia f; (trust) confianza f
relic [rélik] N reliquia f
relief [rilíf] N (ease) alivio m; (aid) ayuda f;
(projection) relieve m; (soldier) relevo m;
in — en relieve; **— map** mapa en relieve
m
relieve [rilív] VT (alleviate) aliviar; (free)
liberar; (replace) relevar; VI **to — oneself**
orinar
religion [rilídʒən] N religión f
religious [rilídʒəs] ADJ religioso
relinquish [rilíŋkwiʃ] VT (give up) renunciar;
(let go) soltar
relish [réliʃ] VT (to like the taste) saborear,
paladear; (enjoy) disfrutar; N (enjoyment)
gusto m; (condiment) condimento de
pepinillos en vinagre m
relocate [rilóket] VI/VT trasladar(se)
reluctance [riláktəns] N renuencia f
reluctant [riláktənt] ADJ renuente, reacio
rely [rilái] VI **to — on** (trust) confiar en;
(depend on) depender de
REM (rapid eye movement) [ariém] N
REM m
remain [rimén] VI (continue to be) seguir
siendo; (stay) quedar(se), permanecer; (to
be left) quedar, restar; (to be left over)
sobrar; N **—s** restos m pl
remainder [riméndə] N resto m, remanente
m
remake [rimék] VT rehacer; (film) hacer de
nuevo; [rímek] N nueva versión f
remark [rimárk] VT (comment) comentar,
observar; (notice) notar, observar; **to —
on** comentar; N observación f, comentario
m
remarkable [rimárkəbəl] ADJ notable
remedial [rimíDiəl] ADJ (rehabilitative)
rehabilitador; (to improve skills) de

recuperación
remedy [rémiDi] N (solution) remedio m;
(cure) cura f; VT (solve) remediar,
subsanar; (heal) curar
remember [rimémbə] VI/VT recordar,
acordarse de; **— me to him** mándale
saludos míos
remind [rimáind] VT recordar
reminder [rimáində] N (of a date, deadline)
recordatorio m; (warning) advertencia f
reminiscence [remənísəns] N reminiscencia
f, recuerdo m
remiss [rimís] ADJ negligente
remission [rimíʃən] N remisión f
remit [rimít] VI/VT remitir
remittance [rimítns] N remesa f, giro m
remnant [rémnənt] N (remainder) resto m;
(of fabric) retazo m, retal m; (vestige)
vestigio m
remodel [rimádl] VI/VT remodelar
remorse [rimórs] N remordimiento m
remote [rimót] ADJ (far away) remoto,
recóndito; (aloof) distante; (in kinship)
lejano; N **— control** control remoto m,
mando a distancia m
removal [rimúvəl] N (dismissal) deposición f;
(elimination) eliminación f; (extirpation)
extirpación f
remove [rimúv] VT (an obstacle) remover;
(take away, take off) quitar; (dismiss)
deponer; (eliminate) eliminar; (extirpate)
extirpar; **to — from office** separar /
apartar del cargo
renaissance [rénisans] N renacimiento m
rend [rend] VI/VT desgarrar(se), rajar(se)
render [réndə] VT (give) dar; (cause to
become) dejar; (depict) representar;
(translate) traducir; (homage, account)
rendir; (services, assistance) prestar; (fat)
derretir; (a verdict) pronunciar; **to —
useless** inutilizar
rendition [rendíʃən] N (translation)
traducción f; (interpretation)
interpretación f, versión f
renegade [réniged] N renegado -da mf
renew [rinú] VT (vows, contract) renovar;
(furniture) restaurar; (friendship, effort)
reanudar; (a loan) prorrogar
renewal [rinúəl] N (of vows, contract)
renovación f; (of furniture) restauración f;
(of friendship, effort) reanudación f; (of
loan) prórroga f
renounce [rináuns] VT (give up) renunciar a;
(repudiate) repudiar, renegar de
renovate [rénəvet] VT renovar
renown [rináun] N renombre m
renowned [rináund] ADJ renombrado

rent [rent] n (monthly payment) alquiler m, arrendamiento m; for — se alquila, se arrienda; (fissure) rajadura f, hendidura f; (tear) rasgadura f; (schism) escisión f; v/i/v (lease) alquilar, arrendar

rental [rɛntl] adj de alquiler; n alquiler m, arrendamiento m

renter [rɛntə-] n inquilino -na mf

renunciation [rɪnʌnsíejʃən] n renuncia f

reopen [riópən] v/i/v (doors) reabrir(se); (negotiations) reanudar(se)

reorganize [riɔ́rgənaiz] v/i/v reorganizar(se)

repair [ripɛ́r] v/t (fix) reparar, arreglar; componer; (shoes) remendar; — to — acudir a; n (fixing) reparación f; (of shoes) remiendo m, compostura f; — in — en buen estado; —man técnico -ca en reparaciones mf

reparation [rɛpəréjʃən] n reparación f, indemnización f

repay [ripé] v/t (return money, favor) devolver; (pay off) pagar

repayment [ripémənt] n (of an object) devolución f; (of a sum) reembolso m; (of a loan) pago m

repeal [ripíl] v/t derogar, revocar, abrogar; n derogación f, revocación f, abrogación f

repeat [ripít] v/t/v/i repetir; n repetición f

repeated [ripítəd] adj repetido

repel [ripɛ́l] v/t/v repeler (an attack)

repellent [ripɛ́lənt] adj & n repelente m

repent [ripɛ́nt] v/t/v/i arrepentirse (de)

repentance [ripɛ́ntəns] n arrepentimiento m

repentant [ripɛ́ntənt] adj arrepentido, pesaroso

repercussion [rɛpə-kʌ́ʃən] n repercusión f; to have —s repercutir

repertoire [rɛpə-twar] n repertorio m

repetition [rɛpətíʃən] n repetición f

replace [riplés] v/t (place again) volver a colocar; (substitute for) reemplazar, substituir

replaceable [riplésəbl] adj reemplazable; (provide a substitute for) reponer

replacement [riplésmənt] n (substitute, substitution) reemplazo m; (making up for) reposición f

replenish [riplɛ́niʃ] v/i/v (supply) reabastecer; (fill again) rellenar

replete [riplít] adj repleto

replica [rɛ́plikə] n réplica f

replicate [rɛ́plikét] v/t reproducir

reply [riplái] v/i/v replicar, contestar; n réplica f, contestación f

report [ripɔ́rt] v/t (recount) relatar; (make a crime known, denounce) denunciar; (make an accident known) dar parte de; v/i hacer un informe, informar; to — for duty presentarse; to — on hacer un informe sobre; to — sick dar parte de enfermo, reportarse enfermo; it is —ed that se dice que; n informe m; (rumor) rumor m; (loud noise) estallido m; — card boletín de calificaciones m

reporter [ripɔ́rtə-] n reportero -ra mf

repose [ripóz] v/i/v reposar, descansar; n reposo m, descanso m

repository [ripázitri] n (object) depósito m; (person) depositario -ria mf

repossess [ripəzɛ́s] v/t retomar posesión de

represent [rɛprizɛ́nt] v/t representar

representation [rɛprizɛntéjʃən] n representación f

representative [rɛprizɛ́ntətiv] adj representativo; n representante mf

repress [riprɛ́s] v/t/v reprimir

repression [ripréjʃən] n represión f

reprieve [riprív] v/t (pardon) indultar; (commute) conmutar; (delay) aplazar; n (pardon) indulto m; (commutation) conmutación f; (delay) aplazamiento m

reprimand [rɛprəmǽnd] n reprimenda f; regaño m; v/t reprender, regañar

reprint [riprínt] n reimpresión f; (offprint) separata f

reprisal [ripráizəl] n represalia f

reproach [ripróʧ] v/t reprochar; n reproche m

reproduce [ripradús] v/i/v reproducir(se)

reproduction [ripradʌ́kʃən] n reproducción f

reproof [riprúf] n reprobación f

reprove [riprúv] v/t reprobar

reptile [rɛ́ptail] n reptil m

republic [ripʌ́blik] n república f

republican [ripʌ́blikən] adj & n republicano -na mf

repudiate [ripjúdiét] v/t repudiar

repugnance [ripʌ́gnəns] n repugnancia f

repugnant [ripʌ́gnənt] adj repugnante

repulse [ripʌ́ls] v/t repeler, rechazar; n repulsa f, rechazo m

repulsive [ripʌ́lsiv] adj repulsivo

reputable [rɛ́pjətəbl] adj reputado

reputation [rɛpjətéjʃən] n reputación f, fama f

request [rikwɛ́st] n solicitud f, petición f, requerimiento m; at the — of a solicitud de, a instancias de; v/t solicitar, pedir

require [rikwáir] v/t/v (need) requerir; (demand) exigir

requirement [rikwáirmənt] n (demand) requisito m; (need) necesidad f

requisite [rɛ́kwizit] adj requerido, necesario;

n requisito m

requisition [rɛkwɪˈzɪʃən] n (taking over) requisa f; (order) pedido m; vt (take over) requisar; (order) pedir

rerun [ˈriːrʌn] n refrito m

rescind [rɪˈsɪnd] vt rescindir

rescue [ˈrɛskjuː] vt rescatar, salvar; n rescate m, salvamento m; **to go to the — of** acudir al socorro de, salir al quite de

research [rɪˈsɜːtʃ] n investigación f; vi/vt investigar

researcher [rɪˈsɜːtʃə] n investigador, -ora m/f

resemblance [rɪˈzɛmbləns] n semejanza f, parecido m

resemble [rɪˈzɛmbl] vt semejar, asemejarse a, parecerse a

resent [rɪˈzɛnt] vt resentirse de

resentful [rɪˈzɛntfl] adj resentido, rencoroso

resentment [rɪˈzɛntmənt] n resentimiento m

reservation [rɛzəˈveɪʃən] n reserva f; Am reservación f

reserve [rɪˈzɜːv] vt reservar; n reserva f; (shyness) pudor m

reserved [rɪˈzɜːvd] adj reservado

reservoir [ˈrɛzəvwɑːr] n (tank) depósito m, alberca f; (artificial lake) embalse m, represa f

reside [rɪˈzaɪd] vi residir

residence [ˈrɛzɪdəns] n residencia f

resident [ˈrɛzɪdənt] adj & n residente m/f; (of a neighborhood) vecino-na m/f

residential [rɛzɪˈdɛnʃl] adj residencial

residue [ˈrɛzɪdjuː] n residuo m

resign [rɪˈzaɪn] vi/vt renunciar (a), dimitir (de); **to — oneself to** resignarse a

resignation [rɛzɪɡˈneɪʃən] n (act of resigning an office) renuncia f, dimisión f; (accepting attitude) resignación f

resilience [rɪˈzɪliəns] n (elasticity) elasticidad f; (adaptability) adaptabilidad f

resilient [rɪˈzɪliənt] adj (elastic) elástico; (adaptable) adaptable

resin [ˈrɛzɪn] n resina f

resist [rɪˈzɪst] vi/vt (a temptation) resistir; vi/vt (tyranny) resistirse (a)

resistance [rɪˈzɪstəns] n resistencia f

resistant [rɪˈzɪstənt] adj resistente

resolute [ˈrɛzəluːt] adj resuelto, decidido

resolution [rɛzəˈluːʃən] n resolución f

resolve [rɪˈzɒlv] vi/vt resolver(se); **to — into** convertirse en; **to — to** decidir, resolver; n resolución f

resonance [ˈrɛzənəns] n resonancia f

resonate [ˈrɛzəneɪt] vi/vt resonar

resort [rɪˈzɔːt] n vi — **to** recurrir a (seaside) centro de veraneo m; (for skiing) estación de esquí m; **as a — last —** como último recurso; **to have — to** recurrir a

resound [rɪˈzaʊnd] vi/vt resonar

resource [ˈriːsɔːs] n recurso m

resourceful [rɪˈsɔːsfl] adj ingenioso

respect [rɪˈspɛkt] n (esteem) respeto m; (detail) aspecto m; — **with to** (con) respecto a, respecto de; vt respetar; **as — s** por lo que respecta a

respectable [rɪˈspɛktəbl] adj respetable

respectful [rɪˈspɛktfl] adj respetuoso

respective [rɪˈspɛktɪv] adj respectivo

respiration [rɛspəˈreɪʃən] n respiración f

respite [ˈrɛspɪt] n (pause) respiro f, tregua m; (postponement) prórroga f

resplendent [rɪˈsplɛndənt] adj resplandeciente, refulgente

respond [rɪˈspɒnd] vi/vt responder

response [rɪˈspɒns] n respuesta f

responsibility [rɪspɒnsəˈbɪlɪti] n responsabilidad f

responsible [rɪˈspɒnsəbl] adj responsable

rest [rɛst] n (repose) descanso m, reposo m; (musical) pausa f; (support) apoyo m; (remainder) resto m; **an object at —** un objeto en reposo; **he's at —** descansa en paz; **— home** (for the aged) casa de ancianos f, (for convalescents) casa de reposo f; **— room** servicio m; Sp aseo m; vi/vt descansar, reposar; vt (one's gaze) posar; (against a wall) recostar, apoyar; **to — on** depender de; **let it —** déjalo en paz

restaurant [ˈrɛstrɒnt] n restaurante m; Am restorán m

restitution [rɛstɪˈtjuːʃən] n restitución f

restless [ˈrɛstləs] adj (worried) inquieto; (fidgety) movedizo, revuelto

restlessness [ˈrɛstləsnəs] n inquietud f, desasosiego m

restoration [rɛstəˈreɪʃən] n restauración f

restore [rɪˈstɔː] vt restaurar

restrain [rɪˈstreɪn] vt (hold back) refrenar, contener, moderar; (bring under control) reducir

restraint [rɪˈstreɪnt] n (self-control) compostura f, moderación f; (device) - control m; **under —** bajo control

restrict [rɪˈstrɪkt] vt restringir; (someone's liberty) coartar

restriction [rɪˈstrɪkʃən] n restricción f

result [rɪˈzʌlt] vi resultar; **to — from** resultar de; **to — in** dar por resultado; **as a —** de resultas, como resultado

resume [rɪˈzjuːm] vi/vt (take up again) resumir, volver a asumir; (continue) reanudar

résumé [rézume] *n* curriculum *m*; historial personal *m*

resurrection [rezərékʃən] *n* resurrección *f*

resuscitate [rɪsásɪtet] *vt/vi* resucitar

resuscitation [rɪsàsɪtéʃən] *n* resucitación *f*

retail [rítel] *n* venta al por menor *f*; **—** al por menor, al menudeo; *vt/vi* vender al por menor comercio minorista *m*;

retailer [rítelər] *n* minorista *mf*; detallista *mf*

retain [rɪtén] *vt* (recall; confine, detain) retener; (keep) conservar, quedarse con; (hire) contratar

retainer [rɪténər] *n* (device that holds back) retén *m*; (payment) honorarios pagados por adelantado *m pl*

retaliate [rɪtǽliet] *vi* vengarse

retaliation [rɪtæliéʃən] *n* venganza *f*

retard [rɪtárd] *vt/vi* retardar

retarded [rɪtárdɪd] *adj* retrasado

retention [rɪténʃən] *n* retención *f*

reticence [rétɪsəns] *n* reserva *f*

reticent [rétɪsənt] *adj* reticente

retina [rétɪnə] *n* retina *f*

retinue [rétɪnú] *n* séquito *m*, comitiva *f*

retire [rɪtáɪr] *vi/vt* (stop working) retirar(se); (withdraw) retirar(se); (to bed) acostarse; (money, troops, machines) retirar

retirement [rɪtáɪrmənt] *n* retiro *m*, jubilación *f*

retort [rɪtórt] *n* (reply) réplica *f*; (vessel) retorta *f*

retouch [rɪtátʃ] *vt* retocar; *n* retoque *m*

retrace [rítres] *vt* (mental steps) repasar; (one's route) volver sobre

retract [rɪtrækt] *vt* retractar (claws) retraer(se); *vi* desdecirse, retractarse

retreat [rɪtrít] *n* (place of refuge, period of meditation) retiro *m*; refugio *m*; (military) retirada *f*; repliegue *m*; (bugle call) retreta *f*; *vi* batirse en retirada, retroceder; replegarse

retrench [rɪtrénʃ] *vi* economizar

retrieve [rɪtrív] *vt* (game) cobrar; (something lost) recuperar

retriever [rɪtrívr] *n* perro cobrador *m*

retroactive [rétroáktɪv] *adj* retroactivo

retrospect [rétrəspekt] *adv loc* **in —** mirando para atrás

retrovirus [rétrovaɪrəs] *n* retrovirus *m*

return [rɪtɜ́rn] *vi* (come back) volver, regresar; *vt* (put back) devolver, retornar; (a verdict) fallar; *n* (to a place) vuelta *f*, regreso *m*; (thing bought, of a thing) devolución *f*; (profit) ganancia *f*; (electoral) resultados *m pl*; **— address** señas del remitente *f pl*; **— game** revancha *f*; **— ticket** billete de vuelta *m*; **by — mail** a vuelta de correo; **election —s** resultados electorales *m pl*; **in —** a cambio; **in — for** a cambio de; **income tax —** *Sp* declaración de la renta *f*; *Am* declaración de impuestos *f*

reunion [rijúnjən] *n* reunión *f*

reunite [rijunáɪt] *vi/vt* reunir(se)

rev [rev] *vi/vt* acelerar en vacío

reveal [rɪvíl] *vt* revelar

revealing [rɪvílɪŋ] *adj* revelador; (neckline) atrevido

revel [révəl] *vi* (enjoy) deleitarse, gozar; (party) parrandear; *n* parranda *f*

revelation [revəléʃən] *n* revelación *f*; **—s** Apocalipsis *m sg*

revelry [révəlri] *n* parranda *f*, jarana *f*

revenge [rɪvéndʒ] *n* venganza *f*, revancha *f*

revengeful [rɪvéndʒfəl] *adj* vengativo

revenue [révənu] *n* (of a government) rentas públicas *f pl*; (of a person) ingresos *m pl*; **— stamp** sello fiscal *m*

reverberate [rɪvɜ́rbəret] *vi* reverberar; *vt* hacer reverberar

revere [rɪvír] *vt* reverenciar

reverence [révərəns] *n* reverencia *f*; veneración *f*

reverend [révərənd] *adj & n* reverendo-da *mf*

reverent [révərənt] *adj* reverente

reverie, revery [révəri] *n* ensueño *m*, ensoñación *f*

reverse [rɪvɜ́rs] *adj* inverso, opuesto; **the — side** el revés, (opposite) lo opuesto; (back of clothing, mishap) revés *m*; (back of a coin, medal) reverso *m*; (gear) marcha atrás *f*; (back of a piece of paper) dorso *m*; *vt* invertir(se); *vt* (a policy, a vehicle) dar marcha atrás, (a verdict) revocar

revert [rɪvɜ́rt] *vi* revertir

review [rɪvjú] *n* (inspection of a military unit, periodical publication) revista *f*; (repetition of studied material) repaso *m*; (critique of a book, drama) reseña *f*, crítica *f*; (examination of a judicial case) revisión *f*; *vt/vi* (examine) repasar, revisar; *vt* (reexamine) revisar, examinar; (inspect troops) pasar revista a; (write a critique of) reseñar

revile [rɪváɪl] *vt* vilipendiar, denostar

revise [rɪváɪz] *vt* corregir, enmendar

revision [rɪvíʒən] *n* (action of revising) corrección *f*; (revised version) versión corregida *f*

revival [rɪváɪvəl] *n* (of customs) retorno *m*; (of religious feeling) resurgimiento *m*; (from unconsciousness) despertar *m*

resucitación *f*; (of a play) reposición *f*,
revisión *f*; (evangelical meeting) asamblea
evangelista *f*

revive [rɪváɪv] VT (an unconscious person)
reavivar, reanimar; (an apparently dead
person) resucitar; (an old play) reponer; (a
custom) restablecer; VI revivir, reanimarse;
(be reestablished) restablecerse

revocation [revəkéʃən] N revocación *f*

revoke [rɪvók] VT revocar

revolt [rɪvólt] N revuelta *f*, sublevación *f*; VI
rebelarse, sublevarse; **it —s me** me da
asco

revolting [rɪvóltɪŋ] ADJ repugnante,
asqueroso

revolution [revəlúʃən] N revolución *f*

revolutionary [revəlúʃəneri] ADJ & N
revolucionario -ria *mf*

revolve [rɪválv] VI/VT girar

revolver [rɪválvə-] N revólver *m*

revue [rɪvjú] N revista *f*

revulsion [rɪvʌ́lʃən] N repugnancia *f*, asco *m*

reward [rɪwɔ́rd] N recompensa *f*; VT
recompensar

rewind [riwáɪnd] VI/VT rebobinar

rewrite [rɪrát] VI/VT reescribir; [ríraɪt] N
corrección *f*

rhea [ríə] N ñandú *m*

rhetoric [rɛ́ɾə-ɪk] N retórica *f*

rheumatism [rúmətɪzəm] N reumatismo *m*,
reuma *m*

Rh factor [arétʃfæktə-] N factor Rh *m*

rhinoceros [raɪnásərəs] N rinoceronte *m*

rhinovirus [ráɪnováɪrəs] N rinovirus *m*

rhododendron [rodədéndrən] N rododendro
m

rhubarb [rúbɑrb] N (vegetable) ruibarbo *m*;
(brawl) reyerta *f*

rhyme [raɪm] N rima *f*; **without — or
reason** sin ton ni son; VI/VT rimar

rhythm [ríðəm] N ritmo *m*

rhythmical [ríðmɪkəl] ADJ rítmico;
(breathing) acompasado

rib [rɪb] N (of person, animal) costilla *f*; (of
umbrella) varilla *f*; (in garment) canalé *m*,
cordoncillo *m*; **— cage** caja torácica *f*; VT
burlarse de

ribbon [ríbən] N (of cloth) cinta *f*; (of land)
franja *f*, faja *f*

rice [raɪs] N arroz *m*; **— field** arrozal *m*

rich [rɪtʃ] ADJ rico; (tasty) sabroso; (buttery)
mantecoso; (colorful) vivo; N **—es** riquezas
f pl

rickety [ríkɪɾi] ADJ (shaky) desvencijado;
(affected with rickets) raquítico

ricochet [ríkəʃe] N rebote *m*; VI rebotar

rid [rɪd] VT librar, desembarazar; **to get — of**

librarse de, deshacerse de

riddle [rídl] N (puzzle) acertijo *m*, adivinanza
f; (puzzling person) enigma *m*; VI hablar
en enigmas; VT acribillar, perforar; **to be
—d with graft** estar plagado de
corrupción

ride [raɪd] VI (on a horse) cabalgar, jinetear;
(on a bicycle) montar; (in a vehicle)
andar, viajar/ir en; **this car —s well**
este coche anda bien; **his hopes are
riding on that** tiene las esperanzas
puestas en eso; **just let it —** déjalo
tranquilo; VT (travel on horse, bicycle)
montar; (travel on bus) andar en; (harass)
hostigar; **to — away** irse; **to — by** pasar;
to — out capear; **to — up** subirse; N
paseo *m*, viaje *m*; **to give someone a —**
acercar en coche; **to go on a —** dar un
paseo

rider [ráɪdə-] N (on a horse) jinete *m*; (on a
bicycle) ciclista *mf*; (on an insurance
policy) cláusula añadida *f*; (law) anexo *m*

ridge [rɪdʒ] N (back of an animal) espinazo *m*,
lomo *m*; (chain of hills) cadena *f*; (of a
roof) caballete *m*; (of cloth) cordoncillo *m*

ridicule [rídɪkjul] N burla *f*, mofa *f*; VT
ridiculizar, poner en ridículo

ridiculous [rɪdíkjələs] ADJ ridículo

riffraff [rífræf] N *pej* gentuza *f*, chusma *f*

rifle [ráɪfəl] N rifle *m*, fusil *m*; VT robar; **to —
through** revolver

rift [rɪft] N (opening) grieta *f*, hendidura *f*;
(disagreement) desavenencia *f*

rig [rɪg] VT (sails) aparejar, equipar; (an
election) amañar; **to — up** armar; N (on a
ship) aparejo *m*, equipo *m*; (apparatus)
aparato *m*; (truck) camión *m*

rigging [rígɪŋ] N jarcia *f*

right [raɪt] ADJ (not left) derecho; (not
wrong) correcto, acertado; (suitable)
adecuado; **— angle** ángulo recto *m*;
—hand derecho; **—hand man** brazo
derecho *m*; **—handed** diestro; **—-to-life**
antiaborto, pro vida; **— triangle**
triángulo recto *m*; **—wing** derechista, de
derecha; **at the — moment** en el
momento justo; **the — people** la gente
indicada; **to be —** tener razón; **to be all
—** estar bien; **he's not in his —mind**
no está en sus cabales; **to turn out —**
salir bien; ADV (straight) derecho,
directamente; (correctly) correctamente;
(to the right) a la derecha; **— after** justo
después de; **—-face** media vuelta a la
derecha; **— now** ahora mismo; **— there**
allí mismo; **it is — where you left it**
está exactamente donde lo dejaste; **to hit**

— **in the eye** darle de lleno en el ojo; N (just claim) derecho *m*; (moral good) bien *m*; (direction, political persuasion) derecha *f*; — **of way** prioridad *f*, preferencia *f*; **make a — at the corner** gira / dobla a la derecha; **to the —** a la derecha; **to be in the —** tener razón; *f*, *Am* (make upright) enderezar(se); VT (correct) corregir

righteous [ráitʃəs] ADJ recto, justo; — **rage** rabia justificada *f*

righteousness [ráitʃəsnıs] N rectitud *f*, superioridad moral *f*

rightful [ráitfəl] ADJ legítimo

rightist [ráıdıst] N derechista *mf*

rightly [ráitli] ADV con razón

rigid [ríʤıd] ADJ rígido

rigidity [rıʤídıti] N rigidez *f*

rigor [ríɡə] N rigor *m*

rigorous [ríɡə‑əs] ADJ riguroso

rim [rɪm] N (edge) borde *m*; (on a car) llanta *f*; *Am* rin *m*; (on a bicycle) aro *m*; (on a plate) filete *m*; (of glasses) montura *f*

rind [raind] N (cheese) corteza *f*; (fruit) cáscara *f*

ring [rɪŋ] N (on finger, of smoke) anillo *m*; (for women only) sortija *f*; (under the eyes) ojeras *f pl*; (in the nose) argolla *f*; (circle) círculo *m*, redondel *m*, ruedo *m*; (in a circus) pista *f*; (for bullfights) plaza de toros *f*; (for boxing) cuadrilátero *m*; (for gymnastics) anillas *f pl*; (of criminals) banda *f*; (undertone) tono *m*; (sound of telephone) timbrazo *m*, telefonazo *m*; (sound of bells) retintín *m*, repique *m*; — **finger** anular *m*; —**leader** cabecilla *mf*; —**worm** tiña *f*; VT (surround) cercar; (make doorbell sound) tocar; (make bell sound) tañer; VI (of ears) zumbar; (make sound, doorbell) sonar; (make sound, bell) repicar, repiquetear; **to — the nose of an animal** ponerle una argolla en la nariz a un animal; **to — the hour** dar la hora; **to — true** parecer verdad; **to — up the sale** marcar la venta

ringlet [rínlıt] N (curl) rizo *m*, bucle *m*, sortija *f*; (small ring) pequeña sortija *f*

rink [rɪŋk] N pista de patinaje *f*

rinkydink [rínkidɪŋk] ADJ de pacotilla

rinse [rɪns] VI/VT enjuagar, aclarar; N enjuague *m*, aclarado *m*

riot [ráiət] N (uprising) motín *m*, tumulto *m*; (excess) exceso *m*; **he's a —** es un cómico; VI amotinarse

riotous [ráiədəs] ADJ (wanton) desenfrenado; (funny) graciosísimo

rip [rɪp] VI/VT rasgar(se), rajar(se); VT (something sewn) descoser; **to — away**

desprender; **to — into** asaltar; **to — off** robar; **to — out a seam** descoser una costura; N rasgadura *f*, rajadura *f*; — **cord** cordón de apertura *m*; —**off** robo *m*

ripe [raip] ADJ maduro; **to be — for** estar preparado para, listo para; — **old age** edad avanzada *f*

ripen [ráipən] VI/VT madurar(se), sazonar(se)

ripeness [ráipnıs] N madurez *f*

ripple [rípəl] VI/VT (water) rizar(se); (grass) agitar(se); N ondulación *f*, rizo *m*

rise [raız] VI (go up) subir; (increase) aumentar; (get up, stand up) levantarse; (slope up) elevarse; (arise) surgir; (of mist) levantarse; (of the sun, moon) salir; (of dough) crecer, leudar; **to — up in rebellion** sublevarse, alzarse; **to — above** superar; **to — to the challenge** aceptar el desafío; N (of prices, volume) subida *f*, aumento *m*; (of an empire, talent) surgimiento *m*; (slope upward) elevación *f*; **to get a — out of someone** provocar a alguien; **to give — to** ocasionar

risk [rɪsk] N riesgo *m*; VT arriesgar, aventurar; **to — defeat** correr el riesgo de perder, exponerse a perder

risky [ríski] ADJ arriesgado, aventurado, azaroso

risqué [rɪské] ADJ subido de tono, atrevido, picante

rite [rait] N rito *m*

ritual [rítʃuəl] ADJ & N ritual *m*

ritzy [rítsi] ADJ elegante

rival [ráivəl] ADJ & N rival *mf*; VT rivalizar con, competir con

rivalry [ráivəlri] N rivalidad *f*

river [rívə] N río *m*; —**bank** orilla *f*, ribera *f*

rivet [rívıt] N remache *m*; VT (put rivets) remachar; (fix) fijar, clavar

RNA (ribonucleic acid) [ɑɾiné] N ARN *m*

roach [rotʃ] N cucaracha *f*

road [rod] N (in the country) camino *m*; (highway) carretera *f*; **on the — to recovery** en vías de recuperación; — **map** mapa carretero *m*; — **rage** ira caminera *f*; —**side** borde del camino *m*; —**way** camino *m*

roam [rom] VI/VT vagar (por), errar (por), rodar (por); VI vagabundear

roar [rɔr] VI/VT rugir, bramar; **to — with laughter** reír a carcajadas; N rugido *m*, bramido *m*; — **of laughter** risotada *f*, carcajada *f*

roast [rost] VI/VT (meat, potatoes) asar(se); (coffee, nuts) tostar, torrar; (criticize) criticar; N (meat) asado *m*; (party) barbacoa *f;* — **beef** rosbif *m*

rob [rɑb] VI/VT robar; **to — someone of something** robarle algo a alguien

robber [rɑ́bə·] N ladrón -ona *mf*

robbery [rɑ́bəri] N robo *m*

robe [rob] N manto *m,* traje talar *m,* túnica *f;* (ceremonial dress) toga *f;* (bath wrap) bata *f*

robin [rɑ́bin] N petirrojo *m*

robot [róbɑt] N robot *m*

robotics [robɑ́dɪks] N robótica *f*

robust [robʌ́st] ADJ (strong) robusto; (hearty) saludable; (solid) sólido

rock [rɑk] N roca *f;* (crag) peñasco *m,* peñón *m;* (diamond) diamante *m;* (music style) rock *m;* — **crystal** cristal de roca *m;* — **salt** sal de piedra *f,* sal gema / mineral *f;* **to go on the** —**s** tropezar en un escollo; *Am* escollar; **he hit** —**-bottom** tocó fondo; VI/VT (move to and fro) mecer(se); (stagger) sacudir, estremecer; **to — to sleep** arrullar

rocker [rɑ́kə·] N mecedora *f*

rocket [rɑ́kɪt] N cohete *m*

rocketry [rɑ́kɪtri] N cohetería *f*

rocking [rɑ́kɪŋ] N — **chair** mecedora *f;* — **horse** caballito de madera *m,* caballito mecedor *m*

rocky [rɑ́ki] ADJ (with rocks) rocoso; (difficult) difícil

rod [rɑd] N vara *f,* varilla *f;* (in engine) vástago *m;* (medida de longitud *f* (aproximadamente 5 metros)

rodent [ródənt] N roedor *m*

rodeo [ródio] N rodeo *m*

rogue [rog] N pícaro -ra *mf,* bribón -ona *mf;* ADJ solitario y bravo

roguish [róɡɪʃ] ADJ (rascally) pícaro, bribón; (mischievous) travieso

role [rol] N papel *m,* rol *m;* — **model** modelo ejemplar *m;* —**-playing** improvisación *f*

roll [rol] N (move on wheels, rotate) rodar; (rotate one's eyes) revolear; (sway) balancearse, bambolearse; (reverberate) retumbar; (flow as waves) ondular; VT (steel) aplanar; (cigarettes) liar; (a drum) redoblar; (one's r's) pronunciar la erre; **to — over in the snow** revolcarse en la nieve; **to — up** arrollar, enrollar; **to — around** llegar; **to — back** reducir, rebajar; **to — by** pasar; **to — over** volcar, darse vuelta; **to get** —**ing** ponerse en marcha; N (of paper, fabric, etc.) rollo *m;* (of coins) cartucho *m;* (of a ship) balanceo *m;* (of thunder) retumbo *m;* (of a drum) redoble *m;* (catalog of members) lista *f;* (of

waves) ondulación *f;* (of a typewriter) carro *m;* (piece of bread) bollo *m,* panecillo *m;* (of dice) tiro *m;* ADJ —**-on** de bolita

roller [rólə·] N (for painting, moving things) rodillo *m;* (hair) rulo *m,* rulero *m;* — **coaster** montaña rusa *f;* — **skate** patín de ruedas *m*

rolling pin [rólɪŋ pɪn] N rodillo *m,* palote *m*

roly-poly [rólipóli] ADJ rechoncho

ROM (read-only memory) [rɑm] N ROM *f*

Roman [rómən] ADJ & N romano -na *mf;* — **numeral** número romano *m*

romance [rómæns] N (love affair, story) romance *m;* (romantic atmosphere) romanticismo *m;* VT cortejar; ADJ romance, románico

romanesque [romənésk] ADJ románico

Romania [roméniə] N Rumania *f*

Romanian [roméniən] ADJ & N rumano -na *mf*

romantic [romǽntɪk] ADJ romántico

romanticism [romǽntəsɪzəm] N romanticismo *m*

romp [rɑmp] VI retozar, brincar; (win easily) arrasar con; N (frolic) retozo *m;* (victory) victoria fácil *f*

roof [ruf] N (ceiling) techo *m,* tejado *m;* (flat roof) azotea *f;* — **of the mouth** paladar *m;* **to hit the** — poner el grito en el cielo; VT techar

rookie [rúki] N novato -ta *mf*

room [rum] N (in building) cuarto *m;* (large) sala *f;* (in a hotel) habitación *f;* (space) lugar *m,* sitio *m;* — **and board** pensión completa *f;* —**mate** compañero -ra de cuarto *mf;* — **service** servicio a la habitación *f;* **to take up** — ocupar espacio; **the whole** — **laughed** todos los presentes se rieron; VI hospedarse, alojarse

roomy [rúmi] ADJ espacioso, amplio

roost [rust] N vara *f;* VI posarse (para dormir)

rooster [rústə·] N gallo *m*

root [rut] N raíz *f;* **to take** — (a plant) echar raíces, prender; (an idea) arraigar(se); — **canal** tratamiento de conducto *m;* VI (grow roots) arraigar(se), echar raíces; (dig) hozar; **to — for** animar; **to — out / up** (uproot) arrancar de raíz; (eradicate) erradicar

rope [rop] N (cord) soga *f,* cuerda *f;* (lasso) reata *f,* lazo *m;* (on a ship) cabo *m;* (thick) maroma *f;* **to be at the end of one's** — no dar más; **to know the** —**s** conocer el paño, sabérselas todas; VT enlazar; **to — off** acordonar; **to — someone in** agarrar a alguien

rosary [rózəri] N rosario m

rose [roz] N rosa f (color) rosa m; —**bud** capullo de rosa m, pimpollo de rosa m; —**bush** rosal m; —**colored** de color de rosa

rosemary [rózmɛri] N romero m

roster [rəstə] N lista f

rostrum [rəstrəm] N tribuna f

rosy [rózi] ADJ (pink) rosado, color de rosa; (of cheeks) sonrosado; — **future** porvenir halagüeño

rot [rat] N podredumbre f; VI/VT pudrir(se);

rotary [rótəri] ADJ rotatorio, rotativo

rotate [rótet] VI/VT rotar

rotation [rotéʃən] N rotación f, giro m

rote [rot] N rutina f; by — de memoria

rotten [rátn] ADJ (decomposing) podrido; (stinking) hediondo; (morally corrupt) corrupto; (despicable) odioso

rotund [rótʌnd] ADJ rollizo

rouge [ruʒ] N colorete m

rough [rʌf] ADJ (coarse) áspero, rugoso; (violent) violento; (rude) tosco; (approximate) aproximado; (road) desigual, irregular; (terrain) agreste; (sea) picado, revuelto; — **diamond** diamante en bruto m; — **draft** borrador m; — **weather** mal tiempo m; **he had a — time** le fue mal; ADV con violencia; VT poner áspero; **to — it** vivir sin lujos ni comodidades

roughly [rʌfli] ADV (not smoothly) rudamente; (approximately) aproximadamente; (approximately) groseramente,

roughness [rʌfnəs] N (lack of smoothness) aspereza f; (rudeness) rudeza f; (unevenness) desigualdad f; **the — of the sea** lo picado del mar

roulette [rulɛt] N ruleta f

round [raund] ADJ redondo; — **trip** viaje de ida y vuelta m; N (of talks, drinks, dance) ronda f; (of cheese) rodaja f; (in cards, sports) vuelta f; (in boxing) round m, asalto m; (of golf) partido m; (canon) canon m; — **number** número redondo m; — **of ammunition** carga de municiones f; — **of applause** aplauso m; **to make the —s** hacer la ronda; PREP & ADV —**about** indirecto; —**the-clock** veinticuatro horas al día; —**up** (of cattle) rodeo m; (of criminals) redada f; **all year —**todo el año; **to come —** pasar; **to go —a corner** doblar una esquina; VT (a corner) doblar; (an edge, a number) redondear; **to — off / out** redondear; **to — up** juntar, reunir; **to — up cattle** juntar el ganado

roundness [ráundnəs] N redondez f

rouse [rauz] VI/VT (wake) despertar(se); VT (instigate) incitar

rout [raut] N (defeat) derrota aplastante f; (flight) huida en desbandada f; VT (defeat) derrotar, destrozar; (cause to flee) poner en fuga

route [raut, rut] N (of newspaper delivery) reparto m; (of travel) ruta f, trayecto m; VT dirigir

routine [rutín] N rutina f

rove [rov] VI/VT vagar (por), errar (por)

rover [róvə] N vagabundo -da mf

row [rau] N (fight) riña f, pelea f, bronca f; [ro] N (line) fila f, hilera f, ringlera f; (propel with oars) VI/VT remar, bogar; —**boat** bote de remos m, barca f, chinchorro m; **four times in a —** cuatro veces seguidas;

rowdy [ráudi] ADJ (person) alborotador; (party) bullicioso; N camorrista mf

rower [róə] N remero -ra mf

royal [rɔ́iəl] ADJ real; — **blue** azul marino m; — **flush** escalera real f

royalty [rɔ́iəlti] N realeza f; (person) miembro de la realeza m; **royalties** N pl derechos m pl, regalías f pl

RSVP [répondez s'il vous plaît] [ɛresvipí] LOC S.R.C.

rub [rʌb] VI/VT (apply friction) frotar(se); (massage) friccionar; (spread on) aplicar frotando; (make sore) rozar; **to — off** quitar(se) frotando; **to — out** borrar; **to — shoulders with** codearse con; **to someone the wrong way** peinar a contrapelo; **don't — it in!** ¡no me lo refriegues por la cara! N (act of rubbing) fricción f; (difficulty) dificultad f (abraded area) roce m, frote m

rubber [rʌbə] N caucho m, goma f; — **band** goma elástica f, —**s** chanclos m pl; — **stamp** sello de goma m; — **tree** gomero m

rubbish [rʌbiʃ] N (trash) basura f; (nonsense) pamplinas f pl

rubble [rʌbəl] N (debris) escombros m pl; (stone fragments) ripios m pl, cascote m

rubric [rúbrik] N rúbrica f

ruby [rúbi] N rubí m

ruckus [rʌkəs] N barahúnda f, jaleo m

rudder [rʌdə] N timón m

ruddy [rʌdi] ADJ rubicundo

rude [rud] ADJ (impolite) grosero, (uncouth), crude, simple) tosco; (harsh) rudo

rudeness [rúdnis] N (impoliteness) grosería f; (harshness) rudeza f; (crudeness) tosquedad f

rueful [rúfəl] ADJ triste; (sad) (repentant) arrepentido

ruffian [ráfiən] N rufián *m*

ruffle [ráfəl] VI/VT (gather cloth) fruncir(se); (raise feathers) erizar(se); (water) agitar(se), rizar(se); (hair) desgreñar(se); (bother) molestar(se), fastidiar(se); N (frill on clothes) volante *m*; (gathering in cloth) frunce *m*, pliegue *m*; (ripples in water) ondulación *f*, rizo *m*

rug [tʌg] N alfombra *f*; (hairpiece) peluquín *m*

rugby [rʌ́gbi] N rugby *m*

rugged [rʌ́gɪd] ADJ (terrain) escarpado, áspero, fragoso; (face) recio; (manners) tosco; (way of life) duro; (man) robusto

ruin [rúɪn] N ruina *f*; **to go to —** arruinarse, venirse abajo; VI/VT arruinar(se), estropear(se); (spoil) echar(se) a perder

ruinous [rúɪnəs] ADJ ruinoso

rule [rul] N (principle) regla *f*; (line separating newspaper columns) filete *m*; (government) mando *m*, gobierno *m*; **the — of law** el imperio de la ley; **as a — of thumb** por regla general, a ojo de buen cubero; VI/VT (govern) reinar, gobernar; (decree) fallar, dictaminar, sentenciar; (put lines on paper) rayar, poner renglones; **to — out** excluir; **to — over** reinar, gobernar

ruler [rúlə] N (governor) gobernante *mf*; (instrument) regla *f*

ruling [rúlɪŋ] N (decision) fallo *m*, sentencia *f*, dictamen *m*; (line on paper) renglón *m*; ADJ (governing) gobernante

rum [rʌm] N ron *m*

rumble [rʌ́mbəl] VI (roar) retumbar; (of stomach) hacer ruido; (fight) pelear; N (roar) retumbo *m*; (of stomach) ruido *m*; (fight) pelea *f*

ruminate [rúmənet] VI rumiar

rummage [rʌ́mɪdʒ] VI/VT rebuscar, hurgar; N cachivaches *m pl*; **— sale** venta de beneficencia *f*

rumor [rúmə] N rumor *m*; VT murmurar; **it is —ed that** se rumorea que, corre la voz que

rump [rʌmp] N (of quadruped) anca *f*, grupa *f*; (of bird) rabadilla *f*; (of person) trasero *m*

run [rʌn] VI (person, tears, water) correr; (stockings, dyes) correrse; (function) funcionar; (travel briefly) hacer una escapadita; (circulate) circular, hacer el recorrido; (drip) chorrear; (be a candidate) presentarse como candidato; (suppurate) supurar; VT (a mile, a risk) correr; (one object through another) pasar; (a business) manejar, dirigir; (a red light) comerse; (a news story) publicar; (a sum of money)

costar; (a computer program) ejecutar; (a fever) tener; **— along now!** ¡vete! **to — across someone** encontrarse con alguien; **to — after** perseguir; **to — around with** andar con; **to — away** fugarse, escaparse; **to — down** (stop working) dejar de funcionar; (capture) aprehender; (criticize) hablar mal de; (run over) atropellar; (tire) cansar; **to — dry** secarse; **to — into** (encounter) tropezar con, encontrarse con; (collide) chocar con; **to — out** salir corriendo; **to — out of money** quedarse sin dinero; **to — over** (spill) derramarse; (run down) atropellar, arrollar; (move along a surface) deslizar por; **to — through** (stab) atravesar; (squander) despilfarrar; (repeat) repetir; **the play ran for three months** la obra estuvo en cartel durante tres meses; **it —s in the family** es un rasgo de familia; N (act of running) carrera *f*, corrida *f*; (defect in stockings) carrera *f*, corrida *f*; (routine trip) recorrido *m*; (of newspapers) tirada *f*; (of a play) temporada en cartel *f*; (on a bank) pánico *m*, corrida *f*; **—away** fugitivo -va *mf*; **—away horse** caballo desbocado *m*; **—down** desvencijado; **— of good luck** racha de buena suerte *f*; **— of performances** temporada en cartel *f*; **— of the mill** del montón; **—way** (for planes) pista *f*; (for models) pasarela *f*; **to be on the —** estar huyendo; **in the long — a** la larga; **he gave me the —around** contestó con evasivas

rung [rʌŋ] N (of a chair) barrote *m*; (of a ladder) peldaño *m*

runner [rʌ́nə] N (one who runs) corredor -ora *mf*; (on a table) tapete *m*; (on a sled) patín *m*; (on a skate) cuchilla *f*; (on a plant) estolón *m*; (of drugs, contraband) contrabandista *mf*; **—up** segundo -da *mf*

running [rʌ́nɪŋ] N (race) corrida *f*, carrera *f*; (direction) manejo *m*, dirección *f*; (flow) flujo *m*; (of machines) funcionamiento *m*; (of a car) rodaje *m*; **to be out of the —** estar fuera de combate; **— board** estribo *m*; ADJ (of horses) de carrera; (of plants) trepador; (of sores) supurante; **— water** agua corriente *f*; **in — condition** en buen estado; **for ten days —** durante diez días seguidos

runt [rʌnt] N (animal) animal más pequeño de la camada *m*; (person) *pej* mequetrefe *m*

rupture [rʌ́ptʃə] N (of relations, internal organ) ruptura *f*; (of a tire) rotura *f*; (hernia) hernia *f*; VI/VT romper(se), reventar(se)

rural [ˈrʊrəl] adj rural

rush [rʌʃ] vi/vt (hurry) apresurar(se); Am apurar(se); vt (to dispatch) llevar con prisa, llevar rápido; (to attack) precipitarse; abalanzarse sobre; **to — by/past** pasar corriendo; **to — out** salir corriendo; N (haste) prisa f; Am apuro m; (attack) acometida f; (hurried activity) bullicio m; (plant) junco m; **— of air** ráfaga f; **— of water** torrente m; **— order** pedido urgente m

Russia [ˈrʌʃə] N Rusia f

Russian [ˈrʌʃən] adj & N ruso -sa mf

rust [rʌst] N (oxidation) herrumbre f, orín m; (disease) tizón m; **—colored** color herrumbre; **—proof** inoxidable; vi/vt herrumbrar(se)

rustic [ˈrʌstɪk] adj rústico; N campesino -na mf; paleto -ta mf

rustle [ˈrʌsəl] vi susurrar, crujir; vt hacer susurrar, hacer crujir; **to — cattle** robar ganado, N susurro m, crujido m

rusty [ˈrʌsti] adj (oxidized) herrumbrado, oxidado; (rust-colored) color herrumbre; (out of practice) falto de práctica; **my German is —** se me ha olvidado el alemán

rut [rʌt] N (furrow) surco m; (of a wheel) rodada f; (routine) rutina f; (heat) celo m; **to be in a —** ser esclavo de la rutina, vi estar en celo

ruthless [ˈruθlɪs] adj despiadado

ruthlessness [ˈruθlɪsnɪs] N crueldad f

Rwanda [ruˈandən] N Ruanda f

Rwandan [ruˈandən] adj & N ruandés -esa mf

rye [raɪ] N centeno m; **— bread** pan de centeno m

SS

saber [ˈsebə] N sable m

sabotage [ˈsæbətɑʒ] N sabotaje m; vt sabotear

saccharine [ˈsækərɪn] adj empalagoso; N sacarina f

sack [sæk] N (bag) saco m, bolso m; (looting) saqueo m; **in the —** en la cama; vt (bag) embolsar, ensacar; (loot) saquear; (fire) despedir

sacrament [ˈsækrəmənt] N sacramento m

sacred [ˈsekrɪd] adj sagrado

sacrifice [ˈsækrɪfaɪs] N sacrificio m; **at a —** con pérdida; vt sacrificar

sacrilege [ˈsækrɪlɪdʒ] N sacrilegio m

sacrilegious [ˌsækrɪˈlɪdʒəs] adj sacrílego

sad [sæd] adj triste

sadden [ˈsædn] vi/vt entristecer(se); vt pesar

saddle [ˈsædl] N (for horse) silla de montar f; montura f; (for bicycle) sillín m; **—bag** alforja f; **— horse** caballo de silla m; **— pad** carona f; **— tree** arzón m; vt ensillar; **to — up** ensillar; **to — someone with responsibilities** cargar a alguien de responsabilidades

sadism [ˈsedɪzm] N sadismo m

sadist [ˈsedɪst] adj sádico

sadistic [səˈdɪstɪk] adj sádico

sadness [ˈsædnɪs] N tristeza f

safari [səˈfɑri] N safari m

safe [sef] adj (secure) seguro, salvo; (trustworthy) digno de confianza; (careful) precavido, prudente; **— and sound** sano y salvo; **—conduct** salvoconducto m; **to — guard** salvaguardar; **— guard** salvaguardia f; **— jail** confinado; **—keeping** custodia f; **—** caja fuerte f

safety [ˈsefti] N seguridad f; **— belt** cinturón de seguridad m; **— device** mecanismo de seguridad m, seguro m; **— glass** vidrio inastillable m; **— net** red f; **— pin** imperdible m

saffron [ˈsæfrən] N (spice) azafrán m; (color) color azafrán m

sag [sæg] vi/vt (wall) combar(se), pandear(se); vt (stock market, breast) caer; (spirits) decaer; (rope) aflojar(se); (pants) abolsarse; **his shoulders —** tiene las espaldas caídas; N (of a wall) pandeo m, comba f; (in prices) caída f

sage [sedʒ] adj sabio; N (wise person) sabio -bia mf; (plant) salvia f

sail [sel] N (part of a boat) vela f; (trip) viaje en barco m; **—boat** velero m; **—fish** pez vela m; **under full —** a toda vela; **to set —** zarpar; vi/vt (travel by boat) navegar; (set sail) zarpar; **to — along** deslizarse, navegar; **to — along the coast** costear; **to — through an exam** aprobar un examen con facilidad

sailor [ˈselə] N marinero -ra mf

saint [sent] N santo -ta mf; **— John** San Juan

saintly [ˈsentli] adj santo, piadoso

sake [sek] N **for the — of, for my —** por mí; **for pity's —** por el amor de Dios; **for brevity's —** para ser breve; **for — of argument** por vía de argumento; **art for art's —** el arte por el arte

salad [ˈsæləd] N ensalada f; **— dressing** aderezo m

salamander [ˈsæləmændə] N salamandra f

salary [ˈsæləri] N sueldo m; **— bracket** categoría salarial f

sale [seyl] N (act of selling) venta f; (special sales event) liquidación f; saldo m; — s force personal de ventas m; —sperson vendedor -ora m f; (in a store) dependiente -ta m f; —s tax impuesto sobre las ventas m; for — en venta

salient [seyliənt] ADJ & N saliente m

saliva [səlaɪvə] N saliva f

sally [sæli] N (sortie) salida f; (excursion) excursión f; vi salir, hacer una salida; to — forth salir

salmon [sæmən] N salmón m

salmonella [sælmənɛlə] N salmonela f

salon [səlán] N (beauty parlor) salón de belleza m, peluquería f

saloon [səlún] N salón m, taberna f, bar m

salt [sɔlt] N sal f; (for smelling) sales f pl; the — of the earth la sal de la tierra; old — lobo de mar m; —cellar salero m; —lick salegar m; —mine salina f; —shaker salero m; —water agua salada f; vt salar; to — away ahorrar

salty [sɔlti] ADJ salobre; (land) salobre

salutation [sæljəteʃən] N saludo m

salute [səlut] N saludo m; (of guns) salva f; vt/vi (greet) saludar; (acknowledge) reconocer

Salvadoran, Salvadorian [sælvədɔri(ən)] ADJ & N salvadoreño -ña m f

salvage [sælvɪdʒ] N (recovery) salvamento m; (objects recovered) objetos salvados m pl; vt salvar

salvation [sælveʃən] N salvación f

salve [sæv] N ungüento m, pomada f

salvo [sælvo] N salva f

same [sem] ADJ (identical) mismo; (similar) igual; it is all the — to me me da igual, me da lo mismo; all the — de todos modos

Samoa [samoa] N Samoa f

Samoan [samoan] ADJ & N samoano -na m f

sample [sæmpl] N muestra f; vt (try) probar, (take samples) muestrear

sampling [sæmplɪŋ] N muestreo m

sanctify [sæŋktɪfaɪ] vt santificar

sanction [sæŋkʃən] N sanción f; vt sancionar,

sanctity [sæŋktɪti] N santidad f

sanctuary [sæŋktʃuɛri] N (church) santuario m; place of refuge) asilo m; (game preserve) reserva f

sand [sænd] N arena f; — box arenero m; —dollar erizo de mar plano m; —paper papel de lija m; to —paper lijar; —stone arenisca f; —storm tormenta de arena f; vt lijar, pulir

sandal [sændl] N sandalia f

sandwich [sændwɪtʃ] N bocadillo m, emparedado m; vt intercalar; to be —ed between quedar apretado entre

sandy [sændi] ADJ (full of sand) arenoso, arenisco; (yellowish) rubio

sane [sen] ADJ cuerdo

sanitarium [sænɪtɛriəm] N sanatorio m

sanitary [sænɪtɛri] ADJ sanitario; —napkin paño higiénico m

sanitation [sænɪteʃən] N (sewers) saneamiento m; (hygiene) salubridad f

sanity [sænɪti] N cordura f

San Marinese [sænmærɪniz] ADJ & N sanmarinense -esa m f

Sanskrit [sænskrɪt] N sánscrito m

Santa Claus [sæntəklɔz] N Papá Noel m, Santa Claus m

São Tomean [sautoˈmean] ADJ & N santotomense m f

São Tomé and Príncipe [sautoˈmeˈandˈprɪnsɪpe] N Santo Tomé y Príncipe m

sap [sæp] N (juice) savia f; (fool) tonto -ta m f; vt (exhaust) agotar

sapling [sæplɪŋ] N (tree) árbol joven m; (person) jovenzuelo -la m f

sapphire [sæfaɪr] N zafiro m

sarcasm [sɑrkæzəm] N sarcasmo m, socarronería f

sarcastic [sɑrkæstɪk] ADJ sarcástico, socarrón

sarcoma [sɑrkoma] N sarcoma m

sarcophagus [sɑrkɑfəgəs] N sarcófago m

sardine [sɑrdin] N sardina f

sardonic [sɑrdɑnɪk] ADJ sardónico

sash [sæʃ] N (around waist) faja f; (on window) marco m, bastidor m

sassy [sæsi] ADJ insolente

satanic [sætænɪk] ADJ satánico

satchel [sætʃəl] N cartera f

satellite [sætəlaɪt] N satélite m; — dish (antenna) parabólica f

satiate [seʃiet] vt saciar, hartar

satin [sætn] N raso m, satén m

satire [sætaɪr] N sátira f

satirical [sətɪrɪkəl] ADJ satírico

satirize [sætəraɪz] vt satirizar

satisfaction [sætɪsfækʃən] N satisfacción f

satisfactory [sætɪsfæktəri] ADJ satisfactorio

satisfied [sætɪsfaɪd] ADJ satisfecho

satisfy [sætɪsfaɪ] vt/vi satisfacer

saturate [sætʃəret] vt/vi (impregnate) saturar(se); (soak) empapar(se); —d fat grasa saturada f

Saturday [sætərde] N sábado m

sauce [sɔs] N salsa f; —pan cacerola f; vt

saucer [sɔsɚ] n platillo m

saucy [sɔsi] adj descarado, insolente; (who talks back) respondón

Saudi Arabia [sɔdiɑrebiɑ] n Arabia Saudí f, Arabia Saudita f

Saudi Arabian [sɔdiɑrebiɑn] adj & n saudí mf, saudita mf

saunter [sɔntɚ] vi pasearse, deambular

sausage [sɔsɪʤ] n (thick) chorizo m; (thin) salchicha f; (cured) longaniza f; —**making** charcutería f

savage [sævɪʤ] adj salvaje; (furious) rabioso; (rugged) agreste; n salvaje mf; vt hacer trizas

savagery [sævɪʤri] n salvajismo m, barbarie f

save [sev] vt (a sinner, a person in danger) salvar; (furniture) salvaguardar, proteger; (money, time, energy) ahorrar; (data) guardar; vi (lay up money, be economical) ahorrar; (protect) salvaguardar; **to — from** librar de; — **one's eyes** cuidarse de la vista; prep salvo, menos

savings [sevɪŋz] n ahorros m pl; — **account** cuenta de ahorros f; — **bank** caja de ahorros f

savior [sevjɚ] n salvador -ora mf

savor [sevɚ] n (taste) sabor m; (trace) dejo m; vt saborear

savory [sevɚi] adj sabroso

savvy [sævi] adj astuto; n astucia f

saw [sɔ] n sierra f; —**horse** caballete m; vt/vi aserrar(se); —**dust** aserrín m, serrín m; —**mill** aserradero m

saxophone [sæksəfon] n saxofón m

say [se] vt/vi decir; (a clock) marcar; (a prayer) rezar, decir; — ¡oye! **that is to —** es decir; — **I bought it** supongamos que yo lo compraré; **it goes without —ing** — supuesto; **there's a lot to be said for** es muy recomendable; **when all is said and done** al fin y al cabo; **you can — that again** tú lo has dicho; **the final —** la última palabra; **to have one's —** dar su opinión; adv **you could earn, —, 1 million dollars** podrías ganar pongamos un millón de dólares

saying [seɪŋ] n dicho m, refrán m

scab [skæb] n (of a wound) costra f; (on plants) roña f; (strikebreaker) esquirol m, amarillo -lla mf; vi (wound) encostrarse; (break a strike) ser esquirol

scabby [skæbi] adj (of wounds) costroso; (of plants) roñoso; (of scalp) tiñoso

scaffold [skæfɔld] n (in construction) andamio m; (of a gallows) patíbulo m

scald [skɔld] vt/vi escaldar(se); n escaldadura f

scale [skel] n (progression) escala f; (for weighing) balanza f; (for heavy weights) báscula f; (on fish, reptiles, human skin) escama f; —**s pair of —** balanza f; vt (climb) escalar; (remove scales) escamar; vt/vi (on fish) escamar(se); **to — down** rebajar proporcionalmente; (adjust proportionately) graduar; **to —**

scallion [skæljən] n cebollín m, cebollino m

scallop [skæləp] n (mollusk) vieira f; (of beef) escalope m; (of fabric) festón m; vt festonear

scalp [skælp] n cuero cabelludo m; vt (to skin) arrancar la cabellera; (to resell) revender

scalpel [skælpəl] n bisturí m

scalper [skælpɚ] n revendedor -ra mf

scamp [skæmp] n pícaro -ra mf, tunante -ta mf; pillo -lla mf

scamper [skæmpɚ] vi (run) escabullirse, escaparse; (caper) cabriolar

scan [skæn] vt (horizon) escudriñar, escrutar; (with radar, explore, brain) hacer una tomografía; (page) echar un vistazo a; (verse) escandir; (digitalize for computer) escanear n tomografía f

scandal [skændl] n escándalo m

scandalize [skændəlaɪz] vt escandalizar

scandalous [skændələs] adj escandaloso

scanner [skænɚ] n escáner m

scant [skænt] adj escaso

scanty [skænti] adj (scant) escaso; (of a skirt) muy corto; (of a bikini) breve

scapegoat [skepɡot] n chivo expiatorio m, cabeza de turco m

scar [skar] n cicatriz f, lacra f; vt dejar una cicatriz

scarce [skɛrs] adj escaso; **to be —** escasear

scarcely [skɛrsli] adv (barely) apenas; **he's — a genius** no es un genio ni mucho menos

scarcity [skɛrsɪti] n escasez f, pobreza f, carestía f

scare [skɛr] vt/vi espantar(se), asustar(se); **to — away** ahuyentar; **to — up** reunir; n susto m, sobresalto m; (of war) amago m; —**crow** espantapájaros m sg

scarf [skarf] n (woolen) bufanda f; (silk, cotton) pañuelo m; vi **to — up** engullir

scarlet [skarlɪt] n escarlata m, grana f; — **fever** escarlatina f

scary [skɛri] adj (causing fright) de miedo; (easily frightened) asustadizo

scat [skæt] n Interj ¡fuera!

scatter [skǽrə-] vt/vi (seeds) esparcir(se), desparramar(se), desperdigar(se); (crowd) dispersar(se); — **brain** cabeza de chorlito f

scavenge [skǽvɪndʒ] vt recoger, rescatar; vi hurgar

scenario [sɪnério] n guión m; **worst-case** — el peor de los casos

scene [sin] n escena f; (sphere) ámbito m; **to make a** — montar una escena; **behind the** —**s** entre bastidores

scenery [sɪnəri] n paisaje m; (on a stage) decorado m

scenic [sɪnɪk] adj panorámico

scent [sɛnt] n (smell) olor m; (fragrance) perfume m; (trace) pista f, rastro m; (sense of smell) olfato m; vt/vi (perceive through smell) olfatear; (intuit) presentir; (give fragrance to) perfumar

schedule [skɛdʒul] n (plan) calendario m; (timetable) horario m; (appendix) apéndice m; (list) lista f; **on** — en fecha; **ahead of** — adelantado; vt programar, fijar

scheme [skim] n (plan) plan m, proyecto m; (plot) ardid m, trama f; (of colors) combinación f; vt/vi maquinar, intrigar, tramar

schemer [skimə] n maquinador -ra m/f; intrigante m/f

scheming [skimɪŋ] adj intrigante; n maquinación f

schizophrenia [skɪtsəfriniə] n esquizofrenia f

scholar [skálə-] n (student) alumno -na m/f; (fellow) becario -ria m/f; (erudite person) erudito -ta m/f

scholarly [skálə-li] adj erudito

scholarship [skálə-ʃip] n (erudition) erudición f; (award) beca f

school [skul] n (primary) escuela f, colegio m; (secondary) secundaria f; Sp instituto m; (university) universidad f; (of law, etc.) facultad f; (of language, driving) academia f; (of fish) banco m, cardumen m; —**boy** escolar m; —**girl** escolar m; —**house** escuela f; —**master** maestro -tra m; —**mate** compañero -ra de escuela m/f; —**room** aula f, sala de clase f; —**teacher** maestro -tra m/f; — **year** año lectivo m; vt instruir, entrenar

schooling [skulɪŋ] n instrucción f

schooner [skunə-] n goleta f

sciatic nerve [saiǽtik-v] n nervio ciático m

science [saiəns] n ciencia f; — **fiction** ciencia ficción f

scientific [saiəntɪfik] adj científico; — **method** n método científico m

scientist [saiəntɪst] n científico -ca m/f

scintillate [sintlet] vi (diamonds) centellear, (stars) titilar

scissors [sizə-z] n tijeras f pl

sclerosis [sklərosis] n esclerosis f

scoff [skɔf] n mofa f, burla f; vi mofarse; **to** — **at** mofarse de, burlarse de

scold [skold] vt/vi reprender, regañar, reñir; n regañón -ona m/f

scolding [skoldɪŋ] n regaño m, reprimenda f

scoliosis [skoliosis] n escoliosis f

scoop [skup] n (ladle) cucharón m; (spoon for ice-cream) cuchara f, (shovel) pala f; (news item) primicia f; vt sacar con cuchara; **to** — **in** a report first) adelantarse a; **to** — **a good profit** sacar buena ganancia; **to** — **out** (water) achicar; (a hole) cavar; **to** — **up** recoger

scoot [skut] vi (go fast) correr; (go away) largarse

scooter [skutə-] n (with motor) scooter m; (toy) monopatín m, patinete m

scope [skop] n (range) alcance m, ámbito m; (sphere) esfera f; vt observar

scorch [skɔrtʃ] vt/vi chamuscar(se), quemar(se); n chamuscadura f, Am quemadura f

score [skor] n (partial result) tanteo m; (total result) resultado m; (in a test) calificación f; (scratch) arañazo m; (twenty) veintena f; (of music) partitura f; **on that** — a ese respecto; **to keep** — llevar la cuenta; **to settle an old** — ajustar cuentas; vt (a test) calificar; (to orchestrate) orquestar; (to scratch) arañar; vt/vi (points) marcar, tantear; (sexually) ligar

scorn [skɔrn] n desdén m, menosprecio m; vt desdeñar, menospreciar

scornful [skɔrnfəl] adj desdeñoso

scorpion [skɔrpiən] n escorpión m, alacrán m

Scotch [skatʃ] adj escocés; — **whisky** whisky escocés m

Scotland [skatlənd] n Escocia f

Scotsman [skatsmən] n escocés m

Scotswoman [skatswumən] n escocesa f

Scottish [skatiʃ] adj escocés

scoundrel [skaundrəl] n bellaco m, infame m, truhán m

scour [skaur] vt (clean) fregar, restregar; (search) recorrer

scourge [skɝdʒ] n azote m; vt azotar

scout [skaut] n (military) explorador -ra m/f; (child explorer) explorador -ra m/f, scout m/f; (for talent) cazatalentos m/f sg; **a good** — una buena persona; vt/vi explorar; vi

scripture [skriptʃə] n escritura sagrada f

scroll [skrol] n (roll) rollo m; (adornment) voluta f; vi **to — down** bajar el cursor

scrub [skrʌb] vi/vt (rub) fregar, restregar; vt (cancel) cancelar; **to — up** lavarse las manos; n (cleaning) friega f, fregada f; (bushes) maleza f; (rough terrain) breña f

scruple [skrupəl] n escrúpulo m

scrupulous [skrupjələs] adj escrupuloso

scrutinize [skrutɪnaɪz] vi/vt escrutar

scrutiny [skrutɪni] n escrutinio m, examen minucioso m

scuba [skubə] n escafandra f; vi **to — dive** bucear

scuff [skʌf] vt (shoes) rayar; (floor) marcar; n (on shoes) raya f; (on floor) marca f

scuffle [skʌfəl] n refriega f, riña f; vi (shuffle) arrastrar los pies

sculptor [skʌlptə] n escultor -ra m f

sculpture [skʌlptʃə] n escultura f; vi/vt esculpir

scum [skʌm] n (in a glass) capa de suciedad f; (in a pond) verdín m; (people) escoria f; **—bag** pej canalla m f; (vile person) pej canalla m f; vt cubrir de espuma, vt espumar

scurrilous [skɜːələs] adj (coarse) grosero; (injurious) injurioso

scurry [skɜri] vi correr; **to — away / off** escabullirse, vi correr a carrera f

scuttle [skʌdl] n (run) correr; **to — away / off** escabullirse; vt (sink a ship) hundir; (abandon a plane) abandonar

scythe [saɪð] n guadaña f

sea [si] n mar m/f; **at —** en el mar; **by —** por barco; **to put to —** hacerse a la mar; **on the high — s** en alta mar; **—faring** marino; **—board** costa f, litoral m; **—battle** batalla naval f; **—coast** costa f, litoral m; **—cow** vaca marina f; **—current** corriente marina f; **—food** frutos del mar m pl; **—green** verdemar adj; **—gull** gaviota f; **—horse** caballito de mar m; **—level** nivel del mar m; **—lion** león marino m; **—man** marino m; **—plane** hidroavión m; **—port** puerto de mar m; **—power** potencia naval f; **—shore** costa f; **—sick** mareado; **to get —sick** marearse; **—sickness** mareo m; **—side** costa f; **—turtle** tortuga marina f; **—urchin** erizo de mar m; **—weed** alga marina f; **—worthy —** marinero (marina) f;

seal [sil] n (stamp) sello m; (on a jar) precinto m; (animal) foca f; **to set one's**

scowl [skaul] n ceño fruncido m; vi fruncir el ceño

to — for buscar

scram [skræm] vi largarse

scramble [skræmbəl] vi (climb) subir a gatas; **— for** pelearse por; **to — up** subir a gatas; **—d eggs** huevos revueltos m pl; vt (eggs) revolver; (numbers) mezclar; **to — for possession** arrebatiña f

scrap [skræp] n (fragment) fragmento m, pedacito m; (of truth) ápice m; (fight) riña f, pelea f; **— book** álbum de recortes m; **— iron** chatarra f **— s** sobras f pl, desperdicios m pl; vt (break apart) desguazar; (discard) desechar; vt pelearse, reñir

scrape [skrep] vi/vt (rub) raspar; (damage) arañar; **to — along** ir tirando, ir pasándola; **to — by** arreglárselas; **to — together** reunir; **to bow and —** ser muy servil; n (act of scraping) raspado m; (injury) raspón m, raspadura f; (sound) chirrido m; (fight) pelea f; (difficult situation) apriteo m

scraper [skrepə] n raspador m

scratch [skrætʃ] vi/vt (mark) arañar, rasguñar; (relieve itching) rascar(se); (cause itching) picar; **to — (dig as, as a hen)** escarbar; **to — out** (words) tachar; (eyes) sacar; n (injury) arañazo m, rasguño m; (sound) chirrido m; **to start from —** empezar de cero

scrawny [skrɔni] adj esmirriado

scream [skrim] n grito m, alarido m; **he's a —** es un payaso; vi/vi gritar

screech [skriʧ] n (of brakes) chirrido m; (of voice) chillido m **— owl** lechuza f vi (of brakes) chirriar; (of voice) chillar

screen [skrin] n (movie, computer) pantalla f; (divider) biombo m; (on window) mosquitero m; (sifter) tamiz m; **— door** puerta con mosquitero f; **—play** guión m; **—writer** guionista m; vt (conceal) tapar; (sift) tamizar; (project) proyectar; (select) seleccionar

screw [skru] n tornillo m; (one turn) vuelta f; (propeller) hélice f; **—driver** destornillador m (also cocktail); vt (turn) atornillar; **to — on** enroscar; **to — up one's courage** cobrar ánimo; **to — around** perder tiempo

scribble [skribəl] vi/vt garabatear, garrapatear; n garabato m

script [skript] n (writing) escritura f; (screenplay) guión m

— **to** sellar; **—ing wax** lacre *m*; VT (put a seal on) sellar; (close with a seal) precintar; **to — one's fate** determinar el destino de uno; **to — off** acordonar; **to — in** cerrar herméticamente; **to — with sealing wax** lacrar

seam [sim] N (sewing) costura *f*; (in rock) grieta *f*; (in ore deposits) veta *f*; VT coser

seamstress [símstrıs] N costurera *f*

seamy [sími] ADJ sórdido

sear [sir] VT chamuscar

search [sɝtʃ] VI/VT (an area) rastrear, requisar; (a suitcase) registrar; (a person) cachear; **— me!** ¡a mí que me registren! ¡yo que sé! **to — for** buscar; N (for something) búsqueda *f*; (of baggage, ships) registro *m*; (of an area) rastreo *m*; **— engine** motor de búsqueda *m*, máquina de búsqueda *f*; **—light** reflector *m*; **— warrant** orden de registro *m*; **in — of** en busca de

season [sízən] N (of the year) estación *f*; (period of time) temporada *f*, época *f*; **in —** en temporada/época; **— ticket** billete de abono *m*; **open —** temporada de caza/pesca *f*; **out of —** fuera de temporada/época; VT (to spice) sazonar, aderezar; VI (wood) secarse; **a —ed pilot** un piloto experimentado

seasoning [sízənıŋ] N condimento *m*, aliño *m*

seat [sit] N (furniture) asiento *m*; (of bicycle) sillín *m*; (in parliament) escaño *m*; (of government) sede *f*; (in the theater) localidad *f*; (buttocks) asentaderas *f pl*; (of clothes) fondillos *m pl*; **to take a —** sentarse, tomar asiento; **— belt** cinturón de seguridad *m*; VT (cause to sit) sentar; (accommodate with seats) tener capacidad para; (place) colocar; **to — oneself** sentarse

secede [sıklúd] VT aislar; **to — oneself from** recluirse de, aislarse de

secluded [sıklúdıd] ADJ apartado, aislado

seclusion [sıklúʒən] N recogimiento *m*, aislamiento *m*

second [sékənd] ADJ & N segundo -da *mf*; **— fiddle** segundón -ona *mf*; **— floor** primer piso *m*; **—hand** de segunda mano; **— lieutenant** subteniente *mf*; **on — thought** pensándolo bien; **—-rate** mediocre, de segunda; N (part of a minute) segundo *m*; (helper in a duel) padrino *m*; **— child** segundón -ona *mf*; **— cousin** primo -ma segundo -da *mf*; **— nature** automático; **—s** artículos de segunda *m pl*; **may I have —s?** ¿puedo repetir? **to —-guess** cuestionar; VT

(support) secundar, apoyar; (assist in duels) apadrinar; (support a motion) apoyar

secondary [sékənderi] ADJ secundario; **— school** escuela secundaria *f*

secondly [sékəndli] ADV en segundo lugar

secrecy [síkrısi] N secreto *m*

secret [síkrıt] ADJ & N secreto *m*

secretariat [sekrıtériət] N secretaría *f*

secretary [sékrıteri] N (assistant) secretario -ria *mf*; (government) ministro -tra *mf*; (furniture) escritorio *m*

secrete [sıkrít] VT (discharge) secretar, segregar; (hide) ocultar

secretion [sıkríʃən] N secreción *f*

secretive [síkrıdıv] ADJ hermético

sect [sekt] N secta *f*

section [sékʃən] N sección *f*; (of a chapter) apartado *m*; (passage) trozo *m*; (of a city) sector *m*; (incision) corte *m*; (of orange) gajo *m*; VT seccionar

sector [sékta-] N sector *m*

secular [sékjələ-] ADJ secular; N seglar *mf*, lego -ga *mf*

secure [sıkjúr] ADJ (certain, safe) seguro; (firm) firme; VT (make certain, guarantee) asegurar, afianzar; (make firm) afirmar, cimentar; (obtain) obtener; (protect) proteger; (lock) cerrar con llave; (capture) capturar; (tie) amarrar

security [sıkjúrıdi] N (safety, freedom from worry) seguridad *f*; (guarantee) fianza *f*, garantía *f*; (guarantor) fiador -ora *mf*; **securities** valores *m pl*

sedan [sıdæn] N sedán *m*

sedate [sıdét] ADJ sosegado, tranquilo; VT sedar

sedation [sıdéʃən] N sedación *f*

sedative [sédətıv] ADJ & N calmante *m*, sedante *m*

sedentary [sédṇteri] ADJ sedentario

sediment [sédəmənt] N sedimento *m*; (dregs) heces *f pl*

sedition [sıdíʃən] N sedición *f*

seduce [sıdús] VI/VT seducir (a)

seduction [sıdákʃən] N seducción *f*

see [si] VI/VT (perceive, find out, meet, visit) ver; (understand) entender; (make sure) fijarse, asegurarse; (date) salir con; (help) ayudar; (accompany) acompañar; **to — to** encargarse de, atender; **let me — a** ver; **to — off** despedir; **to — through someone** calar a alguien; **to — about** ocuparse de; **to — out** acompañar a la puerta; N sede *f*

seed [sid] N (grains) semilla *f*; (semen) simiente *f*; **to go to —** echarse a perder;

— **bed** semillero *m*; VI/VT (sow) sembrar; VT despepitar, quitar las semillas; (player) clasificar; VI producir semillas

seedy [síɾi] ADJ sórdido

seek [sik] VT (search for) buscar; (ask for) pedir; **to — after** buscar; **to — to** tratar de, esforzarse por

seem [sim] VI parecer; **they — to be here** parece que están aquí; **it —s to me** me parece

seemingly [símiŋli] ADV aparentemente

seep [sip] VI/VT rezumar(se)

seer [sir] N vidente *mf*

seesaw [sísɔ] N balancín *m*, subibaja *m*; VI oscilar

seethe [sið] VI bullir, hervir; **he was seething** hervía de rabia

segment [ségmənt] N segmento *m*

segregate [ségrɪget] VI/VT segregar

seismic [sáɪzmɪk] ADJ sísmico

seize [siz] VT (grab) asir, agarrar; (take possession) apoderarse de; (take advantage of) aprovecharse de; (confiscate) embargar, incautarse de, secuestrar; **to — upon** asir; VI **to — (up)** agarrotarse; **to — upon** valerse de

seizure [síʒɚ] N (of power) toma *f*; (of property) confiscación *f*; (of drugs, guns) incautación *f*, secuestro *m*; (epileptic) ataque *m*

seldom [séldəm] ADV rara vez, raramente

select [sɪlékt] ADJ selecto; VI/VT elegir, seleccionar

selection [sɪlékʃən] N selección *f*, elección *f*

selective [sɪléktɪv] ADJ selectivo

self [sɛlf] N (ego) yo *m*; —**assurance** desenvoltura *f*; —**control** autocontrol *m*; —**defense** defensa propia *f*; (juridical term) legítima defensa *f*; —**denial** abnegación *f*; —**discipline** autodisciplina *f*; —**esteem** autoestima *f*; —**government** autogobierno *m*; —**help** autoayuda *f*; —**image** autoimagen *f*; —**improvement** mejora personal *f*; —**interest** interés personal *m*; —**made man** hombre que debe su éxito a sus propios esfuerzos *m*; —**pity** autocompasión *f*; —**reliance** independencia *f*; —**respect** amor propio *m*; —**sacrifice** sacrificio *m*; —**satisfaction** autosatisfacción *f*; **his better** — su lado bueno *m*; **his former** — lo que era antes *m*; ADJ —**assured** desenvuelto; —**centered** egocéntrico; —**composed** tranquilo; —**confident** con confianza de sí mismo; —**conscious** (shy) cohibido; (with complexes)

acomplejado; —**destructive** autodestructivo; —**employed** que trabaja por cuenta propia; —**evident** evidente; —**explanatory** claro, fácil de entender; —**propelled** autopropulsado; —**righteous** que afecta superioridad moral; —**satisfied** pagado de sí, satisfecho de sí; —**service** autoservicio; —**serving** interesado; —**sufficient** autosuficiente

selfish [sélfɪʃ] ADJ egoísta

selfishness [sélfɪʃnɪs] N egoísmo *m*

selfless [sélflɪs] ADJ desinteresado, generoso

sell [sɛl] VI/VT vender(se); **this book sold a thousand copies** se vendieron mil ejemplares de este libro; **to be sold on** estar entusiasmado con; **to — out** (dispose of) liquidar; (betray) traicionar, vender; (run out) agotarse; N —**off** (liquidation) liquidación *f*; (decline) baja *f*; —**out** traición *f*

seller [sélɚ] N vendedor -ora *mf*

semantics [sɪmǽntɪks] N semántica *f*

semblance [sémbləns] N apariencia *f*

semester [səméstɚ] N semestre *m*

semicircle [sémɪsɚkəl] N semicírculo *m*

semicolon [sémɪkolən] N punto y coma *m*

semiconductor [sɛmikəndáktɚ] N semiconductor *m*

semifinal [sémɪfaɪnəl] ADJ & N semifinal *f*

seminar [sémənɑr] N seminario *m*

seminary [sémǝneri] N seminario *m*

Semitic [səmíɾɪk] ADJ semítico

senate [sénɪt] N senado *m*

senator [sénəɾɚ] N senador -ora *mf*

send [sɛnd] VT enviar, mandar; **that sent chills down my spine** me dio escalofríos; **to — away** hacer salir; **to — for** mandar buscar a; **to — in** remitir; **to — out for** encargar; **to — word** mandar decir

sender [séndɚ] N remitente *m*

Senegal [sénɪɡɔl] N Senegal *m*

Senegalese [sɛnɪɡəlíz] ADJ & N senegalés -esa *mf*

senile [sínaɪl] ADJ senil, chocho

senility [sɪnílɪɾi] N senilidad *f*, chochera *f*, chochez *f*

senior [sínjɚ] ADJ (with more seniority) más antiguo; (in school) de cuarto año; (for the elderly) para ancianos; **John Smith —** John Smith padre; N (person of higher rank) superior *mf*; (fourth year student) estudiante de cuarto año *mf*; (elderly person) persona de la tercera edad *f*; **to be somebody's —** ser mayor que alguien; — **citizen** persona de la tercera edad *f*

seniority [sinjúriti] n antigüedad f

sensation [senséfan] n sensación f

sensational [senséfanəl] adj sensacional

sense [sens] n (of humor, honor, direction) sentido m; (of pain, insecurity) sensación f; (meaning) significado m, sentido m; **to make** — tener sentido; **to make** — **of something** entender algo; **in a** — en cierto sentido; **to take leave of one's** — **s** volverse loco; **to come to one's** — **s** — (wake up) volver en sí; (be reasonable) recobrar el juicio; vt (perceive) percibir, sentir; (intuit) intuir

senseless [sénslis] adj (meaningless) sin sentido; (unconscious) inconsciente

sensibility [sensəbíliti] n sensibilidad f

sensible [sénsəbəl] adj sensato, razonable

sensitive [sénsitiv] adj (to emotions) sensible; (to stimuli) sensitivo

sensitivity [sensitíviti] n sensibilidad f

sensitize [sénsitaiz] vt sensibilizar

sensor [sénsɔr] n sensor m

sensory [sénsəri] adj sensorial

sensual [sénʃuəl] adj sensual

sensuality [senʃuǽliti] n sensualidad f

sensuous [sénʃuəs] adj sensual

sentence [séntəns] n (to prison) sentencia f, condena f; (phrase) oración f; vt

sentiment [séntəmənt] n sentimiento m

sentimental [sentɪméntl] adj sentimental; (excessively) sensiblero

sentimentality [sentɪməntǽliti] n sentimentalismo m; (excessive) sensiblería f

sentinel [séntɪnəl] n centinela m

sentry [séntri] n centinela m; — **box** garita f

separate [sépərɪt] adj (apart) separado; [séparet] vi/vt separar(se)

separation [sepəréfan] n separación f

Sephardi [səfárdi] n sefardí mf; sefardita mf

September [septémbər] n septiembre m

sequel [síkwəl] n continuación f

sequence [síkwəns] n (of events) secuencia f; **in** — en orden; vt secuenciar

serenade [sérənéd] n serenata f, ronda f; vt dar (una) serenata (a), rondar (a)

serene [sərín] adj sereno

serenity [sərénɪti] n serenidad f

serial [síriəl] n novela por entregas f; adj (published in installments) por entregas; (murder) en serie

series [síriz] n serie f

serious [síriəs] adj serio; (illness) grave

seriousness [síriəsnəs] n seriedad f; (of an illness) gravedad f

sermon [sə́rmən] n sermón m

serpent [sə́rpənt] n sierpe f

serrated [sɛ́retɪd] adj serrado

serum [sírəm] n suero m

servant [sə́rvənt] n sirviente -ta mf, criado -da mf

serve [sɜrv] vi/vt (in a restaurant, in a store) servir, atender; (in tennis) sacar; **to** — **a term in prison** cumplir una condena; **to** — **a warrant** entregar una orden judicial; **to** — **as** servir de; **to** — **notice** advertir; **to** — **one's purpose** resultarle útil a alguien; **it** — **s me right** me lo merezco; n saque m

server [sɜ́rvə-] n (one who serves) servidor -ra mf; (in a restaurant) camarero -ra mf; (for repairs) reparador -ra mf; (computer) servidor m

service [sɜ́rvɪs] n servicio m; (in tennis) saque m; (of a warrant) entrega f; **at your** — a su servicio; — **entrance** entrada de servicio; — **man** (soldier) militar m; (for repairs) reparador m; — **station** estación de servicio f; vt (a car) revisar; (an industry) atender, servir; (a debt) pagar

serviceable [sɜ́rvɪsəbəl] adj (practical) práctico; (durable) duradero

servile [sɜ́rvaɪl] adj servil

servitude [sɜ́rvɪtud] n servidumbre f

sesame [sésəmi] n sésamo m

session [séʃən] n sesión f; (semester) semestre m; (of Congress) período de sesiones m

set [sɛt] vt (place) colocar; (fix) fijar; establecer; (sic) azuzar; (print) componer; vi (cement) fraguar; (jelly) cuajar; (sun) ponerse; (glue) endurecerse; **to** — **a bone** reducir un hueso dislocado; **to** — **a diamond** engastar un diamante; **to** — **a precedent** establecer un precedente; **to** — **a trap** tender una trampa; **to** — **a poem to music** ponerle música a un poema; **to** — **an example** dar ejemplo; **to** — **about** disponerse a; **to** — **aside** apartar; **to** — **back** (hinder, make earlier) atrasar; (cost) costar; (a clock) retrasar; **to** — **forth** exponer; **to** — **forth on a journey** ponerse en camino; **to** — **free** librar; **to** — **off** (make explode) hacer estallar; (start on a journey) ponerse en camino; (intensity) resaltar; **to** — **one's heart on** tener la esperanza puesta en; **to** — **one's mind on** resolverse a; **to** — **out for** partir para; **to** — **out to** proponerse; **to** — **right** rectificar; **to** — **the table** poner la mesa;

to — up tender; (establish) establecer; **to — upon someone** acometer a alguien; (of a fixed idea) fijo; (ready) listo; (hard) duro; — **ensemble** juego m; (group) conjunto m; (TV) aparato m; (scenery) escenario m; (of tennis) set m; — **back** revés m; — **of teeth** dentadura f; — **up** (arrangement) arreglo m; (assembly) montaje m; (trap) trampa f

setter [sɛtər] N setter m

setting [sɛtɪŋ] N (act of putting down) colocación f; (jewel) engaste m; (in theater) escenario m; (of sun, moon) puesta f; — **sun** sol poniente m

settle [sɛdl] VT (a territory) colonizar, poblar; (affairs) arreglar; (argument) zanjar; (lawsuit) arreglar; (an estate) liquidar; (a bill) saldar, solventar; (one's nerves) calmar; VI (end a dispute) llegar a un arreglo; (take up residence) establecerse; (alight) posarse; (sink to bottom) depositarse; **to — down** (get married) casarse; (mend one's ways) sentar cabeza; (take up residence) instalarse; (become calm) calmarse; **to — on a date** fijar/señalar una fecha; **to — for** conformarse con; **to — up** pagar

settlement [sɛdlmənt] N (community) colonia f; población f; (agreement) acuerdo m; (of a lawsuit) arreglo m; (of a bill) pago m; finiquito m; (final disposition) liquidación f

settler [sɛtlər] N colono -na mf; poblador -ra mf

seven [sɛvən] NUM siete

seventeen [sɛvəntin] NUM diecisiete

seventh [sɛvənθ] ADJ séptimo

seventy [sɛvənti] NUM setenta

sever [sɛvər] VT (an arm) cortar; (relations) romper

several [sɛvə-əl] ADJ varios

severe [səvɪr] ADJ (criticism, standards) severo; (winter, test) duro; (storm, heat) intenso; (illness) grave

severity [səvɛrɪti] N (of criticism, standards) severidad f; (of water, test) dureza f; (of storm, heat) intensidad f; (of illness) gravedad f

sew [so] VI/VT coser

sewage [suɪdʒ] N aguas negras f pl; — **system** alcantarillado m

sewer [suə-] N alcantarilla f, cloaca f; colector m

sewing [soɪŋ] N costura f; — **machine** máquina de coser f

sex [sɛks] N sexo m; — **appeal** atractivo

sexual [sɛkʃuəl] ADJ sexual; — **symbol** símbolo sexual m; VT sexar

sexism [sɛksɪzəm] N sexismo m

sexist [sɛksɪst] N sexista m

sexton [sɛkstən] N sacristán m

sexual [sɛkʃuəl] ADJ sexual; — **assault** violación f; — **harassment** acoso sexual m

sexuality [sɛkʃuælɪti] N sexualidad f

sexy [sɛksi] ADJ sexy, morboso

Seychelles [seʃɛlz] N Seychelles f pl

shabby [ʃæbi] ADJ (worn, gastado; (slovenly) andrajoso; (sawdry) sórdido; (mean) mezquino; **not too —** no está mal

shack [ʃæk] N casucha f, choza f

shackle [ʃækəl] N grillete m; — **s** cadenas f pl, grillos m pl; VT (put in chains) engrillar; (impede) estorbar

shad [ʃæd] N sábalo m

shade [ʃed] N (shadow) sombra f; (nuance) matiz m; (for windows) persiana f; (phantom) espectro m; (of a lamp) pantalla f; **a — longer** un poco más largo; **in the —** a la sombra; — **s** lentes negros/oscuros m pl; Sp gafas de sol f pl; VT (protect from sun) sombrear, dar sombra; (darken a picture) sombrear

shadow [ʃædo] N (dark image, shade) sombra f; (phantom) espectro m; **in the — of** a la sombra de; **without a — of doubt** sin sombra de duda; VT (darken) sombrear; (make gloomy) ensombrecer; **to — someone** seguirle la pista a alguien

shady [ʃedi] ADJ sombreado, umbrío; — **character** sospechoso m; — **dealings** negocios turbios m pl

shaft [ʃæft] N (of a mine) pozo m; (of a feather) cañón m; (of an elevator) hueco m; (of an arrow) asta f

shaggy [ʃægi] ADJ peludo, lanudo

shake [ʃek] VI/VT (tremble) temblar; (move back and forth) sacudir(se); (in order to mix) agitar(se); (elude) deshacerse de; **to — hands** darse la mano; **to — one's head** menear la cabeza; **to — with cold** tiritar; **to — with fear** temblar de miedo; **to — off** (a cold, disappointment, etc.) deshacerse de; (depression) librarse de; **to — up** (a liquid) agitar; (a person) trastornar; N (violent) sacudida f; (of milk) batido m; — **hand—** apretón de manos m; **the —s** escalofríos m pl; — **up** reorganización f

shaky [ʃeki] ADJ (hand) tembloroso; (start) vacilante

shall [ʃæl] V AUX **I — come** vendré; — **I help you?** ¿te ayudo? **thou shalt not steal** no robarás

shallow [ˈʃælo] adj (plate) llano; (water) poco profundo; (breathing) superficial; (explanation) superficial, somero

shallowness [ˈʃælonis] n (of plate) lo llano; (of water) poca profundidad f; (of person) superficialidad f

sham [ʃæm] n (hoax) farsa f; (trickster) farsante m/f; — **battle** simulacro de batalla m

shambles [ˈʃæmbəlz] n desorden m, caos m

shame [ʃeim] n (embarrassment) vergüenza f; (dishonor) deshonra f; (pity) lástima f; — **on you!** ¡qué vergüenza! **to bring — upon** deshonrar; vt avergonzar

shameful [ˈʃeimfəl] adj vergonzoso

shameless [ˈʃeimlis] adj desvergonzado, descarado

shamelessness [ˈʃeimlisnis] n desvergüenza f

shampoo [ʃæmˈpu] n (product) champú m; (wash) lavado del cabello m; vt/vi lavar con champú

shamrock [ˈʃæmrak] n trébol m

shank [ʃæŋk] n (part of leg) canilla f; (cut of meat) pierna f, pata f; espinilla f

shanty [ˈʃænti] n casucha f; **Sp** chabola f; — **town** suburbio m

shape [ʃeip] n (form) forma f; (condition) condición f; (silhouette) bulto m; **to be in bad** — andar mal; **to get in — up** ponerse en forma; vt dar forma a; — **up** reformarse

shapeless [ˈʃeiplis] adj informe

share [ʃɛr] n (portion) parte f, porción f; (stock) acción f; — **cropper** aparcero m; — **holder** accionista m/f; vt/vi compartir; **to — in** participar en

shark [ʃark] n (fish) tiburón m; (swindler) estafador -ra m/f

sharp [ʃarp] adj (blade) afilado, filoso; (needle) puntiagudo; (curve) cerrado; (contrast) marcado, nítido; (smell) acre; (wind) cortante; (pain) punzante; (remark) mordaz, agudo; (mind) perspicaz; (musical note) sostenido; (dresser) elegante; (cheese) picante; (ear) fino; — **eye** vista aguzada f; — **tongued** mordaz; — **witted** agudo; — **shooter** tirador -ra de primera m/f; n sostenido m

sharpen [ˈʃarpən] vt/vi (knife) afilar(se); vt (pencil) sacar punta a; (skill) afinar

sharpness [ˈʃarpnis] n (of a blade) lo afilado; (of a needle) lo puntiagudo; (of a curve) lo cerrado; (of a contrast) nitidez f; (of a remark) acritud f; (of pain) intensidad f; (of a smell) acritud f; (of a mind) perspicacia f, agudeza f; (of cheese) lo picante

shatter [ˈʃædɚ] vt/vi (glass) astillar(se); hacer(se) añicos; (nerves) destrozar(se); (health) quebrantar(se); (hopes) frustrar

shave [ʃeiv] vt/vi (beard, legs) afeitar(se); rasurar(se); vt (wood) cepillar; (graze) rozar; **to — off** rapar; afeitado m; **he had a close** — se salvó por poco

shaver [ˈʃeivɚ] n afeitadora f

shavings [ˈʃeivɪŋz] n virutas f pl

shawl [ʃɔl] n mantón m, chal m

she [ʃi] pron ella; — **who** la que, quien; n — **bear** osa f

sheaf [ʃif] n (of corn) gavilla f; (of arrows) haz m; (of paper) fajo m

shear [ʃɪr] vt/vi esquilar, trasquilar; n — **s** (for sheep) tijeras para esquilar f pl; (for plants) tijeras para podar f pl; (for metal) cizallas f pl; (for hair) tijeras de peluquero f pl

shearing [ˈʃɪrɪŋ] n esquila f, esquileo m

sheath [ʃiθ] n (of sword, peas) vaina f; (of knife, umbrella) funda f

sheathe [ʃið] vt (a sword) envainar; (a knife) enfundar

shed [ʃɛd] n (cobertizo m, galpón m, tinglado m; vt (tears) derramar; (light) arrojar; (leaves) perder; (skin, hair) mudar, perder; vi (be waterproof) ser impermeable; (lose hair) pelechar; (lose leaves) deshojarse; (lose skin) mudar la piel

sheen [ʃin] n brillo m

sheep [ʃip] n oveja f; — **dog** perro pastor m; ovejero m; — **skin** (hide) piel de oveja f; (leather) badana f; (parchment) pergamino m; (diploma) diploma m

sheepish [ˈʃipɪʃ] adj vergonzoso, tímido

sheer [ʃɪr] adj (absolute) puro, total; (fine) fino; (vertical) vertical, acantilado

sheet [ʃit] n (bedding) sábana f; (of ice) capa f; (of paper) hoja f; (of glass) lámina f; (of rain) cortina f; — **metal** chapa de metal f; — **music** música en hojas de partitura f

shelf [ʃɛlf] n estante m, repisa f, anaquel m; (of rock) saliente f

shell [ʃɛl] n (turtles, snail) caparazón f; (mollusk) concha f; (of egg, nut) cáscara f; (of peas) vaina f; (of a ship) casco m; (of a building) armazón m; (of artillery) proyectil m; (of a rifle) cartucho m; — **fish** mariscos m pl; (nuts, eggs) pelar; (peas) desgranar; (military target) bombardear

shelter [ˈʃɛltɚ] n (refuge) refugio m, resguardo m, abrigo m; **to take** — refugiarse; guarecerse; vt/vi (take or give refuge) refugiar(se), resguardar(se), abrigar(se)

shelve [ʃɛlv] vt (place on a shelf) colocar en un estante; (defer) archivar shepherd [ʃépə-d] n pastor m; (dog) perro pastor

sherbet [ʃ3-bit] n sorbete m

sheriff [ʃérif] n alguacil m

sherry [ʃéri] n jerez m

shield [ʃild] n escudo m; vt/vr (protect) escudar(se); vr (conceal) ocultar

shift [ʃift] vi/vt (gears) cambiar; to — for oneself arreglárselas solo; to — the blame echar la culpa a otro; n (of gears, of wind) cambio m; (dress) vestido suelto m; (of workers) turno m; — key tecla (de) mayúscula f

shiftless [ʃíftlis] adj holgazán

shimmer [ʃímə] vi titilar; n titileo m

shin [ʃin] n espinilla f, canilla f; vi to — up trepar

shine [ʃain] vi brillar, relucir; vt (shoes) limpiar, lustrar; (furniture) lustrar; n brillo m, resplandor m; (of shoes) lustre m

shingle [ʃíŋgl] n (on roof) teja f; (sign) chapa f; —s culebrilla f, zona f; to hang out one's — abrir un consultorio; vt cubrir con tejas

shiny [ʃáini] adj (bright) brillante; (worn) brilloso

ship [ʃip] n (on water) buque m, navío m (in air) avión m; —builder n constructor naval m; —mate n camarada de a bordo m; —wreck n naufragio m; —yard n astillero m; —shape adj ordenado; vt to — off sacarse de encima; vi to —wreck hacer naufragar; transportar; to —wreck naufragar

shipment [ʃípmənt] n cargamento m, remesa f

shipper [ʃípə] n (sender) expedidor m, (carrier) transportista mf

shipping [ʃípiŋ] n envío m; — charges gastos de envío m pl; — and handling gastos de envío m pl

shirk [ʃ3-k] vt evadir, esquivar, rehuir

shirt [ʃ3-t] n camisa f; in — sleeves en mangas de camisa; —tail faldón m

shiver [ʃívə] vi (from cold) tiritar; (from cold, fear, etc.) temblar; n temblor m; —s escalofríos m pl

shoal [ʃol] n (sandbank) bajo m, banco de arena m; (school of fish) banco m, bandada f

shock [ʃak] n (impact, disturbance) choque m; (of electricity) sacudida f; (of wheat) hacina f; (physical convulsion) shock m; — absorber amortiguador m; — of hair guedeja f; — troops tropas de choque f pl; — wave onda expansiva f; vt (bewilder) chocar, horrorizar, azorar; (discharge electricity) dar una descarga eléctrica; (make bundles of grain) hacer gavillas de

shocking [ʃákiŋ] adj chocante, escandaloso

shoddy [ʃádi] adj ordinario

shoe [ʃu] n zapato m; (for brakes) zapata f; —horn n calzador m (for horses) herradura f; — lace n cordón m; —maker n zapatero remendón m; —store n zapatería f; —string n cordón m; to live on a —string vivir con poco dinero; to tie one's —s atarse los zapatos; vt (a person) calzar; (a horse) herrar

shoo-in [ʃúin] n favorito -ta mf

shoot [ʃut] vt (wound with a bullet) pegar un tiro, abatir; (discharge a firearm) disparar; (film a movie) rodar; vi (discharge bullet, arrow) disparar, tirar; (be discharged) dispararse; (hunt with a gun) cazar; (germinate) brotar; (throw) lanzar; (take a photo) fotografiar; (film) filmar; (kick a ball) chutar; to — at disparar a, tirar a; to — by pasar rápidamente; to — down (plane) derribar; (argument) refutar; to — forth brotar; to — up (grow) crecer rápidamente; (damage by shooting) tirotear; (inject drugs) chutar; n (new growth) yema f, retoño m; vástago m; (filming) rodaje m

shooter [ʃútə] n (of guns) tirador -ra mf; (of balls, soccer) goleador -ra mf

shooting [ʃútiŋ] n (discharge of a gun) tiro m, disparo m; (exchange of shots) tiroteo m; — match concurso de tiro m; — pain punzada f; — star estrella fugaz f

shop [ʃap] n (store) tienda f; (artisan's place of business, carpentry course) taller m; (business) planta f; —keeper n tendero -ra mf; —lift vt hurtar; —lifter n ratero -ra mf; — window n escaparate m, vitrina f, vidriera; to talk — hablar de negocios; vi ir de compras; to — for ir a comprar; —per [ʃápə] n cliente -ta mf, comprador -ra mf

shopping [ʃápiŋ] n to go — ir de compras; — center n centro comercial m

shore [ʃor] n costa f, ribera f; (of a lake) orilla f; vt to — up apuntalar

short [ʃort] adj (not long in duration) corto, breve; (not long in length) corto; (not tall) bajo; (scanty) escaso; (curt) brusco; — circuit n cortocircuito m; — comings n pl limitaciones f pl; — cut atajo m, cortada f; —fall n agüero m; —hand n taquigrafía f; —handed adj escaso de personal; —legged adj de piernas cortas; —sighted adj miope, corto de vista; **— story** cuento *m*; **—wave** onda corta *f*; **in the — run (haul, term)** a corto plazo; **for —** para abreviar; **in —** en resumen, en suma; **in — order** rápidamente; **to be — on** estar escaso de, estar alcanzado de; **to be — on something** faltarle a uno algo; **to cut —** interrumpir; **I'm running — on sugar** se me está acabando el azúcar; ADV **to stop —** parar de repente, parar en seco; **to come up —** quedarse corto; N (circuit) cortocircuito *m*; **—s** short *m*, pantalón corto *m*; VI/VT (a circuit) cortocircuitar(se); (change) dar de menos; **to —change** dar de menos; **to — out** fundir

shortage [ʃɔ́rdɪdʒ] N escasez *f*, penuria *f*

shorten [ʃɔ́rtn̩] VI/VT acortar(se); VT recortar

shortening [ʃɔ́rtnɪŋ] N (lard) manteca *f*; (abbreviation) acortamiento *m*

shortly [ʃɔ́rtli] ADJ (soon) en breve, pronto; (curtly) bruscamente, secamente

shortness [ʃɔ́rtnɪs] N (of length, height) cortedad *f*; (of time) brevedad *f*; (of breath) falta *f*; (of a reply) brusquedad *f*

shot [ʃɑt] N (discharge) tiro *m*, disparo *m*; (photograph) foto *f*; (pellet) perdigón *m*, plomo *m*; (ball in shot-putting) bala *f*; (injection) inyección *f*; (swallow) trago *m*; (throw) tirada *f*; **—gun** escopeta *f*; **— put** lanzamiento de bala *m*; **not by a long —** ni con mucho; **he is a good —** tiene buena puntería; **to take a —** disparar; **to take a — at** intentar

should [ʃud] V AUX **I — think so** ya lo creo; **you — arrive before nine** deberías llegar antes de las nueve; **you — eat less** tendrías que comer menos; **you — have seen her** tendrías que haberla visto; **were he to come, I — be pleased** si viniera, me alegraría

shoulder [ʃóldɚ] N (of a person, coat) hombro *m*; (cut of meat) paletilla *f*; (of a road) arcén *m*; **— blade** (person) homóplato *m*; (animal) paletilla *f*; **to turn a cold — to** hacerle el vacío a; **the responsibility is on your —s** tú tienes la responsabilidad; VT (a load) cargar al hombro; (an expense) cargar con, asumir; (a door) empujar con el hombro

shout [ʃaut] VI/VT gritar; N grito *m*

shove [ʃʌv] VI/VT empujar; **to — aside** echar a un lado; **to — off** (go away) largarse; (push off) desatracar; N empujón *m*, empellón *m*

shovel [ʃʌ́vəl] N pala *f*; VT echar con la pala

show [ʃo] VT (exhibit) mostrar, manifestar; (prove) demostrar; (indicate) indicar,

marcar; (a film, a TV program) dar; VI (be visible) verse, asomar; (make an appearance) aparecerse; **— him in** hazle entrar; **to — a film** dar una película; **to — mercy** tener piedad; **to — off** hacer alarde, aparentar; **to — up** aparecer; **to — someone up** poner en evidencia; **to — the way** señalar el camino; N (exhibition) exposición *f*; (display) demostración *f*; (ostentation) ostentación *f*, alarde *m*; (performance) espectáculo *m*; (showing) función *f*; (on TV) programa *m*; (movie theater) cine *m*; **— business** farándula *f*; **—case** vitrina *f*; **to —case** presentar; **—down** confrontación *f*; **—off** fanfarrón -ona *mf*; **to go to the —** ir al cine

shower [ʃáuɚ] N (rain) aguacero *m*, chubasco *m*; (bath) ducha *f*; (for brides) fiesta para novias *f*; (of sparks, blows) lluvia *f*; VI (bathe) ducharse; (rain) llover; VT (with gifts) inundar; (with praise) colmar

showy [ʃói] ADJ ostentoso; (attractive) vistoso

shred [ʃred] N (of paper) tira *f*; (of evidence) pizca *f*; **to be in —s** estar hecho jirones; **to tear to —s** hacer trizas; VI/VT (documents) triturar; (vegetables) rallar

shrew [ʃru] N (animal) musaraña *f*; (woman) arpía *f*

shrewd [ʃrud] ADJ astuto, sagaz

shriek [ʃrik] VI/VT chillar; N chillido *m*

shrill [ʃrɪl] ADJ chillón

shrimp [ʃrɪmp] N (animal) camarón *m*; (small person) renacuajo *m*; VI pescar camarones

shrine [ʃraɪn] N (chapel) capilla *f*; (altar) altar *m*

shrink [ʃrɪŋk] VI/VT encoger; VI (value) reducirse; **to — from** retroceder; N *fam* loquero -ra *mf*

shrinkage [ʃríŋkɪdʒ] N (of clothes) encogimiento *m*; (of value) reducción *f*

shrivel [ʃrívəl] VI/VT secar(se), marchitar(se)

shroud [ʃraud] N mortaja *f*; VT (to wrap for burial) amortajar; (to hide) cubrir

shrub [ʃrʌb] N arbusto *m*

shrug [ʃrʌg] VI encogerse de hombros; VT encogerse de; **to — off** minimizar, ignorar; N encogimiento de hombros *m*

shudder [ʃʌ́dɚ] VI (from cold) tiritar; (from fear) temblar, estremecerse; N temblor *m*, estremecimiento *m*

shuffle [ʃʌ́fəl] VT (mix) mezclar; VI (walk) arrastrar los pies; (dance) bailar arrastrando los pies; VI/VT (cards) barajar; **to — along** ir arrastrando los pies; N (of cards) barajadura *f*; (of feet) arrastrapiés *m sg*

shun [ʃʌn] VT rehuir, evitar

shut [ʃʌt] vt/vi cerrar(se); to — **down** cerrar;
to — **off** cortar; to — **out** impedir la
entrada de; to — **up** (close) cerrar bien;
(lock up) encerrar; (be quiet) callarse;
— **down** cese de actividades m; —**eye**
sueño m; —**in** enfermo -ma confinado
-da a la casa mf

shutter [ʃʌdɚ] n (of a window) postigo m,
contraventana f (of a camera) obturador
m

shuttle [ʃʌdl] n (in loom) lanzadera f;
(spacecraft) transbordador espacial m;
(airplane) puente aéreo m; (bus, train)
servicio regular m; vi ir y venir; vt llevar y
traer

shy [ʃaɪ] adj tímido, retraído; (wary) esquivo;
(lacking) escaso; vi asustarse, respingar; to
— **away** (start) asustarse, respingar;
(avoid) esquivar

shyness [ʃaɪnəs] n timidez f, retraimiento m

shyster [ʃaɪstɚ] n fam picapleitos m sg

sic [sɪk] vt azuzar

sick [sɪk] adj (ill) enfermo; (deranged)
enfermizo, morboso; (at heart) angustiado;
— **and tired** harto; to be — **of** estar
harto de; to be — **to one's stomach**
tener náuseas; to **make** — (disgust) dar
asco; (anger) dar rabia, enfermar; — **leave**
licencia por enfermedad f

sicken [sɪkən] vi/vt (with illness)
enfermar(se), poner(se) enfermo; (to
disgust) dar asco; (to anger) dar rabia,
enfermar

sickening [sɪkənɪŋ] adj repugnante

sickle [sɪkl] n hoz f; — **cell anemia**
anemia falciforme f

sickly [sɪkli] adj enfermizo; enclenque

sickness [sɪknəs] n enfermedad f

side [saɪd] n lado m; (of coin, piece of paper)
cara f; (of a person) costado m; (of hill)
ladera f; (of beef) media res f; (of boat)
banda f; (team) equipo m; (garnish)
acompañamiento m; — **by** — uno al lado
del otro; **by his** — a su lado; **by the** —
of al lado de; **on all** — **s** por todos lados;
adj (on the side) lateral; (secondary)
secundario; —**arm** arma de mano f;
—**board** aparador m; —**burns** patillas f
pl; —**glance** mirada de soslayo / reojo f;
—**light** (illumination) luz lateral f; (detail)
detalle incidental m; —**line** (in sports)
línea de banda f; **to sit on the** —**lines**
no intervenir; to —**step** evitar, esquivar;
—**track** (a train) desviar; (attention)
distraer; —**walk** acera f; Mex banqueta f;
—**wall** flanco m; vi to — **with** ponerse

sideways [saɪdweɪz] adv (walk) de costado;
(glance) de soslayo; del lado de

siege [siːdʒ] n sitio m, asedio m, cerco m; to
lay — **to** sitiar

Sierra Leone [siɛˈloʊn] n Sierra Leona f

sieve [sɪv] n tamiz m, cedazo m

sift [sɪft] vt cerner, tamizar; to — **through**
revisar

sigh [saɪ] vi suspirar; n suspiro m

sight [saɪt] n (sense) vista f; (attraction)
punto de interés m; (ridiculous thing or
person) adefesio m, mamarracho m; (on a
gun) mira f; —**seeing** turismo m; **in** — a
la vista; **on** — en el acto; **he is out of** —
ya no se ve; **at first** — a primera vista; to
catch — **of** divisar; to **lose** — **of** perder
de vista; **you're a** — **for sore eyes**
dichosos los ojos que te ven; vt (a ship)
avistar, divisar; (a gun) apuntar

sign [saɪn] n (gesture) seña f, señal f;
(indication) muestra f, señal f; indicio m;
(placard) letrero m; (omen) agüero m,
presagio m; (astrological, mathematical)
signo m; (on road) cartel m, letrero m; vi/
vt (write name) firmar; (signal) hacer
señas (de); vt (hire) contratar; (use sign
language) hablar por señas; —**language**
lenguaje de signos m; to — **over**
property ceder una propiedad; to — **up**
(in a club) anotarse; (in the army) alistarse

signal [sɪgnəl] n señal f; vi/vt señalar, hacer
señas (a); adj notable

signature [sɪgnətʃə] n firma f

signer [saɪnə] n firmante mf; signatario -ria
mf

significance [sɪgnɪfɪkəns] n significación f

significant [sɪgnɪfɪkənt] adj significativo; **my**
— **other** mi media naranja f

signify [sɪgnəfaɪ] vt significar

silence [saɪləns] n silencio m; vt (child, fears)
acallar; (criticism) silenciar, enmudecer

silencer [saɪlənsə] n silenciador m

silent [saɪlənt] adj (machine) silencioso;
(person) callado, silencioso; — **agreement**
acuerdo tácito m; — **film**
película muda f

silhouette [sɪluˈɛt] n silueta f; vt **to be** —**d**
against perfilarse contra

silicon [sɪlɪkən] n silicio m

silicone [sɪlɪkoʊn] n silicona f

silk [sɪlk] n seda f; — **industry** industria
sedera f; — **worm** gusano de seda m

silken [sɪlkən] adj (of silk) de seda; (like silk)
sedoso

silky [sɪlki] adj sedoso

sill [sɪl] n alféizar m, antepecho m

silly [sɪli] adj necio, bobo, lelo

silo [sáilo] n silo m

silt [silt] n cieno m, limo m

silver [sílvə] n (metal, color) plata f; (tableware) cubiertos de plata m pl, (of silver) de plata; (silver-colored) plateado; — **anniversary** las bodas de plata f pl; — **plated** bañado en plata; — **plating** n plateado m; — **smith** n platero -ra m f; — **ware** cubiertos de plata m pl; vt platear; (a mirror) azogar

similar [símələ] adj semejante, similar

similarity [siməlǽriti] n semejanza f, parecido m

simile [síməli] n símil m

simmer [símə] vi/vt hervir a fuego lento; to — **down** calmarse

simple [símpəl] adj (uncomplicated) simple, sencillo; (naive) simple; — **minded** simplón

simpleton [símpəltən] n simplón -ona m f

simplicity [simplísiti] n (lack of complication) sencillez f, simplicidad f; (naivety) simpleza f

simplify [símpləfai] vt/vi simplificar

simplistic [simplístik] adj simplista

simulate [símjəlet] vt/vi simular

simultaneous [saiməltéiniəs] adj simultáneo

sin [sin] n pecado m; vi pecar

since [sins] conj (continuously) desde que; (inasmuch as) puesto que, ya que; prep (continuously) desde; (from a past time) a partir de; adv desde entonces; **ever** — desde entonces; **he died long** — murió hace entonces tiempo; **she has** — **agreed** después de eso consintió; **we have been here** — **five** estamos aquí desde las cinco

sincere [sinsír] adj sincero

sincerity [sinsérəti] n sinceridad f

sinew [sínju] n tendón m

sinewy [sínjui] adj (full of tendons) nervudo; (vigorous) membrudo; (chewy) estropajoso

sinful [sínfəl] adj (act) pecaminoso; (person) pecador

sing [sin] vi/vt cantar; — **song** sonsonete m

singe [sind] vt chamuscar, socarrar; n chamusquina f, socarrina f

singer [sínjə] n cantante m f

Singapore [síngəpɔr] n Singapur m

Singaporean [singəpɔriən] adj & n singapurense m f

single [síngəl] adj (only one) solo, único; (for one person) individual; (unmarried) soltero; — **bed** cama de una plaza f; — **entry bookkeeping** teneduría por partida simple f; — **file** fila india f; —**handed** solo, sin ayuda; — **minded** resuelto; — **spacing** sencillo; **every** — **one** cada uno; **not a** — **word** ni una sola palabra f; (bill) billete de uno m; (unmarried person) soltero -ra m f; (record) disco sencillo m; (in tennis) —**s** single m; vt to — **out** elegir

singular [síngjələ] adj & n singular m

sinister [sínistə] adj siniestro

sink [sink] vi/vt hundir(se); vr (invest) invertir; (dig) cavar; (put in ground) enterrar; **it finally sank in** finalmente nos dimos cuenta de eso; **to** — **one's teeth into** clavar los dientes en; **to** — **to one's knees** caer de rodillas; **sunk in thought** absorto; **my heart sank** se me fue el alma al piso; **the sun was —ing** se iba poniendo el sol; n (in the kitchen) fregadero m; (in the bathroom) lavabo m; (pond for sewage) pozo negro m; —**hole** socavón m, sumidero m

sinner [sínə] n pecador -ora m f

sinuous [sínjuəs] adj sinuoso

sinus [sáinəs] n seno m

sip [sip] vi/vt sorber; n sorbo m

siphon [sáifən] n sifón m; vi/vt (liquid) sacar con sifón; (money) desviar

sir [sə] n señor m

siren [sáirən] n sirena f

sirloin [sə-lin] n solomillo m

sissy [sísi] adj & n afeminado m

sister [sístə] n hermana f; —**in-law** cuñada f; — **Mary** Sor María f

sit [sit] vi sentar(se); (pose) posar; (be seated) estar sentado; (be located) estar situado; **to** — **down** sentarse; **to** — **in on a class** ir de oyente a una clase; **to** — **on** posponer; **to** — **out a dance** saltarse una pieza; **to** — **still** estarse quieto; **to** — **tight** mantenerse firme en su puesto; **to** — **up** incorporarse; **to** — **up all night** quedarse en vela; **to** — **well** caer bien; —**in** sentada f

sitcom [sítkam] n comedia de situación f

site [sait] n (for construction) terreno m, solar m; (on the Internet) sitio m

sitter [sítə] n niñera f

sitting [sítiŋ] n sesión f; **in one** — de una sentada, de un tirón; adj — **duck** blanco fácil m; — **room** cuarto de estar m

situated [sítjuetid] adj situado, ubicado

situation [sitjuéiʃən] n situación f

six [siks] num seis; — **pack** paquete de seis m; — **shooter** revólver de seis tiros m

sixteen [sikstín] num dieciséis

sixth [siksθ] adj & n sexto m

sixty [síksti] num sesenta

size [saiz] n tamaño m; (clothing) talla f; vt clasificar según el tamaño; **to — up** juzgar

sizeable, sizable [ˈsaizəbəl] adj de cierto tamaño considerable

sizzle [sizəl] vi chisporrotear; n chisporroteo m

skate [skeit] n patín m; vi/vr patinar; **— board** monopatín m

skein [skein] n madeja f

skeleton [ˈskelitən] n esqueleto m; osamenta f; (of a building) armazón m; **— key** llave maestra f

skeptic, sceptic [ˈskeptɪk] n escéptico -ca m/f

skeptical, sceptical [ˈskeptɪkəl] adj escéptico

skepticism, scepticism [ˈskeptɪsɪzəm] n escepticismo m

sketch [sketʃ] n (of a drawing) boceto m; croquis m; (outline) esbozo m; bosquejo m; (skit) sketch m; vt/vr (outline) bosquejar; (draw) dibujar

skew [skju] vt (cloth) segar; (data) tergiversar

skewer [skjuə-] n brocheta f

ski [ski] n esquí m; vi/vr esquiar (en); **— jump** (sport) salto con esquís m; (course) pista de saltos f; **— lift** telesquí m

skid [skid] n patinazo m; vi patinar

skill [skil] n destreza f, habilidad f; maña f

skilled [skild] adj diestro, habilidoso; **— worker** obrero -ra calificado -da m/f

skillet [skilit] n sartén f

skillful, skilful [skilfəl] adj diestro, habilidoso

skim [skim] vt (milk) desnatar; (a broth) espumar; (move near surface) rozar; vi/vr (read) leer por encima, repasar; **to — over** rozar; **— milk** Sp leche desnatada f, Am leche descremada f

skimp [skimp] vi escatimar; **to — on** escatimar

skimpy [skimpi] adj (funds) escaso; (dress) escaso; (bikini) pequeño

skin [skin] n piel f; (also of animal, sausage, potato); (of the face) cutis m, tez f; (for carrying wine) pellejo m; (of boiled milk) nata f; (of grapes) hollejo m; **— deep** superficial; **— diving** natación submarina m/f; **— flint** roña m/f; **— head** cabeza rapada m/f; **to save one's —** salvar el pellejo; **to be saved by the — of one's teeth** salvarse por un pelo; vt (animal) desollar, despellejar; (fruit) pelar; (a person) quitarle a uno el dinero

skinny [skini] adj flaco; **to — dip** nadar desnudo

skip [skip] vi (jump) brincar, ir dando saltos en un pie; (omit) saltarse; (bounce) rebotar; vt (a page) saltar(se); (class) faltar

skipper [skipə-] n (captain) -ona m/f, capitán -ana m/f; (jumper) saltador -ora m/f

skirmish [ˈskɜrmiʃ] n escaramuza f; vi escaramuzar

skirt [skɜrt] n falda f; vt bordear; **to — an issue** evitar un tema

skit [skit] n sketch m

skull [skʌl] n cráneo m, calavera f; **— and crossbones** calavera f

skunk [skʌŋk] n mofeta f; Am zorrillo m

sky [skai] n cielo m; **— blue** azul celeste m; **— diving** paracaidismo m; **— high** muy alto; **— lark** alondra f; **— light** claraboya f; **— line** horizonte m; **— scraper** f rascacielos m sg; **to — rocket** subir vertiginosamente

slab [slæb] n (of wood) trozo m; (of stone) losa f, laja f; (of meat) tajada f

slack [slæk] adj (not taut) flojo; (careless) descuidado; (sluggish) lento; **— season** temporada baja f; **to take up the —** llenar el vacío; **—s** pantalones m pl; vi holgazanear; **to — off** aflojar

slag [slæg] n escoria f

slalom [ˈslɑləm] n slálom m

slam [slæm] vi/vr cerrar(se) de un golpe; vt (hit) chocar; vt (throw down) hacer golpear; (criticize) criticar; **to — on the brakes** dar un frenazo; **to — the door** dar un portazo; n (blow) golpazo m; (criticism) crítica f; (of a door) portazo m

slander [ˈslændə-] n calumnia f, difamación f; vt calumniar, difamar

slanderous [ˈslændərəs] adj calumnioso, difamatorio

slang [slæŋ] n (jargon) jerga f; (argot) argot m

slant [slænt] n (orientation, bias) sesgo m; (of a roof) inclinación f; vi/vt (bias) sesgar; (slope) inclinar(se); ladear(se)

slap [slæp] n (to the body) palmada f; (to the face) bofetada f, torta f, cachetada f; (with a glove) guantada f; **— happy** aturdido; **— stick** de golpe y porrazo; **a — in the face** un desaire, un tirón de orejas; **a — on the back** una palmadita en la espalda; vt abofetear; **to — down** reprimir

slash [slæʃ] n (cut) acuchillar; Am tajear; vt (whip) azotar; (reduce) reducir, rebajar; n (sweeping stroke, wound) cuchillada f, tajo m; (typographical sign) barra f

slat [slæt] n tablilla f

slate [sleit] n (rock, roofing) pizarra f; (color) color pizarra m; (list of candidates) lista de candidatos f; vt empizarrar; **this**

building is —d for destruction se ha programado la demolición de este edificio

slaughter [slɔtər] — **house** matadero m; vt (animals) matar; (people, opponents) masacrar

slave [sleiv] n esclavo -va m/f; — **driver** capataz de esclavos m; — **labor** (workers) mano de obra esclava f; (work) trabajo de esclavos m; vi trabajar como esclavo -va

slavery [sleivəri] n esclavitud f

Slavic [slavik] adj eslavo

sleazy [slizi] adj (squalid) sórdido; (contemptible) despreciable

sled [sled] n trineo m

sledgehammer [sledʒhæmər] n almádena f

sleek [slik] adj (hair) lustroso; (sports car) elegante

sleep [slip] vi/vt dormir; it —**s three** tiene espacio para que duerman tres personas; to — **around** ser promiscuo; to — **in** dormir hasta tarde; to — **it off** dormir la mona; to — **something off** dormir para que desaparezca algo; to — **over** dormir en casa ajena; to — **together** acostarse juntos; to — **with** acostarse con; to — **on it** consultarlo con la almohada; n sueño m; to **go to** — dormirse; to **put to** — (put to bed) dormir a; (euthanize) sacrificar

sleeper [slipə] n (one who sleeps) persona que duerme f; (beam) durmiente m; (on a train) coche cama m; (unexpected success) éxito inesperado m; (sofa bed) sofá-cama f

sleepily [slipili] adv con somnolencia

sleepiness [slipinis] n sueño m, somnolencia f

sleeping [slipiŋ] n sueño m; adj dormido; — **bag** saco de dormir m; — **pill** píldora para dormir f, somnífero m; — **sickness** enfermedad del sueño f

sleepless [sliplis] adj (person) desvelado; (night) en blanco

sleepy [slipi] adj somnoliento, adormilado; **to be** — tener sueño

sleet [slit] n cellisca f; vi caer cellisca

sleeve [sliv] n manga f; **to have something up one's** —**s** tener algo en la manga

sleigh [slei] n trineo m; — **bell** cascabel m; vi pasar en trineo

sleight [slait] n — **of hand** prestidigitación f

slender [slendər] adj delgado, esbelto

sleuth [sluθ] n sabueso m

slice [slais] n (of bread, cheese) rebanada f; (of fruit) tajada f, raja f; (of meat) lonja f; vt cortar, rebanar, tajar

slick [slik] adj (unctuous) untuoso; (sly)

astuto; (slippery) resbaladizo

slicker [slikə] n impermeable m;

slide [slaid] vt/vi deslizar(se); to — **in** cerrar(se) deslizando; to — **out** abrirse deslizando; **to let something** — dejar pasar algo; n deslizamiento m; (playground equipment) tobogán m; (of a trombone) vara corredora f; (photographic) diapositiva f; (for microscopes) portaobjeto m

slight [slait] n desaire m; vt (snub) desairar; (reject) descuidar; adj (slim) delgado; (delicate) delicado, tenue; (small in degree) leve, ligero

slim [slim] adj delgado, esbelto; **a** — **chance** una posibilidad remota

slime [slaim] n (in rivers) limo m, fango m; (of snails) baba f (despicable person) es- ese- asqueroso m/f

slimy [slaimi] adj (muddy) fangoso; (slobbery) baboso, gomoso; (despicable) asqueroso

sling [sliŋ] n honda f (for arm) cabestrillo m; —**shot** (toy) tirachinas m sg, tirador m; (weapon) honda f; vt lanzar; **to** — **a rifle over one's shoulder** ponerse el rifle en bandolera

slink [sliŋk] vi (move furtively) andar furtivamente; (move provocatively) caminar provocativamente; **to** — **away** escurrirse

slip [slip] vi (slide) deslizarse; (slide accidentally) resbalar(se); (fail to engage) patinar; (deteriorate) empeorar; to (make slip) hacer resbalar; (put) meter; to — **away** escaparse, escabullirse; to — **by** correr; to — **in** meter(se); to — **one's dress on** ponerse el vestido; to — **out** (leave) salir inadvertido; (say inadvertently) escapársele a uno algo; to — **up** meter la pata; — **by** dejar pasar una **opportunity** oportunidad; it —**ped my mind** se me olvidó; it — **ped off** se zafó; n desliz m; (act of slipping) resbalón m, traspié m; (mistake) equivocación f; (pillow cover) funda f; (piece of paper) papeleta f, tira de papel f; (space for boats) embarcadero m; — **of the tongue** lapsus (linguae) m; —**Knot** nudo corredizo m; **Freudian** — acto fallido m

slipper [slipə] n zapatilla f, pantufla f

slippery [slipəri] adj resbaloso, resbaladizo; (evasive) evasivo, escurridizo

slipshod [slipʃɑd] adj chapucero

slit [slit] vt cortar a lo largo; **to** — **someone's throat** degollar a alguien; **to**

— into strips cortar en tiras; n raja f

slither [slíðə] vi serpentear, culebrear; n serpenteo m, culebreo m

sliver [slívə] n astilla f; vi/vt astillar(se)

slob [sláb] n (unkempt) dejado -da mf; (uncouth) bruto -ta mf

slobber [slábə] n baba f; vi/vt babosear, babear(se)

slogan [slógən] n eslogan m, lema m

slop [sláp] vi (splash) salpicar; (feed) dar de comer; n (pigswill) bazofia f; (mud) fango m

slope [slóp] vi/vt inclinar(se); n vertiente f, declive m, cuesta f; (in math) pendiente f

sloppiness [slápinis] n chapucería f

sloppy [slápi] adj (ground) fangoso; (splashed) salpicado; (slovenly) cochino; (poorly done) chapucero

slot [slát] n (for coins, letters) ranura f; (place in a series) casilla f; (job) puesto m; — **machine** tragamonedas inf sg, tragaperras inf sg; vt hacer una ranura

sloth [slóθ] n (vice) pereza f; (animal) perezoso m

slouch [sláutʃ] n (posture) encorvamiento m; (inept person) torpe mf; (lazy person) holgazán -ana mf; vi/vt (crouch) andar agachado, encorvar(se); (shuffle) andar caído de hombros

Slovakia [slováki.ə] n Eslovaquia f

Slovakian [slovákiən] adj & n eslovaco -ca mf

Slovene [slóvin] adj & n esloveno -na mf

Slovenia [slovíni.ə] n Eslovenia f

Slovenian [slovíniən] adj & n (of a person) desaseo m, desaliño m; (of work) descuido m

slovenly [slávənli] adj (unclean) desaseado; (unkempt) desaliñado

slow [slo] adj (not fast) lento, tardo; (running behind) atrasado; (sluggish) lerdo, torpe, pesado; adv lentamente, despacio; vi/vt **to — down — up** andar más despacio, frenar; **— down** (in business) disminución de actividades f; (in labor disputes) huelga de celo f; **in — motion** en cámara lenta

slowness [slónis] n (of speed) lentitud f; (of intelligence) torpeza f

slug [slʌg] n (bullet) bala f; (coin) moneda falsa f; (animal) babosa f (swallow) trago m; (blow with fist) puñetazo m; vt aporrear; **to — it out** agarrarse a puñetazos

sluggard [slʌgə-d] n holgazán -ana mf

sluggish [slʌgiʃ] adj (slow) lento; (torpid) aletargado, torpe

sluggishness [slʌgiʃnis] n torpeza f

sluice [slus] n (channel with a gate) esclusa f; (channel) canal m; — **gate** compuerta f

slum [slʌm] n barrio bajo m; — **s** tugurios m pl; — **lord** propietario de tugurio m; vi **to — it** divertirse visitar los barrios bajos; **to — it** divertirse en lugares de poca categoría

slumber [slʌmbə] vi dormitar; n sueño ligero m; — **party** fiesta de niñas que se quedan a dormir f

slump [slʌmp] vi (a person) desplomarse; (prices, markets) bajar repentinamente; n (in prices) baja repentina f; (in the economy) ralentización f; (in sports) mala racha f

slur [slə] vt (pronounce indistinctly) pronunciar mal; (connect notes) ligar; n (connection of notes) ligado m; (insult) insulto m

slush [slʌʃ] n (melted snow) nieve a medio derretir f; (sludge) nieve fangosa f; (mud) fango m; (refuse) desperdicios m pl; **— fund** (illicit fund) cuenta para fines ilícitos f; (petty cash) caja chica f

sly [slaɪ] adj astuto, taimado; **on the —** a escondidas

smack [smæk] n (taste) dejo m; Sp deje m; (kiss) beso ruidoso m; (loud eating) chasquido m; (slap) palmada f; (heroin) fam caballo m; vt (kiss) dar un beso ruidoso; (eat loudly) chascar, chasquear; (slap) dar una palmada; **to — of** tener un dejo de

small [smɔl] adj (not large) pequeño, chico; (of build) menudo; (narrow) estrecho; (lower case) minúsculo; (petty) mezquino; n (size) pequeño m; **— change** cambio suelto m; **— fry** gente menuda f; **— intestine** intestino delgado m; **— of the back** baja espalda f; **— pox** viruela f; **— talk** cháchara f; **to feel —** avergonzarse

smallness [smɔlnis] n pequeñez f

smart [smart] adj (intelligent) listo, inteligente; (astute) astuto; (stylish) elegante; **— alec, aleck** sabihondo -da mf; **— bomb** bomba inteligente f; **— money** inversión inteligente f; n escozor m; vi picar, escocer; **I'm —ing from his rude remarks** todavía me duelen sus groserías

smash [smæʃ] vt estrellar, destrozar; (a rebellion) aplastar; **to — into** estrellarse contra; n (sound) estrépito m; (blow) choque violento m; **a — hit** un éxito

smear [smɪr] vt (daub) untar; (spot, vilify) manchar; (blur) correrse; (defeat) reventar; **to — with paint** pintorrear, pintarrajear; n (stain) mancha f; (culture) frotis m; —

campaign campaña de difamación f

smell [smel] vt/vi oler; to — of oler a; **that** — huele mal, apesta; **to — up** apestar; n (odor) olor m; (sense) olfato m; — **of** olor a

smelly [smeli] adj hediondo, apestoso

smile [smail] vi sonreír(se); **to — approval** sonreír en aprobación; n sonrisa f

smiling [smailiŋ] adj risueño, sonriente

smirk [smɜːk] n sonrisa suficiente f; vi sonreír con suficiencia

smith [smiθ] n herrero -ra mf

smock [smɑk] n smog m

smoke [smok] n humo m; (cigarette) cigarro m, cigarrillo m; — **detector** detector de humo m, detector de incendios m; — **screen** cortina de humo f — **stack** chimenea f; **to have a** — fumar; vi (put off smoke) echar humo; (go fast) volar; vt (tobacco) fumar; (ham, fish, glass) ahumar; **to — out** (drive out) ahuyentar con humo; (expose) poner al descubierto

smoker [smoka] n fumador -ora mf; (train car) vagón de fumar m

smoking [smokiŋ] n humeante; — **car** vagón de fumar m; — **gun** prueba irrefutable f; — **room** cuarto de fumar m; (use of tobacco) tabaquismo m

smoky [smoki] adj humoso

smolder, smoulder [smolda] vi arder

smooth [smuð] adj (surface) liso (skin); suave, terso; (tire) gastado; (sea) sereno, tranquilo; (polished) agradable, fino; (ingratiating) zalamero; vt (make surface even) alisar; (make easy) allanar; **to — away** hacer desaparecer; **to — one's hair** atusarse el cabello; **to — over** limar asperezas

smoothness [smuðnɪs] n (evenness) lisura f; (of skin) tersura f, suavidad f; (of sea) ...

smother [smʌða] vt (stifle) ahogar(se), sofocar(se); asfixiar(se); (envelop) cubrir; (overprotect) sobreproteger

smudge [smʌdʒ] n borrón m, mancha f; vi/vt borronear(se), manchar(se)

smug [smʌg] adj suficiente, petulante

smuggle [smʌgl] vi/vt contrabandear, hacer contrabando; **to — in** entrar de contrabando; **to — out** sacar de contrabando

smuggler [smʌglə] n contrabandista mf

smut [smʌt] n (soot) hollín m; (obscenity) obscenidad f

snack [snæk] n tentempié m, bocadillo m; — **bar** cafetería f

snafu [snæfu] n relajo m

snag [snæg] n (a branch) gancho m; (in fabric) enganchón m; (any obstacle) pega f; obstáculo m, contrariedad f; **to hit a** — tropezar con un obstáculo; vi/vt enganchar(se); vt agarrar

snail [snel] n caracol m; — **mail** correo regular m; —**'s pace** paso de tortuga m

snake [snek] n serpiente f; — **bite** mordedura de serpiente f; — **in the grass** víbora f; — **skin** piel de serpiente f; vi serpentear

snap [snæp] vi (make sound) chasquear, dar un chasquido; (fastener) broche m; (bite) tarascada f; **it's a —** es pan comido — **judgment** decisión atolondrada f; — **dragon** dragón m; — **shot** instantánea, foto f; **snappy** [snæpi] adj (that bites) mordedor; (elegant) elegante; **make it —!** ¡en seguida!

snare [sner] n (trap) trampa f; — **drum** tambor con bordón m; vt atrapar

snarl [snarl] n/vi/vt (growl) regañar; (tangle) enmarañar(se), enredar(se); n (growl) gruñido m; (tangle) maraña f, enredo m

snatch [snæʧ] vt (seize) arrebatar; (kidnap) secuestrar; vi **to — at** dar manotazos; n (act of snatching) arrebato m; (fragment) fragmento m

snazzy [snæzi] adj llamativo

sneak [snik] vi andar furtivamente; vt (put away) meter a escondidas; **to — in** entrar a escondidas; **to — something in** meter a escondidas; **to — out** salir a hurtadillas; **to — something out** sacar a escondidas; **to — a cigarette** fumar a escondidas; n persona solapada f

sneakers [snikəz] n zapatillas (deportivas) f pl, tenis m pl

sneer [snir] vi (smile) sonreír con sorna; **to — at** mofarse de; n expresión de sorna f

sneeze [sniz] vi estornudar; **that's nothing to — at** no es nada despreciable; n estornudo m

snicker [snikə] vi reírse burlonamente; n risita burlona f

snide [snaid] adj malévolo

sniff [snif] vi/vt husmear, olfatear; **to — at**

husmear; (ridicule) menospreciar; N (act of sniffing) husmeo *m*, olfateo *m*; (smell) bocanada *f*

sniffle [snífəł] VI (with a cold) sorberse los mocos; (when crying) gimotear; N (when crying) gimoteo *m*; **the —s** un resfrío

snip [snɪp] VT tijeretear; **to — off** cortar de un tijeretazo; N (act of snipping) tijeretada *f*, tijeretazo *m*; (piece cut off) pedacito *m*, recorte *m*; **— of conversation** retazo de conversación

sniper [snáɪpɚ] N francotirador -ora *mf*

snitch [snɪtʃ] VI (tell on) chivar, chivatar; VT (rob) ratear; N soplón -ona *mf*, chivato -ta *mf*

snob [snɑb] N esnob *mf*

snoop [snup] VI fisgar, fisgonear; N fisgón -ona *mf*

snooze [snuz] VI dormitar; N siesta *f*; **to take a —** echar un sueñecito / sueñito

snore [snɔr] VI roncar; N ronquido *m*

snorkel [snɔ́rkəł] N esnórquel *m*

snort [snɔrt] VI resoplar, bufar; VI/VT (drugs) esnifar; N resoplido *m*, bufido *m*; (drink) trago *m*

snout [snaʊt] N hocico *m*, jeta *f*, morro *m*; (nose) napias *f pl*

snow [sno] N nieve *f* (also cocaine, heroin); **—ball** bola de nieve *f*; **to —ball** aumentar rápidamente; **—board** monopatín de nieve *m*; **—drift** ventisquero *m*; **—fall** nevada *f*; **—flake** copo de nieve *m*; **—man** muñeco de nieve *m*; **—mobile** motonieve *f*; **—plow** quitanieves *m sg*; **—shoe** raqueta *f*; **—storm** ventisca *f*; VI nevar; **the airport was —ed in** cerraron el aeropuerto por nieve; **to — under** (cover in snow) cubrir de nieve; (overwhelm) abrumar

snowy [snóɪ] ADJ nevado; (white) níveo

snub [snʌb] VT volverle la cara a, desairar; (reject) despreciar; N desprecio *m*, desaire *m*; **—-nosed** chato; *Am* ñato

snuff [snʌf] VI **to — out** apagar, extinguir; N rapé *m*; **to be up to —** dar la talla

snug [snʌg] ADJ (tight-fitting) ajustado; (comfortable) cómodo

so [so] ADV (in this way) así; (to this degree) tan; (so much) tanto; **— am I** yo también; **—-and-—** fulano (de tal); **—-called** llamado; **— as to** para; **— far as I know** que yo sepa; **— many** tantos; **— much** tanto; **—-— regular; — much the better** tanto mejor; **— that** de modo que; **I was — a beauty queen!** ¡sí que fui reina de belleza! **— long!** ¡hasta luego! **and — forth** etcetera, y así

sucesivamente; **I believe —** creo que sí; **is that — ?** ¿en serio? ¡no me digas! **ten minutes or —** unos diez minutos; INTERJ ajajá; CONJ (in order that) de modo que; (consequently) así que, entonces

soak [sok] VI/VT (immerse) remojar(se); (drench) empapar(se); **it finally —ed in on him that** por fin se dio cuenta de que; **to — through** colarse por; **to — up** absorber, embeber; **to be —ed through** estar empapado, estar calado hasta los huesos; N remojón *m*

soap [sop] N jabón *m*; (soap opera) telenovela *f*; **— bubble** pompa de jabón *f*; **— dish** jabonera *f*; VT enjabonar

soapy [sópi] ADJ jabonoso

soar [sɔr] VI/VT (airplane) elevar(se); (kite) remontar(se); (hopes) aumentar(se); (prices) disparar(se); (glider) planear(se); (bird) volar

sob [sɑb] VI sollozar, hipar; N sollozo *m*, hipo *m*

sober [sóbɚ] ADJ (not drunk) sobrio; (temperate) moderado; (serious, subdued) serio, sobrio; VI **to — up** (get over drunkenness) despejarse; (become more serious) sentar cabeza

sobriety [səbráɪɪdi] N (not being drunk) sobriedad *f*; (moderation) moderación *f*; (seriousness) seriedad *f*

soccer [sákɚ] N fútbol *m*, balompié *m*

sociable [sóʃəbəł] ADJ sociable

social [sóʃəł] ADJ (of society) social; (friendly) sociable; N reunión social *f*; **— climber** arribista *mf*; **— science** ciencias sociales *f pl*; **— security** seguridad social *f*; **— welfare** asistencia social *f*; **— work** asistencia social *f*

socialism [sóʃəlɪzəm] N socialismo *m*

socialist [sóʃəlɪst] ADJ & N socialista *mf*

socialize [sóʃəlaɪz] VT socializar; VI salir, tener trato social

society [səsáɪɪdi] N sociedad *f*; (companionship) compañía *f*

socioeconomic [sosioɛkənámɪk] ADJ socioeconómico

sociology [sosiáləʤi] N sociología *f*

sociopath [sósiəpæθ] N sociópata *mf*

sock [sɑk] N (garment) calcetín *m*; (blow) puñetazo *m*, zumbido *m*; VT pegar, zumbar; **to — away** ahorrar

socket [sákɪt] N (of eye) cuenca *f*; (electrical outlet) enchufe *m*; (for bulb) portalámparas *m sg*, casquillo *m*

sod [sɑd] N (lawn) césped *m*; (piece) tepe *m*; VT cubrir de césped

soda [sódə] N (drink) gaseosa *f*; (sodium

hydroxide) soda *f*, sosa *f*; **— fountain** bar
de bebidas sin alcohol *m*; **— pop** gaseosa
f; **— water** agua con gas *f*
sodium [sóɒiəm] N sodio *m*
sodomy [sáɒəmi] N sodomía *f*
sofa [sófə] N sofá *m*; **— bed** sofá-cama *m*
soft [sɔft] ADJ (butter, bed, water, penalty)
blando; (life) fácil, cómodo; (hair, skin)
suave; (light) tenue; **—ball** softball *m*;
—-boiled eggs huevos pasados por agua
m pl; **— coal** carbón bituminoso *m*; **—
drink** gaseosa *f*; **— palate** velo del
paladar *m*; **—ware** software *m*
soften [sɔfən] VI/VT (butter) ablandar(se);
(skin) suavizar(se); VT (a blow) amortiguar;
(voice) bajar
softness [sɔftnɪs] N (of butter) blandura *f*; (of
hair, skin) suavidad *f*; (of light) tenuidad *f*
soggy [sági] ADJ (clothes) empapado; (day)
húmedo
soil [sɔɪl] N suelo *m*, tierra *f*; VI/VT
ensuciar(se), manchar(se)
solace [sálɪs] N consuelo *m*; VT consolar
solar [sólɚ] ADJ solar; **— eclipse** eclipse de
sol *m*; **— energy** energía solar *f*; **—
plexus** plexo solar *m*; **— system** sistema
solar *m*
solder [sáɒɚ] VI/VT soldar(se); N soldadura *f*
soldering iron [sáɒɚɪŋaɪrn] N soldador *m*
soldier [sóldʒɚ] N (of low rank) soldado *m*;
(of any rank) militar *m*
sole [sol] ADJ solo, único; N (of a foot) planta
f; (of a shoe) suela *f*; (fish) lenguado *m*
solemn [sáləm] ADJ solemne
solemnity [səlémnɪɒi] N solemnidad *f*
solenoid [sólənɔɪd] N solenoide *m*
solicit [səlísɪt] VT (aid) pedir; (a prostitute)
ofrecerse; VI (sell) vender, ofrecer
productos
solicitor [səlísɪɒɚ] N abogado *m*; **— General**
Subsecretario -ria de Justicia *mf*
solicitous [səlísɪɒəs] ADJ solícito
solid [sálɪd] ADJ (firm) sólido; (dense) denso;
— blue azul liso *m*; **— geometry**
geometría del espacio *f*; **— gold** oro puro
m; **— line** línea continua *f*; **—-state** de
estado sólido; **for one — hour** por una
hora entera; N sólido *m*
solidarity [salɪdǽrɪɒi] N solidaridad *f*
solidify [səlíɒəfaɪ] VI/VT solidificar(se)
solidity [səlíɒɪti] N solidez *f*
solitary [sálɪteri] ADJ solitario; **to be in —
confinement** estar incomunicado
solitude [sálɪtud] N soledad *f*
solo [sólo] N solo *m*
soloist [sóloɪst] N solista *mf*
Solomon Islander [sáləmənáɪləndɚ] N

salomonense *mf*
Solomon Islands [sáləmənáɪləndz] N Islas
Salomón *f pl*
solstice [sólstɪs] N solsticio *m*
soluble [sáljəbəl] ADJ soluble
solution [səlúʃən] N solución *f*
solve [sɑlv] VT resolver, solucionar
solvent [sálvənt] N solvente *m*, disolvente *m*
Somalia [somáljə] N Somalia *f*
Somalian [somáljən] ADJ & N somalí *mf*
somber [sámbɚ] ADJ sombrío
some [sʌm] ADJ alguno; **I worked for —
time** trabajé por un rato; **that is — dog!**
¡menudo perro! PRON algunos; **and then
—** y más todavía; ADV **— twenty people**
unas veinte personas; **I like it —** me
gusta un poco
somebody [sámbɑɒi] PRON alguien
someday [sámde] ADV algún día
somehow [sámhaʊ] ADV de alguna manera;
— or other de alguna manera u otra
someone [sámwʌn] PRON alguien
somersault [sámɚsɔlt] N (on ground)
voltereta *f*; (in air) salto mortal *m*; VI (on
ground) dar una voltereta; (in air) dar un
salto mortal
something [sám0ɪŋ] N algo *m*; **— else** otra
cosa; **thirty—** treinta y tantos
sometime [sámtaɪm] ADV algún día, en algún
momento; **—s** a veces, de vez en cuando
somewhat [sámhwʌt] ADV algo
somewhere [sámhwɛr] ADV en alguna parte;
— else en alguna otra parte
son [sʌn] N hijo *m*; **—-in-law** yerno *m*; **— of
a gun** *fam* hijo de su madre *m*
sonar [sónɑr] N sonar *m*
song [sɔŋ] N canción *f*; (of a bird) canto *m*; **—
and dance** cuento chino *m*; **—writer**
compositor -ora *mf*; **—bird** es canora *f*,
pájaro cantor *m*; **to buy something for
a —** comprar algo muy barato
sonic barrier [sánɪkbǽriɚ] N barrera del
sonido *f*
sonnet [sánɪt] N soneto *m*
sonorous [sánɚəs] ADJ sonoro
soon [sun] ADV pronto; **— after nine** poco
después de las nueve; **as — as** tan pronto
como, en cuanto; **see you —** hasta
pronto; **how — do you want it?** ¿para
cuándo lo necesitas? **—er or later** tarde o
temprano; **I'd —er stay here** prefiero
quedarme aquí
soot [sʊt] N hollín *m*, tizne *m*
soothe [suð] VT calmar, aliviar
soothsayer [súθseɚ] N agorero -ra *mf*
sooty [súɒi] ADJ tiznado
sop [sɑp] VT empapar; **to — up** absorber; **to**

be — ping wet estar empapado; N sopa f

sophisticated [sə'fɪstɪkeɪd] ADJ sofisticado

sophomore [sάfəmɔr] N estudiante de segundo año mf

soprano [sə'prænoʊ] N soprano m

sorcerer [sɔrsərər] N brujo m, hechicero m

sorceress [sɔrsərɪs] N hechicera f

sordid [sɔrdɪd] ADJ sórdido, escabroso

sore [sɔr] ADJ (painful) dolorido, doloroso; (grieved) dolorido; (angry) enojado; — **head** cascarrabias mf; **my arm is —** me duele el brazo; **to have a — throat** tener dolor de garganta; N llaga f, úlcera f

soreness [sɔrnɪs] N dolor m

sorority [sə'rɔrəti] N asociación femenina de estudiantes f

sorrow [sɑroʊ] N (sadness) pena f, pesar m; (cause of sadness) fuente de pesadumbre f

sorrowful [sɑroʊfəl] ADJ triste, pesaroso

sorry [sɑri] ADJ I am — lo siento; I am — **about that** lo lamento; I am — **for her** la compadezco; — ¿Cómo? a — **SOB** pej un desgraciado; **you'll be —** te arrepentirás; **he was in — shape** estaba en un estado lamentable

sort [sɔrt] N clase f, tipo m; — **of tired** algo cansado; **all —s of** de toda clase de; **out of —s** (depressed) de mal humor; (ill) indispuesto; VT (classify) clasificar; **to — out** separar, apartar; **to — out a problem** resolver un problema

SOS [ɛsoʊɛs] N SOS m

soul [soʊl] N alma f; — **music** música soul f; **not a —** nadie, ni un alma; **the — of tact** la imagen del tacto

sound [saʊnd] N (inlet) brazo de mar m; — **wave** onda sonora f; ADJ (healthy) sano; (sane) cuerdo; (well founded) bien fundado, lógico; — **advice** buen consejo m; — **barrier** barrera del sonido f; — **proof** a prueba de sonido; — **sleep** sueño profundo m; — **track** banda sonora f; a — **beating** una buena paliza; **of — mind** en su sano juicio; **safe and — sano y salvo**; VI sonar; VT (an alarm) tocar; (a channel) sondear; (opinion) sondear; **to — out** tantear, sondear

soup [sup] N sopa f; — **dish** plato sopero m; — **spoon** cuchara sopera f; — **tureen** sopera f

sour [saʊr] ADJ (acidic) agrio, ácido; (peevish) agrio, avinagrado; **to go —** cortarse, agriarse; — **cream** crema agria f; Am nata agria f; — **milk** leche cortada f; — **puss** cascarrabias mf; avinagrado-da mf; VI/VT agriar(se), avinagrar(se); (milk)

source [sɔrs] N fuente f, origen m; cortar(se)

sourness [saʊrnɪs] N acidez f

souse [saʊs] VI/VT (plunge) zambullir(se); (soak) empapar(se); N borracho-cha mf; esponja f

south [saʊθ] N sur m; ADJ meridional; — **America** n mf; — **American** América Sudáfrica n mf; — **African** sudafricano-na mf; — **bound** con rumbo al sur; — **east** sureste, sudeste; rumbo al sur; — **eastern** sureste, sudeste; — **Korea** Corea del Sur f; — **Korean** surcoreano-na mf; — **paw** zurdo-da mf; — **pole** polo sur m; — **west** suroeste, sudoeste; — **western** sudoeste, suroeste; ADV hacia el sur

southern [sʌðərn] ADJ meridional, sureño

southerner [sʌðərnər] N sureño-ña mf, habitante del sur mf

southward [saʊθwərd] ADV hacia el sur, rumbo al sur

souvenir [suvənɪr] N recuerdo m

sovereign [sάvrɪn] ADJ & N soberano-na mf

sovereignty [sάvrɪnti] N soberanía f

sow [saʊ] N puerca f; [soʊ] VI/VT sembrar

soy [sɔɪ] N soja f; Am soya f; — **bean** Sp semilla de soja f; Am semilla de soya f; — **sauce** Sp salsa de soja f; Am salsa de soya f

spa [spɑ] N balneario m

space [speɪs] N espacio m; — **age** de la era espacial; — **bar** barra espaciadora f; — **craft** nave espacial f; — **ship** nave espacial f; — **shuttle** transbordador espacial m; — **station** estación espacial f; — **suit** traje espacial m; VT espaciar

spacious [speɪʃəs] ADJ espacioso, amplio

spade [speɪd] N pala f; (in cards) pica f; **to call a — a —** al pan, pan y al vino, vino

Spain [speɪn] N España f

span [spæn] N (of hand) palmo m; (of time) espacio m; (of attention) lapso m; (of bridge) tramo m; (of wing) envergadura f; (of life) duración f; VT (time) abarcar; (a river) atravesar, salvar

Spaniard [spænjərd] N español m, -ola mf

Spanish [spænɪʃ] ADJ (of Spain) español; (Spanish-speaking) hispano; N (language) español m; — **America** [spænɪʃəmɛrɪkə] N Hispanoamérica f

spank [spæŋk] VT dar nalgadas; N palmada f, nalgada f

spanking [spæŋkɪŋ] N zurra en las nalgas f; ADJ — **new** flamante

spare [spɛr] VT (embarrassment) ahorrar,

evitar, (money) prestar; (an enemy) perdonar la vida a; (a worker) prescindir de; — **me!** ¡ten piedad de mí! **to — no expense** no escatimar gastos; **to have time to —** tener tiempo de sobra; *adj* (austere) austero; (extra) de sobra, de más; — **cash** dinero disponible *m*; — **parts** repuestos *m pl*; — **time** tiempo libre *m*; *n* (part) repuesto *m*; (tire) neumático de repuesto *m*

spark [spark] *n* chispa *f*; — **plug** bujía *f*; *vi* chispear, echar chispas; *vt* (a riot) desencadenar; (interest, criticism) provocar

sparkle [sparkl] *vi* (diamond) centellear; (eyes) brillar; *n* (flashing) brillo *m*, centelleo *m*; (spirit) viveza *f*, animación *f*

sparkling [sparklin] *adj* (diamond) centelleante; (eyes) brillante; — **wine** vino espumoso *m*

sparrow [sparo] *n* gorrión *m*

sparse [spars] *adj* escaso; (hair) ralo

spasm [spæzm] *n* espasmo *m*

spastic [spæstik] *adj* espástico

spat [spæt] *n* riña *f*

spatial [speʃl] *adj* espacial

spatter [spæter] *vi/vt* salpicar; *n* salpicadura *f*

spatula [spætʃala] *n* espátula *f*

spawn [spon] *vt* desovar; *vt* engendrar; *n* (of fish) huevas *f pl*; (of frogs) huevos *m pl*

speak [spik] *vi* hablar; *vt* (language) hablar; (truth, amusement) decir; (lines) recitar; **so to —** por decirlo así, valga la expresión; **to — for** hablar en nombre de/ a favor de; **to — one's mind** hablar sin rodeos; **to — out against** denunciar; **to — out for** defender; **to — up** hablar fuerte

speaker [spika] *n* orador -ra *m f*; (at a conference) conferenciante *m f*; — **of the House** presidente -ta de la cámara de representantes *m f*; — **phone** teléfono con parlante *m*

spear [spir] *n* lanza *f*; (for fishing) arpón *m*; (sprout) brote *m*; *vt* (wound with lance) alancear, herir con lanza; (fish with lance) arponear

spearmint [spirmint] *n* mentaverde *f*

special [speʃl] *adj* especial; — **delivery** entrega inmediata *f*; — **education** educación especial *f*; — **effects** efectos especiales *m pl*; — **interest (group)** grupo de presión *m*; *n* (sale item) especialidad *f*; (TV program) especial *m*

specialist [speʃalist] *n* especialista *m f*

specialization [speʃalizeʃn] *n* especialización *f*, especialidad *f*

specialize [speʃalaiz] *vi/vt* especializar(se)

specialty [speʃlti] *n* especialidad *f*, especialización *f*

species [spiʃiz] *n* especie *f*

specific [spisifik] *adj* específico; — **gravity** peso específico *m*; — **s** *n* — **s** detalles *m pl*

specify [spesifai] *vi/vt* especificar

specimen [spesimen] *n* (representative) muestra *f*; (sample) espécimen *m*, ejemplar *m*; muestra *f*

speck [spek] *n* (small dot) mota *f*, manchita *f*; (small amount) pizca *f*

speckle [spekl] *n* mota *f*, manchita *f*; *vt* salpicar, motear; — **d** *adj* moteado

spectacle [spektakl] *n* espectáculo *m*; — **s** gafas *f pl*, anteojos *m pl*; **to make a — of oneself** dar un espectáculo, ponerse en ridículo

spectacular [spektækjala] *adj* espectacular

spectator [spektketva] *n* espectador -ra *m f*

spectrum [spektrm] *n* espectro *m*

speculate [spekjalet] *vi/vt* especular

speculation [spekjaleʃan] *n* especulación *f*

speculator [spekjaleta] *n* especulador -ora *m f*

speech [spiʧ] *n* (faculty of speaking) habla *f*; (formal) discurso *m*; (in a play) parlamento *m*; **to make a —** pronunciar un discurso; — **defect** defecto de pronunciación *m*

speechless [spiʧlis] *adj* (dumb) mudo; (astonished) estupefacto

speed [spid] *n* velocidad *f* (also gear), rapidez *f*; (amphetamine) anfeta *f*; — **limit** límite de velocidad *m*; **at full —** a toda velocidad; *vi* (break speed limit) ir con exceso de velocidad; **to — by** pasar a toda velocidad; **to — off/ away** irse a toda velocidad; **to — up** acelerar; *vt* (supplies) hacer llegar a toda velocidad; (work) acelerar

speedometer [spidamita] *n* velocímetro *m*

speedy [spidi] *adj* veloz, rápido

spell [spel] *n* (charm) hechizo *m*, sortilegio *m*, conjuro *m*; (period) temporada *f*; (sickness) ataque *m*; —**bound** hechizado; **to put under a —** hechizar; *vt* (spoken) deletrear; (written) escribir; (represent) significar, representar; **to —check** comprobar el deletreo; **I —ed it out for him** se lo dije con todas las letras

spelling [spelin] *n* ortografía *f*; — **bee** concurso de ortografía *m*

spend [spend] *vt* (money) gastar; (time) pasar; —**thrift** derrochador -ra *m f*, pródigo -ga *m f* gastador -ra *m f*, ...

sperm [spɜrm] N esperma mf, semen m; **— bank** banco de semen/esperma m;

sphere [sfɪr] N esfera f

spherical [sfɛrɪkəl] ADJ esférico

spice [spaɪs] N especia f; VT condimentar; **to — up** dar sal

spiciness [spaɪsɪnəs] N lo picante

spick and span [spɪkænspæn] ADJ impecable

spicy [spaɪsi] ADJ picante

spider [spaɪdər] N araña f; **— monkey** mono araña m; **—'s web** telaraña f

spigot [spɪgət] N grifo m, espita f

spike [spaɪk] N (sprout) espiga f; (sharp object) púa f, pincho m; (on shoes) clavo m; **— s** zapatillas con clavos f pl; VT (impale) clavar; (add alcohol to) echar alcohol a; (hit a volleyball) picar

spill [spɪl] VT/VI volcar(se), derramar(se), verter(se); VT (a rider) hacer caer; **to — the beans** descubrir el pastel; VI **to — over** (of water) derramarse; N (of blood) derramamiento m; (fall) caída f

spin [spɪn] VT (wool) hilar; (a top) hacer girar; VI dar vueltas, girar; **to — yarns** contar cuentos; (turning) giro m, vuelta f; (of an airplane) barrena f; (political) sesgo m; **to take a —** dar una vuelta

spinach [spɪnɪʧ] N espinaca f

spinal [spaɪnəl] ADJ espinal, vertebral; **— column** columna vertebral f, espina dorsal f; **— cord** médula espinal f

spindle [spɪndəl] N (for weaving) huso m; (on machines) eje m

spine [spaɪn] N espina f, espinazo m

spinning [spɪnɪŋ] N (action) hilado m; (art) **— wheel** rueca f

spinster [spɪnstər] N soltera f

spiral [spaɪrəl] ADJ & N espiral f; **— notebook** cuaderno de espiral m; **— staircase** escalera de caracol f

spire [spaɪr] N aguja f, chapitel m

spirit [spɪrɪt] N (ghost) espíritu m; (animation) ánimo m, brío m; (alcohol) alcohol m; **low —s** abatimiento m; **to be in good —s** estar de buen humor; VT **to — away** llevar como por arte de magia

spirited [spɪrɪtɪd] ADJ fogoso, brioso

spiritual [spɪrɪʧuəl] ADJ & N espiritual m

spit [spɪt] VT/VI escupir; N (saliva) escupitajo m; (for roasting) asador m; (of sand) banco m

spite [spaɪt] N despecho m, inquina f; **in —**
of a pesar de; **out of —** por despecho; VT contrariar

spiteful [spaɪtfəl] ADJ malicioso

splash [splæʃ] VT/VI salpicar; VT chapotear, chapalear; N salpicadura f, chapoteo m; **to make a —** hacer olas

splatter [splætər] VI/VT salpicar; N salpicadura f

spleen [splin] N bazo m; (ill humor) mal humor m

splendid [splɛndɪd] ADJ espléndido

splendor [splɛndər] N esplendor m

splice [splaɪs] VT (tape, genes) empalmar, unir; N empalme m, unión f

splint [splɪnt] N tablilla f; VT entablillar

splinter [splɪntər] N astilla f; VT/VI astillar(se)

split [splɪt] VT/VI (stone, wood) hender(se), rajar(se); (candy bar) partir(se), dividir(se); **to — hairs** hilar fino, **to — one's sides with laughter** desternillarse de risa; **to — the difference** partir la diferencia; ADJ (wood) partido, hendido; (a group) dividido; **—level** en desnivel; **— personality** doble personalidad f; **— screen** pantalla dividida f; **— second** fracción de segundo f; N hendidura f, grieta f; (in a group) escisión, división f

spoil [spɔɪl] VT (milk) cortar(se); (food) echarse a perder, averiarse; (vacation, performance) estropear, arruinar; (plans) desbaratar; (enjoyment) aguar; (child) mimar, mimar demasiado; **—s** botín m

spoiler [spɔɪlər] N alerón m

spoke [spok] N rayo m

spokesperson [spoks.pɜrsən] N portavoz mf, vocero -ra mf

sponge [spʌnʤ] N (animal, utensil) esponja f; (parasite) gorrón -ona m; **— cake** Am bizcochuelo m; Sp bizcocho m; VI **to — off** quitar con esponja; **to — up** absorber con una esponja; VI **to — off** gorronear

sponger [spʌnʤər] N gorrón -ona mf, parásito m

spongy [spʌnʤi] ADJ esponjoso, esponjado m

sponsor [spʌnsər] N (of the arts) mecenas mf; (of sports, TV program) patrocinador -ora mf; (of a bill) proponente mf; VT (a child) apadrinar; (arts, sports, TV show) patrocinar; (bill) proponer

sponsorship [spʌnsərʃɪp] N patrocinio m

spontaneity [spɑntəneɪɪti] N espontaneidad f

spontaneous [spɑnteɪniəs] ADJ espontáneo

spook [spuk] N (ghost) espectro m; (spy) espía mf

spool [spul] N carrete m, carretel m; (wool) VT devanar; (tape) enrollar

spoon [spun] N cuchara *f*; VT cucharear, poner con una cuchara; **to —-feed** dar de comer en la boca

spoonful [spúnfʊɫ] N cucharada *f*

spore [spɔr] N espora *f*

sport [spɔrt] N deporte *m*; **to be a good —** tener espíritu deportivo; VT lucir; ADJ deportivo; **— utility vehicle** vehículo utilitario deportivo *m*; **—s car** coche deportivo *m*; **—s jacket** saco de sport *m*, americana *f*; **—sman** (hunter) cazador *m*; (in sports) hombre de espíritu deportivo *m*; **—smanship** espíritu deportivo *m*, deportividad *f*; **—swriter** cronista deportivo -va *mf*

sporty [spɔ́rɖi] ADJ deportivo

spot [spɑt] N (stain) mancha *f*, mota *f*; (blemish) espinilla *f*; (insect bite) roncha *f*; (place) lugar *m*, paraje *m*; (scrape) aprieto *m*; **on the —** en el acto; **—-check** inspección al azar *f*; **—light** (in theater) foco *m*; (outdoors) reflector *m*; **to be in the —light** ser el centro de atención; **— remover** quitamanchas *m sg*; VI/VT (stain) manchar, ensuciar; VT (see in the distance) divisar; (notice) notar; (give advantage) dar como ventaja

spotless [spɑ́tlɪs] ADJ inmaculado

spotted [spɑ́tɪd] ADJ manchado, moteado

spouse [spaʊs] N cónyuge *mf*

spout [spaʊt] VT (throw) arrojar chorros de; (talk) soltar tonterías; VI (flow out) salir a chorros; (talk) perorar; N (of a fountain) caño *m*; (of a gutter) canalón *m*; (of a teapot) pico *m*

sprain [spren] VT torcerse; N torcedura *f*

sprawl [sprɔl] VI (spread limbs) despatarrarse; (extend) extenderse; (fall) tumbarse; N postura despatarrada *f*

spray [spre] N (of liquid) rociada *f*; (foam) espuma *f*; (of flowers) ramillete *m*; VI/VT rociar(se); **— can** aerosol *m*; **— paint** pintura en aerosol *f*

spread [sprɛd] VI/VT (arms, newspaper) extender(se); (butter) untar(se); (map) desdoblar(se); (legs) abrir(se); (seeds) esparcir(se); (news) difundir(se), diseminar(se); (rumor) propalar; (panic) sembrar; VT (panic, news) sembrar; N (of ideas) difusión *f*; (of opinion) diseminación *f*; (of disease) propagación *f*; (of nuclear weapons) proliferación *f*; (for a bed) cubrecama *m*; (for bread) pasta *f*; (of food) festín *m*; (ranch) hacienda *f*; **—sheet** (paper) planilla de cálculo *f*; (program) planilla electrónica *f*

spree [spri] N parranda *f*, farra *f*; **to go on a —** ir de parranda/farra; **to go on a shopping —** gastar dinero desenfrenadamente

spring [sprɪŋ] VI saltar; **to — at** abalanzarse sobre; **to — from** nacer de; **to — to mind** venir a la mente; **to — up** surgir; VT **to — a leak** (boat) hacer agua; (pipe) comenzar a gotear; **to — news** dar una noticia de sopetón; **to — open** abrir(se) de golpe; N (season) primavera *f*; (coil) muelle *m*, resorte *m*; (elasticity) elasticidad *f*; (jump) salto *m*; (water) manantial *m*, fuente *f*; **—board** trampolín *m*; **— fever** fiebre de primavera *f*; **— mattress** colchón de muelles *m*; **—time** primavera *f*; **— water** agua de manantial *f*; **he's no — chicken** no se cuece en el primer hervor

sprinkle [sprɪ́ŋkəɫ] VT (with sugar) espolvorear; (with droplets) salpicar, rociar; (rain) gotear, chispear

sprint [sprɪnt] VI (run) echarse una carrera; (run a competitive race) esprintar; N (run) corrida corta *f*; (race) (e)sprint *m*

sprocket [sprɑ́kɪt] N piñón *m*, rueda dentada *f*

sprout [spraʊt] VI (leaf) brotar, salir; (plants) retoñar, (seeds) germinar; (houses) surgir; VT echar; **he —ed horns** le salieron cuernos; N retoño *m*, brote *m*, renuevo *m*

spruce [sprus] N picea *f*; VI **to — up** arreglarse

spunk [spʌŋk] N agallas *f pl*

spur [spɝ] N espuela *f*; (stimulus) aguijón *m*; (of a rooster) espolón *m*; (of a mountain) estribación *f*; (of a railroad track) ramal *m*; **on the — of the moment** espontáneamente; VT espolear; **to — on** animar

spurious [spjúriəs] ADJ espurio

spurn [spɝn] VT rechazar, desdeñar

spurt [spɝt] VI salir a chorros; N (of water) chorro *m*; (of a runner) esfuerzo repentino *m*; **in —s** por rachas

sputter [spʌ́ɖɚ] VI (fire) chisporrotear; (person) refunfuñar; N (fire) chisporroteo *m*

sputum [spjútəm] N esputo *m*

spy [spaɪ] N espía *mf*; VI espiar; **to — on** espiar, avizorar; **—glass** catalejo *m*

squabble [skwɑ́bəɫ] VI reñir; N reyerta *f*

squad [skwɑd] N (of police) patrulla *f*; (for execution) pelotón *m*; (of athletes) equipo *m*; (for guarding) retén *m*; **— car** (coche) patrullero *m*

squadron [skwɑ́drən] N (in navy) escuadra *f*; (in army) escuadrón *m*

squall [skwɔl] n (rain) chubasco m, borrasca f; (sound) berrido m; vi berrear

squalor [skwɑlə] n miseria f, escualidez f

squander [skwɑndə] vt despilfarrar, derrochar, disipar

squanderer [skwɑndərə] n derrochador, -ora mf

square [skwer] n (shape) cuadrado m; (on a pattern) cuadro m; (plaza) plaza f; (in carpentry) escuadra f; (on chessboard) casilla f; — he is a — es muy conservador; vt (make square) cuadrar; (draw squares on) cuadricular; (multiply by itself) elevar al cuadrado; — to — one's shoulders erguirse; adj (in shape) cuadrado; (at ninety degrees) en ángulo recto; (tied) empatado; (frank) franco; — dance cuadrilla f; — knot nudo de rizo m; — meal comida completa f; — root raíz cuadrada f; to be — with someone estar a mano con alguien; adv right — between the eyes justo entre los ojos

squash [skwɑʃ] n (gourd) calabaza f; (sport) squash m; vt aplastar, despachurrar

squat [skwɑt] vi (sit low) agacharse; (occupy) ocupar sin autorización; adj (sitting low) acuclillado; (thick set) rechoncho, achaparrado; in a — en cuclillas

squawk [skwɔk] vi (of chickens) cacarear; (complaint) quejarse; n (of chickens) cacareo m; (complaint) quejido m

squeak [skwik] vi (door) rechinar, chirriar; (shoe) rechinar; (mouse) chillar; n (of door) rechinamiento m, chirrido m; (of shoe) rechinamiento m; (of mouse) chillido m

squeaky [skwiki] adj (door) chirriante; (shoes) rechinante

squeal [skwil] vi chillar; (complain) protestar; (snitch) chivatar, delatar; n chillido m

squeamish [skwimiʃ] adj delicado

squeegee [skwidʒi] n escurridor de goma m sg

squeeze [skwiz] vt apretar; (press very hard) estrujar; (an orange) exprimir; (hug) abrazar; to — into meter(se) con dificultad en, encajar(se) en; to — out (an orange) exprimir; escurrir; to — through a crowd abrirse paso entre la multitud; n (of hands) apretón m; (excessive squeeze) estrujón m; (hug) abrazo m; (lack) restricción f

squelch [skwɛltʃ] vt (revolt) aplastar, sofocar; (criticism) acallar

squid [skwid] n calamar m

squint [skwint] vi (partially close eyes) entrecerrar los ojos; (look askance) mirar de soslayo; n (look with partially closed eyes) mirada con los ojos entrecerrados f; (side-glance) mirada de soslayo f

squirm [skwɜrm] vi retorcerse; to — out of a difficulty zafarse de un aprieto

squirrel [skwɜrəl] n ardilla f

squirt [skwɜrt] vi echar un chisguete en; vi salir a chorritos; n chisguete m, chorrito m; — gun pistola lanzaagua f, pistola de agua f

Sri Lanka [sriliŋkə] n Sri Lanka f

Sri Lankan [sriliŋkən] adj & n cingalés, -esa mf

stab [stæb] vi/vt apuñalar, acuchillar; — to at tirar puñaladas a; n (with a dagger) puñalada f; (with a knife) cuchillada f; (with a pocketknife) navajazo m; (of pain) punzada f, pinchazo m; — wound puñalada f, cuchillada f

stability [stəbilǝ] n estabilidad f

stable [stebəl] adj estable; n establo m, cuadra f; (for horses) caballeriza f; vt poner en el establo

stack [stæk] n pila f, montón m; (of a chimney) chimenea f; (in a library) estantería f; vt amontonar, apilar

stadium [stediəm] n estadio m

staff [stæf] n (stick) cayado m; (of a flag) asta f; (personnel) personal m, planteel m; (of music) pentagrama m; — of life pan de cada día m; — officer oficial de estado mayor m; editorial — redacción f; teaching — cuerpo docente m; vt contratar personal

stag [stæg] n (of deer) venado m, ciervo m; (of other animals) macho m; — s — beetle ciervo volante m; — party fiesta para hombres f

stage [stedʒ] n (showplace) escenario m; (for popular entertainment) tablado m; (theater) teatro m; las tablas f pl; (period) etapa f, estadio m; (distance) etapa f; — coach diligencia f; — fright miedo al escenario m, fiebre de candilejas f; — hand tramoyista m; — by — s por etapas; vt (a play) poner en escena; vt organizar

stagger [stægǝ] vi (totter) tambalearse, dar tumbos; vt (hit hard) hacer tambalear; (overwhelm) dejar azorado; (alternate) escalonar; n tambaleo m

stagnant [stægnənt] adj estancado

stagnate [stægnet] vi estancarse

staid [sted] adj serio

stain [sten] VI/VT (spot) manchar(se); (color) teñir(se); **—ed-glass window** vitral *m*; N (spot) mancha *f*; (color) tinte *m*, tintura *f*

stainless [sténlɪs] ADJ sin mancha; **— steel** acero inoxidable *m*

stair [ster] N peldaño *m*, escalón *m*; **—case** escalera *f*; **—s** escalera *f*; **—way** escalera *f*

stake [stek] N (pole) estaca *f*; (investment) interés *m*; (bet) apuesta *f*; **at —** en juego; **to die at the —** morir en la hoguera; VT estacar; **to — out** vigilar

stalactite [stəlǽktaɪt] N estalactita *f*

stalagmite [stəlǽgmaɪt] N estalagmita *f*

stale [steł] ADJ (bread) duro; (air) viciado; (joke) viejo; **—mate** punto muerto *m*

stalk [stɔk] N tallo *m*; VI acechar

stall [stɔł] N (at a market) puesto *m*; (at a fair) caseta *f*, barraca *f*; (in a stable) compartimiento *m*; (in airplane) entrar en pérdida; (talks) llegar a un punto muerto; (motor) pararse; **he is —ing** está arrastrando los pies; VT (airplane) hacer entrar en pérdida; (talks) paralizar; (motor) parar

stallion [stǽljən] N semental *m*

stamina [stǽmənə] N resistencia *f*, aguante *m*

stammer [stǽmɚ] VI balbucear; N balbuceo *m*

stamp [stæmp] VT (a letter) sellar; *Mex* timbrar; *Am* estampillar; (an official document) sellar, timbrar; (a coin) acuñar; VI (with foot) pisotear, patalear; (horse) piafar; **to — out** eliminar; N (on a letter) *Sp* sello *m*; *Mex* timbre *m*; *Am* estampilla *f*; (on an official document) sello *m*, timbre *m*; (instrument, character) sello *m*; (on the ground) pisotón *m*; (sound) paso *m*

stampede [stæmpíd] N estampida *f*; VI huir en estampida; VT hacer huir en estampida

stance [stæns] N posición *f*, postura *f*

stanch, staunch [stɔntʃ] VT restañar; ADJ (strong) firme; (loyal) fiel

stand [stænd] VI (take a standing position) ponerse de pie, levantarse; *Am* parar(se); (to be in a standing position) estar de pie; *Am* estar parado; (stop) detenerse; (withstand, tolerate) aguantar, tolerar, soportar; (remain valid) mantenerse; **—by** recurso viejo *m*; **—by passenger** pasajero -ra en la lista de espera *mf*; **to — aside** apartarse; **to — back** retroceder; **to — behind** respaldar; **to — by** (be uninvolved) mantenerse al margen; (be alert) estar alerta; (support) respaldar; **to — for** (mean) significar; (tolerate) tolerar; **to — one's ground** mantenerse firme; **to — out** destacarse, sobresalir; **to — up for**

defender; **it —s to reason** es razonable; **it —s one meter tall** mide un metro de alto; **to — a chance of** tener posibilidad de; **where do you — on this issue?** ¿qué opinas al respecto? N (at a market) puesto *m*; (at a fair) caseta *f*; (of trees) bosque *m*; (opinion) posición *f*; (for music) atril *m*; (for taxis) parada *f*; **—off** empate *m*; **—point** punto de vista *m*; **to come to a —still** pararse; **to be at a —still** estar parado

standard [stǽndɚd] N (of behavior) norma *f*; (of living, performance) nivel *m*; (of weights) patrón *m*; (banner) estandarte *m*; **gold —** patrón oro *m*; **to be up to —** satisfacer los requisitos; **—bearer** portaestandarte *mf*; **— of living** nivel de vida *m*; ADJ (normal) normal; (standardized) estándar; **— deviation** desviación estándar *f*; **— time** hora oficial *f*

standardization [stændɚdɪzéʃən] N estandarización *f*

standardize [stǽndɚdaɪz] VT estandarizar, uniformar

standing [stǽndɪŋ] N (position) posición *f*; (rank) rango *m*; (reputation) reputación *f*; ADJ (not seated) derecho, en pie; (permanent) permanente; (stagnant) estancado; **— order** pedido fijo *m*; **— ovation** ovación de pie *f*

stanza [stǽnzə] N estrofa *f*

staple [stépəł] N (for paper) grapa *f*; (main product) producto principal *m*; (food) alimento básico *m*; ADJ (principal) principal; (basic) básico; VT engrapar

stapler [stéplɚ] N grapadora *f*

star [stɑr] N estrella *f* (also actor); (asterisk) asterisco *m*; **— attraction** atracción principal *f*; **—fish** estrella de mar *f*; **—light** luz de las estrellas *f*; **—-spangled** salpicado de estrellas; **a — student** un(a) estudiante sobresaliente; VT (act in) protagonizar; (put asterisk on) marcar con asterisco; (cover with stars) estrellar

starboard [stɑ́rbɚd] N estribor *m*; ADV a estribor

starch [stɑrtʃ] N almidón *m* (also food); VT almidonar

stardom [stɑ́rdəm] N estrellato *m*

stare [ster] VI/VT mirar fijamente; N mirada fija *f*

stark [stɑrk] ADJ (landscape) yermo; (truth) descarnado, desnudo; (contrast) marcado; **— naked** en cueros; **— raving mad** loco de remate

starling [stɑ́rlɪŋ] N estornino *m*

starry [ˈstɑrɪ] adj estrellado
start [stɑrt] vi/vt (begin) comenzar, empezar; (a car) poner(se) en marcha, arrancar; vt (a fire) provocar; vi (jump) sobresaltarse; N — **off/out/up** empezar; vt (beginning) comienzo m, principio m; (of a race) salida f
starter [stɑrtə-] N (on an automobile) arranque m; (for a race) juez de salida m; **for —s** para empezar
startle [stɑrtl] vt/vi asustar(se), sobresaltar(se)
startling [stɑrdlɪŋ] adj asombroso, sorprendente
starvation [stɑrveɪʃən] N inanición f
starve [stɑrv] vi/vt hambrear; vi morirse de hambre; vt matar de hambre; (for affection) privar de cariño
starving [stɑrvɪŋ] adj hambriento, muerto de hambre
stash [stæʃ] vt to — **away** ir ahorrando — algo m
state [steɪt] N estado m; — **of the art** con los últimos avances; — **room** (on a ship) camarote m; (on a train) compartimiento m; — **-woman** estadista m; — **-man** estadista m; vt (declare) declarar, aseverar, estadista f
statement [steɪtmənt] N (declaration) declaración f, aseveración f; (bill) estado de cuentas m
static [stætik] adj estático, interferencia f; (electricity) electricidad estática f; **don't give me any** — no me compliques la vida
station [steɪʃən] N (of radio) emisora f; (of television) canal m; (social rank) condición f; — **wagon** camioneta f; vt (a sentry) apostar; (troops) estacionar
stationary [steɪʃənɛrɪ] adj (not moving) estacionario; (stopped) detenido; (fixed) fijo
stationery [steɪʃənɛrɪ] N (material) artículos de papelería m pl; (paper) papel de carta m
statistics [stətɪstɪks] N (science) estadística f; (data) estadísticas f pl
statue [stætju] N estatua f
stature [stætʃə-] N (moral) estatura f; talla f
status [steɪtəs] N (prestige, rank) status m; (legal, financial) situación f; (marital) estado m; — **symbol** símbolo de status m
statute [stætʃut] N (by-law) estatuto m; (law) ley f; — **of limitations** ley de prescripción f
statutory rape [stætʃətɔriɪreɪp] N estupro m

stave [steɪv] N (of a barrel) duela f; vi to — **off** evitar
stay [steɪ] vi (remain) quedarse, permanecer; to — **away** mantenerse alejado; to — **in** quedarse en casa; to — **up** quedarse no meterse en líos; to — **out of trouble** levantación; vt to — **an execution** aplazar una ejecución; N (time spent) estancia f, estadía f, permanencia f; (support) sostén m, soporte m
stead [stɛd] N **in her —** en su lugar; to **stand one in good —** ser de provecho para uno
steadfast [stɛdfæst] adj fijo, firme
steadiness [stɛdinəs] N (firmness) firmeza f; (of the hand) pulso m; (constancy) constancia f; (continuity) continuidad f
steady [stɛdi] adj (not shaky) firme; (constant) constante; (continuous) continuo; — **boyfriend** novio formal m; — **income** ingreso fijo m; vt/vi (an object) asegurar; (nerves) calmar
steak [steɪk] N bistec m, churrasco m
steal [stil] vi/vt (a thing) robar, hurtar; (a girlfriend) soplar; vi to — **away/out** escabullirse, escaparse; N ganga f
stealth [stɛlθ] N sigilo m; **by —** furtivamente
stealthy [stɛlθi] adj furtivo
steam [stim] N (evaporated water) vapor m; (arising from an object) vaho m; — **engine** máquina de vapor f; — **roller** apisonadora f, aplanadora f; — **ship** (buque de) vapor m; — **shovel** excavadora f; vt (cook) cocer al vapor; vi (give off steam) echar vapor; **to get — ed up** (angry) indignarse; (covered with vapor) empañarse
steamer [stimə-] N buque de vapor m
steed [stid] N corcel m
steel [stil] N acero m; — **blue** azul acero m; — **industry** siderurgia f; — **mill** acería f; — **wool** lana de acero f; vt acerar; to — **oneself** prepararse
steep [stip] adj (hill) empinado, escarpado, acantilado; (decline) marcado; (price) excesivo; vt infusionar; vi estar en infusión, infusionarse
steeple [stipl] N (spire) aguja f; chapitel m; (bell tower) campanario m
steer [stir] N (young) novillo m; (grown) buey m; vi/vt (a car) conducir, manejar; (a ship) gobernar, timonear; vi (turn) girar, doblar; **to — clear of** evitar; **to — a conversation** desviar una conversación; **the car —s easily** el coche es fácil de conducir; — **-ing direction** f; — **-ing wheel**

volante m

stellar [stela-] adj estelar

stem [stem] n (of a plant) tallo m; (of a leaf) pedúnculo m, rabo m; (of a glass) pie m; (of a pipe) cañón m; — **cell** célula estaminal/embrional f; vt detener, estancar; vi/vr provenir de

stench [stentʃ] n hedor m, hediondez f, tufo m

stencil [stensəl] n plantilla f, matriz f

stenographer [stənágrəfə-] n taquígrafo -fa m/f

step [step] n (in walking, dancing) paso m; (on stairs) peldaño m, escalón m; (in music) tono m; **to take** — **s** to tramitar; — **by** — paso a paso; — **ladder** escalera f; **in** — **with the music** al compás de la música; **to take** — **s** (walk) dar pasos; (act) tomar medidas; vi dar un paso; — **this way** pase por aquí; **to** — **aside** hacerse a un lado; **to** — **back** retroceder; **to** — **down** (descend) bajar; (resign) renunciar; **to** — **off** bajar; **to** — **off a distance** medir a pasos una distancia; **to** — **on** pisar, pisotear; **to** — **on the gas** pisar el acelerador; **to** — **out** salir; **to** — **up** subir

stepbrother [stépbrʌðə-] n hermanastro m

stepdaughter [stépdɔtə-] n hijastra f

stepfather [stépfaðə-] n padrastro m

stepmother [stépmʌðə-] n madrastra f

stepsister [stépsistə-] n hermanastra f

steppe [step] n estepa f

stepson [stépsʌn] n hijastro m

stereo [stério] adj & n estéreo m

stereotype [stériataip] n estereotipo m

sterile [stéral] adj estéril

sterility [stəríliti] n esterilidad f

sterilize [stérəlaiz] vt esterilizar

stern [stə-n] adj austero, severo, adusto; n popa f

sternum [stə-nəm] n esternón m

steroid [stíroid] n esteroide m

stethoscope [stéθəskop] n estetoscopio m

stew [stu] vi/vr (cook) estofar(se), guisar(se); n guiso m; **to be in a** — estar preocupado

steward [stúwə-d] n (manager) administrador m; (on a ship) camarero m; (on an airplane) auxiliar de vuelo m

stewardess [stúwə-dis] n (on a ship) camarera f; (on an airplane) azafata f

stick [stik] n (of wood) palo m, vara f; (of firewood) raja f; (of dynamite) cartucho m; — **up** — **shift** palanca de cambios f; vt (place) poner, pegar(se), adherir(se);

meter; (stab) clavar, pinchar; vi (become jammed) atascarse; — **'em up!** ¡arriba las manos! **to** — **out** salir, sobresalir; **to** — **out one's head** asomar la cabeza; **to** — **out one's tongue** sacar la lengua; **to** — **to a job** persistir en una tarea; **to** — **up for** estar parado de punta; **to** — **up** defender; **to** — **someone up** asaltar/ atracar a alguien

sticker [stíkə-] n (thistle) abrojo m; (adhesive) etiqueta adhesiva f

sticky [stíki] adj pegajoso

stiff [stif] adj (leather, cardboard) tieso, duro; (drink) fuerte, cargado; (shirt) almidonado; (back) endurecido; (test) difícil; (breeze) fuerte; (personality) envarado; (climb) arduo; (price) alto; **to get** — entumecerse; n (cadaver) fiambre m

stiffen [stífən] vi/vt (leather) atiesar(se); (back) endurecer(se); (shirt) almidonar(se); **to** — **up** agarrotarse

stiffness [stífnis] n (of leather) dureza f, tiesura f; (of one's back) entumecimiento m; (of one's personality) envaramiento m; (of resistance) firmeza f

stifle [stáifəl] vi/vt ahogar(se), sofocar(se); **to** — **a yawn** contener un bostezo

stigma [stígmə] n estigma m

stigmatize [stígmataiz] vi/vt estigmatizar

still [stil] adj (not moving) quieto; (quiet) silencioso; —**born** nacido muerto; — **life** naturaleza muerta f; vt acallar; adv todavía, aún; conj de todos modos; n (for distilling) alambique m; (quiet) silencio m

stillness [stílnis] n quietud f, silencio m

stilt [stilt] n (for walking) zanco m; (support) pilote m

stilted [stíltid] adj (personality) envarado; (style) afectado

stimulant [stímjələnt] adj & n estimulante m

stimulate [stímjəleit] vt estimular

stimulation [stimjəléʃən] n estimulación f

stimulus [stímjələs] n estímulo m, estimulo

sting [stiŋ] vi/vt (insects, thorns) picar; (insects) aguijonear; vt (shampoo) hacer picar; (rain) azotar; (cheat) timar; n (pain) picadura f; (stinger) aguijón m; (confidence game) golpe m; — **of remorse** punzada de remordimiento f

stingray — **ray** n manta raya f

stinger [stíŋə-] n aguijón m

stinginess [stíndʒinis] n tacañería f, mezquindad f

stingy [stíndʒi] adj mezquino, tacaño

stink [stiŋk] vi (smell bad) heder, apestar; **to** — **of** heder a; **to** — **up** dar mal olor a;

your performance stank tu actuación fue un desastre; N hedor *m*
stipend [stáɪpɪnd] N (fellowship) beca *f*; (salary) estipendio *m*
stipulate [stípjəlet] VT estipular
stipulation [stipjəléʃən] N estipulación *f*
stir [stɜ˞] VI/VT (move) bullir, rebullir; VT (mix) revolver; (move emotionally) conmover; (awake) despertar; (stoke) atizar; **to — up** (trouble) provocar, suscitar; (an old grudge) remover; N **to give something a —** revolver algo; **to cause a —** causar revuelo; **—-crazy** claustrofóbico; **to —-fry** saltear
stirring [stɜ˞ɪŋ] ADJ conmovedor
stirrup [stɜ˞əp] N estribo *m*
stitch [stɪtʃ] N (sew) puntada *f*; (on a wound) punto *m*; **to be in —es** desternillarse de risa; VI/VT coser
St. Kitts and Nevis [sentkítsənnívɪs] N San Cristóbal y Nieves *m*
St. Lucia [sentlúʃə] N Santa Lucía *f*
St. Lucian [sentlúʃən] ADJ & N santalucense *mf*
stock [stak] N (selection) surtido *m*; (reserves) existencias *f pl*; (livestock) ganado *m*; (lineage) estirpe *f*; (shares) acciones *f pl*, valores *m pl*; (in grafting) patrón *m*; (broth) caldo *m*; **out of —** agotado; **in — en** existencia; ADJ (common) trillado; **—broker** corredor -ra de bolsa *mf*, bolsista *mf*; **— company** sociedad anónima *f*; **— exchange** bolsa de valores *f*; **—holder** accionista *mf*; **— market** mercado de valores *m*, bolsa de valores *f*; **— options** opciones *f pl*; **—pile** acopio *m*; **—room** depósito *m*; **— size** tamaño ordinario *m*; **—yard** corral *m*; VT (sell) vender; (fill shelves) abastecer; **to — up on** surtirse de, acumular; **to —pile** acopiar
stockade [stakéd] N (fence) estacada *f*, empalizada *f*; (prison) prisión militar *f*
stocking [stákɪŋ] N (hose) media *f*; (sock) calcetín *m*
stocky [stáki] ADJ robusto
stoic [stóɪk] ADJ & N estoico -ca *mf*
stoke [stok] VT (fire) atizar; (engine) alimentar
stomach [stʌ́mək] N (organ) estómago *m*; (belly) panza *f*, barriga *f*; **he has a big —** es barrigón; **to lie on one's —** estar panza abajo; VT aguantar
stomp [stamp] VI pisar fuerte; VT (crush) pisotear; (defeat) aplastar
stone [ston] N (rock, gem) piedra *f*; (in fruit) hueso *m*; (in kidneys) cálculo *m*; **within**

a **—'s throw** a tiro de piedra; **— Age** Edad de Piedra *f*; **—-deaf** sordo como una tapia; VT (a person) lapidar; (a fruit) deshuesar
stony [stóni] ADJ (made of stone) pétreo; (driveway) pedregoso; (silence) sepulcral
stool [stuɫ] N (furniture) taburete *m*, banqueta *f*; (excrement) materia fecal *f*; **— pigeon** soplón -ona *mf*, chivato -ta *mf*
stoop [stup] VI (bend over) agacharse; (have bad posture) encorvarse; **to — to** rebajarse a; N (posture) encorvamiento *m*; (porch) entrada *f*, porche *m*; **to walk with a —** andar encorvado; **—-shouldered** encorvado, cargado de espaldas
stop [stap] VI (halt) parar, detenerse; (malfunction) parar(se); VT (halt) parar, detener; (cancel) cancelar; (suspend) suspender; (plug) tapar; **to — at nothing** no tener escrúpulos; **to — by / in** visitar; **to — from** impedir; **to — over at** hacer escala en; **to — short** parar en seco; **to — up** tapar, atascar; **it —ped raining** paró / dejó de llover; N parada *f*, detención *f*; (on organ) registro *m*; **—gap** arreglo provisorio *m*; **—light** semáforo *m*; **—over** escala *f*; **— sign** *Sp* stop *m*; *Am* señal de pare *f*; *Mex* alto *m*; **—watch** cronómetro *m*; **to bring to a —** parar; **to make a —** parar
stoppage [stápɪdʒ] N interrupción *f*; (strike) huelga *f*
stopper [stápə˞] N tapón *m*
storage [stɔ́rɪdʒ] N almacenaje *m*, almacenamiento *m*; **— battery** acumulador *m*; **to keep in —** almacenar
store [stɔr] N (shop) tienda *f*, almacén *m*; (supply) reserva *f*, provisión *f*; **—house** (warehouse) almacén *m*, depósito *m*; (source) mina *f*, fuente *f*; **—keeper** tendero -ra *mf*, almacenista *mf*; **—room** almacén *m*, depósito *m*; **what is in — for us?** ¿Qué nos espera? VT (commercial goods) almacenar; (personal effects) guardar; **to — up** acumular
stork [stɔrk] N cigüeña *f*
storm [stɔrm] N tormenta *f*; (at sea) tempestad *f*, temporal *m*; (of protest) ola *f*; **— troops** tropas de asalto *f pl*; VT tomar por asalto; VI **to — in / out** entrar / salir en tromba
stormy [stɔ́rmi] ADJ tormentoso, tempestuoso
story [stɔ́ri] N (tale) cuento *m*, historia *f*; (newspaper article) artículo *m*; (lie) mentira *f*; (information) información *f*; (plot) argumento *m*, trama *f*; (floor) piso *m*
stout [staut] ADJ (fat) corpulento; (robust)

robusto, fornido; (strong) fuerte;
(courageous) valiente

stove [stov] n (for heating) estufa f; (for
cooking) cocina f; Méx estufa f

stow [sto] vt (keep) guardar; (hide) esconder;
(put in cargo hold) estibar; **to — away**
(on a ship viajar de polizón

stowaway [stowe] n polizón -ona mf

straddle [strædl] vi/vt estar a horcajadas; vt
(a fence) ponerse a horcajadas (one's legs)
abrir; (not take sides) no comprometerse

strafe [streif] vt ametrallar

straggle [strægl] vi **to — along / behind**
rezagarse; **to — in** entrar de a pocos

straight [stret] adj (not curved) recto; (not
tilted) derecho; (in succession) seguido;
(hair) lacio, liso; (teeth) parejo; (frank)
franco; (heterosexual) heterosexual; **— A's**
sobresaliente en todo; **— face** cara seria f;
— forward (honest) honesto;
(simple) sencillo; (clear) claro

straighten [stretn] vi/vt enderezar(se);
(situation) arreglar(se); vt (hair) alisar, RP
laciar; **to — a child** enderezar a un
niño

straightness [stretnis] n derechura f

strain [stren] vt (pull) tironear; (try hard)
esforzarse; vt (exhaust) agotar; (hurt voice)
forzar; (injure a joint) torcer; (injure a
muscle) sufrir un tirón en; (hurt a
relationship) crear una tirantez en; vi/vt
(filter) colar(se); n (effort) esfuerzo m;
(injury) torcedura f; (pressure) presión f;
(trouble in a relationship) tirantez f;
(lineage) cepa f; (style) veta f

strainer [strena] n colador m

strait [stret] n estrecho m; **— s** en
aprietos; adj **—jacket** camisa de fuerza f;
— laced puritano

strand [strend] vi/vt encallar, varar;
vt (a person) dejar plantado; **to be — ed**
(boat) estar encallado; (person) quedar
plantado; n (beach) costa f, playa f; (of
rope) ramal m; (of thread) hebra f; (of

strange [strendʒ] adj (bizarre) extraño, raro;
(unknown) desconocido

strangeness [strendʒnis] n (unusualness) lo

extraño, rareza f; (unexpectedness) lo
inesperado

stranger [strendʒə] n (unknown person)
extraño -ña, desconocido -da mf;
(outsider) forastero -ra mf; **to be no — to**
saber bien lo que es algo

strangle [strængl] vi/vt estrangular(se);
—hold (in wrestling) llave al cuello m

strap [stræp] n (leather band) correa f, tira f;
(on a dress) tirante m; vt atar con correa;
to — in amarrar(se)

stratagem [strætədʒəm] n estratagema f

strategic [strətidʒik] adj estratégico

strategy [strætədʒi] n estrategia f

stratosphere [strætəsfir] n estratosfera f

stratum [strætəm] n estrato m

straw [stro] n paja f (also for drinking);
—berry [-beri] n fresa f; **— colored** pajizo

stray [stre] vi (deviate, digress) desviarse; (get
lost) perderse; (wander) vagar; (morally)
perderse; adj extraviado, perdido; n perro
/ gato m sin dueño

streak [strik] n (line) raya f; (vein) vena f; (of
luck) racha f; (of light) rayo m; vi (run
naked) correr desnudo; (get discolored)
aclararse

stream [strim] n (jet) chorro m; (river) río m;
(brook) arroyo m; vi (water) correr, fluir;
(blood) derramar; **—lined** aerodinámico;
to — out brotar, manar; **to — in** entrar a
raudales

street [strit] n calle f; **—car** tranvía f;
—lamp / lamp farol m, poste de
alumbrado m; **— sweeper** barrendero -ra
mf

strength [strengθ] n fuerza f; (spiritual) firmeza f;
on the — of en base a

strengthen [strengθən] vi/vt fortalecer(se),
reforzar(se)

strenuous [strenjuəs] adj arduo

strep throat [strepθrot] n infección por
estreptococo f

stress [stres] n (tension) tensión f; (strain)
estrés m; (pressure) esfuerzo m; (emphasis)
énfasis m; (accent) acento m; vt
(emphasize) enfatizar; (accentuate)
acentuar; (put under pressure) estresar; **to
— out** estresar

stretch [stretʃ] vi/vt (make or become longer)
estirar(se), alargar(se); (extend)
extender(se); (exaggerate) exagerar; **to —
oneself** estirarse, desperezarse; **to — out**

(lengthen) extender(se); (file) limbarse, tenderse; N (act of stretching) desperezo m; (length) trecho m, tramo m, tirada f; (period) periodo m; (exaggeration) exageración f; — **mark** estría f

stretcher [strɛtʃə-] N camilla f

strew [struː] vt esparcir

stricken [strɪkən] adj (with disease) aquejado; (by a flood) afectado; (with fear) apoderado

strict [strɪkt] adj estricto; **in — confidence** en absoluta confianza

stride [straɪd] vi caminar a paso largo, dar zancadas; N (gait) paso m; (long step) zancada f, tranco m

strident [straɪdn̩t] adj estridente

strife [straɪf] N conflictos m pl

strike [straɪk] vt/vi (hit) golpear, pegar; (stop work) hacer huelga (contra); vt (find) dar con, encontrar; (occur to) ocurrírsele a uno; (cross out) tachar; (mark by chimes) dar; (light) encender; (coin) acuñar; **to — a compromise** llegar a un acuerdo; **to — one's fancy** antojársele a uno; **to — out** (cross out) tachar; (set forth) encaminarse; **to — up a conversation** entablar conversación; **to — up a friendship** trabar amistad; **how does she — you?** ¿qué tal te parece?; N (of workers) huelga f; (attack) ataque m; (finding of oil) descubrimiento m; **—breaker** esquirol m, rompehuelgas m sg

striker [straɪkə-] N (person on strike) huelguista m/f; (of a bell) badajo m

striking [straɪkɪŋ] adj (unusual) notable; (attractive) llamativo; (on strike) en huelga

string [strɪŋ] N (cord) cuerda f, cordel m; (of pearls, lies) sarta f; (of questions) serie f; (of beans) fibra f; (of garlic) ristra f; **—s** cuerdas f pl; vt (beads) ensartar; (a musical instrument) encordar; **to — along** tener en ascuas; **to — out** extender(se); **to — up** colgar, ahorcar; **to be strung out** estar muy tenso

stringent [strɪndʒənt] adj (law, need) riguroso; (time limit) estricto, ajustado

strip [strɪp] vt/vi (make/ get naked) desnudar(se); vt (remove bark) descortezar; (remove leaves) deshojar; (remove sheets) deshacer; (remove varnish) quitar el barniz; (damage gears) estropear el engranaje; **to — mine** explotar a cielo abierto; N tira f; (of land) faja f; **— mall** centro comercial m

stripe [straɪp] N (band) raya f, lista f, banda f; (military insignia) galón m; (type) tipo m

striped [straɪpt] adj listado, rayado

strive [straɪv] vi esforzarse por, luchar por

stroke [strəʊk] N (in golf, tennis, of genius) golpe m; (cerebral hemorrhage) derrame cerebral m; (movement in swimming) brazada f; (of a piston) carrera f; (of a painter's brush) pincelada f; (of lightning) rayo m; **at the — of ten** al dar las diez; vt (pet) acariciar; (praise) halagar

stroll [strəʊl] vi dar un paseo, pasearse; N paseo m, caminata f

stroller [strəʊlə-] N cochecito de bebé m

strong [strɒŋ] adj fuerte; (husky) recio; (eyesight, probability) bueno; (protest) enérgico; (views, faith, support) firme; (features, resemblance) marcado; **—hold** (fortress) fortaleza f (center of activity) baluarte m; **—willed** (resolute) resuelto, decidido; **—arm** vt intimidar; **to be going —** seguir activo

structural [strʌktʃərəl] adj estructural

structure [strʌktʃər] N (manner of construction) estructura f; (thing constructed) construcción f

struggle [strʌɡəl] vi (with difficulties) luchar, pregar; (with an assailant) forcejear; **she —s in math** la pasa mal en matemáticas; N lucha f; (of ideas) pugna f, lucha f; (fight) contienda f, forcejeo m; **it's a —** da mucho trabajo

strut [strʌt] vi pavonearse; N pavoneo m; (support) tirante m, puntal m; (on a car) amortiguador m

strychnine [strɪknain] N estricnina f

stub [stʌb] N talón m; vt **to — one's toe** dar(se) un tropezón, reventarse el dedo

stubble [stʌbəl] N (of a crop) rastrojo m; (of a beard) barba de unos días f

stubborn [stʌbə-n] adj terco, testarudo

stubbornness [stʌbə-nnis] N terquedad f, testarudez f

stuck [stʌk] adj atascado; **to be — on someone** estar loco por alguien; **—up** estirado, presumido

stucco [stʌkəʊ] N estuco m; vt estucar

student [stjudn̩t] N alumno -na m/f; (secondary, university) estudiante m/f; **—body** alumnado m; adj estudiantil

studio [stjudiəʊ] N estudio m, taller m; **— apartment** estudio m

studious [stiúdiəs] adj estudioso

study [stʌ́di] n estudio m; vt estudiar

stuff [stʌf] n (material) materia f, material m; (things) trastos m pl, bártulos m pl; (cloth) paño m, tela f; (affair) cosa f; (junk) cachivaches m pl; vt (mattress) rellenar; (dead animal) embalsamar, disecar; to — into meter en; **I'm —ed** estoy lleno

stuffing [stʌ́fiŋ] n relleno m

stuffy [stʌ́fi] adj (person) envarado; (air) viciado

stumble [stʌ́mbl] vi (trip) tropezar, trastabillar, dar un traspié; (stutter) balbucear; **to — out** salir a tropezones; **to — upon** tropezar con; n tropezón m, tropiezo m, traspié m; **stumbling block** n obstáculo m

stump [stʌmp] n (of a tree) tocón m, cepa f; (of a tooth) raigón m; (of a limb) muñón m; **to be on the —** hacer una campaña; vt (baffle) dejar perplejo; (remove stumps) arrancar los tocones de; **to — the country** recorrer el país haciendo campaña

stun [stʌn] vt (shock, surprise) dejar atónito, pasmar; (render unconscious) dejar sin sentido; **— gun** n pistola tranquilizante f

stunning [stʌ́niŋ] adj (shocking) pasmoso; (beautiful) elegante, bellísimo

stunt [stʌnt] vt (stop growth) atrofiar; (do acrobatic tricks) hacer acrobacias; n (feat) acrobacia f, (for publicity) maniobra f; **— man** n, **—woman** f; **pull a —** hacerse el listo

stupefy [stúpəfai] vt (make lethargic) atontar, embrutecer; (astonish) dejar estupefacto, alelar

stupendous [stupéndəs] adj estupendo

stupid [stúpid] adj tonto, estúpido, majadero

stupidity [stupíditi] n tontería f, estupidez f, majadería f

stupor [stúpə-] n estupor m

sturdy [stɜ́-di] adj (person) fornido, fuerte; (construction) sólido, robusto

stutter [stʌ́tə-] vi tartamudear, tartajear; vr decir tartamudeando; n (act of stuttering) tartamudeo m; (speech defect) tartamudez f

stutterer [stʌ́tərə-] n tartamudo -da mf

stuttering [stʌ́təriŋ] adj tartamudo; n (act of stuttering) tartamudeo m; (speech defect) tartamudez f

St. Vincent and the Grenadines [sentvínsəntandðəgrénədinz] San Vicente y las Granadinas m

sty [stai] n (for pigs) pocilga f; (in eye) orzuelo m

style [stail] n estilo m; (type) modelo m; **out of —** fuera de moda; **like it's going out of —** como loco; vt (a book) intitular; **he —s himself Professor Smith** se hace llamar Profesor Smith

stylish [stáiliʃ] adj elegante, de moda

stymie [stáimi] vt obstaculizar

Styrofoam™ [stáirofom] n poliestireno m

suave [swav] adj urbano, educado

subconscious [sʌbkánʃəs] adj subconsciente

subcontract [sʌbkántrækt] vt subcontratar; [sʌbkántrækt] n subcontrato m

subdivision [sʌbdivíʒən] n subdivisión f; (of land) parcelación f

subdue [sʌbdú] vt (overcome, vanquish) sojuzgar, someter; rendir; (repress) reprimir; (attenuate) atenuar

subdued [sʌbdúd] adj (mood) deprimido; (lighting) tranquilo; (atmosphere) apagado; (color) tenue

subject [sʌ́bdʒikt] n (of a king) súbdito -ta mf; (of a sentence, in an experiment) sujeto m; (in school) asignatura f, materia f; **— matter** tema m; adj **— to** (changes, laws, depression) sujeto a; (conditions) sujeto a; (earthquakes) propenso a; [sʌbdʒɛ́kt] vt someter

subjection [sʌbdʒɛ́kʃən] n sometimiento m

subjective [sʌbdʒɛ́ktiv] adj subjetivo

subjugate [sʌ́bdʒugeit] vt sojuzgar, avasallar

subjunctive [sʌbdʒʌ́ŋktiv] adj & n subjuntivo m

sublet [sʌblɛ́t] vt/vi subarrendar

sublime [sʌbláim] adj sublime

submarine [sʌ́bmarin] adj submarino; [sʌbmarín] n submarino m

submerge [sʌbmɜ́-dʒ] vt/vi sumergir(se)

submission [sʌbmíʃən] n (subjugation) sometimiento m; (humility) sumisión f; (sending) entrega f, envío m

submissive [sʌbmísiv] adj sumiso

submit [sʌbmít] vt/vr someter(se); (to a judge) elevar(se); **to — a report** presentar un informe

subordinate [sʌbɔ́rdinit] adj & n subordinado -da mf, subalterno -na mf; [sʌbɔ́rdineit] vt subordinar

subpoena [səpína] n citación f, orden de comparecencia f

subroutine [sʌ́brutin] n subrutina f

subscribe [sʌbskráib] vi (underwrite, sign) suscribir; (receive a magazine) abonarse, suscribirse; (agree with) adherirse a

subscriber [sʌbskráibə-] n (to shares) suscriptor -ora mf; (to a magazine) abonado -da mf; (to services) abonado -da mf; (to an idea) partidario -ria mf

subscription [səbskrípʃən] N suscripción f, abono m

subsequent [sʌ́bsɪkwənt] ADJ subsiguiente

subservient [səbsɜ́ː-viənt] ADJ servil

subside [səbsáɪd] VI (sediment) hundirse; (water level) bajar; (volcano, storm, anger) calmarse, aquietarse

subsidiary [səbsíɪDIeɪ] ADJ subsidiario; N sucursal f

subsidize [sʌ́bsɪdaɪz] VT subvencionar

subsidy [sʌ́bsɪdi] N subvención f

substance [sʌ́bstəns] N sustancia f; **— abuse** abuso de sustancias m

substantial [səbstǽnʃəl] ADJ (changes) sustancial; (food, lecture) sustancioso; (furniture) sólido; (amount) considerable, importante; **to be in — agreement** estar básicamente de acuerdo

substantiate [səbstǽnʃiet] VT (verify) verificar; (prove) probar

substantive [sʌ́bstəntɪv] ADJ & N sustantivo m

substitute [sʌ́bstɪtut] VT **I —d water for milk** usé agua en vez de leche, sustituí/ reemplacé la leche por agua; VI **John —d for Mary** Juan sustituyó/ reemplazó a María; N (one who substitutes) sustituto m, reemplazo m; (teacher, athlete) suplente -ta mf; (thing) sucedáneo m

substitution [sʌbstɪtúʃən] N sustitución f; **the — of water for milk** la sustitución de leche por agua

subterfuge [sʌ́btə-fjuʤ] N subterfugio m

subterranean [sʌbtə-rénɪən] ADJ subterráneo

subtitle [sʌ́btaɪd]] N subtítulo m

subtle [sʌ́d]] ADJ sutil

subtlety [sʌ́d]ti] N sutileza f

subtract [səbtrǽkt] VT (deduct) restar; (take away) sustraer

subtraction [səbtrǽkʃən] N sustracción f, resta f

suburb [sʌ́bə-b] N barrio residencial periférico m

suburban [səbɜ́ː-bən] ADJ (residential) residencial; (on the outskirts) periférico

subversive [səbvɜ́ː-sɪv] ADJ subversivo

subway [sʌ́bwe] N metropolitano m, metro m, subterráneo m

succeed [səksíd] VI (be successful) tener éxito; (manage) lograr; **to — to** heredar; VT (follow) suceder a

success [səksés] N éxito m

successful [səksésfəl] ADJ exitoso; **to be —** tener éxito

succession [səkséʃən] N sucesión f

successive [səksésɪv] ADJ sucesivo

successor [səksésə-] N sucesor -ora mf

succinct [səksíŋkt] ADJ sucinto, escueto

succor [sʌ́kə-] N socorro m; VT socorrer

succumb [səkʌ́m] VI sucumbir

such [sʌtʃ] ADJ tal; **he's — an idiot!** ¡es tan idiota! **in — a case** en tal caso/en semejante caso; **— as** tal como; **at — and — a place** en tal o cual lugar; **there's no — thing** eso no existe; PRON **hobbies, pastimes, and —** hobbies, pasatiempos y cosas por el estilo; **a car — as yours** un coche como el tuyo; ADV **— nice neighbors** vecinos tan simpáticos

suck [sʌk] VI/VT chupar; (suckle) mamar; (vacuum, pump) aspirar; **to be — ed into** ser arrastrado a; **to — in** (air) aspirar; (stomach) meter; (fools) timar; N chupada f

sucker [sʌ́kə-] N (gullible person) primo -ma mf; (lollipop) Sp pirulí m; Mex paleta f; RP chupetín m

suction [sʌ́kʃən] N succión f, aspiración f

Sudan [sudǽn] N Sudán m

Sudanese [sudɲíz] ADJ & N sudanés -esa mf

sudden [sʌ́dn] ADJ súbito, repentino, brusco; **all of a —** de repente, de improviso

suddenness [sʌ́dnnɪs] N brusquedad f, lo repentino

suds [sʌdz] N espuma f

sue [su] VI/VT demandar, poner pleito; **to — for** pedir, suplicar; **to — for damages** demandar por daños y perjuicios

suede [swed] N gamuza f, ante m

suffer [sʌ́fə-] VI/VT (feel pain) sufrir, padecer; VT (tolerate) tolerar

sufferer [sʌ́fərə-] N paciente mf

suffering [sʌ́fə-ɪŋ] N sufrimiento m, padecimiento m

suffice [səfáɪs] VI/VT bastar, ser suficiente

sufficient [səfíʃənt] ADJ suficiente, bastante

suffix [sʌ́fɪks] N sufijo m

suffocate [sʌ́fəket] VI/VT ahogar(se), sofocar(se); (to die, kill) asfixiar(se)

suffocation [sʌfəkéʃən] N ahogo m, sofoco m

suffrage [sʌ́frɪʤ] N sufragio m

sugar [ʃúgə-] N azúcar mf; (endearment) cariño m; **— cane** caña de azúcar f; VT azucarar; **to — the pill** dorar la píldora

suggest [səgʤést] VT (propose) sugerir; (hint) insinuar

suggestion [səgʤéstʃən] N (proposal) sugerencia f; (in hypnosis) sugestión f

suggestive [səgʤéstɪv] ADJ insinuante; **to be — of** evocar

suicide [súɪsaɪd] N (act) suicidio m; (person) suicida mf; **to commit —** suicidarse

suit [sut] N traje m; (in cards) palo m, color m; (lawsuit) demanda f, pleito m, querella

suit f —case maleta f; valija f; vt (adapt) adaptar, ajustar; (satisfy) satisfacer; (look good) quedarle bien a, sentarle bien a; (be convenient, appropriate) convenir, venir bien; — yourself haz lo te parezca

suitable [súɐtɐbəl] adj (appropriate) apropiado; (apt) apto

suitably [súɐtɐbli] adv como corresponde

suite [swit] N (series) serie f; (series of rooms, musical composition) suite f; (furniture) juego m

suitor [súɐr-] N pretendiente m; galán m

sulk [sʌlk] vi enfurruñarse; — to be in a — estar enfurruñado

sulky [sʌlki] adj malhumorado, enfurruñado

sullen [sʌlən] adj hosco, huraño

sully [sʌli] vt mancillar, ensuciar

sulphate, sulfate [sʌlfet] N sulfato m

sulphide, sulfide [sʌlfaɪd] N sulfuro m

sulphur, sulfur [sʌlfɚ] N azufre m

sulphuric, sulfuric [sʌlfjúrɪk] adj sulfúrico

sultry [sʌltri] adj (hot) bochornoso; (provocative, sensual) sensual

sum [sʌm] N suma f; adición f; in — en resumen; vi to — up resumir, recapitular

summarize [sʌmɚaɪz] vi/vt resumir

summary [sʌmɚi] N resumen m; adj sumario

summer [sʌmɚ] N verano m, estío m; — resort balneario m, lugar de veraneo m; — school cursos de verano m pl; —time verano m; vi veranear

summit [sʌmɪt] N cumbre f; cima f

summon [sʌmən] vt (witness) citar; (employee, police) llamar; N —s citación judicial f

sumptuous [sʌmptʃuəs] adj suntuoso

sun [sʌn] N sol m; vi to — bathe tomar el sol; —beam rayo de sol m; —block protector solar m; —burn quemadura de sol f; to — burn quemar(se) al sol; —dial reloj de sol m; —down puesta del sol f; —flower girasol m; —glasses gafas de sol f pl, anteojos de sol m pl; —lamp lámpara solar f; —light luz del sol f; —rise salida (del) sol f; —screen protector solar m; —set puesta del sol f; —shine luz (del) sol f; —spot mancha solar f; —stroke insolación f; —tan bronceado m; —up salida del sol f

Sunday [sʌndeɪ] N domingo m; — school escuela dominical f

sundry [sʌndri] adj diversos

sunny [sʌni] adj (day, patio) soleado; (disposition) alegre

super [súpɚ] N conserje m; adj súper, bárbaro

superb [supɚb] adj excelente

supercharger [súpɚtʃɑrdʒɚ] N sobrealimentador m

supercomputer [súpɚkɐmpjutɚ] N Am supercomputadora f; Sp superordenador m

superego [súpɚigo] N superego m, superyó m

superficial [supɚfɪʃəl] adj superficial

superfluous [supɚfluəs] adj superfluo

superhuman [supɚhjúmən] adj sobrehumano

superimpose [supɚɪmpóz] vt superponer, sobreponer

superintendent [supɚɪntɛndənt] N (of work) supervisor -ora m f; (of building) portero -ra m f, conserje m f

superior [supɪriɚ] adj & N superior mf

superiority [supɪriɔ́rɪti] N superioridad f

superlative [supɚlɐtɪv] adj & N superlativo m

supermarket [supɚmɑrkɪt] N supermercado m

supernatural [supɚnǽtʃɚəl] adj sobrenatural

superpower [súpɚpaʊɚ] N superpotencia f

supersede [supɚsíd] vt reemplazar

supersonic [supɚsɑnɪk] adj supersónico

superstar [súpɚstɑr] N superestrella f

superstition [supɚstɪʃən] N superstición f

superstitious [supɚstɪʃəs] adj supersticioso

supervise [súpɚvaɪz] vi/vt supervisar

supervision [supɚvɪʒən] N supervisión f

supervisor [súpɚvaɪzɚ] N supervisor -ra m f

supper [sʌpɚ] N cena f

supplant [səplǽnt] vt suplantar

supple [sʌpəl] adj (flexible) flexible, elástico; (agile) ágil, grácil

supplement [sʌpləmənt] N (of a newspaper) suplemento m; (of a book) apéndice m; (of one's diet) complemento m; [sʌpləmɛnt] vt complementar, suplementar

supply [səplaɪ] vt abastecer, suministrar; N (act of supplying) abastecimiento m; and demand oferta y demanda f; supplies N pl provisiones f pl; office supplies artículos de oficina m pl; military supplies pertrechos m pl; in short — escaso

support [səpɔ́rt] vt (keep from falling) sostener, soportar; (encourage) mantener, apoyar; (corroborate) corroborar; N (of a structure) sostén m, soporte m; (of a family) sustento m; (of a candidate, idea) apoyo m; (of a theory) respaldo m; — group grupo de apoyo m

supporter [səpɔ́rtɚ] N partidario -ria m f; (in sports) hincha mf

suppose [səpóz] VT suponer; **we are —d to go** tenemos que ir

supposition [sʌpəzíʃən] N suposición f, supuesto m

suppository [səpázɪtɔri] N supositorio m

suppress [səprés] VT (repress) reprimir; (eliminate) suprimir; (a revolt) sofocar

suppression [səpréʃən] N (repression) represión f; (elimination) supresión f

supremacy [suprémɔsi] N supremacía f

supreme [suprím] ADJ supremo

surcharge [sɝ́tʃɑrdʒ] N recargo m, prima f

sure [ʃur] ADJ seguro; (judgment) certero; (hand) firme; **to make — of** asegurarse de; ADV **he — drinks a lot** es una esponja; **may I sit here? —!** ¿me puedo sentar? ¡cómo no!

surely [ʃúrli] ADV seguramente, ciertamente; **— you jest** no hablarás en serio; **he will — come** seguramente vendrá

surf [sɝf] N (breaking waves) rompientes mf pl; (foam) espuma f; (undertow) resaca f; **—board** tabla de surf f; VI/VT (on water) hacer surfing (en), surfear; (on Internet) navegar, surfear

surface [sɝ́fɪs] N superficie f; (of a solid) cara f; VI (come to top) emerger; (turn up) salir a la luz; VT (a submarine) sacar a la superficie; (a road) revestir

surfeit [sɝ́fɪt] N (excess) exceso m; (feeling of fullness) hartazgo m; VI/VT hartar(se)

surfing [sɝ́fɪŋ] N surfing m

surge [sɝdʒ] N (of people, disgust) oleada f; (of waves) oleaje m; (of electricity) tensión f; VI (people) precipitarse; (current) subir; **— protector** protector de tensión m

surgeon [sɝ́dʒən] N cirujano -na mf

surgery [sɝ́dʒəri] N cirujía f; (room) quirófano m

surgical [sɝ́dʒɪkəl] ADJ quirúrgico

Surinam, Suriname [súrɪnɑm(ə)] N Surinam m

Surinamese [surɪnɑmíz] ADJ & N surinamés -esa mf

surly [sɝ́li] ADJ malhumorado, hosco, arisco

surmise [sɝmáɪz] VT conjeturar, suponer; N conjetura f, suposición f

surmount [sɝmáunt] VT superar

surname [sɝ́nem] N apellido m

surpass [sɝpǽs] VT superar, sobrepujar

surplus [sɝ́pləs] N excedente m, sobrante m, sobra f; (of funds) superávit m

surprise [sɝpráɪz] N sorpresa f; VT sorprender

surprising [sɝpráɪzɪŋ] ADJ sorprendente

surrealism [sɝíəlɪzəm] N surrealismo m

surrender [sɝéndɚ] VI (accept defeat) rendir(se), darse por vencido; (give oneself up) entregarse; VT entregar; N rendición f

surreptitious [sɝəptíʃəs] ADJ subrepticio

surrogate [sɝ́əgɪt] ADJ sustituto; **— mother** madre de alquiler f

surround [sɝáund] VT rodear, circundar; (a city) sitiar

surrounding [sɝáundɪŋ] ADJ circundante; **—s** alrededores m pl, inmediaciones f pl

surveillance [sɝvéləns] N vigilancia f

survey [sɝvé] VT (evaluate) evaluar; (measure) medir; (contemplate) contemplar; (poll) encuestar; [sɝ́ve] N (inspection) reconocimiento m, inspección f; (measure) medición f; (overview) panorama m; (poll) encuesta f, sondeo m; **— course** curso general m

surveyor [sɝvéɚ] N agrimensor -ra mf

survival [sɝváɪvəl] N supervivencia f, sobrevivencia f, (subsistence) subsistencia f; **the — of the fittest** la supervivencia del más apto

survive [sɝváɪv] VI/VT sobrevivir (also live longer than); (subsist) subsistir

survivor [sɝváɪvɚ] N sobreviviente mf

susceptible [səséptəbəl] ADJ susceptible; **to be — of proof** poderse demostrar; **to be — to pneumonia** ser propenso a la pulmonía

suspect [sʌ́spɛkt] N sospechoso -sa mf; [səspɛ́kt] VT sospechar, barruntar, recelar

suspend [səspɛ́nd] VT suspender

suspenders [səspɛ́ndɚz] N tirantes m pl

suspense [səspɛ́ns] N (uncertainty) incertidumbre f; (in movie) suspenso m; Sp suspense m; **to keep in —** mantener en suspenso, tener en vilo

suspension [səspɛ́nʃən] N suspensión f; (of a ban) levantamiento m; **— bridge** puente colgante m

suspicion [səspíʃən] N sospecha f, barrunto m

suspicious [səspíʃəs] ADJ (causing suspicion) sospechoso; (experiencing suspicion) suspicaz, desconfiado

sustain [səstén] VT (weight) sostener, sustentar; (pretense, effort) mantener; (an injury) sufrir; (an objection) admitir; (a musical note) sostener

sustenance [sʌ́stənəns] N sustento m, alimento m

suture [sútʃɚ] N sutura f

swab [swɑb] N hisopo m, bola de algodón f; VT pasar un hisopo sobre

swagger [swǽgɚ] VI (walk) pavonearse, contonearse; (boast) fanfarronear; N (walk) pavoneo m, contoneo m; (bluster) fanfarronería f

swallow [swálo] N (drink) trago m; (bird)

golondrina *f*; VI/VT tragar; **to — up** consumir

swamp [swɑmp] N pantano *m*, ciénaga *f*; **—land** cenagal *m*; VI/VT (flood) inundar(se); (overwhelm) abrumar(se), agobiar(se)

swampy [swɑmpi] ADJ pantanoso, cenagoso

swan [swɑn] N cisne *m*; **— dive** salto del ángel *m*; **— song** canto de cisne *m*

swap [swɑp] VT cambiar, canjear; N cambio *m*, canje *m*

swarm [swɔrm] N enjambre *m*; VI (of bees) salir en enjambre; (of people, tourists) pulular, hormiguear; **to be —ing with** ser un hervidero de, abundar en

swarthy [swɔrði] ADJ trigueño, moreno

swat [swɑt] VT (a person) pegar; (flies) aplastar; **to — at** manotear; N manotazo *m*

sway [swe] VI/VT (move to and fro) balancear(se), bambolear(se); (move hips) menear(se); (influence) influir (en); N (movement) balanceo *m*, vaivén *m*, bamboleo *m*; (influence) influencia *f*; **to hold — over** dominar

Swazi [swɑzi] N suazi *mf*

Swaziland [swɑzilænd] N Suazilandia *f*

swear [swer] VI/VT (vow) jurar; (use profanity) decir palabrotas; *Sp* soltar tacos; **to — in** (give oath) juramentar; (take oath) prestar juramento; **she —s by canned peaches** para ella no hay nada como los duraznos enlatados; **to — off** renunciar a; **to — to** jurar por

sweat [swet] VI (perspire) sudar; (ooze) exudar, sudar; (worry) preocuparse; N sudor *m*; **—shirt** sudadera *f*; **—suit** equipo deportivo *m*; *Sp* chándal *m*; **no —** no hay problema

sweater [swɛɾɚ] N suéter *m*, jersey *m*

sweaty [swɛɾi] ADJ sudoroso, sudado

Swede [swid] N sueco -ca *mf*

Sweden [swidn] N Suecia *f*

Swedish [swidɪʃ] ADJ sueco

sweep [swip] VI/VT (clean with broom, scan) barrer; (dredge) dragar; VT (touch) rozar; (search) rastrear; VI (spread) extenderse; **to — away** llevar, arrastrar; **to — down upon** caer sobre, asolar; **to — off** limpiar; **to — into** (majestically) entrar majestuoso; (quickly) entrar rápidamente; **to — up** recoger; N (cleaning) barrida *f*; (extension) extensión *f*; (movement) barrido *m*; (search) rastreo *m*

sweeping [swipɪŋ] ADJ (statement) (demasiado) general; (victory) aplastante

sweet [swit] ADJ (in flavor, personality) dulce;

(in smell) bueno, fragante; **—-and-sour** agridulce; **—heart** querido -da *mf*; **— pea** *Sp* guisante de olor *m*; **— potato** batata *f*, boniato *m*; *Mex* camote *m*; **to have a — tooth** ser goloso; N dulce *m*, golosina *f*; **my —** mi vida, mi alma; **to —-talk** halagar

sweeten [switn] VI/VT (a food) endulzar(se); (an experience) dulcificar(se)

sweetener [switnɚ] N endulzante *m*, edulcorante *m*

sweetness [switnɪs] N (of personality) dulzura *f*; (of taste) dulzor *m*

swell [swel] VI/VT (limbs, with pride) hinchar(se), henchir(se); VI (river) crecer; (population) crecer, engrosar(se); VT (make grow) hacer crecer, hacer aumentar, engrosar; N (of ocean) oleaje *m*; ADJ estupendo, bárbaro

swelling [swelɪŋ] N hinchazón *f*

swelter [swɛltɚ] VI sofocarse de calor

swerve [swɜv] VI/VT (in a car) virar; (from a goal) desviar(se); N viraje *m*

swift [swift] ADJ ligero, veloz, raudo; N vencejo *m*

swiftness [swiftnɪs] N velocidad *f*, rapidez *f*

swim [swim] VI/VT nadar; (float) flotar; **to — across** atravesar nadando; **my head is —ming** me da vueltas la cabeza; N **—ming pool** piscina *f*; *Mex* alberca *f*; **—suit** traje de baño *m*; **to take a —** ir a nadar, dar una nadada

swimmer [swimɚ] N nadador -ra *mf*

swindle [swindl] VT estafar; N estafa *f*, trapacería *f*

swine [swain] N puerco *m*, cerdo *m*; (person) *offensive* puerco -ca *mf*, sinvergüenza *mf*

swing [swɪŋ] VI/VT (on a swing) columpiar(se); (move to and fro) balancear(se), bambolear(se); VI (change) virar; VT (make turn) hacer girar; (influence) influir sobre; (baseball, golf) dar un swing con; **to — a deal** concretar un negocio; **to — around** dar vueltas; **to — open** abrirse; **I can't — a new car** no me puedo dar el lujo de comprar un auto nuevo; N (playground toy) columpio *m*; (oscillation) balanceo *m*, vaivén *m*, bamboleo *m*; (in golf, baseball, music) swing *m*; (change) cambio *m*; **in full —** en su apogeo; **to get into the — of things** agarrarle la onda a algo, cogerle el tranquillo a algo

swipe [swaip] VT (steal) afanar, sisar; (slide) deslizar; N (insult) insulto *m*; **to take a — at someone** (physical) tirarle un manotazo a alguien; (verbal) insultar

swirl [swɜ-l] vi/vt arremolinar(se); (dancers) girar; n remolino m; (smoke) espiral f

Swiss [swɪs] adj & n suizo -za mf; — **cheese** queso suizo m

switch [swɪʧ] n (change) cambio m; — (electrical) interruptor m, llave f (stick for whipping), vará f; (on railways) agujas f pl; —**blade** navaja automática f; —**board** centralita f; —**man** guardagujas m sg; vi/vt cambiar (de); (trains) desviar; — **off** (current) cortar; (light, TV) apagar; **to** — **on** encender, prender

Switzerland [swɪʦə-lənd] n Suiza f

swivel [swɪvəl] n pivote m; — **chair** silla giratoria f

swollen [swolən] adj hinchado

swoon [swun] vi desvanecerse, desmayarse; **to** — **over someone** morirse por alguien; n vahído m

swoop [swup] vi **to** — **down upon** abalanzarse sobre; n descenso súbito m; **at one fell** — de un tirón

sword [sɔrd] n espada f; —**fish** n pez espada m

sycamore [sɪkəmɔr] n sicomoro m

syllable [sɪləbəl] n sílaba f

syllabus [sɪləbəs] n programa (de estudios) m

syllogism [sɪlədʒɪzəm] n silogismo m

symbiosis [sɪmbiosɪs] n simbiosis f

symbol [sɪmbəl] n símbolo m

symbolic [sɪmbɑlɪk] adj simbólico

symbolism [sɪmbəlɪzəm] n simbolismo m

symmetrical [sɪmɛtrɪkəl] adj simétrico

symmetry [sɪmɪtri] n simetría f

sympathetic [sɪmpəθɛɾɪk] adj (compassionate) compasivo; (understanding) comprensivo; (favoring) favorable; (nervous system) simpático

sympathize [sɪmpəθaɪz] vi (be compassionate) compadecer(se); (be understanding) comprender; **to** — **with** estar a favor de

sympathy [sɪmpəθi] n compasión f, comprensión f; (condolence) condolencia f, pésame m; **to extend one's** — dar el pésame

symphony [sɪmfəni] n sinfonía f; — **orchestra** n orquesta sinfónica f

symposium [sɪmpoziəm] n simposio m

symptom [sɪmptəm] n síntoma m

synagogue [sɪnəgɑg] n sinagoga f

synchronize [sɪŋkrənaɪz] vt/vi sincronizar(se)

syndicate [sɪndɪkɪt] n sindicato m; [sɪndɪket] vt/vi (form a syndicate) sindicar(se); vt (sell rights) vender los derechos de

syndrome [sɪndrom] n síndrome m

synonym [sɪnənɪm] n sinónimo m

synonymous [sɪnɑnəməs] adj sinónimo; **synopsis** [sɪnɑpsɪs] n sinopsis f

syntax [sɪntæks] n sintaxis f

synthesis [sɪnθəsɪs] n síntesis f

synthesize [sɪnθəsaɪz] vi/vt sintetizar

synthetic [sɪnθɛɾɪk] adj sintético

syphilis [sɪfəlɪs] n sífilis f

Syria [sɪriə] n Siria f

Syrian [sɪriən] adj & n sirio -ria mf

syrup [sɪrəp] n (food) almíbar m, jarabe m; (medicine) jarabe m

system [sɪstəm] n sistema m

systematic [sɪstəmæɾɪk] adj sistemático

systematize [sɪstəmətaɪz] vt/vi sistematizar

systemic [sɪstɛmɪk] adj sistémico

Tt

tab [tæb] n (on typewriter) tabulador m; (on index cards) pestaña f, ceja f; (bill) cuenta f; — **key** n tecla de tabulación f

table [tebəl] n (furniture) mesa f; (list) tabla f; — **lamp** n lámpara de mesa f; — **of contents** n tabla de contenido f, índice m; **at** — a la mesa; vt posponer indefinidamente, dar carpetazo a; —**cloth** mantel m; —**spoon** n cuchara grande f; (measurement) cucharada f; —**spoonful** cucharada f; — **tennis** tenis de mesa m; —**ware** n vajilla f, servicio de mesa m

tablet [tæblɪt] n (pill) pastilla f, tableta f (paper) bloc m; (stone) tabla f, lápida f; (portable writing surface) tablilla f

tabloid [tæblɔɪd] n (paper size) tabloide m; (type of press) prensa amarilla/sensacionalista f

taboo [tæbu] n tabú m

tabulate [tæbjəlet] vt tabular

tachometer [tækɑmɪɾə-] n tacómetro m

tacit [tæsɪt] adj tácito

taciturn [tæsɪɾɜ-n] adj taciturno

tack [tæk] n (nail) tachuela f (stitch) hilván m; (heading of a boat) rumbo m; (course of action) táctica f (equipment for a horse) arreos m pl; vt (to nail) clavar con tachuelas; (to stitch) hilvanar; **to** — **on** agregar; vi virar, cambiar de rumbo

tackle [tækəl] n (for fishing, hoisting) aparejo m; (in rugby, football) placaje m; (person) atajador m; vt (a problem) enfrentar, abordar; (a task) emprender; (a

tacky [tæki] *adj* (in bad taste) de mal gusto, chabacano; *Sp* hortera *inv*; (sticky) pegajoso

tact [tækt] *n* tacto *m*

tactful [tæktfəl] *adj* que tiene tacto

tactics [tæktiks] *n* táctica *f*

tactile [tæktəl] *adj* táctil

tactless [tæktlɪs] *adj* falto de tacto

tag [tæg] *n* (label) etiqueta *f*; (question) coletilla *f*; (nickname) apodo *m*; **to play —** jugar al pillapilla; *vt* etiquetar; (in the game of tag) pillar; **to — along** acompañar; **to — on** agregar

tail [teɪl] *n* cola *f*, rabo *m*; (of a shirt) faldón *m*; (pursuer) perseguidor -ra *m/f*; **—bone** rabadilla *f*; **— end** (of a concert) final *m*; (of a procession) cola *f*; **to —gate** seguir demasiado de cerca (a otro coche); **—light** luz trasera *f*; **—pipe** tubo de escape *m*; **—s** (of a coin) cruz *f*; (tuxedo) frac *m*; **—spin** barrena *f*

tailor [teɪlə] *n* sastre *m*; **— shop** sastrería *f*; *vt* hacer a medida; (adapt) adaptar

taint [teɪnt] *n* (stain) mancha *f*; (contamination) contaminación *f*; *vi/vt* (stain) manchar(se); (contaminate) contaminar(se)

Taiwan [taɪwɑn] *n* Taiwán *m*

Taiwanese [taɪwɑnɪz] *adj & n* taiwanés -esa *m/f*

Tajik [tɑdʒik] *adj & n* tayiko -ka *m/f*

Tajikistan [tɑdʒikistɑn] *n* Tayikistán *m*

take [teɪk] *vt* (carry) llevar; (conduct) conducir; (steal) robar, llevarse; (subtract) restar; (prisoner, medicine, measures, a course) tomar; (one of a set) elegir, coger; (a bribe) aceptar; (a prize) recibir; (advice) seguir; (a walk) dar; (a vacation) tener; (a trip) hacer; (a piece of news) recibir; (remove from) sacar; (a photo) sacar; **to — a bath** bañarse; **to — a chance** arriesgarse, correr un riesgo; **to — after** salir a, parecerse a; **to — a fancy to** enthusiasmarse con; **to — a look at** echar un vistazo a; **to — a nap** dormir la siesta; **to — a notion to** ocurrírsele a uno; **to — an oath** prestar juramento; **to — apart** desarmar, desmontar; **to — aside** apartar; **to — away** (carry away) llevarse; (steal) sustraer; **to — back** devolver; **to — back one's words** retractarse; **to — by surprise** tomar desprevenido; **to — care of** (a person) cuidar de; (a matter) atender a; **to — charge of** encargarse de; **to — down in writing** anotar, apuntar; **to — effect** entrar en vigencia; **to — exercise** hacer ejercicio; **to — in** (include) incluir; (comprehend) absorber; (deceive) embaucar; (orphans) albergar; (a dress) tomar, achicar; **to — leave** despedirse; **to — off** (a coat) quitar(se); (to jail) llevar; (discount) rebajar; (an airplane) despegar; **to — offense** ofenderse; **to — office** asumir un cargo; **to — on** (accept) asumir; (hire) tomar, contratar; (acquire) adquirir; **to — out** (withdraw) sacar; (carry out [food], take on a date) llevar; **to — place** tener lugar; **to — revenge** vengarse; **to — stock** hacer un balance; **to — stock in** tener confianza en; **to — the floor** tomar la palabra; **to — to one's heart** tomar a pecho; **to — to one's heels** poner pies en polvorosa; **to — on a task** reprender, regañar; **to — up a matter** tratar un asunto; **to — up space** ocupar espacio; **— it** — **s ten minutes** lleva diez minutos; **the vaccination didn't —** la vacuna no prendió; (profits) ingresos *m pl*; (of fish) pesca *f*; captura *f*; (of a film production) toma *f*; (opinion) opinión *f*; (approach) enfoque *m*; **— off** (on an airplane) despegue *m*; (parody) parodia *f*; **—over** (of a government) toma de poder *f*; (of a company) adquisición *f*; — powder *n* talco *m*

talcum [tælkəm] *n* talco *m*; **— powder** *n* talco *m*; polvo de talco *m*

tale [teɪl] *n* (story) cuento *m*, relato *m*; (lie) mentira *f*

talent [tælənt] *n* talento *m*

talented [tæləntɪd] *adj* talentoso

talk [tɔk] *vi/vt* hablar; (chat) charlar; *vr* (nonsense) decir; (French) hablar; (politics) hablar de; **to — back** contestar con impertinencia; **to — down to** hablar con arroganca a; **to — someone into something** convencer a alguien para que haga algo; **to — up** alabar, hacer propaganda; *n* (formal speech) charla *f*; (gossip) habladurías *f pl*; (lingo) habla *f* **— of the town** la comidilla del pueblo *f*; **— show** programa de entrevistas *m*

talkative [tɔkətɪv] *adj* hablador, parlanchín, charlatán

tall [tɔl] *adj* alto; **— order** misión imposible *f*; **— tale** cuento chino *m*, patraña *f*; **six feet —** de seis pies de altura; **how — are you?** ¿cuánto mides?

tallow [tæloʊ] *n* sebo *m*

tally [tǽli] N (account) cuenta f; VT llevar la cuenta; **to — up** sumar; **to — with** concordar con

tambourine [tæmbərín] N pandereta f

tame [tem] ADJ (docile) manso, dócil; (domesticated) domesticado; (dull) aburrido; VT (make docile) amansar, domar; (domesticate) domesticar

tamper [tǽmpər] VI **to — with** (a jury) sobornar; (a lock) intentar forzar; (a document) alterar, amañar

tampon [tǽmpən] N tampón m

tan [tæn] V/VT (cure) curtir(se); (sunburn) broncear(se), tostar(se); VT (cure) adobar; (spank) zurrar; N color tostado m; (of skin) broncearse m; ADJ (car) color tostado; (skin) bronceado, tostado

tandem [tǽndəm] N tándem m; **in — with** en colaboración con

tangent [tǽndʒənt] ADJ & N tangente f; **to go off on a —** salirse por la tangente

tangerine [tændʒərín] N mandarina f; Am tangerina f

tangible [tǽndʒəbəl] ADJ tangible

tangle [tǽŋgəl] VI/VT enredar(se); N enredo m, maraña f; (in hair) nudo m, enredijo m

tank [tæŋk] N tanque m (also military), depósito m; VT guardar en un tanque; **to —up** (with gasoline) llenar el tanque; **to —up** (with alcohol) emborracharse

tannery [tǽnəri] N curtiduría f, tenería f; Am curtiembre f

tantalize [tǽntəlaɪz] VT atormentar

tantamount [tǽntəmaʊnt] ADJ **to be — to** equivaler a

tantrum [tǽntrəm] N berrinche m, perrera f, rabieta f

Tanzania [tænzéniə] N Tanzania f

Tanzanian [tænzéniən] ADJ & N tanzano -na m

tap [tæp] N (repeated) golpeteo m; (with the hand) palmadita f (faucet) llave f; Sp grifo m; **— dance** claqué m; **— water** agua de llave f; VI/VT (once) tocar; (repeatedly) golpetear; (with fingers) tamborilear; (utilize) explotar; (draw off liquid) extraer; **to — a tree** sangrar un árbol; **to — a telephone** intervenir un teléfono

tape [tep] N cinta f (also adhesive); **— measure** cinta métrica f; **— recorder** grabadora f, grabador m; **— recording** grabación f; **to — record** grabar; **—worm** lombriz f, solitaria f VT (tie up) atar con cinta; VI/VT (record) grabar

taper [tépər] N (diminished size) estrechamiento m; (candle) vela f, candela f; VI/VT afinar(se); **to — off** (become smaller) afinar(se); (diminish) ir disminuyendo

tapestry [tǽpəstri] N (wall hanging) tapiz m; (art, industry) tapicería f

tapioca [tæpióka] N tapioca f

tapir [tépər] N tapir m

tar [tar] N brea f; VT alquitranar; **tar paper** **and feather** emplumar

tarantula [tərǽntʃələ] N tarántula f

tardy [tárdi] ADJ **to be —** llegar tarde

target [tárgɪt] N blanco m; **— practice** tiro al blanco

tariff [tǽrɪf] N tarifa f, arancel m

tarnish [tárnɪʃ] VI/VT (metal) deslustrar(se), empañar; (reputation) manchar(se)

tart [tart] ADJ (fruit) agrio, ácido; (remark) mordaz; N (pie) tarta f

tartar [tártər] N (in wine) tártaro m; (on teeth) sarro m

task [tæsk] N tarea f, labor f, quehacer m; **to take to —** reprender, regañar; **— force** fuerza de tarea f; **—master** tirano -na mf

tassel [tǽsəl] N borla f

taste [test] VT (perceive) sentir el gusto/sabor de; (try) probar; (try wine) catar; VI **to — of onion** saber a cebolla; **it —s sour** tiene un sabor agrio; N (sense, esthetic judgment) gusto m; (flavor) sabor m; (small amount of food) bocadito m; (small amount of drink) sorbo m; **— bud** papila gustativa f

tasteless [téstlɪs] ADJ (with no taste) soso, desabrido; (in bad taste) de mal gusto

tasty [tésti] ADJ sabroso

tatter [tǽtər] N andrajo m, harapo m, pingajo m

tattered [tǽtərd] ADJ harapiento, andrajoso

tattle [tǽtəl] VI acusar; **to — on** acusar a; N **tale-** alcahuete -ta mf, acusetas mf sg

tattoo [tætú] N tatuaje m; VI/VT tatuar(se)

taunt [tɔnt] VT provocar, burlarse de; N provocación f, pulla f

taut [tɔt] ADJ tenso, tirante

tavern [tǽvərn] N taberna f, cantina f

tawdry [tɔdri] ADJ (affair) sórdido; (outfit) charro

tax [tæks] N impuesto m, contribución f, gravamen m; (burden) carga f; VT (a product) gravar; (a person) cobrar impuestos a; (patience, resources) poner a prueba; **—deductible** desgravable; **—exempt** no gravable, exento de impuestos; **—payer** contribuyente mf; **— return** declaración de impuestos f; **—**

shelter refugio fiscal *m*

taxation [tækˈseʃən] n (result of taxing) impuestos *mpl*; (act of taxing) imposición de contribuciones *f*

taxi [ˈtæksi] n taxi *m*; vi ir en taxi; (an airplane) rodar por la pista; **— cab** taxi *m*

taxidermy [ˈtæksidɜrmi] n taxidermia *f*

taxonomy [tækˈsɑnəmi] n taxonomía *f*

tea [ti] n té *m*; **— bag** bolsita de té *f*; **— cup** taza de té *f*; **— kettle** tetera *f*; **— party** té *m*; **— pot** tetera *f*; **— spoon** (spoon) cucharita *f*, cucharilla *f*; (measurement) cucharadita *f*; **— spoonful** cucharadita *f*; **— time** hora del té *f*

teach [titʃ] vi/vt enseñar; **to — a class** dar clase

teacher [ˈtitʃə] n (primary school) maestro -tra *mf*; (secondary school) profesor -ora *mf*; **—'s college** (escuela) normal *f*

teaching [ˈtitʃiŋ] n enseñanza *f*; **—s** enseñanzas *fpl*

team [tim] n equipo *m*; (of yoked animals) yunta de bueyes *f*, (of horses) tiro *m*, enganche *m*; vi **to — up** unirse, formar un equipo

teamster [ˈtimstə] n transportista *mf*, camionero -ra *mf*

tear [tɪr] n lágrima *f*; **— drop** lágrima *f*; **— gas** gas lacrimógeno *m*; **to burst into —s** romper a llorar; [ter] vi/vt rasgar(se); (rip a hole) hacer(se) un siete; vt (snatch) arrancar; (disrupt) desgarrar; **to — along** ir a toda velocidad; **to — apart** (rip up) romper, destrozar; (separate) separar; **to — away** apartar(se); **to — down** (a building) demoler, derribar; (a machine) desarmar, desmontar; (a person) denigrar; **to — one's hair** arrancarse los cabellos; n desgarrón *m*, desgarradura *f*; rasgón *m*

tearful [ˈtɪrfəl] adj (look) lloroso; (farewell) triste

tease [tiz] vt (make fun of a person) molestar, fastidiar; (tantalize sexually) provocar; (comb wool, hair) cardar; **to — out** sacar; n provocadora *f*

teat [tit] n teta *f*

technical [ˈteknɪkəl] adj técnico

technician [tekˈnɪʃən] n técnico -ca *mf*, perito -ta *mf*

technique [tekˈnik] n técnica *f*

technology [tekˈnɑlədʒi] n tecnología *f*, técnica *f*

tectonics [tekˈtɑnɪks] n tectónica *f*

tedious [ˈtidɪəs] adj tedioso, aburrido

tedium [ˈtidɪəm] n hastío *m*

tee [ti] n (T-shirt) camiseta *f*; (golf ball support) tee *m*; (start of hole in golf)

punto de salida *m*

teem [tim] vi **to — with** abundar en, estar lleno de

teenager [ˈtinedʒə] n adolescente *mf*

teens [tinz] n (teenage years) adolescencia *f*; (numbers 13-19) números de trece a diecinueve *m pl*

teethe [tið] vi **the baby is teething** al bebé le están saliendo los dientes

teetotaler [ˈtitotlə] n abstemio -mia *mf*

telecast [ˈtɛlɪkæst] n teledifusión *f*

telecommunications [tɛlɪkəmjunɪkeʃənz] n telecomunicaciones *f pl*

teleconference [ˈtɛlɪkɑnfrəns] n teleconferencia *f*

telegram [ˈtɛlɪgræm] n telegrama *m*

telegraph [ˈtɛlɪgræf] n telégrafo *m*; vi/vt telegrafiar

telegraphic [tɛlɪgræfɪk] adj telegráfico

telemarketing [tɛlɪmɑrkɪtɪŋ] n telemercadeo *m*, telemarketing *m*

telepathy [təˈlɛpəθi] n telepatía *f*

telephone [ˈtɛləfon] n teléfono *m*; **— book** guía telefónica *f*; **— booth** cabina telefónica *f*; **— number** número telefónico *m*; **— operator** telefonista *mf*; **— receiver** auricular *m*, tubo de teléfono *m*; vi/vt telefonear, llamar por teléfono

telescope [ˈtɛlɪskop] n telescopio *m*; vi plegarse

television [ˈtɛlɪvɪʒən] n (medium) televisión *f*; (device) televisor *m*; **— viewer** televidente *mf*

tell [tɛl] vi/vt (the truth) decir; (a story) contar; **to — apart** distinguir; **to — on someone** acusar a alguien; **to — someone off** regañar a alguien; **to — time** decir la hora; **I can't —** if he's old or young no sé si es viejo o joven; **his age is beginning to —** se le comienza a notar la edad; **a — tale sign** una señal reveladora; **he is a — tale** es un acusica

teller [ˈtɛlə] n (narrator) narrador -ora *mf*; (in a bank) cajero -ra *mf*

temerity [təˈmɛrəti] n temeridad *f*

temper [ˈtɛmpə] n (hardness) temple *m*; (bad humor) mal genio *m*; vt templar; **to keep one's —** mantener la calma; **to lose one's —** perder los estribos, encolerizarse

temperament [ˈtɛmprəmənt] n temperamento *m*, genio *m*, talante *m*

temperance [ˈtɛmprəns] n (moderation) templanza *f*, temperancia *f*; (abstinence from alcohol) abstinencia de bebidas alcohólicas *f*

temperate [ˈtɛmpərɪt] adj (weather) templado; (opinions, habits) moderado

temperature ['tɛmprə-ətʃur] n temperatura f;
to have a — tener fiebre

tempest ['tɛmpɪst] n tempestad f

tempestuous [tɛm'pɛstʃuəs] adj tempestuoso

temple¹ ['tɛmpəl] n (church) templo m; (side of the forehead) sien f

temporal ['tɛmpə-əl] adj temporal

temporary ['tɛmpə-ɛri] adj temporal, provisional

tempt [tɛmpt] vt tentar

temptation [tɛmp'teʃən] n tentación f

tempting ['tɛmpjŋ] adj tentador

ten [tɛn] num diez

tenacious [tə'neʃəs] adj tenaz

tenacity [tə'næsɪti] n tenacidad f

tenant ['tɛnənt] n inquilino -na m/f, arrendatario -ria m

tend [tɛnd] vt (care for) cuidar; **to — to** ocuparse de; vi (lean toward) tender, inclinarse

tendency ['tɛndənsi] n tendencia f

tender ['tɛndər] adj tierno; (painful) sensible; n (offer) oferta f; (legal currency) curso legal m; (person who tends) cuidador -ra m/f, vigilante m/f; vt presentar, ofrecer

tenderness ['tɛndər-nɪs] n (of feeling) ternura f; (of meat) ternura f, ternura f; (sensitivity to pain) sensibilidad f

tendon ['tɛndən] n tendón m

tendonitis [tɛndə'naɪtɪs] n tendinitis f

tendril ['tɛndrɪl] n zarcillo m

tenement ['tɛnəmənt] n casa de vecindad f

tenet ['tɛnɪt] n principio m

tennis ['tɛnɪs] n tenis m; **— court** cancha de tenis f, pista de tenis f; **— player** tenista m/f; **— shoes** tenis m pl

tenor ['tɛnər] n tenor m

tense [tɛns] adj tenso; n tiempo m

tension ['tɛnʃən] n tensión f; (tautness) tirantez f

tent [tɛnt] n tienda de campaña f; (circus) carpa f; vi acampar

tentacle ['tɛntəkəl] n tentáculo m

tentative ['tɛntətɪv] adj tentativo

tenth [tɛnθ] adj & n décimo

tenuous ['tɛnjuəs] adj (light, color, cloth) tenue; (peace) frágil; (rarefied) enrarecido

tenure ['tɛnjə] n (of professorship) titularidad f; (of an office) ocupación f

tepid ['tɛpɪd] adj tibio

terabyte ['tɛrəbaɪt] n terabyte m

term [tɛrm] n (word, mathematical expression) término m; (period) período m; (time in office) mandato m; (semester) semestre m; (trimester) trimestre m; (set date for payment) plazo m; **— paper** trabajo final m; **— s** condiciones f pl; **at —** a término; **to be on good —s** estar en buenas relaciones; **not to be on speaking —s** no hablarse; **to come to — s** aceptar; vt terminar

terminal ['tɜrmənəl] adj terminal; n (of airport, computer) terminal m/f; (electric) terminal m

terminate ['tɜrmə-net] vi/vt terminar(se)

termination [tɜrmə-neʃən] n terminación f; (of an employee) despido m

terminology [tɜrmə-'nɑlədʒi] n terminología f

termite ['tɜrmaɪt] n termita f

terrace ['tɛrɪs] n terraza f, escalón m; vt poner terrazas en, escalonar

terrain [tə'ren] n terreno m

terrestrial [tə'rɛstriəl] adj terrestre

terrible ['tɛrəbəl] adj terrible, tremendo

terrier ['tɛriər] n terrier m

terrific [tə'rɪfɪk] adj estupendo

terrify ['tɛrəfaɪ] vt aterrar, aterrorizar, espeluznar

territory ['tɛrɪtɔri] n territorio m

terror ['tɛrə] n terror m

terrorism ['tɛrə-izəm] n terrorismo m

terrorist ['tɛrə-ist] n terrorista m/f

terse [tɜrs] adj lacónico

test [tɛst] n (trial, experiment) prueba f; (of intelligence, multiple choice) test m; (examination) examen m, prueba f; **to —drive** probar; **— tube** probeta f, tubo de ensayo m; **— tube baby** bebé de probeta m/f; **to undergo a —** someterse a una prueba; **to take a —** dar un examen; **to give a —** poner un examen; **to put to the —** poner a prueba; vt (try) probar, poner a prueba; (give an exam) poner una prueba, examinar; vi **girls — better than boys** en los exámenes salen mejor las niñas que los niños

testament ['tɛstəmənt] n testamento m; (testimony) testimonio m

testicle ['tɛstɪkəl] n testículo m

testify ['tɛstɪfaɪ] vi testificar; (confirm) dar fe

testimony ['tɛstɪmoni] n testimonio m

testosterone [tɛs'tɑstə-on] n testosterona f

tetanus ['tɛtənəs] n tétanos m

Teutonic [tu'tɑnɪk] adj teutónico

text [tɛkst] n texto m; **—book** libro de texto m; **— editor** editor de texto/s m

textile ['tɛkstaɪl] adj textil; n textil m, tejido m; **— mill** fábrica de tejidos f

texture ['tɛkstʃər] n textura f

Thai [taɪ] adj & n tailandés -esa m/f

Thailand ['taɪlænd] n Tailandia f

Thailander ['taɪlændə-] adj & n tailandés

-esa *mf*

than [ðæn] CONJ que; **I have more —** you tengo más que tú; **more — once** más de una vez

thank [θæŋk] VT dar las gracias, agradecer; **to have oneself to — for** tener la culpa de; INTERJ **— heaven!** ¡gracias a Dios! **— you** gracias; N **—s** gracias *f pl*

thankful [θǽŋkfəl] ADJ agradecido

thankfulness [θǽŋkfəlnɪs] N gratitud *f*, agradecimiento *m*

thankless [θǽŋklɪs] ADJ ingrato

thanksgiving [θæŋksgívɪŋ] N acción de gracias *f*; **— Day** día de acción de gracias *m*

that [ðæt] ADJ (something nearer the speaker) ese, esa; (something more remote from speaker) aquel, aquella; **— dog** ese / aquel perro *m*; **— one** (nearer) ese, esa; DEMON PRON (nearer to speaker) ese, esa; (more remote from speaker) aquel, aquella; (neuter) eso, aquello; **— is my daughter** esa / aquella es mi hija; **— was a nightmare** eso / aquello fue una pesadilla; REL PRON que; **the bike — disappeared** la bici cuyo desapareció; **the pen — I was writing with** la lapicera con la que / cual escribía; **— is** es decir; CONJ que; **she said — she would come** dijo que vendría; ADV tan; **it's not — far** no queda tan lejos; **— much** tanto; **she was — tall** era así de alta

thatch [θætʃ] N paja *f*; Am quincha *f*; VT techar con paja; Am quinchar; **—ed roof** techo de paja *m*; Am quincha *f*

thaw [θɔ] VI/VT (food) descongelar(se); (ice and snow) derretir(se); (relations, refrigerator) deshelar(se); N deshielo *m*

the [ðə, ði] DEF ART (singular) el *m*, la *f*; **— boy** el chico *m*; (plural) los *m*, las *f*; **— girls** las chicas *f pl*; **— good thing** lo bueno; ADV **— more I work, — less I accomplish** cuanto más trabajo, menos consigo

theater [θíɑɾəɹ] N teatro *m*

theatrical [θiétɾɪkəl] ADJ teatral

theft [θɛft] N hurto *m*, robo *m*

their [ðɛr] POSS ADJ **this is — dog** este es su perro, este es el perro de ellos

theirs [ðɛrz] PRON **this book is —** este libro es suyo, este libro es de ellos / ellas; **these things are —** estas cosas son suyas / de ellos / de ellas; **— is bigger** el suyo / la suya / el de ellos / la de ellos es más grande; **a friend of —** un amigo suyo, un amigo de ellos

them [ðɛm] PRON los *m pl*, las *f pl*; **I see —**

los / las veo; **I talk to —** les hablo a ellos; **I went with —** fui con ellos / ellas

thematic [θimǽɾɪk] ADJ temático

theme [θim] N tema *m*; (essay) ensayo *m*, redacción *f*; **— park** parque temático *m*; **— song** tema *m*

themselves [ðɛmsɛ́lvz] PRON **they — built their house** ellos mismos se construyeron la casa; **they are not — today** hoy no son los mismos de siempre; **they were sitting by —** estaban sentados solos; **they looked at — in the mirror** se miraron en el espejo; **they talk to —** hablan solos; **they bought — a yacht** se compraron un yate

then [ðɛn] ADV (at that time) entonces, en aquel tiempo; **it was cheaper —** era más barato en aquel tiempo; (after) luego, después; **from — on** a partir de entonces; **now and —** de vez en cuando; **until — hasta** entonces; **I ate, — I paid** comí, luego pagué; ADJ entonces; **the — president** el entonces presidente; CONJ entonces; **if not, — you should stay** si no, entonces deberías quedarte; **now — ahora** bien; **are you sorry —?** ¿estás arrepentido pues?

theology [θiálədʒi] N teología *f*

theoretical [θiəɾédɪkəl] ADJ teórico

theory [θíəɾi] N teoría *f*

therapeutic [θɛɾəpjúdɪk] ADJ terapéutico

therapist [θɛɾəpɪst] N terapeuta *mf*; (psychologist) psicólogo -ga *mf*

therapy [θɛ́ɾəpi] N terapia *f*

there [ðɛr] ADV ahí; Am allí; (more remote) allá; Sp allí; **—abouts** por ahí, más o menos; **—after** (after) después; (subsequently) de allí en adelante; **—by** así, de ese modo; **— ensued a war** a continuación hubo una guerra; **—fore** por consiguiente, por lo tanto; **—in** en eso, allí; **— is, — are** hay; **— goes the bus** ahí va el autobús; **— be** bueno, bueno; **—of** de eso; **—on** (on that) encima; (after) luego, después; **—upon** (after) luego, después; (for this reason) por consiguiente; (upon that) encima; **—with** (with that) con eso; (after that) luego, en seguida; **who's —?** ¿quién es? **is Mary —?** ¿está María? **we got — at 5** llegamos a las 5

thermal [θɜ́ɹməl] ADJ termal; **— energy** energía térmica *f*

thermodynamic [θɜmodainǽmɪk] ADJ termodinámico

thermometer [θɜ̩mámɪɾəɹ] N termómetro *m*

thermonuclear [θɜ̩monúkliəɹ] ADJ termonuclear

thermos [θɜ́ːməs] N termo *m*

thermostat [θɜ́ːmstæt] N termostato *m*

thesaurus [θɪsɔ́rəs] N (synonym dictionary) diccionario de sinónimos *m*; (large dictionary) diccionario *m*

these [ðiz] ADJ & PRON estos, estas

thesis [θíːsɪs] N tesis *f*

they [ðe] PRON ellos, ellas

thick [θɪk] ADJ (slice) grueso; (fog, soup) espeso; (accent) marcado; (wit) torpe; **one inch —** una pulgada de espesor; **— as thieves** como carne y uña; ADV **—-headed** estúpido; **—-set** grueso; **—-skinned** insensible; N **the — of the fight** lo más reñido de la pelea; **through — and thin** pase lo que pase

thicken [θíkən] VI/VT espesar(se), trabar(se); **the plot —s** la trama se complica

thicket [θíkɪt] N soto *m*, matorral *m*, boscaje *m*

thickness [θíknɪs] N (of paper, wood) espesor *m*, grosor *m*; (of soup) lo espeso; (of lips) lo grueso; (of a beard) lo tupido; (of hair) lo abundante

thief [θif] N ladrón -ona *mf*

thieve [θiv] VI/VT hurtar, robar

thigh [θaɪ] N muslo *m*

thimble [θímbəl] N dedal *m*

thin [θɪn] ADJ (ice, wire) delgado, fino; (person) flaco; (vegetation, beard, hair) ralo; (voice) tenue, fino; (air) enrarecido; (excuse) débil; (soup) aguado; VI/VT (paint, soup, sauce) diluir; (hair) entresacar; **to — out** (hair) ralear; (crowd) dispersarse

thing [θɪŋ] N cosa *f*; **there's no such —** eso no existe; **that is the — to do** eso es lo que hay que hacer; **the — about Mary** lo que pasa con María

thingamajig [θíŋəmədʒɪg] N chisme *m*, coso *m*

think [θɪŋk] VI/VT (reason) pensar, razonar; (believe) creer, opinar; **to — about** pensar en; **to — back** recordar; **to — it over / through** pensarlo bien, reflexionar sobre; **I'm —ing of you** pienso en ti; **what do you — of Mary?** ¿qué piensas de María? **I thought of a plan** se me ocurrió un plan; **to — up an excuse** inventar / elucubrar una excusa; **I don't — so** no creo; **who does he — he is?** ¿quién se cree que es? **to — well of** tener buena opinión de; **she —s nothing of spending $1000** no le importa nada gastar $1000; **to my way of —ing** a mi parecer

thinner [θínər] N disolvente *m*

thinness [θínnɪs] N (of ice, person) delgadez

f, flacura *f*; (of hair) escasez *f*; (of air) enrarecimiento *m*; (of soup) fluidez *f*

third [θɜːd] ADJ tercer(o); **— chapter** capítulo tercero *m*, tercer capítulo *m*; ADV tercero; N tercio *m*; (gear, musical interval) tercera *f*; **— person** tercera persona *f*; **—-rate** de poca categoría; **— World** Tercer Mundo *m*; **the — of March** el tres de marzo

thirst [θɜːst] N sed *f*; VI tener sed; **to — for** tener sed de, estar sediento de

thirsty [θɜ́ːsti] ADJ sediento; **to be —** tener sed

thirteen [θɜːtín] NUM trece

thirty [θɜ́ːɾi] NUM treinta

this [ðɪs] ADJ & PRON este *m*, esta *f*, esto (neuter); **— dog** este perro; **— is a disaster** esto es un desastre

thistle [θíːsəl] N cardo *m*

thong [θɔŋ] N (strip of leather) correa *f*; (garment) tanga *mf*; (shoe) chancleta *f*

thorax [θɔ́ræks] N tórax *m*

thorn [θɔrn] N (sharp growth) espina *f*; (plant) espino *m*

thorny [θɔ́rni] ADJ espinoso, escabroso

thorough [θɜ́o] ADJ (exhaustive) exhaustivo, minucioso, detenido; (conscientious) concienzudo

thoroughbred [θɜ́ːəbrɛd] ADJ de pura sangre; N purasangre *m*

those [ðoz] ADJ & PRON (nearer) esos *m*, esas *f*; PRON (more remote) aquellos *m*, aquellas *f*; **— of you** los de vosotros / ustedes; **— that / who** los / las que

though [ðo] CONJ aunque; **as —** como si; ADV sin embargo

thought [θɔt] N (act, product of thinking) pensamiento *m*; (idea) idea *f*; (opinion) opinión *f*; (concern) consideración *f*; **to be lost in —** estar abstraído; **to give it no —** no darle importancia; **the very —** la mera idea; **at the — of** ante la idea de; **on second —** pensándolo bien; **my —s are with you** te acompaño en el sentimiento

thoughtful [θɔ́tfəl] ADJ (considerate) considerado, atento; (well thought out) bien pensado; (reflective) pensativo, reflexivo

thoughtfulness [θɔ́tfəlnɪs] N consideración *f*

thoughtless [θɔ́tlɪs] ADJ (inconsiderate) desconsiderado; (careless) descuidado; (not reflective) irreflexivo

thoughtlessness [θɔ́tlɪsnɪs] N (lack of consideration) desconsideración *f*; (carelessness) descuido *m*; (lack of reflection) falta de reflexión *f*

thousand [θáuzənd] num mil

thrash [θræʃ] vt/vi (whip, defeat) zurrar, vapulear, apalear; (thresh) trillar, desgranar; **to — around** revolverse, agitarse; **to — out a matter** ventilar un asunto

thread [θred] n hilo m; (on a screw, rosca f; **bare** radio; vt (a needle) enhebrar; (beads) ensartar; (a screw) enroscar; **to — one's way** abrirse paso

threat [θret] n amenaza f

threaten [θrétn] vt/vi amenazar

threatening [θrétnɪŋ] adj amenazador

three [θri] num tres; **—dimensional** tridimensional

thresh [θreʃ] vt trillar

threshold [θréʃhold] n umbral m

thrift [θrɪft] n economía f

thrifty [θrɪfti] adj económico, ahorrativo

thrill [θrɪl] n/vt/vi emocionar(se), ilusionar(se); n emoción f, ilusión f

thrive [θraɪv] vi prosperar; (plants) florecer

throat [θrot] n garganta f

throb [θrab] vi latir, palpitar; n latido m,

throes [θroz] adv loc **in the — of death** en plena guerra, **in the — of war** en plena guerra, palpitación agonizando

throne [θron] n trono m

throng [θrɔŋ] n muchedumbre f, turbamulta f; vi apiñarse, llegar en tropel

throttle [θrɑdl] n (of a motor) válvula reguladora/ de aceleración f, regulador m; (of a motorcycle) puño giratorio del gas m; **— lever** palanca del regulador f; vt ahogar, estrangular

through [θru] prep por, a través de; (as intermediary) por medio de; **Monday — Friday** de lunes a viernes; **all — the night** toda la noche; (completely) de un lado a otro; (from beginning to end) de principio a fin, de cabo a rabo; **loyal — and —** leal a toda prueba; **an aristocrat — and —** un aristócrata de pura cepa; **to carry —** llevar a cabo; (ticket, train) directo; **to be —** (with a task) haber terminado; (in a profession) estar acabado; **we're —!** ¡se acabó entre nosotros!

throughout [θruáut] prep (all through) por todo; (during) a lo largo de, durante; adv (duration) de principio a fin; (space) por todas partes

throw [θro] vi/vt (a ball) tirar, lanzar; (a light, voice) arrojar; (a switch) conectar; (a pot on a wheel) modelar en un torno; (a punch) lanzar; (a wrestler) tumbar; (a game for a bribe) dejarse perder; (a rider) desmontar; (a party) dar, organizar; **that really threw me** eso me confundió; **to — away** (dispose of) tirar, arrojar; **— down** (squander) malgastar; **to — into gear** engranar; **to — in the clutch** embragar; **to — out** (garbage) tirar, arrojar; (unruly guest) echar; **to — up** vomitar, devolver; n (act or instance of throwing) tiro m; (of dice) tirada f; (shawl) chal m; (blanket) manta f

thrush [θrʌʃ] n tordo m, zorzal m

thrust [θrʌst] vt (stab) clavar; (shove) empujar; **to — oneself upon** meterse en; **to — a task upon someone** imponer una tarea a alguien; **to — aside** echar a un lado; **to — someone through** atravesar a alguien; vi (push) dar un empujón; (stab at) lanzar una estocada; (push through) empujar para pasar; n (stab) estocada f; (force of a jet engine) empuje m; (shove) empujón m; (military assault) arremetida f, acometida f

thud [θʌd] n golpe sordo m; vi caer con un golpe sordo

thug [θʌg] n matón m

thumb [θʌm] n pulgar m; **under the — of** bajo la bota de; vt hojear; **to give the —s up** aprobar; **—tack** chincheta f, tachuela f

thump [θʌmp] n golpe sordo m; vi hacer un ruido sordo

thunder [θʌndə] n trueno m; vi tronar; **—bolt** rayo m; **—head** nubarrón m; **—storm** tormenta eléctrica f, tronada f

thunderous [θʌndərəs] adj atronador, estruendoso

Thursday [θɜ́zde] n jueves m

thus [ðʌs] adv así; **— far** (space) hasta aquí; (time) hasta ahora

thwart [θwɔrt] vt frustrar

thyme [taɪm] n tomillo m

thyroid [θáɪrɔɪd] n tiroides m sg

Tibet [tɪbét] n Tibet m

Tibetan [tɪbétn] adj & n tibetano -na mf

tic [tɪk] n tic m, manía f

tick [tɪk] n (sound of a clock) tic tac m; (cover of a pillow) funda f; (check mark) marca f; (insect) garrapata f; vi hacer tic tac; **to — off** (check off) marcar; (anger) enojar

ticket [tíkɪt] n billete m; Am boleto m; (slate of candidates) candidatura f; (summons) multa f; (tag) etiqueta f; **— office** taquilla f; vt (give passage) vender billetes; (give summons) multar

tickle [tíkḷ] VT (poke) cosquillear, hacer cosquillas; (amuse) dar ilusión; VI picar; N picazón f, cosquilleo m

ticklish [tíkliʃ] ADJ (prone to tickles) cosquilloso; (delicate) delicado, espinoso

tidal [táidḷ] ADJ — **wave** (tsunami) maremoto m; (large wave) marejada f

tidbit [tídbit] N (snack) golosina f; (gossip) chisme jugoso m

tide [taid] N (of opinion) corriente f; — **water** (water) agua de marea f; (land) marisma f; VT **to — over** cubrir

tidy [táidi] ADJ (orderly) ordenado; (large) considerable; VI/VT arreglar; **to — oneself up** arreglarse

tie [tai] VI (fasten) atarse; (make same score) VT (fasten) atar; (make a knot) hacer un nudo; (make same score as) empatar con; **to — down** atar; **to — in** cuadrar; **to — on one** emborracharse; **to — tight** atar fuerte; **to — up** (bind) atar; (hinder) bloquear; (occupy) ocupar; (a ship) amarrar; (cord) cuerda f; (relations) lazo m, vínculo m; (cravat) corbata f; (score) empate m; (railway) durmiente m, traviesa f

tier [tir] N nivel m

tiger [táigə] N tigre m

tight [tait] ADJ (knot, nut) apretado, ajustado; (clothes) ceñido, ajustado; (control) firme, estricto; (race) reñido; (stingy) tacaño, mezquino; (drunk) borracho; —**fisted** agarrado; —**rope** cuerda floja f; —**wad** tacaño -ña m/f; **to be in a — spot** estar en un aprieto; ADV bien, herméticamente; **to hold on —** agarrarse bien

tighten [táitn] VI/VT (knot, nut, belt) apretar(se); (control) estrechar(se)

tightness [táitnis] N estrechez f; (stinginess) tacañería f

tile [tail] N (on a roof) teja f; (on a floor) baldosa f; (on a wall) azulejo m; — **roof** tejado m; VT (roof) tejar; (floor) embaldosar; (wall) azulejar

till [til] PREP hasta; CONJ hasta que; VI/VT labrar, arar; N caja f

tilt [tilt] VI/VT (raise/lower); (act or instance of tilting) ladeo m, inclinación f; (incline) decline -r; (joust) justa f; **at —** a toda velocidad

timber [tímba-] N (cut wood) madera (de construcción) f; (trees) árboles para madera m pl; (beam) viga f; —**line** límite de la vegetación arbórea m; — **wolf** lobo

timbre [tímba] N timbre m

time [taim] N (past, present, future) tiempo m; (hour) hora f; (occasion) vez f; (period) período m, momento m, época f; — **bomb** bomba de tiempo — **keeper** cronometrador -ra m; — **out** descanso m; —**piece** reloj m; — **signature** compás m; —**table** horario m — **zone** huso horario m; **at —** a veces, **at the same —** a la vez, al mismo tiempo; **at this —** en este momento; **behind —** atrasado; **lunch—** hora del almuerzo; **for the — being** por el momento; **in —** a tiempo; **in no —** en seguida; **it's about —** ya era hora; **on —** puntual; **to buy —** comprar a plazo; — **after —** una vez tras otra; **to do —** cumplir una condena; **to have a good —** divertirse; **what — is it?** ¿qué hora es? VT (a race) cronometrar; (a test) fijar la duración de; (one's arrival) fijar la hora de; **to — an attack well** atacar en el momento oportuno

timer [táima-] N (person) cronometrador -ra m/f; (device) reloj m

timid [tímid] ADJ tímido, apocado

timidity [timídibil] N timidez f; apocamiento m

timing [táimiŋ] N (measurement) cronometraje m; (synchronization) sincronización f; **that was good —** lo hiciste en el momento oportuno

timorous [tímaras] ADJ timorato

tin [tin] N (metal) estaño m; (tin plate) hojalata f; — **can** lata f; — **foil** papel de estaño m, papel de aluminio m; VT estañar

tincture [tíŋkča] N tintura f

tinder [tínda-] N yesca f

tinge [tinǰ] VT (tint) teñir; (hint) matizar; N (of color) tinte m, matiz m; (of taste) dejo m; (of irony) matiz m

tingle [tíŋgəl] VI sentir hormigueo, hormiguear; **to — with excitement** estremecerse de entusiasmo; N hormigueo m

tinker [tíŋkə-] VI ocuparse, entretenerse; **to — with** toquetear, hacer ajustes

tinkle [tíŋkəl] VI (ring lightly) tintinear; (urinate) hacer pipí; N tintineo m

tinsel [tínsəl] N (Christmas trim) espumillón m, guirnalda f (tawdry decoration) oropel m

tint [tint] N (hue) matiz m; (for hair) tinte m, tintura f; (for glass) coloreado m; VT (hair) teñir; (glasses) colorear

tiny [táini] ADJ diminuto, chiquito

tip [tip] N (point) punta f; (gratuity) propina

tip n f (piece of advice) consejo m; vi/vt (tilt) inclinar(se), ladear(se); (give a gratuity) dar propina (a); — **to** — **a person off** advertir a alguien; — **to** — **one's hat** sacarse/quitarse el sombrero; **to** — **over** volcar(se)

tipsy [típsi] adj alegre

tiptoe [típto] n punta del pie f; **on** — **s** de puntillas; vi andar de puntillas

tirade [táired] n diatriba f

tire [tair] n neumático m, cubierta f; Mex llanta f; Am goma f; vi/vt cansar(se), fatigar(se); **to** — **out** cansar, fatigar; adj — **d** cansado, fatigado; — **d out** cansado

tireless [táirlis] adj incansable

tiresome [táirsəm] adj aburrido, pesado, tiresome

tissue [tíʃu] n (cell aggregate) tejido m; (handkerchief) pañuelo de papel m; — **plasta** inv

tit [tit] n (bird) paro m

titanic [taitǽnik] adj titánico

titanium [taiténiəm] n titanio m

tithe [taið] n diezmo m; vi pagar el diezmo

titillate [tídilet] vt excitar, (interest) despertar interés

title [táidl] n título m; (of a picture) rótulo m; — **deed** título de propiedad m; — **page** portada f

TNT [tɛnti] n TNT m

to [tu] prep PREP — **you** te lo di a ti; **to count** — **ten** contar hasta diez; **I called** — **find out** llamé para averiguar; — **my surprise** para mi sorpresa; **a quarter** — **five** las cinco menos cuarto; **bills** — **be paid** cuentas por pagar; **things** — **do** cosas que hacer; **frightened** — **death** muerto de susto; **from house** — **house** de casa en casa; ADV — **and fro** de acá para allá; **to** — **come** volver en sí

toad [tod] n sapo m; — **stool** seta f, hongo no comestible m

toast [tost] vi/vt (brown) tostar(se); vt (congratulate) brindar por; n tostada f; (congratulation) brindis m

toaster [tósta] n tostadora f; — **oven** horno tostador m

tobacco [təbǽko] n tabaco m

today [tade] adv hoy; (nowadays) hoy día

toddler [tádla] n niño -ña pequeño -ña m f

toe [to] n dedo del pie m; (of shoe, sock) punta f; — **nail** uña del dedo del pie f; vt **to** — **the line** hacer buena letra, entrar en vereda

together [tagɛ́ðə] adv (in union) juntos; (at the same time) al mismo tiempo; — **with** junto con — **all** — todos juntos

Togo [tógo] n Togo m

Togolese [tógaliz] adj & n togolés -esa m f

toil [tɔil] n esfuerzo m, trabajo m; vi trabajar, esforzarse, bregar

toilet [tɔílit] n (bowl) inodoro m; (lavatory) aseo m, lavabo m; — **paper** papel higiénico m; — **trained** que ya no usa pañales

token [tókan] n (symbol) señal f; (keepsake) recuerdo m; (coinlike metal piece) ficha f; — **payment** pago nominal m; **as a** — **of friendship** en prenda de amistad

tolerance [tálarans] n tolerancia f

tolerant [tálarant] adj tolerante

tolerate [táларет] vt tolerar

toll [tol] n (of bells) tañido m; (payment) peaje m; (charges) tarifa f; (of victims) balance m; — **bridge** puente de peaje m; — **road** carretera de peaje f; vi/vt tañer (a muerto)

tomato [tameto] n tomate m

tomb [tum] n tumba f, sepulcro m, sepultura f; — **stone** lápida f

tomcat [támkæt] n gato macho m

tomorrow [tamóro] adv a mañana — **morning** mañana por la mañana f

ton [tʌn] n tonelada f

tone [ton] n (pitch) tono m; (of a speech) tono m, tónica f; vt **to** — **down** moderar, matizar

toner [tóna] n tóner m

Tonga [tʌ́ŋgə] n Tonga m

Tongan [tʌ́ŋgən] adj & n tongano -na m f

tongs [tɔŋz] n tenazas f pl

tongue [tʌŋ] n (body part, language) lengua f; (of a shoe) lengüeta f; **to** — **lash** reprender; **to be** — **tied** tener trabada la lengua; **on the tip of my tongue** en la punta de la lengua; **to hold one's tongue** callarse la boca; — **twister** trabalenguas m sg; vi tocar con la lengua

tonic [tánik] adj tónico; n (medicine) tónico m; — **water, key note**) tónica f; agua tónica f

tonight [tanáit] adv esta noche

tonsil [tánsl] n amígdala f

tonsillitis [tansalaitis] n amigdalitis f, anginas f pl

too [tu] adv (in addition) también; (excessively) demasiado; — **bad!** ¡qué lástima!; — **many** demasiados; — **much** demasiado

tool [tul] n herramienta f; — **box** caja de herramientas f; — **shed** cobertizo para herramientas m

tool [tul] vi/vt (horn) sonar; (whistle) pitar; (trumpet) tocar; **to — one's own horn** darse autobombo; n (of horn, trumpet) toque m; (of horn) bocinazo m; (of whistle) pitido m

tooth [tuθ] n (front) diente m; (back) muela f; **— ache** dolor de muelas m; **— brush** cepillo de dientes m; **— decay** caries (dental) f sg; **— fairy** ratoncito Pérez m; **— mark** dentellada f; **— paste** pasta dental f; pasta dentífrica f; **— pick** mondadientes m sg, palillo de dientes m; **to fight — and nail** luchar a brazo partido; **to have a sweet —** ser goloso

toothed [tuθt] adj dentado

toothless [tuθlɪs] adj desdentado

top [tɑp] n (of a mountain) cumbre f, cima f; (of a page) parte superior f; (of a jar) tapa f; (of a convertible) capota f; (of a table) superficie f; (of a tree) copa f; (toy) trompo m; peonza f; (blouse) blusa f; **he's at the — of his class** es el mejor de su clase; **at the — of one's voice** a voz en cuello; **filled up to the —** lleno hasta el tope; **from — to bottom** de arriba abajo; **on — of** encima adv; (of officer, floor) superior; (shelf, step) más alto; **— coat** abrigo m; **to be — dog** ir a la cabeza; **— dollar** precio exorbitante n; **— hat** sombrero de copa m; **— flight —** de primera; **— heavy** desbalanceado; **— most** superior; **— notch —** de primera; **at — speed** a velocidad máxima; vt (a tree) desmochar; (a list) encabezar; (a performance) superar; (a level) exceder; **to — off** (an action) rematar; (a tank) llenar hasta el tope; **that —s everything!** ¡eso es el colmo!

topaz [ˈtopæz] n opacio m

topic [ˈtɑpɪk] n tema m, materia f

topical [ˈtɑpɪkəl] adj (of medicine) tópico; (current) de actualidad

topless [ˈtɑplɪs] adj topless; **— swimsuit** monokini m

topple [ˈtɑpəl] vt (knock over) derribar; (overthrow) derrocar; vi (fall) volcarse; (lose power) caer; **to — over** volcarse

topsy-turvy [ˈtɑpsɪ-ˈvɪ] adj & adv patas arriba

torch [tɔrʧ] n antorcha f

torment [ˈtɔrmɛnt] n tormento m; [tɔrˈmɛnt] vt atormentar, martirizar

tornado [tɔrˈnedo] n tornado m

torpedo [tɔrˈpido] n torpedo m; **— boat** torpedero m; vt torpedear

torpor [ˈtɔrpə] n letargo m, torpor m

torque [tɔrk] n par de torsión m

torrent [ˈtɔrənt] n torrente m

torrential [tɔrˈɛnʃəl] adj torrencial

torrid [ˈtɔrɪd] adj tórrido

torsion [ˈtɔrʃən] n torsión f

torso [ˈtɔrso] n torso m, tronco m

tortoise [ˈtɔrtɪs] n tortuga f

tortuous [ˈtɔrtʃuəs] adj tortuoso

torture [ˈtɔrtʃə] n tortura f; vt torturar, torturante; torturador

toss [tɔs] vt (a ball, coin) tirar; (one's head) echar; (a salad) revolver; **to — aside** echar a un lado; vi (waves) cabecear; (in bed) dar vueltas; (of coin, ball) tiro m; (of head) sacudida f

total [ˈtotl] adj & n total m; **— amount** importe total m, montante m; vt totalizar; **totalitarian** [totælɪˈtɛriən] adj totalitario

totter [ˈtɑtə] vi tambalear(se), titubear

touch [tʌʧ] vi/vt tocar; (move deeply) conmover, enternecer; (compare with) compararse con, igualar; (affect) afectar, **to — down** aterrizar; **to — off** provocar, **to — up** retocar; **to — upon** mencionar, n (contact) contacto m, roce m, toque m; (sense) tacto m; (knack) mano f; (slight amount) poquito m; **— -and-go** precario, **a woman's —** un toque femenino; **-screen** pantalla táctil f; **-stone** piedra de toque f; **-tone** de botones; **finishing —** toque final m; **to keep in — with** mantenerse(se) en contacto con

touching [ˈtʌʧɪŋ] adj conmovedor

touchy [ˈtʌʧi] adj hipersensible

tough [tʌf] adj (leather) fuerte, resistente; (fighter) duro, fuerte; (steak) duro, correoso; (situation) difícil; (neighborhood) bravo

toughen [ˈtʌfən] vt/vi (leather) curtir(se); (meat) endurecer(se); (person) endurecerse

toughness [ˈtʌfnɪs] n (of leather) resistencia f; (of a fighter, steak) dureza f; (of a situation) dificultad f; (of a neighborhood) lo bravo

toupee [tuˈpe] n peluquín m

tour [tur] n (professional, artistic) gira f; (touristic) tour m, excursión f; (of a building) visita f; vi/vt (artistic, political) hacer una gira (por); (touristic) hacer un tour

tourism [ˈturɪzəm] n turismo m

tourist [ˈturɪst] n turista mf; **— class** clase turista / turística f

tournament [ˈtɝnəmənt] n torneo m

tourniquet [ˈtɝnɪkɪt] n torniquete m

tow [to] vt remolcar; n (pull) remolque m; (fiber) estopa f; **— rope** cuerda de

toward(s) [tə'wɔd(z)] prep (in the direction of) hacia; (for) para; — **four o'clock** a eso de las cuatro; **to feel angry** — estar enojado con

towel [taʊəl] n toalla f

tower [taʊə] n torre f; vi elevarse; **to** — **over** dominar, descollar

towering [taʊərɪŋ] adj (tall) elevado, muy alto; (excessive) desmedido

town [taʊn] n (large) ciudad f; (small) pueblo m; (locality) localidad f; (downtown) centro m; — **hall** ayuntamiento m, municipio m; **out of** — de viaje

toxic [tɒksɪk] adj tóxico

toxin [tɒksɪn] n toxina f

toy [tɔɪ] n juguete m — **poodle** caniche enano m; vi **to** — **with** (fiddle with) juguetear con; (consider) considerar

trace [treɪs] n (path, mark, footprint) huella f; (mark) rastro m; traza f; (vestige) vestigio m; (strap) tirante m; vt (a plan) trazar; (history) examinar; (an image) calcar; (a criminal) rastrear

trachea [treɪkɪə] n tráquea f

track [træk] n (of a heel, animal) huella f; (of a wheel) rodada f; (for racing) pista f; (path) senda f, sendero m; (of a railroad) vía f; (on a record) surco m; (of study) orientación f; — **and field** atletismo m; **to be off the** — estar descarrilado; **to keep — of** seguir el hilo de; vi/vt (a criminal) rastrear, seguir la pista de; (an aircraft, a student, progress) seguir; vi (wheels) estar alineado; (stylus) seguir los surcos; **to** — **down** perseguir; **to** — **in mud** traer lodo en los pies

tract [trækt] n (of land) terreno m; (political) octavilla f; (digestive) tubo m

traction [trækʃən] n tracción f

tractor [træktə] n tractor m; — **trailer** tractocamión m

trade [treɪd] n (buying and selling) comercio m; trato m; (industry) industria f; (swap) canje m; cambio m; (manual labor) oficio m; (profession) profesión f; (people in a business) gremio m; — **in** entrega como parte de pago f; — **off** compensación f; — **mark** marca registrada f, marca de fábrica f; — **name** (of product) nombre comercial m; (of company) razón social f; — **school** escuela industrial f; — **union** sindicato m; vi/vt (buy and sell) comerciar, negociar; (exchange) canjear; (traffic) traficar; **to** — **in** entregar

trader [treɪdə] n comerciante mf; (at fairs) feriante mf; (of slaves) tratante mf

tradition [trə'dɪʃən] n tradición f

traditional [trə'dɪʃənəl] adj tradicional

traffic [træfɪk] n (of drugs) tráfico m; (of vehicles) tránsito m, tráfico m; — **light** semáforo m; vi traficar

tragedy [trædʒɪdɪ] n tragedia f

tragic [trædʒɪk] adj trágico

trail [treɪl] n vi/vt (drag) arrastrar(se); (follow) ir a la zaga de; (track) seguir la pista de); vt (leave a trace) dejar una estela / un reguero de; **to** — **off** desvanecerse; apagarse; n (way) rastro m; (path) trocha f, sendero m, senda f; (of smoke) estela f; (of blood) reguero m

trailer [treɪlə] n (of a truck) remolque m; (house) caravana f; (of a film) sinopsis f; tráiler m, avance m

train [treɪn] n (railroad) tren m; (of a dress) cola f; — **of thought** hilo de pensamiento m; vi/vt (worker) capacitar(se); (troops, athlete) adiestrar(se); Am entrenar(se); vt (an animal) amaestrar; (a child) educar, formar; (a cannon) apuntar; **to** — **on** (a camera, eye) enfocar

trainee [treɪ'ni] n aprendiz -iza mf,

trainer [treɪnə] n (of animals) amaestrador -ora mf; (of workers, troops, athletes) practicante

training [treɪnɪŋ] n (of workers, troops, athletes) adiestramiento m, entrenamiento m; (of children) educación f

trait [treɪt] n rasgo m, seña f

traitor [treɪtə] n traidor -ora mf

trajectory [trə'dʒɛktərɪ] n trayectoria f

tramp [træmp] vt (trample) pisar; vi andar con pasos pesados; (roam, as a hobo) vagabundear; n (hobo) vagabundo -da mf; (promiscuous woman) fam fulana f Sp fam golfa f

trample [træmpəl] vt pisotear; **to** — **on / over** pisotear, atropellar; **to** — **out** apagar de un pisotón

trampoline [træmpəlin] n trampolín m, cama elástica f

trance [trans] n trance m

tranquil [træŋkwɪl] adj tranquilo

tranquility [træŋkwɪlɪti] n tranquilidad f

tranquilizer [træŋkwɪlaɪzə] n tranquilizante m

transact [træn'zækt] vt hacer, llevar a cabo

transaction [træn'zækʃən] n transacción f, negocio m; — **s** actas f pl

transatlántico
transatlantic [trænzɪtlǽntɪk] adj transatlántico
transcend [trænsénd] vi/vt trascender
transcendence [trænséndəns] n trascendencia f
transcendental [trænsɪndéntl] adj trascendental, trascendente
transcribe [trænskráɪb] vt transcribir
transcript [trǽnskrɪpt] n transcripción f
transfer [trænsfз-] vi/vt (bus, train) trasladar(se); vt (loyalty, rights, money) transferir; (property) traspasar; n (of loyalty, rights, money) transferencia f; (of property) traspaso m; (on a bus, train) trasbordo m; — **of ownership** traspaso de propiedad m
transferable [trænsfз-əbl] adj transferible
transfix [trænsfíks] vt (paralyze) paralizar; (impale) traspasar, atravesar
transform [trænsfórm] vi/vt transformar(se)
transformation [trænsfз-méɪʃən] n transformación f
transformer [trænsfórmə-] n transformador m
transfusion [trænsfjúʒən] n transfusión f
transgress [trænsgrés] vt transgredir; **to — against** pecar contra, **to — the bounds of** traspasar los límites de
transgression [trænzgréʃən] n transgresión f, pecado m
transient [trǽnziənt] adj transeúnte, pasajero; n transeúnte mf, vagabundo-da mf
transistor [trænzístə-] n transistor m
transit [trǽnzɪt] n tránsito m; **in —** en tránsito, de paso
transition [trænzíʃən] n transición f
transitive [trǽnzɪtɪv] adj transitivo
transitory [trǽnzɪtɔri] adj transitorio, pasajero
translate [trænzléɪt] vi/vt traducir
translation [trænzléɪʃən] n (rendering in different language) traducción f; (movement) traslación f
translator [trænzléɪtə-] n traductor -ora mf
transmission [trænzmíʃən] n transmisión f
transmit [trænzmít] vi/vt transmitir
transmitter [trænzmítə-] n transmisor m
transom [trǽnsəm] n travesaño m, montante m
transparency [trænzpérənsi] n transparencia f
transparent [trænspérənt] adj transparente; **to be —** traslucirse
transpire [trænspáɪr] vi (happen) ocurrir;

(become known) descubrirse; vi/vt (perspire) transpirar
transplant [trænsplǽnt] vi/vt trasplantar; n [trǽnsplænt] trasplante m
transport [trænspɔ́rt] vt transportar, acarrear; [trǽnspɔrt] n (moving) transporte m, acarreo m; (airplane) avión de transporte m; (rapture) éxtasis m; (of freight) flete m
transportation [trænspə-téɪʃən] n transporte m
transpose [trænspóz] vi/vt (letters) transponer; (a song) transportar
transverse [trænsvз-s] adj transversal; (flute) transverso
trap [træp] n tampa f; (for hunting) trampa f, cepo m; (under a sink) sifón m; — **door** trampilla f; vi/vt (to capture animals) cazar con tampa, atrapar; vt (to pinch) atrapar; (to pin) aprisionar
trapeze [træpíz] n trapecio m
trapezoid [trǽpəzɔɪd] n & adj trapezoide m
trash [træʃ] n basura f; desechos m pl; (people) pej gentuza f; — **can** cubo de basura m
trashy [trǽʃi] adj ordinario
trauma [trɔ́mə] n (physical) traumatismo m; (psychological) trauma m
traumatic [trəmǽtɪk] adj traumático
travel [trǽvəl] vi/vt viajar (por); vi (sound waves) propagarse; n (traveling) viajar m; — **agency** agencia de viajes f; — **s** n pl
traveler [trǽvələ-] n viajero -ra mf; — **'s check** cheque de viajero m
traverse [trǽvз-s] vi/vt atravesar, cruzar; (skiing) bajar en diagonal; n (crossbar) travesaño m; (crossing) travesía f
travesty [trǽvɪsti] n farsa f
tray [treɪ] n bandeja f
treacherous [trɛ́tʃə-əs] adj traicionero, alevoso
treachery [trɛ́tʃə-i] n traición f, alevosía f
tread [trɛd] vi/vt (trample) pisar, pisotear; vi (walk) andar, caminar; n (step) paso m; (on tire) banda de rodadura / rodaje f; (on shoe) dibujo m; —**mill** cinta rodante f
treason [trízən] n traición f
treasure [trɛ́ʒə-] n tesoro m; — **hunt** búsqueda del tesoro f; vt atesorar
treasurer [trɛ́ʒə-ə-] n tesorero -a mf
treasury [trɛ́ʒə-i] n tesorería f, tesoro m; **Secretary of the —** Ministro -tra de Hacienda mf
treat [trit] vi/vt tratar (de); **I —ed myself to ice cream** me di un festín de helado; n (pleasure) placer m; (gift) regalo m; **my —**

treatable [tri:təbəl] adj tratable

treatise [tri:tis] n obra m o tratado m; (artistic handling) interpretación f

treatment [tri:tmənt] n trato m, tratamiento m

treaty [tri:ti] n tratado m

treble [trebəl] adj (triple) triple; (of higher clef) de tiple; — **clef** clave de sol f; ♪ tiple m; vt/vi triplicar

tree [tri:] n árbol m; — **hugger** ecologista mf; — **top** copa de árbol f; **up a** — en aprietos

treeless [tri:lis] adj pelado, sin árboles

trek [trek] n expedición f; vi viajar con dificultad

tremble [trembəl] vi temblar; n temblor m

tremendous [trimendəs] adj tremendo

tremor [tri:mə-] n temblor m, sacudida f

tremulous [tremjələs] adj trémulo

trench [trentʃ] n (military) trinchera f; (for pipes) zanja f; (on sea floor) fosa f — **coat** trinchera f, gabardina f

trend [trend] n tendencia f

trendy [trendi] adj de moda

trespass [trespəs] n (illegal entry) entrada ilegal f; (religious) deuda f; vi (enter illegally) entrar ilegalmente; **to — against** violar; (sin) pecar; **no —ing** prohibida la entrada

triage [triɑʒ] n triaje m, clasificación f

trial [traiəl] n (testing) ensayo m, prueba f; (attempt) tentativa f; (affliction) aflicción f; (in a court of law) juicio m, proceso m; — **balloon** globo sonda m; — **by fire** prueba de fuego f; — **flight** vuelo de prueba f; — **run** ensayo m, prueba f; **by — and error** por ensayo y error

triangle [traiæŋgəl] n triángulo m

triangular [traiæŋgjələ] adj triangular

tribe [traib] n tribu f

tributary [tribjətɛri] adj & n tributario m, afluente m

tribute [tribju:t] n (tax) tributo m; (testimonial) homenaje m

triceps [traiseps] n tríceps m sg

trick [trik] n (ruse) treta f, tampa f; trapisonda f; (magician's) truco m; (prank) broma f; (in cards) baza f; **to be up to one's old —s** hacer de las suyas; **to play a — on someone** gastarle una broma a alguien; vt hacer trampa, engañar; **to — someone into something** hacer que alguien haga algo por medio de artilugios

trickery [trikəri] n engaños m pl, argucias f pl

trickle [trikəl] vi gotear; **to — in (out)** llegar (irse) de a poco; n goteo m

trickster [trikstə] n embustero -ra mf

tricky [triki] adj (artful) mañoso; (difficult) complicado

tricycle [traisikəl] n triciclo m

trifle [traifəl] n (worthless thing) fruslería f, nadería f; (cheap purchase) bagatela f; (small sum) miseria f; vi **to — with** jugar con; **to — away** perder

trigger [trigə] n gatillo m; vt desencadenar; (suddenly) disparar

trill [tril] vi/vt (birds) trinar; (musical instrument) temolar; (the r sound) pronunciar con vibración; n (of birds, etc.) trino m; (of the r sound) vibración f

trillion [triljən] n billón m

trilogy [triləji] n trilogía f

trim [trim] vt (adorn) adornar, guarnecer; (an edge) bordear; (trim nails, hair, threads) recortar; (hedge) podar; (airplane) equilibrar; (a wick) despabilar; adj (neat) cuidado; (slim) delgado; (fit) en buen estado físico; (embellishment) adorno m; (of sails) orientación f; (cutting of hair) recorte m; (cutting of hedge) poda f; (of an airplane) equilibrio m

trimming [trimin] n (act of cutting) recorte m; (on a uniform) orla f, ribete m; —s (embellishments) adornos m pl; (food) guarniciones f pl; (parts cut off) recortes m pl

Trinidad and Tobago [trinidædæntəbego] n Trinidad y Tobago f

Trinidadian [trinidædiən] adj & n trinitense mf

trinket [trinkit] n chuchería f, baratija f

trio [trio] n trío m

trip [trip] n (journey, drug-induced condition) viaje m; (experience) experiencia f; (light step) paso ligero m; (accidental stumble) tropezón m; vt (cause to stumble) hacer una zancadilla a; (cause to make error) confundir; (release a catch) soltar; (blow a fuse) hacer saltar; vi (throwing down) zancadilla f; (stumble) tropezar; (skip) andar con paso ligero; (make a mistake) equivocarse; (hallucinate) viajar; (blow a fuse) saltar

triphthong [trifθɔŋ] n triptongo m

triple [tripəl] adj & n triple m; vt/vi triplicar

triplet [triplit] n trillizo m

triplicate [tripləkit] n triplicado m

tripod [traipad] n trípode m

trite [trait] adj trivial, trillado

triumph [traiəmf] n triunfo m; vi triunfar

triumphant [traiʌmfənt] adj triunfante

trivial [traiviəl] adj trivial, baladí, fútil

trolley [trɑli] n (electric bus) trole m,

trolebús m; (on tracks) tranvía m

trombone [trámbon] N trombón m

troop [trup] N (of scouts) tropa f; (of soldiers) escuadrón m; (of tourists) horda f; **—s** tropas f pl

trophy [trófi] N trofeo m

tropic [trápɪk] N trópico m

tropical [trápɪkəl] ADJ tropical

trot [trɑt] VI trotar; VT hacer trotar; **to — out** sacar a relucir; N trote m

trouble [trábəl] VT (make turbid) enturbiar; (afflict) aquejar; VI/VT (bother) molestar(se); (disturb) preocupar(se); N (problem) problema m; (difficulty) dificultad f, sinsabor m; (disturbance) disturbio m; (effort) molestia f; (ailment) enfermedad f, trastorno m; (mechanical breakdown) avería f, desperfecto m; **to be in —** estar en un aprieto; **it is not worth the —** no vale la pena; **—maker** agitador -ra mf, revoltoso -sa mf; **—shoot** solucionar problemas; **—shooter** solucionador -ra mf, localizador -ra de averías mf; **to make —** causar problemas

trough [trɔf] N (for food) pesebre m, comedero m; (for water) abrevadero m, bebedero m; (of weather, on ocean floor) depresión f

trousers [tráuzɚz] N pantalones m pl

trousseau [trúso] N ajuar m

trout [traut] N trucha f

trowel [tráuəl] N (for mortar) llana f, paleta f; (for digging) desplantador m

truant [trúənt] N alumno -na que falta a clase sin permiso mf

truce [trus] N tregua f

truck [trʌk] N (vehicle) camión m; Mex troca f; (dealings) trato m; (vegetables) hortalizas f pl; **— driver** camionero -ra mf; Mex troquero -ra mf; VI/VT transportar en camión; Mex transportar en troca

trudge [trʌʤ] VI andar con dificultad; N caminata difícil f

true [tru] ADJ verdadero; (story) verídico; (copy, translation) fiel; (well) a plomo; (wheel) alineado, centrado; **—-false test** prueba de verdadero o falso f; **his dream came —** su sueño se hizo realidad

truly [trúli] ADV (surprisingly) verdaderamente; (sincerely) sinceramente; (actually) en realidad, realmente; (accurately) fielmente; **very — yours** su seguro servidor, atentamente

trumpet [trámpɪt] N trompeta f; VI/VT trompetear; (an elephant) barritar

trunk [trʌŋk] N (of tree, body) tronco m;

(receptacle) baúl m; (of elephant) trompa f; (of a car) maletero m, Mex cajuela f; **—s** traje de baño m

trust [trʌst] N (responsibility) confianza f; (hope) esperanza f; (credit) crédito m; (charge) cargo m; (firm) trust m; (fund) fondo fideicomiso m; VI/VT (rely on) confiar en, fiarse de; VT (believe) creer; (hope) esperar

trustee [trʌstí] N (person holding property of another) fideicomisario -ria mf; (administrator) administrador -ra mf

trusteeship [trʌstíʃɪp] N (position of holding property) fideicomiso m; (administrative position) cargo de administrador m

trustful [trástfəl] ADJ confiado

trusting [trástɪŋ] ADJ confiado

trustworthy [trástwɚði] ADJ fidedigno, digno de confianza

trusty [trásti] ADJ leal

truth [truθ] N verdad f

truthful [trúθfəl] ADJ (account) verídico; (person) veraz

truthfulness [trúθfəlnɪs] N veracidad f

try [traɪ] VT (attempt) tratar de, intentar; (test, taste) probar; (strain) poner a prueba; (put on trial) procesar, enjuiciar; **to — on** probarse; **to — one's luck** probar fortuna; **to — and** tratar de; **to — out** (test) probar; (for a team) presentarse para; **—out** prueba f; N intento m, tentativa f

trying [tráɪŋ] ADJ penoso

tryst [trɪst] N cita romántica f

T-shirt [tíʃɚt] N camiseta f

tub [tʌb] N (for bathing) bañera f; (for butter) envase m; (for washing) tina f

tuba [túbə] N tuba f

tube [tub] N tubo m (also electronic); (television) televisor m

tuberculosis [tubɚkjəlósɪs] N tuberculosis f

tubular [túbjələ] ADJ tubular

tuck [tʌk] VT (stick in) meter; (make fold) alforzar; **to — in one's shirt** meter la camisa dentro del pantalón; **to — into bed** arropar; **to — something under one's arm** meterse algo bajo el brazo; N alforza f

Tuesday [túzde] N martes m

tuft [tʌft] N (of feathers) penacho m, copete m; (of hair) mechón m; (of plants) mata f

tug [tʌg] VI/VT (pull) tirar, jalar; (drag) arrastrar; **to — at** tironear; N tirón m; (boat) remolcador m

tuition [tuíʃən] N matrícula f

tulip [túlɪp] N tulipán m

tumble [támbəl] VI (fall) caer; (collapse) venirse abajo; (do handsprings, etc.) dar volteretas; **to — down** rodar; **to — dry** secar en la secadora; **to — over** tropezarse; N (fall) caída f; (gymnastic trick) voltereta f

tumbler [támblə] N (glass) vaso m; (person) acróbata mf

tummy [támi] N barriguita f

tumor [túmə] N tumor m

tumult [túmʌlt] N tumulto m

tumultuous [tumʌ́ltʃuəs] ADJ tumultuoso

tuna [túnə] N (fish) atún m, bonito m; (prickly pear) tuna f

tune [tun] N (melody) tonada f, aire m; (electronic adjustment) sintonía f; **to be in —** (in pitch) estar afinado; (adjusted) sintonizado; **to be out of —** estar desafinado; VT (engine) afinar; (musical instrument) afinar, templar; (radio) sintonizar; **to — in** sintonizar; **to — out** ignorar; **—up** afinación f

tuner [túnə] N afinador -ra mf; (electronics) sintonizador m

tungsten [táŋstən] N tungsteno m

tunic [túnɪk] N túnica f

Tunisia [tuniʒə] N Túnez m

Tunisian [tuniʒən] ADJ & N tunesino -na mf

tunnel [tánəl] N túnel m; (for traffic) viaducto m; VI cavar; VT hacer un túnel

turban [tɜ́bən] N turbante m

turbine [tɜ́baɪn] N turbina f

turbocharger [tɜ́botʃardʒə] N turbocompresor m

turbojet [tɜ́bodʒɛt] N turborreactor m

turbulent [tɜ́bjələnt] ADJ turbulento

turf [tɜf] N (lawn) césped m; (peat) turba f; (track for horseraces) pista f; (territory) territorio m; VT cubrir con césped

Turk [tɜk] N turco -ca mf

turkey [tɜ́ki] N pavo m; **— vulture** buitre pavo m

Turkey [tɜ́ki] N Turquía f

Turkish [tɜ́kɪʃ] ADJ turco; **— bath** baño turco m

Turkmen [tɜ́kmən] ADJ & N turcomano -na mf

Turkmenistan [tɜkmɛnɪstǽn] N Turkmenistán m

turmoil [tɜ́mɔɪl] N confusión f, agitación f

turn [tɜn] VT (corner) doblar, dar vuelta; (wheel, key) girar, dar vuelta; (page) dar vuelta; (soil) labrar; (stomach) revolver; (ankle) torcerse; (a river) desviar; VI (change color) cambiar de color; (become) ponerse; (rotate) girar; (change direction) girar, dar la vuelta; (change direction) revolvérsele a uno; **to — against** volverse en contra de; **to — around** dar la vuelta,

girar; **to — away** (face) volver; (eyes) apartar; (person) rechazar; **to — back** (return) volver; (a clock) atrasar; **to — down** (offer) rechazar; (radio) bajar; (request) rechazar; **to — in** (hand in / over) entregar; (go to bed) acostarse; **to — inside out** dar vuelta al revés; **to — into** convertir(se) en; **to — off** (light) apagar; (faucet) cerrar; (a road) salir de; (person in general sense) disgustar; (person in sexual sense) quitarle las ganas a alguien; **to — on** (light) encender, prender; (faucet) abrir; (person) excitar; **to — out** (light) apagar; (people) expulsar; (product) producir; **—out** concurrencia f; **to — out well** salir bien; **to — over** (car) volcar(se); (engine) arrancar; (thought, idea, etc.) dar vueltas a; (criminal, weapon, etc.) entregar; **—over** (of employees) renovación f; (of merchandise) volumen m; (pastry) empanada f, pastelito m; (of a ball) pérdida f; **—pike** autopista f; **—stile** torniquete m, molinete m; **—table** plato giratorio m; **to — to** (have recourse to) acudir a, recurrir a; (become) volver(se); **to — up** aparecer; **to — up one's nose** desdeñar; **to — up one's sleeves** arremangarse; **to — upside down** dar vuelta; N (rotation) vuelta f, revolución f; (change of direction) giro m, vuelta f; (change in condition) cambio m; (curve) recodo m, curva f; (opportunity) turno m; **— of mind** actitud f; **— of phrase** giro m; **— signal** intermitente m; **at every —** a cada paso; **bad —** mala pasada f; **good —** favor m; **it's my —** me toca a mí; **to take —s** turnarse

turnip [tɜ́nɪp] N nabo m

turpentine [tɜ́pəntaɪn] N trementina f, aguarrás f

turquoise [tɜ́kɔɪz] N turquesa f

turret [tɜ́ɪt] N (small tower, gun tower) torreta f; (on a ship) torre f

turtle [tɜ́dl] N tortuga f; **—dove** tórtola f; **—neck** cuello vuelto m

tusk [tʌsk] N colmillo m

tutor [túnə] N profesor -ora particular mf; VI/VT dar clases particulares

Tuvalu [túvəlu] N Tuvalu m

Tuvaluan [tuvəlúən] ADJ & N tuvaluano -na mf

tuxedo [tʌksído] N esmoquin m

TV (television) [tívi] N tele f

twang [twæŋ] N (in music) tañido m; (of speech) nasalidad f; VI (vibrate) vibrar; VT hacer vibrar; VI/VT (speak nasally) ganguear

twangy [wǽŋi] *adj* gangoso

tweak [wik] *vt* (pinch) pellizcar; (adjust) ajustar; *n* (pinch) pellizco *m*; (adjustment) ajuste *m*

tweed [wid] *n* tweed *m*

tweezers [wíza-z] *n* pinzas *f pl*

twelfth [wɛlfθ] *num* doce

twelve [twɛlv] *num* doce

twenty [twɛ́ni] *num* veinte

twerp [twa-p] *n* idiota *mf*, papanatas *mf sg*

twice [twais] *adv* dos veces

twig [twig] *n* ramita *f*

twilight [twáilait] *n* crepúsculo *m*, ocaso *m*; — **zone** zona gris *f*

twin [twin] *adj* & *n* mellizo -za *mf*, gemelo -la *mf*; — **bed** cama individual *f*

twine [twain] *n* cuerda *f*; *vi/vt* (twist) enroscar(se); (interlace) entrelazar(se)

twinge [twindʒ] *n* punzada *f*

twinkle [twíŋkəl] *vi* (star) titilar, parpadear; (eyes) brillar; *n* (of stars) titileo *m*; (eyes) brillo *m*

twirl [twa-l] *vi/vt* girar, dar vueltas (a); *n* giro *m*, vuelta *f*; (of ice cream) espiral *m*

twist [twist] *vi/vt* torcer(se); (distort) tergiversar(se); (writhe) retorcer(se); (coil) enroscar(se); *n* (of an ankle) torcedura *f*; (in a road, coil) vuelta *f*; (unforeseen event) vuelta de tuerca *f*; (distortion) tergiversación *f*

twister [twísta-] *n* tornado *m*

twitch [twiʧ] *vi/vt* crispar(se), mover(se); *n* (tic) tic *m*; (pang) punzada *f*; (tug) tirón *m*

twitter [twíɾa-] *vi* gorjear; *n* gorjeo *m*

two [tu] *num* dos; — **bit** de chicha y nabo; **my** — **cents' worth** mi opinión *f*; — **edged** de doble filo; — **faced** (with two faces) de dos caras; (hypocritical) hipócrita, falso; — **fisted** pendenciero; — **way** de dos sentidos

tycoon [taikún] *n* magnate *mf*

type [taip] *n* tipo *m*, índole *f*; *vi/vt* (a letter) escribir a máquina, mecanografiar; *vt* (blood) determinar el grupo sanguíneo; — **script** texto escrito a máquina *m*; **to** — **set** componer; **to** — **write** escribir a máquina; — **writer** máquina de escribir *f*; — **writing** mecanografía *f*; — **written** escrito a máquina

typhoid [táifɔid] *n* tifoidea *f*; — **fever** fiebre tifoidea *f*, tifus *m*

typhoon [taifún] *n* tifón *m*

typical [típikəl] *adj* típico

typist [táipist] *n* mecanógrafo -fa *mf*

typographical [taipəgrǽfikəl] *adj* tipográfico; — **error** error de imprenta *m*, errata *f*

typography [taipɑ́grəfi] *n* tipografía *f*

tyrannical [tɪrǽnɪkəl] *adj* tiránico

tyranny [tírəni] *n* tiranía *f*

tyrant [táirənt] *n* tirano -na *mf*

Uu

ubiquitous [jubíkwitəs] *adj* ubicuo

U-boat [júbot] *n* submarino *m*

udder [ʌ́də-] *n* ubre *f*

UFO (**unidentified flying object**) [juɛfó] *n* OVNI *m*

Uganda [jugǽndə] *n* Uganda *f*

Ugandan [jugǽndən] *adj* & *n* ugandés -esa *mf*

ugliness [ʌ́glinəs] *n* fealdad *f*

ugly [ʌ́gli] *adj* feo; (incident) deplorable; (mood) de perros

uh-huh [ʌhʌ́] *interj* sí

Ukraine [jukrén] *n* Ucrania *f*

Ukrainian [jukréniən] *adj* & *n* ucraniano -na *mf*

ulcer [ʌ́lsa-] *n* úlcera *f*

ulterior [ʌltíria-] *adj* ulterior; — **motive** segunda intención *f*

ultimate [ʌ́ltəmət] *adj* (destination) último, final; (authority) máximo; (principle) fundamental; (vacation) perfecto; *n* súmmum *m*

ultimatum [ʌltəméɪɾəm] *n* ultimátum *m*

ultralight [ʌ́ltəlait] *adj* & *n* ultraligero *m*

ultramodern [ʌltrəmɑ́də-n] *adj* ultramoderno

ultraviolet [ʌltrəváiəlit] *adj* & *n* ultravioleta *m*

umbilical cord [ʌmbílikəlkɔrd] *n* cordón umbilical *m*

umbrella [ʌmbrɛ́lə] *n* paraguas *m sg*

umpire [ʌ́mpair] *n* árbitro *m*; *vi/vt* arbitrar

unable [ʌnébəl] *adj* **to be** — **to** no poder

unaccented [ʌnǽksɛntɪd] *adj* sin acento

unacceptable [ʌnɪksɛ́ptəbəl] *adj* inaceptable

unaccustomed [ʌnəkʌ́stəmd] *adj* (not used to) no acostumbrado; (uncommon) insólito

unadulterated [ʌnədʌ́ltəreɪɾɪd] *adj* puro

unaffected [ʌnəfɛ́ktɪd] *adj* (sincere) natural, sincero; (unpretentious) sin afectación

unanimity [junənímɪti] *n* unanimidad *f*

unanimous [junǽnəməs] *adj* unánime

unarmed [ʌnɑ́rmd] *adj* desarmado

unassuming [ʌnəsúmɪŋ] *adj* modesto, sin pretensiones

unattached [ʌnətǽʧt] *adj* (piece of paper)

suelto; (person) soltero

unavoidable [ʌnəvɔ́ɪdəbəl] ADJ inevitable

unaware [ʌnəwɛ́r] ADJ inconsciente; ADV **to be — of** ignorar; **—s** sin darse cuenta

unbalanced [ʌnbǽlənst] ADJ desequilibrado

unbearable [ʌnbérəbəl] ADJ inaguantable, insoportable

unbeatable [ʌnbídəbəl] ADJ imbatible

unbeaten [ʌnbítn̩] ADJ invicto

unbecoming [ʌnbɪkámɪŋ] ADJ (inappropriate) impropio; (unflattering) que no queda bien

unbelief [ʌnbɪlíf] N incredulidad f, descreimiento m

unbelievable [ʌnbɪlívəbəl] ADJ increíble

unbeliever [ʌnbɪlívɚ] N descreído -da mf

unbending [ʌnbéndɪŋ] ADJ inflexible

unbiased [ʌnbáɪəst] ADJ imparcial

unbounded [ʌnbáʊndɪd] ADJ ilimitado

unbridled [ʌnbráɪdl̩d] ADJ desenfrenado

unbroken [ʌnbrókən] ADJ (intact) intacto; (not tamed) indomado; (uninterrupted) ininterrumpido

unbuckle [ʌnbákəl] VT desabrochar

unbutton [ʌnbátn̩] VI/VT desabotonar, desabrochar

uncalled-for [ʌnkɔ́ldfɔr] ADJ injustificado

uncanny [ʌnkǽni] ADJ inexplicable, misterioso

uncertain [ʌnsɚ́tn̩] ADJ incierto

uncertainty [ʌnsɚ́tn̩ti] N incertidumbre f

unchanged [ʌntʃéndʒd] ADJ inalterado

uncharitable [ʌntʃǽrɪdəbəl] ADJ duro, poco caritativo

uncivilized [ʌnsívəlaɪzd] ADJ incivilizado

uncle [áŋkəl] N tío m; **to say —** darse por vencido

unclean [ʌnklín] ADJ (dirty) sucio; (impure) impuro

uncomfortable [ʌnkámfɚdəbəl] ADJ incómodo

uncommon [ʌnkámən] ADJ (unusual) poco común; (extraordinary) extraordinario

uncompromising [ʌnkámprəmaɪzɪŋ] ADJ (intransigent) intransigente; (unfailing) incondicional

unconcerned [ʌnkənsɚ́nd] ADJ indiferente

unconditional [ʌnkəndíʃənəl] ADJ incondicional

unconscious [ʌnkánʃəs] ADJ inconsciente

unconstitutional [ʌnkɑnstɪtúʃənəl] ADJ inconstitucional

uncontrollable [ʌnkəntróləbəl] ADJ (movement) incontrolable; (urge, laughter) incontenible

unconventional [ʌnkənvénʃənəl] ADJ poco convencional

uncouth [ʌnkúθ] ADJ tosco

uncover [ʌnkávɚ] VI/VT descubrir(se); VI (remove bedcovers) destaparse

unctuous [áŋktʃuəs] ADJ untuoso, zalamero

uncultivated [ʌnkáltəvedɪd] ADJ (talent) inculto, no cultivado; (land) no cultivado

uncultured [ʌnkáltʃɚd] ADJ inculto

undaunted [ʌndɔ́ntɪd] ADJ impávido, intrépido

undecided [ʌndɪsáɪdɪd] ADJ indeciso

undeniable [ʌndɪnáɪəbət] ADJ innegable

under [ándɚ] PREP (below) bajo, debajo de, abajo de; (in a ranking) por debajo de; (less) menos de; **— the democrats** durante el mandato de los demócratas; **— a pseudonym** bajo un seudónimo; **— cost** a menos del costo / coste, por debajo del costo / coste; ADV (below) debajo, abajo; (less than) menos; **to be —** estar inconsciente

underage [ʌndɚédʒ] ADJ menor de edad; **— drinking** consumo de alcohol por menores de edad m

underarm [ándɚarm] N axila f

underbrush [ándɚbrʌʃ] N maleza f

underclass [ándɚklæs] N subproletariado m

undercover [ʌndɚkávɚ] ADJ clandestino, secreto

undercut [ʌndɚkát] VT (undermine) socavar; (sell for less) vender por menos que

underdeveloped [ʌndɚdɪvéləpt] ADJ subdesarrollado

underdog [ándɚdɔg] N el / la de abajo

underemployed [ʌndɚɛmplɔ́ɪd] ADJ subempleado

underestimate [ʌndɚéstəmet] VT (person) subestimar; (price) subvaluar

underfed [ʌndɚféd] ADJ desnutrido

underfoot [ʌndɚfút] ADJ (beneath the feet) bajo los pies; (in the way) estorbando

undergird [ʌndɚgɚ́d] VT reforzar

undergo [ʌndɚgó] VT (an operation) someterse a; (a change) experimentar, sufrir

undergraduate [ʌndɚgrǽdʒuɪt] N estudiante de pregrado mf; **— course** programa de pregrado m

underground [ándɚgraund] ADJ (under the earth) subterráneo; (secret) clandestino; N resistencia f, grupo clandestino m; ADV (under the earth) bajo tierra; (secretly) en secreto

underhanded [ʌndɚhǽndɪd] ADJ (secret) secreto, solapado; (illicit) ilícito

underlie [ʌndɚláɪ] VI/VT subyacer (a)

underline [ándɚlaɪn] VT subrayar

undermine [ʌndɚmáɪn] VT minar,

underneath [ʌndɚ-níθ] prep bajo, debajo de, abajo de; adv debajo, abajo; n la parte inferior

underpants [ʌndɚ-pænts] n (for men) calzoncillos m pl; (for women) Sp bragas f pl, Mex pantaletas f pl; Sp bombacha f

undersecretary [ʌndɚ-sékrəteri] n subsecretario -ria m f

undersell [ʌndɚ-sél] vt (to sell at a low price) malbaratar; (to sell cheaper than) vender a menos precio que

undershirt [ʌndɚ-ʃɚt] n camiseta f

underside [ʌndɚ-said] n parte inferior f

undersigned [ʌndɚ-sáind] n abajofirmante m f; infrascrito -ta m f

understaffed [ʌndɚ-stǽft] adj falto de personal

understand [ʌndɚ-stǽnd] vt/vi comprender, entender; I — you're leaving tengo entendido que te vas; to — about saber

understandable [ʌndɚ-stǽndəbəl] adj comprensible

understanding [ʌndɚ-stǽndiŋ] n (comprehension) comprensión f, entendimiento m; (tolerance) comprensión (agreement) acuerdo m; adj comprensivo

understate [ʌndɚ-stéit] vt minimizar

understood [ʌndɚ-stúd] adj entendido; (implicit) sobreentendido

understudy [ʌndɚ-stavi] n suplente m f

undertake [ʌndɚ-téik] vt emprender, acometer; to — to comprometerse a

undertaker [ʌndɚ-teikɚ] n director -ra de funeraria / pompas fúnebres m f, funerario -ria m f

undertaking [ʌndɚ-téikiŋ] n empresa f

under-the-table [ʌndɚ-ðətéibəl] adj ilícito, bajo cuerda

undertone [ʌndɚ-ton] n (low voice) voz baja f; (undercurrent) tónica f

undertow [ʌndɚ-to] n resaca f

underwater [ʌndɚ-wátɚ] adj submarino; [ʌndɚ-wátɚ] adv por debajo del agua

underwear [ʌndɚ-wer] n ropa interior f

underweight [ʌndɚ-wet] adj de peso insuficiente

underworld [ʌndɚ-wɚ-ld] n (of criminals) hampa f; (netherworld) el más allá

underwrite [ʌndɚ-rait] vt/vt (finance) financiar; (sign) suscribir; (insure) asegurar

undesirable [ʌndɪzáirəbəl] adj indeseable

undisturbed [ʌndɪsts-bd] adj (unworried, uninterrupted) tranquilo; (unspoiled) virgen

undo [ʌndú] vt (reverse an action) deshacer; (unfasten) desabrochar, desabotonar; (destroy) destruir; (loosen hair) soltar

undoing [ʌndúiŋ] n (reversal) deshacer m; (destruction) destrucción f, perdición f; (of buttons) desabrochar m

undone [ʌndʌn] adj (unfinished) sin terminar; (ruined) perdido; (unfastened) desabrochado; to come — (clothing) desabrocharse; (person) desquiciarse

undoubtedly [ʌndáutidli] adv indudablemente, sin duda

undress [ʌndrés] vt/vi desnudar(se), desvestir(se)

undue [ʌndú] adj (inappropriate) indebido; (excessive) excesivo

undulate [ʌndʒəlet] vt/vi ondular

undying [ʌndáiiŋ] adj imperecedero, eterno

unearth [ʌn-θ] vt desenterrar

uneasiness [ʌnízinɪs] n (feeling) inquietud f, desasosiego m, desazón f; Sp grima f; (of peace) precariedad f; (of silence, situation) incomodidad f

uneasy [ʌnízi] adj (feeling) inquieto; (peace) precario; (silence) incómodo; (situation) molesto; (sleep) agitado

uneducated [ʌnédʒəkeɪd] adj inculto, ignorante

unemployed [ʌnɛmplɔid] adj (jobless) desocupado, desempleado, parado; (unused) ocioso

unemployment [ʌnɛmplɔimənt] n desocupación f, desempleo m, paro m; — compensation n seguro de paro m; Sp paro m

unending [ʌnéndiŋ] adj interminable

unequal [ʌníkwəl] adj desigual; to be — to a task no ser capaz de cumplir una tarea

unequivocal [ʌnɪkwívəkəl] adj inequívoco, tajante

uneven [ʌnívən] adj (rough) irregular, accidentado; (inequitable) desigual; (not uniform) desparejo; (odd, of numbers) impar

uneventful [ʌnivéntfəl] adj sin incidente

unexpected [ʌnɪkspéktid] adj inesperado

unexpressive [ʌnɪksprésɪv] adj inexpresivo

unfailing [ʌnféiliŋ] adj (inexhaustible) inagotable; (dependable) infalible

unfair [ʌnfér] adj (measure, price) injusto; (competition) injusto, desleal

unfaithful [ʌnféiθfəl] adj infiel

unfamiliar [ʌnfəmíljɚ] adj (unknown) poco familiar, desconocido; (unacquainted)

unfasten [ʌnˈfæsən] vt/vr desabrochar(se), desprender(se)

unfavorable [ʌnˈfeɪvərəbəl] adj desfavorable

unfeeling [ʌnˈfiːlɪŋ] adj insensible

unfettered [ʌnˈfetərd] adj desatado

unfinished [ʌnˈfɪnɪʃt] adj (matter) inacabado, inconcluso, sin terminar; (task) sin terminar, sin barnizar; (wood) sin terminar, sin pulir

unfit [ʌnˈfɪt] adj (unsuitable) no apto, (incapable) incapaz

unfold [ʌnˈfoʊld] vt (open out) desdoblar, desplegar; vi (happen) desarrollarse, (appear) extenderse; (reveal) revelarse

unforeseen [ʌnfɔːrˈsiːn] adj imprevisto

unforgettable [ʌnfərˈɡetəbəl] adj inolvidable

unfortunate [ʌnˈfɔːrtʃənɪt] adj desgraciado, desafortunado, desventurado

unfounded [ʌnˈfaʊndɪd] adj infundado

unfriendly [ʌnˈfrendli] adj (forces) hostil; (person) antipático

unfurnished [ʌnˈfɜːrnɪʃt] adj sin muebles, desamueblado

ungainly [ʌnˈɡeɪnli] adj (ungraceful) desgarbado, desmadejado; (clumsy) torpe

ungrateful [ʌnˈɡreɪtfəl] adj ingrato, desagradecido

unguarded [ʌnˈɡɑːrdɪd] adj (incautious) descuidado, desprevenido; (unattended) sin vigilancia; (defenceless) indefenso; an — moment un momento de descuido

unhappiness [ʌnˈhæpinɪs] n infelicidad f

unhappy [ʌnˈhæpi] adj (sad) infeliz, (dissatisfied) descontento, desgraciado; (infelicitous) poco afortunado, insatisfecho

unharmed [ʌnˈhɑːrmd] adj ileso

unhealthy [ʌnˈhelθi] adj (climate, food, lifestyle) malsano, insalubre; (complexion) obsesión enfermizo

unheard-of [ʌnˈhɜːrd-ˈɒv] adj inaudito, desconocido

unhinge [ʌnˈhɪndʒ] vt desquiciar

unholy [ʌnˈhoʊli] adj (noise) infernal; (alliance) nefasto

unhook [ʌnˈhʊk] vt (disentangle) desenganchar; (undo) desabrochar

unhurt [ʌnˈhɜːrt] adj ileso

uniform [ˈjuːnɪfɔːrm] adj & n uniforme m

uniformity [ˌjuːnɪˈfɔːrmɪti] n uniformidad f

unify [ˈjuːnɪfaɪ] vt/vi unificar(se)

unilateral [ˌjuːnɪˈlætərəl] adj unilateral

unimportant [ˌʌnɪmˈpɔːrtənt] adj insignificante, sin importancia

uninhabited [ˌʌnɪnˈhæbɪtɪd] adj deshabitado

uninhibited [ˌʌnɪnˈhɪbɪtɪd] adj desinhibido

uninspired [ʌnɪnˈspaɪrd] adj poco inspirado

unintelligible [ˌʌnɪnˈtelɪdʒəbəl] adj ininteligible

union [ˈjuːnjən] n unión f; (labor) sindicato m, gremio m; — labor mano de obra sindicalizada/agremiada f; — leader dirigente sindical mf

unionize [ˈjuːnjənaɪz] vt/vi sindicalizar(se), agremiar(se)

unique [juːˈniːk] adj único, singular; that feature is — to the South ese rasgo es peculiar del sur

unisex [ˈjuːnɪseks] adj unisex

unison [ˈjuːnɪsən] adv loc in — al unísono

unit [ˈjuːnɪt] n unidad f

unite [juːˈnaɪt] vt/vi unir(se)

United Arab Emirates [juːˈnaɪtɪdˈærəbˈemɪrɪts] n Emiratos Árabes Unidos m pl

United Kingdom [juːˈnaɪtɪdˈkɪŋdəm] n Reino Unido m

United States [juːˈnaɪtɪdˈsteɪts] n Estados Unidos m pl

unity [ˈjuːnɪti] n unidad f; (concord) unión f

universal [ˌjuːnɪˈvɜːrsəl] adj universal; — joint acoplamiento universal de cardán m

universe [ˈjuːnɪvɜːrs] n universo m

university [ˌjuːnɪˈvɜːrsɪti] n universidad f; — degree título universitario m

unjust [ʌnˈdʒʌst] adj injusto

unjustifiable [ʌnˌdʒʌstəˈfaɪəbəl] adj injustificable

unkempt [ʌnˈkempt] adj (uncombed) desgreñado, despeinado; (messy) desaliñado

unkind [ʌnˈkaɪnd] adj antipático, poco amable

unknown [ʌnˈnoʊn] adj desconocido; — quantity incógnita f; it is — se ignora

unlawful [ʌnˈlɔːfəl] adj ilegal

unleaded [ʌnˈledɪd] adj sin plomo

unleash [ʌnˈliːʃ] vt desatar

unless [ʌnˈles] conj a menos que, a no ser que

unlicensed [ʌnˈlaɪsənst] adj sin permiso, ilícito

unlike [ʌnˈlaɪk] adj distinto, diferente; he is — me es diferente de mí; prep a diferencia de; how — you to forget! ¡me extraña que te hayas olvidado!

unlikely [ʌnˈlaɪkli] adj (improbable) improbable; (not realistic) inverosímil; (exotic) exótico; I am — to come es improbable que venga

unlimited [ʌnˈlɪmɪtɪd] adj ilimitado

unload [ʌnˈloʊd] vt/vr (take cargo from) descargar; vi (pour out one's feelings) descargar

unlock [ʌnlɒk] vi/vt abrir con llave

unlucky [ʌnlʌki] adj (unfortunate) desafortunado; (ominous) aciago, funesto; **an — number** un número de mala suerte

unmanageable [ʌnmænɪdʒəbəl] adj (crisis, situation) inmanejable; (person) poco dócil

unmanned [ʌnmænd] adj (deprived of courage) achicado; (with no crew) no tripulado

unmarried [ʌnmærɪd] adj soltero

unmask [ʌnmæsk] vi/vt desenmascarar(se)

unmistakable [ʌnmɪstekəbəl] adj inconfundible

unmitigated [ʌnmɪtɪgeɪtɪd] adj absoluto

unmoved [ʌnmuvd] adj (unflinching) impasible; (indifferent) indiferente

unnatural [ʌnnætʃərəl] adj (contrary to nature) no natural; (unloving) desnaturalizado; (monstrous) monstruoso; afectado

unnecessary [ʌnnɛsəsɛri] adj innecesario

unnoticed [ʌnnəʊtɪst] adj inadvertido, desapercibido

unobserved [ʌnəbzɜrvd] adj inadvertido

unobtrusive [ʌnəbtrusɪv] adj discreto

unoccupied [ʌnɒkjəpaɪd] adj (house) desocupado; (territory) no ocupado

unofficial [ʌnəfɪʃəl] adj extraoficial, no oficial

unoriginal [ʌnərɪdʒənəl] adj poco original

unorthodox [ʌnɔrθədɒks] adj heterodoxo

unpack [ʌnpæk] vt (a suitcase) deshacer, (a carton) desembalar

unpaid [ʌnpeɪd] adj (debt) impagado, por pagar; (work) no remunerado

unpleasant [ʌnplɛzənt] adj desagradable

unpleasantness [ʌnplɛzəntnɪs] n (quality or state of being unpleasant) lo desagradable; (unpleasant episode) desavenencia f, disgusto m

unplug [ʌnplʌg] vi/vt desenchufar

unpopular [ʌnpɒpjələ-] adj (decision) impopular; **she was — in school** tenía pocos amigos en la escuela

unprecedented [ʌnprɛsɪdəntɪd] adj sin precedente, inaudito

unpredictable [ʌnprɪdɪktəbəl] adj impredecible, imprevisible

unpremeditated [ʌnprimɛdɪtierd] adj (murder) impremeditado, sin premeditación

unprepared [ʌnpripɛrd] adj (surprised) desprevenido; (not ready) no preparado

unpretentious [ʌnprɪtɛnʃəs] adj modesto, sin pretenciones

unprincipled [ʌnprinsəpɪd] adj sin escrúpulos, falto de principios

unprintable [ʌnprintəbəl] adj impublicable

unproductive [ʌnprədʌktɪv] adj improductivo

unprofessional [ʌnprəfɛʃənəl] adj poco profesional

unprofitable [ʌnprɒfitəbəl] adj no rentable

unpublished [ʌnpʌblɪʃt] adj inédito, sin publicar

unqualified [ʌnkwɑlɪfaɪd] adj (worker) Sp no cualificado; Am no calificado; (support) no cualificado, sin (reservas)

unreal [ʌnriəl] adj (not real) irreal; (unbelievable) increíble

unravel [ʌnrævəl] vi/vt (a rope) deshacer(se); vt (a mystery) desentrañar; (cloth) deshilachar(se); (a sweater) destejer(se); (a plan) desenredar(se)

unreasonable [ʌnriːznəbəl] adj (excessive) exagerado; (irrational) irracional, poco razonable

unrecognizable [ʌnrɛkəɡnaɪzəbəl] adj irreconocible

unrefined [ʌnrɪfaɪnd] adj (oil, sugar) no refinado; (behavior) inculto, grosero

unreliable [ʌnrɪlaɪəbəl] adj (person) informal; (machine, information) Sp poco fiable; Am poco confiable

unrest [ʌnrɛst] n malestar m, agitación f

unroll [ʌnrəʊl] vi/vt desenrollar(se)

unruly [ʌnrulɪ] adj (students) indisciplinado, revoltoso, díscolo; (country) ingobernable; (hair) rebelde

unsafe [ʌnseɪf] adj (uncertain) inseguro; (dangerous) peligroso

unsatisfactory [ʌnsætɪsfæktəri] adj no satisfactorio, insatisfactorio

unscrew [ʌnskru] vt desatornillar, destornillar

unscrupulous [ʌnskrupjələs] adj sin escrúpulos

unseasonable [ʌnsiːznəbəl] adj impropio de la estación

unseat [ʌnsiːt] vt derribar

unseen [ʌnsiːn] adj invisible, oculto

unselfish [ʌnsɛlfɪʃ] adj desinteresado

unselfishness [ʌnsɛlfɪʃnəs] n desinterés m

unsettled [ʌnsɛtəld] adj (situation) desordenado; (life) sin domicilio fijo; (wilderness) sin colonizar; (case) pendiente; (weather) variable

unsightly [ʌnsaɪtli] adj feo, antiestético

unskilled [ʌnskɪld] adj (not trained) inexperto; (not qualified) Sp no

unsophisticated [ʌnsəˈfɪstɪkeɪtɪd] adj sencillo, no sofisticado

unsound [ʌnˈsaʊnd] adj (argument) erróneo, falso; (body) enfermizo; (mind) demente; (foundation) poco sólido; (investment) poco seguro

unspeakable [ʌnˈspiːkəbl] adj indecible

unstable [ʌnˈsteɪbl] adj inestable

unsteady [ʌnˈstedɪ] adj (walk) inseguro; inestable; (flame) tembloroso; (pulse) irregular

unsuccessful [ʌnsəkˈsesfʊl] adj sin éxito, infructuoso

unsuitable [ʌnˈsuːtəbl] adj (person) no apto; (place) inadecuado, inapropiado

unsuspected [ʌnsəsˈpektɪd] adj insospechado

untenable [ʌnˈtenəbl] adj insostenible

unthinkable [ʌnˈθɪŋkəbl] adj impensable

untidy [ʌnˈtaɪdɪ] adj (dress) desaliñado; desastrado; (room) desordenado

untie [ʌnˈtaɪ] vt/vr desatar(se); destrabar(se)

until [ənˈtɪl] prep hasta; conj hasta que

untimely [ʌnˈtaɪmlɪ] adj (ill-timed) inoportuno; (premature) prematuro

untiring [ʌnˈtaɪərɪŋ] adj incansable; denodado

untold [ʌnˈtəʊld] adj (riches) incalculable; (suffering) inaudito

untouched [ʌnˈtʌtʃt] adj (not injured) ileso; (not affected) no afectado; **he left his dessert —** no tocó el postre

untrained [ʌnˈtreɪnd] adj (worker) Sp no cualificado; Am no calificado; (animal) no amaestrado; (eye) inexperto

untried [ʌnˈtraɪd] adj (untested) no probado, no ensayado; (not taken to trial) no juzgado

untrue [ʌnˈtruː] adj (incorrect) falso; (unfaithful) infiel; (disloyal) desleal

untutored [ʌnˈtjuːtəd] adj (unschooled) sin instruction; (unsophisticated) inculto

untwist [ʌnˈtwɪst] vt desenroscar

unused [ʌnˈjuːzd] adj sin usar; (unaccustomed) no habituado

unusual [ʌnˈjuːʒʊəl] adj (infrequent) desacostumbrado, raro; (highly abnormal) inusitado, insólito

unvarnished [ʌnˈvɑːnɪʃt] adj (without varnish) sin barnizar; (straightforward) puro

unveil [ʌnˈveɪl] vt (remove a veil) quitar el velo a; (reveal) descubrir

unwarranted [ʌnˈwɒrəntɪd] adj injustificado

unwelcome [ʌnˈwelkəm] adj (untimely) inoportuno; (unpleasant) desagradable; (poorly received) mal recibido

unwholesome [ʌnˈhəʊlsəm] adj malsano

unwieldy [ʌnˈwiːldɪ] adj poco manejable, difícil de manejar

unwilling [ʌnˈwɪlɪŋ] adj **to be —** to no estar dispuesto a

unwise [ʌnˈwaɪz] adj imprudente

unwonted [ʌnˈwəʊntɪd] adj inusitado, inacostumbrado

unworthy [ʌnˈwɜːðɪ] adj indigno

unwrap [ʌnˈræp] vt desenvolver

unwritten [ʌnˈrɪtn] adj no escrito; (agreement) de palabra

unzip [ʌnˈzɪp] vt abrir la cremallera

up [ʌp] adv (position) arriba; (direction) hacia arriba; adj aburrido, derecho, erecto; **—to-date** actualizado; **—front** (paid in advance) inicial; (frank) franco; **he's — for reelection** se presenta para la reelección; **I'm feeling —** optimista; **I'm — for golf** tengo ganas de jugar al golf; **prices are —** los precios han subido; **that is — to you** queda en tus manos, es cosa tuya; **the children are already —** ya se levantaron los niños; **the moon is —** salió la luna; **the wheat is —** germinó el trigo; **time is —** se terminó el tiempo; **to be — on the news** estar al corriente de las noticias; **to be — to one's old tricks** hacer de las suyas; **— and down** de arriba para abajo; **—against** enfrentando con; **what's —?** ¿qué pasa? prep **— the current** contra la corriente; **— the river** río arriba; **— the street** calle arriba; **— to now** hasta ahora; **—s and downs** altibajos m pl; vi **he — and went** agarró y se fue

upbeat [ˈʌpbiːt] adj optimista

upbringing [ˈʌpbrɪŋɪŋ] n crianza f

update [ʌpˈdeɪt] vt actualizar

upend [ʌpˈend] vi/vt (stand on end) poner(se) de punta; (defeat) derrotar

upgrade [ʌpˈɡreɪd] vt (facilities) mejorar; (computer) actualizar; n (facilities) mejora f; (computer) actualización f

upheaval [ʌpˈhiːvl] n trastorno m

uphill [ˈʌphɪl] adv cuesta arriba; [ʌpˈhɪl] adj penoso, arduo

uphold [ʌpˈhəʊld] vt sostener, apoyar; (legal decision) refrendar

upholster [ʌpˈhəʊlstə] vt tapizar

upholstery [ʌpˈhəʊlstərɪ] n tapicería f

upkeep [ˈʌpkiːp] n mantenimiento m

uplift [ʌpˈlɪft] vt (physically) elevar; (spiritually) edificar

upload [ʌpˈləʊd] vt cargar

upon [əˈpɒn] prep sobre, encima de; —

arriving al llegar; **once — a time** érase una vez

upper [ápɚ] ADJ (higher) superior; (high) alto; **to have the — hand** dominar, llevar la ventaja; N (of shoe) pala f; (of berth) litera superior f; **— class** clase alta f; **— crust** flor y nata f; **—case** mayúsculo; **—cut** gancho al mentón m; **—most** (highest) de más arriba; (most important) mayor; **—s** dentadura postiza superior f

uppity [ápɪdi] ADJ presumido

upright [ápraɪt] ADJ (posture) erecto, erguido; (position) vertical; (just) íntegro, recto, cabal; **— piano** piano vertical m; N (column) montante m; **— piano** piano vertical m; (post) poste m

uprightness [ápraɪtnɪs] N rectitud f

uprising [ápraɪzɪŋ] N alzamiento m, levantamiento m

uproar [áprɔr] N tumulto m, alboroto m, bulla f

uproarious [ʌprórias] ADJ (tumultuous) tumultuoso; (funny) graciosísimo

uproot [ʌprút] VT arrancar de raíz, desarraigar

upscale [ápskɛl] ADJ de lujo

upset [ápsɛt] VI/VT (overturn) volcar(se), tumbar; (distress) trastornar(se), perturbar(se), alterar(se); VT (in sports) derrotar al favorito; ADJ (overturned) volcado; (ill) indispuesto; (distressed) disgustado, enojado; [ápsɛt] N (overturning) vuelco m; (unexpected defeat) derrota inesperada f; (emotional state) trastorno m, disgusto m; (illness) malestar m

upshot [ápʃat] N consecuencia f

upside [ápsaɪd] N (upper part) parte superior f; (positive prospect) lo bueno; **— down** al revés, patas arriba

upstage [ápstédʒ] VT eclipsar

upstairs [ápstɛrz] ADV (location) arriba, en el piso de arriba; (movement) (para) arriba; [ápstɛrz] ADJ de arriba; N piso de arriba m

upstart [ápstɑrt] N advenedizo -za mf

uptake [áptek] N **quick on the —** listo; **slow on the —** duro de entendederas

uptight [áptáɪt] ADJ (nervous) nervioso; (conventional) estreñido

upturn [áptɚn] N (prices) aumento m, subida f; (markets) tendencia alcista f

upward [ápwəd] ADV (toward a higher place) hacia arriba; **— of** más de; ADJ ascendente; N **— mobility** ascenso social m

uranium [juréniəm] N uranio m

urban [ɚbən] ADJ urbano; **— blight**

tugurización f; **— legend** leyenda urbana f; **— renewal** renovación urbana f; **— sprawl** expansión urbana f

urchin [ɚtʃɪn] N pilluelo -la mf, guaje -ja mf

urethra [juríθrə] N uretra f

urge [ɚdʒ] VT (exhort) exhortar, urgir; (beg) rogar; (propose) propugnar; **to — on** animar; N impulso m, gana f

urgency [ɚdʒənsi] N urgencia f

urgent [ɚdʒənt] ADJ urgente

urinal [júrɪnəl] N urinario m, mingitorio m

urinary [júrəneri] ADJ urinario

urinate [júrɪnet] VI/VT orinar

urine [júrɪn] N orina f

URL (Uniform Resource Locator) [juɑrɛ́l] N URL m

urn [ɚn] N urna f

urologist [jurálədʒɪst] N urólogo -ga mf

Uruguay [júrəgwaɪ] N Uruguay m

Uruguayan [jurəgwáɪən] ADJ & N uruguayo -ya mf

us [ʌs] PRON nos; **she saw —** nos vio; **he came with —** vino con nosotros; **he gave it to —** nos lo dio (a nosotros)

USA (United States of America) [juesé] N EEUU m sg/pl

usable [júzəbəl] ADJ utilizable, aprovechable

usage [júsɪdʒ] N uso m, costumbre f

use [juz] VT usar, utilizar (also exploit); (consume) gastar; (take advantage of) aprovecharse de; VI **I —d to smoke** antes fumaba, solía fumar; **to — up** gastar, agotar; [jus] (application) uso m; (utilization) empleo m, utilización f, aprovechamiento m; (usefulness) utilidad f; **it is of no —** es inútil; **out of —** en desuso; **to have no — for** no soportar; **to make — of** usar, utilizar; **to put to — utilizar; what is the — of it?** ¿para qué sirve?

used [juzd] ADJ usado; [just] **to be — to** estar acostumbrado a

useful [júsfəl] ADJ útil

usefulness [júsfəlnɪs] N utilidad f

useless [júslɪs] ADJ inútil, inservible

uselessness [júslɪsnɪs] N inutilidad f

user [júzɚ] N usuario -ria mf; **—-friendly** fácil de utilizar

usher [ʌ́ʃɚ] N acomodador -ra mf; VT conducir, acompañar; **to — in** (a person) acompañar; (an era) anunciar, marcar el comienzo

usual [júʒuəl] ADJ usual, habitual; (of clothes) de todos los días; **as —** como siempre; **she wasn't her — self** no era la de siempre; **the — thing** lo normal; **more than — más** que de costumbre

usurp [jusˈp] vi/vt usurpar

usury [ˈjuʒəri] n usura f

utensil [juˈtensəl] n utensilio m, útil m

uterus [ˈjudə-əs] n útero m

utilitarian [juˈtilitɛriən] adj utilitario

utility [juˈtiliti] n utilidad f (public service) empresa de servicio público f; — **furniture** muebles prácticos m pl; — **program** programa utilitario m; — **room** lavadero m

utilization [judəlizeiʃən] n utilización f

utilize [ˈjudəlaiz] vt utilizar

utmost [ˈʌtmost] adj (extreme) sumo, extremo; (farthest) más distante; n máximo m; **he did his** — hizo cuanto pudo, **to the** — al máximo

utopia [juˈtopiə] n utopía f

utter [ˈʌdə] vt (emit) dar, proferir; (say) decir, pronunciar; (make circulate) poner en circulación; adj absoluto, completo

utterance [ˈʌdə-əns] n (of words) enunciado m; (of money) emisión f

uvula [ˈjuvjələ] n campanilla f, úvula f

Uzbek [ˈuzbek] adj & n uzbeko -ka m/f

Uzbekistan [uzbekistɑn] n Uzbekistán m

Vv

vacancy [ˈveikənsi] n (job) vacante f; (room in hotel) habitación libre f; **no** — completo

vacant [ˈveikənt] adj (position) vacante; (expression) vacío; (seat, room) libre

vacate [ˈveikeit] vt (a room) desalojar, desocupar; (a contract) anular; (a position) dejar vacante

vacation [veiˈkeiʃən] n vacaciones f pl

vaccinate [ˈvæksəneit] vi/vt vacunar

vaccination [væksəˈneiʃən] n vacunación f

vaccine [ˈvæksin] n vacuna f

vacillate [ˈvæsəleit] vi vacilar

vacuum [ˈvækjum] n vacío m; — **cleaner** aspiradora f; — **packed** envasado al vacío; — **tube** tubo de vacío m; vi/vt aspirar, pasar la aspiradora

vagabond [ˈvægəbɑnd] adj & n vagabundo -da m/f

vagina [vəˈdʒainə] n vagina f

vagrancy [ˈveigrənsi] n vagancia f

vagrant [ˈveigrənt] adj & n vagabundo -da m/f

vague [veg] adj vago, indistinto

vain [ven] adj (futile) vano, hueco; (proud of appearance) vanidoso, **in** — en vano

valentine [ˈvæləntain] n (card) tarjeta del día de San Valentín f; (person) querido -da m/f; —**'s Day** día de San Valentín m, día de los enamorados m

valet [ˈvælei] n (manservant) criado m; (in a hotel) mozo de habitación m; (car parker) aparcacoches m sg

valiant [ˈvæliənt] adj valiente

valid [ˈvælid] adj válido, valedero

validity [vəˈliditi] n validez f

valise [vəˈliz] n maleta f, valija f

valley [ˈvæli] n valle m

valor [ˈvælə] n valor m, valentía f

valorous [ˈvælə-əs] adj valeroso, valiente

valuable [ˈvæljəbəl] adj valioso, preciado; n — **s** objetos de valor m pl

valuation [væljuˈeiʃən] n (value) valoración f; (appraisal) tasación f, valuación f

value [ˈvælju] n valor m; vt valorar

valve [ˈvælv] n (of machine) válvula f; (on mollusks) valva f

vamp [væmp] n vampiresa f; vt seducir

vampire [ˈvæmpair] n vampiro m

van [ven] n camioneta f

vandal [ˈvændl] n vándalo m

vane [ven] n (for weather) veleta f; (of a fan, windmill) aspa f; (of propeller) paleta f

vanilla [vəˈnilə] n vainilla f

vanish [ˈvæniʃ] vi desaparecer, esfumarse

vanity [ˈvænidi] n vanidad f; — **table** tocador m

vanquish [ˈvæŋkwiʃ] vt vencer

vantage [ˈvæntidʒ] n — **point** mirador m

Vanuatu [vɑnuˈɑtu] n Vanuatu m

Vanuatuan [vɑnuˈɑtuən] adj & n vanuatuense m/f

vapor [ˈveipə] n vapor m, humo m

vaporize [ˈveipə-aiz] vi/vt vaporizar(se)

variable [ˈvɛriəbəl] adj & n variable f

variance [ˈvɛriəns] n discrepancia f, variación f; **to be at** — no concordar

variant [ˈvɛriənt] n variante f

variation [vɛriˈeiʃən] n variación f

varicose [ˈvɛrikos] adj varicoso; — **veins** Sp varices f pl; Am várices f pl

varied [ˈvɛrid] adj variado, vario

variegated [ˈvɛriəgeitid] adj variopinto

variety [vəˈraiəti] n variedad f

various [ˈvɛriəs] adj vario

varnish [ˈvɑrniʃ] n barniz m, charol m; vt barnizar, charolar

varsity [ˈvɑrsiti] n equipo universitario m

vary [ˈvɛri] vi/vt variar

vascular [ˈvæskjələ] adj vascular

vase [ves] n jarrón m; (for flowers) florero m

vasectomy [væsˈektəmi] n vasectomía f

Vaseline™ [ˈvæsəlin] n vaselina f

vast [væst] adj vasto, inmenso

vastly [ˈvæstli] adv radicalmente
vastness [ˈvæstnəs] n inmensidad f
vat [væt] n tina f, barrica f
Vatican City [ˈvætəkənsɪti] n Ciudad del Vaticano
vaudeville [ˈvɔdvɪl] n vodevil m
vault [vɔlt] n (arched structure) bóveda f; (burial chamber) panteón m; (place for valuables) cámara acorazada f; (jump) salto m; vt (cover with a vault) abovedar; vi/vt saltar
VCR (videocassette recorder) [visiɑr] n video m; Sp vídeo m
veal [vil] n ternera f; — **cutlet** chuleta de ternera f
veer [vɪr] vi/vt virar; n virada f
vegan [ˈvigən] adj & n vegan m/f
vegetable [ˈvedʒtəbəl] n (food) verdura f, hortaliza f; (plant, paralyzed person) vegetal m; — **garden** huerto m; (large) huerta f; — **kingdom** reino vegetal m; — **oil** aceite vegetal m
vegetarian [vedʒəˈteriən] adj & n vegetariano -na m/f
vegetate [ˈvedʒəteɪt] vi vegetar
vegetation [vedʒəˈteɪʃən] n vegetación f
vehemence [ˈviəməns] n vehemencia f
vehement [ˈviəmənt] adj vehemente
vehicle [ˈviɪkəl] n vehículo m
veil [veɪl] n velo m; vt velar
vein [veɪn] n (blood vessel, style) vena f; (small deposit of ore) veta f; (large deposit of ore) filón m
veined [veɪnd] adj veteado; (leaf) nervado
velocity [vəˈlɑsɪti] n velocidad f
velvet [ˈvelvɪt] n terciopelo m; adj (of velvet) de terciopelo; (like velvet) aterciopelado
velvety [ˈvelvɪti] adj aterciopelado
vendetta [venˈdetə] n vendetta f
vending machine [ˈvendɪŋməʃin] n máquina expendedora f
vendor [ˈvendər] n vendedor -ora m/f; (in a stall) puestero -ra m/f
veneer [vəˈnɪr] n (layer of wood) chapa f; (outward appearance) barniz m; vt chapar, enchapar
venerable [ˈvenərəbəl] adj venerable
venerate [ˈvenəreɪt] vt venerar
veneration [venəˈreɪʃən] n veneración f
venereal [vəˈnɪriəl] adj venéreo
Venetian blind [vənˈiʃənblaɪnd] n veneciana f
Venezuela [venəˈzweɪlə] n Venezuela f
Venezuelan [venəˈzweɪlən] adj & n venezolano -na m/f
vengeance [ˈvendʒəns] n venganza f; **with a** — (violently) con furia, (energetically) con ganas

vengeful [ˈvendʒfəl] adj vengativo
venison [ˈvenəsən] n carne de venado f
venom [ˈvenəm] n veneno m
venomous [ˈvenəməs] adj venenoso
vent [vent] n (outlet for air) ventilación f; (opening of a volcano) chimenea f; **to give** — **to anger** desahogar la ira; vi/vt desahogar(se), descargar(se)
ventilate [ˈventəleɪt] vt ventilar(se)
ventilation [ventəˈleɪʃən] n ventilación f
ventilator [ˈventəleɪtər] n ventilador m
ventricle [ˈventrɪkəl] n ventrículo m
venture [ˈventʃər] n (adventure) aventura f; (business enterprise) empresa f; — **capital** capital de riesgo m; vi/vt aventurar(se)
venue [ˈvenju] n lugar m
verb [vərb] n verbo m
verbal [ˈvərbəl] adj (linguistic, related to verbs) verbal; (not written) oral
verbatim [vərˈbeɪtəm] adj textual; adv textualmente
verbiage [ˈvərbɪdʒ] n palabrerío m
verbose [vərˈboʊs] adj verboso
verdict [ˈvərdɪkt] n veredicto m
verge [vərdʒ] adv loc **on the** — **of** al borde de, a punto de; vi **to** — **on** rayar en, lindar con
verification [verəfəˈkeɪʃən] n verificación f, comprobación f
verify [ˈverəfaɪ] vt verificar, constatar
veritable [ˈverətəbəl] adj verdadero
vermillion [vərˈmɪljən] adj & n bermellón m
vermin [ˈvərmɪn] n bichos m pl
vermouth [vərˈmuθ] n vermú m
vernacular [vərˈnækjələr] adj vernáculo; n (plain language) lengua vernácula f
versatile [ˈvərsətəl] adj versátil
verse [vərs] n verso m; (stanza) estrofa f; (line of poem) verso m; (in Bible) versículo m
versed [vərst] adj versado
version [ˈvərʒən] n versión f
versus [ˈvərsəs] prep contra; (in sports) versus
vertebra [ˈvərtəbrə] n vértebra f
vertebrate [ˈvərtəbrət] adj vertebrado
vertical [ˈvərtɪkəl] adj vertical
vertigo [ˈvərtɪgoʊ] n vértigo m
very [ˈveri] adv muy; — **many** muchísimos; — **much** muchísimo; **it is** — **cold today** hace mucho frío hoy; adj (same) mismo; (mere) mero
vessel [ˈvesəl] n (container) vasija f; (duct) vaso m; (ship) nave f
vest [vest] n chaleco m; vt conferir; —**ed interests** intereses creados m pl

vestibule [vĕs'tabjul] n vestíbulo m, zaguán m

vestige [vĕs'tĭj] n vestigio m

vet [vĕt] n (veterinarian) veterinario -ria m/f; (veteran) veterano -na m/f militar

veterinarian [vĕt'ə-ənĕn] n veterinario -ria m/f

veterinary [vĕt'ə-nĕrĭ] adj veterinario; — **medicine** veterinaria f

veto [vē'tō] n veto m; vt vetar

vex [vĕks] vt molestar, irritar

via [vī'ə, vē'ə] prep (by way of) vía; (by means of) por

viable [vī'əbəl] adj viable

vial [vī'əl] n ampolla f, frasco m

vibrate [vī'brĕt] vi/vt vibrar

vibration [vī'brā'əjən] n vibración f

vibrator [vī'brĕ-trə-] n vibrador m

vicarious [vī'kĕrĭəs] adj indirecto

vice [vīs] n vicio m

vice-president [vīs'prĕzidənt] n vicepresidente -ta m/f

viceroy [vīs'rɔi] n virrey m

viceroyalty [vīs'rɔiəltĭ] adj virreinato m

vice versa [vīs'vûrsə] adv viceversa

vicinity [vīsĭn'itĭ] n vecindad f, cercanías f pl

vicious [vī'əs] adj (having vices) vicioso; (violent) violento, sanguinario; (evil) maligno, perverso; (malicious) malicioso; — **circle** círculo vicioso m; — **dog** perro fiero m, perro bravo m

vicissitude [vīsĭs'itüd] n vicisitud f, peripecia f

victim [vĭk'təm] n víctima f

victimize [vĭk'təmaiz] vt (make victim) víctimizar; (dupe) estafar

victor [vĭk'ə-] n vencedor -ora m/f

victorious [vĭk'tôrĭəs] adj victorioso

victory [vĭk'tərĭ] n victoria f

video [vĭd'ĭō] n (Am video m; Sp vídeo m; — **cassette** Am video m; Sp vídeo m; — **cassette recorder** videocasete m; — **conference** videoconferencia f; — **game** videojuego m; —**tape** Am cinta de vídeo f; Sp cinta de vídeo f

vie [vī] vi competir; **to — for power** disputarse el poder

Vietnam [vĭĕt'näm] n Vietnam m

Vietnamese [vĭĕt'nəmīz] adj & n vietnamita m/f

view [vyü] n (field of vision) vista f; (opinion) opinión f; (panorama) visión panorámica f; — **point** punto de vista m; **in — of** en vista de; **to be within —** estar a la vista; **with a — to** con el propósito de; vt (see)

ver; (consider) enfocar

viewpoint [vyü'point] n punto de vista m

vigil [vĭj'əl] n vigilia f, vela f; **to keep —** velar

vigilance [vĭj'ələns] n vigilancia f

vigilant [vĭj'ələnt] adj vigilante

vigor [vĭg'ə-] n vigor m, pujanza f, dinamismo m

vigorous [vĭg'ərəs] adj vigoroso

vile [vīl] adj (evil) vil, ruin; (foul, bad) pésimo

villa [vĭl'ə] n quinta f, casa de campo f

village [vĭl'ĭj] n aldea f, villa f

villager [vĭl'ĭjə-] n aldeano -na m/f

villain [vĭl'ən] n villano -na m/f

villainous [vĭl'ənəs] adj vil, villano

villainy [vĭl'ənĭ] n villanía f, vileza f

vindicate [vĭn'dĭkāt] vt reivindicar, vindicar

vindictive [vĭndĭk'tĭv] adj vengativo

vine [vīn] n (grapevine) vid f; (decorative) parra f; (stem) sarmiento m; (climbing plant) enredadera f

vinegar [vĭn'igə-] n vinagre m

vineyard [vĭn'yərd] n viña f, viñedo m

vintage [vĭn'tĭj] n (act or season of gathering grapes) vendimia f; (harvest of grapes) cosecha f; (year) año m; adj (wine) añejo; (classic) excelente; (old) antiguo, de colección; (typical) típico

vinyl [vī'nəl] n vinilo m

viola [vēō'lə] n viola f

violate [vī'əlāt] vt violar; (a law) violar, quebrantar

violation [vī'əlā'jən] n violación f; (traffic) infracción f

violence [vī'ələns] n violencia f

violent [vī'ələnt] adj violento

violet [vī'əlĭt] n (flower) violeta f; (color) violeta m; adj violeta inv

violin [vī'əlin] n violín m

violinist [vī'əlinĭst] n violinista m/f

viper [vī'pə-] n víbora f

virgin [vûr'jĭn] adj & n virgen f; (uninhabited) no inhabitado -da m/f; — **Islands** Islas Vírgenes f pl

virginal [vûr'jənəl] adj virginal

virile [vĭr'əl] adj viril

virility [vərĭl'itĭ] n virilidad f

virtual [vûr'chüəl] adj virtual; — **reality** realidad virtual f

virtue [vûr'chü] n virtud f

virtuoso [vûr'chüōsō] adj & n virtuoso -sa m/f

virtuous [vûr'chüəs] adj virtuoso

virulent [vĭr'ələnt] adj virulento

virus [vī'rəs] n virus m

visa [vē'zə] n Am visa f; Sp visado m

vis-à-vis [vēz'ävē] prep con respecto a

visceral [vísa-əl] *adj* visceral
viscous [vískəs] *adj* viscoso
vise [vais] *n* tornillo de banco *m*
visible [vízəbəl] *adj* visible
Visigoth [vízigɔθ] *n* visigodo -da *mf*
vision [vízən] *n* (sense, apparition) visión *f*; (eyesight) vista *f*
visionary [vízəneri] *adj* & *n* visionario -ria *mf*
visit [vízit] *vt* visitar; (afflict) infligir; *vi* estar de visita; **to — with** charlar con; *n* (stay) visita *f*; (chat) charla *f*
visitation [vizitéiʃən] *n* (apparition) visitación *f*; (punishment) castigo *m*; (parental right) régimen de visita *m*
visitor [vízitə-] *n* visita *f*, visitante *mf*
visor [váizə-] *n* visera *f*
vista [vísta] *n* (visual) vista *f*; (mental) perspectiva *f*
visual [vízuəl] *adj* visual
visualize [vízuəlaiz] *vt* visualizar, imaginar
vital [váidl] *adj* vital; **— signs** signos vitales *m pl*
vitality [vaitálidi] *n* vitalidad *f*
vitamin [váidəmin] *n* vitamina *f*
vituperation [vaitupəréiʃən] *n* vituperación *f*, vituperio *m*
vivacious [vivéiʃəs] *adj* vivaz, vivaracho
vivacity [vivásidi] *n* vivacidad *f*
vivid [vívid] *adj* vívido, vivo
vivisection [vivisékʃən] *n* vivisección *f*
vocabulary [vokábjəleri] *n* vocabulario *m*
vocal [vókəl] *adj* (musical) vocal; (outspoken) vociferante; **— cords** cuerdas vocales *f pl*
vocation [vokéiʃən] *n* vocación *f*
vocational [vokéikl] *adj* vocático
vociferous [vosífə-əs] *adj* vociferante
vodka [vádkə] *n* vodka *m*
vogue [vog] *n* boga *f*, moda *f*; **in —** en boga, de moda
voice [vois] *n* voz *f*; **— mail** contestador automático *m*; *vt* expresar
void [void] *adj* (devoid, empty) vacío; (not binding) nulo, inválido; **—ed** nulo; *n* vacío *m*; *vt* (intestines) evacuar; (a check) cheque anulado *m*; **— of** desprovisto de; *n* anular
volatile [válatl] *adj* (liquid) volátil; (political situation) explosivo; (stock market) voluble; (temperament) cambiante
volcanic [valkánik] *adj* volcánico
volcano [valkéno] *n* volcán *m*
volition [valíʃən] *n* volición *f*; **of one's own —** por su propia voluntad
volley [válí] *n* (of firearms) descarga *f*; (of protests, arrows, stones) lluvia *f*; (of balls) volea *f*; *vt/vi* (bullets) descargar; (balls)

volt [volt] *n* voltio *m*
voltage [vóltidʒ] *n* voltaje *m*
volume [váljəm] *n* volumen *m*, tomo *m*
voluminous [valúminəs] *adj* voluminoso
voluntary [válanteri] *adj* voluntario
volunteer [valantír] *adj* & *n* voluntario -ria *mf*; *vt/vi* (offer) ofrecer(se), brindar(se); *RP* comedir(se); *vi* (do volunteer work) trabajar de voluntario -ria
voluptuous [valáptʃuəs] *adj* voluptuoso
vomit [vámit] *n* vómito *m*; *vt/vi* vomitar
voodoo [vúdu] *n* vudú *m*
voracious [voréiʃəs] *adj* voraz
vortex [vórteks] *n* vórtice *m*
vote [vot] *n* (right, ballot) voto *m*; (act of voting) votación *f*; *vi* votar; *vt* (a bill) aprobar; (a party) votar a / por; **to — to do something** votar por hacer algo
voter [vóta-] *n* votante *mf*
vouch [vautʃ] *vi* **to — for** dar fe de, salir de fiador a, far a; *vt* **to — that** dar fe de que
voucher [váutʃa-] *n* (receipt) comprobante *m*; (coupon) vale *m*; (person) fiador -ra *mf*, garante *mf*
vow [vau] *n* voto *m*; **to take a —** prometer; *vi* jurar
vowel [váuəl] *n* vocal *f*
voyage [vóiidʒ] *n* viaje *m*; (by sea) travesía *f*; *vi* viajar
voyeur [vɔjɜ] *n* mirón -ona *mf*
vulgar [válga-] *adj* (rude) ordinario, grosero, soez; (popular, vernacular) vulgar
vulgarity [valgáridi] *n* ordinariez *f*
vulnerable [válnarabal] *adj* vulnerable
vulture [váltʃa-] *n* buitre *m*

Ww

wacky [wáki] *adj* (person) chiflado; (idea) descabellado
wad [wad] *n* (for artillery, for filling) taco *m*; (ball) pelota *f*, pelotón *m*; (of money) rollo *m*, fajo *m*; *vt/vi* (a firearm) atacar; (a piece of paper) hacer una pelota (con)
waddle [wádl] *vi* anadear, andar como un pato; *n* anadeo *m*
wade [wed] *vi* andar por el agua; **to — through a book** leer con dificultad un libro
wafer [wéfa-] *n* (cookie) oblea *f*; (in Catholic ritual) hostia *f*; (computer) lámina / oblea *f*

waffle [wɑfəl] adj Sp gofre m; Am wafle m; **— iron** Sp plancha para hacer gofres f; Am waflera f

waft [wɑft] vt flotar, vt llevar por el aire; n (of air) ráfaga f; (of odor) ola f

wag [wæg] vi/vt menear(se); mover(se); **— the tail** colear; n (movement) meneo m, movimiento m; (joker) bromista mf

wage [wɛdʒ] n **— s** salario m; (paid daily) jornal m; **— scale** escala salarial f; (daily) jornal m; vt (war) hacer; (battle) librar

wager [wɛdʒər] n apuesta f; vi/vt apostar

wagon [wægən] n (horsedrawn) carro m; (covered) carreta f; (toy) carrito m; **to fix someone's —** vengarse de alguien; **to be on the —** abstenerse de las bebidas alcohólicas

wail [wel] vi lamentar; n lamento m

waist [west] n cintura f; (of garment) talle m; **— band** pretina f; **— coat** chaleco m; **— line** talle m, cintura f

wait [wet] vi/vt esperar; **to — for** esperar; **to — on** servir; **to — tables** trabajar de camarero -ra; n espera f; **to lie in — for** estar en/al acecho de

waiter [wɛdər] n camarero m, mozo m, mesero m

waiting [wedɪŋ] n espera f; **— list** lista de espera f; **— room** sala de espera f

waitress [wetrɪs] n camarera f, moza f, mesera f

waive [wev] vt (rights) renunciar a; (rule) hacer una excepción

waiver [wevər] n (of rights) renuncia f; (of rules) excepción f

wake [wek] vi/vt despertar(se); **to — up** despertar(se); n (at death) velatorio m; (of a ship) estela f, surco m; **in the — of** después de, detrás de; **— up call** llamada del servicio despertador f; (to action) llamada de atención f

wakeful [wekfəl] adj (awake) despierto; (insomniac) insomne

waken [wekən] vi/vt despertar(se)

Wales [welz] n Gales m sg

walk [wɔk] vi andar, caminar; (to a place) ir a pie; **— away** marcharse; (go away); **to — back** volver a pie; **to — down** bajar a pie; **to — in** entrar caminando; **to — out** salir caminando; (to abandon) dejar; (to strike) declararse en huelga; **— out** huelga f; **to — up** subir a pie; vt (to cause to walk) hacer caminar; (to trace on foot) recorrer; **to — the streets** callejear; n (period of walking) paseo m, caminata f; (pace) paso m; (gait) andar m; **— of life** condición f; **to take a —** pasear, dar un paseo

walker [wɔkə] n (to aid walking) andador m; (one who walks) caminante mf; (in sports) marchista mf

walking [wɔkɪŋ] adj andante; **— papers** despido m; **— stick** bastón m

wall [wɔl] n (interior) pared f; (garden) muro m, tapia f; (fort) muralla f; (of silence) barrera f; **to have one's back to the —** estar entre la espada y la pared; **to drive someone up the —** sacar a alguien de quicio; **I was climbing the — s** me moría de aburrimiento; **— to —** de pared a pared; **— flower** alhelí m; **she was a — flower** no la sacaban a bailar; **— paper** papel de empapelar m; **to — paper** empapelar

wallet [wɔlɪt] n cartera f

wallow [wɑlo] vi (roll) revolcarse; (indulge oneself) regodearse

walnut [wɔlnət] n nuez f; **— tree** nogal m

walrus [wɔlrəs] n morsa f

waltz [wɔlts] n vals m; vi valsar

wand [wɑnd] n (rod) vara f; (magic) varita f

wander [wɑndər] vi/vt vagar (por), errar (por); **to — away** perderse; **my mind — s easily** me distraigo fácilmente

wanderer [wɑndərə] n vagabundo -da mf

wane [wen] vi menguar, flaquear; n mengua f; **to be on the —** ir menguando

wannabe [wɑnəbi] n imitador -ora mf

want [wɑnt] vi/vt (desire) querer; **he — s ed in judgment** le falta juicio; **for — in Texas** se lo busca en Texas; n (desire) deseo m; (lack) falta f; (scarcity) escasez f; **to be in —** estar necesitado; **— ad** (aviso) clasificado m

wanting [wɑntɪŋ] adj (lacking) falto; (deficient) deficiente

wanton [wɑntən] adj (immoderate) desenfrenado; (immoral) lascivo; (senseless, unprovoked) gratuito

war [wɔr] n guerra f; **— crime** crimen de guerra m; **— games** juegos de guerra m pl, simulacro de batalla m; **— head** oliva f; **— ship** acorazado m; vi guerrear, hacer la guerra

warble [wɔrbəl] vi gorjear; n gorjeo m

warbler [wɔrblər] n (European) curruca f; (American) arañero m

ward [wɔrd] n (district) distrito m; (of a building) pabellón m; (of a tutor) pupilo -la mf; vi **to — off** resguardarse de, conjurar

warden [wɔrdən] n guardián -na mf; (of

prison) alcaide *m*

wardrobe [wɔ́rdrob] N (room) guardarropa *m*; (furniture) ropero *m*, armario *m*; (garments) vestuario *m*, guardarropa *m*

warehouse [wérhaʊs] N almacén *m*, depósito *m*

wares [werz] N mercancías *f pl*

warfare [wɔ́rfer] N guerra *f*

warlike [wɔ́rlaɪk] ADJ bélico

warm [wɔrm] ADJ (bath) caliente; (clothes) abrigado; (weather) caluroso; (colors, reception) cálido; **—-blooded** de sangre caliente; **—hearted** de buen corazón; **it is — today** hace calor hoy; VI/VT calentar(se); **to — over** recalentar; **to — up** calentar(se), templar(se); **—up** precalentamiento *m*; **it —s my heart** me alegra el corazón; **she —ed to the idea** se entusiasmó con la idea

warmth [wɔrmθ] N calor *m*, tibieza *f*

warn [wɔrn] VI/VT (advise of danger) advertir; (urge to behave) amonestar

warning [wɔ́rnɪŋ] N (of danger) advertencia *f*; (of punishment) amonestación *f*

warp [wɔrp] N (yarn) urdimbre *f*; (curve) comba *f*, alabeo *m*; VI/VT (wood) combar(se), alabear(se); (character) deformar(se); **he has a —ed personality** tiene una personalidad retorcida

warrant [wɔ́rənt] N orden *f*; **a — for his arrest** una orden de arresto contra él; VT garantizar

warranty [wɔ́rənti] N garantía *f*; VT garantizar

warrior [wɔ́riɚ] N guerrero -ra *mf*

wart [wɔrt] N verruga *f*

wary [wéri] ADJ cauteloso, cauto; **to be — of** desconfiar de

wash [waʃ] VI/VT lavar(se); **to — down** bajar; **to — out** (clean) quitar; (demolish) destruir; **to — up** lavarse; **he was —ed away by the waves** fue arrastrado por las olas; **his excuse won't —** su excusa no va a colar; **the bottle was —ed up on the shore** la botella fue traída por el mar; **—-and-wear** de lava y pon, de no planchar; **—ed-up** fracasado; **—ed-out** desteñido; **—out** (erosion) derrubio *m*; (failure) fracaso *m*; N (act of washing) lavado *m*; (clothes to be washed) ropa para lavar *f*; (washed clothes) ropa lavada *f*; **—cloth** toallita para lavarse *f*; **—room** lavabo *m*, lavatorio *m*

washable [wáʃəbəl] ADJ lavable

washer [wáʃɚ] N (washing machine) máquina de lavar *f*; (ring) arandela *f*; **— woman** lavandera *f*

washing [wáʃɪŋ] N lavado *m*; **— machine** lavadora *f*, máquina de lavar *f*

wasp [wɑsp] N avispa *f*

WASP (white Anglo-Saxon Protestant) [wɑsp] N persona blanca, anglosajona y protestante *f*

waste [west] VI/VT (squander resources) malgastar, desperdiciar; **to — away** consumirse; VT (squander time) perder; (murder) liquidar; N (of resources) desperdicio *m*, malgasto *m*, derroche *m*; (of time) pérdida *f*; (refuse) desperdicios *m pl*, desechos *m pl*; **to go to —** desperdiciarse; **—paper basket** papelera *f*; **— products** productos de desecho *m pl*; **—land** tierra yerma *f*, páramo *m*; **to lay — to** asolar

wasted [wéstɪd] ADJ (squandered) desperdiciado; (debilitated) consumido; (drunk) borracho

wasteful [wéstfəl] ADJ despilfarrador, gastador; (method) antieconómico

watch [wɑtʃ] VI (look) mirar; (be careful) cuidarse; (be vigilant) vigilar; VT (view) mirar, ver; (observe) observar; (tend) cuidar; **— out for the cars!** ¡cuidado con los coches! **to — for** estar a la espera de; **to — over** proteger; N (timepiece) reloj *m*; (period of wakefulness) vela *f*, vigilia *f*; (vigilant guard) guardia *mf*; (duty shift) guardia *f*; (lookout) centinela *m*; **—band** pulsera *f*; **—dog** (type of dog) perro guardián *m*; (organization) organismo de control *m*; **—maker** relojero -ra *mf*; **—making** relojería *f*; **—man** vigilante *m*, sereno *m*; **—tower** atalaya *f*, torre de vigilancia *f*; **—word** (password) contraseña *f*; (motto) consigna *f*, lema *m*; **to be on the —** estar alerta; **to keep — on / over** vigilar a

watchful [wátʃfəl] ADJ alerta, atento

water [wɔ́dɚ] N agua *f*; **—bed** cama de agua *f*; **—bird** ave acuática *f*; **— buffalo** búfalo de agua *m*; **—color** acuarela *f*; **—cress** berro *m*; **—fall** (small) cascada *f*; (large) catarata *f*; **—front** muelles *m pl*; **— heater** calentador de agua *m*; **— lily** nenúfar *m*; **—logged** empapado; **—melon** sandía *f*; **— pistol** pistola de agua *f*; **— power** energía hidráulica *f*; **— proof** (fabric) impermeable; (watch) sumergible; VT impermeabilizar; **—proof** impermeabilizar; **—shed** vertiente *f*; **— ski** esquí acuático *m*; **to —-ski** hacer esquí acuático; **— softener** ablandador de agua *m*; **—sports** deportes acuáticos *m pl*; **—spout** (pipe) tubo de desagüe *m*; (tornado) bomba *f* — **supply** abastecimiento de agua *m*; — **table** capa freática *f*; —**tight** hermético; — **vapor** vapor de agua *m*; —**way** vía navegable *f*; **my** — **broke** se me rompieron las aguas, se me rompió la fuente; *vt* (irrigate) regar; (dilute) aguar; *vi/vt* (animals) abrevar; —**ed-down** (with water) aguado; (simplified) simplificado; (softened) suavizado; **my eyes are** —**ing** me lloran los ojos; **it makes my mouth** — se me hace agua la boca

watery [wɔɾəri] *adj* (watered-down) aguado; (like water) acuoso; (boggy) húmedo

watt [wɑt] *n* vatio *m*

wattage [wɑɾɪdʒ] *n* vataje *m*

wave [wev] *n* (of water) ola *f*; (of radio) onda *f*; (of people) oleada *f*; (with the hand) saludo *m*; (hair) ondulado *m*; *vt* (flag) ondear; (hair) ondular(se); *vi* (greeting) saludar con la mano; **to** — **good-bye** decir adiós con la mano

waver [wevə] *vi* (hesitate) vacilar, titubear; (falter) flaquear

wavy [wevi] *adj* ondeado, ondulado

wax [wæks] *n* cera *f*; (for seals) lacre *m*; *vt* encerar; *vi/vt* crecer; **to** — **poetic** ponerse poético

way [we] *n* (road) camino *m*; (manner) modo *m*, manera *f*; **in** — **in** entrada *f* — **out** salida *f*; **to** —**lay** (wait in ambush) estar al acecho de; (attack) asaltar; (stop) detener; —**farer** caminante *m/f*; —**out** estrafalario; —**s** costumbres *f pl*; —**side** borde del camino *m*; — **through** paso *m*, pasaje *m*; **a long** — **off** muy lejos; **by** — **of** — **London** por Londres; **by** — **of comparison** a modo de comparación; **by** **the** — a propósito; **in** — **o** de ningún modo, **on the** — en rumbo a; **to get out** **of the** — apartarse; **to go out of one's** — desvivirse por; **to look the other** — hacer la vista gorda; **to lead the** — ir a la cabeza; **to be in a bad** — hallarse mal de salud; **to give** — (yield) ceder; (break) salud; **to get one's** —**s** — salirse con la suya; **to make** — **for** abrir paso para

wayward [wewəd] *adj* (disobedient) desobediente; (willful) porfiado

we [wi] *pron* nosotros -as *m*

weaken [wikən] *vi/vt* debilitar(se), quebrantar(se)

weak [wik] *adj* débil; (deficient) flojo; — **force** fuerza débil *f*; —**kneed** achicado; —**sister** (coward) cobarde *m/f*; — **link** parte más delgada del hilo *f*

weakling [wiklɪŋ] *n* alfeñique *m*

weakness [wiknɪs] *n* debilidad *f*, flaqueza *f*; (deficiency) flojedad *f*

wealth [wɛlθ] *n* riqueza *f*

wealthy [wɛlθi] *adj* rico, adinerado, pudiente

wean [win] *vt* destetar; **to** — **oneself of** quitarse el vicio de

weapon [wépən] *n* arma *f*

wear [wer] *vt* (have on) llevar, tener puesto; (dress in habitually) usar; *vi/vt* (waste away) desgastar(se); **to** — **away** gastar(se); (a person) **to** — **down** gastar(se); (a pencil) agotar; **to** — **off** perder efecto; **to** — **on** prolongarse; **to** — **out** (make unfit) gastar(se), desgastar(se); (expend) agotar; **it** —**s well** es duradero; *n* (use) gasto *m*; (clothes) ropa *f*; (durability) durabilidad *f*; (deterioration) desgaste *m*; — **and tear** desgaste *m*

weariness [wírinɪs] *n* cansancio *m*, fatiga *f*

wearing [wérɪŋ] *adj* (causing wear) desgastante; (causing fatigue) cansado

wearisome [wírisəm] *adj* fastidioso

weary [wíri] *adj* cansado, fatigado; *vi/vt* cansar(se), fatigar(se)

weasel [wizəl] *n* comadreja *f*

weather [wéðə] *n* tiempo *m*; (storm) tempestad *f*; —**beaten** curtido/ castigado/ por la intemperie; — **bureau** oficina meteorológica *f*; — **conditions** condiciones atmosféricas *f pl*; —**man** meteorólogo *m*; —**proof** resistente a la intemperie; —**vane** veleta *f*; **it is fine** — hace buen tiempo; **to be under the** — estar enfermo; *vi/vt* gastar(se); (skin) curtir; **to** — **a storm** capear un temporal

weave [wiv] *vt* (cloth, basket) tejer; (put together) urdir, tramar; **to** — **together / into** entretejer; **to** — **one's way** zigzaguear; *n* tejido *m*

weaver [wivə] *n* tejedor -ra *m f*

web [wɛb] *n* (of a spider) telaraña *f*; (of lies) sarta *f*; (membrane) membrana *f*; —**foot** (foot) pata palmada *f*; (animal) palmípedo *m*; — **page** página web *f*; —**site** sitio web *m*

wed [wɛd] *vi/vt* casarse (con); *vt* casar a

wedding [wédɪŋ] *n* boda *f*, casamiento *m*; — **day** día de boda *m*; — **dress** traje de novia *m*; — **ring** anillo de boda *m*

wedge [wɛdʒ] *n* cuña *f*; **to drive a** — **between** separar; *vt* acuñar, meter cuñas; **to be** —**d between** estar apretado entre

Wednesday [wénzde] *n* miércoles *m*

wee [wi] *adj* chiquito, pequeñito

weed [wid] N mala hierba *f*; (marijuana) hierba *f*; **—killer** herbicida *m*; VT deshierbar, escardar; **to — out** eliminar

week [wik] N semana *f*; **—day** día de semana *m*; **—end** fin de semana *m*; **a — from today** de aquí en una semana

weekly [wíkli] ADJ semanal; ADV semanalmente; N semanario *m*

weep [wip] VI llorar, lagrimear

weeping [wípɪŋ] ADJ lloroso; **— willow** sauce llorón *m*; N llanto *m*

weevil [wívəl] N gorgojo *m*

weigh [we] VI/VT pesar; (consider) ponderar, sopesar, barajar; **to — anchor** levar anclas; **to — down** agobiar, abrumar; **to — on one's conscience** pesar en la conciencia de uno

weight [wet] N (heaviness, importance) peso *m*; (for clocks, scales, barbells) pesa *f*; **—lifting** levantamiento de pesas *m*, halterofilia *f*; **— training** levantamiento de pesas *m*, halterofilia *f*; **—watcher** persona a dieta *f*; **to put on —** engordar; **to lose —** adelgazar; VT (add weight) añadir peso; (in statistics) ponderar; **to — someone down** agobiarle a uno

weightless [wétlɪs] ADJ ingrávido

weighty [wéɾi] ADJ importante

weird [wɪrd] ADJ (strange) extraño; (supernatural) misterioso

weirdo [wírdo] N bicho raro *m*, ente *m*

welcome [wélkəm] N bienvenida *f*; ADJ bienvenido; **—!** ¡bienvenido! **— mat** alfombrilla *f*, felpudo *m*; **— rest** descanso agradable *m*; **you are —** no hay de qué, de nada; **you are — here** estás en tu casa; **you are — to use it** a tus órdenes; VT (friendly) dar la bienvenida, acoger; (unfriendly) recibir

weld [wɛld] VI/VT soldar(se); N soldadura *f*

welfare [wélfer] N (good fortune) bienestar *m*; (public assistance) asistencia social *f*; **— state** estado de bienestar *m*

well [wɛl] ADV bien; **— then** pues bien; **—-being** bienestar *m*; **—-bred** bien educado; **—-defined** bien definido; **—-done** (steak) bien cocido; (a task) bien hecho; **—-fed** bien alimentado; **—-fixed** adinerado; **—-founded** bien fundamentado; **—-groomed** bien arreglado, aseado; **—-heeled** adinerado; **—-informed** bien informado; **—-known** (of a fact) bien sabido; (of a person) bien conocido, notorio; **—-made** bien hecho; **—-meaning** bien intencionado; **—-nigh** casi, muy cerca de; **he is — over fifty** tiene mucho más de cincuenta años;

—-off adinerado, acomodado; **—-read** leído, educado; **—-rounded** completo; **—-spoken** bien hablado; **—-to-do** adinerado; **all is —** todo está bien; ¡bueno! ADJ (healthy) bien de salud, sano; N (of water, oil) pozo *m*; (of staircase) caja *f*; **—spring** fuente *f*, manantial *m*; VI **tears —ed up in her eyes** se le llenaron los ojos de lágrimas

wellness [wélnɪs] N (health) salud *f*; (health care) medicina preventiva *f*

welsh [wɛlʃ] VI **to — on** (a debt) no pagar; (a promise) no cumplir

Welsh [wɛlʃ] ADJ & N galés -esa *mf*

welt [wɛlt] N verdugón *m*

west [wɛst] N (cardinal point) oeste *m*; (hemisphere) occidente *m*; **— Berlin** Berlín occidental *m*; **— Indies** Antillas *f pl*; **— wind** viento del oeste *m*; ADV (direction) hacia el oeste; (location) al oeste

western [wéstən] ADJ occidental, del oeste; N película del oeste *f*

westerner [wéstənə] N occidental *mf*

westward [wéstwəd] ADV hacia el oeste; ADJ occidental

wet [wɛt] ADJ (drenched) mojado; (damp, rainy) húmedo; **— blanket** aguafiestas *mf sg*; **—land** humedal *m*; **— nurse** nodriza *f*; **— paint** pintura fresca *f*; **— suit** traje de buzo *m*; VI/VT mojar(se); (dampen) humedecer(se)

wetness [wétnɪs] N humedad *f*

whack [hwæk] VI/VT golpear, pegar; **to — off** (cut) cortar; N golpazo *m*; *Sp* hostia *f*; **to take a — at** hacer un intento de; **out of —** descompuesto, averiado

whale [hwel] N ballena *f*; VI pescar ballenas

wharf [hwɔrf] N muelle *m*, embarcadero *m*

what [hwɑt] INTERR PRON & N & ADJ qué; **— did you say?** ¿qué dijiste? **— books did you want?** ¿qué libros querías? **—'s the matter?** ¿qué pasa? **— for?** ¿para qué? **and —not** y demás; REL PRON lo que; **come — may** venga lo que venga; **take — books you need** toma los libros que necesites; **any place —soever** en cualquier lugar; ADJ qué; **— happy children!** ¡qué niños más felices! **— luck!** ¡qué buena suerte! INTERJ cómo, qué; **so —?** ¡y qué?

whatever [hwɑtévə] PRON lo que; **— do you mean?** ¿qué demonios quieres decir? **do it, — happens** hazlo, pase lo que pase; **— you may think** pienses lo que pienses; ADJ **any person —** una persona cualquiera / cualquier persona; **no money**

— nada de dinero; INTERJ ¡lo que sea!

wheat [hwiːt] n trigo m; — **germ** germen de trigo m

wheel [hwiːl] n (disc) rueda f; (of cheese) horma f; (for pottery) torno m; (for steering a car) volante m; (on a ship) timón m; — **barrow** carretilla f; — **base** batalla f; paso m; — **chair** silla de ruedas f; — **s** coche m; VT (a round object) hacer rodar; (a person, bicycle, wheelchair) empujar; VI **to** — **out** sacar rodando; **to** — **in** entrar rodando; **to** — **around** girar sobre los talones

wheeze [hwiːz] n resuello ruidoso m; VI resollar

when [hwɛn] ADV & CONJ cuando; INTERJ, ADV ¿cuándo?

whenever [hwɛnˈɛvɚ] CONJ — **I see him** cada vez que lo veo; ADV — **you arrive tomorrow** cuando llegues

where [hwɛr] ADV, n & INTERR PRON dónde m; (direction) adónde; CONJ donde; (direction) dónde

whereabouts [hwɛrəˈbaʊts] n paradero m; INTER ADV por dónde

whereas [hwɛrˈæz] CONJ mientras que; (in preambles) visto que, considerando que

whereby [hwɛrˈbaɪ] ADV por lo cual

wherefore [hwɛrˈfɔr] ADV por lo cual

wherein [hwɛrˈɪn] ADV en donde

whereof [hwɛrˈʌv] REL PRON de que; INTERR PRON de qué

whereupon [hwɛrəˈpɑn] ADV después de lo cual

wherever [hwɛrˈɛvɚ] ADV dondequiera que cual

whet [hwɛt] VT (sharpen) afilar; (stimulate) estimular; —**stone** piedra de afilar f

whether [hwɛðɚ] CONJ — **we like it or not** nos guste o no nos guste; **I doubt** — **we can do it** dudo de que lo podamos hacer; **he asked** — **I was coming** me preguntó si venía

which [hwɪtʃ] INTERR PRON cuál(es); — **do you want?** ¿cuál(es) quieres? ¿cuáles?; REL PRON que; **the apple** — **I just bought** la manzana que acabo de comprar; **the book** — **I was talking about** el libro del que/cual estaba hablando; **that** — **you don't know can hurt you** lo que no sabes puede hacerte daño; INTER ADV — **house is it?** ¿qué casa es? ¿cuál de las casas es?

whichever [hwɪtʃˈɛvɚ] PRON & ADJ (no matter which) cualquiera (que); — **you choose, you'll regret it later** elijas el que elijas, te arrepentirás después

while [hwaɪl] n rato m; **a short** — un rato; **a short** — **ago** hace poco; CONJ (during) mientras; (whereas) mientras que; (even though) aunque; VT **to** — **away** pasar

whiff [hwɪf] n (waft) soplo m; (odors, scandal) bocanada f; tufillo m; **to take a** — oler

whim [hwɪm] n capricho m, antojo m

whimper [hwɪmpɚ] VI/VT lloriquear, gimotear; n lloriqueo m, gimoteo m; (complaint) quejido m

whimsical [hwɪmzɪkl] ADJ caprichoso, antojadizo

whine [hwaɪn] VI (whimper) gemir; (complain) quejarse; n (whimper) gemido m; (complaint) quejido m

whiner [hwaɪnɚ] n llorón -ona m/f; quejica m/f

whiny [hwaɪni] ADJ quejoso, quejica, ñoño

whip [hwɪp] n azote m, látigo m; **to** — **repenque** VT (hit with a whip) azotar, fustigar; (spank) zurrar, dar una paliza; (beat to a froth) batir; (defeat) vencer; **to** — **out** sacar; **to** — **up** (prepare) preparar rápidamente; (incite) incitar; **whipping** [hwɪpɪŋ] n zurra f, paliza f; — **cream** crema para batir f

whir [hwɚ] VI zumbar; n zumbido m

whirl [hwɚl] VI girar; **to** — **around** arremolinarse; **my head** — **s** me da vueltas la cabeza; n (rotation) giro m; —**pool** remolino m; (in water) remolino m; (of water) torbellino m, remolino de viento m; —**wind tour** gira relámpago f; **my head is in a** — me da vueltas la cabeza; **to give it a** — probarlo

whisk [hwɪsk] VT (sweep) barrer; (beat) batir; **to** — **away** llevarse de prisa; **to** — **by** pasar rápidamente; n (broom) escobilla f; (beater) batidor m

whisker [hwɪskɚ] n (hair of beard) pelo de la barba m; (sideburn) patilla f; (of animals) bigote m

whiskey, whisky [hwɪski] n whisky m

whisper [hwɪspɚ] VI/VT (voices) cuchichear, secretear; (leaves, water) susurrar; n (voices) cuchicheo m; (leaves, water) susurro m; **to talk in a** — cuchichear en voz baja

whistle [hwɪsl] VI/VT silbar; (loud) chiflar; (in protest) rechiflar; VI (referee, train) pitar; **to** — **for someone** llamar a uno con un silbido; n (sound) silbido m; (loud sound) chiflido m; (of a referee) pitido m; (instrument) silbato m, pito m; — **blower**

acusador -ora *mf*

white [hwaɪt] ADJ (of color, ethnicity) blanco; **— blood cell** glóbulo blanco *m;* **— bread** pan blanco *m;* **—bread** soso; **—caps** cabrillas *f pl;* **—collar** administrativo, de cuello blanco; **— gold** oro blanco *m;* **— hair** cana *f;* **— lie** mentirilla *f;* **— noise** ruido blanco *m;* **to —wash** (paint) blanquear, enjalbegar; (cover up) encubrir; **—wash** (paint) lechada *f;* (cover-up) encubrimiento *m;* N blanco *m* (also ethnicity); (of egg) clara *f*

whiten [hwaɪtn̩] VI/VT blanquear(se), emblanquecer

whiteness [hwáɪtnɪs] N blancura *f*

whitish [hwáɪdɪʃ] ADJ blancuzco, blanquecino

whittle [hwídl̩] VI/VT tallar; **to — away** ir gastando; **to — down expenses** reducir los gastos

whiz [hwɪz] VI zumbar; **to — by** pasar zumbando; N (sound) zumbido *m;* (ace) as *m;* VT hacer zumbar; **— kid** niño -ña prodigio *mf*

who [hu] REL PRON quien(es); INTERR PRON quién(es); **he —** el que

whoa [hwo] INTERJ (to express amazement) ¡jo! (to stop a horse) ¡so!

whoever [huévɚ] REL PRON (whatever person) quienquiera que, el que; INTERR PRON (who) quién

whole [hoł] ADJ (complete) completo, íntegro; (unbroken) entero; (uninjured) ileso; **—grain** integral; **—hearted** sincero; **—heartedly** de todo corazón; **— milk** leche entera *f;* **— note** redonda *f;* **—sale** (in bulk) al por mayor; (massive) masivo; **—saler** comerciante al por mayor *mf,* mayorista *mf,* almacenista *mf;* **—sale slaughter** matanza *f;* **—-wheat** integral; **the — day** todo el día; **to go —hog** tirar la casa por la ventana; N todo *m;* (for amounts) totalidad *f;* **—sale** venta al por mayor *f,* mayoreo *m;* **as a —** en su totalidad; **on the —** en general; ADV **—sale** al por mayor; VI/VT **to —sale** vender al por mayor

wholesome [hółsəm] ADJ sano

whom [hum] REL PRON a quien(es); INTERR PRON a quién(es); **for / with —** para / con quien

whoop [hwup] N (shout) grito *m;* (gasp) respiración convulsiva *f;* VI (person) gritar; (owl) ulular; **to — it up** armar jaleo

whopper [hwápɚ] N (large thing) cosa enorme *f;* (lie) mentira *f,* trola *f*

whopping [hwápɪŋ] ADJ enorme

whose [huz] REL PRON cuyo; **the man — son is here** el hombre cuyo hijo está aquí; INTERR PRON de quién; **— book is this?** ¿de quién es este libro?

why [hwaɪ] ADV & CONJ por qué; **that's the reason — he left** es por eso que se fue; N porqué *m;* INTERJ **—, of course!** ¡pero, claro!

wick [wɪk] N mecha *f,* pabilo *m*

wicked [wíkɪd] ADJ malvado, perverso

wickedness [wíkɪdnɪs] N maldad *f,* perversidad *f*

wicker [wíkɚ] N mimbre *m;* **— chair** silla de mimbre *f*

wide [waɪd] ADJ (broad) ancho; (of great range) amplio; (spacious) vasto, extenso; **— apart** muy apartados; **—awake** muy despierto, despabilado; **— body** avión de fuselaje ancho *m;* **—eyed** ojiabierto, con los ojos bien abiertos; **— of the mark** lejos del blanco; **—open** abierto de par en par; **—spread** (over a wide area) extendido; (among many people) generalizado; **to open —** (a door) abrir de par en par; (one's mouth) abrir bien; **two feet —** dos pies de ancho

widely [wáɪdli] ADV **it is — known that** es bien sabido que; **he is a — known artist** es un artista muy conocido; **he is — read** es muy leído; **— different versions** versiones muy diferentes

widen [wáɪdn̩] VI/VT ensanchar(se), ampliar(se)

widow [wído] N viuda *f*

widower [wídoɚ] N viudo *m*

width [wɪdθ] N ancho *m,* anchura *f*

wield [wiłd] VT (power) ejercer; (tool) manejar; (weapon) blandir, esgrimir

wife [waɪf] N esposa *f,* mujer *f,* señora *f*

wig [wɪg] N peluca *f*

wiggle [wígł] VI/VT (hips) menear(se); (toes) mover(se), N (of hips) meneo *m;* (of toes) movimiento *m;* **— room** flexibilidad *f*

wigwam [wígwam] N tienda indígena *f*

wild [waɪld] ADJ (animals, savages) salvaje, bravío, bronco; (plant) silvestre; (party) desenfrenado; (conduct) alocado; (storm, temperament) violento; (hair) desordenado; (look) extraviado, desencajado; (enthusiasm) delirante; **— boar** jabalí *m;* **— card** comodín *m;* **—cat** gato montés *m;* **—eyed** de mirada extraviada, con los ojos desencajados; **—fire** fuego arrasador *m;* **—flower** flor silvestre *f;* **— goose chase** búsqueda inútil *f;* **—life** fauna *f;* **I'm just — about Mary** estoy loco por María; **not in your**

—est dreams ni lo pienses; to drive someone — volver loco a alguien; to talk — decir disparates; —s regiones salvajes f pl

wilderness [wildǝ-nis] n (near mountains) monte m; (desert) desierto m; (jungle) jungla f

will [wil] vt (use will power) conseguir a fuerza de voluntad; (bequeath) legar, dejar; v AUX **if you —** si quieres; **she — come** va a venir, vendrá; **this — motorcycle — go 100 mph** esta motocicleta puede hacer 100 millas por hora; **in spite of everything, he — not stop complaining** a pesar de todo, no deja de quejarse; **she — just sit for hours doing nothing** se pasa horas sentada sin hacer nada; **that — do** basta; n (wish) voluntad f; (testament) testamento m; **—power** fuerza de voluntad f; **at —** a discreción, a voluntad

willful, wilful [wilfil] ADJ testarudo; porfiado

willies [wiliz] n escalofríos m pl

willing [wiliŋ] ADJ dispuesto, voluntarioso

willingly [wilili] ADV de buena gana, gustoso

willingness [wilinis] n buena voluntad f, buena gana f

willow [wilo] n sauce m

wilt [wilt] vi/vt (plant) marchitar(se); vi (person) languidecer

wily [waili] ADJ astuto, artero

wimp [wimp] n pelele m

win [win] vi/vt ganar; vt (support, fame, affection) ganarse; (victory) alcanzar, conseguir; **to — out** ganar, triunfar; **to — over** conquistar; **a — situation** una situación beneficiosa para ambas partes

wince [wins] vi hacer una mueca; n mueca f

winch [winʃ] n cabrestante m, torno m

wind [wind] n (air) viento m; (gas) gases m pl; **—bag** n charlatán-ana m/f; **—breaker**™ n cazadora f; **—fall** ganancia inesperada f; **—mill** molino de viento m; **—instrument** instrumento de viento m; **—pipe** tráquea f; **—shield** parabrisas m sg; **—shield wiper** limpiaparabrisas m sg; **—sock** manga de viento f; **—surfing** n tabla de windsurf m; **—tunnel** túnel aerodinámico m; **to get — of** enterarse de; **to break —** ventosear; **to catch one's —** recobrar el aliento; **—ward** a barlovento; [wand] vt enrollar; (watch) dar cuerda a; vt (take a bending course)

winding [waindiŋ] ADJ sinuoso; **—staircase** escalera de caracol f

window [windo] n (in building) ventana f; (in car, plane) ventanilla f; (in a shop) escaparate m; Am vidriera f; **—pane** cristal m, vidrio m; **—shade** visillo m; **—sill** n

windy [windi] ADJ ventoso; **it is —** hace/hay viento

wine [wain] n vino m; **—cellar** bodega f; **—glass** copa f; **—grower** viticultor -ora m/f; vitícola -ra m/f; **—industry** industria vinícola f; **—skin** odre m; **—tasting** cata de vinos f

winery [wainǝrin] n bodega f

wing [wiŋ] n ala f (also of building, table, army); **— nut** tuerca (de) mariposa/ palomilla f; **—span/spread** envergadura f; **—tip** extremo del ala m; **in the —s** en los bastidores; **under one's —** al amparo de alguien; **to take —** levantar vuelo; vi volar; vt (transport) transportar por aire; (wound slightly) herir en el ala/brazo; **to — it** improvisar

wink [wiŋk] vi/vt guiñar; **to — approval** guiñar en aprobación; **to — at** hacer la vista gorda; n guiño m, guiñada f; **I didn't sleep a —** no pegué un ojo

winner [winǝ] n ganador -ora m/f

winning [winiŋ] ADJ (successful) ganador, vencedor; (charming) atractivo; **—s** ganancias f pl

wino [waino] n borracho -cha m/f

winter [wintǝ] n invierno m; **— weather** clima invernal m; vi invernar

wintry [wintri] ADJ invernal

wipe [waip] vt (sweat, tears) enjugar; (wet surfaces) secar; (dry surface) limpiar; **to — away** enjugar; **to — off** limpiar; **to — out** aniquilar; **to — up** limpiar

wiper [waipǝ] n limpiaparabrisas m sg

wire [wair] n (filament) alambre m; (wire) hilo m; **—tap** intervención del teléfono f, pinchazo m; **to —tap** intervenir un teléfono, pinchar un teléfono; vt (an appliance) alambrar; (a house) electrificar; vi/vt (a message) telegrafiar; (money) girar; **to —together** atar con alambre

wired [waird] adj (installed) alambrado; (tied) atado con alambre; (electrified) electrificado; (enthusiastic) sobreexcitado

wireless [wairlis] adj inalámbrico

wiring [wairiŋ] n cableado m

wiry [wairi] adj (skinny) nervudo; (like wire) crespo

wisdom [wizdəm] n (moral) sabiduría f; (scholarly) saber m; — **tooth** muela del juicio f

wise [waiz] adj (discerning) sabio; (prudent) sensato, prudente; (erudite) erudito; — **crack** broma f, chiste m; — **guy**

wish [wiʃ] vt desear; I — **you were here** ojalá estuvieras aquí; I — **you the best** te deseo lo mejor; to — **for** pedir; to — **upon a star** pedir un deseo; n deseo m; to **make a** — pedir un deseo; **best** — **es** saludos

wishy-washy [wiʃiwaʃi] adj indeciso

wistful [wistfəl] adj (pensive) pensativo; (nostalgic) nostálgico

wit [wit] n (intelligence) agudeza f; ingenio m; (verbal humor) gracejo m, sal f; chispa f; (person) persona aguda f; persona ingeniosa f; to **be at one's** — **s' end** no saber qué más hacer; to **live by one's** — **s** vivir de su ingenio; to **lose one's** — **s** perder el juicio; to **use one's** — **s** valerse de su ingenio

witch [wiʧ] n bruja f; — **craft** brujería f

with [wiθ, wið] prep con; — **chicken** arroz con pollo m; — **the man** — **glasses** el hombre de gafas; I **left my son** — **Mary** dejé a mi hijo al cuidado de María; to **be** — **it** está al día; — **me** conmigo; — **you** contigo, con usted

withdraw [wiðdrɔ] vi/vr retirar(se)

withdrawal [wiðdrɔəl] n (of troops) retirada f; (from public office) alejamiento m; (from a bank) Am retiro m; Sp retirada f; — **(symptoms)** síndrome de abstinencia m

wither [wiðə] vi/vr (of a plant) marchitar(se); (of a person) consumir(se); **she** — **ed him with a look** lo fulminó con la mirada

withhold [wiθhold] vt (approval) negar; (funds) retener; (truth) ocultar

withholding tax n impuesto deducido del salario m

within [wiðin] prep dentro de; — **five miles** a menos de cinco millas; adv dentro,

without [wiðaut] prep sin; — **my seeing him** sin que yo lo vea; adv fuera, afuera adentro

withstand [wiθstænd] vi/vr resistir

witness [witnis] n (person) testigo mf; (testimony) testimonio m; to **bear** — atestiguar; vt (see) presenciar; (sign) firmar como testigo

witticism [witisizəm] n ocurrencia f

witty [witi] adj ocurrente, dicharachero

wizard [wizəd] n (sorcerer) mago m, brujo m, hechicero m; (genius) genio

wobble [wabəl] n bamboleo m, tambaleo m; vi/vr tambalear(se), bambolear(se)

woe [wo] n aflicción f; — **is me** ¡pobre de mí!

woeful [wofəl] adj lamentable

wok [wak] n wok m

wolf [wulf] n lobo m; — **spider** araña lobo f

woman [wumən] n mujer f; — **'s** — **a touch** un toque femenino; **women's liberation)** movimiento de liberación femenina m; **women's rights** derechos de la mujer m pl

womanhood [wumanhud] n (condition) condición de mujer f; (group of women) las mujeres f pl

womanizer [wumanaizə] n mujeriego m

womankind [wumankaind] n las mujeres f pl

womanly [wumanli] adj femenino

womb [wum] n (uterus) útero m, matriz f; (insides) vientre m; (center) seno m

wonder [wandə] vi/vr preguntarse; to — **at** admirarse de, maravillarse de; I — **what time it is** ¿qué hora será? n (marvel) maravilla f; (surprise) asombro m; (miracle) milagro m; it's **a** — **that** es asombroso que; it's **no** — **that** no es de extrañar que

wonderful [wandəfəl] adj maravilloso, estupendo

woo [wu] vi/vr cortejar

wood [wud] n (material) madera f; (firewood) leña f; — **cutter** leñador -ora mf; — **louse** cochinilla f; — **pecker** pájaro carpintero m; — **s** bosque m; **shaving** viruta f; — **shed** leñera f; — **sman** leñador m; — **winds** maderas f pl; — **work** carpintería f; **to come out of the woodwork** salir de la nada

wooded [wudid] adj arbolado

wooden [wudən] adj (of wood) de madera; (lifeless) inexpresivo

woody [wudi] adj (with trees) arbolado; (like wood) leñoso

woof [wuf] n trama f; interj ¡guau!

wool [wʊɫ] N lana *f*; — **sweater** suéter de lana *m*

woolen [wúlən] ADJ de lana; N —**s** (fabric) tejido de lana *m*; (clothes) ropa de lana *f*

woolly [wúli] ADJ lanudo

word [wɜ˞d] N (lexical unit) vocablo *m*; palabra *f* (also promise); (news) noticia *f*, aviso *m*; (order) mandato *m*, orden *m*; **may I have a — with you?** ¿podemos hablar? — **processing** procesamiento de textos *m*; *Sp* tratamiento de texto(s) *m*; **by** — **of mouth** de palabra; —**s (of a song)** letra (de una canción) *f*; **to eat one's —s** tragarse / comerse las palabras; — **for** palabra por palabra; VT (oral) expresar; (written) formular

wordy [wɜ˞Di] ADJ verboso, prolijo

work [wɜ˞k] N (effort) trabajo *m*; (employment) empleo *m*, trabajo *m*; (artistic product, fortification) obra *f*; —**book** cuaderno / libro de trabajo *m*; —**day** día laborable *m*; —**force** mano de obra *f*; —**load** cantidad / carga de trabajo *f*; —**man** obrero *m*; — **of art** obra de arte *f*; —**place** lugar de trabajo *m*; —**shop** taller *m*; — **station** terminal de trabajo *m*; —**s fábrica** *f*; **the** —**s** trabajo; —**week** semana de trabajo *f*; **he's hard at** — está trabajando duro; VI (labor) trabajar; (function) funcionar; VT (change) efectuar; (metal, land) trabajar; (a crowd) manipular; (a mine) explotar; (employees) hacer trabajar; **to** — **in(to)** introducir; **to** — **loose** soltarse, aflojarse; **to** — **on** (repair) arreglar; (improve) tratar de mejorar; **to** — **one's way through college** pagarse los estudios trabajando; **to** — **one's way up** ascender a fuerza de trabajo; **to** — **out** (a plan) urdir; (a problem) resolver; **he** —**s out every day** hace ejercicio todos los días; **it all** —**ed out** al final todo salió bien; **to be all** —**ed up** estar sobreexcitado; **to get** —**ed up** agitarse

worker [wɜ˞kə˞] N trabajador -ora *mf*; (in a factory) obrero -ra *mf*; (in an office) oficinista *mf*

working [wɜ˞kɪŋ] N (act of someone who works, shaping of metals) trabajo *m*; (operation) funcionamiento *m*, operación *f*; (of a problem) cálculo *m*; (of a mine) explotación *f*; ADJ (class) obrero, trabajador; (majority) suficiente; — **class** clase obrera / trabajadora *f*; — **lunch** comida de trabajo *f*; —**man** obrero *m*

workmanship [wɜ˞kmənʃɪp] N (skill) habilidad *f*, destreza *f*; (quality)

confección *f*

world [wɜ˞ld] N mundo *m*; —**view** cosmovisión *f*; — **war** guerra mundial *f*; —**wide web** web *f*, red (mundial electrónica) *f*; ADJ —**class** de categoría mundial; —**shaking** trascendental; —**wide** mundial

worldly [wɜ˞ldli] ADJ (mundane) mundano, temporal; (sophisticated) de mundo, corrido; (material) material

worm [wɜ˞m] N gusano *m*; —**eaten** comido por los gusanos, carcomido; VT desparasitar, quitar las lombrices; **to** — **a secret out of someone** extraerle / sonsacarle un secreto a alguien; **to** — **oneself into** insinuarse en

worn [wɔrn] ADJ desgastado, usado

worrisome [wɜ˞risəm] ADJ preocupante

worry [wɜ˞i] VI/VT preocupar(se), inquietar(se); VT (harass) atacar; VI **to** — **with** juguetear con; N preocupación *f*, inquietud *f*, zozobra *f*; —**wart** preocupón -ona *mf*

worse [wɜ˞s] ADJ & ADV peor; — **and** — cada vez peor; — **than ever** peor que nunca; **from bad to** — de mal en peor; **so much the** — tanto peor; **to be** — **off** estar peor que antes; **to change for the** — empeorar(se); **to get** — empeorar(se)

worship [wɜ˞ʃɪp] N (act of worshiping) adoración *f*; (ceremony) culto *m*; VT (revere) adorar, venerar; VI (attend services) asistir al culto

worshiper [wɜ˞ʃɪpə˞] N (one who worships) adorador -ora *mf*; —**s** fieles *mf pl*

worst [wɜ˞st] ADJ & ADV peor; **the** — **one** el / la peor; **the** — **thing** lo peor; —**case scenario** el peor de los casos; VT derrotar

worth [wɜ˞θ] ADJ **to be** — **a dollar** valer un dólar; **to be** — **hearing** ser digno de oírse; **to be** —**while** valer la pena; **it's** — **doing** vale la pena hacerlo; N valor *m*, valía *f*; **ten cents** — diez centavos de; **to get one's money's** — out of aprovechar al máximo

worthless [wɜ˞θlɪs] ADJ (useless) inútil; (despicable) despreciable

worthy [wɜ˞ði] ADJ digno, meritorio; (esteemed) benemérito; — **cause** causa noble *f*; — **of praise** digno de elogio; N notable *mf*

would [wʊd] V AUX **I** — **do it if I could** lo haría si pudiera; — **you please open the door?** ¿podrías abrir la puerta por favor? **he said he** — **do it** dijo que lo haría; **as a child, I** — **play all the time** de niño, jugaba todo el tiempo; — **that she were**

alive! ¡ojalá estuviera vival

wound [wund] N herida f; vt/vr herir; (with an arrow) flechar

wow [wau] vt impresionar; INTERJ ¡huy!

wrangle [rǽŋgəl] vi/vr (quarrel) discutir; (obtain) agenciarse de; vt (herd) juntar; **Am** rodear; N riña f, pendencia f

wrangler [rǽŋglə·] N vaquero -ra mf

wrap [ræp] vt envolver; **to — up** (a present) envolver; (a baby) arropar; (a task) terminar; (against the cold) abrigar(se); **to be wrapped in** estar envuelto en; **to be wrapped up in** estar absorto en; N (coat) abrigo m; (shawl) chal m; **— —up** papel para envolver m

wrapping [rǽpiŋ] N envoltura f, envoltorio m

wrapper [rǽpə·] N envoltura f, envoltorio m — **paper** papel de envolver m

wrath [ræθ] N ira f, cólera f

wreak [rik] vt **to — havoc** hacer estragos

wreath [riθ] N corona f; **— of smoke** espiral de humo f

wreck [rɛk] N (building) ruina f; (car, plane) restos m pl; (a ship) pecio m; (shipwreck) naufragio m; (person) desastre m, ruina f; vt (a ship) naufragar; (a car, accident) destrozar; (a car, with minor damage) chocar; (a building) demoler

wreckage [rékidʒ] N (of a car, plane) restos de un accidente m pl; (of a ship) pecio m; (of a building) escombros m pl

wrecker [rékə·] N (tow truck) grúa f; camión de remolque m; (worker) obrero -ra de demolición mf

wrench [rɛntʃ] vt torcer, retorcer; **to — off/out** arrancar de un tirón, arrebatar; N (twist) torcedura f; (pull) tirón m; (tool) llave de tuercas f

wrest [rɛst] vt (pull) arrancar; (take away) arrebatar

wrestle [résəl] vi/vr luchar (con/contra); N lucha f

wrestler [réslə·] N luchador -ra mf

wrestling [résliŋ] N lucha libre f

wretch [rɛtʃ] N miserable mf; infeliz mf

wretched [rétʃid] adj (unfortunate) desdichado, infeliz; (despicable) vil, miserable, arrastrado; (inferior) pésimo

wriggle [rígəl] vi culebrear, serpentear; vt menear, retorcer; **to — out of** escabullirse de

wring [riŋ] vt (twist) torcer, retorcer; (extract) arrancar; **to — one's hands** retorcerse las manos; **to — out** escurrir

wrinkle [ríŋkəl] N arruga f, surco m; (problem) problema m; vi/vt arrugar(se)

wrist [rist] N muñeca f; **—watch** reloj (de) pulsera m

writ [rit] N auto m, mandato m

write [rait] vi/vr escribir; **to — back** contestar; **to — down** apuntar; **to — off** cancelar; **to — out** escribir en forma completa; **to — up** hacer un reportaje sobre; **it's written all over his face** se le ve en la cara; **she —s for a living** es escritora; **— —up** reportaje m

writer [ráitə·] N escritor -ora mf, literato -ta mf

write-off [ráitɔf] vt retorcerse

writing [ráitiŋ] N (act of writing) escritura f; (handwriting) letra f, escritura f; (style) estilo m; **— desk** escritorio m; **— paper** papel de escribir m; **—s** obra f; **to put in —** poner por escrito

wrong [rɔŋ] adj (incorrect) incorrecto, equivocado; (improper) inapropiado; **what's — with you?** ¿qué te pasa? **you are —** estás equivocado; **the — side of a fabric** el revés de una tela; **— side out** con lo de adentro para afuera; **to be on the — side of the road** ir a contramano/en sentido contrario; **that is the — book** ese no es el libro; **it is in the — place** está fuera de lugar; ADV mal; **to go —** salir mal; N (evil) mal m; (injustice) injusticia f; **to be in the —** (not be right) estar equivocado; (be to blame) tener la culpa; **to do —** hacer mal; vt perjudicar

wrought [rɔt] adj forjado; **— iron** hierro forjado m

wry [rai] adj (smile) torcido; (remark, humor) irónico; **to make a — face** hacer una mala cara

X x

xenophobia [zenəfóbiə] N xenofobia f

Xerox™ [zírɑks] N fotocopia f; vi/vt fotocopiar

x-rated [ɛksréitid] adj pornográfico

X-ray [ɛksrei] N rayos X m pl, radiografía f; vi/vt radiografiar

xylophone [záiləfon] N xilófono m, xilófono m

YY

yacht [jat] N yate m; vi navegar en yate

y'all [51] PRON ustedes inf; Sp vosotros -as inf

Yankee [jǽŋki] ADJ & N estadounidense del norte del país inf

yard [jard] N (measure) yarda (0.914m) f; (spar) verga f; (courtyard) patio m; (grassy area) jardín m; —**stick** (stick) vara de medida (de una yarda) f; (criterion) patrón m, norma f

yarn [jarn] N (material) hilo m; (story) cuento m

yawn [jɔn] vi bostezar; N bostezo m

year [jir] N año m; —**book** anuario m; —**round** de todo el año

yearling [jirliŋ] N animal de un año m (of cows) -ja inf

yearly [jirli] ADJ anual; ADV anualmente

yearn [jɚn] vi anhelar, suspirar por

yearning [jɚniŋ] N anhelo m

yeast [jist] N levadura f

yell [jɛl] vi/vt gritar; N grito m

yellow [jɛlo] ADJ (color) amarillo; (coward) cobarde; —**fever** fiebre amarilla f; —**jacket** avispa f; —**pages** páginas amarillas f pl

yellowish [jɛloiʃ] ADJ amarillento

yellowish [jɛloiʃ] ADJ amarillento ponerse(rse) amarillear

yelp [jɛlp] vi gañir, aullar; N gañido m, aullido m

Yemen [jɛmən] N Yemen m

Yemeni [jɛməni] ADJ & N yemení mf

yen [jɛn] N (currency of Japan) yen m; (desire) anhelo m; vi anhelar

yes [jɛs] ADV sí; —**no question** pregunta de sí o no f

yesterday [jɛstɚde] ADV & N ayer m; the day before — anteayer

yet [jɛt] ADV todavía, aún; —**are they here —?** ¿ya llegaron? they aren't here — todavía no llegan, aún no han llegado; — another otro más; — ugly — charming feo pero encantador, as — todavía, aún

yield [jild] vi/vt (surrender, give in) ceder, plegar(se); (produce) rendir, redituar; to — five percent dar un cinco por ciento de interés; N (production) rendimiento m, producción f; (of stocks) rédito m

yodel [jodl] vi cantar a la tirolesa; N canto tirolés m

yoga [joga] N yoga m

yogurt [jogɚt] N yogur m

yoke [jok] N (crossbar) yugo m; (pair of animals) yunta f; (on a shirt) canesú m; vt uncir

yolk [jok] N yema f

yonder [jandɚ] ADJ aquel; ADV (location) allá; (direction) hacia allá

yore [jɔr] N in days of — antaño

you [ju] PRON — came (sg informal) tú viniste; (sg formal) usted vino; (pl informal) Sp vosotros vinisteis; Am ustedes vinieron; (formal) ustedes vinieron; I see — (sg informal) te veo; (sg formal) lo veo; (pl informal) Sp os veo; Am los veo; (pl formal) los veo; I talk to — (sg informal) te hablo; (sg formal) le hablo; (pl informal) Sp os hablo; Am les hablo; (pl formal) les hablo; I went with — (sg informal) fui contigo; (sg formal) fui con usted; (pl informal) Sp fui con vosotros; Am fui con ustedes; (pl formal) fui con ustedes; it's for — (sg informal) es para ti; (sg formal) es para usted; (pl informal) Sp es para vosotros; Am es para ustedes; (pl formal) es para ustedes; this is how — make bread así se hace el pan

young [jʌŋ] ADJ joven; — man hombre joven m; — people gente joven f; — woman mujer joven f; N (offspring) cría f

youngster [jʌŋstɚ] N muchacho -cha mf, jovencito -ta mf

your [jʊr] POSS ADJ this is — dog (sg informal) este es tu perro; (sg formal) este es su perro; (pl informal) Sp este es vuestro perro; Am este es su perro; (pl formal) este es su perro

yours [jʊrz] PRON this book is — (sg informal) este libro es tuyo; (sg formal) este libro es suyo/de usted; (pl informal) Sp este libro es vuestro/de ustedes; (pl formal) este libro es suyo/de ustedes; — is bigger (sg informal) el tuyo/la tuya es más grande; (sg formal) el suyo/la suya/la de usted/el de usted es más grande; (pl informal) Sp el vuestro/la vuestra es más grande; Am el suyo/la suya/el de ustedes/la de ustedes es más grande; (pl formal) el suyo/la suya/el de ustedes/la de ustedes es más grande; a friend of — (sg informal) un amigo tuyo; (sg formal) un amigo suyo/de usted; (pl informal) Sp un amigo vuestro; Am un amigo suyo/de ustedes; truly — atentamente

yourself [jɔrsɛlf] PRON you — wrote the letter (sg informal) tú mismo escribiste la carta; (sg formal) usted mismo escribió la carta; you yourselves wrote the letter (pl informal) Sp vosotros mismos escribisteis la carta; *Am* ustedes escribieron la carta; (pl formal) ustedes escribieron la carta; **you are not — today** (sg informal) hoy no eres el mismo de siempre; (sg formal) hoy no es el mismo de siempre; *Sp* hoy no sois los mismos de siempre; *Am* hoy no son los mismos de siempre; (pl formal) hoy no son los mismos de siempre; **you were sitting by —** (sg informal) tú estabas sentado solo; (sg formal) usted estaba sentado solo; **you were sitting by yourselves** (informal) *Sp* vosotros estabais sentados solos; *Am* ustedes estaban sentados solos; (pl formal) ustedes estaban sentados solos; **you look at — at the mirror** (sg informal) tú te miras en el espejo; (sg formal) usted se mira en el espejo; **you look at yourselves at the mirror** (pl informal) *Sp* vosotros os mirais en el espejo; *Am* ustedes se miran en el espejo; (pl formal) ustedes se miran en el espejo; **you bought — a house** (sg informal) tú te compraste una casa; (sg formal) usted se compró una casa; **you bought yourselves a house** (pl informal) *Sp* os comprasteis una casa; *Am* se compraron una casa; (pl formal) se compraron una casa

youth [juθ] N (person) joven *m*; (young age) juventud *f*

youthful [júθfəl] ADJ juvenil

yo-yo [jójo] N yo-yo *m*

yucca [jʌ́kə] N yuca *f*

yuck [jʌk] INTERJ puaj, puaf

Yugoslavia [jugəsláviə] N Yugoslavia *f*

Yugoslavian [jugəsláviən] ADJ & N yugoslavo -va *mf*

Yuletide [júltaid] N Navidad *f*

yummy [jʌ́mi] ADJ delicioso; INTERJ ¡qué rico!

yuppie [jʌ́pi] N yuppie *mf*

Zz

Zambia [zémbiə] N Zambia *f*

Zambian [zémbiən] ADJ & N zambiano -na *mf*

zany [zéni] ADJ absurdo

zap [zæp] VT liquidar

zeal [zil] N celo *m*, fervor *m*

zealot [zélət] N fanático -ca *mf*

zealous [zéləs] ADJ celoso, fervoroso

zebra [zíbrə] N cebra *f*

zenith [zíniθ] N cenit *m*

zephyr [zéfə] N céfiro *m*

zeppelin [zépəlin] N zepelín N dirigible *m*

zero [zíro] N cero *m*; **there's — possibility that he'll come** las posibilidades de que venga son nulas

zest [zest] N entusiasmo *m*

zigzag [zígzæg] N zigzag *m*; ADJ & ADV en zigzag; VI zigzaguear, andar en zigzag; VT hacer zigzaguear

Zimbabwe [zimbábwe] N Zimbabue *m*

Zimbabwean [zimbábwean] ADJ & N zimbabuo -a *mf*

zinc [zink] N cinc *m*, zinc *m*

zip [zip] VI/VT cerrar/abrir con cremallera; **to — by** pasar volando; **to — over** ir corriendo; N cero *m*; **— code** código postal *m*

zipper [zípə] N cremallera *f*, cierre (relámpago) *m*

zirconium [zɜ-kóniəm] N circonio *m*

zodiac [zóbiæk] N zodíaco *m*

zombie [zámbi] N zombi *mf*

zone [zon] N zona *f*; VT dividir en zonas

zoo [zu] N zoológico *m*; *Sp* zoo *m*; **—keeper** guardián -ana del zoológico *mf*

zoological [zoəládʒikəl] ADJ zoológico

zoology [zoáládʒi] N zoología *f*

zoom [zum] VI zumbar; **to — off** salir zumbando; N zumbido *m*; **— lens** teleobjetivo *m*, zoom *m*

zucchini [zukíni] N calabacín *m*

zygote [záigot] N cigoto *m*, zigoto *m*